KV-003-875

現代建築史

ケネス・フランプトン

中村敏男 訳

MODERN ARCHITECTURE:
A Critical History
Kenneth Frampton

青土社

現代建築史

目次

第Ⅲ部　批判的評価と現在までの延長　一九二五～一九九一年

現代建築史

MODERN ARCHITECHTURE: A Critical History
by Kenneth Frampton
Copyright©1980, 1985, 1992 by Thames and Hudson Ltd., London
Japanese translation published by arrangement with
Thames and Hudson Limited, London through
The English Agency (Japan) Ltd.

日本語版への序文

本書の日本語版への序文を書くことは私の喜びとするところであり、また誇りとするところでもある。この日本語版は、三十年来の親しい友人である中村敏男の忍耐がなかったならば、とうてい陽の目を見なかったのである。思えばわれわれが馴れ初めの頃、彼は、翻訳とは英語から日本語への単なる移し換えではなく、変貌という言葉が相応しいくらいの入念にして周到な現実の転換であると語ったことがある。それはあらゆる翻訳に当てはまることだが、とりわけ英語と日本語のようにかけ離れた言葉の場合には、翻訳は変貌以外のなにものでもないだろう。

こうした言葉の深く、厳しい断絶にも拘わらず、日本は西欧文化に一世紀以上にわたって絶えず影響を与えてきたのである。そのため西欧の建築は日本によって触発されたし、同時に近代日本の建築も西欧によって生気を取り戻したが、たとい目に見えなくともエッセンスを見失うようなことはなかった。こうした現象は日本精神の神秘性や耐久性に帰せられるのだろうが、黒澤明の映画を観る時、まさにそういう思いに駆られるのである。黒澤はおそらくセルゲイ・エイゼンシュテインやジョン・フォードに影響されたことだろうが、彼は二人の巨匠達の成果をはるかに凌駕したのである。それは彼等二人の経験することのなかった精神の強靭さや文化の深さのなせるところである。戦後日本という状況において黒澤が映画でなし得たことは、丹下健三が国内、国外において建築によってなし遂げたことに相当するのである。一九五五年の哀調にみちた《広島平和会館》から一九七〇年の大阪万博のお祭り広場や大屋根に至るまでの軌跡は、丹下の記念性を志向した手法が予想とは裏腹に崩壊してゆく過程と重なっているのである。そして、丹下の弟子である磯崎新の設計したロボットが、それに不吉な一役を買っていたこともまた忘れられない。

こうしたことは本書でも触れてはいるが、近代運動の全般を説明するという本書の限られた紙数では、二十世紀の日本建築を充分に扱うことができないのは致し方のないことであった。なにしろ、近代運動は近来ますます断片化された連続体という様相を呈し、二十一世紀初頭の現在では建築の多方向への発散現象が生じているのである。

それでも私は本書の中で、磯崎新の全盛期を形成する輝かしい最高峰は一九七五年の《北九州市立中央図書館》から一九八三年の《つくばセンタービル》へと連なる作品群の中にあるとした後、槇文彦や安藤忠雄の最近作に日本のニュー・ウェイヴの軌跡を辿ろうとしたのであった。伊東豊雄や篠原一男達にも言及したが、いずれも一瞥程度であって、本書が遺漏甚だしいとお叱りを受けても、今や修正するすべはない。だがこうした脱漏があるとはいえ、私は本書によって近代運動の限りなき豊かさに対してのみならず、今なお続く日本建築の異例なほどの豊穣さに対しても、オマージュを表し得たと断言できるのである。

ケネス・フランプトン

ニューヨーク　二〇〇一年

第二版への序文

本書の初版が反響を呼んだのは、読者とりわけ学生の要望に応えたからであろう。ここに第二版を出版するに当たって、幾つかの小さな訂正を行い、最終章を大幅に増補し、さらに一章をあらたにつけ加えた。

ここ四、五年の現代建築の展開にはなんら注目に値する方向は見出されないが、ごく最近の成果を振り返ってみると、今後の見通しをいささか変更しなければならない。第二版で筆者がとりわけ強調し、紙数を多く割いた題目には幾つかあるが、まずはこのところの日本の建築作品、わけても磯崎新、篠原一男、伊東豊雄の作品である。つぎに、大衆主義(ポピュリズム)と呼ばれる現象である。これは、ヴェンチューリ、スコット・ブラウン、イゼナワー達三人による作品から始まり、その後チャールズ・ジェンクスによって理論的体系が与えられた。その特徴は、ヴェンチューリを始め、ロバート・スターン、ヘルムート・ヤーン、チャールズ・ムーアの作品に見るように、背景画風(セノグラフィック)表現にあり、一見すると遊びのように見える。それを、フランク・ゲーリーは逆手に取って発展させた。これが、ヨーロッパ建築の主流に取り入れられて、一九八〇年、パオロ・ポルトゲージが主宰したヴェネチア・ビエンナーレの主題「新しい街路(ストラーダ・ノヴィッシマ)」になった。次の題目として、スイス・ティチーノ地方を始めスペイン、ドイツにおける新合理主義(ネオ・ラショナリズム)と、それに近い建築思想がある。ドイツのオズワルド・マティアス・ウンガースは、この建築思想の指導者であり、代表的理論家である。アメリカでは「ニューヨーク五人組(ファイヴ)」と呼ばれる五人の建築家達が新合理主義の推進者である。その一人であるリチャード・マイヤーがアトランタに建てた美術館《ハイ・ミュージアム》はその代表的作品である。その他、筆者が生産主義（プロダクティヴィズム）と名付けた傾向も詳細に分析した。この傾向に属する建築家は、「何もないこと（オールモスト・ナッシング）」を設計の信条としたミース・ファン・デル・ローエを始め、（日本の村田豊のように）膜構造や（ドイツのフライ・オットーのように）吊構造のテントに関心を寄せている建築家もいる。しかし、ノーマン・フォスターの《香港・上海銀行》を取り上げないわけにはいかなかった。最後に筆者が強調したいのは、いわゆる前衛主義以後（ポスト・アヴァンギャルディズム）の傾向である。それは後期近代主義（レイト・モダニズム）からの離脱であり、マイケル・グレイヴス、フィリップ・ジョンソン、ジェームズ・スターリング、ハンス・ホライン達の最近作の特色である。しかし、この傾向はグレイヴスの《ポートランド・ビル》の奔放な色彩による背景画から、ホラインの作品に見られる批判精神に裏づけられた機知や、リカルド・ボッフィルがパリ郊外に建てた集合住宅の粗野な古典主義もどきに至るまで、幅広く、多彩である。

　今回あらたに加えた最終章は、筆者が批判的地域主義（クリティカル・リージョナリズム）と名付けた現象である。これは、最近の建築の展開を説明するために提起した幾つかの主義の一つであるが、たんなる前衛主義的芸術運動というより、むしろ批判的姿勢としての意味が込められている。批判的地域主義に一章を当てたのは、すでに四十〜五十年になる近代建築には、地域性による影響を受けながらも、批判的で「修正主義的」な形態が存在している事実に注意を喚起したかったためである。例えば、アルゼンチンの建築家アマンシオ・ウィリアムズは一九四五年にマル・デル・プラタに河を跨ぐようにして住宅を建てたが、これなどは批判的地域主義の早い例である。

　最後に一言。参考文献は最近のいわゆる「近代」に関する多くの分野の研究成果を取り入れて大幅に改訂、増補した。

ニューヨーク　一九八四年

ケネス・フランプトン

第三版への序文

あらゆる歴史は一つの見方から逃れることはできない。絶対的建築に到達できないのと同様に、絶対的歴史を書くことなどできない。ごく短い時代についてさえ、その解釈には千変万化の様相がありうる。本書の第二版は、批判的地域主義（クリティカル・リージョナリズム）を当面の主題として、文化的抵抗の周縁的なあり方を論ずることでしめくくった。この第三版では、社会学者ドナルド・シェーンの言う「反映としての実践」という主題を取り上げる。しかし、批判としての実践を建築に定着させるには、どうしても強引な事例を挙げなくてはならない。同様な意味からして、積極的で意欲的な発注者の存在は建築文化の形成には欠かせない。また、官僚機構を背景とした建築形態の気まぐれな横暴には、その報いがあることを忘れてはならない。

現代建築の十年間の事象を記述することは難しい。なかでも、広範な展開の中から何を選択するかが最大の難問である。どだい、こうした発展、展開のすべてに通暁することなどできるものではない。十年ごとに才能のある建築家の一群があらたに現れるだろうし、また、彼等より前の世代も成熟度を深めるだろう。

この十年間というもの、建築の質の全体的向上は目覚ましかった。こうした質の向上は出版物の普及範囲の拡大と無関係ではなかろう。情報そのものは還元的になっていくが、情報の影響は爆発的に拡散し、広範囲に及ぶ。情報は、その中心地ばかりか、およそ開発の遅い地域にまで波及して、建築文化の全体的な水準の向上に貢献している。

現代建築について簡便な説明をするのは無謀だが、それをあえて試みるとなると、幾つかの逆説と向かい合うことになる。その逆説とは、過去二十年間にわたって続いた地球的規模の都市化現象が、その報いとして、環境破壊をもたらしていることである。これは、科学技術を最大限に発揮させた直接の結果であり、また、周縁的な言説としての建築の実践がほぼすべての地域に及んだ結果である。このように、われわれが生きているこの時代は、大都市全域を投機の対象として扱い、その結果もたらされたスプロール現象によって、これまでの都市デザインはヴァーチャルで、不条理なものに墜ちてしまった。こうした状況で、ただ一つ残されているのは批判としての建築であるが、その規模は、極大でも極小でもなく、その中間にある。

ここで、最近われわれの周囲に見られる幾つかの事象に触れなくてはならない。その一つは、次のような逆説である。すなわち、現在の建築教育が危機的状況にあるのとは裏腹に、この職能では第一級とされる建築家が発揮する発想能力や技術能力は、第二次世界大戦の終結以後おそらく最高であるという事実である。ここで言う建築家とは、例外的な特殊能力を具えたハイ・テク建築家のことばかりではない。例えば、ポルトガルのアルヴァロ・シザのような、人間味あふれる作品において完成度の高い鮮やかな構築性（テクトニック）を見せる建築家もまた含まれる。ここに述べようとしているのは、世界の至るところで、小さいながらも技能（クラフト）による活動を続けている多くの建築家達である。しかし、紙数の関係上、そうした建築家のごく限られた人々にしか触れられなかった。本書で取り上げられたのは、インド、オーストラリア、カナダ、ラテン・アメリカ、中近東の最近の作品に限られた。いつか、再び版を改める機会があるならば、今回の版にみられる不公平をできるだけ改めたい。

最後に、さまざまな要請から次の二つを選んで応えることにした。一つは、参考文献を拡充したことである。それに際しては、最近までの研究成果をひろく取り入れるようにした。そして、本書で取り上げた建築作品に関するものはいささかなりと紙幅を広げるように配慮した。二つは、本文を書き直し、増補したことである。具体的に言えば、第Ⅲ部第4章は、新前衛主義（ネオ・アヴァンギャルド）と呼ばれる建築家達の最近の活動を記録したり、ハイ・テク建築家のごく最近の注目に値する業績や、構造主義として認められるようになった一団の活動について詳述するために、改訂を行った。あたらしく書き加えた最終章では、このところ開発のめざましい四ヵ国の最近作品を意図的に取り上げた。それらはいずれも、きわめて高度な水準の出来栄えをしめしている。この第三版はスター建築家礼賛ではなく、作品の水準の向上に貢献したこれらの作品に対して捧げられる。

ニューヨーク　一九九一年

ケネス・フランプトン

序章

クレーの作品に「新しい天使」と題する絵がある。そこには、一人の天使が描かれている。天使は、彼がじっと思いつめているものから、今にも遠ざかろうとしているかのようだ。彼は、眼を大きく見開き、口をあけて、さらに翼を拡げている。これは、まさしく歴史の天使を描いたものだ。彼の顔は、過去に向けられている。ぼくらだったら、そこにいろいろな事件の繋がりを認めるのだが、彼はただカタストロ―フしか見ていない。その残骸が、彼の足元にうず高く積み重なっている。天使は、そこにとどまって、死者たちを目覚めさせ、壊されたものを元通りにしたいのだ。だが、楽園から嵐が吹いてくる。嵐は、天使の翼をはげしく振るわせる。そのため、天使はとても翼を閉ざすことができない。天使の背中は未来に向けられている。そして嵐は、むりやり彼を未来へ押し出そうとする。彼の前には、残骸や破片の山が天に届くばかり高くなっていくだけだ。この嵐こそ、ぼくらが進歩と呼ぶものなのだ。

――ヴァルター・ベンヤミン[1]「歴史哲学テーゼ」一九四〇年

近代建築の歴史を書くに当たって、最初に直面する問題の一つは、近代の起源を設定することである。しかし、近代性の起源を厳密に追求すればするほど、それは過去に遡っていく。通常、その起源は、ルネッサンス時代とは言わないが、十八世紀の中期にあるとされる。たしかにその当時、建築家達は新しい歴史観にみちびかれて、ウィトルウィウス[2]が樹立した古典の規準に対して、疑念を持ち始めた。また、建築家達は、設計活動を客観的な根拠の上に築こうとして、古代世界の遺跡の記録を始めた。こうした建築家達の活動と、十八世紀を通じてつぎつぎに出現した驚異的な技術変化を思い合わせると、近代建築の成立に必要な条件は、十七世紀後半に、医師であり建築家であるクロード・ペロー[3]がウィトルウィウスの比例理論の絶対的な正当性に対して敢然と挑戦した時から、下って一七四七年に最初の土木技術学校である「エコール・デ・ポン・ゼ・ショッセ」がパリに設立されて、建築と技術とが決定的に分離することになった時までの、ちょうど中間期に整ったものと思われる。

こうしたわけで、さし当たって、近代運動前史の大づかみな概略だけを述べることができるのである。したがって、本書の冒頭で扱う近代運動前史に関する三章は、それに続く本文とは違う角度から読まれることが望ましい。最初の三章は、近代建築の発生の要因となった文化や制度や技術の変容を解説し、あわせて、一七五〇年から一九三九年に至る建築や都市開発や技術を簡単に説明する。

そもそも、総括的でしかも簡潔な歴史を企てようとする時の最初の問題は、まず第一に、いかなる資料を採用するかを決定することである。そして第二は、扱われる事実の解釈になんらかの一貫性を与えることである。しかし、私は本書においては、そのどちらも当初望んだほどには達成されなかったと認めざるをえない。なぜなら、ある場合には、情報の伝達がしばしば事実の解釈よりも優先されたからである。また、ある場合には、すべての資料が同じ精度で検討されなかったためであり、さらにまた、私の解釈の姿勢が、考察の主題によって変わったためである。例えばある場合、ある特定なアプローチがいかに社会・経済的あるいはイデオロギー的状況に由来したのかを明らかにしているが、他の場合では、もっぱら形態分析に終始している。このような論点の変化は、本書の構造にそのまま反映されている。そのため、本書は、かなり細かな章立てによるモザイク状に分割され、それぞれ重要な建築家の作品あるいは重要な纏まりとしての展開を扱っている。

私はできるかぎり、テキストの多様な解読を可能にした。したがって、テキストは連続した解説であり、と同時に拾い読みもできる。私は、一般読者や学生達を本書の読者に想定して全体を組み立てたが、研究者や専門家にも折にふれて読んでもらい、そこから刺激を得て、彼等の特殊な問題にも役立てられることを望んでいる。

それとは別に、本文のテキストは全体を通じてできるだけ、登場する主役の人物に語らせるように組み立てられた。各章は、引用文によって始まるが、それは特定の文化的状況を概観するものとして、あるいは、作品の内容を理解する助けとして選択されている。このように「肉声」を取り上げたのは、近代建築が切れ目のない文化的営為として展開してきた道程を分かりやすく示そうとしたからである。また、ある主題がどのようにして歴史のある瞬間に妥当性を失い、その後、前よりもいっそう生気を取り戻して回帰してくるかを示そうとしたからである。そういう意味では、実現されなかった多くの作品が重要となる。私にとっては、近代建築の歴史は、建物そのものに関わると同じ程度に、時代の意識構造や往時の論争に大きく関わっているのである。

私は同世代の多くの者と同じように、マルクス主義的歴史解釈の影響を受けている。とはいえ、テキストを通読しただけでは、既成のマルクス主義的分析方法のいずれが適用されているかは少しも分からないだろう。他方、私はフランクフルト学派の「批判的理論」に親近感を抱いているため、あらゆる時代を通じての私の見解には、間違いなく「批判的理論」の色彩が染み込んでいる。そのお陰で、いわゆる啓蒙思想の暗黒面が敏感に意識できたのである。言うまでもなく、この暗黒面が、やがて理性の行き過ぎと呼ばれ、人間を、生産からも自然の世界からも疎外された状況へと引き渡していったのである。

啓蒙主義以降の近代建築の展開は、前衛達が唱えるユートピア主義と、キリスト教改革派が唱える反古典的、反合理的、そして反功利的な姿勢とに二極分解される。ユートピア主義は、十九世紀初頭、ルドゥーによる観念的な重農主義的都市の中に初めて定着した。一方、反功利的な姿勢は、一八三六年のピュージンの著書『コントラスツ』の中で最初に唱えられた。以後、ブルジョワ文化は、労働の分業や工業生産および都市化現象に起因する苛酷な現実を克服する試みを続けながら、二つの相対する理念の狭間を揺れ動くことになる。すなわち、全体的計画と工業化を進めるユートピアの理念と、機械生産の歴史的な現実を全面的に否定する理念との間を揺れ動いているのである。

すべての芸術は、程度の差こそあれ、生産の方法ならびに複製の方法によって規定される。しかし、建築の場合はさらに二重の規定がある。すなわち建築は、建築特有の技術的手段に規定されるだけでなく、建築にとっては外在的な生産力によっても条件づけられる。こうした事実を明白に示しているのは、都市の領域を措いて他にはないだろう。都市では、建築の開発と都市の開発が分裂して、長い間続いてきた建築の都市開発に対する貢献、あるいはその逆の貢献などの可能性が、極度に限られてしまう状況が出現した。都市開発が留まることを知らない消費経済からの要求を突きつけられた結果、都市は全体としての意味を維持する能力をほとんど失ってしまった。都市が、抑制できない力によって消耗されている事実は、第二次世界大戦後のアメリカの地方都市の急速な凋落がよく説明してくれる。そこに見られる都市とは、フリーウェイと郊外住宅とスーパーマーケットの寄せ集まりに過ぎないのである。

近代建築のこれまでの成功も失敗も、そしてまた今後の役割も、こうした甚だ複雑な背景を考慮したうえで、評定しなければならない。もちろん、建築がきわめて抽象的形態に様変わりしたことが、環境の不毛化に一役かったことは紛れもない事実である。しかし、建築が抽象的形態に変容したことは、建物の型式(タイプ)や建設の方法の合理化に役立っている。さらに、建築の生産費を低廉に抑え、建物の機能を効果的にするため、建物の仕上げや平面の形式を最小公倍数に限定するうえでも役立っている。建築は、二十世紀の科学技術や現実の変遷を摂取、吸収した。それは誤謬ではなかったが、方向を見損なったことが間々あった。その結果、斜路(ランプ)や歩道、リフトや階段、エスカレーター、煙突、ダクト、ダスト・シュートなど、すべて進行過程に関わる二次的な構成要素(コンポーネント)に建築の表現性を委ねる建築言語が採用されることになった。この言語くらい古典建築から遥かに遠いものはない。なぜなら、古典建築では、こうした装置は必ず正面(ファサード)の背後に隠され、建物そのものが自由に表現されたのである。だが、古典建築では、建築独特の言説によって理性の力を象徴するという経験的事実が抑圧されていた。しかし、機能主義はそれと正反対の原理に基づいている。すなわち、すべての表現は効用性あるいは制作上の過程に基づかなければならないのである。

このような現代の還元主義(リダクショニズム)が慣例化して人々から容認されると、ふたたび、伝統的形式への回帰を叫んで、新しい建物におよそ情況とは無関係な、俗受けする図像(イコノグラフィー)を取り入れることが求められた。大衆が求めるのは、家庭的で手造りの感触のある、安心できる形象(イメージ)だというのである。そして、「古典的なもの」への参照(レファレンス)は抽象的となり、人々が奨励すればするほどその形象は理解できないものになった。だが、こうした状況に臨んで、建築の実践とは、様式(スタイル)という表層の問題を超えた「場所」の創造であるという認識を改めて確認し、人間が携わる建設という領域の具体的な特性を批判的かつ創造的に規定し直そうという意見は未だ少ないのである。

最近、建築を通俗化させようとする傾向と、反対に建築をますます社会から隔離しようとする傾向が、建築の領域に広がっている。若くて知的な世代の者達が、建築を実現する意図を初めから放棄してしまう逆説的状況が出現している。実現の放棄という傾向が知的な様相で現れると、建築本来の構築(アーキテクトニック)的要素はまったく統辞論(シンタクティックス)の記号に転化されて、その記号は記号独自の「構造」操作を知らなければ、理解できないものになってしまった。また、実現の放棄の傾向が懐古的な様相で現れると、その計画案は隠喩(メタファー)や反語(アイロニー)を意味するようになって、都市の消滅を現実として承認することになった。やがて、こうした計画案は「雲散霧消」の彼方へと消滅するか、あるいは、古い十九世紀の都市美という形而上的空間に吸収されてしまうか、のいずれかである。

現代建築の方向性について、現段階の活動のうち次の二つが今後も重要な成果を上げるのではなかろうか。第一のものは、その活動が現在の生産や消費の様態(モード)に全面的に合致するものである。第二のものは、その活動が現在の生産、消費、いずれの様態にもはっきりと反対することによって、活動そのものの証にしようというものである。前者は、ミース・フアン・デル・ローエの言う理想、「何もない（バイナーエ・ニヒツ）」にしたがって、建設の仕事を巨大な規模のインダストリアル・デザインへと還元してしまう。この方向の建築の最大の関心事は、生産の適正化であって、都市にはまったく無関心である。この方向で計画されるものは、サーヴィスが行き届いて、梱包性の高い、修辞性などまったくない機能主義的作品であって、ガラスに梱包されながらも「不可視性」がその形態を沈黙させている。一方、現在の生産の様態や消費の様態に反対するものは明らかに「可視的」であって、しばしば組積造による囲い（エンクロージャー）の形態をとり、外界から区切られたその「僧院風」な領域の中では、人間と人間、人間と自然との間に開放的で、具体的な結びつきが見られる。だが、このような、いわば「飛び地（エンクレーヴ）」の形式はややもすれば内向的で、具体的な状況に物理的あるいは現象的にいかに連続するかという問題にはやや無関心であるのが事実である。だが、こうした点が、このアプローチを、たとい部分的にせよ、啓蒙主義思想の決定論的な見通し（パースペクティヴ）から脱出するものとして特徴づけているのである。私の見るところでは、ごく近い将来に重要な言説となるのは、これら二つの対極的観点の間に架けられる創造的な接触にあるだろう。

第Ⅰ部 文化の発展とその下地を作った技術 1750-1939

1（前扉頁）スフロー「聖ジュヌヴィエーヴ教会」（現在はパンテオン）．パリ，1755-90年．1806年，ロンドレによって交差する柱間が補強された

第1章　文化の変貌：新古典主義建築

一七五〇〜一九〇〇年

バロック方式は重なり合い、混じり合っている。それはしばしば、植物をモティーフにした装飾のある建物正面（ファサード）を合理的庭園と向き合わせている。人間の領域と自然の領域は明瞭に区別されている。しかし、建物を装飾したり、威厳を持たせるために、人間の領域と自然の領域とは、しばしば、それぞれの特徴を交換し、相互に混じり合わせた。これに反して、「英国様式」の私園（パーク）では、人間の手が介入した痕跡を残さないように、そして自然の「有用性」が明白に分かるように、工夫された。モリスやアダムが建てた家屋は、実際、私園の中にあって人目に立ち、人間の「意志」をはっきりと示している。自然に生い茂るさまざまな植物の非理性的領域の中で、はっきりと人間の理性の存在を浮かび上がらせていたのである。バロックに見られたような人間と自然との相互の交じり合いが、ここでは相互の引き離しに代わっているのである。ここでは、人間と自然の間に距離が置かれたのである。そして、この距離こそ、自然に対する懐古的で、静観的な見方、感じ方の必要条件であった。さて、[…] こうした静観のための距離こそ、人間の実利本位の自然観に対する反作用、償いあるいは埋め合わせとして生まれたものであった。科学技術の発達はややもすれば自然に対して戦いを挑もうとするが、住宅や公園は人間と自然との和解であって、それはいわば局地的な休戦といってよく、とうてい手の届きそうにない平和の夢を結ばせてくれるのであった。このように人間は手つかずの自然のイメージを残そうとしたのだった。

——ジャン・スタロビンスキー『自由の創出』一九六四年[1]

新古典主義建築は、人間と自然の関係を根底から覆した二つの状況から生じたものであろう。その二つの状況は、互いにまったく異なるものではあるが、実は関連し合っている。第一の状況とは、自然に対する人間の制御能力の急激な増大である。すなわち、十七世紀中頃までに、人間の制御能力はルネッサンス時代には未開とされていた技術的分野を遥かに超え始めていた。第二の状況とは、人間の意識の本質的、根本的な転換である。この意識の変化が、社会の変化に応じることによって、没落貴族階級と新興ブルジョワジーの生活様式に合った新しい文化を形成したのである。科学技術の変化は、社会の下部構造を一新し、生産能力の増進を促した。一方、人間の意識の変化は、新しい知の範疇（カテゴリー）や歴史主義的思考様態を生み出し、その結果、人間固有の独自性（アイデンティティー）に疑念を抱くようになった。技術の変化は、科学に立脚し、十七世紀、十八世紀の大規模な道路工事、運河工事に早くもその成果を見せ、一七四七年には「エコール・デ・ポン・ゼ・ショッセ（土木技術学校）」などの新しい技術教育機関を生み出した。一方、人間の意識の変化は、啓蒙思想という人文主義の原理の出現を促したのである。その結果、近代社会学、美学、歴史学、考古学などの分野に先駆的著作が現れた。すなわち、モンテスキューの『法の精神』（一七四八年）、バウムガルテンの『美学』（一七五〇年）、ヴォルテールの『ルイ十四世の世紀』（一七五一年）、ヴィンケルマンの『古代美術史』（一七六四年）などがその好例である。

十八世紀、建築家達は旧制度時代（アンシャンレジーム）のロココ様式の室内に見られる饒舌過多な建築言語に食傷し、当時ようやく普及化し始めた啓蒙思想の影響を受けて、次第にこの時代に潜む不安定さと危機に気づき始めた。その結果、彼等は古代を正しく再評価することによって、真実の様式を探究しようとした。彼等の動機は、単に古代作品の模倣ではなく、古代作品に底流する建築の基本原理を見出し、それに基づいて設計しようと考えたのである。こうした衝動に動かされた彼等の考古学的研究は、間もなく大きな議論を招くことになった。その議論とは、エジプト、エトルリア、ギリシア、ローマという四つの地中海文化のいずれが真実の様式に相応しいかということであった。

古代世界の再評価にともなって、従来の「大旅行（グランド・ツアー）」[2]の旅程は大幅に広がった。その結果、ウィトルウィウスがローマ建築の根源としたローマ市周辺の文化を研究するため、旅行の範囲はローマの辺境を越えるようになった。十八世紀の前半、ヘルクラネウムやポンペイでローマ時代の都市が発見、発掘されたため、いっそう遠方への探検が刺激されたのである。その探検はシチリアやギリシアの古代都市にまで及ぶようになった。このようにして、ルネッサンス時代に認められたウィトルウィウスの公式、すなわち古典主義の教典は、実際の廃墟にあたって検証されることになった。一七五〇年代と一七六〇年代に出版された実測図面、例えば、J・D・ルロワ[3]の『ギリシア最高美の記念建造物遺構』（一七五八年）、ジェームズ・スチュアート[4]とニコラス・ルヴェット[5]の『アテネの古代遺物』（一七六二年）、さらにロバート・アダム[6]とC・[7]

L・クレリソーによるスプリトにおけるディオクレチアヌス帝宮殿の記録（一七六四年）などは、こうした研究の熱心さを物語るものである。なかでもルロワは、ギリシア建築こそ真実の様式の起源だと喧伝に努めたため、イタリアの建築家・版画家[8]ジョヴァンニ・バッティスタ・ピラネージから愛国的怒りを買ったほどである。

ピラネージの『ローマの荘厳と建築』（一七六一年）は、ルロワの主張に対する反撃であった。彼は、エトルリア人はギリシア人より先行したと主張したばかりか、エトルリア人が、ローマ人を後継者として、彼等とともに建築をこれまでより高い水準に洗練したのだと力説した。ピラネージが、自説擁護のために提出した証拠物件は、ローマ人の劫略を免れた墓碑や土木建築物など、エトルリア時代のわずかなものであった。しかし、それらは彼の後半生に決定的な役割を果たすことになった。ピラネージは、一連の銅版画において、その後一七五七年に[9]エドマンド・バークが崇高性と名付けた暗い感覚を描いたのである。それは、途方もなく古くて、大きく、そして衰退しつつあるものを静観する時に自ずと胸中に生ずる秘めやかな畏怖の念というものであった。こうした恐れおののきは、ピラネージの作品に描かれた無限へと広がる形象（イメージ）によって、いっそう高まるのであった。しかし、郷愁を誘うこうした古典の形象について、[10]マンフレード・タフーリは次のように述べている。それは「紛糾の中心となる神話であり、［…］ただそれだけの断片であり、変形した象徴であり、また、滅びゆく秩序の幻覚を振りまいている有機物なのである。」

ピラネージは、一七六五年発行の『建築論』から没後の一七七八年刊行のパエストゥムの銅版画に至るまで、建築のすべてを想像のままに描いて、それらが真実らしく見えるかどうかについてはいっさい顧みなかった。彼の著作の中で最高のものとは、一七六九年に出版された室内装飾に関するもので、そこに描かれている作品はいずれも折衷的で、荒唐無稽で、歴史的な形態が幻想のままに操られている。ヴィンケルマンは、内在的な美と付加的な装飾はヘレニズム以前から区別されていたと強調した。しかし、ピラネージはヴィンケルマンに左右されることなく、その錯乱した発想は同時代人達にとって抗いがたい魅力を発揮したのである。アダム兄弟によるグレコ・ロマン風の室内設計もピラネージの想像力に負うところ大であった。

英国では、ロココ様式は人々から受け容れられず、十分に発達しなかった。この国では、バロック様式の行き過ぎを是正しようという衝動が、まず、[11]パラディオ主義となって現れた。これは[12]バーリントン伯爵の創始によるものだった。これと同様な浄化作用は、[13]ニコラス・ホークスムアの《ハワード城》での遺作にも窺うことができる。しかし、英国人は一七五〇年代の末期に至るまで、ローマにおもむいて、その地の教訓を孜々（しし）として求め続けた。一七五〇年から一七六五年にかけて、ローマには前ローマ派で、前エトルリア派のピラネージが在住していた。さらに前ギリシア派のヴィンケルマンやルロワなど新古典主義の主だった提唱者達も在住していた。とはいえ、彼等の影響はまだそれほどではなかった。英国からの派遣隊の中には、ジェームズ・スチュアートや小ジ[14]ョージ・ダンスがいた。スチュアートは早くも一七五八年に、ギリシアのドリス式オーダー（柱式）を採用した。一方、ダンスは一七六五年、ローマからロンドンへの帰還直後、《ニューゲイト牢獄》を設計したが、それは一見ピラネージ風の構造であり、その的確無比な組織にはロバート・モリス[15]の新パラディオ主義の比例理論がある程度影響していたものと思われる。英国の新古典主義の最後の展開は、まず、ダンスの弟子ジョン・ソーン[16]の作品に見られる。彼は、ピラネージ、アダム、ダンス、さらに自国のバロック様式など多種多様な影響を見事に統合した。いわゆるギリシア・リヴァイヴァル運動は、その後、トマス・ホープ[17]によって世に知られるようになるが、ホープの著書『家庭用家具と室内装飾』（一八〇七年）は、ナポレオンの「帝冠様式[18]」として後世有名になったものの英国版であった。因みに、その「帝冠様式」は、当時ペルシエ[19]とフォンテーヌ[20]によってちょうど創始されたところだった。

フランスにおいては、新古典主義の出現にともなってさまざまな理論的展開が見られた。それは英国における実践的展開とはおよそ対照的であった。フランスでは、早くも十七世紀後期には、文化は相対的であるという意識が広まり、それに促されて、クロード・ペローはウィトルウィウスの比例理論の正当性に対する疑念を表明している。ウィトルウィウスの比例理論は、古典主義の理論として洗練をかさねて彫琢され、多くの人々に受け容れられてきたが、これに対して、ペローは「実証的美」と「恣意的美」という命題を立てた。彼は、「実証的美」に基準性と完全性の規範としての役割を与え、「恣意的美」には、特殊な状況や特殊な性格を表現する機能の役割を与えた。

ウィトルウィウス＝正統論に対する異議申し立ては、早くもド・コルドモワ[21]の著書『新建築通論』（一七〇六年）の中にはっきりと明文化されていた。彼は、ウィトルウィウスが主張する建築の属性、「効用」「堅牢」「審美」に代わって、「秩序」「配列」「端正」を設定した。ド・コルドモワが提唱した範疇のうち、「秩序」とは古典の柱式に正しい比例を与えることであり、「配列」とは適正な位置関係を与えることであった。そして最後の「端正」とは整然とした状態の概念を導入するものであった。こうして、ド・コルドモワは、古典主義独特の事大的、儀礼的要素が実用的、商業的建物に援用されるのは相応しくないと警告した。このように、ド・コルドモワの『通論』は、いわゆる旧制度時代の最新の修辞法（シンタックス）であって、一般的手法であったバロック様式に対する批判であった。同時に、建築家[22]ジャック・フランソワ・ブロンデルの出現を約束していたのである。そのブロンデルは、適正な形態の表現ばかりでなく、建物の「型式（タイプ）」が違えば、その建物の社会的「特質」も相違するという相違一致の観相学（フィジオグノミー）を固持した。こうして、時代はいよいよ複雑な社会の節目に直面しようとしていた。

ド・コルドモワは、古典主義の要素の正しい援用を力説する一方、幾何学的純粋性に関心を寄せて、不規則な柱割、切り破風、捩れ柱などバロック様式の要素に強く反対した。彼によれば、装飾といえども節度を保たなくてはならないのであった。こうした意味で、ド・コルドモワは、二百年後のアドルフ・ロースの論文「装飾と罪」を予見していた。実際、彼は多くの建物は全く装飾を必要としないと論じた。彼の嗜好は、無柱式、組積造、直方体の構造物であった。彼にとって独立柱は、純粋な建築の本質であった。それはゴシック聖堂やギリシア神殿によって証明されると主張した。

ロージエ[23]は、著書『建築試論』（一七五三年）の中でド・コルドモワの所説を解釈し直して、普遍的で「自然な」建築を提唱した。その建築は、田舎屋風の勾配屋根を支える四本の木の幹からなる原始的「未開人の小屋」であった。彼は、ド・コルドモワに倣って、この基本的な形態が古典主義を取

2　ブレ「アイザック・ニュートン記念碑」計画案．「夜」の断面，1785年頃

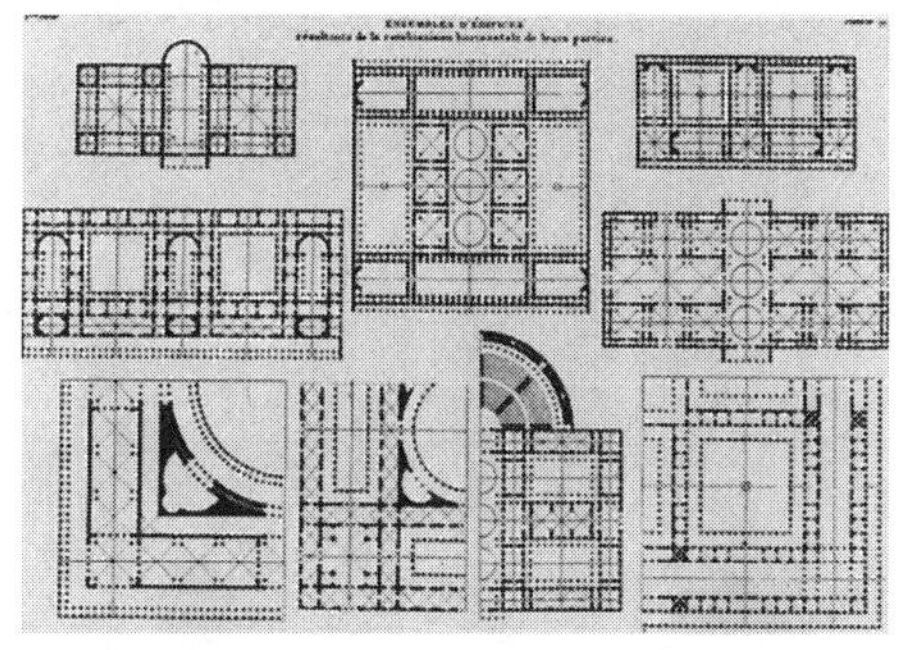

3　デュラン，平面形の順列と組み合わせの可能性を示す．著書『エコール・ポリテクニークにおける建築講義概要』より

り入れたゴシック様式の基礎になると主張した。その建物には、アーチもなく、付柱（ピラスター）[24]もなく、台座（ペデスタル）もなく、さらに形態を明示する分節化（アーティキュレーション）もなく、柱と柱の間にはガラスが張りわたされているのであった。

こうした「透明」な構造物は一七五五年になって実現した。それはジャック・ジェルマン・スフロー[25]によるパリの《聖ジュヌヴィエーヴ教会》である。スフローは一七五〇年、パエストゥムのドリス式オーダーの神殿を訪れた最初の建築家の一人であった。彼は《聖ジュヌヴィエーヴ教会》に、（ローマ様式ではなく）古典主義の言語によって、ゴシック建築の軽快性、空間性、比例性を与えようとしたのである。そのため、スフローはギリシア十字形の平面を採用し、内部の身廊と側廊を連続する列柱に支えられるフラット・ドームと半円形アーチによって形作るようにした。

しかし、ド・コルドモワの理論とスフローの傑作である《聖ジュヌヴィエーヴ教会》を、フランス・アカデミズムの伝統に仕上げたのはJ・F・ブロンデルである。彼は一七四三年、ド・ラ・アルプ街に建築の私塾をひらき、やがて「幻想的（ヴィジョナリー）」と呼ばれる建築家達世代の師匠となった。この世代には、エティエンヌ・ルイ・ブレ[26]、ジャック・ゴンドワン[27]、[28]ピエール・パット、マリー・ジョゼフ・ペイル[29]、ジャン[30]・バティスト・ロンドレ、そして有名な幻想的建築家クロード[31]・ニコラ・ルドゥーがいた。ブロンデルは一七五〇年から一七七〇年にかけて著書『建築講義』を刊行し、その中で「構成（コンポジション）、型式（タイプ）、性格（キャラクター）」に関する法則を立てた。彼が理想とする教会は、『講義』第二巻に掲載されている。それを見ると、《聖ジュヌヴィエーヴ教会》に相似しており、その正面（ファサード）は著しく表象的である。一方、内部は各要素に分節化し、空間は方式化され、無限に続く連続感からは崇高性が喚起される。この教会の計画案は、その簡潔さといい、壮大さといい、後年の彼の多くの門弟達、とりわけブレの作品に示唆を与えるものであった。そのブレは一七七二年以降、およそ実現の見込みのない壮大な建物の計画に生涯を捧げたのである。

ブロンデルの教えに従ったブレは、創作に際して、社会的特性を表象するだけに留まらず、その構想の壮大さによって、畏怖や静謐を崇める情感を呼び覚まそうとした。彼は、ル[32]・カミュ・ド・メジエールの著作『建築の特質または建築と人間の感覚との類似』（一七八〇年）の影響を受けて、「恐怖感を惹起する領域」を開拓しようとした。その領域では、どこまでも続く眺望と装飾を排除した幾何学的純粋性による記念的（モニュメンタル）な形態とが結びついて、爽快感と不安感が同時にかき立てられる。ブレは、啓蒙思想の建築家の誰よりも強く、光には神の存在を呼び覚ます能力があると言い続けた。そうした姿勢は、部分的とはいえ、《聖ジュヌヴィエーヴ教会》をモデルにした計画案《メトロポール》につぶさに見てとれる。その内部には、太陽の光を受けた霊妙な霧が立ちこめている。ま

4　ルドゥー「ショーの理想都市」1804年

た、同様な光は、ブレがアイザック・ニュートンのために計画した組積造による巨大な球形の《記念碑》の中にも描かれている。そこでは、夜になると、太陽に代わって灯火が吊りさげられ、昼には灯火は消されるが、球形のドームに穿たれた壁の孔を通って、輝く陽光が天空の幻影を描きだすのである。

ブレの政治的心情は徹底して共和主義者であった。しかし、彼は終生、至高の存在を崇拝するための国家的な記念建造物（モニュメント）を描き続けた。彼は、ルドゥーと違って、モレリー[33]あるいはジャン・ジャック・ルソーの説く地方分散主義的ユートピアには心を動かされなかった。それにも拘わらず、彼がフランス大革命後のヨーロッパに及ぼした影響は大きかった。その影響は門弟[34]ジャン・ニコラ・ルイ・デュランの活躍を通して現れている。そして、デュランは、その異常ともいえる発想を規範的で、そのうえ経済的である類型論（タイポロジー）に整理、還元して見せた。その結果は、著書『エコール・ポリテクニーク（理工科学校）における建築講義概要』（一八〇二～〇九年）に収められている。

千年王国（ミレニアム）を望んだ十五年間の混乱が過ぎてナポレオン時代になると、威厳と壮麗を具えた実用的建物が求められるようになった。しかし、それらの建設をできるだけ低廉にすることが条件であった。デュランは、「エコール・ポリテクニーク」で最初に建築を教えたが、どこにでも通用する建設方法論（メソドロジー）

を立てようとした。これは建築版ナポレオン法典と言うべきものである。それによれば、一定の平面図の型式と立面図の選択をモデュール（単位寸法）に則って組み合わせれば、経済的で適正な建物が可能となる。こうすれば、ブレの巨大なプラトン的立体に対する執念も、適正な特性を妥当な工費によって実現する方法論の中に吸収されるのである。例えば、デュランはスフローの《聖ジュヌヴィエーヴ教会》を批判して、その代替案に円形の寺院を提案した。《聖ジュヌヴィエーヴ教会》が二百六本の柱と六百十二メートルの壁面を持つのに対して、デュランの提案した寺院は、わずか百十二本の柱と二百四十八メートルの壁面によって同等の面積が作り出せる。デュランによれば、大幅な節約によって、もっと印象深い霊気（オーラ）が生み出せるという。

ルドゥーは、建築家としての生涯をフランス大革命によって終熄させられた。投獄期間中、彼はかつて一七三七年から一七七九年にかけてルイ十六世のためにアルク・エ・スナンに建てた《製塩工場》の計画を継続して、発展させた。それは、半円形の建築を拡張して、ショーの理想都市の計画案の表象的中心とするものであった。この計画案は、一八〇四年になって『芸術、習慣、立法との関係から考察された建築』と題して出版された。半円形の《製塩工場》は理想都市の楕円形の中心部に組み入れられたが、そこでは生産施設と労働者住居の一体化が意欲的に試みられている。この点、この都市を工業建築の最初の試みと見てよいだろう。この重農主義的建築群においては、それぞれの要素がその特性によってそれぞれ異なった表現を持っている。軸線上の塩の蒸留工場は、農業用建物同様に屋根を高くし、表面の滑らかな切石と粗い切石とで仕上げた。中心部の監督官住居は、屋根は低いが、破風を戴き、表面の粗い石で仕上げ、古典主義の車寄せ（ポーティコ）がついた。塩置場や労働者住居の壁には、水滴を石化した奇怪な排水口があり、異彩を放っていた。これらは、製塩過程において基本となる潮解現象を象徴するばかりか、製造工程においては生産方式も労働力も同等の格式にあることを示すものであった。

ルドゥーは、その理想都市の制度すべてを包含する特定の類型論をつくるため、建築「観相学」という理念をさらに拡大した。これによって、抽象的になりがちな形態も社会的意味が象徴されることになった。ではどのようにして社会的意味が成立するのだろうか？　例えば、法廷の正義と統率と権威の表象である、「パシフェール」(35)と呼ばれるファスケス（束桿）のような慣用的象徴作用によるか、あるいは、外観が似れば構造も似るという異種同形作用（イソモルフィズム）によるか、このいずれかによるのである。異種同形作用の例は、ルドゥーの理想都市にある《オイケマ(36)（放蕩の家）》と呼ばれる建物である。これは平面が男根の形をした自由意志論（リベルタリアニズム）を想定した建物である。この思想を信奉する者は、性的満足によって美徳を引き出すという奇妙な交際をめざしていた。

大方では、デュランの古典主義的要素の合理的組み合わせと、ルドゥーが一七八五年から一七八九年にかけてパリ市に設計した税関に見られる古典主義的断片の自由奔放で清浄純化な組み替えとは、区別される。しかし、その徴税事務所（バリエール）の役割は、当時の文化にも、ショーの理想的制度にもまったく無縁であった。一七八九年の大革命以降、徴税事務所はつぎつぎに取り壊された。その運命は、徴税事務所によって管理を図った当時の不人気で、現実にそぐわない関税制度と同様だった。世人はこう囃した――「パリを閉じ込めるへいにパリがふへいを言う。」

大革命以後、新古典主義は、ブルジョワ社会の新しい制度を取り入れる必要があった。世情は、新しい共和制国家の出現を世に示そうとしたからである。しかし、こうした外圧はたちまち立憲君主制という妥協によって挫かれた。だが、そのために新古典主義がブルジョワ帝国主義のスタイル形成に果たした役割が損なわれたわけではない。パリにおけるナポレオンの「帝冠様式」といい、ベルリンにおけるフリードリッヒ二世によるフランス張りの[37]「文化国家」の創設といい、両者とも同じ文化傾向の別の表明に過ぎない。前者は、ローマ様式であれギリシア様式であれ、またエジプト様式であれ、古代のモティーフを折衷的に利用して、共和制のために即席の遺産を作り上げた。そのスタイルは、ナポレオンの戦場でのテントに見られる大袈裟な室内や、首都パリのローマ風美化計画などに顕著に現れた。その一つとして、ペルシエとフォンテーヌの設計によるリヴォリ街や《カルーセル凱旋門》があり、ゴンドワンによるヴァンドーム広場の《フランス軍隊記念柱》がある。ドイツでは、こうした傾向は一七九三年、ベルリンの西の入口として建てられた[38]カール・ゴットハルト・ラングハンス設計の《ブランデンブルク門》[39]や、一七九七年の《フリードリッヒ大帝記念碑》のためのフリードリッヒ・ジリーの計画案などにまず現れた。ジリーは、ルドゥーの基本的形態に刺激されて、厳格なドリス式オーダーで対抗したが、ドイツ文学のいわゆる「シュ[40]トルム・ウント・ドランク（疾風怒涛）」の[41]「野性的な（アルカイック）」高揚した気力を漲らせていた。彼は、同時代のフリードリッヒ・ヴァインブレンナーと同様、高い道徳的価値を持つ質実剛健な原初文明を称揚したが、これは理想としてのプロイセン国家の神話を称えるためであった。ジリーによる名高い記念碑は、ライプツィッヒ広場にあり、アクロポリスの形態を採ったものであった。この聖域にはポツダムから、四頭立ての二輪戦車を頂部に戴いた、ずんぐりした凱旋門をくぐって、近づくのである。

プロイセンの建築家[42]カール・フリードリッヒ・シンケルは、ジリーの同輩であり、後継者であったが、早くからゴシック様式に熱中した。彼のゴシック熱は、ベルリンやパリを経由したものではなく、直接イタリアの大聖堂（カテドラル）を体験したものである。しかし、彼のロマン主義も、一八一五年のナポレオン敗北後、プロイセンの国家主義の勝利を誇示する必要から、まったく色褪せてしまった。理想主義の政治と勇猛果敢な軍隊が結びついて古典主義への回帰が求められたに違いない。いずれにせよ、シンケルは古典主義様式によって、ジリーのみならずデュランにも繋がり、ベルリンにかずかずの傑作を残した。すなわち、一八一六年の《新衛兵詰所（ノイエ・ヴァッヘ）》、一八二一年の《劇場（シャウシュピールハウス）》、一八三〇年の《古代美術館（アルテス・ムゼウム）》である。《衛兵詰所》にせよ《劇場》にせよ、シンケル円熟期の様式の特徴を示している。前者では、重量感のある隅部（コーナー）、後者では、方立（マリオン）のある両翼である。しかし、デュランの影響がもっとも著しく見られるのは《古代美術館》である。この建物の原型（プロトタイプ）となった平面は、デュランの著書『概要』からの借用で、ただしそれを二分して利用している。中央のロトンドや列柱廊（ペリスタイル）や中庭は原形と変わらないが、両翼を省略して変形している（後出のシンケルとミースの平面を参照のこと）。幅の広い入口の階段、列柱廊、屋上の鷲の彫刻と（ゼウスの息子達の）ディオスクーロイの像などは、まさしくプロイセンの国家的文化願望を象徴するものであった。だがシンケルは、デュランの類型論や表象的方法などに拘わらず、まれに見る繊細さと力強さを具えた空間を表現していた。広々とした列柱廊は、狭い車寄せへと続き、玄関には左右対称に階段があり、中二階へと続いた（ミース・ファン・デル・ローエは、こうした空間の順序、配列をよく記憶していた）。

ブロンデルが樹立した新古典主義の主流は、十九世紀中期には、アンリ・ラブルースト[43]の建築に流れ込み、引き継がれた。ラブルーストは、大革命後、「王立建築アカデミー」を継承した教育機関「エコール・デ・ボザール（美術学校）」において、ペイルの門弟レオン・ヴォードワイエ[44]に学んだ。ラブルーストは一八二四年ローマ賞[45]受賞後、五年間をローマの「フランス・アカデミー」で過ごした。イタリア滞在中、ほとんどをパエストゥムのギリシア神殿の研究に当てた。彼は、ヤコブ・イグナーツ・イットルフ[46]の研究に啓発されて、それらの建造物が建設当初は鮮やかに彩色されていたと主張した一人である。このほか、彼は構造に優位性を与え、あらゆる装飾を建設の過程から誘導するという自説を固持した。そのため、一八三〇年に私塾を開設したのちに、当局との間に軋轢を招いた。

一八四〇年、ラブルーストはパリの《聖ジュヌヴィエーヴ図書館》の設計者に指名された。この図書館は、一七八九年にフランス国家が押収した図書館の一部を収容するために新設されるものであった。ラブルーストの設計は明らかに、ブレによる一七八五年の《マザラン宮殿図書館》に依るものであった。《聖ジュヌヴィエーヴ図書館》は、書籍を収めた壁が長方形の空間を囲み、その壁が鉄骨で組み立てた円筒状のヴォールト[47]の屋根を支えていた。屋根は、二つに分かれ、中心部の空間は鉄柱の列で支えられた。

　こうした構造的合理主義と呼ばれる考え方は、その後ラブルーストが一八六〇年から六八年にかけて建設した《国立図書館》の大閲覧室ならびに書庫においてさらに洗練された。《国立図書館》の建物は、マザラン宮殿の中庭に建てられたが、十六本の鋳鉄（ちゅうてつ）製の柱で支えられた鉄とガラスの屋根を持つ閲覧室と、鋳鉄と錬鉄（れんてつ）で構築された多層式書庫が入っていた。ラブルーストは、歴史主義の影響から免れていたから、この書庫をトップ・ライトのある籠（ケージ）として設計した。そのため、光は屋根から鉄製の踊り場を通って最下層の床にまで届いた。こうした解決が、一八五四年の[48]シドニー・スマークによる前例に由来することは間違いない。それは、[49]ロバート・スマーク設計の新古典主義様式の《大英博物館》の中庭に建てた鋳鉄製の閲覧室と書庫であった。だが、ラブルーストの精妙な形態には、新しい美学の兆しが暗示されていた。その美学に秘められた可能性が実現されるには、二十世紀の構成主義の作品を待たなければならない。

　十九世紀の中頃から、新古典主義の遺産は、二つに分かれてそれぞれ発展した。しかし、二つの経路はきわめて密接に繋がっていた。その二つとは、ラブルーストの構造的古典主義とシンケルのロマン的古典主義である。どちらの「流派（スクール）」も、十九世紀に入ってからの制度増設に直面することになり、

5　シンケル「古代美術館」ベルリン，1828-30年

6　ラブルースト「国立図書館」の書庫．パリ，1860-68年

7　ショワジー「パンテオン」の軸測投影図．パリ（第1図参照），著書『建築史』より

新しい型式の建物の要請に応えなければならなかった。二つの流派が異なったのは、いかに表象的特性を表すかの手法であった。構造的古典主義は、コルドモワ、ロージエ、スフローという系列に沿って、構造を強調した。ロマン的古典主義は、ルドゥー、ブレ、ジリーという線に沿って、形態の観相学的特性を押し出した。構造的古典主義者は、E[50]・J・ジルベールやF[51]・A・デュクニーのように監獄、病院、鉄道駅などの型式を集中的に設計した。因みに、デュクニーは一八五二年、パリの《東駅（ガール・ド・レステ）》を設計した。一方のロマン的古典主義者は、大学付属博物館や図書館など表象的建造物を推進した。例えば、英国のC[52]・R・コッカレルはケンブリッジ大学の博物館や図書館を設計し、ドイツのレ[53]オ・フォン・クレンツェは雄大な記念建造物を設計した。とりわけ、一八四二年にはレーゲンスブルクにすぐれてロマン的な記念堂（ヴァルハラ）を完成している。

建築論的には、構造的古典主義は、ロンドレの著書『建設論』（一八〇二年）をもって嚆矢とし、十九世紀末の技術者オ[54]ーギュスト・ショワジーの著作、とりわけ『建築史』（一八九九年）によって頂点に達した。ショワジーにとって、建築の本質とは構築であって、様式の変貌などはすべて、技術的発達の論理的帰結に過ぎなかった。彼は次のように言う。「アール・ヌーヴォー様式を誇示するのは、歴史の教訓をことごとく無視するようなものです。過去の偉大な様式は、歴史の教訓を無視しては生まれません。偉大な芸術を生み出した時代に生きた建築家は、構築に関する助言の中から、いつも重要な霊感を見つけたものです。」彼は『建築史』の中で、構造に関する解法を「軸測投影図（アクソノメトリック）」によって図解したが、この図解法は、平面図、断面図、立面図を一つにまとめ、形態を型式別に分類する原点とした。後年、建築評論家レイナー・バンハムが述べているように、客観的で、即物的なこの図解法は、建築を純粋な抽象的形象に転換してしまう。近代運動の先駆者達が、二十世紀になって一斉に「軸測投影図」を採用したのは、この図解法が建築を抽象的形象に転換するだけでなく、平面図、断面図、立面図を一つに纏めた情報だからであった。

ショワジーは、『建築史』の中では、ギリシア建築とゴシック建築に重点を置いた。それはコルドモワによって一世紀以前に定式化されたギリシア‐ゴシック的理念が、十九世紀後期に至って合理化されたことを意味する。十八世紀にゴシックの構造が古典主義の統辞論へ投影されたことと、ショワジーがギリシアのドリス式オーダーは石造へ転写された木造だとしたこととは同断であった。こうした転写が実現されるには、ショワジーの門弟オーギュスト・ペレを待たなければならない。彼は、伝統的な木造軸組の手法に倣って鉄筋コンクリート構造の詳細部分（ディテール）を仕上げることを主張したのである。

ショワジーは、生粋の構造的合理主義者であったが、アクロポリスについての論文を見ると、ロマン主義的感性が窺える。「ギリシア人は、建物を視覚化する時に、その建物を囲む敷地や周囲の建物を蔑ろにすることは決してありませんでした。[…] それぞれの建築の主題（モティーフ）は、建物それ自体をとれば左右対称（シンメトリー）ですが、まとめて扱う時には、風景の中のたんなる塊（マッス）に過ぎないのです。」

このように、部分的に左右対称によるバランスを採り入れるというピクチャレスクの発想は、「エコール・デ・ボザール」の教育方針には無縁であったに違いない。もちろん、デュランの率いる「エコール・ポリテクニーク」の考え方にも無縁であったろう。さらには、[55]ジュリアン・グァデにとって、まったく関心の対象ではなかったはずである。グァデは講義録『建築の要素と理論』（一九〇二年）の中で、できるかぎり伝統的な有軸性構成に従いながら、構造物を現代的要素による構成とすることを基準にする考え方を確立しようとした。こうした古典主義的で「要素主義的」な構成の原理が二十世紀の先駆的建築家達に引き継がれたのは、「エコール・デ・ボザール」におけるグァデの教育の賜物であり、さらに彼の門弟であるオーギュスト・ペレやトニー・ガルニエに与えた影響によるのであった。

第2章　領域の変貌：都市の発達
一八〇〇〜一九〇九年

地に足をつけたコミュニケーション活動の広がりは、コミュニケーションの手段がますます抽象的になってゆくに従って、新しい方式に取って代わられるようになった。その方式は、十九世紀を通じて完成の域に近づき、今や大衆の移動範囲を拡大し、歴史の加速度的リズムに正確に歩調を合わせた情報を提供している。鉄道、日刊新聞、電信は、次第に従来の情報における「空間」[1]を押しのけているのである。

——フランソワーズ・ショエ『近代都市・十九世紀の計画』一九六九年

過去五百年にわたりヨーロッパに定着した定形都市は、わずか一世紀の間に生じた未曾有の技術的、社会的、経済的な圧力によって、まったく変貌した。これらの影響の多くは十八世紀後半、まず英国に現れた。技術的見地から見てとりわけ顕著なのは、一七六七年以降のアブラハム・ダービー[2]による鋳鉄（ちゅうてつ）製レールの量産であり、一七三一年以来普及したジェスロ・タル[3]の撒種機による多列耕法などの技術革新である。ダービーの発明は、一七八四年のヘンリー・コート[4]による鋳鉄から鍛鉄（たんてつ）への簡便な変換方法いわゆるパドリング法の開発を誘導した。また、タルの撒種機はチャールズ・タウンシェンド[5]の四輪作法の完成には不可欠であった。この四輪作法こそは、十九世紀末にかけて普及することになる「集約農業」の原理となった。

　こうした生産上の技術革新には幾多の反響があった。冶金業の場合、英国の鉄の生産量は一七五〇年から一八五〇年の間に四十倍になった（一八五〇年までに生産量は年間二百万トンに達した）。農業の場合、一七七一年の囲い込み条令の後、非能率的な耕作に代わって四輪作法が登場した。冶金業の場合にはナポレオン戦役という後押しがあったし、農業の場合は急増する産業人口を扶養する必要に迫られていた。

　同時に、家内紡績業は十八世紀前半の小作農経済を支えるのに役立っていた。家内紡績業は、最初、一七六四年のジェ[6]

ームズ・ハーグリーヴスの紡績機の発明によって急速に変化し、その結果、個人の紡績能力は大幅に上がった。次いで、一七八四年、エドマンド・カートライト[7]の発明した蒸気織機が登場し、直ちに工場生産に利用された。このように、織物生産は大規模な産業に成長しただけでなく、それを収容するための多層式耐火工場の開発を引き起こすことになった。そのため、伝統的な織物製造業は、かつての村落経営の主役の座を放棄せざるを得なくなった。やがてそれは、最初は水流の近くに労働力と工場を集中させ、次いで蒸気機関の到来によって石炭貯蔵庫を隣接させることになった。一八二〇年までには二万四千台の織機が稼働して、英国工場都市はもはや紛れもない事実となった。

こうした根こぎ現象の進行は——それをシモーヌ・ヴェイユ[8]は「根こぎ(デラシーヌマン)」[9]と呼んだ——蒸気機関車が輸送に利用されていっそう拍車をかけられた。リチャード・トレヴシック[10]は一八〇四年、鋳鉄製のレールを走る機関車を初めて公開した。一八二五年、ストックトンとダーリントン間に最初の公益鉄道事業が開始されたが、続いてまったく新しい基幹施設(インフラストラクチャー)の整備が着手された。一八六〇年までには、英国においては約一万マイルの軌道が敷設された。一八六五年以降、蒸気船による遠洋航海が開始され、ヨーロッパから南北アメリカ、アフリカ、オーストラリアへの移動が大幅に増加した。この移動によって植民地の経済拡大に必要な人口や、新世界における格子状の都市を満たす人々が運ばれた。他方、伝統的ヨーロッパの壁で囲われた都市は、軍事的、政治的、経済的に衰退の兆しを見せ、一八四八年の自由主義的・国民主義的革命後には、城壁が全面的に撤去されて、かつての定形都市時代には萌芽状態であった郊外への拡張が開始された。

こうした諸般にわたる発展は、医療技術や栄養状態の向上による死亡率の急激な低下もあって、未曾有の都市人口の集中を生み出した。それは最初、英国に起きたが、次いで発展途上にあった世界のすみずみに生じた。マンチェスターの人口は一八〇一年の七万五千人から一九〇一年の六十万人へと一世紀の間に八倍増となった。それに対して同時期のロンドンは一八〇一年の約百万人から世紀の変わり目の六百五十万人と六倍増であった。パリはほぼ同様な成長を見せたが、一八〇一年の五十万人から一九〇一年の三百万人へと、最初は、比較的目立たなかった。だが、六倍から八倍という人口増加も同時期のニューヨークの成長に比較すれば控え目である。ニューヨークは一八一一年、いわゆる委員会計画(コミッショナーズ・プラン)に従って格子状都市として設計され、一八〇一年に三万三千人の人口は一八五〇年には五十万人に、一九〇一年には三百五十万人に増加した。シカゴはさらに天文学的増加率で成長し、一八三三年のトンプスンによる格子状都市建設当時の三百人から一八五〇年には約三万人(このうち半数以下がアメリカで生まれた)に、さらに世紀の変わり目までには二百万人都市になろうとしていた。

　このような爆発的人口増加を吸収したことによって、これまでの近隣地区の環境はスラムへと転落し、安普請の住宅やアパートメントを急増させた。これらの住居は、市内への交通皆無という状況下で、生産の中心地へ徒歩通勤可能な範囲内に、基本的生活ができる住居をできるだけ多く、しかもできるだけ安く提供しようと建てられたものである。当然、こうした過密開発地では、光線、通風、広場は不充分で、公衆便所、洗濯場、塵芥置場などの衛生施設は貧弱であった。原始的排水装置と不十分な維持・整備も手伝って、排泄物と塵芥による堆積と氾濫が至る所に発生し、さらに、疫病が多発した。まず結核が蔓延し、次いで当局を驚愕させたのは、一八三〇年代と一八四〇年代の英国ならびにヨーロッパ大陸においてコレラが頻発したことである。

　流行病の猖獗（しょうけつ）は、健康改善の促進化や高密度都市の建設ならびに経営に関する立法の初期段階に効果があった。一八三三年ロンドン市当局は、エドウィン・チャドウィック[11]を委員長とする救貧法委員会に対して、ホワイトチャペル[12]におけるコレラ発生の原因調査を指令した。その結果がチャドウィック報告「大英帝国における労働者の衛生状態の研究」（一八四二年）であり、また一八四四年の大都会・人口稠密地区の状態に関する王立委員会の設置である。その結果、一八四八年の公衆衛生条令の発布にこぎ着けた。この条令はなにより も地方当局に対して下水排泄、塵芥回収、給水設備、道路敷設、屠殺場検査、死体埋葬などを法的に義務づけた。そして、これと同様な事業が、一八五三年から一八七〇年にかけてのパリの再建期に、オースマンが専念するところとなった。

　英国においてこの条例が制定されると、世間一般でも、労働者階級向け集合住宅も質の向上を図らねばならないと意識されるようになった。だが、それを実現させる手本（モデル）や手段については基本的な合意すらなかった。それにも拘わらず、チャドウィックに鼓吹された労働者階級生活改善協会は、一八四四年、ロンドンにおける建築家ヘンリー・ロバーツ[13]設計の最初の労働者階級向け共同住宅の建設資金を提供した。この果断な着手に続いて一八四八年から五〇年にかけて集合住宅《ストレザム・ストリート》が建設され、一八五一年の大英博覧会には、再びロバーツの設計による、四戸の共同住宅を含む二階建て労働者向けコテイジの原型が展示された。これは、共通階段の周囲にアパートメントが一組ずつ層状に重ねられる一般的モデルで、十九世紀後半の労働者階級向け集合住宅の計画に影響を与えることになった。

　アメリカ人の後援による博愛主義のピーボディ・トラストを始めとして、さまざまな英国の慈善団体や地方自治体が、一八六四年以後、労働者階級向け集合住宅の質の向上を試みた。しかし、一八六八年ならびに一八七五年のスラム・クリアランス条令、一八九〇年の労働者階級向け集合住宅条令の施行に至るまでは、見るべき成果はなく、一八九〇年の前記条令下において、地方自治体は公共集合住宅の供給を義務づけられた。一八九〇年に設立されたロンドン市議会は、一八九三年、同条令の下に労働者向け共同住宅の建設に着手したが、同議会の建築部門の設計による六階建ての共同住宅の実現に当たっては、アーツ・アンド・クラフツの住居様式を採用するなど、お上による集合住宅が制度化されないようにと、目覚しい活躍ぶりを見せた。この開発の典型例が一八九七年に起工された《ミルバンク団地》である。

十九世紀を通じて企業は「モデル」工場、鉄道、工場都市を始め、ユートピア的共同体（コミュニティー）に至るさまざまな形式の施設を、企業自体の所有物として提供しようとした。これらはいずれも未来における開明的国家の原型を意図したものだった。企業のための総合的な集落（セツルメント）に早くから関心を見せた人達のなかでは、まず[14]ロバート・オーウェンに注目しなければならない。彼がスコットランドで計画した《ニュー・ラナーク》（一八一五年）は生活協同組合運動の先駆的施設であった。次いで[15]タイタス・ソールト卿が一八五〇年にヨークシャ・ブラドフォード近郊に設立した《ソルテア》は、温情主義的な工場都市で、教会、救貧院、中学校、公衆浴場、養老院、公園など伝統的な都市施設をすべて揃えていた。

実現されたこれらの共同体のどれ一つとして、視野の広さ、人間的自由の可能性という点で、[16]シャルル・フーリエによる「新産業世界（ル・ヌーヴォー・モンド・アンデュストリエル）」の急進的な洞察に敵うものはなかった。彼の思想は、一八二九年に出版された同名の評論の中で提起されているが、その非抑圧的社会は「ファランステール」に含まれる理想的共同体「ファランセス」の設立の如何に懸かっていた。そこでは、人々はフーリエの言う「情熱的引力」の心理的原理によって結ばれるのであった。「ファランステール」は広々とした田園に計画されていた。その経済は当然農業を主体とし、軽工業がそれを補った。フーリエはごく初期の著作の中で、自治的集落の物理的属性を概説しているが、それはまさしくヴェルサイユ宮殿の配置（レイアウト）を手本にしていた。中央の建物には公共的機能（食堂、図書館、冬期庭園など）が割り当てられ、両翼の建物には作業場と大宿舎が当てられた。フーリエは『家庭農業協会論』（一八二二年）の中で、「ファランステール」を小型都市であると規定したが、小型都市の街路は外気に曝されずにすむ利点を備えていた。彼はこの小都市全体を一つの構造物と見なして、もしこれが広く採用されたならば、その堂々とした威容は、当時ようやく街の隙間を埋め始めた個人用独立小住宅のプチ・ブル的惨めさを一掃するだろうと公言した。

フーリエの門弟[17]ヴィクトル・コンシデランは一八三八年に論文を書いた。その中でヴェルサイユの隠喩（メタファー）と蒸気船の隠喩とを重ね合わせて、「シャンパーニュの中心地やボースの大地に千八百人の善良な農夫を一軒の建物に収容するのと、海岸から二千八百八十キロメートルも離れた大洋のど真ん中に千八百人を収容するのと、どちらが容易か」という疑問を提出した。この共同体と船のなんとも奇妙な取り合わせは、一世紀以上を経た一九五二年、ル・コルビュジエによって復活し、マルセイユにフーリエの思想を響かせた自給的共同体すなわち《住居単位(ユニテ・ダビタシオン)》が実現した。

　フーリエが今なお重要なのは、彼が工業生産ならびに社会組織をきわめて急進的に批判しているところである。確かにヨーロッパやアメリカにおいて、「ファランステール」を創設する企てが幾度となく試みられたにも拘わらず、彼の新産業社会はついに夢想に留まる運命にあった。それに最も近いかたちで実現したのは、一八五九年から一八七〇年にかけて産業資本家J・P・ゴダン[18]がギーズの工場に隣接して建てた《ファミリステール》である。この複合体(コンプレックス)は住居三棟、託児所、幼稚園、劇場、学校、公衆浴場、洗濯所などから成り立っていた。各住居棟は中央にトップ・ライトのある中庭が設けられていた。これは「ファランステール」の高架式廊下に代わるものであった。ゴダンは自著『社会的解決』（一八七〇年）において、「情熱的引力」という奇妙な理論によらずに、いかに生活協同組合による家族生活が営めるかを示して、フーリエ的思想の急進的一面を覗かせている。

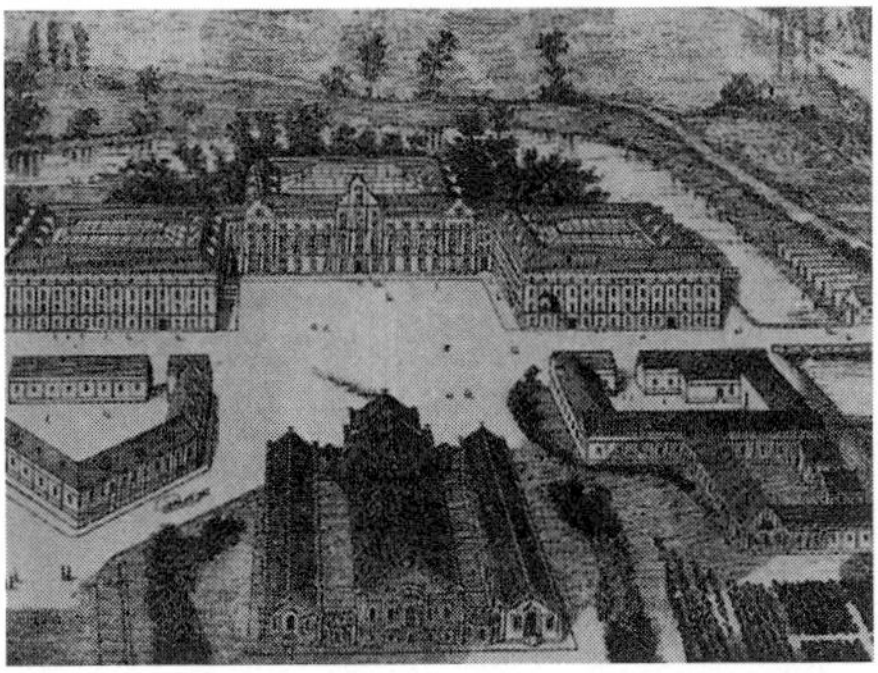

8　ゴダン「ファミリステール」ギーズ，1859-70年

　労働者大衆の住居問題とは別に、十八世紀ロンドンの街路と広場が織りなす組織(マトリックス)は、十九世紀を通じて増大する都市中流階級の住居の要求に応ずるために拡張された。造園家ハンフリー・レプトン[19]は英国公園運動を興して、都市の中に「ランドスケープ・デザインによる田園団地(カントリー・エステイト)」を計画した。だが、その程度の散発的な緑地の規模や肌合い(テクスチャー)ではとうてい満足されるものではなかった。緑地の四周は街路やテラス式連続住宅でたちまち囲われてしまうのだった。だが、レプトンが建築家ジョン・ナッシュ[20]と協力して実現させたロンドンの《リージェント・パーク》（一八一二～二七年）の配置は、難問を見事に解決していた。一八一五年、英国がナポレオンに大勝すると、王室援助の下にリージェント・パークを取り込んだ開発計画が実行に移された。「飾りたてた正面(ファサード)」が踵を接

して建ち並び、既存の都市の組織を通過して、北は貴族風のリージェント・パークから南は宮廷風の優雅なセント・ジェームズ公園やカールトン・ハウス・テラスまで連続している帯状のテラス式住居である。

地主階級には、新古典主義的なカントリー・ハウス[21]を人手が加わらない風景の中に建てようという特異な発想があった。これは明らかにケイパビリティ・ブラウン[22]やウヴデール・プライス[23]達のピクチャレスクな作品のイメージに刺激されたものに違いない。この地主階級の発想を、ナッシュは都市公園の周囲を取り巻くテラスつき集合住宅に翻案した。一八四四年、ジョゼフ・パクストン卿[24]はリヴァプール郊外《バーケンヘッド・パーク》において、この手法を初めて組織的に援用した。一八五七年、フレデリック・ロー・オルムステッド[25]によってニューヨークに実現した《セントラル・パーク》では、このパクストンからの直接の影響を受けて、歩行者と車両の分離方式を採用している。この歩行者・車両の分離方式は、その後J・C・A・アルファン[26]によって、パリの公園に採用され、さらに究極にまで仕上げられた。その方式による動線は公園の使われ方をそのまま転写したものであった。しかし、アルファンの努力によって、これらの公園は大衆教化に一役買って、大衆はこれまでになく都市に移住した。

一八二八年にナッシュがセント・ジェームズ公園に掘削した不整形な湖は、実は一六六二年にモレ兄弟が築いた長方形の池に手を加えたものであった。この挿話は、十七世紀に遡るフランスの幾何学的ランドスケープに対して英国のピクチャレスクなそれの勝利を象徴するものであろう。フランス人は、それまで緑樹を建築のもう一つのオーダー（柱式）だと見なし、並木道（アヴェニュー）は樹木を柱に見立てたコロネード（柱廊）だとした。だが、ここに至って、フランス人もレプトンによる不整形なランドスケープのロマン的魅力に抗い難くなったのである。大革命以後、フランス人は貴族趣味の公園をピクチャレスクの連続場面（シークエンス）に作り替えたのである。

しかし、こうしたピクチャレスクの影響拡大にも拘わらず、フランス人の合理性への衝動はいささかも変わらなかった。一七九三年、画家ジャック・ルイ・ダヴィッド[27]の指揮の下に、革命芸術家委員会は「芸術家パリ計画」を作成したが、その中に盛り込まれた（新規街路開設のための即時大規模取壊しを意味する）「開削（ペルスマン）」といい、次いで、ペルシエとフォンテーヌの設計による一八〇六年以降のナポレオン治下のリヴォリ街のアーケードの建設といい、フランス人の合理性への志向性をよく物語っている。リヴォリ街は、ナッシュのリージェント・ストリートのみならず、第二帝政下のパリの町並みの背景画風「正面」にとっても、建築的モデルになった。一方、「芸術家パリ計画」では「並木の小道（アレー）」は役立つ戦略と見られて、ナポレオン三世治下のパリ再建計画では重要な道具となった。

ナポレオン三世と男爵[28]ジョルジュ・オースマンが残した足跡は、パリのみならず、その世紀の後半を通じてオースマン流整備事業を行ったフランスならびに中央ヨーロッパの多くの都市にまで及んだ。そのため、その影響はとうてい払拭し難いものとなり、さらには一九〇九年、[29]ダニエル・バーナムが計画したシカゴ格子状都市の平面にすら及んだ。バーナムは当時の状況を次のように記している。「オースマンがパリのために果たした骨折り仕事こそ、今やシカゴのためにやらなければならないのです。そうして、人口の急増から必然的に生ずる許容すべからざる状況に打ち克たなくてはならないのです。」

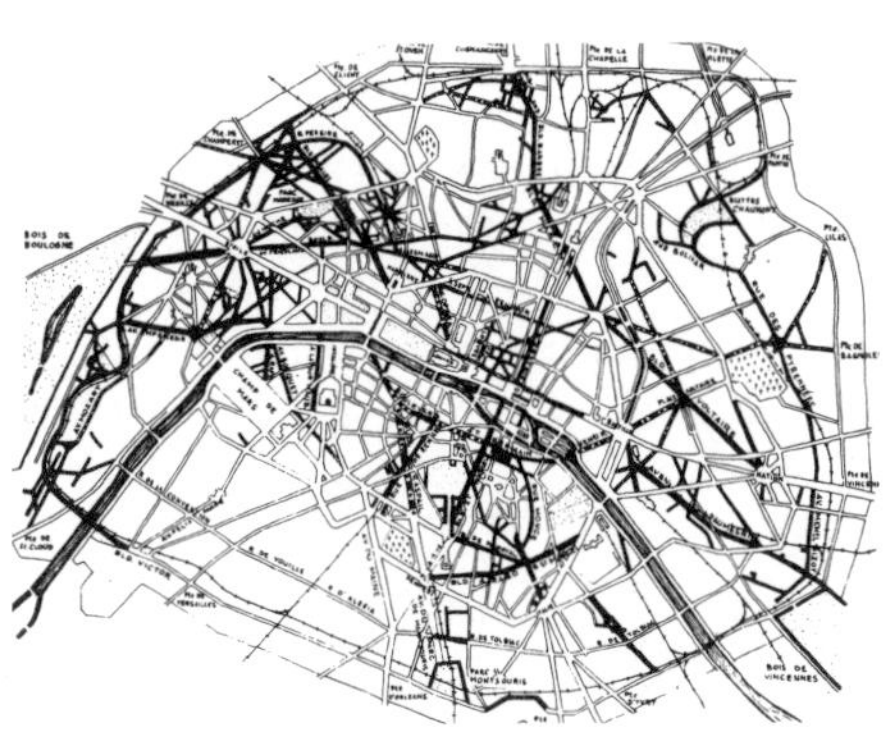

9　オースマンによるパリ市の街路開削

一八五三年、セーヌ県知事を新たに拝命したオースマンは、パリにとって許容すべからざる条件とは、汚染水による給水であり、不充分な下水処理方式であり、墓地・公園の不充分な空地であり、広範囲に及ぶ低劣な住宅であり、そして最後に、無視できない交通渋滞であると承知していた。なかでも給水と下水の二つは、明らかに住民の日常生活の福祉に関わり、きわめて深刻な問題であった。セーヌ河は、大量の生活用水の取水源であり、同時に幹線下水溝でもあった。その結果、パリは十九世紀の前半にコレラの大発生を二度も経験した。同時に、既存の街路方式は膨張する資本主義経済の管理中枢にはもはや不適切であった。ナポレオンによる短期独裁体制下において、こうした複雑な問題の具体的な局面に対するオースマンの抜本的解決が「開削」であった。彼の大きな目的は、ショエが書いたように、「パリという塊のような大きな消費市場や、そしてまた巨大な工場に統一を与え、パリ全体を活動的にすること」であった。一七九三年の「芸術家パリ計画」を見ても、またそれ以前のピエール・パットによる一七六五年の計画を見ても、そこにはオースマンが考えた軸と焦点によるパリの都市構造がすでに見て取れる。しかし、ショエが指摘しているように、実際の軸の配置を見ると、そこに明瞭な転換の意図が推測されるのである。画家ダヴィッド指揮の下で作成された計画に見られるように、この都市は伝統的「地区（カルティエ）」の周囲に組織されていた。それが「資本主義の熱病」によって集結する大都市、メトロポリスへと転換する兆しが明白になったのである。

「エコール・ポリテクニーク（理工科学校）」出身の経済専門家や技術官僚達は大半がサン・シモン[30]思想の洗礼を受けていた。彼等の考える経済的手段や系統立った目標は、ナポレオン三世を動かして、パリ再建に採用された。彼等は、迅速かつ効果的なコミュニケーション方式の重要性を強調した。これが背景となって、オースマンはパリを伝統的都市から地域的メトロポリスへと転換したのである。そのため、既存の都市の組織は街路を通すために切り開かれた。セーヌ河を挟んで向かい合った重要地点や地区が、河という伝統的障壁を突き破って結びついた。オースマンは東西軸および南北軸を要路として新設し、さらにセバストポール大通りを建設、リヴォリ街を東側へ延長するなど、これらも事業の最重要な項目とした。南北の鉄道終着駅を結ぶ十字の交差を中心にして、この十字交差を「環状」の大通りが取り巻いた。さらに、大通りは、幹線道路の基点となるエトワール広場に連絡した。エトワール広場にはシャルグラン[31]の設計による《凱旋門》が建てられた。これこそオースマンの計画の目玉であった。

オースマン在任中、パリ市には約百三十七キロメートルの新しい大通りが建設されたが、これは廃止された旧道五百三十六キロメートルよりも幅員が広かった。そのうえ、縁取りに並木を植え、照明を明るくした。これと前後して、パリの住居の平面型式や立面型式は基準を設けて調整された。さらにオースマン直下の技術者ウジェーヌ・ベルグランならびにアルファンの設計による「公衆便所」、ベンチ、待合所、売店、時計、街灯、標識といった街路備品の基準方式が生まれた。こうした方式の全体が、ブーローニュの森、ヴァンセンヌの森など広大な公共野外広場のお蔭で「風通しが良く」なった。さらに、ショーモンの丘公園、モンソー公園など多くの小公園や墓地が、市の拡張区域内に新設されたり、改良されたりした。とりわけ、下水系統が完備して、デュイ渓谷から市中へ新鮮な水がパイプで送り込まれた。総合的見地から計画を進めるに当たって、オースマンはきわめて政治には無縁な行政官であった。彼は、当時仕えていた中央省庁の政治の駆け引きを拒み続けた。そのためオースマンは最後には挫折の憂き目に遭った。これは彼に対して愛憎相半ばする感情を抱いたブルジョワジー達の仕業だった。彼等は、オースマンの在任中、「儲かる改造」は支持したが、オースマンの容喙に対しては自らの既得権益を断固として擁護した。

第二帝政の崩壊直前には、都市「整備」に関する原理はパリ以外のところでも実施されるようになった。その一例がウィーンである。ウィーンは、一八五八年から一九一四年にかけて、都市の防壁を取り壊し、めかし込んだ大通りに置き換えた。この事業が最も華々しく進められたのは、旧中心街を囲んで派手派手しく建設されたリングシュトラーセであっ

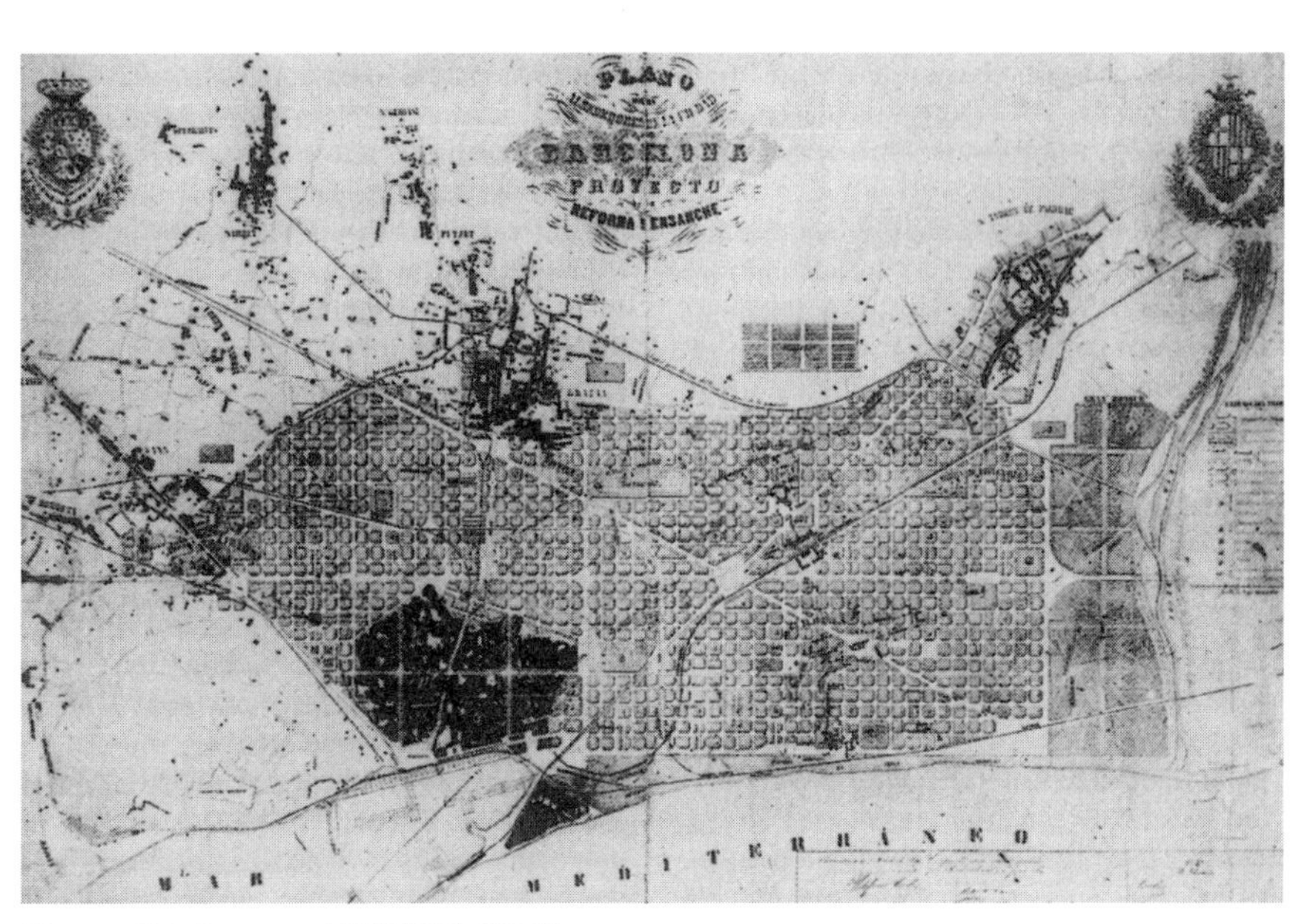

10　セルダの「バルセロナ拡張計画」1858年

た。「開放された」都市の拡張を記念して、独立した記念建造物が各所に建設された。それらは、屈曲が多く、幅の広い大通りに沿って建設された。ところが、これが建築家カミロ・ジッテ[32]の批判を惹き起こしたのである。彼は一八八九年に発行された著書『芸術の原理による都市計画』の中で、リングシュトラーセの記念建造物が他の建物やアーケードなどによって囲繞されなくてはならないと論じた。彼の著書はきわめて影響力が強かった。ジッテの都市救済の意図が最もよく理解されるのは、中世もしくはルネッサンス都市の核の静穏さと十九世紀後期以後の「開放的」都市の交通往来の激しさを比較して、批判した箇所である。

「中世期とルネサンス期においては、都市の広場は実際的目的に使われていた。［…］こうした広場は周囲の建物と一体になっていた。しかし今日では、広場はせいぜい駐車場として使われるくらいである。まして広場は主要な建物とは無関係である。［…］つまり、人の動きも活動もこうした場所を失ってしまった。かつては、そういう場所には公共建造物が建ち、きわめて密度の高い場所だったのである。」

その間、バルセロナは市街地整備を地域の実状に合わせて実施した。整備事業の立役者はスペイン人技術者イルデフォンソ・セルダ[33]であった。彼は「都市化（アーバニゼーション）」という用語を初めて用いた。一八五九年、セルダは「バルセロナ拡張計画」を発表したが、それは格子状都市で、二本の並木道が対角線状に交差して、二十二の街区が海岸から内陸に向かって並んでいた。やがてバルセロナは、産業ならびに海外貿易によって、アメリカ的規模の格子状都市を世紀末を待たずに満たしてしまった。一八六七年、セルダは著書『都市化の一般理論』を出版したが、その中で彼は蒸気輸送機関による循環方式輸送を重要視した。輸送は、何を措いても、科学的な根拠による市街地構造の出発点であった。一九〇二年、[34]レオン・ジョセリーが発表した「バルセロナ計画」は、明らかにセルダに由来していた。この線状都市の原型には運動性を強調する思想が織り込まれていた。居住地域と輸送地帯が分離され、それが帯状に組織されていた。確かに、この設計は一九二〇年代のロシアの線状都市計画を予告するものであった。

一八九一年に至るまでの都市中心地の集中的開発にとって、二つの技術開発が必要であったが、その二つは高層ビル建設に欠かせないものであった。すなわち、一八五三年の乗客用昇降機の発明と、一八九〇年のスティール構造の完成である。やがて地下鉄（一八六三年）、市内電車（一八八四年）、通勤輸送（一八九〇年）などが導入されて、田園郊外住宅地（ガーデン・サバーブ）という概念が将来の都市膨張に「必然的な」単位として生まれた。都市の発達について、高層建築による都市中心部と低層建物による田園郊外住宅地という二つのアメリカ的形態が相補関係にあることを明示したのが、一八七一年のシカゴ大火後に生じた建設ブームである。

郊外住宅化（サバーバニゼーション）の進行は、一八六九年、シカゴ郊外リヴァーサイドにオルムステッドがピクチャレスクな設計による配置を行った時から始まった。この計画は、部分的には、十九世紀中期の田園墓地や初期の東部海岸の郊外などから影響されたものだが、リヴァーサイドとシカゴの中心部を鉄道ならびに人・車分離の道路によって結んでいた。

一八八二年、シカゴに蒸気ケーブル・カーが導入されて、都市がさらに膨張する端緒が開かれた。都市膨張の直接の恩恵を受けたのはシカゴのサウス・サイドであった。しかし実際には、郊外の発達は一八九〇年代になるまで盛んにならなかった。実は、市内電車が導入されて、郊外への交通の範囲、速度、頻度が大きく飛躍した結果、郊外は発展したのである。こうして十九世紀末、シカゴ郊外に《オーク・パーク》が開発された。そして、ここここそフランク・ロイド・ライトの初期住宅の揺籃の地となった。一八九三年から一八九七年の間に、高架鉄道が市内に広範囲にわたって建設され、繁華街一帯を囲んだ。こうした交通形式が、シカゴの成長にとっては不可欠であった。この都市の繁栄にとってわけても重要なのは鉄道であった。鉄道は近代農機具の最初の実例であった――一八三一年にマッコーミクが発明した動力穀物刈取機を大草原（プレーリー）へと運び、その帰りに大平原（グレートプレーンズ）の穀物や家畜を結集して、ミシガン湖岸のサイロや家畜置場へ移したのが鉄道であった。サイロや家畜置場といった施設は一八六五年、シカゴのサウス・サイドに初めて建設されたが、一八八〇年以降、余剰農作物はグスタヴァス・スウィフトの冷凍梱包車によって再配送された。そしてここでも主役は鉄道であった。こうした取引が発達した結果、シカゴへの旅客交通の集中度は一段と増大した。このように、十九世紀の最後の十年間には、都市の建設方法にも都市への接近方法にも、急激な変化が生じたのである。この変化が都市の格子状平面と融合することによって、シカゴという伝統的都市は瞬く間に、常時拡大する地域的メトロポリスへと変容することになった。そのメトロポリスでは、分散した宅地と密集した中心地とは絶え間ない通勤交通によって連結していた。

ピューリタンの実業家ジョージ・プルマン(35)は、シカゴ大火後の再建事業に協力した。彼は当時の長距離旅行の需要拡大の風潮から恩恵を受けた最初の一人であった。一八六五年、彼はいわゆるプルマン寝台車を長距離旅行に導入したのである。一八六九年、大陸横断鉄道による東西連絡が達成されると、プルマンのパレス・カー会社はますます繁栄し、一八八〇年代の初めには、シカゴの南に念願の《プルマン工業都市》(36)を設立した。それは集落（セツルメンツ）であり、労働者向け住居の他あらゆる共有施設が備えられた。劇場、図書館はもとより学校、公園、運動場もあり、そのすべてがプルマン工場に近接していた。共有施設を完備したこの複合体は、およそ二十年以前に

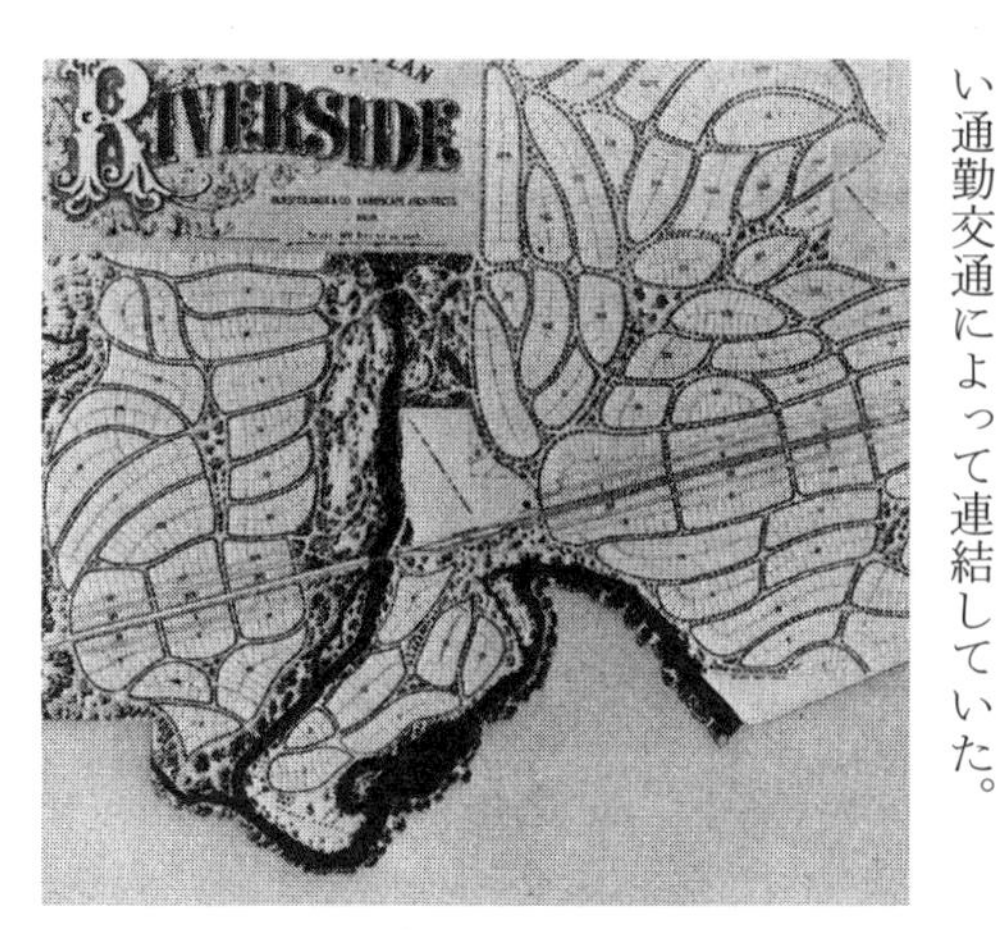

11　オルムステッド「シカゴ・リヴァーサイド計画」1869年

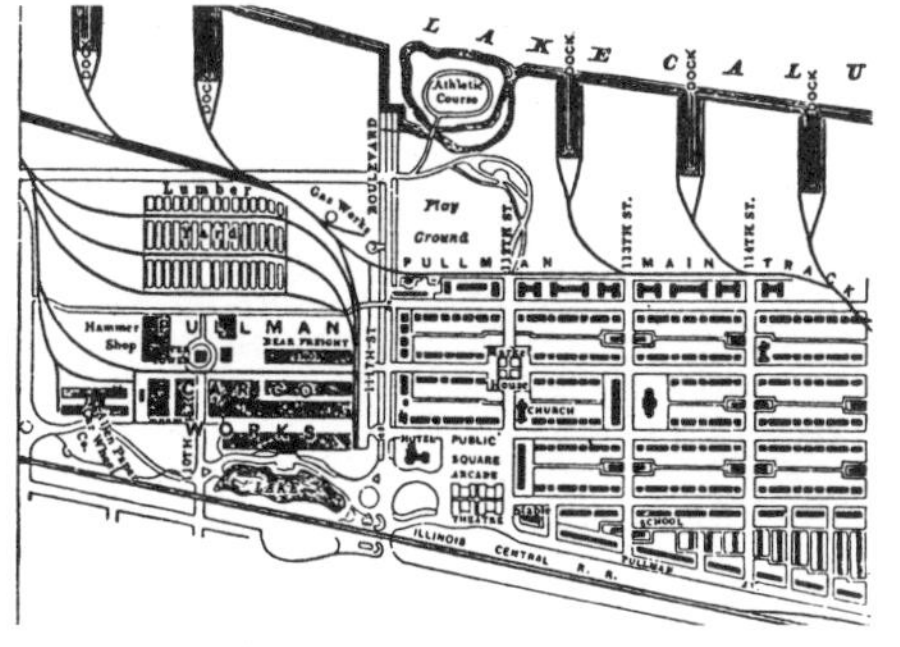

12　S.S.ビーマン「シカゴ・プルマンタウンの工場と都市」1855年

フランスのギーズでゴダンによって計画され、実現された同様な施設よりも遥かに優れていた。また、一八七九年、英国のバーミンガム・ボーンヴィルに菓子製造業者ジョージ・カドバリー[37]によって創立されたピクチャレスクなモデル都市や、一八八八年、リヴァプール近郊ポート・サンライトに石鹸製造業者W・H・レヴァー[38]によって創設された同様なものよりも、プルマンの都市の方がより総合的で、しかもより合理的であった。プルマンの都市の父権的温情主義と独裁主義的正確さは、《ソルテア》や、一八六〇年代後期にドイツ・エッセンで武器製造業者クルップ[39]が自社の政策として設立した労働者居住地区に遥かに類似している。

電車や列車による小規模の鉄道輸送は、ヨーロッパの二つの改良田園都市モデルにとって重要な決定要素となった。その一つはスペインの線状田園都市である。これは、一八八〇年代初頭、発明家アルトゥーロ・ソリア・イ・マータ[40]が提唱した有軸構造の都市である。もう一つは英国の集中型田園都市である。これは一八九八年に出版されたエベネザー・ハワード[41]の著書『明日・真の改革への平和的道程』の中で提出されたものであった。その説明によれば、田園都市の周囲には鉄道が囲繞している。ソリア・イ・マータの線状都市はダイナミックで相互依存的である。一八八二年の彼自身の言葉によれば、「線状都市は約五百メートルの幅員を持つ一本の街路からなり、長さは必要に応じて［…］終端はスペインのカディスでもよく、あるいはロシアのサンクトペテルブルグでも中国の北京でもベルギーのブリュッセルでもよい」。これに対して、ハワードの田園都市《ルリスヴィル》は静的だが多分に自立的で、その周囲には鉄道が一周しており、そのために人口は三万二千人から五万八千人の規模が最適とされた。スペインのモデルが地域的、不確定的、大陸的であったのに対して、英国のモデルは自足的、限定的、地方的であった。ソリア・イ・マータは、線状都市の「移動用脊椎」には、鉄道のほかに、十九世紀の都市生活には必要不可欠な公共サーヴィスとされる水道、ガス、電気、下水も一体化しているという。そうしなければ十九世紀の工業生産にとって必要な流通事業に応えられなかった。

線状都市が放射状都市に対するアンチテーゼであったことは確かである。だが、線状都市は、伝統的諸地域の中心地を結ぶ既存の経路によって、三角状格子のネットワークを作るための装置であった。一方、ハワードが提示した広い田野の衛星都市という図式的計画も同様に地域的であったが、都市形態そのものはダイナミックではない。ハワードは、一八七一年にラスキンが建設した不幸な命運の「セント・ジョージ・ギルド」をモデルにして、田園都市を計画した。その基本構想は、必要以上に生産しないという経済的自給自足の、相互扶助を旨とした共同体であった。二つの都市モデルの相違は、結局、両者の鉄道輸送に対する基本的に異なった姿勢

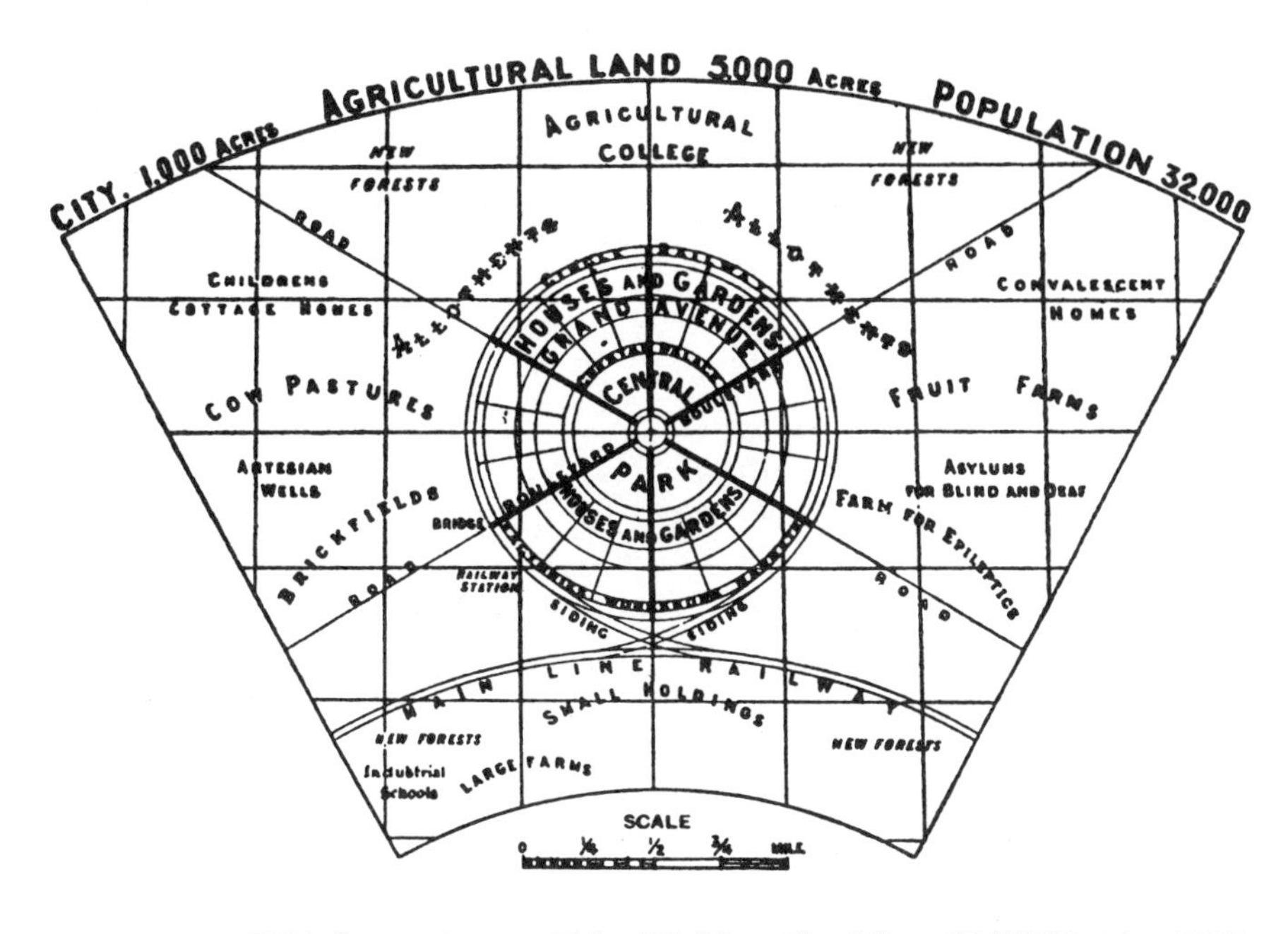

13　ハワード，田園都市「ルリスヴィル」の図式．著書『明日・真の改革への平和的道程』より，1898年

にあった。ハワードの《ルリスヴィル》は、職場への通勤行程を除去するために意図された――したがって鉄道はもっぱら人よりもむしろ物に充てられた。イ・マータの「線状都市」は明らかにコミュニケーションを促すために計画された。

その後、広く採用されることになったのは、ソリア・イ・マータの都市開発会社がスポンサーとして勧めた線状モデルよりも、むしろ英国田園都市の改訂版の方であった。ソリア・イ・マータの都市開発会社が建設できたのは、マドリッドを一周するように計画された全長五十五キロメートルの「環状線」のうちのわずか二十二キロメートルに過ぎなかった。このたった一回の失敗のために、線状都市は実際の将来性を断たれて、単なる理論的可能性に過ぎないとされた。しかし理論的レヴェルにおいては、線状都市は、一九二〇年代後半ロシアで試みられた幾つかの線状都市をはじめ、一九四五年にル・コルビュジエが著書『人間の三つの機構』の中で初めて発表した[42]「アスコラル」計画などの主題に至るまで生き続けたのである。

ハワードの独創的な図式は（一九〇三年に発足した）最初の田園都市であるハートフォードシャーの《レッチワース》の配置にはっきりと映し出された。その図式を急進的立場から解釈し直すことによって、英国の田園都市運動のネオ・ジッテ時代が開幕した。技術者で同時に都市計画家の[43]レイモンド・アンウィンがカミロ・ジッテに感銘を受けていたことは、一九〇九年に出版された彼の著書『実際の都市計画』に明らかである。実際、この著書は当時、非常な影響力を発揮した。アンウィンや同僚のバリー・パーカーが「空想的で不規則な都市」——ニュルンベルクやローテンブルクなどのドイツ中世都市などがその類いの実例であった——に熱中していたことは、一九〇七年に彼等が設計した《ハムステッド田園郊外》のピクチャレスクな配置にはっきりと見てとれる。アンウィンは、「規則づくめ」の建築を蔑視していたにも拘わらず、衛生や動線といった近代的基準による制約に拘束されていた。これは他の都市計画家達と同様であった。英国は、こうした先駆的な田園都市の「経験」に成功し、盛名を馳せたにも拘わらず、英国派と言われる都市計画がその後生み出した環境は疲弊したものであった。その原因は、少なくとも部分的には、アンウィンが中世に対する郷愁と官僚主義的管理との間に折り合いをつけるという難問を解決できなかったためである。この失敗に由来して今も見られる形見がある。二十世紀の「目を覆いたくなるような」ブロック・レイアウトである。

第3章　技術の変貌：構造技術
一七七五～一九三九年

建築史に人工の建築材料が登場するのは鉄をもって嚆矢とする。鉄は世紀を通じて加速度的にテンポを早める発展の波に乗った。二〇年代の末から幾度となく試作されていた機関車が、鉄のレールの上でしか走れないことが明らかになった時、この発展に決定的弾みが与えられた。レールは組み立て可能な鉄材の最初のものであり、大梁の前身である。住宅建築に鉄を用いることは避けられた。鉄はもっぱらアーケードや、博覧会場や、鉄道の駅舎など、一時的使途のための建築に利用された。同時に、ガラスの構築的応用範囲も広がった。だが、建築材料としてガラスが大量に使用される社会的条件が整うのは、ようやく百年後のことであった。(1)パウル・シェーアバルトの著書『ガラス建築』（一九一四年）においてさえ、ガラスはユートピアと関連して考えられていた。

――ヴァルター・ベンヤミン「パリ――十九世紀の首都」一九三〇年

蒸気動力の回転運動への利用と鉄製骨組の製作とは、ほぼ同じ時期に、三人の人物のそれぞれ独立した努力によって達成された。三人の人物とは、(2)ジェームズ・ワット、(3)アブラハム・ダービー、そして(4)ジョン・ウィルキンソンである。このうち、ウィルキンソンは、当時「製鉄業者」であった。彼が一七七五年に発明した円筒穿孔機は、ワットが一七八九年に蒸気機関を完成させるうえで欠かせなかった。さらにウィルキンソンは鉄を初めて構造に利用した。彼の経験は、一七七九年、ダービーと建築家(5)T・F・プリチャードがコールブルックデール近傍のセヴァーン河にスパン三十・五メートルの鋳鉄（ちゅうてつ）製の橋を設計、建設した時に役立った。コールブルックデールでの成功は、広く関心を集めた。一七八六年、英国系アメリカ人革命家(6)トム・ペインが、アメリカ革命の記念碑として、フィラデルフィアのスクールキル河に架かる鋳鉄製の橋を設計した。ペインは、この鉄橋の多くの部品製作を英国に依頼し、一七九一年、その製品を同地で展示した。だが、わずか一年後、彼は政治犯に問われ、フランスに追放された。一七九六年、七十一メートルの鋳鉄製の橋が、トーマス・ウィルソンの設計によってサンダーランドのウィア河に架けられた。この時ウィルソンは、ペインの考案した「ヴソワール（アーチ）」方式を採用した。ほぼ同じ頃、[7]トーマス・テルフォードはセヴァーン河に三十九・五メートルの《ビルトワス橋》を架け、橋梁技術者として登場した。この橋の設計で使用された鉄材はわずか百七十三トンであった。それに対してコールブルックデールの場合は三百七十八トンが使われた。

これに続く三十年間、テルフォードは道路・橋梁技術者として、また水路衰亡時代最後の大物運河技術者として、並ぶもののない地位を占めた。彼の先駆者としての生涯の掉尾を飾るのは、建築家[8]フィリップ・ハードウィックとの共同設計で、一八二九年、ロンドンのセント・キャサリン・ドックに建設した鉄骨造煉瓦被覆の倉庫群であった。この建物は、十八世紀の最後の十年間に、イングランド中部の諸州において発達した耐火式多層工場の構造方式に基づいていた。とりわけ、セント・キャサリン・ドックの構造の主な先例となったのは、一七九二年、[9]ウィリアム・ストラットがダービーに建てた六階建てキャラコ工場と、一七九六年、[10]チャールズ・ベイジがシュルーズベリーに建てた亜麻紡績工場であった。この二つの建物ではいずれも、構造に鋳鉄製の柱が用いられた。完成時の四年の間に、工場を耐火方式によって完成させることが焦眉の急務となり、ダービーで用いられた木造の梁はシュルーズベリーではT型鉄製の梁に置き換えられた。いずれの場合も、梁は浅い煉瓦ヴォールト（曲面天井）を支えていたが、建物全体は外側の骨組と鍛鉄製のタイロッド（二つの部材の開きを止める引張材）で補強されていた。タイロッドは構造体の横方向の引き締めを受け持っていた。こうしたヴォールトの使用は、十八世紀フランスで発達したルションあるいはカタルーニャ・ヴォールトを直接利用したものらしい。フランスでは、このヴォールトは一七四一年、[11]コンタン・ディヴリーがヴェルノンに建てた《シャトー・ビジイ》を耐火構造にするため最初に採用した。

フランスにおける鍛鉄による組積造の補強は、早くも十三世紀の大聖堂に見られたが、それを措けば、起源はパリにあった。すなわち、ペローによる《ルーヴル宮》の東面（一六六七年）とスフローによる《聖ジュヌヴィエーヴ教会》（一七七二年）のポーティコである。両作品とも、鉄筋コンクリート造の開発を先取りしている。一七七六年、スフローは《ルーヴル宮》の一部に鍛鉄によるトラス（三角状構造骨組）屋根を提案した。これが後年の[12]ヴィクトル・ルイによる先駆的作品への道を開くことになった。すなわち、一七八六年完成の《テアトル・フランセ》の鍛鉄の屋根や、一七九〇年完成の

《パレ・ロワイヤルの劇場》などである。なかでも《パレ・ロワイヤルの劇場》では、鉄製の屋根と中空の耐火床構造とが組み合わされた。この方式にはルション・ヴォールトが再び利用された。当時、火災はいよいよ都市災害になりつつあった。それはパリの穀物市場を見ても分かる。市場の焼け落ちた屋根は、一八〇八年、建築家F・[13]J・ベランジェと技術者F・ブリュネの設計による、鉄製[14]リブのあるキューポラ（丸天井）に取り換えられた。因みに、この共同作業は、建築家と構造家の役割分担が明確に分かれた最初の例である。やがて、フランスにおける鉄の橋梁建設への最も早い適用例が現れた。一八〇三年、[15]L・A・ド・セサールの設計によってセーヌ河に架けられた優雅な《ポン・デ・ザール》である。

一七九五年、「エコール・ポリテクニーク（理工科学校）」が設立されて、フランスはナポレオン帝国の偉業に相応しい技術官僚制（テクノクラシー）の確立へ拍車がかかった。この応用技術の強調は、建築と技術の専門化をますます強化することになった（周知のようにペロネの「エコール・デ・ポン・ゼ・ショッセ（土木技術学校）」の設立によって建築と技術の分離はすでに制度化されていた）。建築家J・B・ロンドレは、スフロー、ルイ、ブリュネ、ド・セサールその他の先駆的作品の記録に着手し、ロンドレ自身は、スフロー亡きあとの《聖ジュヌヴィエーヴ教会》の完成を監督した。さらに、ロンドレはその著書『建設論』（一八〇二年）でさまざまな「方法」を記録した。一方、「エコール・ポリテクニーク」講師のJ・N・L・デュランは著書『エコール・ポリテクニークにおける建築講義概要』（一八〇二〜〇九年）でさまざまな「目標」をカタログ化した。デュランの著作は、組織的方式の普及に役立った。その方式によって、古典主義的形態は、モデュールの要素となり、ナポレオン帝政下の市場、図書館、兵営など、先例のない建物の要求項目（プログラム）にも自在に応じられた。このように、まずロンドレが、次いでデュランが、技法（テクニック）や設計方法（デザイン・メソッド）を整理し、法典化したのである。その結果、古典主義は合理化されて、新しい社会的要求や新しい技法に適用できるようになった。総合的内容を盛り込んだ要求項目は、シンケルにも影響を与え、一八一六年、建築家としての出発に当たって、彼は精巧にできた鉄の部分的要素を、ベルリン市の新古典主義的整備計画に取り入れようとした。

ほぼ同じ頃、鉄による吊構造の技術が開発された。発端は、一八〇一年、[16]ジェームズ・フィンレーによる補強フラット・デッキ（大型のスティール板）の吊橋の発明であった。この成果は、一八一一年出版のトーマス・ポープの著書『橋梁論』によって喧伝された。短命で恵まれなかったフィンレーの生涯のうち、最高作品と言えるのは、一八一〇年、アメリカ・ニューポートのメリマック河に架けられたスパン七十四・五メートルの鉄の鎖（チェーン）による吊橋であった。

ポープの記録によれば、フィンレーの仕事は、直ちに英国における鎖（チェーン）による吊構造技術の応用に影響を与えた。これには[17]サムエル・ブラウンとテルフォードが関わった。ブラウンによる鍛鉄のフラット・バーの鐶（リンク）は、一八一七年、特許を与えられ、一八二〇年、ツイード河に架けられたスパン百十五メートルの《ユニオン橋》に応用されて大成功を収めた。テルフォードとブラウンはランコーンに鎖による橋を建設した時、短期間だが共同した。この共同関係が、テルフォードの設計によるメナイ海峡のスパン百七十七メートルの橋の設計に刺激を与えたことは間違いない。その橋は八年の難工事の末、一八五二年にやっと完成した。英国における鍛鉄の吊構造は、[18]イザンバード・キングダム・ブルネルがブリストルにスパン二百十四メートルの《クリフトン橋》を架けた時点で最盛期に達した。この橋は一八二九年に設計され、一八六四年にようやく完成したが、その五年前、ブルネルはすでに他界していた。

　張力に耐える鍛鉄製の鐶（リンク）を製作するのは、常時多額の費用を要するうえ、予測のできない仕事であった。このため、鎖に代わって延伸加工したワイヤーのケーブルを使う着想が生まれたに違いない。まず、一八一六年、ホワイトとハザードによってペンシルヴェニアのスクールキル滝に歩道橋が架けられ、次いで、一八二五年、セギャン兄弟によってタン・トゥルノンのローヌ河にワイヤーによる橋が架けられた。セギャン兄弟の仕事について、L[19]・J・ヴィカは、「エコール・デ・ポン・ゼ・ショッセ」において、徹底的に分析し研究をしたが、その結果を一八三一年に出版した。ここにフランスの吊橋黄金時代が始まった。次の十年間には、百にのぼる同様の構造物が建設された。ヴィカは将来の吊構造部材の製作には棒状鉄（バー・アイアン）ではなく、ワイヤーを用いることを薦めた。そのため、彼は現場でワイヤー・ケーブルを編む方法まで発明した。

　同様な計画は、アメリカ人技術者[20]ジョン・オーガスタス・ローブリングによって行われた。一八四二年、彼はワイヤー・ケーブル製作の特許を獲得し、その二年後、早くもこの材料を用いて、ピッツバーグのアレゲニー河に吊構造の水道橋を架けた。ローブリングのケーブルは、ヴィカのものと同様に、螺旋状に巻き込まれていた。彼はこれを基本的な吊構造用材料として、その後の輝かしい業績の中で、終始使った。一八五五年に完成したスパン二百四十三・五メートルのナイアガラ滝の鉄道橋を始めとして、一八八三年、彼の死後、嗣子ワシントン・ローブリングによって完成したニューヨークのスパン四百八十七メートルの《ブルックリン橋》に至るまで、数々の偉業がある。

　英国では、一八六〇年以前に、事実上、鉄道の基幹路線が完成し、構造技術は転換期に入った。それは十九世紀百年間に及んだが、素晴らしい創意に富んだ成果は、この世紀の半ば過ぎまでは現れなかった。[21]スティーヴンソンと[22]フェアベア

14　ローブリング親子「ブルックリン橋」ニューヨーク，1877年工事中．最初のケーブルを縒り合わせている

ンによるメナイ海峡の《ブリタニア鉄道橋》は一八五二年の完成であった。ブルネルによる《ソールタシュ鉄道橋》も一八五九年の完成であった。この二つの鉄橋では、鍛鉄製平板（プレート）が使われたが、圧延板を鋲打ちしたものであった。これらの製作技法は、すでにイートン・ホジキンソン[23]の研究やウィリアム・フェアベアンの実験によって、大いに進歩していた。事実、ロバート・スティーヴンソンは、ホジキンソンとフェアベアンの成果を利用して、一八四六年、プレート・ガーダー（スティール板を集成した梁）を開発した。この方式が後年の《ブリタニア鉄道橋》の見事な展開に繋がるのである。この鉄道橋の構造は、別々の単線用の鉄板製箱型トンネルを二つ合わせたものである。橋は、中央の百四十メートルのスパン部分と、その前後の七十メートルのスパン部分の三部分に分けられて、海峡を跨いでいた。スティーヴンソンの設計による石造の塔屋（タワー）が数基建てられた。本来、その塔屋の目的は補強のための吊構造の部材を繋留するためであった。しかし、鉄板製の「筒（チューブ）」だけでも、十分、橋の全長に渡すことができた。これに匹敵するスパンは《ソールタシュ鉄橋》であった。この場合、スパン百三十八・五メートルの半月状トラス二つが繋がってテーマ河を渡り、その上を単線の軌道が越えている。ここでも圧延・鋲打ちプレートによって、短径三・七メートル、長径四・九メートルの楕円形のトラスが作られた。このトラスは、その下に吊り下げられた懸垂線状（カテナリー）の鉄製　鎖（チェーン）

とともに、垂直な支柱から路床が吊り下がるのを安定させている。ブルネルの最後の偉業は、その奔放な想像力からして、三十数年後にギュスタヴ・エッフェルがフランスの中央山脈に建設した巨大な鉄橋に比肩するものであった。また、プレート材によって作られた中空の部分材（セクション）が用いられたことは、一八九〇年完成の[24]ジョン・ファウラーと[25]ベンジャミン・ベイカーによる《フォース橋》の二百十三メートルという途方もなく大きい片持梁（カンティレヴァー）による筒状スティール製骨組を予見するものであった。

一八二五年、ジョージ・スティーヴンソンによってストックトン・ダーリントン間に試走が行われてから、鉄道の発達は、次の四半世紀に、恐るべき勢いで進んだ。英国においては、二十年と経たないうちに三千二百キロメートル以上の軌道が敷かれた。だが、北アメリカでは一八四二年までに、なんと四千六百キロメートルの軌道が敷設されたのであった。その間、鉄道用の材料である鋳鉄や鍛鉄は、次第に建物の表現形式にも採り入れられるようになった。こうした材料は、工業生産にとって必要とされる多層式倉庫の空間を耐火構造にするための、唯一の要素となったのである。

一八〇一年、[26]ボールトンとワットがマンチェスターの《ソルフォード工場》に、梁成（はりせい）（梁の高さ）三十三センチの鋳鉄製梁を用いて以来、弛みない努力によって、鋳鉄製あるいは鍛鉄製の梁やレールのスパン跳躍能力は一段と向上した。「鉄道用」の典型的な部分材は、十九世紀初期の十年間で大いに発達したが、その後の構造用基準I型梁は、この部分材の成果である。一七八九年、ジェソップが製作した鋳鉄製レールは、一八二〇年、バーケンショーの鍛鉄製T型レールに続いた。これがアメリカ最初のレールに引き継がれた。このレールは一八三〇年、ウェールズで圧延され、形状はI型で、基底部は頭頂部より幅が広かった。この形状は次第に普及して、今日のものに引き継がれている。しかし構造用としては一八五四年以降までは採用されなかった。当時、スパンの跳躍能力も大きく、重量もあるレールの圧延作業がどうやら可能になった。やがて、技術者達は造船に使用された鍛鉄製の基準山形材（アングル）やプレート材を用いて、ふところの深い部材を組み立て、スパンの跳躍能力の増強を図った。フェアベアンは、こうした複合I型梁を、早くも一八三九年に試作した。

これまで述べてきたように、鉄の部品（コンポーネント）を集成、あるいは補強して、長スパンの構成要素（エレメント）を生み出すさまざまな独創的な試作が行われた。十九世紀半ばを過ぎると、そうした試作にも幾分陰りが見え始めた。その頃、すでに梁成十七・八センチの鍛鉄製の梁の圧延が成功した。フェアベアンは、著書『鋳鉄・鍛鉄の建物への応用』（一八五四年）の中で、工場建設の改善策を提案した。その建物は、梁成四十・六センチの梁が鉄板による浅いヴォールトを支え、ヴォールトの上部全体はコンクリートで被覆されていた。構造体を安定させるために、鍛鉄製のタイ・ロッドが使われたが、ロッドはコンクリートの床の中に鋳込まれていた。この点において、フェアベアンは思いがけず、鉄筋コンクリート構造の原理に近づいていたわけである。

　同様な考えによって、シアネスに鋳鉄と鍛鉄の骨組による海軍造船所の四階建ての見事な建物が完成した。この建物は、一八六〇年、グリーン大尉の設計によって建てられたボート艇庫で、全体は波型鉄板で被覆されていた。約十二年後、ノワジエル・シュル・セーヌに[27]ジュール・ソールニエの設計によって名高い鉄骨造による《ムニエ・チョコレート工場》が建てられた。シアネスのボート艇庫が、全体にわたって鉄製I型部品を組織的に使用したという意味では（柱には鋳鉄、梁には鍛鉄）、現代のスティール剛接構造の方法や基準部品（スタンダード・セクション）を予見するものであった。

　十九世紀も中期になると、鋳鉄製の柱と鍛鉄製のレールは、モデュールによるガラスの吊込み作業と一体化して、基準技法となった。それは、プレファブリケーションによる短期工事に利用され、市場、取引交換所、アーケードなど都市の流通施設に応用された。なかでも、アーケードはパリで発達した独特な型式の建物であった。フォンテーヌが設計した《ギャルリイ・ドルレアン》は、一八二九年、パレ・ロワイヤルに建設されたが、ガラスの円筒型ヴォールトによる最も早い

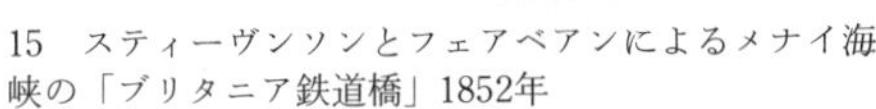

15　スティーヴンソンとフェアベアンによるメナイ海峡の「ブリタニア鉄道橋」1852年

16　フォンテーヌ「ギャルリイ・ドルレアン」パリ，1829年

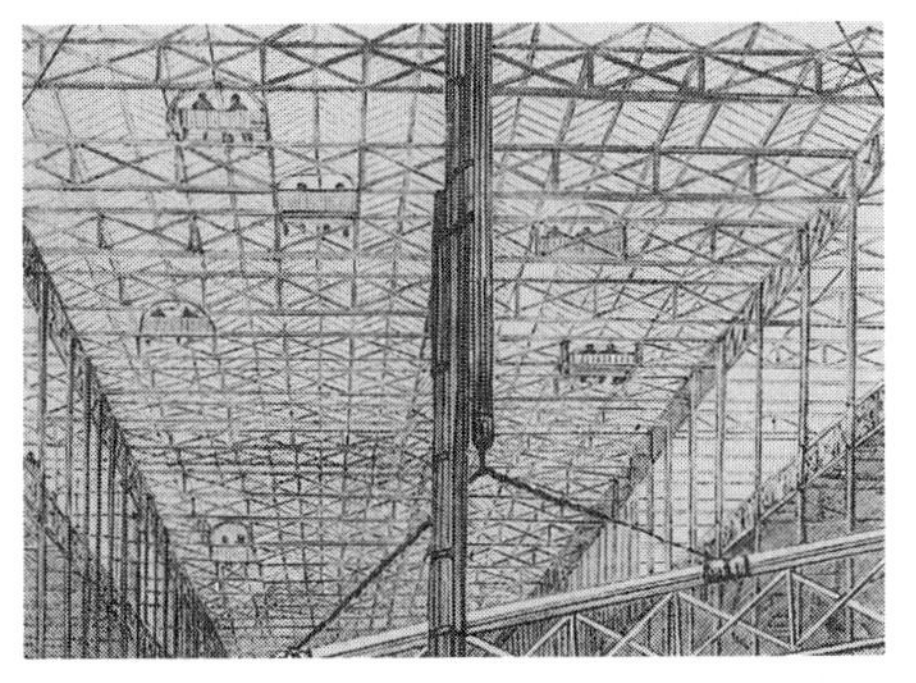

17　パクストン「クリスタル・パレス」ロンドン，1851年．籠に乗ってガラスの嵌め込み作業を示す

アーケードである。この鋳鉄方式のプレファブ的特性は、組立時間の短縮に役立ち、さらに建設用材「一式(キット)」の遠距離輸送にも威力を発揮した。実際、十九世紀後半、先進工業国は鋳鉄製プレファブの建物を世界中至るところへ輸出し始めたのである。

一八四〇年代、アメリカ東海岸では、都市ならびに貿易が急成長、急上昇した。それに刺激された[28]ジェームズ・ボガーダスや[29]ダニエル・バッジャーは、ニューヨークに鋳鉄工場を創設し、多層建築のための鉄製入口の製作に着手した。しかし一八五〇年代後半でも、いわゆる「パッケージ方式」の建物の内部空間にはもっぱら木造の大梁が架け渡されて、鉄の使用はわずかに柱および正面に限られていた。ボガーダスの多岐にわたる経歴中、最も見事な作品は、一八五九年、ニューヨークに建設された建築家[30]ジョン・P・ゲイノー設計の《ホーアウト・ビル》である。この建物には客用エレベーターが史上初めて備えられた。一八五四年、[31]エリシャ・グレイヴス・オーティスがエレベーターという装置を展示した歴史的事件からわずか五年経ったばかりであった。

総ガラス張りの建物の特徴は、すでに[32]J・C・ルードンが著書『温室についての所見』（一八一七年）の中で余すところなく論じた。だが、ガラス張りの建物の普及、応用の機会は、少なくとも英国においては一八四五年、ガラス物品税の廃止まで待たねばならなかった。一八四五年から四八年にかけて、キュー植物園に建設された[33]リチャード・ターナーと[34]デシマス・バートンによる《パーム・ガーデン》は、板ガラスの利用が容易になったのに乗じた建物の一つであった。その後、ガラスを有効に利用した、大規模で恒久的な内部空間といえば、鉄道の終着駅であった。それらは十九世紀後半から建てられたが、その嚆矢といえば、一八四九年から五〇年にかけて建設されたターナーと[35]ジョゼフ・ロックの設計によるリヴァプールの《ライム街駅》であった。

鉄道終着駅は、当時の公認の建築基準に対する一風変わった異議申し立てであった。終着駅の主要建物と列車庫(シェッド)の接点部分を的確に区分、表現する参考例や利用可能な型式などは存在しなかった。この問題は、一八五二年に完成したデュクニー設計の《パリ東駅》において初めて建築的解決を見たのである。これが最重要な関心事となったのは、当時、終着駅が首都の実際上の新しい玄関であったからである。技術者[36]レオンス・レイノーは、《パリ北駅》（一八四七年）の設計者だが、終着駅の「表象」問題を十分に心得て、著書『建築論』（一八五〇年）の中で次のように書いている――「芸術には工業のような急速な進歩とか突然の発展などはありません。そのため、今日の鉄道の施設の大半が、形態からしても、平面の処理についても、多少とも不満が残っているのです。ですから、ある鉄道駅が適切な平面の処理が行われているように見えても、工業用建物ないしは仮設構造物のようなところがあって、とうてい公共的用途を持った建物には思えないのです。」

当時の状況を物語るものとして、ロンドンの《セント・パンクラス駅》ほど適切な例はないだろう。この駅は、一八六三年から八五年にかけて、W[37]・H・バーローとR[38]・M・オーディシュの設計によって建設された。二人は、スパン七十四メートルという巨大な列車庫を建てた。一方、駅の主要建物はホテルを含めて、一八七四年、ジ[39]ョージ・ギルバート・スコットの設計によってゴシック・リヴァイヴァル様式で建設、完成した。《セント・パンクラス駅》で求められたことは、ブルネル設計の《パディントン駅》（一八五二年）でも要求された。そこでは、建築家マ[40]シュー・ディグビー・ワイアットの細心の配慮にも拘わらず、未成熟な主要建物が、ヴォールトを戴いた列車庫の輪郭とちぐはぐに繋ぎ合わされることになった。

一方、博覧会用建造物は、それだけ独立して建てられたから、終着駅のような問題はなかった。なぜなら、博覧会の場合、その文化的背景もあって、技術者に優先権が与えられることは滅多になかったのである。一八五一年、第一回万国博覧会がロンドンで開催された。その展覧会場として建てられた《クリスタル・パレス》は、まさにこれを説明するのに打ってつけである。この時、造園家ジョゼフ・パクストンは、数年前にルードンが提示した温室の原理を巧みに利用して、ガラスの温室の建造方法に相応しい設計を、大胆に開陳した。パクストンは、デヴォンシャー公爵の依頼でチャッツワースにガラスの温室を次から次へと建てたが、その経験を生かして独自の方法を開発した。パクストンは、《クリスタル・パレス》の設計を博覧会開催間際に依頼されたにも拘わらず、わずか八日間で、三層からなる巨大なガラス直方体の建物の設計を完了した。そして、その部品は、なんと前年にパクストンがチャッツワースに建てた大きな百合の温室の部品と全く同じだった。左右対称に置かれた三つの入口の車寄せ（ポーチ）を除けば、全面を覆うガラスは一箇所として途切れずに続いていた。ところが、この計画を進めるうちに、やむなく改訂案を用意しなければならなくなった。それは敷地内の一群の大木を撤去せず、保存するためであった。実は当時、一八五一年の大博覧会自体への反対が根強く残っていて、樹木保存の問題にこと寄せた嫌がらせであった。だが、忽ちパクストンは、この難問の鍵である樹木は、建物の中央にある高い丸屋根を戴いた身廊の中に楽々と収められるだろうと見抜いたのである。その結果、《クリスタル・パレス》の最終形態では、左右対称の軸が二箇所に生ずることになった。

《クリスタル・パレス》は、特殊解法による特殊形態の建物ではない。むしろ、最初の発想から製作、輸送も含め、最終的建物を経て、さらに解体に至る総合的方式の概念を明示する過程それ自体である。《クリスタル・パレス》は、鉄道施設と類似して、きわめて互換性に富む部分から成立していた。全体は外装材（クラディング）の二・四四メートルをモデュールとして組み立てられ、構造の七・三一メートルから二十一・九五メートルまでのスパンの系列に組み込まれていた。建物が実現するのに四ヵ月を要さなかったが、それはまさに大量生産と系統的組立作業の結果であった。[41]コンラッド・ワックスマンが一九六一年に刊行した著書『建設の転回点』の中で述べているように、「この建物を造るに当たって、取り扱いを簡便にするため、いかなる部品の重量も一トン以上を超えないこと、最大限のガラス板を用いて最大限の節約を図ること、などを指示した覚書が必要条項の中に含まれていた」のである。

《クリスタル・パレス》では、格子（ラティス）はすべて露出し、縦、横、斜めの見通しが目を瞠らせるばかりによく利いた。無数の線の流れは透明な光の中に溶け込んだ。しかし、およそ九万三千平方メートルのガラスの被膜は、前代未聞の気候的難問に遭遇した。《クリスタル・パレス》の希望的環境条件は、かつてルードンが曲線形温室を設計した時と同様、空気の流動を快適に維持し、太陽熱を調節することであった。こうして、建物は地表に密着せずに建てられ、床はスレート貼りにされ、壁には調節可能のルーバーが取りつけられ、十分な通風が可能になった。問題は、太陽熱の蓄積であった。《クリスタル・パレス》の構造上の詳細（ディテール）を担当した鉄道技術者チャールズ・フォックスは満足な解答が与えられなかった。屋根からの光を遮るために布製の日除けが急場凌ぎに使われたが、とうてい全体方式には組み込めなかった。そのため、各国の出品者の多くが、花づな飾りのついた布地で天蓋（キャノピー）を作り、「温室効果」を防ごうとした。これらの布地は太陽を防ぐだけでなく、この建物の不愉快な即物性を隠すためでもあった。

英国は一八五一年の博覧会を国際的に大成功させると、引き続き一八六二年にも博覧会を催した。だが、それ以後は中止してしまった。その後を直ちに引き継いだのはフランスである。フランスは、一八五五年から一九〇〇年にかけて大がかりな国際的博覧会を、都合五回も開催した。これらの陳列・展示は、英国の工業生産ならびに貿易による世界制覇に対して、フランスの挑戦を国家的に誇示するための舞台（プラットフォーム）であった。毎回の博覧会会場の建物、ことに《機械館》の構造形式や展示内容に対するフランスの力の入れようを見れば、そうした推測もできよう。若き日の[42]ギュスタヴ・エッフェルは、技術者[43]J・B・クランツと共同して、一八五一年以降に建てられる最も重要な博覧会建築を受け持つことになった。なかでも、一八六七年のパリ世界博の時の成果は目覚ましかった。この共同作業によって、エッフェルの表現感覚が証明されたばかりでなく、技術者としての力量も明らかになった。エッフェルはスパン三十三メートルの《機械館》の詳細を纏めたが、それによって[44]トーマス・ヤングが一八〇七年に定めた弾性率の正しいことを立証したのである。この弾性率は、応力を受けた材料の弾性性能を決定する唯一の理論的公式であったが、その時まで立証されていなかったのである。博覧会の建物は全体が卵型で、外側の輪(リング)の部分が《機械館》であった。こうした複合建築の構想は、P・G・F・ルプレイ[45]が遺した天才的発想によるものだった。彼は建物が同心円状の回廊(ギャラリー)によって囲繞され、そこに機械類、衣類、家具類、学術成果、美術作品、労働の歴史などを展示するように示唆したのである。

一八六七年を過ぎると、生産物の大きさ、品種の多彩さ、また、国際競争を勝ち抜くための独自性などが要因となって、多種多様な博覧会の建物が求められるようになった。一八八九年に開催された万国博覧会の頃には、展示物を一つの完結した建物に収めるという要望はすっかり冷めてしまった。そして、十九世紀末も直前のこの博覧会は、フランスの工学技術がこれまでに成し遂げた最も注目すべき二つの構造物によって、抜きん出ている。その一つは、ヴィクトル・コンタマン[46]が建築家C・L・F・デュテール[47]と一緒に設計した、スパン百七メートルという巨大な《機械館》であり、もう一つは高さ三百メートルの《エッフェル塔》である。これはエッフェルが、技術者ヌーギエ[48]とケークラン[49]、ならびに建築家スティーヴン・ソーヴェストルと共同、設計したものであった。コンタマンの建物は、一八八〇年代にエッフェルがヒンジ接合（ピン接合）による高架橋を建設した結果、編み出した静力学的方法に従ったものであって、大きなスパンの空間を形成するためにスリー・ヒンジ接合[50]によるアーチを初めて利用した一つであった。コンタマンの架構は、機械などを展示するだけではなかった。その架構自体が「展示機械」であって、その中では、移動観覧プラットフォームが高架式軌道の上を、展示空間の中心軸に沿って往復し、観客は会場全体のおおよそを手早く、見渡すことができた。

十九世紀後半に、フランス中央山系に豊富な鉱物資源が発見された。これに相当な資金を投入して鉄道網を敷設しても、十分に引き合うほどの規模であった。そこにエッフェルは、一八六九年から一八八四年にかけて幾つかの鉄道用鉄橋を設計した。それらの構造物は、後年の《エッフェル塔》で完成に達することになる彼の方法や美学を早くも示していた。こうした鉄橋を建設するため、エッフェルは船形の基礎と垂直パラボラ型断面の鉄製チューブによるパイロン（塔屋）を開発した。これこそ、彼が水と風の力学的相互作用を解決するための、絶えざる努力を物語るものである。

エッフェルとその協力者達は、架橋のスパンをさらに延長する必要から、実に巧妙な架橋支持方式を考案した。解決へのきっかけは、一八七五年、ポルトガルのドーロ河を渡る鉄道用鉄橋を建設する仕事であった。当時、一八七〇年以降は廉価なスティールが入手可能となり、広いスパンの解決を容易にする材料が調達できる状況にあった。そこで、この峡谷を渡るのに、五つのスパンの採用が決まった。すなわち、両岸のパイロンで支えられた短いスパン二つずつと中央部の百六十メートルの長いスパンである。中央の長いスパンは二箇所のヒンジ接合アーチで支持される。建設の手順は、まず、両岸からスパンを支えるパイロンとスパンを建てる。次に、この両側の構造から連続させて中央の部分を作るのである。トラスを延長させるには、軌道面から片持梁にして次々に伸ばしていく。また、ヒンジ接合のアーチは谷の水面から、二分したアーチをいっぺんに立ち上げる。ヒンジの部分は浮かせておいて、ジャッキで定位置まで引き上げ、最終組み立ての間、両岸のパイロンの頂部からケーブルで吊り上げて、正しい傾斜を保たせるのである。こうした手順は、数年後、《ガラビ橋》建設の際にも繰り返された。《ドーロ橋》は一八七八年に竣工したが、その目覚ましい成功によってエッフェルは、フランスの中央山系のトリュイエール河に架けられる《ガラビ橋》建設の仕事を委嘱された。

エッフェルにとって、《ドーロ橋》が《ガラビ橋》の建設に必要な経験を与えたとするならば、《ガラビ橋》の成功は《エッフェル塔》の設計と発想にとって欠かせないものであった。この塔は《クリスタル・パレス》よりも時間がかかったが、同様に大変な圧力の中で設計され、建てられた。一八八五年の春、まず設計案が展示された。しかし、一八八七年の夏になっても、その姿は地上には現れなかった。一八八八年の冬に至って、塔はどうやら二百メートルを超える高さに達した。コンタマンの《機械館》の場合と同様、この構造物にも高速の観客移動装置が備え付けられる必要があった。スピードが重要条件となった。なにしろ、この塔に上るにはエレベーター以外に方法がない。このエレベーターは、パラボラ型の塔の脚部に設けられた傾斜した軌道の上を走って、途中にある最初のプラットフォームに着くと、そこからは垂直に頂部へと昇るのである。このエレベーターのためのガイド・レールは、実は塔の建設工事中にクレーンを引き上げるための軌道として考え出されたものであって、ヒンジ接合の鉄橋建設の際に使われた捲き上げ技術によく似た作業方法の簡約化を図るものである。このように、《エッフェル塔》は《クリスタル・パレス》と全く同様、鉄道建設の副産物であって、実際、高さ三百メートルの鉄橋のパイロンそのものであった。そしてその型式は、風力、重力、水力、材料の抵抗力などの相互作用から生み出されたものであった。この塔は、その隙間の空間を通過した体験がなければとても理解できない驚くべき構造物であった。もしも、《エッフェル塔》が未来主義的な意味で飛行機の構造と類似性があるとしたならば――事実、一九〇一年、飛行家サントス・デュモン[51]は愛機を駆ってこの塔の周囲を旋回し、その類似性を讃美した――もしそうであるならば、この塔が建設されて三十年後、すなわち一九一九年から一九二〇年にかけて、ウラジミール・タトリンが《第三インターナショナル記念塔》を計画した時に、《エッフェル塔》を新しい社会と新しい技術による秩序の基本的象徴として借用し、再解釈の対象としたとしても決して驚くには当たらない。

　鉄に関する科学技術（テクノロジー）が地球の鉱物資源の開発によって発達したのに対して、コンクリートの技術（テクノロジー）、すなわち、少なくとも水性セメントの発達は海上交通に端を発していると言えよう。一七七四年、ジョン・スミートン[52]は生石灰、粘土、砂、それに砕いた鉱滓の混合からなる「コンクリート」を用いて《エディストン灯台》の基礎部分を築いた。十八世紀の最後の四半世紀には、これと同じようなコンクリートが英国においては橋梁、運河、港湾の工事に使われていたのである。一八二四年、ジョゼフ・アスプディン[53]は人造石としてポートランド・セメントを誰よりも先駆けて発達させたし、そのほか、例えば創意に富んだルードンによる、一七九二年の金属で補強したコンクリートの構造など、英国人はさまざまな提案を行ったにも拘わらず、コンクリートの開拓で見せた英国の主導権は次第にフランスへと移っていった。

　一七八九年の大革命の後のフランスは、経済活動にも限界があったが、一八〇〇年頃にヴィカは水性セメントを合成していたし、また、これまでにも「ピゼ（突き固めた土）」を用

18　デュテールとコンタマン「機械館」，パリ万国博覧会，1889年．可動観覧台を示す

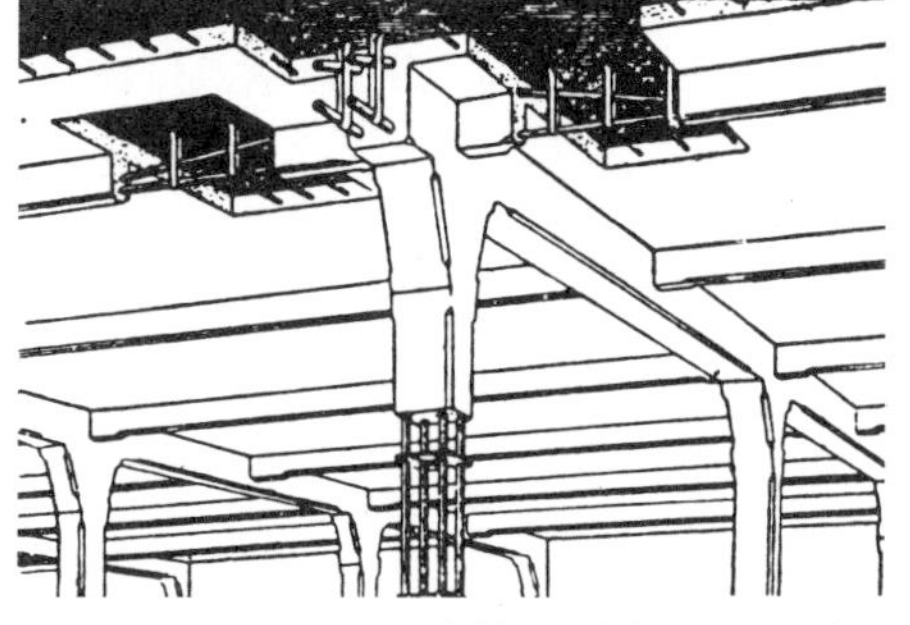

19　アンヌビック，1892年特許を取得した一体式鉄筋コンクリートのジョイント

20　ベルク「百年記念館」ブレスラウ（現ヴロクラウ），1913年

いて建物を建ててきた伝統があった。こうしたことが、フランスで鉄筋コンクリートが発明される背景となったのである。ところで、この新しい材料を最初に用いたのは[54]フランソワ・コワニェであった。無論、彼はリヨン地方の「ピゼ」による建設方法に通暁していた。一八六一年、コワニェは金属製のメッシュによってコンクリートを補強する技術（テクニック）を開発した。そして、それを元手に、その[55]フェロコンクリートによる建設を専門とする最初の有限会社を設立した。コワニェはパリではオースマンの指揮下で仕事をした。下水溝、公共施設などをフェロコンクリートによって建設したが、一八六七年には注目すべき六階建てのアパートメントを幾つも建てている。このような仕事の委託があったにも拘わらず、コワニェは自分の特許を維持することができず、第二帝政の末期に至る前に、彼の会社は解散してしまった。

　フランスのもう一人のコンクリートのパイオニアは、[56]ジョゼフ・モニエであった。本来、彼は庭師であったが、一八五〇年、コンクリート製の植木鉢の製造に成功したのに続いて、一八五七年から次々と金属補強を応用する特許を取得した。しかし、一八八〇年、無分別にも、その一部を二人の技術者シュスターとヴァイスに売り渡してしまう。さらに一八八四年、フライタークの事務所はモニエから権利を獲得して、その後ほどなくしてドイツきっての大土木コンツェルン、「ヴァイス・アンド・フライターク社」が生まれたのである。彼等はモニエの方式を独占していたが、その基礎を固めたのが、一八八七年に公刊されたモニエの方法についてのG・A・ヴァイスの研究であり、これがその後の基準となった。さらに、ドイツの理論家ノイマンとケーネンによる、鉄筋コンクリートの応力に関する重要な理論的研究が公刊されて、この型式の構造についてのドイツの主導権を確実にするのに役立ったのである。

　鉄筋コンクリートの最も著しい発達は、一八七〇年から一九〇〇年にかけての時期に集中的に生じた。その先駆的仕事は、ドイツ、アメリカ、英国、およびフランスで、同時に進められたのである。アメリカの建設業者ウィリアム・E・ワードは、一八七三年、ハドソン河畔に鉄筋コンクリートによる自邸を建設した。彼は、ここで初めてスティールの張力を十分に利用し、スティールを梁の中立軸より下側に埋め込んだ。これが鉄筋コンクリート本来の構造上の長所であるが、彼の試みは時を移さず英国のザディアス・ハイアットとトマス・リケッツによるコンクリート梁の実験によって確認された。一八七七年、二人はその結果を公刊した。

　こうした国際的な開発の機運にも拘わらず、近代的鉄筋コンクリートの技術に関する系統的開発は[57]フランソワ・アンヌビックの創意ある才能を待たなければならなかった。アンヌビックはフランス人で、独学の建設業者であった。一八七九年、彼は初めてコンクリートを使った。その後、彼は幅広い研究をひそかに進めて、一八九二年、独自の総合的方式について特許を申請した。アンヌビック以前、フェロコンクリートに関する問題とは、一体式構造（モノリシック）を作り出すためのジョイントの成否であった。これについては、フェアベアンが一八四五年に特許を取ったコンクリートとスティールの合成方式があったが、とても一体式構造とは言えなかった。また、ハイアットとリケッツの場合にしても同様であった。アンヌビックは、この難問を円形の断面をしたバー（長い棒）を採り入れることで見事に解決したのである。このバーは、先端を丸く曲げたり、鉤形にすることができた。この方式にとって絶対に欠かせないことは、補強のバーをクランク状に曲げることと、局部応力を抑えるためにジョイントをあばら筋（スターラップ）の帯（フープ）で緊結すること、この二点であった。こうして、一体式構造のためのジョイントが完成して始めて、鉄筋コンクリートの骨組が実現された。そして、早速この方式が大規模に応用されることになった。一八九六年、アンヌビックはトゥールコワンとリールに、この方式によって三つの紡績工場を建設した。その成果は大成功だと直ちに喧伝された。そのため、アンヌビックの会社はたちまち隆盛を迎えた。彼のパートナーであったL・G・ムーシェルは、一八九七年、この方式を英国に伝え、一九〇一年、そこで最初のコンクリートによる道路橋が建設された。さらに一九〇三年、英仏博覧会の際には、鉄筋コンクリート造による見事な螺旋階段を独立して建てて展示した。

アンヌビック社が手広く成功し始めるのは、ほぼ一八九八年からである。その成功には、自社の機関誌「ル・ベトン・アルメ（鉄筋コンクリート）」を定期的に刊行したり、さらに一九〇〇年のパリ万国博覧会において、電気関係の施設を自社の方式で全面的に構築したことなどが与っていた。この時、フランソワ・コワニェの息子は、フェロコンクリートによって貯水槽を建てたが、そこには当時のこととて装飾用の正面（ファサード）が付いていた。しかし、この一九〇〇年のパリ万国博覧会は、鉄筋コンクリート構造にとって実に強力な後押し役を果たしてくれた。一九〇二年、アンヌビック社は創立十年を迎えたが、今や国際的一大コンツェルンにまで成長していた。その頃、ヨーロッパでは、無数の建物がコンクリートによって建設されていたが、アンヌビックはその中心的施工業者として活躍したのだった。一九〇四年、彼はブール・ラ・レーヌに自家のヴィラを鉄筋コンクリート造で建てた。屋上庭園も、光塔（ミナレット）も、鉄筋コンクリート造であった。そして、ヴィラの堅固な壁体は、現場でプレキャスト・コンクリート製で耐久性のある型枠に打ち込んだフェロコンクリートによって造られ、さらに、釉薬をかけた艶のある正面は、大胆にも片持梁によって建物本体より前面に突出していた。しかし、十九世紀も変わり目になると、アンヌビックの特許はなお長年にわたって有効と思われたのに、その独占に陰りが見え始めた。すなわち一九〇二年、アンヌビックの主任助手であったポール・クリストフは著書『鉄筋コンクリートとその応用』を出版して、その方式を普及させた。さらにその四年後には、橋梁土木局で以前からコンクリートの研究に従事していたアルマン・ガブリエル・コンシデレが、国家委員会の責任者となって、フランスにおける鉄筋コンクリート構造のための規約を定めたのである。

また、すでに一八九〇年、技術者コタンサン[58]は、独自の「補強セメント」方式で特許を取得した。これはコンクリートに煉瓦を組み合わせて補強するもので、煉瓦は針金の補強によってコンクリートに固定されていた。この混合方式では、フェロコンクリートの主な役割は、引張力が強くかかる箇所でも構造的に連続性を保てるようにすることであった。圧縮力が強くかかる箇所では煉瓦が有利であることは言うまでもない。この方式は、合理主義的建築家アナトール・ド・ボド[59]の関心を強く引くところとなった。彼はフランス「構造派」の偉大なる理論家ヴィオレ・ル・デュクの門弟であったから、構造の露出こそ建築表現の唯一正しい基本だと信じて疑わなかった。このため、ド・ボドは、一体式構造の「鉄筋コンクリート」は工学技術(エンジニアリング)の領域で用いるのがよいとした。そして、建築家が用いるのは、力学的に見て遥かに明晰で、分節(アーティキュレーション)も明瞭な「補強セメント」の技術(テクニック)の方であるとした。この技術の表現に富んだ特徴は、一八九四年に着工した、ド・ボド自身の設計によるパリの《サン・ジャン・ド・モンマルトル教会》において、すみずみにわたって示されることになった。

この教会に見られる錯綜したヴォールトは、ド・ボドが一九一〇年から一九一四年にかけて設計することになる一連の「大会堂(グランド・サル)」計画のすべてと密接に繋がっている。ド・ボドはヴィオレ・ル・デュクに倣って、大空間に関心を抱いていた。大空間こそ、いかなる建築文化にとっても、欠くべからざる実験台だからであった。こうしたことからすると、一九〇〇年の博覧会の大計画案が端緒となったド・ボドの「大会堂」計画案の連作は、網状パターンの無梁版構造(フラットスラブ)やプレファブ・折版構造(フォールデッド・シェル)などを先取りするものと見ることもできる。それらは半世紀を経た一九四八年、トリノの博覧会での大ホールや、また一九五三年、ローマ郊外に建設された《ガッティ毛織物工場》など、いずれもイタリアの技術者ピエル・ルイジ・ネルヴィ[60]によって見事に達成されることになるのである。

ド・ボドの網状の原理に対抗して、巨大なサイズの鉄筋コンクリート構造を利用して、大空間へ挑戦したのが[61]、一九一三年、ドイツ・ブレスラウの博覧会にマックス・ベルクが設計して、コンヴィアーツとトラウアーが施工した《百年記念館》である。直径六十五メートルという求心性の強い巨大なホールの内部では、丸天井(キューポラ)を支えるコンクリート造のリブが、ホール全体を取り巻いているリング状の梁から立ち上がっている。そして、リング状の梁は、どっしりとした重量感を持った[62]ペンデンティヴとアーチによって支えられている。しかし、この巨人のような不格好な構造体も、外観では、ガラス窓が同心円を階段状に積み重なっているために見ることができない。その有機的形態の平面も、ダイナミックな構造も、全体をすっぽりと包んだ新古典主義的要素によって隠蔽されてしまったのである。

一八九五年に至るまでは、北アメリカにおけるフェロコンクリートの建物は、セメントの輸入をヨーロッパに仰いでいたため、伸び悩んでいた。しかし程なくして、穀物サイロと陸屋根工場の時代が始まった。最初に、カナダに[63]マックス・トルッツによる鉄筋コンクリート造のサイロが現れた。やがて一九〇〇年以降、アメリカ合衆国では、とりわけ[64]アーネスト・L・ランサムの作品にサイロや工場が見られるようになった。ランサムは、捩れ筋の発明者だった。一九〇二年、ランサムはペンシルヴェニアのグリーンバーグに九十一メートルの機械工場を建てた。それによって彼は、アメリカ合衆国における一体式コンクリート構造の先駆者となった。ランサムは、この建物において、コンシデレの理論に従い、スパイ

21　トルッコ「フィアット工場」トリノ，1915-21年

22　マイヤール「アルヴィ橋」ヴェッセイ，1936年．左は橋の半分の断面，右は橋脚の縦断面

ラル筋による柱の補強原理を初めて実地に応用したのである。ちょうどその頃、フランク・ロイド・ライトは鉄筋コンクリート造による設計を始めていた。一九〇一年、ライトは、実現には至らなかったが、《ヴィレッジ銀行》を設計した。彼は、シカゴに《E・Z洗剤工場》と《ユニティー教会》を設計し、それぞれ一九〇五、一九〇六年に完成させたが、これらの建物はいずれも鉄筋コンクリート造であった。こうした建物は、いかにライトが技術的に早熟であったかを物語っている。

一方ヨーロッパでは、パリのペレ兄弟[65]が初めて全体をコンクリート造にした建物の設計と施工に着手した。最初は、一九〇三年のオーギュスト・ペレの設計による《フランクリン街のアパートメント》である。この建物は、その後のペレの発展の可能性をすべて秘めたものであった。次は、一九一三年の《シャン・ゼリゼ劇場》である。ほぼ同じ頃、アンリ・ソヴァージュ[66]は、この新しい一体式構造を可能にする材料に潜む表現豊かな造形性を発掘した。それが、一九一二年にヴァヴェン街に完成した、セット・バックしているアパートメントである。この時期になると、鉄筋コンクリート造による骨組構造は標準的な工法になっていたのである。したがって、それ以降、鉄筋コンクリート造に関する展開といえば、まず、それがどれほどの規模の建物に適用されるか、次に、その構造が建築の表現の要素としてどれほど役立つかということであった。この骨組構造が超大型構造物の規模に最初に採用されたのは、一九一五年、トリノで着工されたマッテ・トルッコ設計の四十ヘクタールを占める《フィアット工場》であった。しかし、この鉄筋コンクリート構造を建築言語の基本的な表現要素として使用したのはル・コルビュジエであった。彼は、ほぼ同じ頃、「ドミノ」計画を提案している。《フィアット工場》は、コンクリート造の陸屋根が、そこを動き回る自動車の移動荷重の振動に、十分耐えることを明らかに示していた。因みに、《フィアット工場》の陸屋根は自動車の試走場であった。一方、「ドミノ」計画では、アンヌビックの方式を「開放的」な基本構造だとして、ロージエの言う「未開人の小屋」に倣って、新しい建築の発展には絶えず参照しなければならないとしていた。

工学技術の立場から言うと、この時期には、ロベール・マイヤール[67]、ウジェーヌ・フレッシネ[68]といった技術者達の初期の作品が現れている。それらの中にはきわめて荘重な表現に達したものもあった。スイスの偉大な技術者マイヤールは、一九〇五年、タヴァナサに《ライン河橋》を完成させたが、それは彼独自な橋と言えるものであった。この橋の形態は、中空箱形の断面をしたスリー・ヒンジ・アーチであった。重量を削減し、全体を軽くて表情に富んだ印象にするため、断面の両側面には三角状の凹みが刻み込まれていた。一九一二年、マイヤールはヨーロッパで初めて無梁版（ビームレス）スラブを完成さ

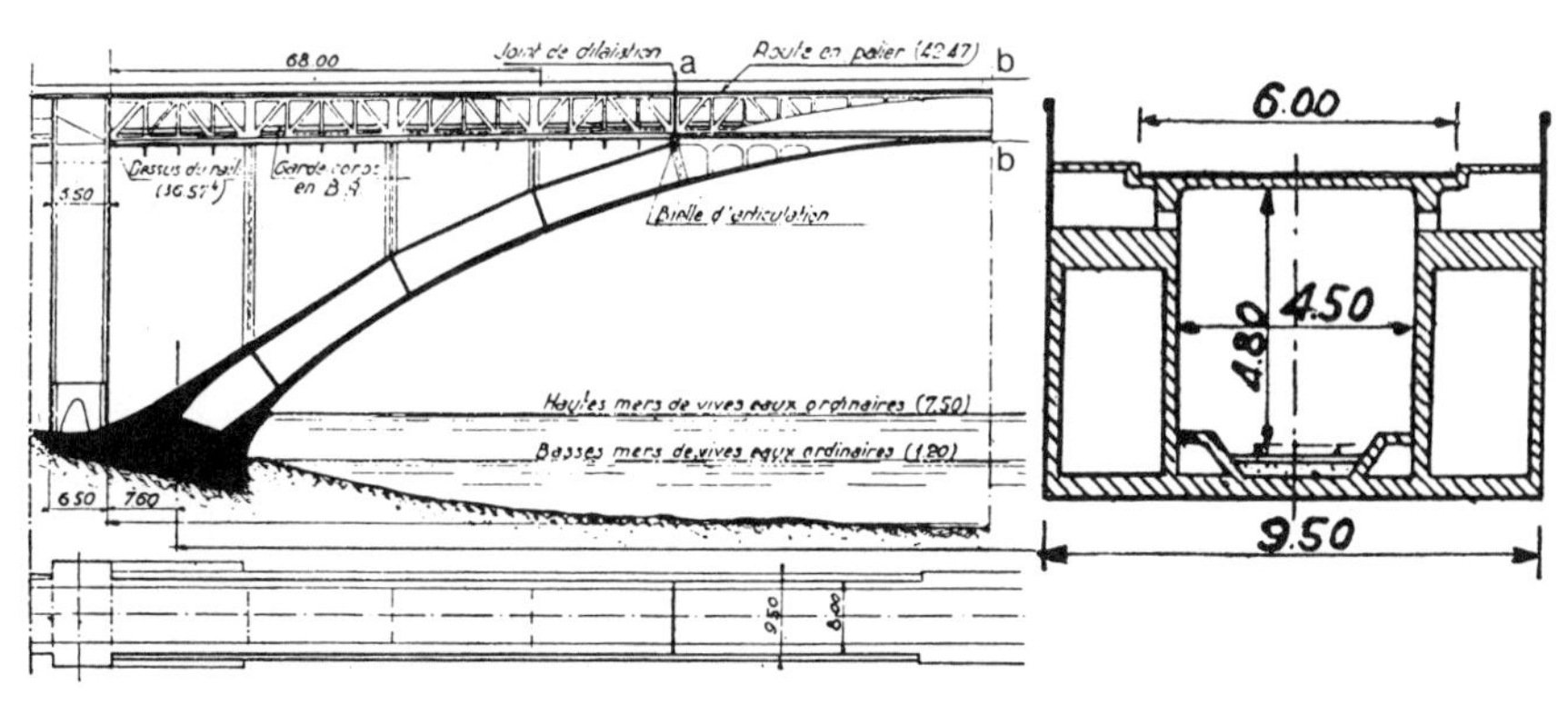

23　フレッシネ「プルーガステル橋」ブルターニュ，1926-29年．左は単位スパンの半分の断面，右は橋の頂部の縦断面．鉄道を下段に通し，上段には道路を通している．アーチと鉄道が別れるところではディフレクション・ジョイントが用いられる

せた。それはアルトドルフに五階建ての倉庫を建てた時であった。マイヤールの無梁版方式は、彼よりもわずかに早く開発されたアメリカの技術者C・A・P・ターナー[69]による無梁版構造[70]よりも、一日の長があった。ターナーの考案した「四方向」補強は、マイヤールの「二方向」補強に対立するものであった。ターナー方式よると、補強のためのバーは、どの柱の頂部も通らなければならなかった。そのため、柱がスラブを貫こうとするのを押さえ込むとなると、とても経済的なコンクリートの「かぶり（被覆）」ではスティールを納め切れなくなってしまうのである。事実、ターナー方式による床構造では、剪断力に抵抗するため、大きな柱頭と頑丈な補強のフラット・ビームとが組み合わされていた。これに対して、無梁版の「二方向」によるマイヤール方式は、軽くて、剪断力も遥かに小さく、そのためスラブも柱頭も大きな寸法を取らずに済んだのである。

一九一一年に完成したアールブルクの《アール橋》では、マイヤールは、橋のプラットフォームとそれを支えるアーチを視覚的に明快に分けるのに成功している。しかも、アーチ[71]のハンチに埋め込んだ横方向に渡した骨組でプラットフォームを固定しているのである。それでも彼は、橋のアバットメント[72]を、橋全体の形態から区別しようとしたのである。マイヤールの設計した橋梁は、たとえリブつきアーチによるものでさえも、プラットフォームは断面を箱型にして設計されていた。これは、できる限り路床が自重に耐えられるようにするためであった。マイヤールが橋梁技術者として、その力量を最大限に発揮したのは、一九三〇年、アルプスに建設されたスパン九十メートルの《ザルジナトベル橋》であった。しかし、彼がアールブルクで初めて打ち立てた定式に、最も美しい表現を与えて視覚化したのは、一九三六年、ジュネーヴ近郊ヴェッセイに建てられた《アルヴィ橋》であった。

フランスの技術者フレッシネは、一九一六年から一九二四年にかけて、パリのオルリー空港に高さ六十二・五メートル、長さ三百メートルの大飛行船格納庫を二棟、実現した。この格納庫こそ、ド・ボドの計画案の後、各部の要素が自重を支えられるような一体式構造によって設計された最初の試みの一つであった。このような先駆的なプレファブ式折版構造[73]は、後年、とくに一九三〇年代後半、ネルヴィによる一連の見事な飛行機格納庫に影響を及ぼすことになった。さらにフレッシネは、オルリー空港に、コンクリート工事業者リムジンの求めに応じて、鉄筋コンクリート造の弓弦型トラスによる倉庫用構造物、多数の格納庫、工場などを設計した。そのうち、工場の建物は[74]シェル構造の屋根に設けられたモニター(越屋根)によって採光されている。因みに、これらの建物は、今なお十分使用に耐えている。こうした仕事の中で頂点となったのは、鉄筋コンクリート造の二つの大きな弓弦型の橋であった。一つは、一九二三年に完成したサン・ピエール・デュ・ヴォーヴレに架かるものであり、もう一つは一九二六年から一九二九年にかけて完成したブルターニュのエロルン川河口、プルーガステルに架かるもので、これは三スパン、全長七十五メートルの橋である。

一九二〇年も中頃、フレッシネは、大パラボラ型アーチを養生したり、荷重をかける時に生ずる強い圧縮また引張応力の問題を解決しようとした。彼は、コンクリートの打設に先だって、補強材に前もって応力を人工的に加えておく実験に取りかかった。そしてその数年後、現在われわれがプレストレ[75]スド・コンクリートと呼ぶものが発明されたのである。大スパンを架けるのに極めて経済的なこの方式は、梁の「成」を同じコンクリートによる断面の約半分で済ませた。一九三九年、フレッシネはこの方式の最初の特許を取得した。

第Ⅱ部　批判的歴史 1836-1967

24 （前扉頁） テラーニ「カサ・デル・ファッショ（党の家）」
コモ，1932-36年．デモが建物を囲んでいる

第1章　無可有郷（ノーホエア）だより：英国

一八三六～一九二四年

ゴシック・リヴァイヴァリストの熱狂ぶりも次第に覚めていった。なぜなら、彼等は生きている様式を求めようともせず、また求めてもそれを手にすることができない社会に組み入れられている事実を知ったからである。なぜこうした社会が存在するのであろうか？人々の毎日の平凡な仕事を機械的な苦役にしてしまうような経済的必然性があるからだ。あの生き生きとしたゴシック建築の芸術が生まれたのは、毎日の平凡な仕事に調和があったからであって、機械的な苦役が芸術に一致するわけはないのだ。何も知らぬほうがよいなどとはもう言えないのだ。今では、新しい知識に対する願望が生まれた。歴史はわれわれに建築の進化を教えてくれた。それが今や社会の進化を教えてくれるのである。われわれにとっては明白だし、それを認めようとしない者にとっても明らかなことだろうが、[…] 現在のわれわれは、必要とされようとされまいと利潤のために商品を作らなければならないのとは裏腹に、新しい社会はそういう悪夢からいっさい解放されているのである。そこでは生きるために作るのであって、現在のように作るために生きるのではない。

——ウィリアム・モリス[1]「建築の復興」一八八八年

ミルトン[2]やブレイクのピューリタン的、黙示録的著作の中に予告されていたとおり、スコットランド生まれの「哲人」トマス・カーライル[3]とイングランド出身の建築家A・W・N・ピュージン[4]は、それぞれ、十九世紀後半の精神や文化に対して不満の声を挙げた。カーライルは無神論者で、一八三〇年代後期の急進的チャーチスト[5]運動に進んで同調した。ピュージンはカトリックへの改宗者で、中世の精神的価値観やその建築形態への直接回帰を唱えた。一八三六年、その著書『コントラスツ：十四世紀ならびに十五世紀の建物と現今のものとに見られる相似』が刊行されると、ピュージンの影響はまたたく間に広まった。十九世紀の英国の建築を根底から揺り動かしたゴシック・リヴァイヴァル運動がすみずみまで行き渡ったのは、紛れもなく、このピュージンによるのである。他方、カーライルは多くの点でピュージンとは対立した。一八四三年に出版された著書『過去と現在』は、カトリック制度の頽廃に対する暗黙の批判であった。このため彼は、サン・シモンが一八二五年に唱えた新キリスト教を手本にした博愛的社会主義者という烙印を押されることになった。カーライルの急進的思想は、煎じ詰めれば権威主義的ではあったが、政治的にも社会的にも進歩的であった。それに対して、ピュージンの改革思想は保守的で、[6]ハイ・チャーチ・オクスフォード運動など、右翼勢力と関係していた。つけ加えれば、この運動はピュージンの一八三五年のカトリック改宗より二年前に始まった。しかし、彼等が物質主義的時代に対して抱いた嫌悪の念は共通するところであった。この共通する反時代性によって、二人は十九世紀中期の文化の審判と贖罪の予言者である[7]ジョン・ラスキンに影響を与えることになったのである。ラスキンは一八六八年、その最も盛んな時に、オクスフォード大学の最初の美術教授となった。

　ラスキンは一八四六年、著書『近代画家論』の第二巻を出版してたちまち知識階層に追従者を得たが、当初から社会、文化、経済問題について明瞭かつ広範に自説を表明していたわけではない。しかし、一八五三年、『ヴェニスの石』を出版するに及んで、そのすべての章をあげて、美術作品に関連する職人（クラフツマン）の地位について論じ、産業による「労働の分化」と「熟練の機械への退化」に対して声高らかに反対したのだった。そのテキストは、後年ラスキンが教鞭をとることになった最初の労働者大学での教材として再び取り上げられることになる。その中でラスキンは、[8]アダム・スミスに倣って、伝統的な職人技能（クラフトマンシップ）と大量生産の機械的労働とを比較している。「つつみ隠さずにいえば、分化されるのは労働ではなく、人間そのものなのだ［…］その結果、人類に残された一片の知力をもってすら一本のピン、一本の釘も満足に作れなくなってしまい、それどころか、ピンの先、釘の頭を作るのにその知力を使い果たす始末なのだ。」この思想は、実は、彼が『建築の七燈』（一八四九年）の中ですでに概略を述べている装飾観を発展させたものであった。そこでは、彼はこう書いているのである――「あらゆる装飾に関しての正鵠を射た質問とはまさしく、「それが喜びをもって作られたものか？」どうかということだ。」彼に対する急進主義という烙印どおり、ラスキンは、当初の英国国教への同調の姿勢から離れてカーライルにいっそう近い立場へと移っていったのである。一八六〇年、経済学についての評論集『この後の者にも』を出版した時には、彼はついに断固とした社会主義者としての立場を表明するに至ったのである。

　ピュージンが「かのキリスト教画家のプリンス」と呼んだ

[9]フリードリッヒ・オーヴァーベックやドイツ・[10]ナザレ派の人達は、ピュージンを通して英国文化の状況に対して影響を与えていた。すなわち、一八四八年、[11]ダンテ・ガブリエルと[12]ウィリアム・マイケルのロセッティ兄弟、[13]ホールマン・ハント、[14]ジョン・エヴァレット・ミレーの誘いによって結成された[15]ラファエロ前派の道徳的、芸術的手本となったのである。しかし、このチャーチスト運動の息吹を吹き込まれたラファエロ前派は短命に終わってしまった。

一八五一年になると、ラスキンはこの運動と精神的に提携するようになった。そもそもこの運動には、深遠な理念や感動を表現する絵画の一派を打ち立てようという目論見があった。その理想とするところは、ルネッサンスに起源を持つ常套的芸術ではなく、自然から直接に抽き出される芸術形態をつくり出すことであった。このような著しく反古典的でロマン主義的な姿勢は、ラファエロ前派が発刊した雑誌「芽生え」において喧伝された。しかし、この同志団体（ブラザーフッド）には、ナザレ派のような禁欲的な厳格さもなければ確固たる信念もなかった。その同志団も、その雑誌も、あまりに個人主義的であったため、長くは続かなかった。結局、一八五三年、集団としてのラファエロ前派の運動は消滅してしまった。

ラファエロ前派の活動の第二期は、手工芸（クラフト）を中心に展開するが、それはウィリアム・モリスと[16]エドワード・バーン・ジョーンズの出会いから始まる。時に一八五三年、二人はオクスフォード大学の学生であった。オクスフォードでは二人はラスキンの講義を受け、ピュージンから徹底した影響を受けた。一八五六年に卒業。その後、二人は詩人、画家のダンテ・ガブリエル・ロセッティと親密な間柄となった。後に、ロセッティは彼等と共同関係を持つようになり、一八五七年、オクスフォードに学生組合協会の建物が建てられた時、その壁画を共同制作した。こうした試みは、ナザレ派のローマでのフレスコ画を思わせるものであった。バーン・ジョーンズは早くから画家になろうと決心していた。しかし、モリスの方はゴシック・リヴァイヴァル様式の建築家[17]G・E・ストリートのオクスフォード事務所に徒弟となっていたため、ロセッティがモリスをロンドンに誘い出すのには何ヵ月もかかった。いささか逆説的に聞こえるが、意匠家（デザイナー）としてのモリスの生涯は、一八五六年も後半になって、彼が建築を諦めて絵画に向かおうと決心した時点から始まるのである。しかも、それはモリスがロンドンの自分の部屋の室内装備をする段になってからであった。彼は「きわめて中世風の家具を［…］岩のように頑丈で重い意匠にした」。こうした見栄を張ったところが全くない家具は、明らかにラスキンが抱いている手工芸の理想に刺激されていたのだが、実際には[18]フィリップ・ウェッブの指導によって設計されたのである。このウェッブとは以前、ストリートの事務所で一緒に働いた仲であった。一八五八年、モリスは唯一現存する絵を描いた。それは妻ジェーン・バーデンの肖像画で、「女王ギニヴィア」あるいは「麗人イゾルデ」と題されていた。絵の中で、彼女はきらびやかな衣装をまとい、ラファエロ前派が理想として描いた室内にいた。つまり、この絵にはラファエロ前派の家庭内の文化というものの理念が具体化されているのであった。やがてモリスは、絵画を全く放棄し、自邸《赤い家》の室内装飾の仕事に本気で取りかかるようになった。この住宅は、一八五九年ケント州ベクスレイ・ヒースにフィリップ・ウェッブの設計によって建てられたもので、些細なディテールを除けば、そのスタイルはストリートの作品に近く、とりわけウィリアム・バターフィールド[19]が一八四〇年代と一八五〇年代に建てたゴシック・リヴァイヴァル様式の牧師館にいっそう近いものであった。

この《赤い家》において（煉瓦の使い方のためと言われているが）、ウェッブは原則を幾つか打ち立てたが、それがやがて彼と同時代の才能豊かな二人の建築家ウィリアム・エデン・ネスフィールド[20]、リチャード・ノーマン・ショウ[21]の作品に影響するようになるのである。その原則とは、構造に偽りがないこと、そして建物をその敷地やその地方の文化へ一致させること、などであった。ウェッブは、こうした関心や願望を生涯にわたって原則としたことによって知られるようになった。彼は、自ら立てたこうした目標を、実用を重視した設計や、敷地に対する微妙な配慮をした配置や、地方の材料を使用することなどによって達成したのである。同時に、彼は伝統的な建築方法に対して深い敬意を払うことも忘れてはいなかった。ウェッブは、最初の施主であり、生涯の仲間であったモリスと同じように、職人技能の神聖さや、生活や建築が究極的には根ざすことになる大地に対して、神秘主義的な畏敬の念を持っていた。彼は、いかなる装飾の過剰にも断固として反対した。その激しさはモリス以上であった。ウェッブの伝記作者W・R・レザビー[22]によると、彼は暖炉に取り付けられたいかなる格子も、その優雅さが度を越せば、「神聖な火にはとても似合わない」と不満を漏らしたという。こうした繊細な感情にも、ウェッブの考え方はネスフィールドやショウのお陰があったればこそで、わけてもショウが一八六六年にサセックス州リーズウッドに建てたピクチャレスクな「懐かしの英国（オールド・イングリッシュ）」式カントリー・ハウスから譲られたものだという、穿った解釈がつきまとっているのである。

A・H・マックマード[23]やC・R・アシュビー[24]といった風変わりな例から、ショウやレザビーさらにC・F・A・ヴォイジー[25]などの洗練された玄人芸までを含めて、英国のフリー・アーキテクチャー運動の実り豊かな展開は、その起源を《赤い家》の出現に置くことができるかもしれない。いずれにせよ、この《赤い家》は、モリスが自らの宿世の定めに足を踏み入れる際の触媒の役を果たしたのであった。そして二年後、モリスはウェッブ、ロセッティ、バーン・ジョーンズそしてフ[26]

25　ウェッブ「赤い家」ケント州ベクスレイ・ヒース，1859年，図面は1階と地階

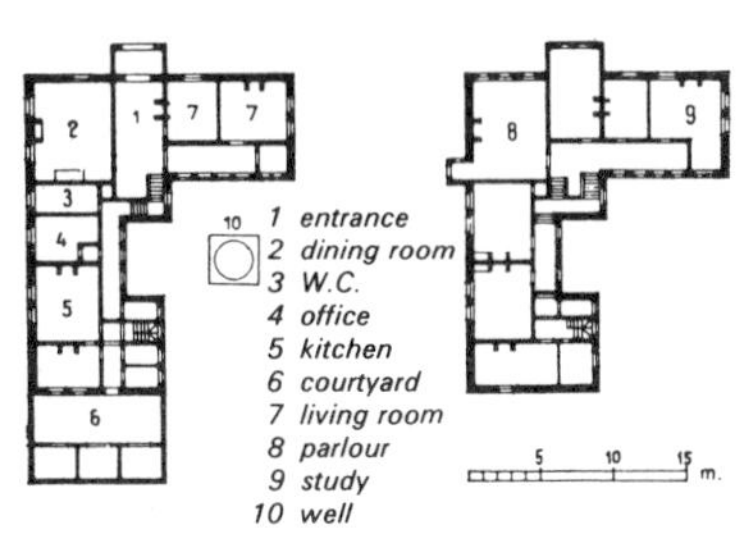

26　同，平面図，1階と地階

27　ショウ，住宅，サセックス州リーズウッド，1866年

ォード・マドックス・ブラウン等を含めたラファエロ前派の芸術家達を工房（アトリエ）に呼び寄せて、協会を組織した。彼は、壁画からステンド・グラスや家具、あるいは刺繍から金属細工や木彫工芸に至るあらゆるものを注文に応じて設計し、制作しようとしたのである。その目的としたところは、ピュージンが一八三〇年代と一八四〇年代に、《国会議事堂》のためにありとあらゆる装飾品を設計したのと同じように、総合的な芸術作品の創作であった。この協会、というより商会の設立趣意書を見ると、控え目ながら、そのことが非常に明白に述べられている。「思いますに、このような共同作業によって［…］その仕事は当然のことながら、一人の芸術家が通例の流儀で当たるよりも、遥かに完璧な秩序を具えるに至ることは必定なのであります。」こうした工房の基礎は、ピュージンを先例としたというよりも、一八四五年、[27]ヘンリー・コールがフェリックス・サマーリイの仮名で設立した「芸術制作協会」から影響されたと言った方がよいのであろう。ともかくも、それまでは天衣無縫に生まれてきたラファエロ前派の手工芸作品に、公共的性格が具わってきたのである。それを示すかのように、同商会のロンドン店での売立てで、最初に売ることになったものはウェッブのデザインしたガラスの食器であった。

　工房が成功していくに従って、皮肉にもモリスはその田園味溢れた《赤い家》を離れなければならなくなり、一八六四年、《赤い家》を去って再びロンドンに移り、以後そこに戻ることはなかった。一年後、モリスは、商会の経営をウォリントン・テイラーに一任したが、それは二次元のデザインや著述に専念するためであった。そしてこの二つの分野での活動が、彼の後半生を占めることになるのである。モリスによる最初の壁紙のデザインは、この時期に遡るものであり、モリスとバーン・ジョーンズによるステンド・グラスの初期の作品もこの時期から始まるのである。こうした活動でモリスが手本としたものは、一八五六年に出版された[28]オーウェン・ジョーンズの著書『装飾の文法』に図示されていたペルシアの装飾文様を始めとして、本来はステンド・グラスにと採用した中世様式に至るまで、多種多様であった。そして、このステンド・グラスは、限られていたとはいえ、彼の生涯を通じて絶えず依頼を受けていた仕事であった。一方、「モリス・マーシャル・フォークナー社」の名は、一八六七年以来、広く世人の認めるところとなったが、それはこの年、ウェッブがロンドンの《サウス・ケンジントン博物館（現ヴィクトリア・アルバート博物館）》に「グリーン・ダイニング・ルーム」と呼ばれる喫茶室を設計し、その部屋のすべてがモリスとその配下の芸術家、職人の手によって装備、装飾されたためであった。

　これ以降、ウェッブは彼自身に寄せられる大規模な住宅設計の依頼に手を染め、それを完成させることに努めた。その中で最良の作品といえば、晩年の大作、サセックス州イースト・グリンステッド近傍の《スタンデン》（一八九一～九四年）であるが、その室内装飾は、いつものことながらモリス商会によるものであった。一方、モリスはいよいよ著作活動に深入りし、一八七〇年も中期になると、ラテン語に起源を持つ言葉をことごとく追放し、アイスランドの英雄冒険譚の全訳を試みたり、浩瀚（こうかん）なロマン主義的詩集を生み出したのである。その当時モリスが抱いた理想主義的精神も、工業を中心とする十九世紀の現実の中では撤回を余儀なくされたため、中世のアイスランドこそが自分の求める究極の「無可有郷（ノーホエア）」とされたのであろう。

ところで、この一八七五年という年は、モリスの生涯にとって一つの岐路であった。商会は解散されて、これを改組して「モリス・アンド・カンパニー」とし、彼の独裁下に置かれた。それと同時に、彼ならびに彼の商会は、生産できる手工芸製品の数を増し始めたのである。彼自らは染色ならびに絨毯の織り方を教え、一八七七年、ロンドンにショールームを開設して、特約店とした。それ以来、商会の経営管理ならびに壁紙、壁掛け、絨毯等々のデザインおよび製作は続けられたが、モリス自身の関心は、次第に公共的なものへ傾くようになり、「詩的」なものや手工芸に根ざしたものからますます離れるようになった。モリスは、ラスキンが唱えた社会主義的、保存主義的思想を公然と取り上げるのが自分の使命だと感じたのであろう。ラスキンは、すでにその頃には精神的障害に罹っていたのであった。このようにして、一八七七年、モリスは最初の政治的小冊子を書き、「古建築保護協会」を設立し、その圧力によって、当時ジョージ・ギルバート・スコット卿による《トゥークスベリー僧院》の復元、というよりも部分的再建の企てを見事に頓挫させたのである。

続く次の十年間に、モリスは商会を再編成し、自らの生活を政治とデザインに等分に分けた。モリスの最初の伝記を書いたマッケイルによると、この時期にも、モリスは多種多様な織物六百種以上を製作したという。しかし一八八三年、モリスはカール・マルクスの著作を読み始めている。さらにエ[29]レノア・マルクス、エ[30]ドワード・エーヴリングといった収監された経験のある社会主義者達とともに、当時フリードリッヒ・エンゲルスが長をしていた「社会民主連合」に加入した。だがその二年後、モリスは連合を去り、「社会主義連盟」を起こすなど、彼の全精力は、今やデザインから政治へと移ってしまったのである。彼は、一八九六年の死に至るまで、しばしば社会主義、文化ならびに社会を主題として数々の論文を執筆、出版した。それらは一八八五年の「われわれはいかに生きているか、いかに生きられるか？」と題するフーリエ主義的論文を始めとして、一八九一年に出版された有名なユートピア物語『無可有郷（ノーホエア）だより』を頂点とする一連の試論であった。

しかし、若い世代にとっては、モリスの態度はあまりにも明らかな矛盾に満ちていた。モリスの協力者[31]ウォルター・クレインにとっても、ラスキンの愛弟子マックマードにとっても、ショウの高弟レザビー、[32]E・S・プライアー、[33]アーネスト・ニュートン、それにショウ自身にとっても、さらにアシュビーやヴォイジーといった比較的部外者達にとっても、モリスの姿勢の矛盾は明白であった。とりわけ、モリスの「無可有郷」というユートピア的見解が問題であった。マルクス主義の予言によれば、そこでは国家は消滅し、都市と田園との区別もなくなるのであった。都市はもはや高密度の物理的実体ではなくなって、十九世紀の技術の偉業も解体される。代わって、風や水が再び唯一の動力源となり、水路、道路が唯一の輸送手段なのである。貨幣も財産もない社会であり、罪も罰もない社会であり、牢獄も議会もない社会である。そういう社会での秩序は、すべて自治体という組織の中の家族単位の集団同士による自由な連合に係っているのである。結局、その社会では、労働は共通意識によって団結した工場、つまりギルドとか工作連盟（ヴェルクブント）に基づいて行われ、そこでの教育は自由で、強制されないものである。

　このようにモリスは、目的意識のはっきりした生一本な社会主義的ヴィジョンを描いてみせたが、それは彼の実生活の裏側や彼の思想に潜む不徹底さなどと鋭く矛盾するものであった。まず、彼の商会は繁盛していた。そこで作られる種々様々な贅沢品はもっぱら中流階級も上層の人々によって消費されていた。これはなんという自由放任の現象であろうか。そして次に、モリスの社会主義はわけても過激であった。それは、彼生来の無政府主義的傾向をほとんど含んではいなかったが、革命を目指すその社会主義は、モリスの追従者であるアシュビーのような比較的自由主義的な者にとっては、とうてい受け容れられなかった。だが、フェビアン社会主義者も建築家も、モリスの理論と実践の中に、田園都市を改良して、手工芸のギルドや協同組合（コーポラティヴ）といった組織の上に立つ集落をつくり出そうという意図を読みとった。また、そうすることによって、労働を確保するだけでなく社会改良や再教育の進化的発展をも達成して、ついには広く認められるようにするという目論見を読みとったのである。こうした進歩的な（そしていささか騒々しい）彼の関心の広さとは対照的に、モリス自身のデザインには潜在的に病的なところがあった。さらに決定的なことに、モリスは工業的方法との妥協を頑固に拒絶し、他方、十五世紀以後のすべての建築に対しては、敵意とまでは言わないが曖昧で、いずれとも取れる態度をとり続けたのだった。モリスによって断罪されたのは、古典主義という過去だけではなかった。彼の思想に好意的な同時代の作品までもが冷たくあしらわれた。例えばウェッブの見事な設計の数々も、奇妙なことにモリスからは認められなかった。ウェッブの折衷主義はモリスにとってどうにも過剰だとでもいうのだろうか？　一八七九年から一八九一年にかけてウェッブが設計した住宅に織り込まれた古典主義的あるいはエリザベス朝の要素が、それだけでモリスの不満の原因だったのだろうか？

いずれにしても、この時期の歴史主義は、とうていモリスの反古典主義的行き方を支持するものではなかった。一八七〇年代も初期の頃、ショウのような世慣れた建築家達は、「アン女王様式」と言われるものを都市の文脈の中で操作したり、古典主義風にしたりすることを始めた。「アン女王様式」とは、ショウやウェッブやネスフィールドが英国やオランダの住居の伝統に基づいて発展させた様式であった。ショウは一八九〇年代の初めに、ネオ・ジョージ朝様式へ全面的に転向してしまうのだが、それ以前の時点では、古典主義の体裁を、いささか形式主義的にもせよ採用して、見事な先例を遺したのであった。例えば、都市の中では一八七五年から七七年にかけてチェルシーに建てられた《スワン・ハウス》がそれであるし、田園の中では一八七五年から七八年にかけてサリー州フレンシャムに建てられた、のびのびとしてピクチャレスクで、使い勝手もよい、あの《ピエールポイント》がそれである。

28 「ベッドフォード・パーク」ロンドン，1879-82年．典型的な郊外地．ショウの設計したセント・マイケル教会が見える

ショウは、ラスキンの社会・文化観に影響されていたが、それを彼は詭弁でごまかしていた。一八七七年、ショウは芸術趣味の土地投機家ジョナサン・T・カーの依頼に応えて、ロンドンの西郊で、初めて田園郊外地のための住宅設計に取りかかった。赤い煉瓦とタイルを貼った様式の中流上層向きのこの田園「村落」は、《ベッドフォード・パーク》の名で知られている。一八八一年当時の新聞「セント・ジェームズ・ガゼット」には「ベッドフォード・パークのバラード」と題する軽薄な一詩が掲載され、次のように謳っている。

ココデハ木木ハ緑色、レンガノ色ハ真ッ赤ッカ、
ミンナノ顔ハキーラキラ。
ココニミンナノ家ヤ木ヲ、あん女王様ノ格好デ、作ッテ

イコウトイッタトカ。
のーまん・しょうノオジチャンノオカゲデ作ル村ト村
ソコデハ皆ガソーロッテ
清ク、正シク、美シイ
モノニ向カッテ進ムンダ。

ところで、この煉瓦造の様式は教会にまで及んだが、いささかも教会建築慣用の垂直性の特徴を具えていなかったから、充分、世俗性を暗示するものになっていた。全体がゴシック・リヴァイヴァル様式風に仕上げられてはいたが、屋根にクリストファー・レンを思わせるような頂塔を堂々と載せているといった建物である。[34]《ベッドフォード・パーク》の最初の住宅は、一八七六年にE・G・ゴドウィンの設計によって建てられた。[35]ついでながら言えば、この建築家は日本趣味の持ち主であった。一八七七年、ショウがその後を継ぎ、さらにその後の十年の間、ショウの影響下で多くの建築家が設計に当たった。その中にはヴォイジーもいて、彼は一八九〇年、ザ・パレードに住宅の傑作を作っている。

一八七八年、ショウは著書『コテイジその他の建物のスケッチ』を出版した。この著書は、当時きわめて影響力を持ったものであったが、その中には、労働者向け住宅がさまざまな規模で多数図示されていた。さらに、学校、集会所、救貧施設、小病院といった自給自足の村落共同体には必要不可欠な公共施設の類型(タイポロジー)すべてが含まれていたのである。その翌年、温情主義的、保護統制的な田園都市の最初の例が出現した。バーミンガムの《ボーンヴィル》である。これはジョージ・カドバリーの創建で、ラルフ・ヒートンその他の設計によるものであった。しかし、それから十年も経たない一八八八年、W・H・レヴァーが《ポート・サンライト》を創建した時、彼が手本としたのはおもに《ベッドフォード・パーク》であった。

田園都市運動が十九世紀の最後の十年間に見せた進化は、アーツ・アンド・クラフツ運動の発展と深く結びついていた。周知のように、エベネザー・ハワードによって一八九八年に提起されたこの田園都市による社会政策は、都市分散と地方入植ならびに分権統治とを噛み合わせたものであった。さらにそれは、協同組合運動を補完するものとして、このような都市においては、歳入を工業と農業とから、平均して得なければならないと唱えていたのだった。ハワードは、集合住宅の建設、土地の協同組合による所有、総合的計画、禁酒改革などの財政的支えとして労働組合を主張した。彼は田園都市の最適規模を人口三万二千人としたが、そのために都市はその成長を隔離用緑地帯によって抑えられていた。各都市は地域毎の衛星地区として位置づけられ、主要な中心とは鉄道によって連絡していた。こうした形態をとることによって、田園都市は、社会改革によって産業プロレタリアートの生活ならびに労働条件を改善しようという、従来からの幾つもの試みを補完したのであった。ハワードは一八七六年、アメリカから帰国すると直ちに社会主義者のサークルに加入した。このサークルには、作家バーナード・ショウ[36]や社会主義者シドニー[37]とベアトリス[38]のウェッブ夫妻等が常連で、後年、「フェビアン協会」[39]となったものであった。しかし、同協会は当初、田園都市の理念を拒否していた。ハワードの姿勢は「フェビアン主義」と、形式はともかく精神的には一致して、実際的かつ改良的であった。一八九八年に出版されたハワードの著書の書名『明日・真の改革への平和的道程』こそ、彼がいかに折衷の人であったかを物語っている。ハワードは、社会的制御が可能の範囲でなら自由企業を認めていたし、また、革命行動よりも改革への漸進かつ断片的接近（ピースミール・アプローチ）を好んでいた。一八七一年にラスキンが創設した「セント・ジョージ・ギルド」[40]とは違って、ハワードは、その田園都市の社会・政治的模範を無政府主義者ピョートル・クロポトキン[41]とかアメリカの経済学者ヘンリー・ジョージ[42]といった思想家達に求めていた。ヘンリー・ジョージこそ、一八七九年に出版した著書『進歩と貧困』の中で、すべての敷地の地代に単一税を課すことを説いていたのである。ハワードは、その田園都市の形状を図式化するに当たっても、同様に折衷的であった。彼は、ジェームズ・シルク・バッキンガム[43]が一八四九年に発表した理想都市《ヴィクトリア》や、パクストンが一八五五年に提示したグレイト・ヴィクトリア鉄道など、さまざまな源泉から引用しているのである。

一九〇四年に着手された田園都市《レッチワース》はどうやら実現したものの、ハワードが当初抱いていた図式（ダイアグラム）から何が失われたかを指摘するのはいとも容易である。鉄道は都市を真っ二つにしているし、ショッピング・センターは雨ざらしだし、工業地区は全くその場の都合で住居地区の中に入り混じっている。設計者レイモンド・アンウィンならびにバリー・パーカーは、ショウやウェッブの様式によって、とりとめのない試みを幾つか行った以外は、ハワードに呈示できるものはわずかなりとも持っていなかったのである。一九〇七年にアンウィンが設計した《ハムステッド・ガーデン・サバーブ》にしても、ラッチェンズ[44]の協力がなかったならば、同様に退屈きわまりないものになったことであろう。

一八八二年、マックマードは、コールやモリスのアーツ・アンド・クラフツの伝統に従って、「センチュリー・ギルド」を創設した。そして、この集団もまた、日常生活の品々の設計や製作に携わる芸術家達からなっていた。マックマードは、最初から版画家としても、壁紙・家具のデザイナーとしても、いずれ劣らぬ手腕を見せた。彼は、自らの見解をセルウィン・イメージ[45]と共同で発表し、一八八二年に「センチュリー・ギルド」設計集団をも設立し、一八八四年には雑誌「ホビー・ホース」を発刊した。一八八〇年代の初期にマックマードが作った手工芸品を見ると、その中にはアール・ヌーヴォーを予見させるような独特の様式が展開しているのが分かる。それは、ウィリアム・ブレイクから直接派生しているものの、マックマードが建築において見せた優雅ではあるが厳格な形態とは、精神的に相対立するものであった。この独特の様式が最も完全な形で表現されているのは、一八八三年頃、エンフィールドに建てた、すぐれて独創的な陸屋根の住宅と、一八八六年に行われて収支が取れたセンチュリー・ギルド展でのスタンドの二つであった。

一八八七年のこと、アシュビーは、マックマードが設立して見事に安定しているギルドを手本として、ロンドンのイースト・エンドに「ギルド・オヴ・ハンディクラフト」を設立した。そして、その設立趣意書の中には、直接社会改革を目指す旨の一項が取り入れられていた。彼のギルドは、ある明白な目的のために設立されたのである。その目的とは、ロンドンの職人およびその徒弟を雇い入れて、上手に彼等を仕込むことであった。こうでもしなければ、この連中は仕事に就けなかったのである。アシュビーは、一九〇四年、彼がチェルシーに建てた自邸を見る限りでは、マックマードよりも遥かに繊細で、間違いのない設計者であった。アシュビーもまた、教え子で今は実技指導に当たっているトインビー・ホールと一緒になって、改革の手段としての直接的社会活動にますます関わるようになっていった。彼は、モリスやラスキンに強く感化されていたが、機械に対する彼等二人の独断的反対あるいは革命的社会主義とは、意見を異にしていた。遥かに急進的な先輩達に対して、アシュビーは自分自身を建設的社会主義者と称した。十九世紀から二十世紀への変わり目の頃、彼はフランク・ロイド・ライトと会い、近代産業が提起した文化の窮境を解決するには、機械を適切に使うしかないことを確信するに至った。ハワードと同様、アシュビーは折衷、妥協を受け入れられる人物であった。彼は、現存する都市集中の分散や施設の分散を唱え、そのために、アーツ・アンド・クラフツ運動と田園都市の理念との結びつきを拠り所としたのだった。さらにハワードに従って、アシュビーは土地の国有化に反対し続けた。アシュビーは、手仕事の文化としての機能は、人間に「個性を与えること」であると確信していたから、急進的社会主義の短絡的見解を恐れた。このようにして、晩年を迎えた彼は、「国際社会主義同盟（第二インターナショナル）」が「民族という岩盤」の上に築き上げられたことを歓迎したのだった。そういう立場からして、彼はいささか時代遅れのディスレリ風社会改革を支持したのであった。[46] その結果、不覚にも、英国帝国主義を美点として賞賛することになってしまったのである。経済の現実を鋭く嗅ぎ分けることなど、とうていアシュビーの気質には合わなかった。そのため、一九〇六年、グロスターシャー・チッピング・カムデンに設立した手工芸に基礎を置く農村共同体、「ギルド・オヴ・ハンディクラフト」は、その意義の深さにも拘わ

29　ヴォイジー，住宅，カンブリア州ブロードリーズ，1898年

らず、わずか二年で崩壊してしまった。当時、株主は、アシュビーの資本増加の求めに対して次のように応えたのだった——。

「バーミンガムのカドバリー村は、話をあのコテイジや勤務時間外の生活に限って言えば、断然すぐれています。しかし、低廉な生産や機械のフル回転といった近代特有の状態が、作業時間を圧倒的に支配しているのです。あそこの人達は、余暇を人間的にしたのです。ところがあなたはその上さらに労働をも人間的にしようとしているのです。」

しかし、こうした野心的な社会的目的も、ヴォイジーの関心をそそるところとはならなかった。ヴォイジーはマックマードの弟子で、個性豊かな建築家であり、一八八五年に至るまでには、力強い簡潔なスタイルを完成していて、同時代の者の追随を許さなかった。彼は自らのスタイルを、ウェッブの伝統的方式の尊重や地方材料の頻用という設計方法から派生させたのであった。それは、ショウの作品に見られる創意とか巧妙な空間形成などとは無縁であった。一八八五年、ヴォイジーが計画した《自邸》は実現するに至らなかったが、その中で、彼は自らのスタイルの重要な部分（コンポーネント）を公式化しているのである。（ショウを真似て、ハーフ・ティンバーを採用してはいるものの）そこには、スレート葺きの屋根、大きく突き出した軒、鋳鉄（ちゅうてつ）製の雨樋受け持送り、漆喰による荒塗り壁、水平な窓と一定の間隔で取り付けられた傾斜のついた控壁、さらに煙突などが見られるのである。そして、こうした部分こそ、その後三十年間、彼の作品を特徴づけるものになるのであった。スタイルから言えば、ヴォイジーの手法は英国農家の基本的な長所を回復させようという率直な試みであった。だが、ヴォイジーは初期の頃、マックマードと共に仕事をしたことがあったから、彼の作品の中にもマックマードの影響として、流れるような、すぐれて上品な要素が混じり合っていた。例えばそれは、一八九〇年頃の壁紙や金属細工のデザインの中にはっきりと現れている。その他、簡素な室内の場合にも、そうしたディテールが抑揚となっているのである。しかし、ヴォイジーはモリスとは違って、極度なまでに抑制の感覚に拘わっていた。このため彼は、織物か壁紙のいずれか一つだけに模様をつければよいのであって、両方につけてはいけないと明記している。一八九九年、ヴォイジーはハートフォードシャーのコーリー・ウッドに、自邸《ザ・オーチャード》を建てたが、ここには彼の室内のスタイルが、いかにもきびきびとした節度を保って現れている。光をたっぷり湛えている格子を両袖につけた階段、背が高くない鴨居、タイルを貼り巡らせた暖炉まわり、無地のオーク材で造った家具、それと厚手の絨毯。こうした要素は、その後もずっと何らかの変化を加えながら、繰り返し用いられたのである。しかし彼のデザインは、年を経るごとにいよいよ装飾性を殺いでいった。そして、初期には有機的なものを志向していた家具も、後期のものになると、古典主義をテーマにしたものへと変容していくのである。

　一八八九年から一九一〇年にかけて、ヴォイジーは約四十軒の住宅を設計した。そしてそのほとんどが彼のスタイルに潜在していた歴史主義を乗り越えるものであった。なかでも、一八九〇年にベッドフォード・パークに建てられたJ・W・フォースターのための芸術家の住宅、一八九六年のギルドフォードの《スタージス邸》、そして一八九八年に完成を見た最高傑作レイク・ウィンダミアの《ブロードリーズ》などがその代表例である。その平面の明晰なこと、配置計画ならびにランドスケープの寛闊なこと、建物全体のマッスとしての効果や窓の取り方の大胆なこと、これらに比肩するものは他にはなかった。こうして、ヴォイジーが与えた影響は、その活動同様、広範囲にわたり、C・R・マッキントッシュ、[47] C・H・タウンゼンド、[48]さらにJ・M・オルブリッヒ、[49]ヨゼフ・ホフマンといったウィーンの建築家達がヴォイジーの作品から影響を受けたのである。

　ヴォイジーの建築家としての履歴の中でその第一期に当たる頃、英国のアーツ・アンド・クラフツ運動は確実に制度化されるようになった。まず最初が一八八四年、レザビーやショウの事務所の所員達の示唆を受けて創設された「芸術労働者（アート・ワーカーズ）ギルド」である。次が一八八七年に設立された「アーツ・アンド・クラフツ博覧会協会」で、これはモリスを保護者と

30　ラッチェンズ「英国戦没者記念碑」ティープヴァル，ピカルディー，1924年

仰ぐウォルター・クレインが主宰した。第一次世界大戦勃発に先立つ二十五年間は、アーツ・アンド・クラフツ運動の後期に当たるが、レザビーはこの後期の活動と密接に結びついている。レザビーは、ショウの事務所に主任助手として十二年間勤務した。一八九五年、レザビーは《エイヴォン・タイレル》の設計を潮時に、自らの事務所を設立した。《エイヴォン・タイレル》はニュー・フォレストに建った大きな館であった。五年後、レザビーは、[50]ジョージ・フランプトンと共に、ロンドンの「セントラル・スクール・オヴ・アーツ・アンド・クラフツ」の初代校長に就任した。このように、彼の設計者としての生涯は、呆気なく終わってしまうのだが、アーツ・アンド・クラフツ運動の中にレザビーを置いてみるとき、彼の役割は教師としての秀れたその才能に係っていたことがよく分かる。一八九二年、彼は最初の著作『建築、神秘、神話』を刊行した。その中で彼は、いかに過去の建築が常に、そしてなおかつ、ことごとく、宇宙的で宗教的な範例（パラダイム）によって形成されていたかを論証したのだった。レザビーはこうした象徴性を自分の作品の中に組み入れようと試みた。一方、彼の広範な論議は、親交のあった同僚E・S・プライアーに衝撃を与えたと見えて、プライアーが一八九七年、エクスマウスに建てた有名なバタフライ型平面の住宅《ザ・バーン》には、まさしく象徴的な特徴がはっきりと現れているのである。（同様に、このバタフライ型平面の形態は、[51]M・H・ベイリー・スコットも提案している。一九〇二年のイエローサンズ、一九〇八年のハムステッド田園郊外にそれぞれその例がある。）レザビーは教育の仕事に携わるようになると、その関心を形態の詩的意味から形態進化の正しい方法へと移していった。こうして一九一〇年になると、彼は詩的自意識に反対して次のように論ずるようになってしまうのであった。

「建物はこれまでは芸術であった。想像的で、詩的で、神秘的で、魔術的でさえある芸術であった。おそらく現在においてもそうであろう。詩や魔術が人々の間に満ちている時には、あるいは、その時代に満ちているならば、それらは芸術に現れるはずである。[……]魔術的建物を建てようなどと言わなくてもよいのだ。」

その時、レザビーには、彼が帰属していた伝統が、まさに突如としてその役割を了えてしまったかのように見えた。十九世紀は二十世紀へと転換しようとしていた。かくも長き「ゴシック・リヴァイヴァル主義」による社会主義の末席にいたレザビーも、この時に至って、純粋な機能主義を擁護し始めるのである。一九一五年、レザビーは「デザイン産業協会」設立に奔走しながら、将来への指針として、ドイツを見よ、「ドイツ工作連盟」を見よと同僚に説いたのであった。一九一四年の戦火の第一波がヨーロッパに起こるや、夢物語の英国カントリー・ハウスの黄金時代も遂に終末を迎えるに至ったのである。その夢は、ウェッブやショウやネスフィールド等によって先導され、やがて、エドウィン・ランズアー・ラッチェンズ[52]やガートルード・ジェーキル等の手によって意匠を凝らした雑誌「カントリー・ライフ」が創刊され、その魅力も頂点に達したかに思われたものであった。しかし、その時代は、実際にはもっと早く終わっていたのである。[53]ロバート・ファーノー・ジョーダンが述べているように、夢物語に似た英国カントリー・ハウスは、「ボーア戦争以来、剣に物を言わせて金の分け前に与っていた芸術好みの金持達」のためのネオ・ジョージ朝様式による数々の大邸宅の奔流の中へと呑み込まれてしまったのである。しかし、このようなエドワード朝趣味を持ったネオ・パラディオ主義の勝利に終わったこととは関わりなく――これこそ世紀が変わってからラッチェンズが「レン風ルネッサンス」と呼んで追い求めたものであった――英国のアーツ・アンド・クラフツ運動の形態と理想が、史上初めての大規模な産業戦争による社会・文化的外傷(トラウマ)を生き永らえたとはとても思えないのである。それは、ある程度、大戦後の「リバティ商会」の悲運な物語からも察せられることである。すなわち、一九一四年から一九一八年までの殺戮(ホロコースト)は、同商会の手工芸生産をまるで断頭台に掛けるように寸断してしまったのである。この約五年の間に、同商会のアール・ヌーヴォー風の銀器に具わっていたあの創意に溢れた厳格さ、輝かしさは、平々凡々な青磁器、チューダー様式の家具飾りや似而非(えせ)ラファエロ前派風ステンド・グラスといったがらくたの生産へと道を譲ってしまったのである。一九二四年、「リバティ商会」は、E・T・ホールとE・S・ホールの設計によって店舗を新装したが、そうなってもまだこの退廃しきった様式を採り上げたのだった。ハーフ・ティンバーによる《リバティ百貨店》の建物は、いわゆるストックブローカー・チューダー様式の典型であった。そしてさらに、それがもっと質を落とした形で、今やロンドンの生命源となろうとしている郊外の通勤可能地区とロンドンを結ぶ、完成したばかりの自動車道路(バイパス)にずらりと並ぶことになるのであった。

この間、ラッチェンズは、非公認とはいえ、今や「桂冠建築家」として名声をほしいままにしていた。しかし彼にしても、戦後は、かつてのように（例えば一八九九年のプライアー風の《ティグボーン・コート》のように）ジェーキルが小さいながらも手の込んだ庭園を設計して、贅沢ではないが、ゆったりとした住宅などを設計する機会にすら恵まれず、戦後の混乱期に宙づりにされている有様だった。世紀は過ぎて、ラッチェンズのパラディオ主義への好みは、まず、一九〇五年、自邸《ナッシュドム》に軽妙に表現された。さらにそれは、外地においても実現した。一九二四年、フランス・ティープヴァルに建てられた英国戦没者のためのソンム記念碑に見られる厳格性や、一九二三年から三一年にかけてインド・ニューデリーに建設された傑作、《インド総督邸》の古色蒼然たる記念性などである。しかし彼は、これらの新古典主義による見事な記念建造物において、自らのアーツ・アンド・クラフツ的気質を事もなげに放棄してしまったのだった。平坦で見慣れない周囲の景色の直中にぽつんと孤立する飾り気のない記念建造物くらい、モリスの説いたユートピアの空想から遠い存在は想像すらもできない。モリスの言う「無可有郷」は、中世ギルドを復興させた彼の住宅の中では実現されなかった。それは、殉死した者達の記念に立てられたアーチの中に、そして、今や死に瀕している大英帝国の上を覆うバロック風な眺望の中に現れようとしていたのであった。

第2章　アドラーとサリヴァン：《オーディトリアム・ビル》と高層ビル

一八八六〜一八九五年

もしも私達が、数年だけでも、装飾を用いることをすべてやめて、おさまりのよい形で、飾り気のない端正な建物をつくることに専念したならば、私達の美的性質にとって大いに益することになるだろう、と申し上げたい。私達は、望ましくないものは、どうしても避けなければなりません。その代わりに、自然で、無理のない、健全な筋道に沿って考えるのが一番よいということを知って頂きたいのです。［…］しかし何時か私達は、装飾が精神にとって贅沢品であって、必要物ではないと分かることになるでしょう。なぜなら私達は、無装飾なものの価値と同時に限界も承知することになるでしょうから。私達にはロマンを求める気質、ロマン主義というものがあるのです。そして、それを表したいと渇望しています。私達は直観で次のように感じ取っているのです——力強く、頑丈で、単純な形こそ、私達が夢想している衣装をやすやすと運んでくるだろう、と。そしてまた、詩的なイメージをたっぷり含んだ装束を身に纏った建物は、まるで選び抜かれた織物や宝石を纏ったかのように、そして、声と声とが重なって調和をつくり朗々と響き渡る旋律のように、持てる力を倍にして訴え掛けてくるであろう、と。

——ルイス・サリヴァン「建築の装飾」一八九二年

H・H・リチャードソン[1]によるネオ・ロマネスク様式の《マーシャル・フィールド百貨店》は、一八八五年に着工し、リチャードソン没後の一八八七年に完成した。この建物こそ、アドラー[2]とサリヴァン[3]という二人の共同経営者によるシカゴの建築事務所にとって大事な業績の出発点となったのであった。ルイス・サリヴァンが設計助手としてダンクマー・アドラーに雇われたのは一八七九年であった。（サリヴァンが設計上の共同経営者になったのは一八八一年である。）それに先だって、サリヴァンはいささか毛色の変わった建築教育を受けていた。彼は、一八七二年にはマサチューセッツ工科大学（MIT）、さらに一八七四年にはパリの「エコール・デ・ボザール（美術学校）」のJ・A・E・ヴォードルメのアトリエ[4]といった、いずれも名門校の正規の学生であった。しかし、どちらも一年とは続かなかった。こうした学校荒らしのような、型破りな修業の間に、サリヴァンはフィラデルフィアのフランク・ファーネス[5]の事務所で一年ほど実務に就いたことがあった。そして、この一年間こそが、彼の生涯にとって重要かつ決定的な時期となったのである。まず第一に、彼はファーネスの事務所で「東洋風」ゴシック様式の手法に馴染んだことが挙げられる。この経験は、その後のサリヴァンの装飾に対する考え方に長く尾を引くことになった。それだけではない、サリヴァンは若くて知的な建築家ジョン・エデルマン[6]に出会った。このエデルマンが、サリヴァンをシカゴの建築家達とりわけ名声を博した建築家に紹介したのである。それは一八七五年を過ぎた頃のことである。最初、サリヴァンはウィリアム・ル・バロン・ジェニー[7]に紹介された。ジェニーは、その後一八九二年、《フェア商店》を設計する時に鉄骨構造を採用して、その先駆者となった。そして、次に紹介されたのがダンクマー・アドラーであった。エデルマンは類稀れな教養の持ち主であった。彼がモリスやクロポトキン等から得た無政府主義的・社会主義的見解なども含めて、エデルマンの思想はサリヴァンの理論形成のうえに影響を及ぼさずにはおかなかった。こうした経緯は、サリヴァンの一九〇一年の著書『幼稚園のお喋り』の中に語られている。

アドラー・アンド・サリヴァン事務所は、設立当初は、好況を続けるシカゴの緊急課題に応ずるのに手いっぱいであった。当時、シカゴは一八七一年の大火による崩壊後、中西部の首都としての面目を回復する途上にあった。一八七〇年代も後半期、アドラーが事務所の業務を安定させることに専念していた頃、サリヴァンはジェニーの事務所で働いていた。その結果、彼はシカゴの建築特有の技術面に精通するようになった。一九二六年に出版された著作『ある理念の自叙伝』の中で、サリヴァンは、シカゴ工法（コンストラクション）と呼ばれる建設方法の背景となった強力な推進力について、次のように書き記している。

「高層の商業ビルは地価という圧力から生まれた。そして地価は人口という圧力から、人口の圧力は外部の圧力から生じたのであった。[…]しかし、オフィス・ビルは垂直方向の輸送手段がなくては階段室以上に高くすることができない。かくして、緊急課題の圧力は機械技術者の頭脳にかかっていた。彼等の独創的な想像力と工業力が乗客用エレベーターを生んだのである。[…]しかし、組積構造の性質からして、高さについて新たに限度が定められるのは致し方のないことであった。しかるに、次第に厚みを増していく壁は、これまたうなぎ上りの賃貸料の地上階や一般階の空間を喰いつぶし、人口という圧力は急速に増すばかりだった。［…］（こうした）シカゴにおける高層建築建設の活発な活動は、東部の鉄鋼圧延工場の販売促進出張員達（セールス・マネージャー）の注意をひきつけるところとなった。やがて、その工場の技術者達が顔を出すようになった。かつてある期間、これらの工場では、橋梁工事に使われていた構造用部材を圧延していた。このように彼等自身の受け入れ態勢は準備完了していたのである。残る問題は、技術的想像力と技術的技能を併せ持ったセールスマン根性の洞察力だった。かくして、鉄骨構造に全荷重をかけるという着想が、試みとして、シカゴの建築家達に提示されたのである［…］うまくいった。たちまち、これまでにない新しいものが誕生したのである。［…］シカゴの建築家達は、この鉄骨構造を大歓迎して採り入れた。東部の建築家は、ただ驚いて、手を拱いているばかりだった。」

サリヴァンが指摘したように、一八八〇年代のシカゴの建築家達は、実務の継続を望むからには、四の五のいわずに最新の構造を習得するしかなかった。シカゴ大火は鋳鉄の脆さを露呈したが、その結果生まれた耐火鉄骨による剛接構造の発達によって、多層の賃貸空間が供給されるようになったば

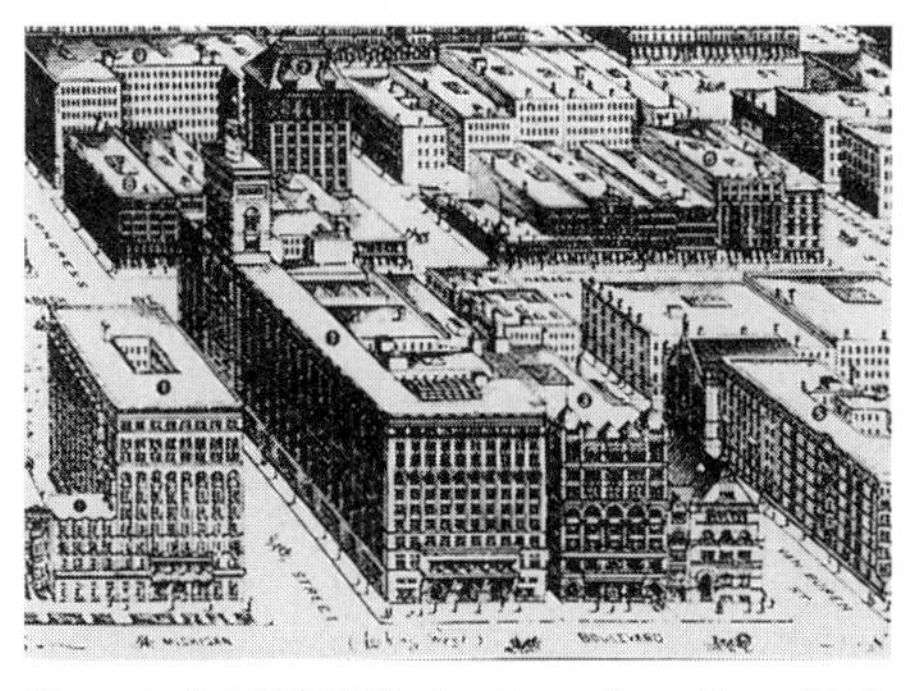

31　シカゴ，1898年当時．ミシガン・ブールヴァードから西方向を見る．中央に「オーディトリアム・ビル」がある

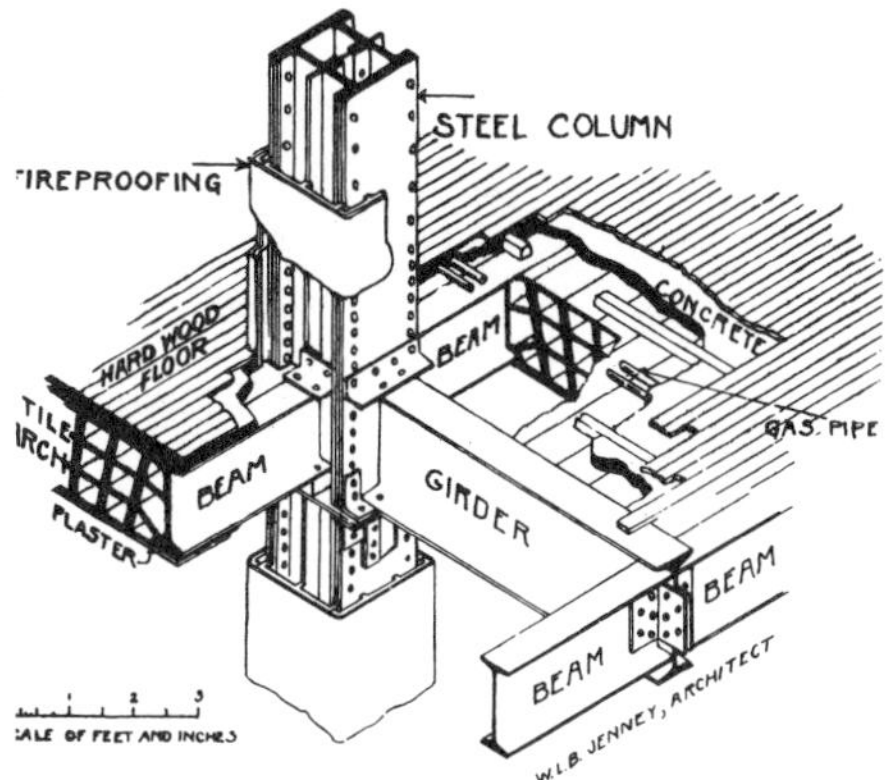

32　ジェニー「フェア商店」シカゴ，1890-97年．耐火鋼構造の詳細

かりでなく、開発業者達(ディヴェロッパー)にとってシカゴの中心部で極めて有利な開発ができることになったのである。当時の批評家モンゴメリー・スカイラーは、一八九九年、次のように述べている。「エレベーターがオフィス・ビルの高さを二倍にし、鉄骨の剛接構造がそれをさらに二倍にした。」

　一八八六年以前では、アドラー・アンド・サリヴァン事務所は主として小さなオフィス・ビル、倉庫、百貨店など商業関係の仕事を専らとしていたが、時折、住宅の依頼も受けた。こうした初期の建物はどれもだいたい六階程度であったから、鉄骨構造であれ、組積造であれ、あるいはその混合形式であれ、骨組[8]そのものを表現する以外は何一つ付け加えるものはなかった。正面(ファサード)を基部、中間部、頂部の古典主義による三分割に手を加えるだけで他にできることは何もなかった。

　だがこうした事態は、一八八六年、《オーディトリアム・ビル》の設計委嘱によって大きく変わることになった。この建物こそ、技術面においても発想面においても、シカゴの文化にとって大きな貢献を果たしたのである。とりわけ、この多目的複合建築の基本的解決法は模範的であった。設計者は、シカゴの格子状街区の半分に大規模な近代的歌劇場(オペラ・ハウス)を設置し、さらにその二つの側面に十一階建ての建物を建てて、そこをオフィスとホテルとするよう求められた。こうした要求事項を組織するに当たって、例えばホテルの厨房や食堂の施設を屋上階に位置させ、排煙によって居住者・滞在者達が悩まされないようにするといった新機軸を盛り込むなど、独特な解決を見せたのである。同時に、観客席(オーディトリアム)自体もアドラーの技術的想像力を十分に発揮させるところとなった。すなわち、彼は、折り上げ式[9]の天井板や垂直に下がる垂れ幕(スクリーン)などを用いて、二千五百人収容の演奏会規模のオーディトリアム[10]を、七千人収容の会議場(コンヴェンション・ホール)にも使用できるようにして、施主の要求に応えたのであった。彼等が、アドラーの技術的才能にいかに信用を置いていたかは、アドラー自身が書いた会議場についての記述の中から、ある程度窺える。

「このオーディトリアムは、その建築の形態にしても、また内部の装飾の形式にしても、極めて異例なものであって、そもそもが音響効果から決められているのである。[…]同心円状に連続している楕円形のアーチは、音声が舞台(プロセニアム)[11]から歌劇場全体へ向かって、縦方向に、横方向にと拡がっていくうえで効果的なのである。この楕円形のアーチの表面の小壁[12]も下端もレリーフによる装飾文様が施されているし、白熱電灯や[…]換気用の吸気口なども装飾にとって不可欠の部分となっている。[…]暖房、冷房、換気装置にはとくに意を用いた。建物の頂部から取り入れた空気は、直径三メートルの送風機で館内に送り込まれる[…]これが空気中の塵埃や煤を洗い清めるのである。[…]ダクトの組織的配置によって、空気はオーディトリアムの各所に[…]舞台に[…]フォワイエに、楽屋に運ばれれる。だいたい空気の動きは、舞台から

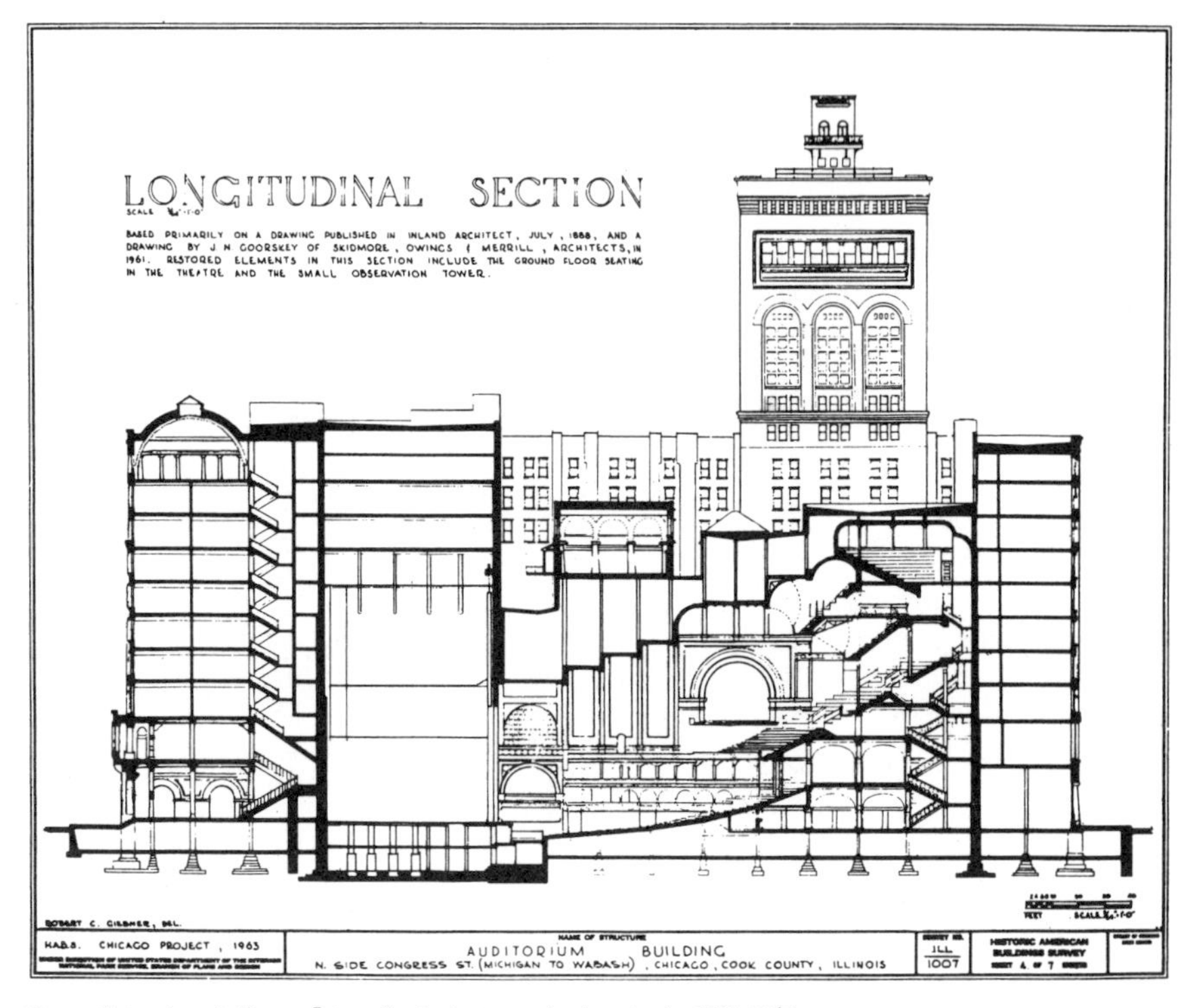

33　アドラーとサリヴァン「オーディトリアム・ビル」シカゴ，1887-89年

34　サリヴァン「ゲティ家墓所」グレースランド墓地，シカゴ，1890年

客席へ、また天井から客席へと向かっている。［…］ダクトは客席の各段の蹴上のところにある口から排気ファンへと繋がっているのである。」

　アドラーはおそらく、技術の広い分野にわたって、その能力を発揮した先端的建築技術者の一人と言えよう。彼はオーディトリアムについてのさまざまな問題点を解決した。それらは、オーディトリアムの空調から、音響効果の利いた内部を支えるトラスのスティール梁に至るさまざまな難問や、さらには、複雑な回り舞台の設置から、歌劇場とホテルとの両方に共通の広いフォワイエの設定まで多岐にわたっていた。この複合建築全体は、巨大な組積造と鉄骨構造の混合式構造の中に組み込まれているが、建設時には、構造体の基礎の各点での荷重の違いを均すように巧妙な積載重量（バラスト）がしかけられていたのである。

　しかし、この十一階建ての複合建築の美しさは、リチャードソンが設計した《マーシャル・フィールド百貨店》の持っていた建築の統辞法（シンタックス）を和らげたところにある。リチャードソンは、《マーシャル・フィールド百貨店》の全体を粗面の切石によって仕上げているが、サリヴァンは、《オーディトリアム・ビル》の表面の仕上げを、下層階の粗石仕上げを三階から上層階では化粧切石仕上げに変えて、建物の高さや重量からくる圧迫感を調整しようとした。だがその結果、寒々として厳しいものになってしまい、アドラーを落胆させた。一八九二年、彼は次のように書いている――。

「かえすがえすも残念ですが、この建物が全く飾り気のないものになったのは［…］事業の当初から、財政方針によって必要とされていたことだったからなのです。オーディトリアム協会の役員達は、リチャードソンの《マーシャル・フィールド百貨店》の建物にひどく感心していました。それに、この建物の設計者が贅沢な装飾効果に現を抜かすようなことになってはならないという反発がありました［…］そんなわけで、建物の外観から室内の扱いと同じような独特の優雅さが奪われてしまったのです。」

　それにも拘わらず、この建物全体には、力強い、緊張感に溢れたリズム感が漲っている。それに対して、ミシガン湖に面したホテルのヴェランダについているコロネード（柱廊）は、塔屋（ペントハウス）の装飾要素に微妙に反響して繰り返されている。このヴェランダに見られる東洋趣味への幽かな暗喩は、やがて一八九二年、サリヴァンがフランク・ロイド・ライトを設計助手として設計することになる、シカゴの《チャーンレイ邸》の歴然たるトルコ調を予告するものであった。

　サリヴァンの初期のスタイルにとって、リチャードソンは絶対的な決定要因と言ってよかった。しかし、サリヴァンの手にかかると、リチャードソンの見事に調節されているロマネスク様式の手法も、手荒く飾り気を毟（むし）りとられて、新古典主義的手法になってしまうのであった。そういう例の最初は、

35　アドラーとサリヴァン「ギャランティ・ビル」バッファロー，1895年

一八八八年に設計された《ウォーカー倉庫》と一八九〇年の《ドゥーリイ・ブロック》であった。この二つの建物は、一八九二年にサリヴァンが論文「建築の装飾」において述べたとおりの「おさまりのよい形で、飾り気がなく、端正な」建物そのものであった。それ以降サリヴァンは、建物の全体の輪郭が明瞭になるように、蛇腹（コーニス）[13]を張り出させ、胴蛇腹（ストリング・コース）を目立たせるようになった。明かり取りの窓は長いアーケードに集中している。一方、平らで滑らかな正面には、硬い図柄の装飾が合間合間に挿入されて、分節表現（アーティキュレーション）がはっきりとしている。こうした手法を洗練させて、集約してみせたのが、一八九〇年ならびに一八九二年にそれぞれ設計されたゲティ家の墓とウェインライト家の墓であった。さらに、これを大きな規模で実現したものが、一八九一年、ミズーリ州セント・ルイスに完成した《ウェインライト・ビル》である。こうした作品で分かるとおり、サリヴァンの建築は体積測定的（ステレオメトリック）な構造であって、その基本的に簡潔な特徴は、分節をつけて、表情を豊かにする装飾化とは対立するものであった。こうした手法はウィーンの建築家オットー・ワグナーの作品にも見る

ことができる。しかし、ワグナーの流れるような装飾に対して、サリヴァンの装飾の傾向には、いつもイスラム的なものが一目瞭然である。その装飾は発生的に幾何学的でない場合もあるが、それでもほとんどの場合、幾何学的形式に収められていたのである。このように、東洋の美学やその象徴の意味などによって、サリヴァンは西洋文化に見られる知性と感性の分裂を解消しようとしたのだった。後年、彼は知性と感性の二つをギリシア的なものとゴシック的なものという二極として捉えるようになった。こうしてサリヴァンの装飾の特徴は、《オーディトリアム・ビル》と《ウェインライト・ビル》とでは、片や有機的で自由であるのに、片や精密な幾何学的輪郭に順応するという具合に、交互に変化することになる。一八九三年、サリヴァンはシカゴ・コロンビア万国博覧会に《交通館》を設計したが、その装飾は圧倒的に幾何学的となっている。よしんば自由な場合であっても、幾何学的格子の中にきちんと嵌め込まれているのである。そして、この「結晶化」という過程は、フランク・ロイド・ライトが著書『天才と衆愚政治』（一九四九年）の中で書いているように、最終的には一八九五年、ニューヨーク州バッファローに完成した《ギャランティ・ビル》において決定的な形態となったのである。

スカイスクレイパー（摩天楼）[14]という言葉が単なる高層の構造物を意味するならば、バーナム・アンド・ルート事務所は、サリヴァンの《ウェインライト・ビル》に先立って、十六階建ての《モナドノック・ビル》（一八八九〜九二年）を耐力煉瓦造によってすでに完成している以上、サリヴァンもジェニーもスカイスクレイパーの発明者としての名誉を保持するわけにはいかないのである。しかし、サリヴァンには高層ビルの剛接構造に相応しい建築言語を展開させた名誉が与えられるだろう。《ウェインライト・ビル》は、そのシンタックスの最初の表明であった。この建物は、リチャードソンが《マーシャル・フィールド百貨店》において見せた抑制の利いたトランサム（鴨居や敷居）を、さらに一段と徹底させた論理的帰結なのである。その結果、正面（ファサード）にはもはやアーケードはなく、煉瓦で被覆された正面にピア（束柱）が節目を刻んでいる。一方、トランサムは後退し、テラコッタで化粧され、窓面と一体になっている。ピアは、硬い感じの一階、二層分の石貼りの基部（ベース）の上に立ち上がり、重々しく飾りのあるテラコッタ貼りのコーニスのところでぷつりと止まってしまう。四年後、サリヴァンはこの表現の方式を第二の傑作である《ギャランティ・ビル》でさらに磨きをかけることになるのである。

《ギャランティ・ビル》において、サリヴァンは自らの能力を最大限に出し切っている。この建物は、彼が一八九六年に書いた論文「芸術的に考慮された高層オフィス・ビル」の中で概略を述べた幾つかの原理を、最大限に実現したものであることは間違いない。この十三階建てのオフィス・ビルによって、サリヴァンは装飾的構造体という概念を作り出したのである。彼の言葉に従えば、その構造体では「装飾文様（オーナメント）を、切り込ませる、あるいは盛り上げるという具合に付けていくのである［…］しかし、完成した暁には、誰か奇特な職人が念入りに仕上げたように、まるで素材そのものから生まれたように見えるに違いないのである」。装飾のあるテラコッタによって建物の外部を覆っているが、それはまるでくすんだフィリグラン（金銀細線細工）である。フィリグランの装飾文様は、ロビーを飾る金属細工の中にも取り入れられている。この狂乱とは言わないが、強烈な表面処理の手から免れているところは、わずかに一階の板ガラスの入った窓と大理石貼りの壁だけである。

　サリヴァンは自らを、「新世界」における唯一人の文化の創造者だと任じていた。この点、彼の弟子フランク・ロイド・ライトとまったく同様である。[15]ウォルト・ホイットマン、ダーウィン、[16]スペンサー等に培われ、ニーチェによって啓示を受けたサリヴァンは、自らの建物を永遠なる生命力の発露と見なしたのである。サリヴァンによれば、自然は芸術における構造と装飾を通して自らを明らかにするのである。サリヴァンの名高いスローガン「形態は機能に従う」は、《ギャランティ・ビル》の曲線を描いたコーニスの部分にその決定的表現を見るのである。そこでは、マリオン（方立）の面に沿って上昇してきた装飾の「生命力」が、屋根裏階の円形の窓の周囲で渦を巻いて溢れている。それは、サリヴァンの言葉を引用すれば、「建物がそれ自体を完備なものに仕上げて、上昇と下降という大きな回転を生みだす」この建物の機械設備の方式を、隠喩的（メタフォリカル）に映し出しているのである。この有機的なメタファーは、実は、サリヴァンがシカモア（アメリカすずかけ）の羽のついた種子に深い意味を見出した時に思いついたものであり、それに原初的形態を求めたのである。この「胚種」こそ、一九二四年、すなわち彼が亡くなるその年に出版された建築装飾論、題して『人間の能力に応じた建築装飾体系』の巻頭の頁を飾っているのである。その図の下にサリヴァンは次のようなニーチェ風なアフォリズムを書いている。「胚種こそ本当の実在である。自己同定（アイデンティティー）が占める座だ。その微妙な仕掛けの内部には、力への意志が宿っている。その機能は、自らの全き表現となる形態を探し求め、それを見出すことである。」

　サリヴァンにとって、あるいはライトにとっても同様に、この種の形態は、千年王国（ミレニアム）を信ずる民主主義の国アメリカにおいて初めて展開されるものであった。アメリカにあっては、この形態は芸術として現れてくるのである。「その芸術は、人々の、人々のための、そして人々によるものだからこそ生き永らえるのである。」民主主義文化の予言者を自認していたサリヴァンは、しかし、全く無視された。彼の過度に理想化された平等主義の文化は、その人々によって拒絶された。アッシリア人の文明に比肩し得る新しい文明を造り出そうというサリヴァンの病的なほどの執着と強弁は、彼の東洋趣味の建築の錯乱と拘禁とが平行する中で表明されたため、ただただ人々は混乱し、離反していった。人々は、自己自身が依存するべき地点を根こぎにされ、辺境にあって経済不況の最中を喘ぎながら生きていたから、愉快な気晴らしの方に飛びついた。曰く、直輸入のバロック趣味、[17]「ザ・ホワイト・シティ」、帝国主義の野望達成の東部の化身などである。それらは一八九三年のダニエル・バーナムの設計したコロンビア博覧会会場において具体化され、人々はそれに陶然となった。こうした人々の拒絶にあってサリヴァンの意気は阻喪した。残余の光輝には未だ見るべきものがあった。しかし、ようやく彼の力には陰りが見えだした。都会的に洗練された共同経営者のアドラーと別れてから、サリヴァンはその職業能力を思うように発揮できず、そのため、世紀が改まってからは、ほとんど設計委嘱の話はなかった。しかし、そういうなかにあって、一九〇七年から一九年にかけての時期に建てられた《ミッドウェスタン銀行》の建物は創意に富み、風変わりで、すぐれて装飾的であって、充分に認められてよいものである。さらに、一八九九年から一九〇四年の間に、シカゴに建てられた《シュレシンジャー・アンド・メイヤー百貨店（現カーソン・ピリー・スコット百貨店）》の比例関係（プロポーション）の素晴らしさ、装飾の生気感などは予言者としてのサリヴァンの面目躍如たるものであり、その重要さはこれまでに述べたものに比して決して劣るものではない。

第3章 フランク・ロイド・ライトと草原(プレーリー)の神話

一八九〇～一九一六年

若かりし頃、《オーディトリアム・ビル》の、そう、巨匠の手になるあの建物のどっしりとした石の塔から南の方を眺めやったことがある。当時、シカゴの南方にはベッセマー転炉があって、その赤々と燃え盛る火の光を見た私は、かつて慣れ親んだ『アラビアン・ナイト』の頁を繰ったのと同じくらいの、恐怖と空想で身震いがしたのだった。

——フランク・ロイド・ライト「素材の本性」
「アーキテクチュラル・レコード」誌　一九二八年十月号

一八九〇年代の初期、アドラー・アンド・サリヴァン事務所にあって、その形成期を迎えていたライトが書き記したこれらの言葉から、彼が幼き日に抱いた異国への空想が窺える。[1]その空想とは、工業技術を芸術によって変貌させることである。しかし、その変貌がどのような形を取るのが望ましいか、世紀の転換期にいたライトにとっては知るべくもなかった。彼もまた、師のサリヴァンやリチャードソンと同様に、古典主義的秩序の持つ権威性と非対称的形態の持つ生命力の狭間を揺れ動いた。リチャードソンはノーマン・ショウの荘園風でかつ都会風な手法に倣って、住宅の配置には非対称のスタイルを採用していたものの、ほとんどの公共的施設には対称的形式を当てていたのであった。だが、リチャードソンの住宅には、常に凝縮した密度といったものが見られるのである。つまり、彼は可能と見れば、ヴォードルメによる第二帝政風なロマネスク様式の重量感を翻案して、新世界に相応しいスタイルに改めようとしたのであった。だから、初期の木造住宅においてさえ、何がしか重みを感じさせるものがシングル貼りの正面(ファサード)に染み込んでいた。[2]一方、後年の住宅、例えば一八八五年にシカゴに建てられた《グレスナー邸》などになると、シングル葺きが石貼りになってはいるものの、その非対称の構成には打ち消しがたい記念性(モニュメンタリティー)が染み込んでいた。

この記念性という問題は、サリヴァンにとってもライトにとっても等しく難問であったと思われる。すでにサリヴァンは、一八九〇年にゲティ家、ウェインライト家、両家の墓所に記念性の強い形態を採用していた。がしかし、そうした形態はそのまま生けるものを収めるには適切であったろうか？この問題に対する当初の解答は、都会の場合には古典主義で石貼り、田園の場合にはゴシック様式でシングル貼り、といった二段構えの明快な公式で切り返すことであったようである。ライトは、一八九〇年以降というものサリヴァンの引き受けた住宅の設計を実際に担当しており、この二刀流の原則を一八八九年、当時なおアメリカ神話の舞台であった大草原(プレーリー)——シカゴ郊外揺籃の地オーク・パーク——に建てた自宅において、初めて見せたのであった。その後は、一八九二年、シカゴの中心街にサリヴァンと共に設計した東洋風とイタリア風の混在した《チャーンレイ邸》においても示したのである。ライトの自邸は、[3]ヴィンセント・スカリーが証したように、当時ニューヨークのタクシード・パークに[4]ブルース・プライスが建てた十字形やT字形の平面(プラン)によるリチャードソン風のピラミッド型住宅から、平面と全体の輪郭を頂戴していた。

　サリヴァンやライトにとって、「新世界」の若くて平等主義的文化は、リチャードソンのロマネスク様式に見られるような、重苦しく因襲的カトリック教的なものに基礎を置くはずのものではなかった。その結果、二人はケルト人オーウェン・ジョーンズの作品へと心を向けた。ジョーンズの著作『装飾の文法』は一八五六年当時には、すでに初版が出版されていたのである。ジョーンズの描いた装飾の例題の六十パーセント以上が、実はインド、中国、エジプト、アッシリア、あるいはケルトに起源を持つ異国風のものであって、サリヴァンやライトが「新世界」を表現するのに相応しいスタイルを求めてしばしば探したのは、西欧のものではなく、まさしくこうした起源のものであった。そしてこのことが、サリヴァンの作品に見出されるイスラム的モティーフの理由を説明するのであり、それればかりでなく、一八九五年に建てられたライトのオーク・パークのスタジオの遊戯室にある「ＳＦ」紛いの半円形の装飾文様の何故かをも説明してくれるのである。因みに、この壁画には、新たに生まれ来る文明の神々しい詩神の前に射竦(すく)められたように、アラブ人が横たわる様が描かれているのである。

　しかし、一八九三年にイリノイ州リヴァー・フォレストに建てられた《ウィンズロー邸》になると、平等主義的だが独占的でもある形式を展開しようとして、暫定的な解決が示されているのである。その解決とは、建物に二つの全く異なった面を与えることであった。街路に面した、すなわち「都会向けの」正面(ファサード)は対称的で、軸上に出入口を設け、一方、庭園に面した、すなわち「田園向けの」正面は非対称的で、片側に寄せて出入口を設けるのである。これこそ、ライトのいわ

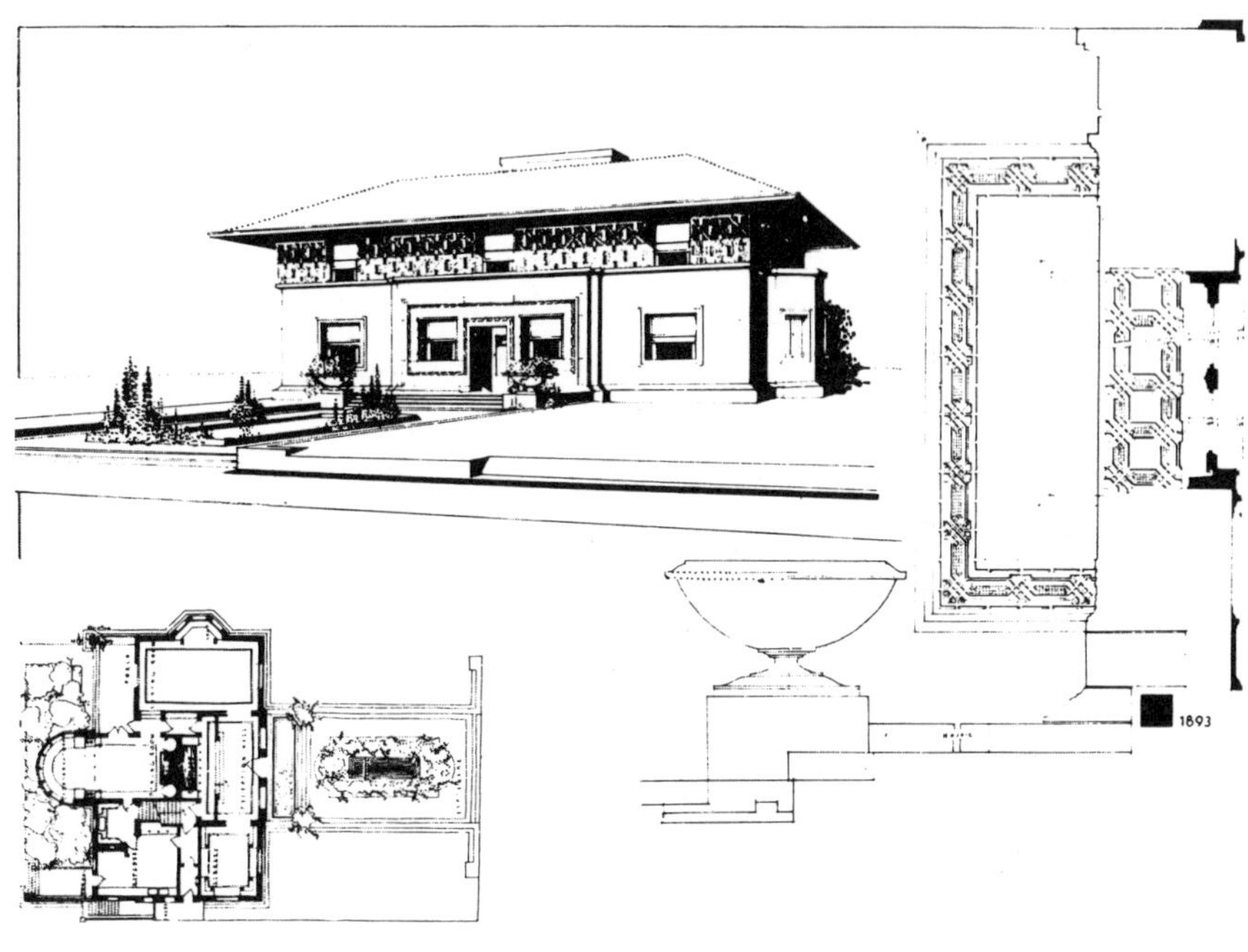

36　ライト「ウィンズロー邸」シカゴ，1893年．外観と配置図

ゆる草原様式(プレーリー・スタイル)という平面計画の戦略を予告するものに他ならなかった。草原様式では、形式的な正面の背後の不整形な凹凸に、設備関係の厄介な要素が具合よく収められるのである。

《ウィンズロー邸》が過渡的作品であったことは、窓の開閉方式の混用、すなわち一部が上下式、一部が回転式ということからも明らかである。(5) グラント・カーペンター・マンソンが（一九五八年に出版した著書『一九一〇年までのフランク・ロイド・ライト』の中で）述べているように、この時ライトは「上下式窓を見捨てて回転式窓を取り上げ、断続的窓の割付け方から連続的窓の開け方へと決定的転換を準備し」始めたのである。ここでライト独特の低く抑えた屋根の隅棟が初めて現れるが、サリヴァン風の装飾文様や胴蛇腹(ストリング・コース)によって表面の各所に彩りを与えている点は、ライトの師匠からの影響がなお尾を引いていることを証している。文様のついた主要入口の立面は、明らかに一八九〇年代初期のサリヴァンの設計した墓所に由来したものであり、一方、玄関ホールに設けられた暖炉との境のアーチの列は、サリヴァンの《シラー劇場》の正面を室内向きにしたものである。

ところで、この初期の作品に見られる、暖炉を強調する特徴は、もう一つのさらに決定的な影響を証すものである。それは日本建築からの影響である。ライトは、自ら認めているように、一八九〇年から日本建築の影響を受け、とくに一八九三年のシカゴ・コロンビア万国博覧会以降、それは顕著になった。この博覧会の折、日本政府は《鳳凰殿》を会場に再現して、日本の品々を展覧に供した。この《鳳凰殿》がライト自身の発展にとって果たしたと思われる役割を、マンソンは次のように見事に記述している。

「仮に、ライトがこうした日本のさまざまな発想を実際に目の当たりにしたことが、彼の建築に最終的かつ決定的な方向を与えるのに、生涯のその時期に必要な示唆であったとしても、その暗示によってライトが繰り広げた展開の足どりは、形而上的というよりもむしろ合理的なものであった。例えば、床の間の翻訳がある。床の間は、日本の室内空間の中の永遠性の要素であり、日本家屋の中の瞑想と儀式の中心である。その床の間を西洋における相対物に翻訳するならば、それは暖炉である。そして、この暖炉を心霊の宿る場所として住居の中での高い地位を与えるのである。さらに、暖炉や煙突の石組を「住まい」の表現として率直に露出するのである。また、それを室内において絶えず高まる流動性の中の唯一、望ましい堅固な実体として強調するのである。室内を、煙突から引き離し、解き放って、外と内とを区切るガラスの結界まで近づけるのである。そのガラス面の上に被さるように、軒を大きくはね出し、それによって入ってくる光の量を調節し、抑制し、天候から室内を守るのである。室内を、間仕切ではなく障壁（スクリーン）によって、いろいろと変わった単位空間に分割するのである。そしてそこにさまざまに変化する人間的な用途を認めて、割り当てるのである。装備や装具に彫刻を施したり、ニスをかけて艶出しにすることはすべて止めて、真っ平らな表面と白木の木目を出すのである。——こうしたことのすべてが、そしてそれ以上のことが、未だ失われずに、さりとて未だ公表されることもなく、有益に活用されていることを《鳳凰殿》の教訓として学んだに違いないのである。」

ライトの「床の間」という主題が最終的にどこに由来するかはともかくとして、《ウィンズロー邸》が完成した頃には、セントラル・ヒーティングがすでに利用されていたことは事実であるし、四年前のオーク・パークの《ライト自邸》と較べると、暖炉は遥かに家庭の儀式の中心以上のものになっていたのである。しかし一八九三年当時、ライトはまだそれには拘っていなかった。彼は、《ミルウォーキー図書館》に全く古典主義的正面を設計して平気だったのである。二年後、彼は自宅兼スタジオを増築したが、それは擬似プレ・コロンビア様式の手法によるものであった。だが、この手法は、マンソンに倣えば、フレーベル様式と見なされることになる。これは思うに、ライトの教育に[6]フレーベルの積木が与えた影響による幾何学的傾向といったものであった。一八九五年頃、彼は驚くほど急進的な設計を二題、生み出している。全面ガラス貼りの《ルクスファー・プリズム・オフィス》と《マッカフィー邸》である。このうち《マッカフィー邸》はリチャードソンが一八七八年に設計した《ウィン記念図書館》のパ

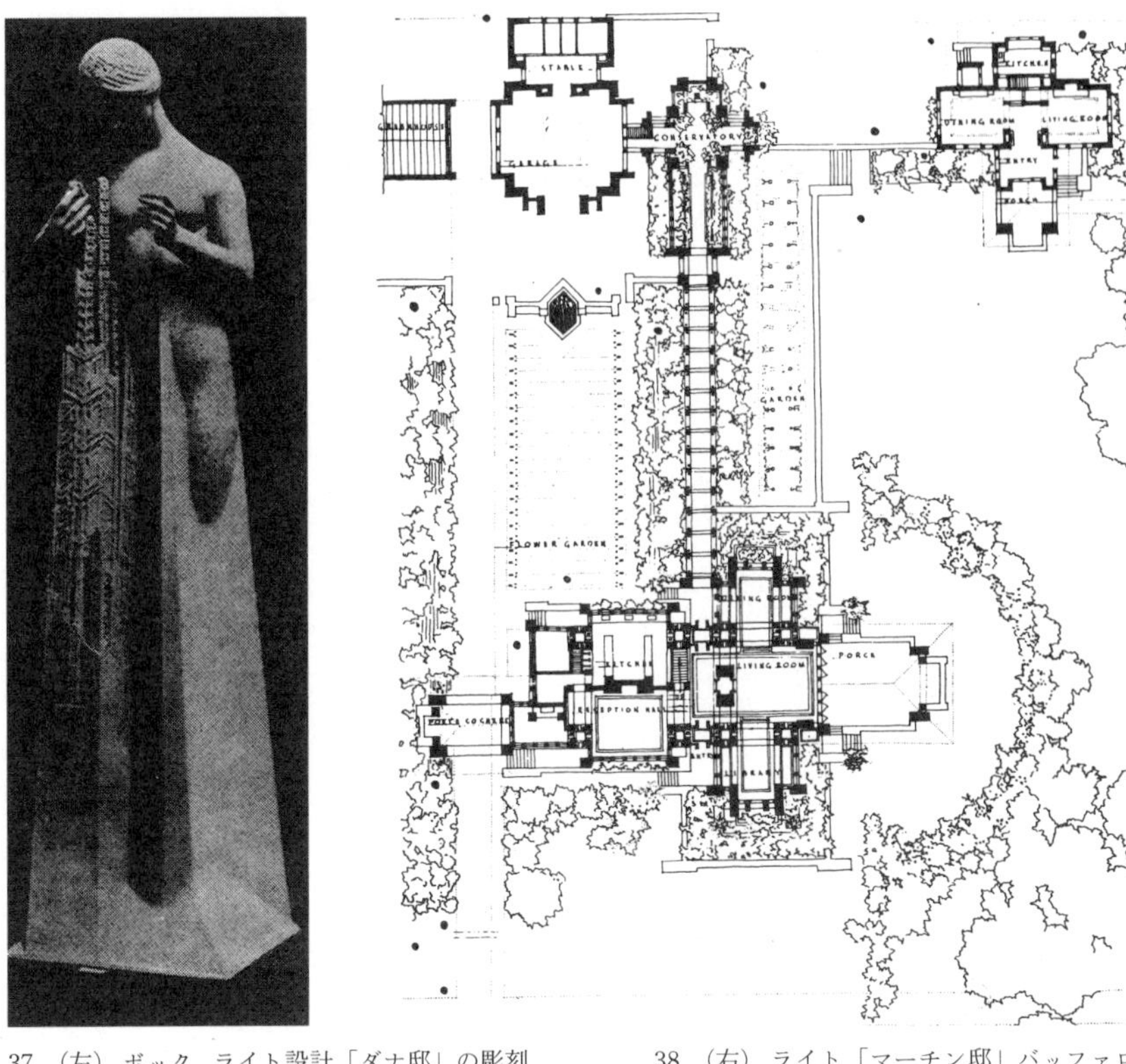

37（左）ボック，ライト設計「ダナ邸」の彫刻「ミューズ」イリノイ州スプリングフィールド，1902年

38（右）ライト「マーチン邸」バッファロー，1904年

39　ライト「ユニティー教会」イリノイ州オーク・パーク，1904-06年

ルティ〈構想〉を巧みに再解釈したものであった。

この時点で、ライトは新しい様式を打ち立てようと、なり振り構わず突き進んでいる。公共建築はなお一部イタリア風、一部リチャードソン風であるが、住宅作品にはようやく一貫した特徴が見られるようになってくる。長く延びた非対称形の平面の上に、緩い勾配の屋根が、いろいろに高さを変えて、重なり合っている。この二つの様態（モード）をよく見せているのが《フランシス・テラス・アパートメント》と《ヘラー邸》、《ハッサー邸》であり、いずれも一八九五年から一八九九年にかけてシカゴに建設されたのであった。

しかし、こうしたさまざまな影響を住まいの様式にまとめ上げていくのに、ライトはさらに二年という歳月を要するのである。彼はこの様式によって、彼の言う草原の神話を表現することができたのである。一九〇八年、彼は次のように書いている。「草原には固有の美しさがある。私達はこの自然の美しさ、その穏かで平らかなことを認め、受け容れ、強調しなければならない。つまり［…］被さるように突き出た張り出し、背の低いテラス、外まで延びた壁、こちらを隠すようなひっそりとした庭園。」

草原様式の決定的な出現は、ライトの理論的成熟と軌を一にしていた。それは一九〇一年の有名な講演「機械の芸術と技術」によって明らかである。この講演[7]は、シカゴの「ジェーン・アダムス・ハル・ハウス・セツルメント」において、実に時宜に適った時期に行われたのである。ライトは、青年時代にヴィクトル・ユゴーの小説『ノートル・ダム・ド・パリ』（一八三二年）を読んで絶望したことから説き起こした。因みに、ユゴーはこの書物の中で、印刷術がついには建築を消滅させてしまうだろうと言っているのである。さて、ライトは次のように反論している。機械は、それ固有の法則に従えば、賢明に使いこなせるものである。機械は抽象作用と洗練作用を担うものであって、こういう行程（プロセス）こそ建築を工業化の破壊から救うものではないか。ライトは聴衆に、巨大な機械であるシカゴが畏怖の念を起こさせる光景をよく考えるようにと説得した。そのうえで、彼は次のように勧告し、結論を下した。「芸術の力が機械に吹き込もうとしているのは、理想のおののきであり、魂なのだ！」

一八九〇年の初期から、彫刻家リチャード・ボックはこの「魂」の図像制作者（イコノグラファー）であり、いわばライトの草原様式の形象（イメージ）・造形者（メーカー）であった。ボックの初期の作品は、その自然の象徴性からみて、ヨーロッパの分離派（セセッション）様式に近かったし、ライトの作品の中になお残存していたサリヴァン的側面を補完するものであった。しかし、一九〇〇年を過ぎるとライトの影響もあって、ボックの彫刻はますます抽象的になった。それは一九〇二年にライトが設計した《ダナ邸》のために、ボックが制作した彫刻「ミューズ」を見れば一目瞭然である。この人物像は、《ダナ邸》の玄関ホールに置かれているが、新しい機械文化の抽象的要素をひとつひとつ寄せ集めたものとして表現されていた。

ライトの草原様式は、一九〇〇年と一九〇一年の雑誌「レイディーズ・ホーム・ジャーナル」のために設計した住宅の平面の中でどうやら具体化されたのである。その平面によって、草原様式の要素が確立されたのである。のびのびと広がる地上階の平面が、低い勾配屋根と周囲を囲んだ低い壁からなる水平な形式（フォーマット）の中に収まって、低く這うようなその輪郭は敷地の中に目立つことなく包み込まれ、垂直に立ち上る煙突や屋内の二層分の高さの空間と鋭い対照を作っているのであった。それでもライトは、この時点ではまだこの輪郭に自信が持てずに逡巡し、一九〇二年に建てた《ハートレイ邸》ではリチャードソン風の重厚性を、その二年以前にイリノイ州カンカキーに完成させた《ヒコックス邸》では日本風の軽量な架構性を、というふうに揺れ動いた。

一体式（モノリシック）な表現か、分節（アーティキュレーション）の明瞭な表現か、という逡巡はライトがバッファローで企業家マーチン一族の仕事をするようになると自ずと解消された。《ラーキン・ビル》と《マーチン邸》はいずれも一九〇四年、ラーキン・メイル・オーダー会社の所有者ダーウィン・D・マーチンの依頼によって建設されたものであるが、これらの建物によって端なくも、ライトの成熟した様式の出現を見たのである。これらの二つの建物の完成に引き続いて、一九〇五年、ライトは初めて日本を訪れた。さらに一九〇六年にはイリノイ州オーク・パークに《ユニティー教会》を実現したが、これはライトの初めてのコンクリート造の建物であった。この時に至って、古典主義の上に新しいもの、外来のものなどを幾重にも積み重ねていたライトの様式は、彼独自といえるものに変貌したので

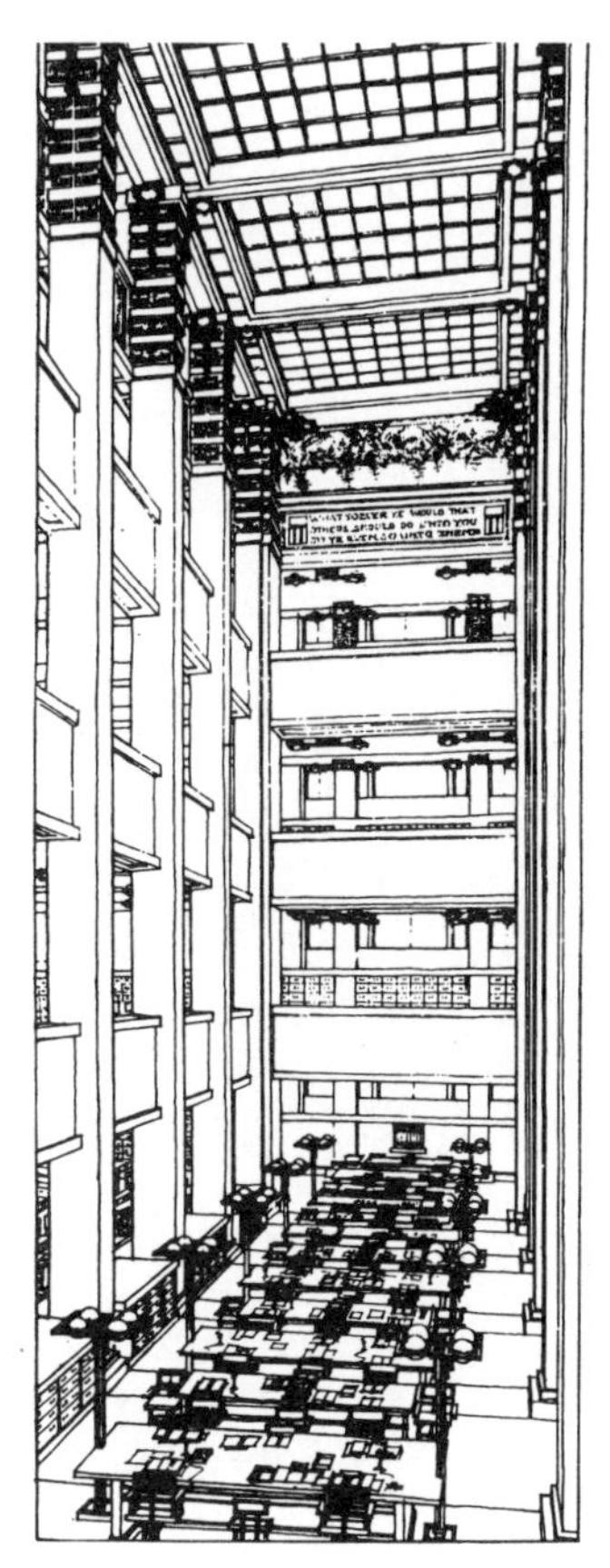

40　ライト「ラーキン・ビル」バッファロー，1904年．ガラス屋根を持つ中央の吹き抜け空間

ある。それは一九一〇年、一九一一年にベルリンのヴァスムート社から出版された大判作品集によって、ヨーロッパにも追従者がでるほどに独特の手法だったのである。

一九〇四年から一九〇六年にかけては、住宅、教会、オフィス・ビルなど傑作が陸続と生み出されたが、そのことごとくが基本的には全く同一の設計方式を見せている。例えば《マーチン邸》の場合、これはライトがタータン格子状の図形（パターン）に基づいて全体の平面の形状を作った最初の作品である。同じように、格子状の図形に従った支持部分と吹抜部分の明瞭な表現が、《ユニティー教会》や《ラーキン・ビル》でも生じている。もっとも、教会の場合には軸が二つあり、それぞれの軸に沿って組み立てられ、一方、オフィス・ビルの場合には軸は一つであり、それを中心に構造が組み立てられている。また、こうした公共的建物は双方とも一つの内部空間からなり、しかも天窓から採光され、四囲は回廊（ギャラリー）によって囲まれ、四隅のそれぞれには階段室が設けられている。教会の立面は、四面のすべてが同一であり、そのためにいっそう引き立ち、まさしく「統一（ユニティー）」を象徴している。それに対して《ラーキン・ビル》の立面では、長手面と短手面では異なっている。この二つの建物が同一の設計のパルティによる記念性（モニュメンタリティー）の変形であることは間違いないが、それを別にして、この二つの建物はその巧みな環境調節方式の点で先駆をなすものであった。すなわち、《ユニティー教会》には埋設されたダクトを通じて熱い空気が送り込まれる装置が備え付けられ、一方、《ラーキン・ビル》は最初の「エア・コン」付きオフィス・ビルで、空気は必要に応じて冷されたり、暖められたりできた。

こうした数々の作品を見ると、[8]ユニテリアン派であるライトの新しい生活に関する見解には、聖なるものに対する共有感覚が吹き込まれているように思われる。こうした彼の見解は、住宅内の居間の暖炉を聖性の象徴（サクラメント）とすることから、労働あるいは仕事を聖化し、遂には宗教的集いの家に至るまで一貫して流れているのである。彼の目標は社会の全体を包み込み、慈しむ全環境といったものを達成することであった。この点、彼は当時のヨーロッパの同時代人の多くと同じであった。そしてそのことが、ライトが何故に暖炉を道徳的、精神的中心として執拗なほどに賛美したかを説明してくれるだろう。それはさらに、建物の適切な場所に刻み込まれた銘文の助けを借りて、労働や信仰といった、より公共性の高い領域にまで及ぶことになるのである。さらにまた、そのことは、ライトが《ラーキン・ビル》設立の際、オフィスの家具も設計したのだが、電話器のスタイルに手を加えることが許されず、大いに失望したという話も説明してくれるだろう。《ラーキン・ビル》の主要入口をひときわ美々しくしたのも全く同じ意図からである。その玄関を入る時、従業員はリチャード・ボックの手になる象徴的レリーフから流れ落ちる滝の水

41　ライト「ロビー邸」シカゴ，1908-09年

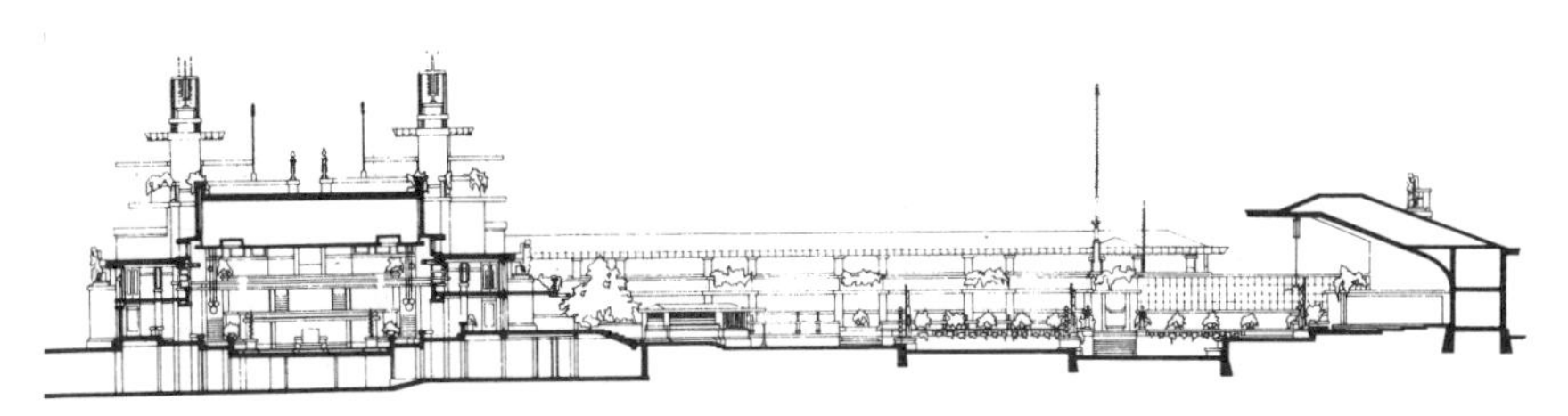

42　ライト「ミッドウェイ・ガーデンズ」シカゴ，1914年．縦断面図，左にレストランがあり右にバンド演奏の舞台がある

43　ライト「ミッドウェイ・ガーデンズ」最盛期の夜景

をどうしても見ることになるのである。そのレリーフには次のような家父長的温情主義の銘文が掲げられているのである。曰く、「正しく働けば首長は無用。真心で裁けば奴隷は不用」。それと同じ理想主義的心情からライトは、《ラーキン・ビル》が日々使われるうちに建物に加えられるあれこれの変更に対して嫌悪の念を露わにしている。「彼等は遠慮会釈なく、つまらぬ手を次々に加えていった［…］あれは彼等の数ある工場の一つに過ぎぬのだった。」ライトは苦々し気にそう書いている。マーチンという人物は芸術の援助者（パトロン）ではあったけれど、明らかに自分の業務の組織や管理を規制することができなかった。だから、その住宅では隅々に至るまで清浄純粋を保つことができても、その仕事場は生産の意向のままであった。

こうして実り多き年が経つ間にも、ライトは念願の「総合芸術作品」という夢想を設計し、実現しようと、技術者、芸術家、工芸家達からなる仕事場（アトリエ）を慎重に結成していった。そのチームには、構造技術者ポール・ミューラー、ランドスケープ・アーキテクトのウィルヘルム・ミラー、家具職人ジョージ・ニーデッケン、モザイク職人キャスリン・オスタータグ、彫刻家リチャード・ボック、アルフォンソ・イアネッリィ、それに多才なオーランド・ジャンニーニがいて、とくにジャンニーニは一八九二年以降、ライトのガラスやテキスタイルの製作に当たっていた。

一九〇五年になると、草原様式の統辞法（シンタックス）もしっかりと定着した。しかし、その表現となると相変わらず二つの極の間を行きつ戻りつしていた。一つの極とは、散漫に広がった、非対称形の、ピクチャレスクな表現で、一九〇八年の《エイヴェリー・クーンレー邸》によく代表されるものであった。他の極とは、緊密（コンパクト）で格子状の図形に従い、左右対称で、構築的（アーキテクトニック）な表現であって、これは一九〇八年から〇九年にかけて建てられた傑作《ロビー邸》に見られるものであった。一九〇五年ウィスコンシン州ラシーンに建てられた《ハーディー邸》は、ライトがそれまでに建てた、対称的で正面性志向の住宅の中で最も純粋な形態に実ったものである。

一九一四年に建設された《ミッドウェイ・ガーデンズ》はシカゴにおけるライトの設計チームによる最後の共同作品であった。それは、東京に建てられた《帝国ホテル》とともに、ライトが早くから自らの未来に対するヴィジョンを普遍的な表現として打ち立てようとした最後の試みであった。創意工夫に涸れることのなかったミューラーのお蔭で、九十日という短時日で建設された《ミッドウェイ・ガーデンズ》は、ライトに言わせると、「ダンス熱に対する社会の反応」であった。ドイツ風のビア・ガーデンを下敷きにして、そこは新しい社交場を具現化したものであった。テラスが階段状に連続し、中心軸上の一方の端にはオーケストラ用の囲いの建物があって焦点となり、そこからガーデンの両袖に沿って走るアーケードが、反対側にある回廊のついたレストランとウィンター・ガーデンなどを集めた複合建物に繋がっているのである。《ミッドウェイ・ガーデンズ》はいろいろな点で、大衆文化を狙ったライトの最も分かりやすい試みであった。そのため、それはライトの草原様式のレトリックの範囲をいっぱいに拡げることになったのである。例えばボックとイアネッリィは人物像や頂華（フィニアル）[9]やレリーフを設計したし、ジャンニーニはガラス器具類を調達した。室内には大きなレリーフや同心円状の円を構成要素にした抽象的壁画があって、それらはライトが抱いていた、この庭園を色とりどりの風船を屋根に係留して飾り立てようという奇抜な着想を暗示していた。

ライトの「草原」という下位文化（サブ・カルチャー）は、一九一六年から一九二二年にかけて東京に建てられた《帝国ホテル》の建物では、密室様式（ハーメティック・スタイル）の衣装を与える役割を果たすことになった。このホテルの建物は、平面、断面ともに《ミッドウェイ・ガーデンズ》に由来するものであった。シカゴの複合施設ではレストランとウィンター・ガーデンであったものが、ホテルでは大広間とロビーとなって再び現れたのである。また《ミッドウェイ・ガーデンズ》の両側面を作っていたアーケードが、ホテルでは宿泊棟に変貌した。室内の壁画もレリーフも、《ミッドウェイ・ガーデンズ》の主題を拡大したものであり、ホテルの回廊のついた進入路は、《ミッドウェイ・ガーデンズ》の配置ではカフェ・テラスであった。しかし、アメリカというコンテキストから離れたライトは、現地の組積造の伝統との接点を求めて、外壁に傾斜をつけたり、城郭風の櫓や胸壁をつけて全体の輪郭を形作り、煉瓦造の上に大谷石を貼ったりしたのだった。室内では、この熔岩から組成されている大谷石は、《ミッドウェイ・ガーデンズ》のコンクリート・ブロック造の時と同じように、プレ・コロンビア様式の形象を暗喩するように組み立てられた。こうした外来のものへの参照は、やがて、一九二〇年代のライトのハリウッドでの住宅において、効果充分な見事な定法となるのである。しかし、《帝国ホテル》においては、その参照もライトの言うところの「新世界」の文化を石化することにしかならなかった。

たまたまのことに、この《帝国ホテル》は建築としても、また、その創意あふれる構造としても充分に評価されるに値するものとなった。しかし、この建物が一九二三年の関東大震災の災害を奇跡的に乗り切ったその功績は、技術者ミューラーに負うところが大きい。しかしながら、ライトの輝かしい生涯の第一期の最後を飾るこの作品は、サリヴァンの次の言葉で祝福されるのが相応しい。サリヴァンは、一九二四年の死の直前、《帝国ホテル》が災害を乗り切ったことを神秘的語調でこう語っている。「あの建物は今も建っている、いささかも損われもせずに。立ち続けるように充分考え抜かれて建てられたからだ。あれは日本人にとって重い負担などではない。日本の文化の中でも最も美しいものに対する自由意志による捧げ物だ。」

第4章　構造的合理主義とヴィオレ・ル・デュクの影響：ガウディ、オルタ、ギマール、ベルラーヘ

一八八〇～一九一〇年

建築には、真実であるための必要不可欠な道が二筋ある。建築は要求項目に添って真実でなくてはならぬ。また、構造の方法に則って真実でなくてはならぬ。要求に従って真実であるとは、すなわち、必要によって課せられる条件を正確かつ率直に充たすことである。構造の方法に依って真実であるとは、つまり、その方法の性質ならびに特質に随う材料を採用することである［…］左右対称や見かけの形態など、まったく芸術上の諸問題などは、われわれの言う支配的原則からすれば二義的条件に過ぎぬ。

——ウジェーヌ・ヴィオレ・ル・デュク『建築講話』一八六三～七二年

偉大なフランスの建築理論家ウジェーヌ・ヴィオレ・ル・デュク[1]は、一八五三年にパリの「エコール・デ・ボザール（美術学校）」で講義を行った時、前掲の『講話』から分かるように、フランスの古典主義的合理主義の建築的伝統をきっぱりと排除してしまった。ヴィオレ・ル・デュクは「抽象的」な国際的スタイルに代わって、地域的な建物への回帰を唱えたのだった。彼が『講話』に付した挿図の中には、アール・ヌーヴォーを予見するものさえあったが、いずれも彼の言う構造的合理主義の原則から生み出される建築を示すものであった。ヴィオレ・ル・デュクは、ラスキンの妬みに対しては、精神論とは別のものを用意していた。すなわち、彼はモデルだけでなく、理論的には歴史主義の不当な折衷性から建築を解放するような方法も提示したのである。このように、彼の著書『講話』は、十九世紀最後の四半世紀の前衛達に精神的刺激を与えるのに役立ったのである。また、彼の言う方法は、フランス文化の影響は濃厚だが、古典主義の伝統が希薄なヨーロッパの諸国へと滲透していった。彼の理念はついには英国にまで波及し、ジョージ・ギルバート・スコット[2]、アルフレッド・ウォーターハウス、そしてノーマン・ショウといった人達に影響を与えた。彼の題目、とりわけ暗黙の文化的国

家主義は、フランス以外では、カタルーニャのガウディ、[3]ベルギーのヴィクトル・オルタ、[4]オランダの建築家ヘンドリック・ペトルス・ベルラーへの[5]作品に消しがたい衝撃を与えたのである。

ガウディの文化的背景を形作ったのは、ヴィオレ・ル・デュク、ラスキン、リヒャルト・ワグナー[6]などの著作であった。このような地中海圏以外からの影響はひとまず措くとして、ガウディの成業はかなり対照的な二つの衝動から生じたものと思われる。その一つは、土着の建築を再生させようという願望であり、もう一つは全く新しい表現形態を作り出したいという強迫感である。こう考えると、人並み外れた空想力を除けば、ガウディはとても特異な建築家などではなかった。こうした対照性は、アーツ・アンド・クラフツ運動全体にも潜んでいて、一八九〇年代に「グラスゴー派」[7]に強い影響を及ぼした、あのアイルランド・ケルト文学再興運動にも反映していた。それと比肩するカタルーニャ復興の機運は一八六〇年代という早い頃からバルセロナに兆していた。当時、カタルーニャはマドリッドによって支配され、カタルーニャ語の使用を禁止するなど強行策をとっていた。カタルーニャ復興運動は、初めこそ社会・政治改革運動に限られていたが、間もなくカタルーニャの独立を求めるようになった。こうした独立という状態はついぞ認められたことはなかったが、自治権要求は「スペイン内戦」の際にも再度強力な運動要因となって浮上した。それどころか今日にもなお生き続けているのである。十九世紀後半、教会はカタルーニャの統治と社会改革の要求を支持していた。そのためガウディは自らの信仰と政治的忠誠との抗争などには無縁であった。

ガウディも、そしてまた彼の後援者であり、織物業者にして造船王であったエウセビオ・グエル・バシガルピも、カタルーニャ分離運動の影響下に成長し、育った。この運動には保守的面も幾つかあったが、それにも拘わらず、社会改革のためのさまざまな計画を支持した。そして、その計画のほとんどがカタルーニャ知識人達の活動であった。ガウディもまた、一八八二年グエルに会う以前は、社会主義的理念に感化されていた。彼は学業を終えると直ちに、マタロ労働者協同組合に参加したが、組合はガウディに住宅、共有施設、工場からなる労働者用集落の設計を委嘱したが、そのうちの工場だけが一八七八年に実現した。

その後間もなくして、ガウディはブルジョワ階級の仕事をするようになり、一八七八年擬似ムーア様式[8]によって異国情緒豊かな《カサ・ビセンス》を建てた。この住宅はガウディの作品のほとんどがそうであるように、ヴィオレ・ル・デュクの影響をよく証すものであった。わけても、ヴィオレ・ル・デュクの著書『ロシアの芸術』(一八七〇年)からの示唆を色濃く残していた。なお、この著書では、一国の様式を構成する諸要素は構造的合理主義原理に従うとされていた。ガ

44　ガウディ「サグラダ・ファミリア教会」の断面の発展段階を示す．左から右へ1898年，1915年，1918年の設計．左端はヴィオレ・ル・デュクの聖堂計画，著書『ロシア美術』から，1870年刊

45　ガウディ「パラウ・グエル邸」バルセロナ，1888年

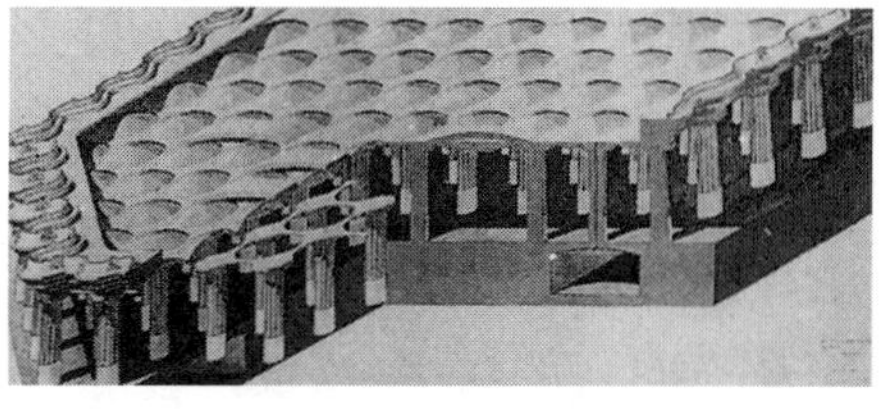

46　ガウディ「グエル公園」1903-14年．市場には屋根が架けられ，ドリス式柱式の列柱が屋根の上の散歩道を支えている

ウディは、この《カサ・ビセンス》において初めて自らの様式を定型化した。その様式は、構造の原理から言えばゴシック様式であり、形象の源泉から言えば、イスラム的というよりも、多分に地中海的であった。一九一〇年当時すでに[9]エアリイ・ルブロンが書いているが、ガウディは「太陽の光に満ち満ちて、偉大なるカタルーニャの大聖堂の構造に従い、ギリシア人やムーア人達のように色彩を取り入れて、スペイン人には論理的な、そういうゴシック建築」を求めたのである。それはつまり、「半ば海洋的な、半ば大陸的な、そして多神教的な豊かさによって生気を与えられたゴシック建築」であった。したがって《カサ・ビセンス》に見られるのは、温室を取り巻いているム[10]デハル混交様式の建物であって、その帯状の煉瓦といい、釉薬(うわぐすり)をかけたタイルといい、装飾鉄細工といい、当時の住宅のどれよりも一段と華麗であった（例えば一八七六年に建てられたノーマン・ショウのサリー州フレンシャムの《ピエールポイント》を参照）。だが、その構造は異国風の表現より数等優れていた。この構造において、ガウディは伝統的[11]カタルーニャ・ヴォールトあるいはルシヨン・ヴォールトを初めて採用したのである。そのヴォールトは、アーチ状の形に積み上げたタイルを持ち送りにして迫り出していくものであって、こうしたヴォールトはその後のガウディの重要な特徴となるのである。一九〇九年、バルセロナの《サグラダ・ファミリア学校》の薄肉のシェル構造では、このヴォールトが最も微妙なかたちで見られる。

　ガウディの経歴の中で初期の業績のかずかずは、彼が僚友[12]フランセスコ・ベレンゲールと共にエウセビオ・グエルのために設計したさまざまな作品と切り離すわけにはいかない。グエル公爵は進歩的な人物であったから、ガウディが一八八八年に設計したバルセロナのグエル公爵の邸宅《パラウ・グエル》は一八九〇年代、当地の知識人達のメッカとなった。《カサ・ビセンス》が温室を中心に建てられたのに対して、《パラウ・グエル》の方は音楽室、オルガン用ロフト、それに礼拝堂を中心に作られている。このように複合した空間は典型的なイスラム建築の中庭の形式を響かせながら、この住宅の上層部分全体を貫通していた。

　グエルが熱中した人々で、とりわけ熱愛したのはラスキンとワグナーであった。そしてガウディもまた、ラスキンの理論にもリヒャルト・ワグナーの楽劇にも同じように影響されたものと思われる。いずれにしてもラスキンの名声は世紀の転換期において頂点にあった。さらに、ラスキンが言ったという「建築家は彫刻家でも画家でもない、まさに大規模な組織者なのだ」という金言は、ワグナーと相俟って、間違いなくガウディに影響したに違いない。

　グエルにとって、大規模な社会の変革は田園都市の建設によって実現されるはずであった。そのため、彼は一八九一年、ガウディとベレンゲールに委嘱してサンタ・コロマ・デ・セ

47　ガウディ「カサ・ミラ」バルセロナ，1906-10年

ルヴェッロにある織物工場に労働者の共同体（コミュニティー）を設計させた。これが後年《コロニア・グエル》という名で知られることになった。その後一九〇〇年には、引き続いて別の委嘱をガウディとベレンゲールに発注した。それが中産階級の郊外地《グエル公園》である。バルセロナの市街地を見渡すペラダ山上に位置するこの計画は、一九〇三年から一九一四年にかけて、周縁に建てられるはずであった住宅群を除けば、どうやら実現されることになった。その間、ベレンゲールは《コロニア・グエル》の計画を思いついたように断続的に進め、やがて、一九〇八年ガウディは彼の後を引き継いで礼拝堂の仕事を完成したのである。しかし、この時までに、すでに教会建築家としてのガウディの経歴は始まっていたのである。すなわち、一九〇六年フアン・マルトレルからバルセロナの《サグラダ・ファミリア教会》の建設を引き継いでいたのである。[13]

ガウディの設計した《グエル公園》は、彼の恍惚感を誘うような幻想を不軌奔放に具体化したものであった。公園からは見事な眺望が臨めたが、そこに完成された建物は門番小屋と、屋根付きのマーケットへと導いていく大階段と、ガウディ自身の住まいの三つだけであった。マーケットの不規則な格好をしてうねったように波打つヴォールトは、六十九本の奇怪なドリス式の柱で支えられていた。また、マーケットの上の屋根にあたる広場は、曲がりくねって長々と続いている腰掛けが周囲を縁取り、中央の広場は運動場や野外劇場の舞台となるように意図されていた。この異国情緒豊かなモザイクによって表面仕上げを施した周壁は遊歩道のところで終わり、遊歩道の方は一転して自然のままの野石による組積構造へと移行しているのである。公園全体は曲がりくねった歩道によって構築され、必要な箇所は、ヴォールト状の控え柱によって支えられ、その柱はあたかも石化した樹木の幹のような形状をしているのである。

この《グエル公園》は、運動場の曲がりくねった輪郭によって、ガウディの生涯を通じて絶えず現れる形象を現した最初の作品であった。強迫観念のように彼に取り憑いたその形象とは、バルセロナ近傍の有名な山岳モンセラートであった。中世の伝説によれば、ワグナーが楽劇『パルジファル』の中で讃えたように、「聖杯」はモンサルヴァートの城の中に秘匿されていたが、この城の位置がモンセラートであることが近年確認されたのである。そして、そこの僧院にはカタルーニャの守護聖人が祀られているのである。ガウディは一八六六年、僧院の仕事に初めて着手したが、爾来、この山の鋸歯のようにぎざぎざした輪郭に拘わり続け、生涯脳裏から離れなかったのである。

ところが《カサ・ミラ》の頂部や煙突などは、バルセロナの都市の合理的な格子状の街区からくっきりと抜きん出て、さながら垂直面を曲面状にうねらせた冠のようであるが、その巨人のような身振り(ジェスチャー)やその圧倒的な重量感は、三つの不整形な中庭を囲んで自由かつ微妙な組織とは矛盾するようだ。こうした矛盾は別な箇所にもあって、建物を支持するスティール構造は、重々しい石の被覆の下に強引に隠蔽されている。《グエル公園》の場合と同様、この構造体の分節表現(アーティキュレーション)は、なにかしら原始的力を喚起するために犠牲にされているのである。これほどヴィオレ・ル・デュクの説いた原理から遠く離れたものもないだろう。なにしろ、全体の織り目(ファブリック)も、織り方も、どちらも全く現れていないのである。その代わり、途方もなく大きな石塊が粒々辛苦(りゅうりゅうしんく)の細工の果てに、まるで時の経過で浸蝕された岩肌となっているのである。同じような宇宙的な参照(レファレンス)が鉄製のバルコニーにも試みられたらしいのである。それはガウディの仕事場で制作されたのだが、あたかも嵐で海辺に打ち上げられた海草のように撚り合わされて、そのまま石化したような姿形をしている。このように、ガウディはヴィオレ・ル・デュクの原理から出発しながら、最終的には、生の素材を変形して力強い形象の集合へと転化させたのである。その情感に訴えかけてくる力はまさにワグナーの楽劇を想わさずにはいない。しかし、思い返してみると、《カサ・ミラ》は、やがて中央ヨーロッパに生まれてくる表現主義の気質(エトス)を予兆しているかのようである。一九一〇年にあっては、こうしたガウディの象徴的な荘重さが彼を構造的合理主義の伝統から遠く引き離したばかりでなく、象徴主義(サンボリスム)

の軽やかな一面からも遠ざけているのである。また、カタルーニャ的近代主義（カタルーニャ・モデルニスモ）[14]の一般的特徴である「間をとった別れの挨拶」の騒々しさからも遠ざけている。

ところで、世紀末、ベルギーの首都ブリュッセルの状況は多くの点でバルセロナと似ていた。このフランドルの首都には、産業による富の蓄積と国家の独自性（アイデンティティー）とが両々相俟って強迫観念のように重くのしかかっていた。もっとも、ベルギーでは、富は比較的均等に分配され、国家主義思想は独立の獲得によって鎮静化されていた。同様に、ベルギーの建築家達は、カタルーニャの建築家達のように、まことに近代的で、しかも国家的様式を作り出そうと一所懸命であった。一八七〇年代当時の建築の前衛達は、ボザール様式の建築家ジョゼフ・ポーラール[15]が設計した新古典主義による《最高裁判所》を、文化を瞞着するものだとして非難した。この建物は、一八八三年に完成したが、ピラネージ風で誇大妄想的であっただけでなく、国際的であった往事を喚起させたから、とてもフランドル的とは言えなかった。彼等、前衛達は、新しい「母国の」建築の手本を、地方に残存する十六世紀の煉瓦造建築の伝統の中に見出したが、そうした伝統の中では、まさにヴィオレ・ル・デュクの原理が幅を利かしていたのであった。

ヴィオレ・ル・デュクの著書『講話』刊行の一年後、新たに設立されたベルギー中央建築協会は機関誌「対抗（エミュラシオン）」の誌上で新国家様式を求める運動を威勢よく開始した。一八七二年に刊行された同誌は次のように宣言している。「われわれに求められているのは、われわれ自身のものを作ることだ。新しい名称が与えられるようなものを作ることである。われわれは様式を作り出すことを要求されているのだ。」同誌の指導的理論家であったE・アラールは後年こう書いている。「われわれは何よりもまずベルギーの芸術家を作り出そうとしなくてはならぬ――われわれは外国の影響から解放されていなくてはならぬ。」一八七〇年代を通じて雑誌「対抗」は、仮定的な様式の原理を普及し続けたが、その様式はガウディが採択したものよりも遥かに構造的合理主義に縛られたものであった。「建築においては、真実でないものは美しくない。」「プラスターやスタッコに色を施すのは避けよ。」「建築は今や退廃に向かって、あるいは、紛うかたなき不協和音に向かって、彷徨（さまよ）い続けている。」

こうした警告にも拘わらず、得心のいく様式が出現するには時間が必要であった。すなわち、一八九二年になるまで、ベルギーでは何の成果も見られなかった。そして、この年、ヴィクトル・オルタはブリュッセルに《タッセル邸》を実現して、成熟期を迎えることになった。《タッセル邸》は狭い間口の正面（ファサード）を持った三階建てで、内部にテラスを抱えた伝統的構成によるものであった。オルタはこの作品によって、初期の実績を乗り越え、住宅建築に鉄を汎用する最初の建築家の一人となった。彼は、鉄という素材をあたかも植物繊維のように扱って、それを建物の中に巧みに嵌め込み、石の重苦しさを覆した。オルタは一八八九年のパリ万国博覧会でエッフェルとコンタマンの作品を見たものと思われるが、これ以外で、彼の「革紐細工」のスタイルに影響を与えた最も強力な形象とは、オランダ生まれでインドネシア育ちの芸術家ヤン・トーロップ[16]の版画であった。オルタとトーロップとが結びつくことによって、ベルギーのアール・ヌーヴォー運動における絵画の重要性が理解される。トーロップは、有力な後期印象派集団「レ・ヴァン（二十人組）」[17]の一員であったし、この集団は後年、「自由美術」[18]サロンとして改組され、英国のアーツ・アンド・クラフツ運動の目標や原理を普及するうえで重要な役割を果たすことになるのである。

　オルタは、《タッセル邸》を開放的な平面で計画を進めるうえで、十八世紀パリのいわゆる「邸宅（オテル）」の定式を覆したのである。地上一階の八角形をした玄関を庭園に向かって半階上ると、左右が広がって、上屋の鉄製の架構が見えるフォワイエ（玄関の間）へと続いている。この空間に立っている何本かの柱は、鉄製の巻きひげが絡みつく装飾をまとい、他の箇所の金属細工に見られる同様な曲線を反響しているかのようだ。手摺から照明器具に至るまで、同一の美学が支配して、豊饒な線の群れはモザイクの床の上にも、壁の仕上げにも、さらには客間に通ずる扉の色ガラスの中にまで微妙に描き出されているのである。しかしこれほどの華麗さが満ち満ちているにも拘わらず、建物の主要な内部空間はなおロココ様式による繰形（モールディング）[19]によって支配されていたのである。そして、この繰形のお陰で、当時歓迎されたルイ十五世様式の伝統と異国風の要素が結びつくことになったのである。こうした平衡感覚は外部においても見られる。すなわち、内部の骨組を飾っている柔軟さを強調する要素は、外部ではごく控え目な表現となっている。また、古典主義的正面（ファサード）では、中央にある鉄製の張り出し窓を挟む両側の隅石（すみいし）は、内部の金属構造の推力を暗示するように精巧に作られている。

　これに続く十年間、オルタは、ブリュッセルに建てた他の都市型住宅においても、鉄の伸張感と石の重量感とで同様な対話をさせているのである。著名な化学者ソルヴェイの邸宅、企業家《ヴァン・エートヴェルデ邸》、それにアメリカーヌ通りの《オルタ自邸》とスタジオなどがその例であるが、これらはすべて一九〇〇年以前に建てられたものであった。さらに、それらすべては《タッセル邸》で見せた統辞法（シンタックス）の一部を推敲してみせたものであった。しかし、《ソルヴェイ邸》を除けばいずれも、とうてい《タッセル邸》の簡潔さと強い印象には及ばなかったのである。

　一八九七年から一九〇〇年にかけて、ベルギーの労働者社会党のために建設された《人民の家（メゾン・デュ・プープル）》[20]は、オルタの建築家としての経歴の中で最も独創的作品である。そしてこの作品において初めてオルタはヴィオレ・ル・デュクの原理を自由に使いこなして、どうやら論理的な結論に到達したのではなかろうか。ここでは、当地特有の煉瓦と石による伝統的工法が見事に換骨奪胎されて、露出構造とでもいうべき建築が造り上げられたのである。すなわち、煉瓦造の部分は石の部分を支えるように、全体の寸法を揃え、微調整を行い、石の部分は鉄やガラスに合うように仕上げられたのである。こうした構築性は、外部的には複雑な要求項目を立面上に表現したり、傾斜した敷地に凹型の湾曲した平面形式をずらせたりすることよって表現されたのである。一方、内部について言えば、オフィス、集会室、講堂さらにカフェテリアといった主な内部空間では、スティール構造を露出させて、劇的で流動感のある表現が試みられ、成功している。この建物は、煉瓦と石とガラスとから作られて、統一感は感ぜられるものの、どこか曖昧さを残して、「ネオ・ゴシック」風の集合体である。しかし、オルタの作品の中では最も影響力を発揮した業績であろう。一九〇一年にブリュッセルに建設された百貨店《イノヴァシオン》も同一の語法（イディオム）によるもので、遥かに直截的な最後のエッセイ（試作）であるが、それでも前作を凌ぐことはなかった。

フランスに目を転じよう。ヴィオレ・ル・デュクから[21]エクトル・ギマールへと続く線は、ギマールの師であるアナトー

48　オルタ「タッセル邸」ブリュッセル，1892年

49　オルタ「人民の家（メゾン・デュ・プープル）」ブリュッセル，1897-1900年．外観の詳細に注意

ル・ド・ボドを通過している。ド・ボドはヴィオレ・ル・デュクとラブルーストの弟子であった。一八九四年、ド・ボドは技術者ポール・コタンサンと協力してパリに《サン・ジャン・ド・モンマルトル教会》を設計した。これは補強煉瓦構造と鉄筋コンクリート構造であり、当時、構造的合理主義における最も洞察に富んだ試みであった。こうしたわけで、ギマールのパリにおける初期の作品といえば、ド・ボドならびにヴィオレ・ル・デュクに負う所が大きかったのである。わけても《エコール・デュ・サクレ・クール》とエクセルマン通りの《カルポー邸》がその例であって、いずれも一八九五年以前に完成されたものである。前者は小さな学校で、上階部分をV字型の支柱で支え、ヴィオレ・ル・デュクの著書『講話』の中の有名な挿図をそのまま実現させたようなものであった。一方、後者はブルジョワの邸宅であって、オルタの作品に見られるような痕跡的な古典主義を見せている。

一八九八年、ギマールは、L・A・ボワローに宛てた手紙[22]の中で、いかにヴィオレ・ル・デュクに負うところ大であるかを率直に認めて、次のように書いている。「装飾についていえば、私の原理は新しいものかもしれませんが、それらはいずれもすでにギリシア人達が使用していたものから導いてきたものであります。[…] 私はヴィオレ・ル・デュクの理論を、彼の中世紀への傾斜に惑わされることなく応用したに過ぎないのです。」それにも拘わらずギマールは、このフランスの理論家が主張した彼固有の様式が、習慣、気候、国民性、そしてさらに「科学の領域や経験的知識において現在起こりつつある進歩」などによって裏付けられるようにしたいと腐心していたのであった。その結果、彼は一九〇三年次のように書くことになるのである——。

「建築の様式は、それが間違いないものであるためには、その様式が存在する土壌、その様式を必要とする時代、そのいずれもの産物でなくてはなりません。中世期の原理も十九世紀のそれも、それに私の教義も、フランス・ルネッサンスや全く新しい様式の基盤を私達に与えているはずです。ベルギー人達、ドイツ人達、英国人達それぞれに国家的芸術を展開させるがいいのです。そうすれば必ずや彼等は真実で、健全で、有益な作品を作ることでしょう。」

ギマールが胸に描いていたのは、ガウディやオルタと同様に、ヴィオレ・ル・デュクが唱道した国家様式の「構成要素」を進化させることであったのかもしれない。しかし、世紀末までには、ギマールの様式には少なくとも三つの変形があった。その一つは一八九九年から一九〇八年にかけて建てられた田舎のシャレー風山荘に見られるような、堅苦しくなく、質朴で、異なった材料を混ぜ合わせた表現であり、一九〇一年の作品である《キャステル・アンリエット》はその典型である。次は、一九一〇年、パリ・モーツァルト通りに建てられた自邸において見られるような、精度の高い煉瓦工事と豊かな彫刻細工を施した石工事による都会風スタイルである。そして三つめは、一八九九年の鉄とガラスの繊細な手法によるものである。これは瞬く間に大量生産に適用されたが、当時彼はパリの地下鉄の駅舎の設計委嘱を受けたところであった。この駅舎の出入口は交換可能な標準的鉄材の部品から作られたもので、その鉄材の部品は自然を模倣した形状に鋳造され、さらに琺瑯（ほうろう）をかけたスティールやガラスの縁を取り囲んでいた。皮肉なことに、この駅舎の出入口は、ギマールの師であるド・ボドの風格のある硬質性よりも、オルタの線を豊かに用いた表現性の方にいっそう近いものであった。さらにギマールは、それらの構造物に装着される文字（タイポグラフィー）や照明などすべてを、構造体の形状と波状に連続しているかのように

50　ギマール「地下鉄入口」パリ，1899-1904年．側面図と正面図．鉄骨とガラスからできている

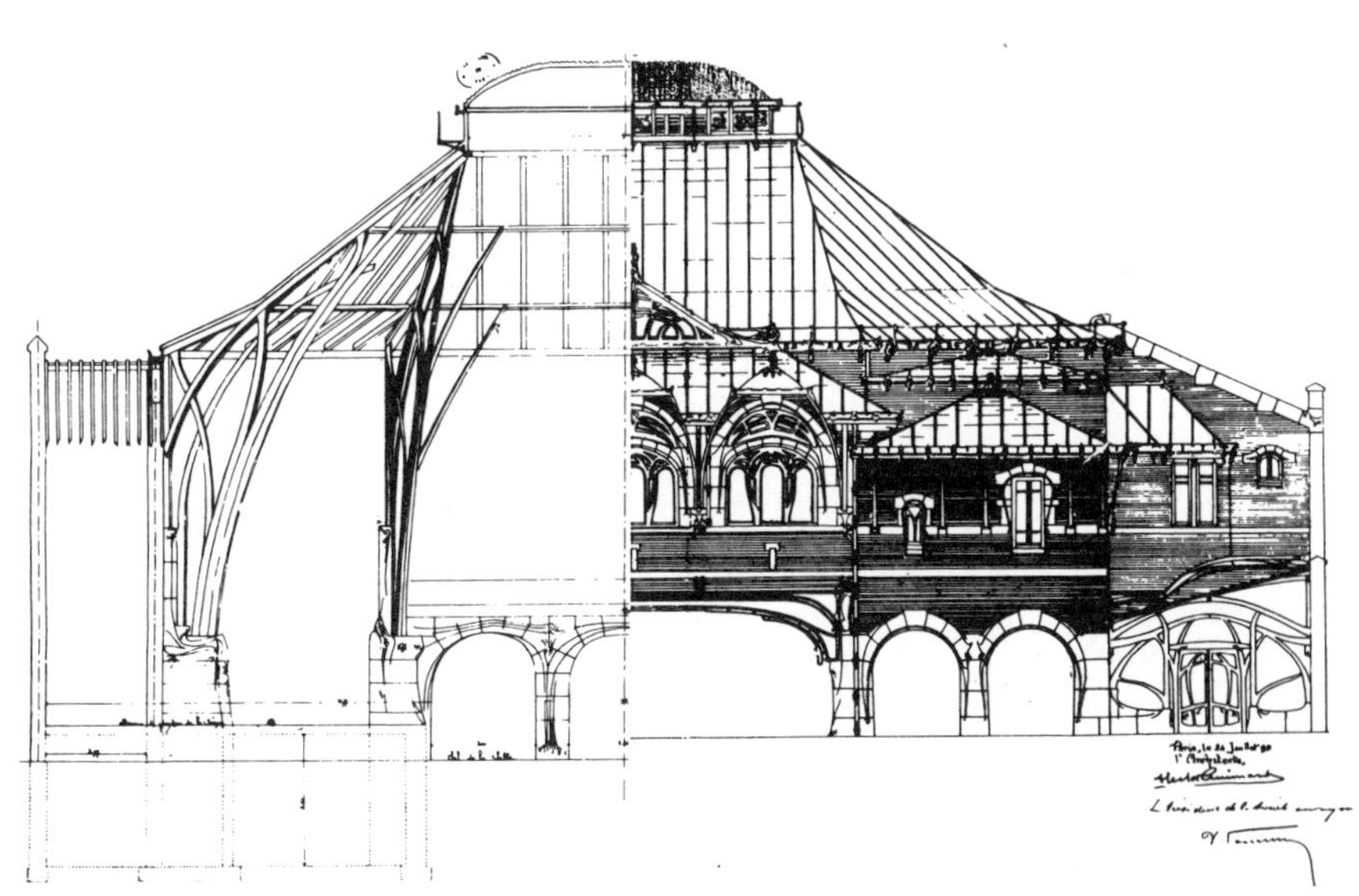

51　ギマール「ウンベール・ド・ロマン・コンサート・ホール」パリ，1901年．図の右半分は断面図，左半分は立面図

処理した。それ以後、四年にわたってパリの街という街には、これらの構造物があたかも地下の不思議な世界から自ずと噴き出したかのように現出して、そのため、ギマールの名は「メトロ様式」の創始者として有名になった。

しかしながら、こうして勝ち取った人気も、不幸なことに、ギマールの生涯を通じての傑作でありながらも短命で終わった作品、《ウンベール・ド・ロマン・コンサート・ホール》の存在をいよいよ影の薄いものにするばかりであった。このホールは、一九〇一年に建設され、なんと一九〇五年には取り壊されてしまったのである。しかしこの建物は、オルタの《人民の家》と同様に、間違いなく構造的合理主義の偉大な業績の一つと見なされるべきものである。一九〇二年に書かれたフェルナン・マサドの一文は、当時を偲ばせる色褪せた数葉の写真を除けば、今や跡かたもない室内の力強さを蘇らせてくれる。[23]

「その主要な支柱は八本あり、それらがかなりの高さのキューポラ（丸天井）を支えている。そしてキューポラには、ちょうど横腹のように凹みがあり、そこが柱間となり、淡い黄色のステンド・グラスが嵌め込まれている。そして、このステンド・グラスを通して光はふんだんに広間の中へと注ぎ込んでくる。骨組はスティールだが、金属部分はマホガニーで被覆されている［…］その結果、この建物はフランス建築家によるこれまでに構想された最も手の込んだ屋根となっているのである。」

世紀の変わり目を挟んだ二十年間というもの、オランダの建築家ヘンドリック・ペトルス・ベルラーへは全くといっていいほどに表立つことはなかった。彼は一九三四年、その死に至るまで一貫した手法で実践し続けたのである。ベルラーへは、オルタと違って、自分の原則を、あくどい野心を抱く中流階級の「異国」趣味と妥協させたり、馴染ませたりすることは決してしなかった。オランダという国にあっては、中流階級は社会全体の中にすっかり組み込まれていた。絶えず洪水の脅威を受けているこの国では、社会的協調はいわば第二の天性なのであった。ベルラーへは、こうした安定して動きの少ない背景の中でおよそ五十年というもの、何の支障もなく実務を続けたが、それは第一次世界大戦の最中にオランダが中立を保っていたためであり、戦火によって妨げられることさえなかったのである。

ベルラーへは、一八七〇年代の後期に、チューリッヒETHすなわちスイス連邦工科大学で建築の専門教育を受けた。彼がそこで就いたのは、ゴットフリート・ゼンパーの直弟子達であった。ベルラーへは、彼等から合理的で、類型論を重視する教育を受けたに違いない。一八八一年にアムステルダムに戻ると、彼はP・J・H・カイペルスと共同設計を始めた。[24] カイペルスはベルラーへよりおよそ三十歳も年長で、それまではヴィオレ・ル・デュクの門弟であり、文通者であった。カイペルスは構造的合理主義の原理に従って、自らの折衷主義を合理化し、新しい国家様式を繰り広げようとしていた。そうした試みが最も発揮されたのが一八五五年、アムステルダムに建てられたネオ・フレミッシュ様式の《国立美術館》である。そしてこの美術館は、ベルラーヘが一八八三年に《アムステルダム株式取引所》の競技設計に応募した際の計画案に深い影響を与えたのであった。なお、この応募案はベルラーヘがテオドルス・サンダースと共同して設計したもので、《国立美術館》と同様に尖塔や破風を戴くといった手法によるものであった。

ベルラーヘはこの競技設計では第四位に入賞したに留まったにも拘わらず、十二年後に、この取引所の設計委嘱を受諾したのである。早速、彼は煉瓦アーチの統辞法（シンタックス）によって設計を再開した。この統辞法こそ、その時まで彼が温めてきたものであって、一八九四年フロニンゲンに建てたヴィラで初めて用い、その翌年にはハーグのオフィス・ビルにも使っていた。この二つの建物は、いずれも狭間を備えたネオ・ロマネスク様式の煉瓦造で、明らかにアメリカのリチャードソンの影響を受けていた。ところで、これらの建物は、ベルラーヘの、構造を明白に示す建築を生み出す触媒の役を果たすものとなった。例えば、ハーグのオフィス・ビルの煉瓦造のヴォールト構造による階段室を見れば、はっきりと納得がいくだ

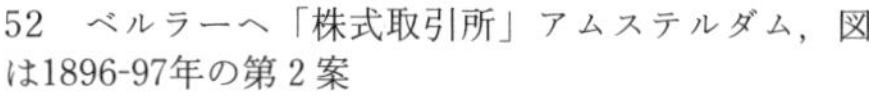

52　ベルラーヘ「株式取引所」アムステルダム，図は1896-97年の第２案

53　ベルラーヘ「株式取引所」．写真は1897年から1903年にかけて竣工した建物

ろう。しかしながら、こうした初期の幾つかの試みがどれほど重要であるにせよ（それは構造を率直に示すという点でド・ボドの厳格さを思わせる）、ベルラーヘ特有の語法（イディオム）の決定的成立は、取引所の実現に懸かっているのである。

《株式取引所》の最初の計画案に続いて、四つの改良案が次々に作られた。これらの改良案は単純化への弛むことのない過程をそれぞれの段階で示すものであった。こうした展開において、ベルラーヘは理論的な着想の複合体によって先導されたに違いない。ある着想はヴィオレ・ル・デュクから、あるものはゼンパーから、そしてある発想は同僚で、アムステルダム派数学的美学の創始者であるヤン[25]・ヘッセル・デ・フロートから借用したものであった。一九〇三年、取引所が開所されるや、ベルラーヘはこうしたさまざまな着想を総合・整理して、その理論的研究を連続論文として発表し始めた。最初の論文は一九〇五年の「建築における様式の考究」[26]、そして一九〇八年の「建築の原理および進化」である。レイナー・バンハムがすでに述べたように、これらの論文の中で強調されている顕著な原理とは、「空間の優先性、形態を作る壁の重要性、そして系統的比例関係の必要性」の三つであった。この二つの論文において、ベルラーヘが組積造の役割を高く評価している点に留意するならば、取引所の最終形態への蒸留過程にいっそう大きな意義が与えられる。「何よりもまず、壁体が素裸で、その滑らかな美しさを見せて表れなければならないのです。ですから、壁面上のいかなるものも余計なもので、どうしても避けねばならないのです。」さらにまた、「巨匠の技とは、空間の創造にあるのであって、正面をスケッチすることなどではないのです。空間的な囲いとは壁によって作られるのです。そして空間は、壁が複雑になればなるほど現れてくるのです。」

ベルラーヘは、《株式取引所》の建物を時間をかけて彫琢していきながらも、最初に作った平面を大筋のところで留めていた。その平面とは、トップライトを持つ直方体三つを並べた内部空間であって、その各々は株式取引に当てられ、全体は外周する高さ四階分の壁体による直交格子（マトリックス）の中に収められるのである。彼が改良によって目指したのは、パルティ（構想）を単純化し、構造を簡単にし、全体を引き締まった形態にしようということであった。そのため、漸次、破風や尖塔を減らし、頂塔はすべてなくし、縞状の石積みの名残などは留めないようにした。ある段階での平面を見ると、その図式は、当時チューリッヒに完成間近であったガルの設計による同地の《国立美術館》にどこか似ていた。しかるに最終案の一段階前になると、形態は整然としているが、これはデ・フロートが編み出した斜交格子を全体に被せて最終の決定をしているのである。そしてこれ以後、引き続いて行われた変更は、だいたい主要出入口とそれに隣接する塔の設計に限られるようになった。ベルラーヘは、主要出入口と塔の二つを、取引所にとっても、またアムステルダムにとっても、きわめて代表的表象であると考えたのである。

　ベルラーヘの《株式取引所》の煉瓦造による耐力壁構造は、構造的合理主義の原理に則って、整然とした分節（アーティキュレーション）を現している。室内では、モザイクによる小壁、精緻な細工による照明などが、大型煉瓦による内部空間の中での唯一の抑揚となっている。そして、この巨大な空間では、花崗岩の迫持受け（アバットメント）、隅石、持送り(27)、笠石（かさいし）(28)等々がことごとく構造上の力を支持する箇所や、また力を転移する箇所を明示しているのである。同じ仕上げを施された石が、ある箇所ではスティールのトラスを支えるため迫り出して使われ、別の箇所ではアーチの要石（かなめいし）の在りかを示している。このように、ヴィオレ・ル・デュクを精神的な基盤として、その基本原理が建物全体の組織の隅々にまで滲透している。こうしたことは十九世紀の他の構造物では絶えて見られないことであった。

　こうしたことを成し遂げるために、ベルラーヘの思想の哲学的基調には、単体の建物を超えて、身近なところでは都市の文脈（コンテキスト）や、次いで国家全体に及ぶ次元が付加された。ベルラーヘが抱いた理想の都市社会の手本は、一九一〇年に発表された一連の論文の中に概略が示されている。とりわけ「芸術と社会」と題された論文は、彼がいかに深く社会、政治に関わりを持っていたかを極めて明瞭に示していた。ベルラーヘ

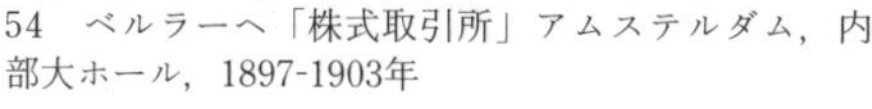

54　ベルラーヘ「株式取引所」アムステルダム，内部大ホール，1897-1903年

55　ベルラーヘ「アムステルダム・サウス地区開発計画改訂案」1917年

にとって、社会主義は信念の最重要項目であった。それにも拘わらず、彼は、文化の全体的水準は品質の高い、優れた意匠の製品を生産することによって始めて向上するという、ヘルマン・ムテジウスの意見に賛同していた。(29) 他方、彼は依然として都市の文化的重要性が何よりも大事だと確信していたし、英国の田園都市の反都市的傾向を嘆いていた。

一九〇一年、ベルラーヘは自らの都市理論を実地に移す機会を与えられた。すなわち、アムステルダム市がベルラーヘにアムステルダム・サウス地区の計画を依頼したのである。ベルラーヘにとって、街路は本質的に戸外の部屋であったし、集合住宅の列を長く伸ばしていく時に必然的に生ずるものであった。囲い込むことを強調するこうした考え方は、歴史的に見ると、すでに中世都市において予示されているが、ベルラーへの《株式取引所》の設計でも早くから前提とされた。アルファンならびにドイツの都市計画家スチューベンの理論に基づいているため、アムステルダム・サウス地区の街路空間の特徴には、街路の幅員や仕上げによってさまざまな変化がある。幅員の広い街路は「パルテール」と呼ばれる花壇や並木のある通りを備えている。一方、狭い幅員の街路はただ簡単に並木で縁どられて舗装されている。主要な交差点では、スチューベンやカミロ・ジッテの原理に従った集中式広場が作られている。そして、全体が電車による近代的な大量輸送方式によって維持されているのである。

一九一五年、ベルラーヘはその計画を全面的に改訂し、オースマン風の規模を持った大通りを何本も組み入れた。そして、そのうちの二本は「アムステラーン」という名で知られる地区へと収斂しているが、これらは一九二〇年代の初めに、周囲の施設と同時に実現、完成した。この完成はベルラーヘが言うところの、都市環境は物理的に連続せねばならないという見解を余すところなく示すものであった。しかし、そのことが、一九二八年に創立されたＣＩＡＭ（近代建築国際会議）の街路排斥論争において、ベルラーへとの間に軋轢をもたらす原因となった。けれども今日、ベルラーへの都市に関する業績の価値は、以前よりいっそう現在に適切であるように思われる。イタリアの建築家ジョルジョ・グラッシは「アムステラーン」について次のように書いている――。

「そこは今でもアムステルダム郊外の重要地点である。そこでは集団生活という理念が極めて明瞭に表れている。そこには単一の部分部分が持っている都市的価値が統合されて一つの形象となっている。確かにそこでは、合理主義者達の実験に見られるような最適住居に対する関心度は低いが、その集合住宅の中心的理念には、都市のさまざまな価値が見事に表現されているのである。さらに、居住者達の娯楽や休息といった肉体的必要を承知しているばかりか、共同体形成やその形成の中に生活の象徴を期待する彼らの衝動すらも認めているのである。」

第5章 チャールズ・レニー・マッキントッシュとグラスゴー派

一八九六〜一九一六年

煤煙たなびく大工業都市グラスゴーの一角。とある目立たぬ建物の三階に、目の覚めるように白く輝くばかりの応接室がある。壁といわず天井といわず、家具に至るまで悉くが乙女のように美しい白のサテンで包まれている。辺り一面が白——白と紫である。中心になっている紫色のふた組の大きな額縁の上の部分からは長い巻鬚が垂れ下がり、鈍い銀色の小さな玉が幾つもそれに絡みついている。[…]絨毯も鉛ガラスを嵌め込んだ窓も菫色で、二枚の好みの画を囲む細い額にも同じ色調が見てとれる。[…]アトリエの静寂の中で、とりどりの植物に囲われ、メーテルリンクの小説などが散らばって、そこで二つの夢見る魂は愛の高みに恍惚となり、天上近い創造の域へと遠く、高く、漂い続けるのである。

——E・B・カラス[1]「テームズからスプレへ、芸術産業の出発」一九〇五年

チャールズ・レニー・マッキントッシュ[2]も、妻のマーガレット[3]・マクドナルドも、一九〇五年にはすでに国際的名声を博していた。二人は一八九六年にハーバート・マックネア[4]とマーガレットの妹フランセス・マクドナルドと語らって「グラスゴー四人組」を結成し、四人の初期の作品をロンドン・アーツ・アンド・クラフツ展示協会において展覧に供した。この時の彼等の作品が与えた衝撃は相当なものであった。ウォルター・クレインからは全く認められなかったものの、雑誌「ステューディオ」の編集者グリースン・ホワイトからは「変人派（スプーク・スクール）」と名付けられ、好意的に迎えられた。実は、その前年の一八九五年にベルギーのリエージュでも彼等の学生時代の作品が展覧会に出品されていた。しかし今度の突然の大成功によって、この年に新設された《グラスゴー美術学校》の設計がマッキントッシュに委託された。そして、同校の建設工事は次の年に開始されたのである。

四人組は、グリースン・ホワイトが一八九七年、雑誌「ス

テューディオ」に書いた論文の挿図から分かるように、三年前の一八九四年から制作活動を始めていた。マクドナルド姉妹はポスター、打ち出し金属製額縁、鏡、燭台、時計等をデザインし、マックネアとマッキントッシュは戸棚や食器棚や、その他室内飾り付けの類を制作していたのである。四人組はその作品の中で、ホワイトが「不満を抱いた擬似異教徒」と名付けた感性を発揮し、ウィリアム・ブレイク[5]、オーブリイ・ビアズリー、ヤン・トーロップ[6]等の版画から借用した線の手法による様式を展開し、ケルト文化に起源を持つ古いキムリック人の主題や、モーリス・メーテルリンクやダンテ・ガブリエル・ロセッティの神秘的文学作品に由来する名称などによって、半ば国民的で、半ば象徴派（サンボリスム）の情感を養い育てていた。

マッキントッシュの建築も同様に、それほど異国的とは言えないが、変わった起源を持っていた。彼は、ゴシック・リヴァイヴァル主流の教育を受けて、自ずと建築に対して手堅い手工芸的アプローチを身につけたのだった。フィリップ・ウェッブと同様、マッキントッシュの建築の先達となったのは、十九世紀中葉に活躍したゴシック・リヴァイヴァリスト達、例えばバターフィールド、ストリートといった人達であった。こうした点の多くがマッキントッシュの初期の教会関係の建物、例えば、一八九七年のグラスゴーの《スコットランド・クイーンズ・クロス教会》などにはっきり見てとれる。

一方、マッキントシュは、世俗的建物では、リヴァイヴァリズムの衝動をもっと直接的な考え方に馴染ませようとした。これはヴォイジーの影響によるものでもあるし、スコットランドのバロニアル様式の伝統によるところでもあった[7]（ジェームズ・マクラレンの設計による一八九二年のフォーティンガル・コテイジを比較参照[8]）。そして、この手法によるマッキントッシュの一貫した意思表示は、《グラスゴー美術学校》が逐次実現されていくなかで明瞭になっていった。

マッキントッシュの設計活動は、独特で、強い影響力を発揮した。その活動全体を通して、一八九二年に刊行されたレザビーの著書『建築、神秘思想、神話』が重要な教理問答書としての役割を果たしていた。同書は、建築に関するあらゆる象徴の、普遍的で形而上的な根拠を明らかにしたばかりでなく、ケルト民族の神秘思想の中の超越的なものとアーツ・アンド・クラフツ運動の形態創造に関する比較的プラグマティックな考え方とが、レザビーの手によって橋渡しをされていたのである。マッキントッシュは、このアーツ・アンド・クラフツ的見方については、伝統主義的なラスキンの路線を踏襲した。そして彼は、鉄やガラスなどの近代の素材は「とても石の役割を果たせるものではない。なぜなら、それらには重量感の欠如という決定的欠点があるからだ」と論じた。

《グラスゴー美術学校》では、四つの立面のうち三つが地元産の灰色の花崗岩で、残る一つが煉瓦造にプラスター仕上

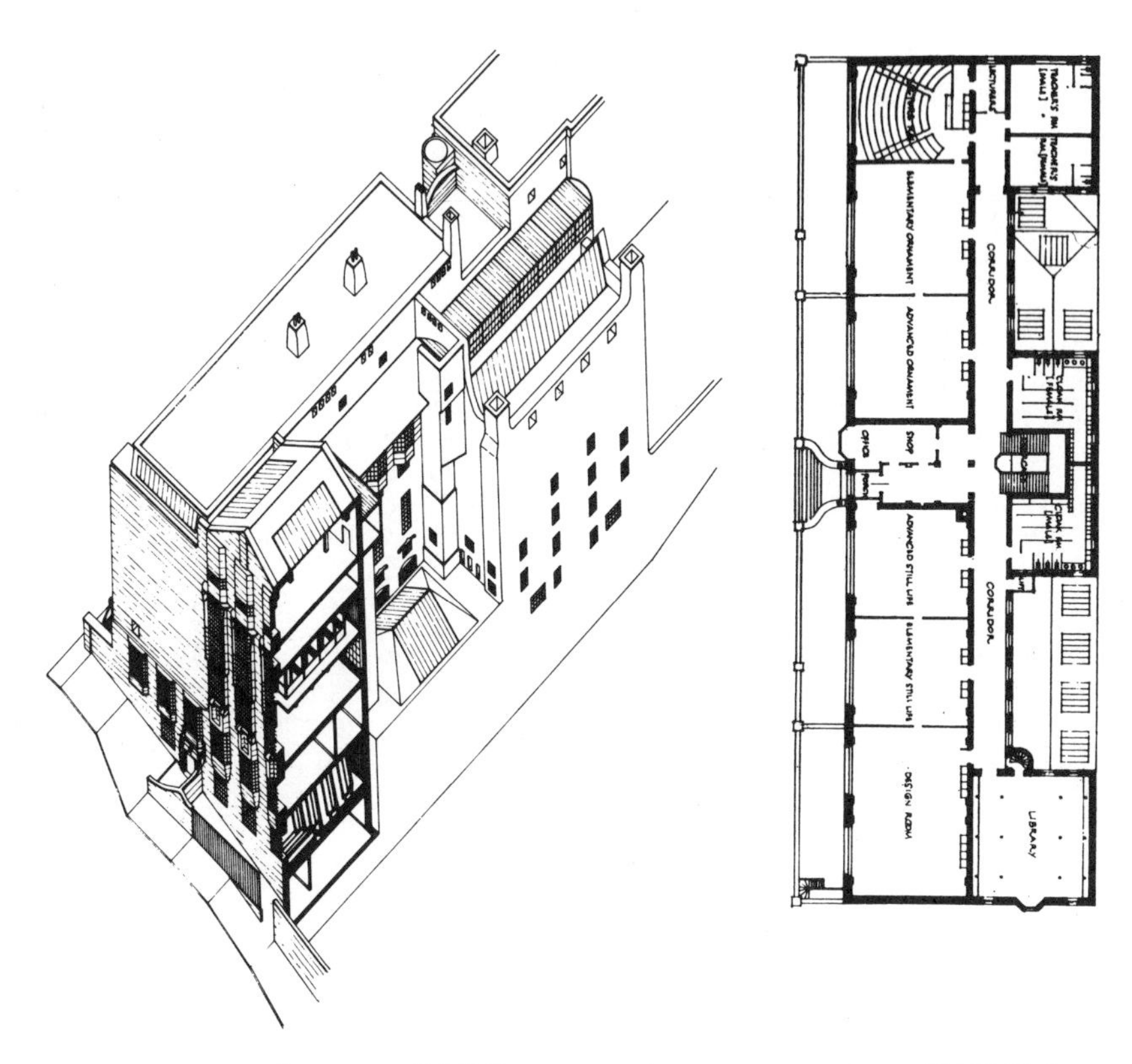

56　マッキントッシュ「グラスゴー美術学校」1896-1909年．アクソノメトリック（軸測投影図）による外観と１階平面図

げで建てられていたから、重量感には不足はなかった。しかし、マッキントッシュの組積造に対する露骨な愛着にも拘わらず、スタジオ北面の広々とした明かり取りの窓にはガラスや鉄がふんだんに用いられていた。しかもその窓は建物の主要な正面(ファサード)全面を占めているのである。マッキントッシュは、同時代のアメリカのフランク・ロイド・ライトと同様に、技術的観点から、環境調整の最新で巧妙な方式を積極的に取り入れようとした。例えば、ダクトによる暖房や換気といった今日なお有効な方式を、最初から校舎内に建て込んでいたのである。

マッキントッシュは、ゴシック・リヴァイヴァル様式の伝統に従って、校舎の主要な本体を、あたかもふわりと身体を覆う皮膜のように設計したが、さらにその本体には四階にまで積み重ねられたスタジオの空間が付属していた。こうした建物の大きさ(マッス)は、見たところ、正面全面にわたって二階建てのように読み取れるが、両翼部、中央部、さらに図書室と展示室など付属部分を付加した後背部から成り立っていた。その結果、平面はEの字型となり、正面には風変わりな平衡関係を保っている立面がつき、主要出入口と前庭の手摺との間の微妙なずれによって対称、あるいは非対称のいずれとも読み取れるのである。東西の両側面は正面から直角に折れ曲がり、敷地の裏地へ下る急な坂道に面しているが、その側面の一部は無地のままであって、スタジオの空間の奥行を表わそうとしたらしい。建物に潜在する非対称性は、頂華(フィニアル)や破風(はふ)、突き出た塔や引っ込んだ窓などによって、東側の立面に歴然としたゴシック・リヴァイヴァル様式の特徴となって現れている。もし一九〇六年の第二期工事でマッキントッシュが設計を大きく変えるようなことをしなかったならば、このゴシック・リヴァイヴァル様式の特徴は西側の立面にも繰り返されたはずである。しかし、この西側の立面は完成してみると、マッキントッシュはその当時最も力を充実させていたことがよく分かる。他の作品では、彼はこれほどまでの威信と気高さには達していなかったからである。その西側の立面には、三つの張り出し窓が垂直に走り、格子窓が嵌め込まれ、窓から差し込む光は図書室の深々とした内部空間やその上階の空間にまで届き、一転して今度は内部の広々とした様子を開示しているのである。それはまさに劇的と言ってよいだろう。

この美術学校は、二期にわたって建設されたが、一八九六年から一九〇九年に至るマッキントッシュの様式の表明の記録そのものと言えよう。第一期のヴォイジー風の玄関ホールと階段、そして第二期のノーマン・ショウからの影響を見せる二階分の高さの図書室、ここに見られる相違は、その時までに彼が展開してきたあらゆる様相を映し出している。マッキントッシュは、実に数年という歳月の間に、波のようにうねる建築の統辞法(シンタックス)を見事に結晶化したのである。その統辞法は、一九〇四年、グラスゴーの《ウィロー喫茶店》を設計し

57　マッキントッシュ「グラスゴー美術学校　図書室」1905-09年

58　マッキントッシュ「ヒル・ハウス」ヘレンズバラ，1902-03年

た時、初めて大きな規模で用いられた。そこに見られる「白くて、たおやかな」室内とは対照的に、美術学校の図書室はいかめしく、幾何学的であり、全体が黒ずんだ木材で作られている。その構造のめりはり(アーティキュレーション)は日本的特徴を思わせる。しかし、この作品はマッキントッシュにとってはあくまでも過渡期の作品として見るべきであって、アール・ヌーヴォー期の作品と、その後の、近代的でアール・デコを思わせる手法による作品との中間に位置付けられる。なお、アール・デコに近い手法は彼の遺作、バセット・ロークの住宅に見られる。

　白くて滑らかな平面に描き込まれた有機体のような装飾模様の銀と紫は、マッキントッシュの様式として広く認められている特徴である。しかし、この輝くばかりの時期は短く、一九〇五年にはカラスによって称賛されたりしたが、すでに世紀の変わり目頃には成熟期に達していたのであった。一九〇〇年に設計されたグラスゴーのアパートメントの家具や飾り付けを見ると、そこには成熟への萌しが芽生えているのが窺える。さらに、同年のウィーン分離派(セセッション)展のスコットランド部門においては、成熟への弾みにいっそうの拍車がかかり、一九〇二年のウィーンの《ヴェルンドルファー邸》の音楽サロンにおいてはいよいよ磨きがかけられたのであった。その二年後に完成した《ウィロー喫茶店》では、内部的にも外部的にも、見事に統一のとれた美しさを達成して、神格化されるまで至った。

外観については、《ウィロー喫茶店》の正面は、抑制が利いて、さらに繰形(モールディング)が施され、塗装は白くて、世紀末のヴォイジー風住宅計画案と同類であった。また、一八九九年から一九〇三年にかけてキルマコムとヘレンズバラに実現された荒塗り仕上げの擬似バロニアル様式の二軒の住宅と軌を一にするものであった。[9]ロバート・マックレオードが書いているように、「これらの住宅は意識的に無骨さを表現し、さらに、歴史的にはウィリアム・バターフィールドやフィリップ・ウェッブを代表者とする軟弱瀟洒反対の姿勢を表していた」。装飾的なものと無骨なものとを融合しようというマッキントッシュの執拗な試みはまずうまくいったためしはなかった。したがって、これらの住宅は、素晴らしい出来栄えで影響力も強かった《芸術愛好家の住宅》計画案と比較すると、いかにも混沌として、すっきりとしていない。因みに、この計画案は一九〇一年、アレクサンダー・コッホがダルムシュタットで組織し、開催した指名設計競技にマッキントッシュが応募案として設計したものであった。

　この《芸術愛好家の住宅》は遂に陽の目を見なかったが、《グラスゴー美術学校》とともに、二十世紀建築の主流に対するマッキントッシュの重要な貢献となった。彼はこの住宅において、伝統的なヴォイジーという手本の束縛を遥かに超えて、ほとんど立体主義(キュビスム)に近い造形の作品を作り上げたのである。この住宅は、対立する二つの軸にそって組み立てられ、そのうえ、二つの直方体が長手方向でまさに擦れ違う格好に纏められ、緊張感を漲らせながら、一体感の強い構成となっている。さらに、他の場合なら何も施さない壁に、正確な比例関係の窓を数箇所に設け、所々にレリーフの装飾をつけて、表情にふくらみを与えている。こうしたことから直ちに、この計画案はヨゼフ・ホフマンの、わけても一九〇五年ブリュッセルに設計した《ストックレー邸》に強い影響を及ぼしたに違いないのである。いずれにしても、この設計競技に入賞したベイリー・スコットの小地主(ヨーマン)風の田園趣味からこれ以上に遠いものはあるまい。

マッキントッシュが《グラスゴー美術学校》によって独立した建築家としての道を歩み始めたものの、結局、この美術学校でその道を閉すことになってしまったのはいかにも皮肉である。彼の建築の実際活動は一八九七年から一九〇九年まででである。一九一四年、マッキントッシュはスコットランドからイングランドへ、地方から中心へと移った。しかし唐突に、しかも不可解に、建築家としての道を逸脱して絵画へ転じてしまったのである。一九一六年、彼はほんの短期間ではあるが建築家としてカムバックしたことがある。その時、マッキントッシュはノーサンプトン、ダーンゲイト七十八番地にW・J・バセット・ロークのために小さなテラス・ハウスを見事なばかりに改造した。その豪奢にして抽象的な室内装飾は、当時のヨーロッパ大陸におけるいかなる作品に対しても遜色がない。飾りのない幾何学的な寝室用家具、それにツインベッドと一体になった縞模様の壁紙の装飾などは、第一次世界大戦後のヨーロッパ大陸での（「デ・スタイル」や「アール・デコ」といった）前衛達によって取り上げられる空間的、造形的趣向を幾つも先取りしていた。彼はその意味で遥かに時代を先取りしていたのである。大戦中、マッキントッシュはバセット・ロークのために時計、家具、ポスターなどのデザインを完成したが、一九一八年を過ぎると、こうした後援者(パトロン)も手を引いてしまうのである。

マッキントッシュは、スコットランドでは拒絶に遭い、イングランドでは孤立に追い込まれ、初期の頃に勝ち取った評価を保ち続けることもできず、大戦直前に見せた創造への衝動を伸ばすことも叶わなかった。彼の晩年十年はただただ衰退の一途であった。その間、一九二五年にドイツの建築家ペーター・ベーレンスからバセット・ロークの新しい住宅を設計するようにと委嘱があったが、それも最後の花に過ぎなかった。かつてP・モートン・シャンドが書いたように、「ロバート・アダム以来、海外で名を成した初めての英国の建築家であり、しかも、ヨーロッパ大陸のデザインの流派に対抗できる唯一の人物」にとって、悲劇的運命であった。[10]

第6章　聖なる春：ワグナー、オルブリッヒ、ホフマン

一八八六〜一九一二年

大学、美術館、劇場、わけても壮麗をきわめた歌劇場など一連の建築はオーストリア自由主義の教義理念を示すものであった。かつては、宮廷内に限られていた文化は市場へと押し寄せたのであった。そのため、文化は誰にでも近づけるものとなった。芸術は貴族階級好みの壮麗さや教会特有の雄大さを表現するだけのものではなくなった。芸術は開明的市民の装飾に、すなわち、彼等の共有の財産となったのである。リングシュトラーセに沿って立ち並ぶ壮麗な建造物のかずかずは、まさしくオーストリアが独裁政治と宗教国から立憲政体と世俗文化の国へと変貌したことを見事に証すものであった〔…〕オーストリアの経済は成長し、増加し続ける世帯が貴族的生活を追い求められる基盤を作り出した。富裕な市民あるいは成功を収めた役人達の多くは、シュティフターの（一八五七年に書かれた小説『晩夏』の中の主人公）フォン・リーザッハ男爵のように貴族の称号を獲得し、彼の美術館紛いの荘園ローゼンハウスに似た別荘を都市の中に、あるいは郊外に営み、陽気な社交生活の中心としたのである。優雅な礼儀作法だけでなく、知性そのものが、こうした新しい特権階級のサロンや夜会で育まれていった〔…〕英国のラファエロ前派は、世紀末のオーストリアでは「分離派（セセッション）」の名で呼ばれたアール・ヌーヴォー運動を鼓舞したが、ラファエロ前派の似而非（えせ）中世精神への憧憬も、盛んな社会改良への風潮も、いずれもオーストリアの弟子達に広がることはなかった。オーストリアの美の探究者達はフランスの心の友のように社会から隔離されたわけではなかったし、また英国の心の友のように社会に関わっていたわけでもなかった。彼等は、前者の持っていた苛烈な反ブルジョワ精神にも、後者の温和な社会改良志向にも、無縁であった。オーストリアの美の探究者達は、かくの如く、逃避的でもなく、参加的でもなく、彼等の属する階級から疎外されることはなかっ

たが、その階級の期待を裏切り、その階級の価値を拒絶する社会からは距たっていたのである。このように、若きオーストリアの美の園生(そのう)は「恵まれた持てる者」の隠れ家であり、現実と理想郷との間に奇妙に架け渡された庭園であった。それは美的に洗練された教養人達の自己満足と、社会的に無用な人物の自己懐疑の二つをともに表していたのである。

――カール・ショースケ「庭園の変貌：オーストリア文学の理想と社会」一九七〇年

カール・ショースケ[1]が伝えているように、一八九八年に分離派(セセッション)の雑誌「フェル・サクラム（聖なる春）」の発刊によって、文字通り「聖なる春」となって現実のものとなったのは、その起源を十九世紀中葉の一八五七年、アダルベルト・シュティフター[2]の理想主義的小説『晩夏』の中にすでに潜ませていたのであった。一八八六年のオットー・ワグナー[3]による最初の郊外別荘は、まさしくシュティフターが個人の美的生活を育む理想的場として設定したローゼンハウスの実現だと見られなくもない。ワグナーはシュティフターの生み出したフォン・リーザッハ男爵と同じ階級に生まれたが、そのことは彼を成功へと直ちに結びつけなかった。彼は、初めはウィーン工科大学において、次いでシンケルの伝統が生んだベルリンの名門校、「建築(バウ)アカデミー」において空前絶後の成績を上げて修業し、その後約十五年間は一人で実務に当たっていた。一八七九年、皇帝の銀婚式祝賀祭典の飾りつけという国家からの委嘱を初めて受けたのはその後であった。しかし、この勅認の設計といえども彼に喝采をもたらすものではなかった。一八八六年、ヒュッテルドルフにローゼンハウスのイタリア版ともいうべき別荘を彼自身のために建てた時でも、彼は職業的安定からはほど遠い状態にあった。だが四年後、ウィーンに彼自身のための小規模ながらも密度の高い都市住宅を建てて芸術的にも成功を収めたし、世俗的な意味でも上首尾であった。

教育者としてのワグナーの影響は、一八九四年、ワグナーがウィーン美術アカデミーにおいてカール・フォン・ハゼナウアー[4]の後を継いで建築学科の教授に就任した時に始まる。一八九六年、五十四歳の時、最初の著作『近代建築』が上梓された。これに続いて一八九八年、彼の生徒による作品が『ワグナー派から』と題して刊行された。ワグナーの建築と当時の建築との類似性を求めるならば、それはシンケルの高弟の一人によってベルリンにおいて形成されたとはいえ、「シンケル派」の合理主義と、リングシュトラーセの最後の大建築家達すなわちゴットフリート・ゼンパー[5]とカール・フォン・ハゼナウアーの一段と修辞的な手法との、ちょうど中間に落ち着くのではなかろうか。因みに、ウィーンの二人の建築家達による作品、《国立博物館》《ブルク劇場》《ノイ

59　オルブリッヒ「セセッション館」ウィーン，1898年

60　オルブリッヒ「エルンスト・ルートヴィッヒ館」ダルムシュタット，1901年5月の「兆候の儀式」

エ・ホーフブルク《新宮殿》等は十九世紀の後期の四半期にはリングにあってなお工事中であった。

　ワグナーが受けた技術教育（ポリテクニカル）は、彼に当時の技術や社会の現実に対する鋭い意識を与えた。同時に、彼のロマン主義的想像力は、ひときわ才能豊かな門弟達からの急進的な刺激に魅せられていった。その刺激とは、彼の助手であったヨゼフ・マリア・オルブリッヒと、一八九五年ローマ賞を獲得して卒業した門下随一のヨゼフ・ホフマンが共同して興した反権威主義的な芸術運動である。こうした人々は、当時雑誌「ステューディオ」誌上で紹介された「グラスゴー四人組」の作品に影響されたことは勿論であり、さらにウィーンの若い画家[6]グスタフ・クリムト、[7]コロマン・モーザーの一風変わった想像力にも魅せられていた。クリムトの指導の下に、オルブリッヒ、ホフマン、モーザーは結束してアカデミーに対抗した。一八九七年、ワグナーの祝福を受けて、彼等は「ウィーン分離派」を創設した。翌年、ワグナーは、リンケ・ヴィーンツァイレに建設したイタリア風の《マジョリカ・ハウス》の立面（ファサード）に[8]ファヤンス焼きのタイルによる華麗な抽象模様を創案し、分離派に対して彼自らの賛意を表明したのだった。そして一八九九年には彼自身も分離派の正会員になり、体制側の人達を憤慨させた。

　一八九八年、オルブリッヒは《セセッション館》を建設し

たが、それは明らかにクリムトのスケッチに倣ったものであった。そのクリムトはと言えば、その後もこの反抗運動の首魁であった。この建物でクリムトに由来したものとは、傾斜した壁、中心軸、わけてもアポロンへの献辞を添えた月桂冠の主題（モティーフ）であった。オルブリッヒは、この主題を中空の金属製ドームとして表現した。ドームは四本の小さい門柱（パイロン）の間に嵌め込まれ、ヴォイジーやチャールズ・ハリスン・タウンゼンドなど英国建築家の作品を思わせる、飾り気のない平らな壁面を見せている建物の上に据えつけられた。有機体の生命力に相応しい象徴が雑誌「フェル・サクラム」の創刊号の表紙にも登場した。その象徴は灌木を装飾化したもので、木の生命を支える根が植木鉢を突き抜けて地中深く伸びているところを描いたものであった。そして、これこそオルブリッヒの出発点を象徴するものであり、無意識に潜む豊饒性への意識的な回帰を意味していた。そしてそこから彼は、ヴォイジーやマッキントッシュの影響やクリムトの汎エロティシズムの要請に応えながら、彼独自の様式を発展させたのである。

この展開は主としてダルムシュタットにおいて行われた。実はオルブリッヒは一八九九年、[9]エルンスト・ルートヴィッヒ大公に招かれたのであった。そしてその年も遅く、彼は六人の芸術家達と一緒になった。彫刻家の[10]ルートヴィッヒ・ハビッヒ、[11]ルドルフ・ボッセルト、画家のペーター・ベーレンス、[12]パウル・ビュルク、[13]ハンス・クリスチャンセン、それに建築家[14]パトリス・ヒューバーである。二年後、この芸術家達によるコロニーは、自らの生活様式ならびに住居を芸術の総合的作品であると宣言し、一般の展覧に供し、名付けて「ドイツ芸術の記録」とした。この展覧会は一九〇一年五月に開かれた。その時オルブリッヒの設計した《エルンスト・ルートヴィッヒ館》の大階段の上で、「兆候（ツァイヒェン）」と題する神秘的儀式が取り行われた。儀式では、「未知」の予言者が建物の金色の入口から降り立ち、何やら結晶状のものを受け取るが、これはちょうど炭素が金剛石の光輝へと変化するように、やがて芸術へと変貌する基本物質の象徴であった。

《エルンスト・ルートヴィッヒ館》は一九〇一年に建設されたが、まさしくオルブリッヒのダルムシュタット九年滞在期間中の設計活動で最も進歩的作品であった。この建物は、共有の集会室の両脇に四つずつ、合計八つのスタジオ兼居住空間からなるものであるが、実はこのコロニーにとって創設の中心であった。さらに、この建物の周囲に芸術家おのおのがそれぞれの住居を建てることになった。《ルートヴィッヒ館》は、背が高く、無表情で、窓が水平方向に並んでいるだけの正面（ファサード）を持ち、北面からの光は遮断されている。円形の額縁をつけた華麗な出入口は内側に後退し、出入口の両側にはハビッヒ制作の巨人像が立っている。これはオルブリッヒがウィーンの《セセッション館》において初めて提起した主題を極限まで記念化したものであった。

オルブリッヒは一九〇八年に早世してしまうが、初期のこの傑作から晩年に見せた決定的「古典化」スタイルに至るまで、彼は絶えず独自の表現形式を求めてひとり探究を続けた。最後の十年間には、彼は並みはずれた独創性を見せた作品を次々に生み出している。その中の頂点と言えるのが、あの神秘的で瞑想的な《成婚記念塔》である。これは一九〇八年、ヘッセン州博覧会に際してダルムシュタットのマチルドの丘に完成した建物で、他の博覧会の建物を従えている。マチルドの丘の建物群は、貯水池の上にあって、全体はピラミッド状の構成となり、まるで「都市の王冠（シュタットクローネ）」のような格好であった。この形象こそ、ブルーノ・タウトが一九一九年に書いた著書『都市の王冠』に登場する象徴的会堂を先取りするもの(15)であった。一方、オルブリッヒが描いた形態は、幾段にも重なるコンクリートのパーゴラによって周囲を囲まれ、こんもりと深い樹木に覆われた巨大な迷宮であって、木々は四季の変化によって緑から紅へとその彩りを変える。まるで神仙の山のように大地から立ち上がるその一群の建物は、それと向かい合っている、植え込みのある形式的庭園やプラタナスの林など、エデンの園の静けさとは意図的に対立しているのである。

オルブリッヒの生涯を通じて彼に挑み続けた人物がいた。ペーター・ベーレンスである。彼は初めグラフィック・アー

61　オルブリッヒ「成婚記念塔」と博覧会場，1908年

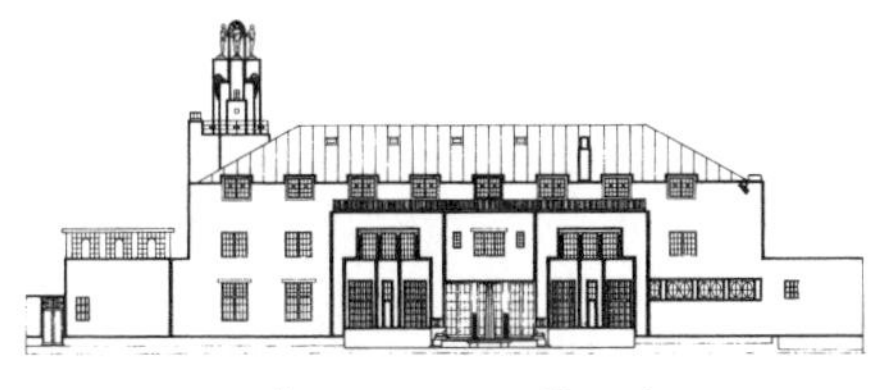
62　ホフマン「ストックレー邸」ブリュッセル，1905-10年．立面図

63　ホフマン「ストックレー邸」ブリュッセル，1905-10年．外観

トおよび絵画の制作に従事していたが、一八九九年、ミュンヘン分離派を抜けてダルムシュタットにやってきた。やがて一九〇一年、ダルムシュタットに建てた《自邸》の建築と内装によって建築家、デザイナーとなったのである。ヘッセン州ダルムシュタットの住宅建築に貢献した「総合芸術家(デザイナー)」(16)としての二人の拮抗を見ると、物体(オブジェ)の類稀な意匠家となるべき人物は、ベーレンスよりもむしろオルブリッヒであった。だが、ダルムシュタット以外での二人の建築家としての経歴においては、形態の力強い創造者になったのはベーレンスであった。わけても、二人がともに潜在的古典主義というものへ回帰することを見抜いていたのはベーレンスであった。この回帰はオルブリッヒの晩年の作品を特徴づけるものであって、その好例は《ティーツ百貨店》とシガー製造業者ファインホルスのための邸宅など、いずれも一九〇八年、デュッセルドルフに完成したのである。

一八九九年、ヨゼフ・ホフマンはウィーンのオーストリア芸術・産業博物館付属の応用美術学校で教鞭をとり始めた(この学校は約三十五年以前、ゼンパーの立てた教育方針に沿って創設されたものであった)。一年後、彼はオルブリッヒに代わってウィーン郊外の高級住宅地ホーエ・ヴァルテに四つのヴィラを設計することとなった。建物は一九〇一年から一九〇五年にかけて作られた。彼はオルブリッヒ亡きあと、分離派の指導的建築家となったのである。その敷地での最初の作品は、英国(17)のフリー・アーキテクチャーの手法によって設計した、コロマン・モーザーの住宅であった。しかし、一九〇二年になるまでにホフマンは早くも、平らな面を一段と強調する古典主義的な表現形式へと傾き始めた。その形式は大部分、オットー・ワグナーの一八九八年以後の作品に基づくものであり、全体(マッス)の形態やその表面を操作する方向に向かい、およそ英国特有の中世風・農家風(ヨーマン)形態に対する執着からはほど遠いものであった。

一九〇〇年のウィーン分離派展覧会において、マッキントッシュの実際の作品がオーストリアでは初めて展示された。しかし、ホフマンはその当時においてすら早くも直線による洗練された形式を用いて室内の意匠をまとめ、一つの様式を作り上げていた。こうした様式は、その前年、ウィーンの店舗《アポロ》の設計で見せた執拗なまでの曲線形式からの脱出の最初の試みであった。あくる一九〇一年になると、彼は抽象的形態によるデザインの可能性を探ることに熱中した。「私はとりわけ正方形に関心を持っていますし、黒と白を基調色として使うことに興味を持っています。なぜならば、こうした誰の目にもはっきりと分かる要素は、これまでの様式には一度たりと表れたことがなかったものですから」彼はそう書いた。また、モーザーや他の分離派の仲間ともども、アシュビーの「ギルド・オヴ・ハンディクラフト」の目指す方向に沿って、装飾、応用美術の品々の手工芸的生産に関心を抱くようになった。一九〇二年になると、《セセッション館》に展示されることになったクリンガー[18]によるベートーヴェンの彫像の背景を制作したが、輪郭や比例関係(プロポーション)を強調するのに細かな正方形の押縁を回して、彼独自の抽象的スタイルに到達した。さらに一年後の一九〇三年、フリッツ・ヴァルンドルファーの後援を受けて、ホフマン・モーザー・ウィーン工房は高級家庭用品のデザイン、製作、販売に着手した。ところがこの組織も製品も世界的に有名になったが、一九三三年、不可解にもホフマンはそれを突如閉鎖してしまうのである。

　雑誌「フェル・サクラム」の終刊号は一九〇三年に発行された。それとともに分離派の最盛期も終わりを告げた。一九〇四年ホフマンとヨゼフ・アウグスト・ルックス[19]は新しい雑誌の編集を始めた。その誌名は田園郊外に因んで「ホーエ・ヴァルテ（見晴台）」と名付けられた。この雑誌は最初から「自然に還れ」という田園都市の価値観の宣伝に努めた。しかし後年、自由主義的風潮が失われる頃になると、オーストリア国家社会主義運動のための田園都市の舞台となった。ルックスはホフマンと違って、民俗的なものの価値の盲目的誇大視にたちまち反発して、早くも一九〇八年、「郷土様式(ハイマートシュティル)」に対する抗議から編集権を放棄した。

　一九〇三年、ホフマンは師ワグナーの様式にいよいよ接近することになった。とりわけ、《プルケルスドルフのサナト

64　ワグナー「郵便貯金銀行」ウィーン，1904年

リウム》の古典主義的で厳格な設計には、その偏向が顕著であった。しかし、この作品はル・コルビュジエの初期の発展に何らかの影響を与えることになった。一九〇五年、ホフマンは彼の最大傑作である《ストックレー邸》の設計に着手し、一九〇五年から一九一〇年にかけて同邸をブリュッセルに建設した。この建物に見られる抽象化した古典主義的装飾は、ペレが設計した《シャン・ゼリゼ劇場》と同じように、いわゆる「古き良き時代（ベル・エポック）」の象徴主義的美学に対する暗黙の敬意であった。とはいえ、この《ストックレー邸》は、ペレの劇場とは違って[20]（エドゥアルト・セクラーが述べているように）、本質的にはおよそ構築性からほど遠いものである。例えば、金属の目地を現した白大理石の外装仕上げには、ウィーン工房の製品が持つ気取った、精巧を極めた優雅さが、規模を拡大して見られるのである。ホフマンが構造も全体の形態（マッス）も意識的に無視している点について、セクラーは次のように書いている。

「このような金属の帯が明白に示されることによって、強い線の要素が導入されるのだが、それはいわゆる「力の作用線」とは何の関係もない。ヴィクトル・オルタの建築において線の要素が果たしているのとは違うのである。《ストックレー邸》においては、水平の稜線にも、垂直の稜線にも、平行な何本もの線がある。だが、これらの線は構造には無縁である。建物の隅部においては［…］こうした平行する繰形（モールディング）が二本も三本も、それ以上も一緒になるのだが、その結果、せっかく組み立てた内部空間の立体性が否定されてしまうのである。まるで、壁は重厚な構造などではなく、薄い大きな板材からなり、隅部では、縁を守るために金属帯（バンド）を回している印象がつきまとっている。」

ここに述べられている帯飾り（バンド）は階段塔の頂部から始まっている。そして、頂部では四体の男性像が月桂樹のついた分離派風の丸天井を支えている。帯飾りは、どこかワグナーの綱（ケーブル）[21]状の繰形の様式を映している。その帯飾りは、隅部に沿って流れ落ちてくるにしたがって、連続する目地のお陰で、建物全体に一体性を与えているのである。

ワグナーの様式が円熟するのは彼が六十歳を迎えた年からであった。あたかもその一九〇一年に、彼の設計によるウィーン地下鉄施設が完成した。あくる一九〇二年の「ディー・ツァイト」通信社のオフィス・ビルの設計では、かつてのイタリア好みの手法は痕跡ほどにも残っておらず、一九〇六年の《カイザーバード・ダム》の設計も同様であった。オフィス・ビルにせよダムにせよ、技術に支えられた優雅さや継ぎ目も見えない堅固な壁などは、明らかにホフマンの非構築的な様式に繋がる。しかし、《ストックレー邸》に見られる物質感の消去は、ワグナーが一九〇四年ウィーンに建設した傑作、《郵便貯金銀行》こそがその先駆けとなっているのではないだろうか。ただし、ワグナーは分離派の弟子とは違って、常に目前の現実のために建てたのであって、美による人間の救済を見据えながらも、どこか打ち解け難い象徴主義的ユートピアを求めていたわけではなかった。したがって、一九一〇年のワグナーの「大都市」計画は、近隣住区の階層性にも拘わらず、合理的な平面計画による実現可能な大都市の未来として計画されたのである。ワグナーは、官僚主導国家のための公共施設をすべて驚くほどの精緻さをもって建てたが、彼は官僚国家こそいつまでも存続するものと考えたのである。《郵便貯金銀行》は、月桂冠のついたパーゴラを恭しく戴き、腕を上空へと差し伸べた、翼のある勝利者像を一対にして置いた建物であった。これはまさに最盛期のオーストリア・ハンガリー帝国の共和制という善意を表象するものであった。

65　ワグナー「郵便貯金銀行」ウィーン，1904年．客溜り

《郵便貯金銀行》は、ホフマンの《ストックレー邸》と同様に、途方もなく大きな金属製の箱に似ている。この類似効果は、少なからず、ステルツィング産白大理石製のよく磨かれた薄いプレートによるものである。そしてこれらのプレートは、アルミニウムの鋲で建物正面（ファサード）に止められている。ガラスを嵌めたキャノピー（庇）の枠組も、入口の扉も、手摺も、屋上の手摺のレールもアルミニウム製なら、銀行の客溜りの家具類の金属もアルミニウムである。客溜りは、陶板で仕上げ、上部から明かりを採り、コンクリート造の吊り床を持ち、床版には地階の採光を考えてガラス・レンズをふんだんに嵌め込んでいた。こうした原状は最近まで留保されていた。このホールの、装飾を排除して鋲打ちを露出させたスティールの架構も、形態的には、周囲に立ち並んでいるアルミニウム製の暖房用通気筒や工場用照明装置に相応しいものであった。[22] スタンフォード・アンダスンは次のように書いている。

「ここでは、いわゆる技術的建物の部分部分（ディテール）が、十九世紀の博覧会場や鉄道車庫と同じ即物的（ザッハリヒ）な手法によって現われているわけではない。そうではなくて、技術的建物そのものの概念が、被覆されない工業材料とか構造体とか設備装置といった、建物の近代的象徴によって露わにされているのである。」

一九一一年になると分離派の「古典化」は完了した。ホフマンは引き続き「郷土様式」を時宜に即して発展させることに関心を抱いていたが、彼はこの年、ローマでの国際芸術展のオーストリア代表に選ばれて、展示館を設計した。その非構築的な古典主義は、その後のムッソリーニのいわゆる[23]「ニュー・ローマ」に見られる、修辞（レトリック）に溢れた記念性（モニュメンタリティー）の先駆けとなった。同じように予言的であったのは、ベーレンスがサンクトペテルブルグの大使館の建物で見せたプロイセンの表象性である。その建物の厳格さは「第三帝国」公式の修辞法を指向するものだった。こうした状況の中で分離派に終止符を打ったのは、その生みの親である当のワグナーであった。一九一二年、彼はとりわけ厳格で、しかも優雅なプロポーションを備えた二番目の別荘をヒュッテルドルフに建ててみせたのである。この明快な平面を持った住宅は、モーザーによって抒情味豊かに装飾が施されていたが、ワグナーの門弟達の作品や、当時出版されたばかりのライトの作品からも同じように影響を受けていた。ワグナーはここに晩年の六年を過ごすことになるのであった。

第7章　アントニオ・サンテリアと未来主義建築

一九〇九〜一九一四年

　モスクのような格好のシャンデリアの下で、ぼくも友人も夜っぴて起きていた。見上げればシャンデリアは電気の芯が輝いて星のように瞬いた。それはまるでぼくらの心のようだった。何時間も何時間もぼくらはオリエント製の絨毯の上に陣取って動かなかった。狂乱した気持ちで何枚も何枚も紙に書きなぐった。[…] ぼくらは敵意を抱く数々のスターと向かい合って孤立していた。大船のサタンのように燃え盛る炉を前にして流汗淋漓(りゅうかんりんり)の汽缶夫といながら孤独だった。残忍無情なスピードで唸りを立てて突っ走る機関車の赤い熱気に包まれた胴体の中を動き回る黒いファントムの傍らで孤立無援だった。[…] ぼくらは一斉に、轟きわたる音を立てて通り過ぎて行く電車の音に跳び上がった。その電車ときたら色とりどりに塗りたくられて、まるで氾濫したポー河が堤を越えて、渓谷という渓谷、急流という急流を押し流し、海へと下っていったあとの祭りの日の村のようだ。やがて沈黙が深くなった。ぼくらに聞こえるのは古い運河の呟くような祈り声と関節炎に罹って蔓に絡まれた宮殿の泣き叫ぶ声だけだった。[…] 突如、ぼくらに聞こえたのは飢えた自動車が立てるあの咆哮だ。[…] 行こう、ぼくは叫んだ。出発だ。神話や神がかりの観念論は遂に敗北したのだ。ぼくらはケンタウロスの誕生に立ち合うだろう。やがて最初の天使が飛ぶのを目撃するだろう。ぼくらは生命の扉をどんどんと揺すってみなければならない。蝶番(ちょうつがい)やボルトがどうなっているか試してみなければならない。行こう。さあ、この世で初めての歴史の夜明けだ。太陽の赤い剣に敵うものなどありはしない。なにしろこの剣ときたら一千年の影を初めて切り裂くあの赤い剣なのだ。

——フィリッポ・トマソ・マリネッティ「未来主義」
一九〇九年二日二十日付「ル・フィガロ」紙　パリ

イタリアの未来主義は、その思いきった誇大妄想の修辞によって、いわゆる「古き良き時代」の自己満足に浸りきったブルジョワ達に、偶像破壊の原理を思い知らせたのだった。その至福千年説を思わせる導入部のあとには、ミラノ郊外で即興的に行われた自動車競走の模様が続くのである。結局、その自動車競走は事故で終わることになるのだが、レイナー・バンハムが述べているように、そこには「新しい信仰の擬似洗礼」としての意味合いがあった。いくぶん自伝を思わせる文章の中で、マリネッティ[1]は彼の自動車が工場の溝へ転落したことを次のように語っている。

「ああ何と美しい母なる工場の溝よ。ぼくはその元気をつけてくれる泥をいかに貪り味わったことか。それはぼくにスーダン人の乳母の黒い乳房を思い出させたのだった。それでもぼくが転覆した車体から、ぼろぼろになって、びしょ濡れになって這い出してくると、馥郁たる喜びの熱い鉄がぼくの心臓を貫くのを感じたのだ。だから、ぼくらの顔がありがたい工場の泥で化粧して、熔滓や汗や煤で塗りたくられ、手ひどい打撲を受け、添木を当てなくてはならなかったのだが、ぼくらは決して挫けず、この世界の生きとし生ける霊魂に向かって生きるのだ、という心からの意志を高らかに宣言したのだった。」

このあとに「未来派宣言」十一条が続くのであるが、その初めの四条は無鉄砲、エネルギー、大胆不敵などが美徳として賞讃された。そして、レーシングカーはサモトラケの女神よりも美しいという、今や有名となった一節の中で、機械によるスピードの素晴らしさが主張されるのである。第五条から第九条にかけて、乗物の運転手が宇宙の軌道と一体となっているとして理想化されたり、愛国心が美徳として称えられたり、戦争が讃美された。第十条ではあらゆる種類の学術研究施設の破壊を要求した。そして第十一条では未来主義建築の理念的背景が項目別に述べられている。

「ぼくらは大群集の興奮を歌う。労働者、放蕩者、反逆者達、それから、革命が現代の大都市を一掃する時のあの色彩と音響の混じり合った海を歌うのだ。ぼくらは電気の衛星が輝いている兵器庫や造船所の深夜の炎熱を歌うだろう。煙を吐き散らす長蛇の列車を飽くことなく呑み続ける停車場、数限りない媒煙の撚り糸で雲海から宙吊りにされた工場、太陽の中で閃き光るナイフのような、川面を次から次へと跳び越す巨大な運動選手のような橋梁、水平線の向こうまで嗅ぎ回っている冒険好きの汽船、鋼鉄の管を何本も巻きつけて種馬のように地面を車輪で激しく騒ぎ回す胸板の頑丈な機関車、滑らかに飛翔する飛行機のプロペラは群集の力強さを称讃する唸り声をあげ、風を旗のようにうち振っているのだ。」

このような人心を沸き立たせるような一節は、国粋主義詩人ガブリエーレ・ダヌンツィオ[2]の「アエロポエジア」[3]や立体主義のいう「同時性」の形象などに負うところが大きいが、それはそれとして、航空機や電力などによって拡張されつつあった十九世紀の技術的、社会的現象、すなわち工業化の勝利に対して表明された率直な敬意であった。つまり、これはイタリアの古典主義的、伝統主義的価値観に真っ向から反対して、機械化された環境の文化的優位性を宣言するものであった。そして、この機械化された環境こそ、やがて来るべきイタリアの未来主義やロシアの構成主義の建築美を特徴づけるものであった。[4]ジョシュア・テイラーが述べているように、一九〇九年においては未来主義は様式であるよりもむしろ刺激であり、当時の気運であった。このため、未来主義の分離派（セセッション）や古典主義化した後期分離派（ポスト・セセッション）双方に対する明らかな反抗にも拘わらず、未来主義建築として採用される形態はすぐには明瞭にされなかったのである。結局、未来主義はそれ自体が文化に対する根元的反対の表明であったが、この紛糾を呼ぶ否定的な姿勢は、建築を例外とはなしえなかったのである。

一九一〇年、[5]ウンベルト・ボッチョーニの決定的貢献のおかげで、未来主義はその「反文化的」議論を造形芸術の領域へと広げ始めた。その年にボッチョーニは絵画について二つの未来主義宣言を発表した。それに続いて一九一二年四月、「未来主義彫刻技術宣言」が打ち出された。その本文は、戦前の未来主義の論文のほとんどがそうであるように、発達した建築的感性を窺わせていた。ボッチョーニの冒頭の批判は、見たところ彼が対決を望んだ当時の紋切り型（ポンピエ）彫刻の行き詰まりに向けられているが、ヨゼフ・オルブリッヒや[6]アルフレッド・メッセルといった分離派建築家の一九〇四年以後の作品に、遥かによく当てはまるのである——例えば、オルブリッヒによるデュッセルドルフの《ティーツ百貨店》とメッセルによるベルリンの《ヴェルトハイム百貨店》などである。ボッチョーニはこう書いたのだった。「ドイツの諸邦では、ギリシア化したゴシック様式に対する滑稽なほどの執着がある。それがベルリンでは工業化され、ミュンヘンでは無力化している。」さらに、彫刻の物体（オブジェ）という領域を、それに隣接する環境に繋げて拡大しようというボッチョーニの積極的な関心には、本質的に建築という意味合いが含まれていたのである。このことを彼は、一九一三年の未来主義彫刻第一回展覧会のカタログに寄せた序文の中で、逆原理として明確に示していた。「自然主義的形態の探究は、彫刻を（そして絵画をも）その起源からも、その究極の目標である建築からも遠ざける。」

ボッチョーニは、非自然主義的表現に対する関心から、一八九六年の分離派から遠く隔った造形美を発展させたのである。一九一三年のカタログの序文の中で、さらに彼はこう書いた。

「こうした信念から、私は彫刻に純粋形態ではなく、純粋造形的リズムを探究しなければならないのである。物体の構築ではなく、物体の行動の構築である。だから、私が理想としているのは、ピラミッド状の建築（静的状態）ではなくて、螺旋状の建築（動的状態）である。［…］私の精神は、不断の研究を通して、環境と物体とが平面と平面を相互に貫通させることによって完全に融合することを求めている。」

このような彫刻的同時性を獲得するために、ボッチョーニは、一九一二年に発表した彫刻宣言の中で、彫刻は今後、裸体や高邁な主題、さらに大理石やブロンズといった高尚な素材などの使用を廃止して、雑多な媒体を用いるようにと勧めている。「ガラスやセルロイドなどの透明な平面、金属の切れ端、針金、室内あるいは戸外の電気照明などによって、新しい現実の局面を、その傾向を、その色調を、またその中間の色調を見せることができるのだ。」皮肉にも、直接に環境へと拡大可能な、螺旋構造による、反記念的で、混合媒体による物体という概念は、未来主義建築の発展よりもロシア革命後の「立体主義的・未来主義的（キューボ・フューチュリズム）」構成主義により多くの影響を及ぼすようになるのである。

それでも、一九一二年のボッチョーニの彫刻宣言と一九一四年のマリネッティの論文「幾何学的・械械的驚異と数的感性」は、未来主義建築が規定される美学的また知的参照の枠組を提供するものであった。マリネッティは次のように書いている。「この世で、ぶんぶん唸る大発電所より美しいものなどありはしない。発電所は後ろの波なす山脈の水圧を受け止めて活動しているのだ。そして、すべての風景に代わって電力をレバーや閃く整流器がずらりと並ぶ制御盤の中に収めているのだ。」こうした機械の壮大さについての素朴なヴィジョンは、同じ時期のイタリアの若き建築家アントニオ・サンテリアの発電所の設計にぴたりと重なっていた。[7]

一九一二年以前、サンテリアは未来主義とはまだ比較的離れたところにあった。それどころかイタリア分離派運動に関わっていたのである。それは「スティーレ・フロレアル（花のスタイル）」と呼ばれ、一九〇二年のトリノにおける装飾芸術博覧会に、ライモンド・ダロンコが華麗な展示館を設計して大成功を博して以来、広く国民の人気を博していたものであったが、短命に終わった。その後、ダロンコはウーディネの作品でもオルブリッヒに追随していたが、一方、ミラノの「花のスタイル」の建築家達はワグナー派の主題とネオ・バロック様式への嗜好を合体させることを企てていた。ミラノでこうした気運を最も力強く一体化したのはジュゼッペ・ソマルガの作品であった。このソマルガこそ、サンテリアの活動の初期にとりわけ影響を与えたものと思われる。サンテリアの言う「建築的力動性（ダイナミズム）」を特徴づける要素の多くは、確かにソマルガの設計した《カンポ・デ・フィオリのホテル》においで散見されるのである。さらに、一九〇七年、ソマルガがサルニコに建てた《ファッカノーニの霊廟》は、一九一二年のサンテリアによる《モンツァの墓地》の設計の出発点と[8][9]

なっているようだ。

一九〇五年、サンテリアは十七歳の時、コモの工業学校で建築家の資格を取得した。その後、ミラノに出た彼は、最初はヴィロレジ運河会社に勤め、その後はミラノ市で働いた。一九一一年、彼は「ブレラ・アカデミー」[10]で建築の課程を修めた。そして同年、企業家ロメオ・ロンガッティの小さなヴィラをコモの上手に設計した。一九一二年にはミラノに戻り、中央駅の設計競技の応募案を制作した。同年、彼は友人ウゴ・ネッビア[11]、マリオ・キァトーネ[12]その他と共同して、「ヌォヴォ・テンデンツェ（新傾向）」というグループを作った。一九一四年、このグループの第一回展覧会の際に、サンテリアは未来主義的な「新都市」の図面（ドゥローイング）を展示した。彼がマリネッティや未来主義のサークルといつ、いかなる機会に初めて接触を持ったかは、今なお不明である。一九一四年の展覧会のカタログの序文に、ネッビアの助けをかりて、彼のいわゆる「告示（メッサージォ）」を執筆する頃には、彼は未来主義の影響を十分に受けていた。

「告示」にはサンテリアだけの署名があるが、「未来主義」という言葉はただの一度も使われず、建築が未来において採用することになる厳格な形態については漠然と説明しているだけである。その文章の最も特徴的な部分は、無論、分離派とは敵対するものであるが、次のように書かれている。

66　ソマルガ「ファッカノーニの霊廟」サルニコ，1907年

67　サンテリア「モンツァの墓地」のデザイン，1912年

「近代建築の問題は、線を整理し直すことではない。新しい繰形(モールディング)、扉や窓の新しい額縁(アーキトレーヴ)を見つけることでもない。まして女人(カリアティッド)や鳥や蛙をつけた柱や柱形(ピラスター)や持ち送りなどを取り替えることではない。[…]科学や技術のあらゆる恩恵を丹念に集めて、健全に、新しく組み立てられる構造を提示することであり[…]近代生活特有の条件からのみ抽き出される新しい形態、新しい方向、新しい存在理由を打ち立てることであり、われわれの感性による美の価値観として提起することである。」

その後、内容は一転して新しい工業世界の刺激的で大規模な風景を予想し、一九一二年にマリネッティがロンドンのライシアム・クラブに送りつけた、ラスキンならびに英国のアーツ・アンド・クラフツ運動のすべてに対する痛烈な非難の手紙ほどではないにせよ、その精神を説明している。そのマリネッティは、モリスの著書『無可有郷(ノーホエア)だより』の伝統主義に反対して次のように主張したのである。

「国際旅行、民主主義精神、宗教衰退などのおかげで、かつては主権、神権政治、神秘思想などを表現していた恒久的で装飾的な建物は、全く無用となってしまった[…]ストライキ権、法の下での万人平等、数の権威、国際間交流のスピード、衛生と安楽の習慣などが、通風のよい大型アパートメント、絶対安全の鉄道、トンネル、鉄橋、高速巨船、大会堂、毎日の入浴のための浴室などに代わるのだ。」

つまり彼は、大規模で可動性の高い社会を目指している新しい文化環境が、否応なく到来することを承知していたのである。その社会は、サンテリアの「告示」によれば、次のような設備が細かく施されているのであった。

「材料の抵抗力を計算したり、鉄や鉄筋コンクリートを使用することになって、古典主義もしくは伝統的な感覚で捉えられていたかつての「建築」は排除される。現代の構造材料やわれわれの科学的概念は、絶対に歴史様式の原理には荷担しない[…]われわれはもはや大聖堂や古い民会ホールの人間ではない。国際的なグランド・ホテルの人間だ。鉄道駅や巨大道路や巨大港湾や屋根つきホールや人目を奪うアーケードや再建地域や健康的なスラム・クリアランス等々の人間である。われわれは現代都市を、広大で激動する造船所のように、活動的で、可動的で、力動的なところに、「はじめから(エクス・ノヴォ)」発明し、作り替えなければならない。巨大な機械のような現代建築を発明し、再建しなければならない。リフトはもはや一尾の虫のように階段の吹抜けの中に隠れたりしてはならない。階段は今や無用となって、撤去されなければならない。そしてリフトがガラスと鉄の蛇となって建物の正面を這い登るに違いない。セメントと鉄とガラスからできた住宅は、彫り物や彩色を施した装飾など一切なく、ただ、線や立体だけに固有の美しさがあって、その機械のような単純性は驚異的なほどに非情で、必要が要求するままの大きさを持ち、

68　サンテリア「新都市」の「大階段のある集合住宅」1912年

地域制（ゾーニング）の基準に従うだけでなく、激動の淵から立ち上がらなくてはならない。街路は敷居のレヴェルの単なる靴拭いであってはならないし、地中深く何層にもわたって埋設されることになるだろうし、さらにメトロポリスの交通を集約したり、乗換の必要に応じて、金属製の通路や高速コンベヤー・ベルトに繋がっていく。」

以上のようなこまごました記述を盛り込んだ指定書は、一九一四年にサンテリアが設計した「階段住居」の形態に関するものだが、その力動的な特徴は一九一二年、パリ・ヴァヴァン街にアンリ・ソヴァージュ[13]が完成したセット・バックのあるアパートメント以外にも幾つかの先例を充分に暗示させる。「新傾向」展では「ミラノ二千年」というサブタイトルがついていたのだが、これはアントワーヌ・モワラン[14]の著書『パリ二〇〇〇年』（一八九六年）という先例を思い起こさせるではないか。マリネッティならパリの詩人ギュスタヴ・カーン[15]との付き合いを通してこの著書を知っていたはずである。

サンテリアが描いた「新都市」のためのスケッチは、彼が立てた規範とは全く一致していない。「告示」はあらゆる記念建造物に対する反対表明であり、その結果、静的でピラミッド状の形態に対する反対表明となっているにも拘わらず、サンテリアのドゥローイングは記念的なイメージに満ちているのである。思い返してみれば、これは、ソマルガの《ファッカノーニの霊廟》から、「新都市」の背景画のような風景に蜃気楼のように聳え立つ対称的な発電所や高層ビルへの過程の一歩に過ぎないのである。このような文脈の中で見ると、サンテリアの記憶が《第一次世界大戦戦没者の記念碑》によって称えられることになったのは尤もでもあるし、また皮肉でもある。この記念碑は一九三三年、コモ湖畔にサンテリアのスケッチの一枚に基づいたジュゼッペ・テラーニの設計によって建てられたのは周知の通りである。

公式の「未来主義建築宣言」は一九一四年七月に発表され

た。これはまず第一に、サンテリアを未来主義の建築家として広く認めさせることを目的としたものと言えよう。見たところ、マリネッティが編集してサンテリア一人が署名しているが、これは「告示」の新版に過ぎなかった。可能な箇所に「未来主義」という言葉が挿入された以外は、この「宣言」の文章は原文にほとんど付け加えられたところはない。しかし、末尾には幾つかの好戦的な命題が加えられたが、そこには、いかなる不朽性に対しても反対するという矛盾に満ちた反対論が含まれていた。そこで主張されているのは「われわれの住宅はわれわれ自身よりも短命だろう。そして各世代はそれぞれ固有の住宅を作らなくてはならないだろう」ということであった。

かくして、この頃にはサンテリアは未来主義に深く関与するようになっていた。一九一五年、彼はボッチョーニ、マリネッティ、ピアッティ[16]、ルッソロ[17]等と共に、未来主義的で、原始ファシズム的な、政治色の濃い宣言「イタリアの誇り」に署名した。同年の七月、彼は他の未来主義者と一緒にロンバルディア自転車隊に志願入隊した。しかし彼の軍隊生活も一九一六年、前線における戦死によって終わった。その二ヵ月前、(乗馬中の事故によって)ボッチョーニを失い、未来主義の創成期は、ここに突如終焉を迎えることになった。未来主義の主だった何人かが、世界最初の産業戦争と言われた戦いによって命を奪われたのは、なんとも皮肉だった。しかし、マリネッティは未来主義を襲ったこの殺戮(ホロコースト)を生き延びて、バッラ[18]、カッラ[19]、セヴェリニ[20]、ルッソロといった未来主義の友人達に、彼等の義務は戦後の世代を導いて、イタリア国家主義がファシズム国家の勝利によって究極的な目的を遂げることであると説いたのである。

衰退し始めた未来主義の混乱を典型的に示しているのは――ムッソリーニがヴァチカンと和解したこととも相通ずるところもあるが――一九三一年のマリネッティの「神聖未来主義芸術宣言」であった。その中で彼は、教会の蝋燭の明かりは「青白く熱した強力な電球に取り換えなくてはならない」と言い、「地獄を表現するため、未来主義の画家は砲弾の痕をとどめた戦場を記憶しなければならない」と述べ、さらに、「未来主義の芸術家だけが[…]相互貫入した時 - 空の概念に形態を与えることができる。また彼等だけがカトリックの教義の超合理的神秘に形象を与えられるのだ」と主張した。

このような滑稽な虚勢は――ジョルジュ・ソレルを思わせるような暴力性を伴って――最初の宣言の中で早くも予想されてはいたが、それだけでは一九三一年までに未来主義「文化」が陥った衰退をとうてい説明しきれない。一九一九年以降、マリネッティ、ボッチョーニ、サンテリア等の初期の好戦的近代主義を支持したのは、革命的なロシアの構成主義者達であって、イタリア人ではなかった。イタリア合理主義運動が「新都市」のイメージに応え始めるようになるには、さらに時間が経過しなければならなかった。そしてその時になっても、それは近代的価値観をイタリア建築の古典主義的伝統に合体させようという精神的風土の中で行われるのであった。

第8章　アドルフ・ロースと文化の危機

一八九六～一九三一年

山の湖へいらっしゃいませんか？　空は青く、水は澄んで、すべてが実に穏やかです。湖には山や雲が映っています。家々も農園も田園も教会も映っています。こうしたものはとても人間が作ったものとは思えません。山や樹木、雲や青空などと同じように、神様の仕事場の産物ではないでしょうか。ここでは、あらゆるものが美しさと静けさに息づいています。

おや、あれは何でしょうか？　調和の中に紛れ込んだ調子外れの音のようですね。耳障りな叫び声ではありませんか。真ん中に、農家より劣った――なにしろ、あの農家は農民が造ったものではありません、神様が建てたのです――ヴィラが立っているのが分かりますか？　あれが優れた建築家の手になるものか、低俗な建築家の作品かどうか、私には分かりません。私に分かっているのは、あのヴィラには、穏やかさも静けさも美しさも何もないということです。［…］

ここでもう一度お尋ねします。良い建築家だろうが、悪い建築家だろうが、どうしてこの湖を汚すようなことをするのでしょうか？　建築家は、都会の居住者のように、文化というものを持ちあわせていないのでしょうか？　農民にとって文化は生まれながらのものですが、建築家は農民が持っている安らぎというものを持っていないのです。都市の居住者なんて、みんな成り上がり者です。

私は、内なる人間と外なる人間の釣り合いこそを文化だと思います。そしてこの釣り合いが分別ある考えと行いを約束するのです。

――アドルフ・ロース「建築」一九一〇年

アドルフ・ロース[1]は、石工の息子として、一八七〇年モラヴィアのブルーノに生まれた。王立工科大学で技術教育を受け、さらにドレスデン工科大学に学んだが、一八九三年アメリカへと旅立った。シカゴ・コロンビア万国博覧会訪問のためだったらしい。三年間のシカゴ滞在中、建築家としての仕事にはありつけなかったらしいが、それでも、いわゆるシカゴ派の先駆的作品やルイス・サリヴァンの理論的著作などには触れることができた。とりわけ、サリヴァンの論文「建築の装飾」(一八九二年)を熟読し、それが十六年後の彼自身の論文「装飾と罪」に影響を及ぼしたことは間違いない。

一八九六年、ウィーンに帰るとロースは室内装飾に手を染めたり、自由主義的な新聞「ノイエ・フライエ・プレス」へ寄稿を始めた。その論文は衣服から建築、風俗から音楽まで幅広く、さまざまな話題を扱った。一九〇八年、彼は論文「装飾と罪」を発表した。その中に彼はウィーン分離派(セセッション)の芸術家達に対する不満を巧みに織り込んだ。しかし、主題そのものは、早くも一九〇〇年に「哀れな金持ちの話」と題する、総合芸術作品反対論の寓話の中で取り上げていた。その話は、哀れな富裕商人の非運を描いたものであった。その商人は分離派の建築家に「総合的」な住宅を設計してほしいと依頼したのである。依頼には、家具什器は無論のこと、その家の住人達の衣服までが含まれていた。

「かつて、この男が自分の誕生日を祝ったことがあった。妻や子供達はたくさんの贈物を彼に贈った。彼は妻や子供達の選んだものがとても気に入り、どれもこれも喜んで受け取った。しかしほどなくして建築家がやって来た。彼は、物事をきちんとさせるのはよいのだが、決まったことすべてに難癖をつける人である。建築家は部屋に入ってきた。商人は愛想よく建築家を迎えた。なぜなら、商人には言いたいことが山ほどあった。しかし、建築家にはこの男の愉しみがどんなものか知ったことではなかった。建築家はなんだか様子が変だと分かると真っ青になった。「あなたの履いているスリッパは、こりゃいったい何ですか?」建築家は苦々しく叫んだ。この家の主人は自分の刺繍のあるスリッパをおずおずと眺めた。そしてほっと息をついた。やれやれ安心だ。そのスリッパは建築家が自分のデザインで作らせたものだった。そこで商人は得意気に答えた。「先生、お忘れですか? これはあなたがデザインなさったのですよ。」たちまち建築家の雷が落ちた。「分かっていますとも! だがこれは寝室用です! こんな鼻持ちならない色のおかげでこの部屋の雰囲気がすっかり台無しになっているんです。それが分からないのですか、あなたは?」」

ベルギーの美術家アンリ・ヴァン・ド・ヴェルドといえば、ヨゼフ・マリア・オルブリッヒと同様、この冷やかし話に出てくるような、なんだか訳のわからぬ文化的やかまし屋である。なにしろ、妻の衣装を自分の住宅の設計と調和するように特別に考案したのは、オルブリッヒではなく、このヴェルドの方であった。そしてその住宅は一八九五年、ユックルに建てられたのである。一方オルブリッヒは、次の十年間というもの、ロースの反分離派戦線での主要な攻撃目標であった。オルブリッヒの名は、ロースの論文「装飾と罪」の中で誤った装飾の元凶として、引き合いに出されているほどだった。ロースは「これから十年後、オルブリッヒの作品はどうなるだろうか？」と書いた。「現代の装飾には祖先もなければ子孫もない。過去もなければ未来もない。それは無教養の人達から喜んで受け容れられる。この人達にとって、われわれの時代の真の偉大さは閉じたままの書物のようなものだ。そしてその書物は瞬く間に拒絶される。」

ロースの装飾反対論によれば、畢竟、装飾とは労働と物資の浪費であり、それに、装飾は必ず職人的骨折り仕事を必要とするのである。そして、こうした職人的骨折り仕事をするのは、最高のブルジョワ文化の成果から縁遠い人達に決まっている――無意識に装飾を造り出すことで美的満足が得られる職人達に決まっているのである。ロースは、個人的には飾りなどないものを好んだはずだが、注文した履物の装飾を、次のように述べて擁護しているのである。「私達は、その日の仕事を終えればベートーヴェンやトリスタンを見たり聴いたりするために出掛ける。だが、私が頼んだ靴職人にはそん

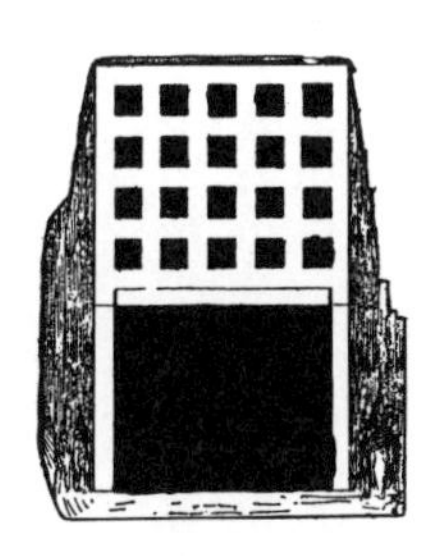

69　1911年に描かれたロース設計の「ゴールドマン・アンド・ザラッチ商会ビル」のファサードをからかった漫画．その説明は次の通りである．「時代の最先端を行く紳士が街から街へと歩きながら美術に思いを巡らしていた．突然，その紳士は立ち止まり，その場に釘付けになった．長いこと探し求めていたものをとうとう見つけたのだ」

Nr. 1　WIEN 1903　Preis 20 h

DAS ANDERE

EIN BLATT ZUR EINFUEHRUNG ABENDLAENDISCHER KULTUR IN OESTERREICH: GESCHRIEBEN VON ADOLF LOOS　I. JAHR

TAILORS AND OUTFITTERS
GOLDMAN & SALATSCH
K. U. K. HOF-LIEFERANTEN
K. BAYER. HOF-LIEFERANTEN
KAMMER-LIEFERANTEN
Sr. k. u. k. Hoheit des Herrn Erzherzog Josef etc. etc.
WIEN, I. GRABEN 20.

HALM & GOLDMANN
ANTIQUARIATS-BUCHHANDLUNG
für Wissenschaft, Kunst und Literatur
WIEN, I. BABENBERGERSTRASSE 5
Großes Lager von wertvollen Werken aus allen Wissenschaften.
Einrichtung von belletristischen und Volksbibliotheken.
Ankauf von ganzen Bibliotheken und einzelnen Werken aus allen Zweigen des Wissens.
Übernahme von Bücher- und Autographen-Auktionen unter kulantesten Bedingungen.

COXIN das neue Mittel zur Entwicklung photographischer Platten, Rollfilms
ohne DUNKELKAMMER
bei Tages- oder künstlichem Licht ist in allen einschlägigen Geschäften zu haben.
COXIN ist kein gefärbter Entwickler. — COXIN erfordert keinerlei neue Apparate und kann immer benutzt werden.
COXIN-EXPORTGESELLSCHAFT
Wien, VII/2, Breitegasse 3.

70　ロース編集の雑誌「ダス・アンデレ（よそもの）」の表紙，1903年

なことはできない。しかし、私は彼の喜びを奪ってはいけない。私にはそれに代わるものがあるわけではないのだから。もしも第九交響曲を聴きに行って、それからおもむろに腰を下して壁紙のデザインをする奴がいるとしたら、そいつは破落戸（ごろつき）か自堕落な者に間違いない。」

　ロースは、こうした挑戦的な倫理観や美学を表明したため、分離派からも保守派からも疎遠になってしまった。そればかりか、ロースの本当の後継者からも疎外されてしまった。今から思うと、後年「純粋主義者（ピューリスト）」と呼ばれる後継者達も、ロースの洞察の深さを充分に理解していたとは言えない。ロースは一九一〇年、批判的評論「建築」を発表する頃には、近代が抱える難問のほとんどを承知していた。そして、その問題は今もって解決されているわけではない。ロースが論じたように、都市出身の建築家が字義どおり土地から切り離されて、その結果、遠い祖先達の持っていた野性的な（もしくはアルプスに特有な）土地の固有性（ヴァナキュラー）から疎外されてしまったならば、その建築家が西欧古典主義の貴族文化の継承を擬制化したところで、とうていこの喪失感を償いきれるものでないことは目に見えていた。なぜならば、建築家の出自であり、また彼が奉仕する都市のブルジョワ階級は、どう逆立ちしても、決して貴族ではなかったからである。それはロースが一八九八年、「ポチョムキンの都市」(2)と題した論文でウィーンのリングシュトラーセを諷刺した時からよく分かっていた。

「リングを散歩するといつも、あのモダン好みのポチョムキンが、誰彼に貴族の都市に連れてこられたんだってことを信じさせようとしていた気持ちが分かるんです。その貴族の館に華を咲かせた見事なイタリア・ルネッサンスといっても、平民という名の女王陛下に新しいウィーンを見せようと、イタリアからかっぱらってきたのです。ここには、地下の酒蔵から屋上の煙突まで宮殿まるごとを自分のものにできなければ、住めなかったのです。［…］ウィーンの地主達は館が持てると考えるだけで喜んだのです。そして、借家人のほうは一緒に住めると満足したのです。」

　こうした板挟みにあって、ロースが考えた解決とは、論文「建築」の中で提示しているように、現時点では建築よりも「建物」こそ最大の課題であると主張することであった。「建築の中のごく一部が芸術なのです。はっきり言えば、お墓と記念物だけが芸術です。その他の、目的を持った建物はすべて、芸術の領域から除かなくてはならないのです。」

　ロースはまた、あらゆる文化が過去と緊密に連続している、とりわけ、文化は型式化に関する同意そのものだ、と考えた。彼には、その時代の持つ歴史的限界を超えるような優れた才能を持った個人、などというロマン主義的概念はとうてい受け容れられなかった。ロースが好んだのは、自意識の強い、装飾たっぷりなデザインではなく、アングロ・サクソン系の中流階級の生活に見られる控え目な衣装や、名もない家具や、効率のよい配管・衛生工事などであった。この点、彼が意識したのが、英国よりもアメリカであったのは当然である。このように彼はル・コルビュジエの言う物体的型式（オブジェ・ティプ）を予想していた。それは、当時の社会における、手工業を基盤にした産業が自発的に生産する、洗練された、規範的な物体（オブジェ）という概念である。このため当時ロースが編集していた雑誌「ダス・アンデレ（よそもの）」には、アングロ・サクソン好みの品々、例えば衣類、スポーツ着、装身具などが商品広告として掲載されたのである。この雑誌は一九〇三年に発刊され、短命に終わってしまったが、なんと「西洋文明をオーストリアに紹介する雑誌」という副題がついていた。

ロースは英国びいきであったが、その英国のアーツ・アンド・クラフツ運動が喧伝していた「土地の固有性」という理念は（一九〇四年に出版されたヘルマン・ムテジウスの著書『英国の住宅』に記録されている）、彼にある問題を投げかけたのである。その問題とは、虚飾がなくて便利なアーツ・アンド・クラフツの建築と、自意識が強く、手工芸に基づく密室的な分離派の空想世界とは、どこで一線が引けるかということである。ロースにとって西洋の偉大な建築家の最後の一人はシンケルであったから、彼は、アングロ・サクソン系の室内のくだけた快適さと古典主義的形式の厳しさをどのように和解させるか、という難題を自らに課すことになったので

71　ロース「シュタイナー邸」ウィーン，1910年

72　ロース「シュタイナー邸」の食堂

73　ロース「ハイベルク団地」ウィーン，1920年．温室と菜園が見られる

はないか。

一九一〇年までのロースの実際の作品は、おもに室内の改造に限られた。この時期の彼の最良の作品とは、十九世紀から二十世紀への変わり目にウィーンに建てられた高級店舗であり、一九〇七年の有名な《ケルントナー・バー》、別名《アメリカン・バー》などであった。これらの建物は英国中心主義の文明を調達する役を果たしたが、外装はいずれも目立たないが優雅な材料によって仕上げ、内装のスタイルはいろいろで、最初の室内作品であるグラーベンの《ゴールドマン・アンド・ザラッチ商会》（一八九八年）は日本趣味、《ケルントナー・バー》は優雅な古典風クラブ室趣味であった。

一方、ロースの設計した住宅の室内は折衷的表現が目立った。それは彼の住宅が、一方で居心地のよい純朴さを求め、他方で厳格な記念性を求めるという、根本的に相反する方向性の反映であった。ロースは必ずといってよいほど、壁を木製や磨き石の鏡板で腰羽目いっぱいに仕上げるか、あるいは中仕切りの額縁用の繰形（モールディング）まで貼り上げた。そして、その上の小壁は無地のまま残すか、プラスターで装飾文様を描くか、あるいは古典主義建築のフリーズとして仕上げた。（ロースは、論文「装飾と罪」の中で、考古学的な古い装飾文様（オーナメント）を折衷的に使用することは容認したが、現代的な装飾（デコレーション）を捏造することを厳に戒めている。）天井は、公共建物の場合は、しばしば無地のままであった。個人の建物の場合は、天井は木製または金属製による格天井とした。それ以外の、例えば食堂では、天井をリチャードソン風の粗造りの木造の梁で目立たせることもあったが、その梁は、一九一〇年に建てられた《シュタイナー邸》の場合のように、奇怪な比例寸法（プロポーション）をしているものが多かった。床はおおむね石造ないしは寄木造で、必ず東洋製の絨毯を敷き詰めた。他方、暖炉周りは煉瓦造りが多く、ガラス戸棚、鏡、ランプ、その他雑多な金属製品などの輝きとその材質との対照を見せている。家具は可能なかぎり造り付けであった。そうでない場合には施主の選択に任されたが、可動式の家具や公共建築の家具の場合は[3]トーネットの標準型曲木家具に固執した。その好例が、一八九九年に建てられた多分にワグナー風な《カフェ・ムゼウム》である。

ロースは評論の中で家具の廃棄を論じて次のように書いたことがある。「建物の壁は建築家の領域だ。彼はそこを自由にできる。動かせない家具なら壁と同じで建築家の領域となって、彼の自由になる。」だが、可動家具については、「錬鉄製の寝台、机と椅子、厚手のクッションと補助椅子、書物机と喫煙スタンド――どれもこれも現代的作風によって職人が作ったものばかりだ（建築家によるものは一つもない）。誰でも自分の趣味や好みに合わせて買えるのです」と書いている。こうした明快な「反総合芸術」の姿勢は、ロースがゼンパーを気取って書いた文章中の、高価な素材に対する熱中ぶりからも、いっそう明らかである。「贅沢な材料や見事な手仕事などは、装飾のないのを補うものと考えられるだけではなく、豪華さという点では装飾よりも遥かにまさるものです。」

一九一〇年、ウィーンに完成した《シュタイナー邸》は、ロースがその後発展させる「ラウムプラン」すなわち「内部空間の計画」という概念の形成に役立った。そしてこれ以後、一連の住宅が続いて設計されたのである。これは内部空間を組織するための複雑な方式であり、晩年、彼がウィーンに建てた《モラー邸》やプラハ郊外の《ミューラー邸》など、スキップ・フロアの住宅において完成したのである。《シュタイナー邸》が完成する頃には、ロースはすでに外部空間についてはかなり抽象的な語法に到達していた。その白くて無装飾な直方体(プリズム)は、いわゆる「国際様式[4]（インターナショナル・スタイル）」に少なくとも八年は先行していた。ウィーンの《ルーファー邸》（一九二二年）では、「空間的計画(ラウムプラン)」の概念が洗練されたが、この住宅では、その後の住宅とは対照的に、開口部が全く自由に設置されている。これは内部空間の自由な配置に従ったものであるが、こうした立面は、「デ・スタイル」の規準厳守の作品を予想させるものであった。

ロースの「空間的計画」が完成の域に達するのは、最後の住宅作品、一九二九年の《モラー邸》と一九三〇年の《ミュ

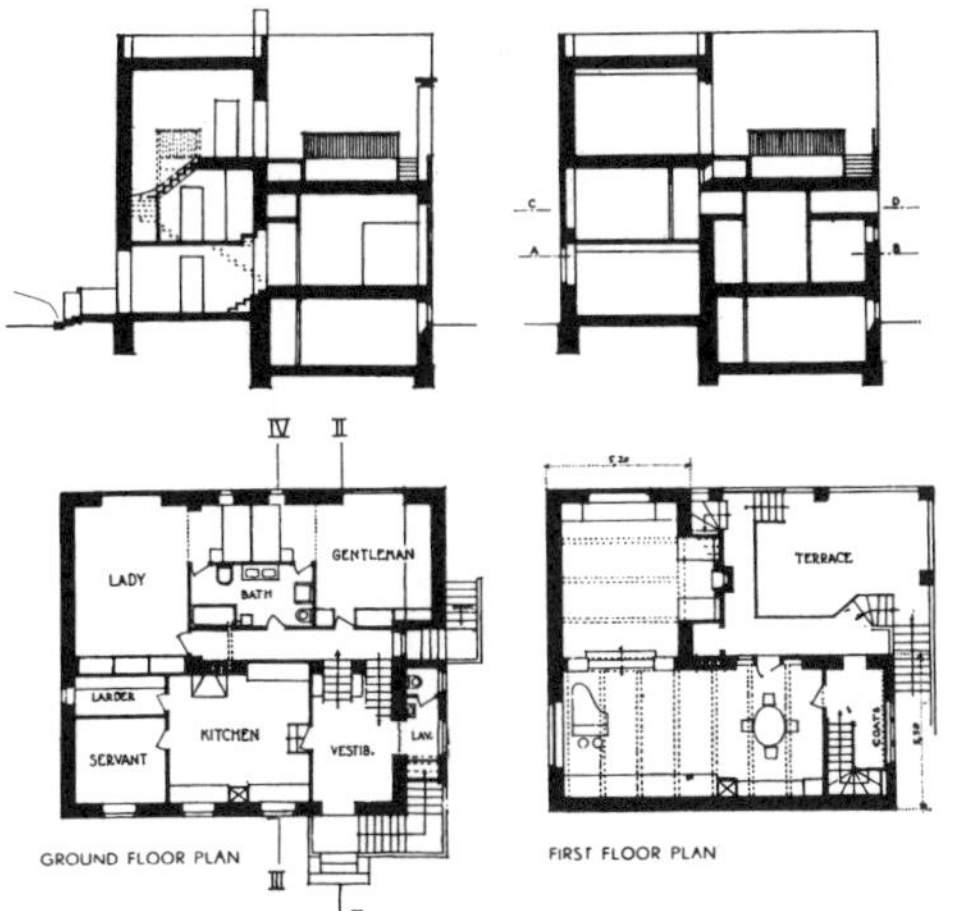

74　ロース「ヴェネチア，リドのヴィラ」1923年．断面図（平面図のI-IIならびにIII-IV）と平面図（1階と2階）

75　ロース「ヴェネチア，リドのヴィラ」1923年．模型

ーラー邸》においてである。すでに《ルーファー邸》の吹抜け階段室から予想されるように、これら両住宅は、主要階の各レヴェルのずれが組織されている。その時のレヴェルの飛び具合が、空間に動きを生じ、生活の場と隣接する場へと差異を生み出すのである。ムテジウスの著書『英国の住宅』の中に採録されている典型的なゴシック・リヴァイヴァル様式の不規則な平面が、「空間的計画」という前代未聞の概念の展開に刺激を与えたことは確かである。しかし、ロースは立方体に対して、古典主義と同様な偏愛を抱いていた。そのため彼には、ゴシック・リヴァイヴァル様式の当然の結果であるピクチャレスクに建物を処理することが、受け容れられなかった。そういうわけで、直方体の内部空間を無理に捻るようにして、力動的なコンポジションを作り上げようと考えたに違いない。

こうした造形の意図は、構造的要素と非構造的要素とを截然と区別する建築とは、根本的に両立しなかった。ロースは公共的作品においては、構造的要素と非構造的要素の区別をつけようとしたが、住居のレヴェルでは、構築性(アーキテクトニック)を示す構造を露出させるよりも、空間の感覚を知覚させることに重点を置いていた。いずれにせよ、彼にとってはヴィオレ・ル・デュクの原理は相容れないものだった。後年、ロースは、その後ル・コルビュジエが行ったように、感性的に重要な建築的周遊性(プロムナード)(5)を仕掛けるため、注意深く平面を歪めたのである。彼の住宅作品のほとんどでは、構造上の接合部分は例外なく壁体で隠されていた。これは、決まりのつかない状態を隠蔽するためか、あるいは相応の品格を示したい願望からか、そのいずれかであった。

一九二〇年から一九二二年にかけて、ロースはウィーン市住宅局の主任建築家となった。その在任中、折しも第一次世界大戦後の厳しい状況であったが、彼は、当時まだ充分に検証されていなかった「空間的計画」の概念を集合住宅に応用した。その結果、集合住宅に関する目覚ましい研究が多数行われたが、彼が好んだ立方体は、階段状の断面のテラス・ハウスへと変貌したのである。一九二〇年、彼は《ハイベルク団地》の名で知られる見事な、そして経済的な集合住宅の計画を立案した。それは、テラス・ハウスが温室や家庭菜園と混然一体となったもので、住民は自分の栽培する食物の生育が眺められた。これはまさに第一次世界大戦後、猖獗(しょうけつ)をきわめたインフレーション時代の都市を生きのびるためには、うってつけの戦略であって、一九二〇年代を通じて広くドイツの集合住宅の一般的政策となったのである。

ロースはブルジョワ階級の建築家であり、趣味豊かな人であったが、そのロースが下層階級のためにきわめて豊かな感性を感じさせる大型計画案を立てねばならなかったとは、その生涯における逆説でなくてなんであろう。一九二二年、ロースは集合住宅の建築家であることに幻滅してその職を辞し、やがて、ダダイスト詩人[6]トリスタン・ツァラの招きに応じてパリに移住した。そのため、彼は上流ブルジョワ階級の国際的サークルに逆戻りした。一九二六年、彼はパリでツァラの住宅を設計した。さらに、舞姫[7]ジョゼフィン・ベイカーの周囲に集まるファッションの世界の一員となって、一九二八年には、彼女のためにかなりけばけばしいヴィラを設計した。ツァラのほか、かつて一九〇九年ウィーンで最初に店舗を設計した時の、国際的に知られた昔馴染みの施主であるクニツェを除けば、パリのパトロンの中には、故国を離れて流浪の身にあるロースのため一肌ぬいで、彼の大規模計画の一つなりと実現させようという信念や頼り甲斐のある者は、一人としていなかった。一九二八年彼はウィーンに戻ったが、それは死の五年前であった。彼の生涯は終わったも同然だった。

分析の最後に当たって言えるのは、先駆者としてのロースの偉大さは、現代文化の批判者として、その尋常ならざる洞察だけでなく、「空間的計画」の公式化にも与っていたということである。「空間的計画」とは、ブルジョワ社会が場所の固有性（ヴァナキュラー）から脱却したものの、古典主義文化を自らのものとすることもできず、相反する文化遺産の狭間にあって、その矛盾を乗り越えるために考え出された建築上の戦略であった。当時、この意識過剰の感受性を受け容れたのは、戦後のパリの前衛達、とりわけ、雑誌「エスプリ・ヌーヴォー（新精神）」を編集していたサークルであって、彼等以外は誰一人としていなかったのである。そのサークルとは、原初的ダダイスト詩人[8]ポール・デルメ、純粋主義（ピューリスム）[9]の画家[10]アメデ・オザンファンとシャルル・エドゥアール・ジャンヌレ（ル・コルビュジエ）の三人であり、彼等は一九二〇年、同誌に論文「装飾と罪」の一九一三年のフランス語訳を再録、掲載したのである。さらに、（レイナー・バンハムが述べているように）純粋主義の根源はパリの文化の抽象的な古典主義への傾斜にあった。マルセル・デュシャンの「既製品（レディメイド）」への感性を別にすれば、純粋主義が類型論（タイポロジー）の内容を練り上げていくうえで、ロースが決定的影響を与えたことは疑うまでもない。その影響とは、近代世界の「型式（タイプ）としての物体（オブジェ）」を、考えられるあらゆる規模で、総括しようという衝動であった。

とりわけ承知しておかなければならないのは、ル・コルビュジエが自由な平面を発展させて、ようやく解決にこぎつけた問題を最初に措定したのは、ロースだったということである。ロースによって提起された類型論の問題とは、プラトン的物体（マッス）の型式性と不規則な内部空間の利便性をいかに組み合わせるかであった。一九二三年、ヴェネチアのリドに建てられるはずだったヴィラ計画案以上にこの命題を叙情的に説明するものはない。そして、この住宅こそ、一九二七年ル・コルビュジエがガルシェに建てた規範的な純粋主義のヴィラの典型的形態（タイプ・フォーム）となったのである。

第9章　アンリ・ヴァン・ド・ヴェルドと感情移入論の抽象作用

一八九五～一九一四年

今にきっと、ヴァン・ド・ヴェルド教授による独房の調度が刑の重さになるようになるだろうってこと、請け合いですよ。

——アドルフ・ロース「さからって」一九三一年

ベルギーのデザイナーで、理論家の[1]アンリ・ヴァン・ド・ヴェルドは一八九四年、三十一歳の時、自ら建築の「聖道（ヴォワ・サクレ）」と名づけたものへと踏み出した。新印象派の画家として十年を過ごし、有名な論文「芸術の排除」をベルギーのニーチェ思想の新聞「ラ・ソシエテ・ヌーヴェル（新しい社会）」に発表したところだった。この論文は、芸術に社会奉仕を求めたものであり、明らかにラファエロ前派の影響を受けていた。ヴァン・ド・ヴェルドは、前衛達のグループ「レ・ヴァン（二十人組）」に参加し、そこでラファエロ前派の教えを学んだに違いない。このベルギーの芸術家グループは、一八八九年の発足以来、英国と固く連繋を保ち、とりわけウィリアム・モリスの庇護を受けたウォルター・クレインと強く結ばれていた。そのクレインの影響の下で、グループは、関心を美術専念から環境全体の設計へと移した。[2]オクターヴ・モースの指導によって改組された「レ・ヴァン」は「自由美術」サロンとなり、その最初の展覧会が一八九四年に行われた。展示されたのはベルギーの家具製作業者[3]ギュスタヴ・セルリエ・ボヴィの作品であった。セルリエ・ボヴィはベルギーにアーツ・アンド・クラフツの感性を紹介したが、それに触れたのは、彼が一八八〇年代後半期に英国に滞在したからである。一八九八年、彼は自ら設計したきわめて彫刻的な、木地を活かした家具一式を、当時としては珍しい特製品として展示したのである。それらは、およそ二十年ほど以前、[4]エドワード・ゴドウィンや[5]クリストファー・ドレッサー達が進めた英国・日本混合様式（アングロ・ジャパニーズ）を彷彿とさせるものだった。

　ヴァン・ド・ヴェルドが、建築家として、またデザイナーとしてデビューしたのは一八九五年であった。当時、彼はブリュッセル近傍ユックルに自邸を設計、完成したところだった。この住宅は明らかに、あらゆる芸術の究極的統合を意図していた。そこでは、食器、刃物類も含めて、あらゆる家具を住宅と統一させたばかりでなく、ヴァン・ド・ヴェルドは、「総合芸術作品」の理念を、妻のためにデザインした流れるような衣装にまで徹底させようとした。その衣装の流れるような線や切れ込みや飾りなどには、後年有名になる力強くうねった曲線が、早くも見られる。この曲線こそ、ヴァン・ド・ヴェルドがセルリエ・ボヴィから受け継いだ形態の語彙(ヴォキャブラリー)への最初の貢献であった。その曲線は、ゴーギャンに由来するとはいえ、アーツ・アンド・クラフツからの形態の遺産に、いっそう活力と表情に満ちた輪郭を与えるための手法であった。

ヴァン・ド・ヴェルドは、英国のアーツ・アンド・クラフツ運動の改善主義的傾向は、トルストイやクロポトキンの無政府主義的、改良主義的な未来像によって完成するだろうと考えた。彼は、ゴシック以降の建築に対する強い反発をラファエロ前派と共有していた。しかし、彼等が意識的に進める現在の中世化には与しなかった。社会主義者として、彼はベルギー社会党の若い闘士達から多くの影響を受けた。彼はその人達と一八八〇年代の半ば以来、接触を保っていたのである。その中には、オルタの設計した《人民の家》の施主であった社会主義者エミール・ヴァンダーヴェルド[6]、詩人で批評家のエミール・ヴェルハーレン[7]等がいた。彼の都市化現象を批判した著書『触手を持つ都市』は一八九五年に出版された。しかし、こうした急進的な人達のグループに加盟しているにも拘わらず、ヴァン・ド・ヴェルドは、環境設計による社会改良を信じていた。彼は、計画の内容よりも現実の形態の優位性を感覚的に信じて、その姿勢を崩さなかった。彼は、単一家族の住宅こそ重要な社会的触媒であって、それによって社会の価値観は次第に変化する、と考えた。こうした考えは、アーツ・アンド・クラフツの伝統とまったく同じであった。「醜悪は、われわれの眼ばかりか、心も精神も腐らせる」と彼は信じた。その醜さとの闘いを、ヴァン・ド・ヴェルドは居住環境のあらゆる分野をデザインすることに限定したのである。彼は生まれながらの気質からして、また、受けた教育からしても、都市の規模で考える能力に欠けていた。因みに、

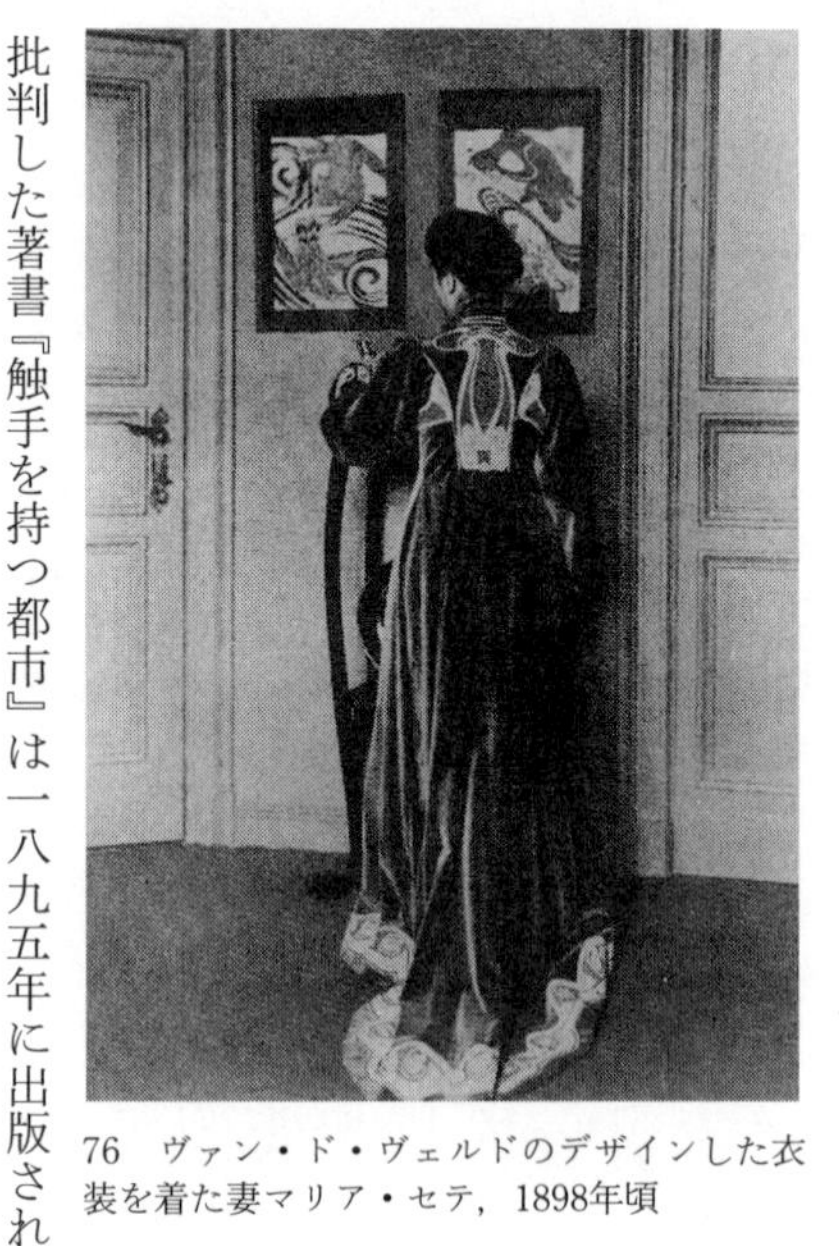
76　ヴァン・ド・ヴェルドのデザインした衣装を着た妻マリア・セテ，1898年頃

一九〇六年、[8]カール・エルンスト・オストハウスの依頼を受けて、ドイツのハーゲンに《ホーエンハーゲン田園コロニー》の配置計画を手がけた。それを見ると、彼は、どうすれば個人住宅をより大きな、より重要な社会的単位に纏められるかを説明するのに、まったく失敗しているのである。そのうえ彼は、社会主義への関与と上流中産階級の支援という矛盾を解消させるのに、ウィリアム・モリスほどうまく立ち回れなかった。

一八九〇年代の中頃から、ヴァン・ド・ヴェルドは、ウィーンの美術史家[9]アロイス・リーグルや、ミュンヘンの心理学者[10]テオドール・リップスの美学理論に深く影響されるようになった。リーグルは、個人の抱く「形態への意志（クンストヴォーレン）」に創造行為における優位性を与えて、これを強調した。一方リップスは、「感情移入（アインヒュールング）」を主張した。それは、創造的自我を芸術対象の中に神秘めかして投影することであった。これら二つの観念は互いに相補うものであって、ニーチェは一八九六年に出版した著書『悲劇の誕生』の中で、この二つの観念に、特徴的な背景（コンテキスト）を与えた。彼は、これらの観念を、[11]アポロン的なものとディオニュソス的なものとして、古代ギリシア文化における還元不可能な二重性と見なしたのである。アポロン的なものは、法律に含まれる典型的なものや自由なものを指向する。一方、ディオニュソス的なものは、豊饒なものや汎

77　ヴァン・ド・ヴェルドの家具工房，ブリュッセル，1897年頃．右の図面に腕をついているのがヴァン・ド・ヴェルド

78　ヴァン・ド・ヴェルドのデザインしたマイヤー・グレーフェのための机，1896年．壁の絵画はフェルディナンド・ホドラーの『昼』，1896年制作

神論的表現を指向する。この二つの観念は、撚り合わされて、一八九六年以後のヴァン・ド・ヴェルドの作品にそれなりの影響を与えたが、一九〇八年、ヴィルヘルム・ヴォーリンガー[12]の著書『抽象と感情移入』において、正しく統一されたのである。ヴァン・ド・ヴェルドは、ヴォーリンガーの文章を熱心に研究し、自分の作品は、ヴォーリンガーの言う文化的模範の二つの対立する面を一つの実体に結びつけていると考えた——その二つの対立する面とは、一つは、生き生きとした精神状態を「感情移入」的に表現しようという衝動であり、もう一つは、「抽象」的な表現によって超越性を獲得しようとする傾向であった。

ヴァン・ド・ヴェルドは、感情移入的で生命的な形態の文化を求めたが、あらゆる建築が抽象化への傾向を内包していることに気付いていた。こうした脈絡からみると、ゴシック建築に対する終生変わらなかった彼の敬意とは、形態の力による直接的な生命力よりも、構造全体の崇高な抽象性のほうが遥かに優位な建築に対する郷愁ではないだろうか。だが、形態の力の具現化こそ彼の美学の源泉であった。それが最初に現れたのは、一八九五年、パリのサミュエル・ビング[13]の《アール・ヌーヴォーの家》のために設計した、いわゆる「ヨット・スタイル」と呼ばれる家具であった。その後その美学は、一九〇二年、ワイマールにおいて発表された「構造的な直線による装飾」と言われる原理まで貫かれていた。

ヴァン・ド・ヴェルドは、粉飾（オーナメンテーション）と装飾（オーナメント）との微妙な違いを細かくつけていた。彼によれば、前者は物体（オブジェ）の表面に装着させるだけで、物体そのものとは関係を持つことはない。一方、後者は物体の機能として（つまり構造的に）決定されるため、物体にとって欠かすことができないものである。この機能的装飾の定義は、ヴァン・ド・ヴェルドが、表情を湛えた「細工の」線に重要性を与えたことと切り離せない。それは人間の創造行為の必然的な擬人的軌跡なのである。一九〇二年彼はこう書いた。「線には線を引く力とエネルギーが宿っている。」彼にとって、線の道程を支配する「エロティックな」衝動は、文字を持たない文学のようなものであった。

このような純粋主義的な文化観による強力な反装飾的傾向は、一九〇三年に一段と強くなった。この年、ヴァン・ド・ヴェルドはギリシア、中近東地方の旅行から帰国した。その旅行で彼は、ミュケナイやアッシリア地方の形態の力強さや純粋さに圧倒されたのであった。そしてこの時点から、彼は分離派（セセッション）の身振りたっぷりな空想性にも、古典主義の合理性にも、忌避の姿勢をとるようになった。彼は「純粋に」有機的形態を作り出そうとした。彼によれば、そうした形態は文明の揺籃期、すなわち新石器時代の人間の記念的で神秘的な身振りの中にしかないものだった。これによって、彼が一九〇三年から一九〇六年にかけてケムニッツとハーゲンに建てた

79　ヴァン・ド・ヴェルド「ドイツ工作連盟博覧会劇場」ケルン，1914年

住宅の土俗的形態が説明されるのである。しかし、これらの作品に見られる奇妙な先史時代の巨石のような特徴にも拘わらず、一九〇三年以降のヴァン・ド・ヴェルドの作品のすべてには、古典主義の痕跡が残存したのである。その痕跡は、彼の古拙的なものに対する感性によっても全く希釈することはできなかったのである。それを特に著しく見せているのが、一九〇三年から一九一五年の間にデザインされた家庭用品である。これらの品物は、神聖とまでは言わないが、彼がパルテノンに見た古典的なものへの激しい反応を、まざまざと映し出していたのである。

「アクロポリスに今なお立ち続けている柱は、われわれにこう教えてくれる。それらは柱などではない。それらは荷重など支えてはいない。それどころか、それらはかつて建てられた時とは異なった目的にしたがって空間に置かれている。それらが今なおエンタブレチュア(14)によって結ばれていようとも、それらは声高に叫んでいる――パルテノンには柱など存在しないのだ、と。柱と柱の間には途方もなく大きくて、瑕瑾（かきん）のない容器が置かれていて、その中には生命が、空間と太陽が、海と山々が、夜と星辰が納められているのだ、と。柱に施されたエンタシス(15)は変貌して、遂には柱と柱の狭間の空間に完全にして永遠の形態が与えられるまでになるのだ。」

ヴァン・ド・ヴェルドの、いわばアポロン的転回は、ワイマールにおける彼の生涯の絶頂期と一致していた。一九〇一年以来、ザクセン・ワイマール大公の手工芸産業の顧問という要職にあった彼は、一九〇四年、新たに創立された大公手工芸学校の教授に指名された。この任命によって、彼は《手工芸学校》と既存の《美術アカデミー》の新しい施設を設計する仕事が委嘱された。これこそ十四年後にワイマールの「バウハウス」の核となるものであった。一九〇八年、これらの建物が竣工、開校するに先立って、ヴァン・ド・ヴェルドはワイマールで講義を始め、訓練中の職人の啓蒙のために「芸術講座」を行った。しかし、彼の生涯のうちで最も意気のあがったこの時期でさえ、深刻な心の悩みが影のように付きまとっていたのである。彼は、物体（オブジェ）の形態を決定する芸術家の特権について疑義を抱き始めた。一九〇五年、彼は次のように書いた。「いったいどんな特権があって私は、きわめて個人的な趣味や願望を世の中に押しつけることができるのか？」

ゴットフリート・ゼンパーやペーター・ベーレンスに倣って、ヴァン・ド・ヴェルドは、絶えず劇場という存在を通して社会や文化との連携を強化しようとした。つまり、俳優と観客が劇場を媒介にして一体となり、社会的また精神的生活の最高形態が生まれると考えたのである。[16]マックス・ラインハルト[17]やゴードン・クレイグといった演出家たちから直接の影響を受けて、自らも舞台の発展に尽力し、劇場三部作を展開して見せたのである。最初の劇場は、一九〇四年のワイマールにおける《デュモント劇場》計画案である。一九一一年には最初の思想（テーマ）に戻り、パリの《シャン・ゼリゼ劇場》のために、妥協しながらも計画案を提出した（これは一九一三年、オーギュスト・ペレが手直しした形で実現させた）。そして、一九一四年、再びケルンの《工作連盟博覧会劇場》を作った。この劇場は、きわめて表現的で、短期間しか存続できなかったが、戦前の作品では最も優れていた。この劇場について[18]エリッヒ・メンデルゾーンは次のように書いていた。「ヴァン・ド・ヴェルドひとりだけが、劇場の設計に新しい形態を模索し続けているのだ。コンクリートがアール・ヌーヴォー様式で駆使されているが、その発想といい、表現といい、力強い。」その波打つような輪郭（マッス）は、形態を扱うヴァン・ド・ヴェルドの手腕のほどを見せているが、その手法は、一九一九年、メンデルゾーンがポツダムに《アインシュタイン塔》を建てた時の手本となった。

このように高く賞讃された《工作連盟博覧会劇場》は、ヴァン・ド・ヴェルドの言う「形態の力」の美学を究極的に公式化したものである。それは、新石器時代の人間による野外劇場さながら、俳優と観客、劇場と風景とが一つに溶け合い、独特な感情移入の表現となっていた。しかしこうした表現は、第一次世界大戦後ヴァン・ド・ヴェルドが建てた地味なモデュラー・プレファブ住宅にはもはや見ることはできなかった。世界を「優れた形態（グーテ・フォルム）」や産業中心思想によって変貌させようという「工作連盟」の夢は、無益に終わった。それは、かつてアーツ・アンド・クラフツやアール・ヌーヴォーを五十年間も保護し支援し続けてきた、社会意識に目覚めたブルジョワ階級の改良主義的希望が、世界最初の産業戦争によってあえなく終焉を迎えたのと同断である。もはや芸術やインダストリアル・デザインや劇場などによって社会を変貌させることなど、思うだに不可能になってしまった。世は、最小限のシェルターの供給こそ最大の急務とする時代になっていたのである。

第10章　トニー・ガルニエと「工業都市」

一八九九〜一九一八年

この都市は仮想上のものである。この都市と同様な条件を備えているのは、リーヴ・ド・ジェール、サン・テティエンヌ、サン・ショーモン、シャッセ、ジヴォールなどの町かもしれない。この研究のための敷地は、フランス南東部の一地方にあって、その地方には、長年建設工事に使用されている素材が産出される。

これに類似した都市の創建にあたって、決定的要因となるのは、原材料が手近にあること、動力源に利用できる自然力があること、輸送方法が便利であることなどである。この研究の場合、都市の位置設定に際しての決定的要因は、支流の川であり、それが動力源となる。そのほかに、この地方には鉱山もある。だが、それはかなり遠方に位置してもよい。支流にはダムが設けられる。また、水力発電所が設けられて、工場にも、全都市にも限なく動力と光と熱とが行き渡る。主要工場は、川の本流と支流が合流する平地に位置している。工場と都市との間を幹線鉄道が走っている。そして、都市は工場の上手の台地にある。それよりさらに高い位置に病院がある。病院も都市も寒風から遮蔽されており、また、南向きのテラスがある。これら主要要素（工場、都市、病院）のそれぞれは切り離されているため、それぞれは拡張可能である。［…］個人の物質的かつ道徳的必要に応えるのに満足するプログラムを検討した結果、道路の使用、衛生などに関する規約が作られている。また、社会秩序が向上して、こうした規約が自動的に採択されて、現実のものとなっていることが前提である。したがって、実際の法律の制定など不必要である。土地の配分、水、パン、肉、ミルク、医薬品の支給に関わるすべてが、塵芥の再利用も含めて、公共事業となる。

——トニー・ガルニエ『工業都市』序文　一九一七年

近代都市の建設と組織に関する経済的、技術的基本方針を、これ以上簡潔に記述することを望むのはまず難しいだろう。このきわめて明快な概略には――この計画はガルニエの生涯唯一の理論表明であった[1]――彼の生涯ならびに活動の基本的に急進的性格が、内容的にも語調的にも映し出されている。彼は、一八六九年リヨンに生まれ、急進的風潮の労働者街に育ち、一九四八年、その死に至るまで終始一貫、社会主義の大義に関与し続けたのである。

ガルニエの教育も、生涯にわたる職業も、都市リヨンと切り離すわけにはいかない。リヨンには急進的サンジカリズムや社会主義が育ったが、これは、リヨンが十九世紀フランスにおいて最も進歩的産業中心地の一つであったからである。そこでは、ガルニエが生まれる以前から、絹織物産業と冶金業が確立していた。リヨンの発展は、ローヌ河とソーヌ河の回廊地帯の恵まれた位置にあったことに加えて、十九世紀の半ば過ぎ、フランスに敷かれた最初の鉄道幹線の一つによって、にわかに活発になったためである。一八八〇年代には、リヨンは市内ならびに近傍の鉄道が電化されて、技術、産業革新の一大中心地となった。写真、映画、水力発電、自動車製造、さらに航空機、これらことごとくが一八八二年から世紀の変わり目までの間に、この地において陽の目を見たのである。こうした技術にまつわる背景は、確かに、ガルニエの一九〇四年初頭の計画案《工業都市》に反映していた。この計画案は、未来都市は工業に基礎を置くことになるという彼の信条を示すものであった。

ガルニエの「都市」の計画には、リヨンの文化の別な一面も描き込まれていた。とりわけ目立つのは、地方文化の再生を進めるフランス独特の地域主義運動である。そのため、この都市計画案は、連邦主義と中心分散化など、広域の政策に関わるものであった。その結果、ガルニエは《工業都市》の境界内に、古い中世都市を取り入れた。彼がこうした古い建造物を重要と見なしたことは、幹線鉄道の中央駅がその地域の中心のごく近くに置かれていることからも、窺える。

ガルニエにとってリヨンの市政は、都市化に対する進歩的考え方からして、若い頃から重要であった。リヨンの街路は、一八五三年から一八六四年にかけて整備されたが、一八八〇年を過ぎると――スラム・クリアランスの一部として――上下水道方式の改善が開始された。さらに一八八三年頃から、広範囲の福祉施設、学校、労働者用集合住宅、浴場、病院、屠殺場などが建設された。

ガルニエは、一八八六年、まずリヨンの、そして一八八九年にはパリの「エコール・デ・ボザール（美術学校）」に入学して、ジュリアン・グァデの影響を受けることになった。グァデは一八九四年以降、建築理論の教授であったが、合理的古典主義の規範にとどまらず、建物の要求項目に沿った分析や、建物の型式（タイプ）の分類なども教えた。グァデが一九〇二年に出版した『建築の要素と理論』は、型式別に分けた建築形態を合理的に組み合わせるなど、一八〇五年に発表されたデュランの方法を最新版にしたものであった。ヴァデ第一の門弟ガルニエとオーギュスト・ペレの生涯を形成しているのは、まさにこの設計に対する共通した要素中心的考え方であった。しかしながら、この二人はきわめて異なった生涯を辿ることになった。ガルニエはパリで十年を過し、一八九九年、ローマ賞を獲得し、ローマのヴィラ・メディチにある「フランス・アカデミー」に四年を送った。それに対してペレは、一八九七年、「エコール・デ・ボザール」を中退、わずか三年間の正規の教育のあとは、父親の仕事を助けた。ガルニエの《工業都市》が、一九〇四年に初めて展示された時には、ペレは、フランクリン街の先駆的な鉄筋コンクリート骨組構造によるアパートメントの建築家ならびに施工業者として、すでに一角の人物であった。

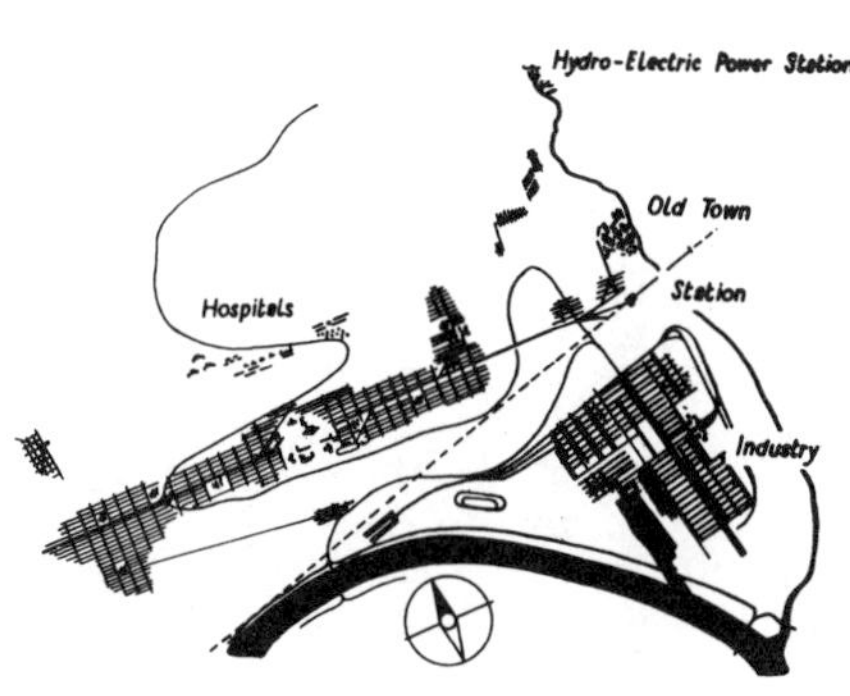

80　ガルニエ「工業都市」の図式的平面，1904-17年．病院が行政・文化の中心地の南にあり，住居地域に隣接している

　ガルニエは、一八九二年、ローマ賞候補「特待生」となった時から、ますますパリの急進的風潮に染まっていった。当時、ジャン・ジョレス[2]といった人物が時代風潮を指導し、その後一八九三年、彼は社会党代議士となった。一八九七年以後のパリの政治状勢は、ドレフュス事件によって動揺した。この事件によって、エミール・ゾラ[3]は急進的改革の熱烈な唱道者へと転向した。その結果、ゾラの最初の空想的社会主義小説『豊饒』が生まれた。この小説は一八九九年、社会主義系の新聞「オロール（曙光）」に連載された。ガルニエは長いことエミール・ゾラ友の会の会員であったが、彼がこの連載を断片的にせよ読んでいたことは確かである。いずれにしても、彼が同じ年に描いた《工業都市》の初期のスケッチは、ゾラの言う新しい社会経済的秩序のヴィジョンを反映しているように思われる。そしてこの小説家は、その新しい秩序を（一九〇一年の）第二の空想的社会主義的小説『労働』において、さらに詳しく描くことになった。

　ガルニエはローマ滞在中、ヴィラ・メディチ（フランス・アカデミー）の大反対を押しのけて、自らの都市計画案を続けていた。アカデミーから「学術研究の証」を求められると、ローマ丘陵都市タスカロンの空想的で、前代未聞の再建計画を見せたりした。一九〇四年、この《タスカロン》再建計画と最初の《工業都市》案とを併せて、パリで展覧に供した。この年、ようやくガルニエはリヨンへ錦を飾って帰郷した。それから三十五年間、彼はもっぱらこの都市にあって、この都市のために仕事をすることになるが、そのほとんどが、当時進歩的市長であったエドゥアール・エリオ(4)の指揮下であった。ル・コルビュジエが、一九〇八年、初めてガルニエに会ったのは、彼が公共の仕事に就いて間もない頃のリヨンであった。

　ガルニエの、人口三万五千人の《工業都市》は、どこかリヨン地方の景色を思わせる山岳の、川に向かって下る斜面にある。そこは、周囲の環境と細やかな繋がりを持つ中規模程度の地域の中心地である。その都市に見られる用途別の地域分離には、一九三三年のCIAM(5)アテネ憲章の原則を予想させる都市の組織がある。そして、この都市は社会主義的都市であり、したがって城壁も私有地もなく、教会も兵営もなく、警察署も法廷もない。都市の中の建物の建っていない土地は、ことごとく公共の公園であった。ガルニエは、建設用地内では、さまざまな施設を持った総合的集合住宅の類型論(タイポロジー)を確立する必要から、日光、通風、緑の空地を必須条件とする厳格な規約を打ち立てた。さらに、この規約や、規約の組み合わせには、植樹街路の幅員の大小による階層分けと相俟って、変化がつけられた。わずか二階建てという平均的高さのため、ここに見られるような開放的な配置によって、居住地区は必然的に低密度となった。だがガルニエは、《工業都市》の一九三二年版では、高密度の居住地区をつけ加えた。この居住地区にとって重要なのは各種の学校であり、それらは特殊地域をつくった。技術教育、職業教育のための施設は、居住地区と工業地区の中間に位置していた。

　最近になって明らかになったのだが、ガルニエは、単独でこの「都市」の構想に到達したわけではなかった。当時、ローマの「フランス・アカデミー」に滞在していた若い優秀な給費生の中に、レオン・ジョセリーがいたことは間違いない。彼は一九〇三年、ローマ賞のために「民主主義国家の大都市広場」という計画案を提出した。それは多くの点で、ガルニエの《工業都市》の文化行政中心地区に見られる配置、内容、基本原理などに類似していた。ガルニエの「都市」の中心部は、「公共的性格の空間」とされていた。そこでは美術館、図書館、劇場、競技場、広大な公共室内プールもしくは冷水治療施設などの建物群が、複合施設の軸を中心に集合している。その中の最大の複合施設は菱形をした構造物で、その組織の基本原理は鉄筋コンクリート造の柱による、列柱型式である。列柱は、一群の組合集会室や円形をした三千席集会ホールの周囲を取り巻いている。さらにホールの一方の側面には、一千席の講堂が隣接し、他の側面には五百席の円形劇場

81　ガルニエ「工業都市」，中央の菱形の建物が集会議場，その周囲は集合住宅，1917年

82　ガルニエ「工業都市」，集会議場の詳細，1904-17年

が並んでいる。明らかにこれらの建物は、議会における討議から、会議、委員会、映画会に至る、さまざまな民主主義的目的のために建てられている。こうした集会は、二十四時間表示の時計塔や大きなエンタブレチュアなど、合理主義的形象に包まれて執り行われるのである。エンタブレチュアにはクールベ風のレリーフが施され、ゾラの小説『労働』からの引用も刻み込まれている。その引用の一つは、工業生産とコミュニケーションによって国際的調和を達成しようという、サン・シモン風の綱領が窺えるし、もう一つは、空想的社会主義の成果への大げさな賞讃が暗示されていた。

「これは平和と鉄道、何にもまして鉄道の時代に相応しい、間断なく続く生産であった。だから開拓者達はすべて立ち去っていけるのだ。だからすべての人々は、再び集い、それぞれの道が畝となって深く刻み込まれた大地に、単一の民族を形づくることができるのだ。これこそ巨大な鋼の船であった。もはや荒廃と死を運ぶ忌まわしい戦争の船ではなく、連帯と信頼の船であり、諸々の大陸の産物を交換し、国内の人々を十倍も豊かにし、まさにそういう時に、すばらしい豊かさが津々浦々に行き渡るのだ。」

「祭りは野外で、街の近くの広い野原で行われることに決まった。野原には玉蜀黍(とうもろこし)の束が堆く積み上げられ、さながら大寺院の左右に並び立つ柱のように、明るい陽光で金色に輝いていた。列柱はどこまでも続いた。遥かかなたの水平線にまで伸びていた。束また束の山は大地の限りない肥沃さを語っていた。そしてまさにそこで彼等は歌い、踊った。そこは熟れた玉蜀黍の甘い香りが漂う、広々とした肥沃の平原の真只中であった。その平原から、とうとう仲直りをした人間達の労働によって、万人の幸福のための十分なパンが得られたのだ。」

この最後の一節は、ガルニエが一九〇三年にギリシアを訪れて、初めて充分に理解できた古典主義的理想郷、アルカディアの生活と風景を喚起するものだった。ガルニエが計画した集会用建物は、かつてのアゴラを偲ばせ、いわばその現代版となるように意図されていた。そこは、古典主義的雰囲気を呼び起こすに相応しい、当世風ビーダーマイヤーの衣服を纏った人物達が住むところとして描かれていた。[6] 影の薄い人物達の住居は、同じように無装飾で、蛇腹(コーニス)も繰形(モールディング)もなく、その多くは中庭を中心とし、雨水溜(インプルヴィア)が設けられている。つまりこの《工業都市》には、高度の建設方法すなわち鉄筋コンクリート造(アンヌビック方式)の全面的採用や、また、工業地区における、一八九九年のコンタマンの《機械館》に似た長大スパンのスティール構造の採用などにも拘わらず、ことのほか地中海的社会主義のアルカディアのヴィジョンが重なっていたのである。

ローマ滞在中のガルニエは、当時同地にいた重要な都市計画家達、レオン・ジョセリーやウジェーヌ・エナール、[7] わけてもエナールの一九〇三年出版の都市交通に関する最初の論文など、彼等の影響を充分受けていた。それにも拘わらず、彼の《工業都市》が挙げた独自の功績は、驚異的水準にまで発展させた詳細設計と、そのヴィジョンの「近代性」の二点に掛かっていた。ガルニエの計画案は、仮説としての工業都市の原理や配置を明文化したに留まらず、多くの異なった規模で、都市の類型論の特殊な実体を描いていた。同時に、コンクリートやスティールによる建設方法についても精密な指針を与えていたのであった。これほど総合的なものは、一八〇四年のルドゥーによるショーの理想都市以来、企てられたことはなかった。『工業都市』という著作そのものは、一九一七年に至るまで出版されなかったが、都市計画に対するこの著者の貢献は、一九二〇年に至る以前に、はやくも認められていた。この年、ル・コルビュジエは純粋主義（ピューリスム）の雑誌「エスプリ・ヌーヴォー」の中に、《工業都市》の図版の抜粋を掲載したものであった。

この「工業都市」が、ル・コルビュジエの都市計画の思想に衝撃を与えたことは明らかだが、その影響の範囲は限られ

83　ガルニエ「屠殺場」リヨン，1917年

ていた。理由は、ガルニエがリヨンで孤軍奮闘していたことはともかく、その基本的提案は一度として検証されたことがなく、広く出版されたりしなかったためである。一八九八年のエベネザー・ハワードによる田園都市の場合は、発展的戦略として、一九〇三年、《レッチワース田園都市》が現実のものとなった。それと違ってこの《工業都市》は、証明済みの手本として、絶えて参照されるには至らなかった。「田園都市」と「工業都市」という、この二つの代替案ほど対立するものはあり得ないだろう。ガルニエの《工業都市》は、本来拡張可能であって、またその基礎を重工業に置くところから、確かな自立性が与えられていたのに対して、ハワードの《ルリスヴィル》は規模も限定され、軽工業と小規模農業に基盤を置いたから、経済的に依存度の高いものであった。さらに、ガルニエの都市は、一九〇四年のジョセリーによるバルセロナ計画案とともに、ソヴィエト連邦成立の最初の十年に展開された理論的計画の手本として影響を与えることになったが、ハワードの計画は、改良主義思想による「田園都市」型共同体の急増を誘い、その結果、第二次世界大戦後、英国に出現した実践的なニュー・タウン計画へと導かれることになった。

ガルニエの都市計画の思想は、一九二〇年に出版された著書『リヨン市大事業』の中の《屠殺場》(一九〇六～三二年)、《グランジュ・ブランシュ病院》(一九〇九～三〇年)、そして一九二四年に設計され、一九三五年に建設された《エタ・ズニ住区》において実現した。これらの複合建築物は、それぞれ小規模の都市に相応しく、快適な諸施設によって、都市の統治権とは教化力であることを改めて強調した。これこそアングロ・サクソンの田園都市にはほとんど果たせない使命であった。

第11章　オーギュスト・ペレ：古典主義的合理主義の進化

一八九九〜一九二五年

最初、建築は木造の骨組だったのです。やがて火に耐えるように、硬い材料で建てるようになります。しかし、木造の骨組の威光は、釘の頭までの何から何まで、再現されるくらいなのです。

——オーギュスト・ペレ「建築の理論に寄せて」一九五二年

一八九七年、オーギュスト・ペレ[1]は、「エコール・デ・ボザール（美術学校）」での輝かしい学生生活に突然終止符を打って、父親の仕事を手伝うべく、ジュリアン・グァデによる正式な建築教育から退いてしまう。こうして、ペレは以前から手助けをしていた家業の建設業に、いよいよ深く関わることになった。ペレは、早くも一八九〇年から設計の仕事を始めたが、それらの作品の中でも、「エコール・デ・ボザール」を中退以後のものが興味深い。それらは、ペレのその後の生涯のいわば舞台を準備しているからである。なかでも、次の二つの作品はことのほか重要である。すなわち、一八九九年の《サン・マロのカジノ》と、一九〇二年のパリ《ワグラム通りのアパートメント》である。前者は、当時エクトル・ギマールによる郊外のヴィラで人気が高まった「国民的ロマン主義」様式を取り入れた、構造的合理主義の試作であった。後者は、石で化粧したルイ十五世様式＋アール・ヌーヴォー風の八階建ての試作であった。この後者こそ、ペレ本来の建築の出発点と見なければならない。なぜなら、この作品によって、彼は意識的に古典主義的伝統へ回帰したからである。そしてこの回帰は、その後わずか数年した一九〇七年、ベーレンス、ホフマン、オルブリッヒ達の作品の中に、分離派（セセッション）様式が「結晶化する」予兆となったのである。

《ワグラム通りのアパートメント》は、コロネード[2]（列柱）のついた六階のところで、出窓が歩道に張り出している。突出部を持った石貼りのこの建物の輪郭を、葡萄を彫り込んだ装飾が微妙に和らげていた。葡萄の装飾は、戸口のところからうねうねと這い上がり、六階のコロネードの台座の下で石の花となって、零れんばかりに咲いているのである。ペレ[4]は象徴主義(サンボリスム)[3]に愛着を抱いていたから、この石造の建物からベル・エポックの花のイメージが浮かび上がるように設計したのである。同時に、パリの街路の秩序を侵したくなかったから、彼は、この建物の繰形(モールディング)のついた開口部を、両脇の建物の古典主義的正面(ファサード)に揃えるように配慮した。しかし、それはことごとく、構造的合理主義の規範に矛盾するものであった。なぜならば、この建物は明らかに、ヴィオレ・ル・デュクの唱導する分節(アーティキュレーション)の明瞭な構造の建築ではなかったし、ペレが《サン・マロのカジノ》ですでに見せたような、土地に根差した、素直な表現の構造ではなかった。

　ペレが、一九〇三年の《フランクリン街のアパートメント》にコンクリートによる柱・梁式構造を採用するうえで、影響を与えたと思われる著作が二つある。一つはオーギュスト・ショワジーの記念すべき著書『建築史』(一八九九年)であり、もう一つはポール・クリストフのアンヌビック方式についての論文「鉄筋コンクリートとその応用」(一九〇二年)である。最初の著書は、このような構造の古典的先例として、ギリシアの柱・梁方式を引用していた。それに対して第二の論文は、鉄筋コンクリートの骨組の設計と製作にあたっての、決定的技術を与えたのである。

　「エコール・デ・ポン・ゼ・ショッセ(土木技術学校)」の建築の教授であったショワジーは、決定論的史観を培っていた。その史観によって彼は、さまざまな様式は流行の競技ではなく、建設技術の発達の論理的帰結である、と論じた。こうして技術的に決定される様式のうち、彼が好んだのは(ヴィオレ・ル・デュクに倣って)ギリシアとゴシックであった。彼が古典的合理主義の最後の有力な理論家となったのは、勿論、ギリシアを参照したからであった。ショワジーは、グァデやラブルーストと同様、合理主義を、十八世紀の理論家コルドモワやロージエにまで遡及させる路線を踏襲した。またショワジーは、この流派の提唱者のほとんどと同様、ギリシアの木造の形態が石造のドリス式オーダー(柱式)の構成要素に置換されたという説明に、何ら不合理な点を認めていない。

　ペレが最初にフェロコンクリートを用いた理由は、ショワジーが、ゴシック建築を肋材(リブ)と充填材(インフィル)の建築であると規定したこととまさに軌を一にしている。ペレによる《フランクリン街の建物》は、構成から言えば、一年前の《ワグラム通りの建物》で採用した型式を縮小したものである。どちらも、街路に面した正面は五つの柱間(ベイ)に分かれ、両端の柱間は歩道に迫り出し、階数は五階ないし六階で、さらに「頂上」階がつき、その上はセット・バック(後退)している。《ワグラム通りの建物》の場合、最上階は、コロネードがついて存在を強調している。フランクリン街の場合は、左右の開放的な柱廊(ロジア)の枠組が、要素主義的特性を強調している。しかし両者の符合もここまでである。《ワグラム通りの建物》が、一体方式（モノリシック）で、水平方向に伸長しているのに対して、《フランクリン街のアパートメント》は、分節表現（アーティキュレーション）が明瞭で、垂直方向に引き伸ばされている。この建物は、基本的に直角的な構成であるが、柱による分節化や急に後退する屋根の立上がりなどから、ゴシック様式の感じがあり、さらに、十七世紀のマンサール[5]の作品を想い起こさせる。これは、ペレがヴィオレ・ル・デュクの遺した細かい指示に最も接近したものであった。正面をU字形に凹ませて、ゴシック様式の細く高まる特徴を暗示しているが、それは、とりわけ実用的理由によるものであった。つまりペレは、建物の背後ではなく前面に、規定によって定められた中庭を設けることで床面積を増すことができたのである。同様な巧妙さで、彼は地役権を侵さないよう、建物の背面の壁をガラス・レンズで被覆している。

一九〇三年を過ぎると、ペレはショワジーと同様、シャルパント（木組）すなわち構造の骨組を、建築形態の最も純粋な表現と考えるようになった。《フランクリン街の建物》のフェロコンクリートの骨組は、木造の柱・梁式構造を暗示するようにタイル貼りとし、それ以外のところには窓をとるか、セラミックのモザイクで仕上げた密実（ソリッド）なパネルを張った。そのパネルのモザイク模様の向日葵の図柄は、ベル・エポックも末期に特徴的な、古臭いアール・ヌーヴォー風の特色を建

84　ペレ「サン・マロのカジノ」1899年

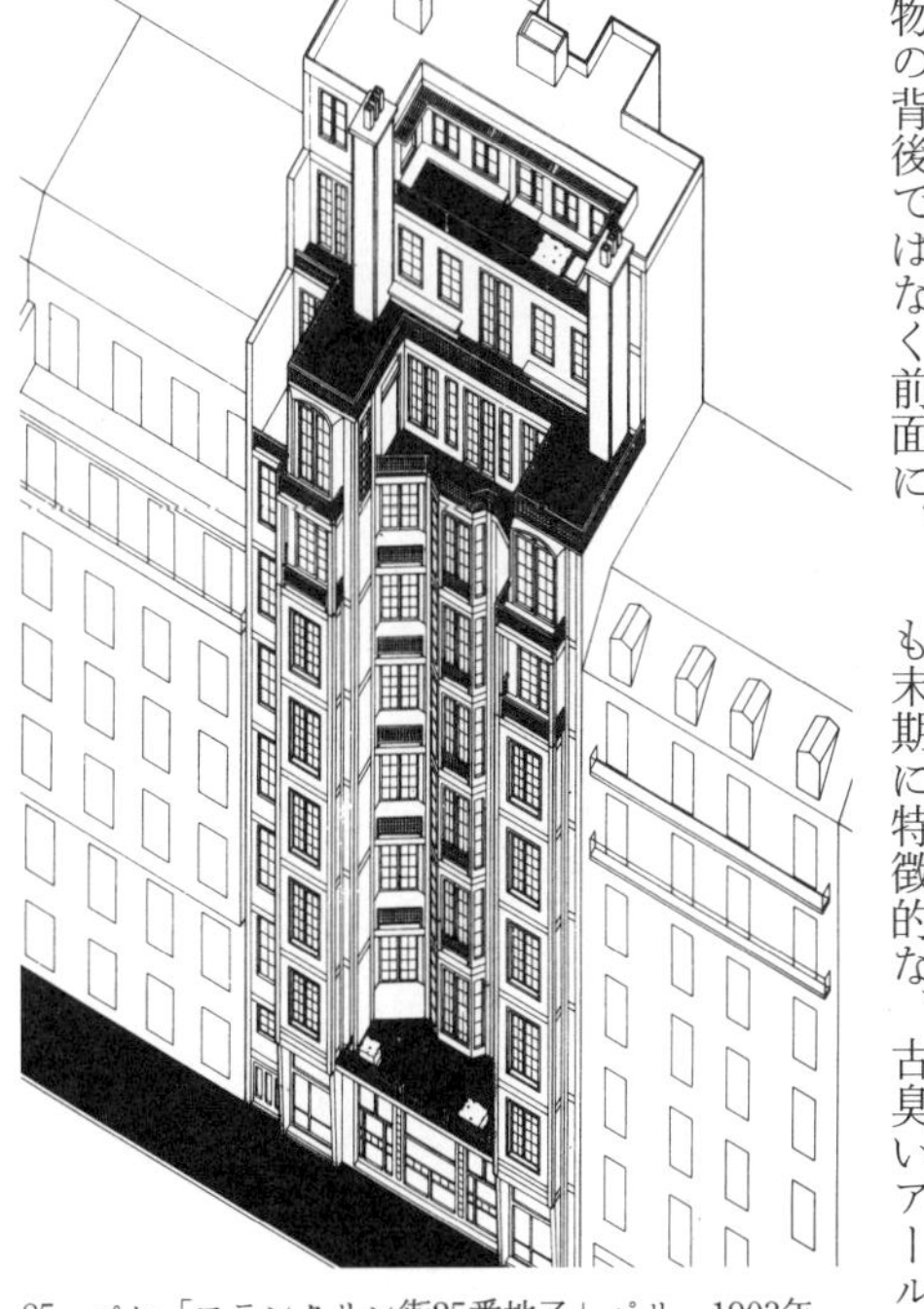

85　ペレ「フランクリン街25番地乙」パリ，1903年

物に与えたのである。それに反して、骨組自体や、その結果としての開放的平面（プラン）は、その後のル・コルビュジエの、自由な平面の展開を暗示している。

ペレ兄弟の事務所は、兄オーギュストと弟ギュスタヴによるものだが、ペレのスタイルの決定にとって重要だった。一九〇五年、二人は、ポンテュー街に四階建てリフト式の、見事なガレージを建てた。これに続いて一九一二年、ジュリアン・グァデの息子ポール・グァデの設計による住宅が建てられた。どちらも鉄筋コンクリート造であり、屋階ないしフリーズの上にコーニスが突き出している。これらの作品は、合理的で、柱・梁式構造のペレの「住居様式」を前向きに洗練させたものであった。前者は、ペレの後年の教会建築のスタイルを先取りしていると見なせないこともないが、後者は間違いなく、ペレ特有の正面の原型と見られる。これは第二次世界大戦終結後、ル・アーヴル再建計画において、究極的表現を与えられることになる調整のとれた形式である。

一九一一年から一九一三年にかけて、《シャン・ゼリゼ劇場》という力作が現れるのだが、その結果、オーギュスト・ペレとアンリ・ヴァン・ド・ヴェルドの間に不幸な対立が生ずることになった。ヴァン・ド・ヴェルドは、一九一〇年、劇場支配人G・アストリュックから設計を委嘱され、その限られた敷地では、鉄筋コンクリートによる工事の必要性をすぐさま見抜いた。そこで彼は、ペレ兄弟を施工業者として雇った。これが不運だった。というのは、ペレは、ヴァン・ド・ヴェルドの設計が構造的に実現可能か否かについて異議を申し立て、自らの設計による計画を提案したからである。六ヵ月と経たぬうちに、ペレの見解が大勢を占め、ヴァン・ド・ヴェルドは、共同建築家から顧問建築家（コンサルタント）へと後退を余儀なくされた。

《シャン・ゼリゼ劇場》の平面も立面も、実質的にはヴァン・ド・ヴェルドのものであった。だが、それを実現させたことによって、ペレが詳細設計（ディテール）に精通していたこと、また、ペレ兄弟の事務所が技術的手腕にすぐれていたことなどが証明されたのである。劇場からの要望書では、それぞれ千二百五十人、五百人、百五十人を収める三つの劇場と、舞台、舞台裏、フォワイエ、クロークなどからなる付属空間が必要とされ、そのすべてが幅約三十七メートル、奥行九十五メートルの敷地内に収まるよう求められた。ペレは、その円形の主要な劇場空間を、周囲に八本の丸柱を立て、それに四つの弦型アーチを架けて、その中に宙吊りにした。柱とアーチは、一体式の骨組の一部となり、全体は「筏（いかだ）」基礎の上に乗っていた。構造体の基本的な母体（マトリックス）には、片持梁（カンティレヴァー）やトラス梁などが所を得て架設されている。その結果、劇場側から求められた容積は、正確に敷地内に確保できた。しかし、こうした力動的な構造は、外部にはほとんど現れてはいない。外部では、背面も両側面も、すべて柱・梁式構造の骨組に、煉瓦が充填されている。だが、正面となると古典主義様式で納められ、石貼りの仕上げとし、その整然とした手際からは、内部のフォワイエが丸柱で細かく仕切られていることなど、いささかも窺わせない。同時に、ベル・エポックの遺産であるパリの象徴主義文化が、内部にも外部にも、なお顔を見せていた。例えば、アントワヌ・ブールデル[6]による浅浮き彫りやフリーズ、さらにモーリス・ドニ[7]による壁画などである。こうした神話的な古代に対する懐古趣味は、ペレの設計した手摺、照明器具、室内調度の中にも映し出されていた。

一九一三年にこの劇場が落成してからその後十年というもの、ペレ兄弟は、一連のフェロコンクリート構造による実用的建物に専念したが、その結果はいずれも見事な出来映えであった。この中には、カサブランカのドックや、パリ近傍のさまざまな工場建築などが含まれている。そして一九二二年、思いがけず、オーギュスト・ペレに初めての教会設計の委嘱があった。これが、一九二四年に完成した《ル・ランシーのノートル・ダム寺院》である。この作品によってペレは、フェロコンクリート構造による、最も純粋な形態化を達成したのだが、彼がフェロコンクリートを《フランクリン街のアパートメント》に初めて用いてから、すでに二十年が経っていた。この教会が重要となったのは、その優雅な比例関係（プロポーション）や、洗練された統辞法（シンタックス）のためばかりではない。非荷重の被覆の内

86　ペレ「シャン・ゼリゼ劇場」パリ，1911-13年．大劇場の断面にはブールデルの彫刻が取り付けられている

87　ペレ「装飾美術博覧会のための劇場」パリ，1925年

部では、円筒状の柱がはっきりと姿を見せているからであった。ここでは、ショワジーの立てた規範が、プレファブ工法による穴あきスクリーン壁から溝彫り(フリュート)をつけた先細りの柱に至るまで、隈なく守られていたのである。そして、これらの構成要素は、その構造的極限まで還元されている。

《ル・ランシーの教会》の完成直後、二つの仮設構造物の依頼がペレにやってきた。実は、これらこそ彼の建築的経歴の最初の頂点となった。一つは《パレ・ド・ボワ（木造宮殿）》と呼ばれる美術展示場であり、一九二四年、標準木材で建てられたが、建物の解体後も部材は再利用されている。もう一つは、一九二五年の装飾美術博覧会のための円形小劇場であった。展示場は、《ル・ランシーの教会》に似て、ペレ特有のきわめて明瞭に分節された建物であった。一方、仮設劇場は、軽量構造だが重量感のある一体式骨組を模して設計された。実はこの建物の構造は木造丸柱からなり、それがスティールで補強した軽量クリンカー・コンクリートの梁のグリッドを支えていたのである。全体は、内部はラス下地にプラスター塗り、外部は人造石で被覆して仕上げられた。こうした事実からすると、この建物は、構造的純粋性という、重要な合理主義的論点(テーゼ)から明らかに逸脱している。だが、この「詐術」は、設計者によって、もしこの建物が恒久的であったら、間違いなく鉄筋コンクリート造にするはずだったという言い逃れで、救われた。

こうした「不純さ」にも拘わらず、この装飾美術博覧会の劇場は、これまでのペレの意思表明(ステイトメント)としてはきわめて明晰で、そのうえ抒情的であった。室内の八本の独立柱は、天井の「輪状(リング)」の梁を支え、その梁は四隅の斜めの隅部で巧みに変形し、ラテン十字の平面の劇場内部を覆う、明かり取り(スカイライト)の格間天井を支えている。この内部構造の横方向の荷重は、周囲を取り巻く梁に転移されるが、一方この梁は、劇場の外周に等間隔で立ち並ぶ独立柱によって支えられていた。しかし外部についていえば、その表現には優雅さが欠けていた。見たところいかにも「冗長な」柱は、無表情な外観に分節をつけている。これは、ペレが新しい「国民的古典主義様式」を作り出すのに熱中していたことを反映しているとも言えよう。だがこれは、ペレの後年の作品活動に掣肘(せいちゅう)を加えることになる強迫観念であった。

ペレの建築が明晰性を具え、その実作品に具わる驚異的なほどの洗練については贅言(ぜいげん)を要するまでもなかろう。他方、ペレの理論家としての重要さはどこにあるかと言えば、警句(アフォリズム)を好み、弁証法(ディアレクティク)を得意とする彼の気質にある。秩序と無秩序、構造骨組と充填部材、恒久性と暫定性、動くものと動かぬもの、推理力と想像力等々、こうした対極を重要と見ていたところにある。ペレのこうした思想に比肩できる思想と言えば、ル・コルビュジエの全著作のいたる所に見られるだろう。早くも一九二五年の装飾美術博覧会の時には、この二人の考え方は、分かれ始めていたのである。その相違は、二人が設計したそれぞれの博覧会の建物だけではなかった。理論というレヴェルでも、二人の相違は明らかであった。博覧会から一年後の一九二六年、ル・コルビュジエは論文「新建築の五つの要諦（ようたい）」を発表した。これほどペレの規範から外れたものは他にはまずあるまい。

第12章　ドイツ工作連盟

一八九八〜一九二七年

先進国英国は、自国の環境や生産を近代化するよりも、その余剰利益を海外に投資する方が遥かに得になると見た。これはつまり、二十世紀の産業主義の躍進は英国には現れなかったという意味である。それはもっと若い国家、例えばドイツに生じたのだった。そしてドイツは、古い海運力によって伝統的に保護された、新しい海外の市場に進出することを望んで、競争国の製品を系統的に研究し、さらに、型式の選択と設計の見直しによって、二十世紀の機械美を作り上げるうえで一臂（いっぴ）の力をかしたのである。

——C・M・チプキン「ラッチェンズと帝国主義」
RIBAジャーナル　一九六九年

一八四九年、ザクセンでの暴動がプロイセンによって鎮圧されると——その暴動でミハイル・バクーニン[1]とリヒャルト・ワグナーはきわめて重要な役割を果たした——建築家で自由主義革命家であったゴットフリート・ゼンパーは、ドレスデンを逃れ、ひとまずパリへ赴き、その後二年して、特別な設計委嘱を抱えてロンドンへと渡った。そのロンドンで、一八五一年の万国博覧会の折、彼は有名な論文「科学、産業、芸術」を書いた。これは一八五二年、ドイツ語で発表されたが、その中で彼が論じたのは、産業化と大量消費が、応用美術ならびに建築の全分野に与えた衝撃であった。ウィリアム・モリスやその同調者達が最初の家庭用品を生産するより十年も以前に、ゼンパーは産業文明に対する批判を、次のように具体的に述べた。「芸術家は確かにいる。しかし、実際の芸術は存在していない。」ゼンパーは、前産業時代への回帰を望むラファエロ前派の夢想を、現実的視点から反対して、次のような見解を示した。

「休むことなく科学はそれ自身を、そして生活を豊かにしている。新しく発見された利用価値の高い材料や自然の力によって奇跡が行われる。新しい方法や技法によって、また新しい道具や機械によって、科学は科学自身と生活を豊かにしている。すでに明らかなように、発明は、かつてはそうであったかもしれないが、もはや現在では不足をかわして消費を助けるための手立てではない。それどころか、不足と消費が発明を売り出す手段なのである。物の順序が逆転したのだ。」

その文章の後半において、彼は新しい方法や材料がデザインに与えた影響を分析した。

「最も硬い斑岩や花崗岩も、まるでバターのように切断され、蠟のように磨き上げられる。象牙は軟らかくして型押しで成形される。生ゴムやグッタペルカ[2]は加硫硬化させて、木彫、彫金、石彫の模造品を作るのに用いられる。模造した材料の自然らしさは聞きしに勝るものだ。[…]手段が豊富なこと、それは芸術が最初に戦わなければならぬ手強い脅威だ。こういう言い方は実は逆説だ(手段が豊富なのではない。むしろ、手段を使いこなす能力が不足なのだ)。しかし、それも現状の不条理を正しく説明している限り正しいとされる。」

そして彼は続けて次のように問いかける。

「機械処理や、あるいは数多の新しい発明から生まれた代用品のおかげで生ずるようになった、こうした素材の価値低下の行きつく先はどこなのか? さらに同じ原因からくる、絵画や美術や調度品や労働の価値低下の行きつく先はどこなのか? […]今や全く混乱しているこうした状況に、時代や科学はどのようにして法律や秩序を導いてくるのだろうか? こうした価値低減という風潮が、全く古いしきたり通りの手作業による領域にまで蔓延するのを、どうしたら防げるのだろうか? そうした領域に、偏愛や骨董趣味や見てくれや頑迷固陋以上のものを見出すようにするには、どうすればよいのだろうか?」

このように戦闘的かつ辛辣な姿勢によって、ゼンパーは、当面の十九世紀最大の問題を提起したのであるが、さらに今日でさえなお解決されてはいない一連の文化問題にも触れたのである。やがて彼の思想は、一八六〇年から一八六三年にかけて発表された主要論文「技術的、構築的芸術の様式あるいは実用の美学」などを中心に、十九世紀ドイツの文化理論の中に、組み込まれていった。

様式に与える社会・政治的影響という、彼の大きな研究題目も、十九世紀最後の四半世紀にドイツに生じた猛烈な産業拡張の時期に至るまでは誤解されていた。一八七六年に行われたフィラデルフィア百年記念万国博覧会の際には、ドイツの産業ならびに応用美術の製品は、一般に英米と較べて劣るものだと見られていた。当時、チューリッヒのスイス連邦工科大学で、十年間、ゼンパーの同僚であった機械技術者フランツ・ロイロー[3]は、一八七七年フィラデルフィアから次のような手紙を書き送った。ドイツの製品は「安っぽく、いやらしい。ドイツ産業は価格だけの競争原理を断念しなければならない」。それに代わって「頭脳の力を働かせ、製品の洗練のために、職人の熟練を活かさなくてはならない。製品が芸術に近づけば、それだけいっそうそれが要求される」。

一八七〇年のドイツ統一から二十年間というもの、ドイツ産業には、こうした批判に耳を傾ける暇も気持ちもなかった。ビスマルクの強靭な統率の下に、ひたすらに取り組んだのは、拡大発展という課題であった。この発展にとって決定的役割を果たしたのは、一八八三年、[4]エミール・ラーテナウによってベルリンに設立された「AEG（アーエーゲー）[5]（総合電気会社）」であった。この電気会社は七年という歳月の間に、一大産業トラストに成長し、その製品と権益は、全世界限なく及ぶまでに拡がった。

一八九〇年のビスマルク失脚後、一大変化がドイツ文化圏に生じた。数多の評論家達は、手工芸ならびに産業における改良されたデザインこそ、将来の繁栄にとって不可欠であるとし、ドイツは、廉価な原料の供給源を持たず、低廉な商品の格好な捌け口もなく、飛び抜けて高い品質の製品によって世界市場に参入して、競争しなければならないと主張したのである。この論議は、国家主義者でキリスト教社会民主主義者の[6]フリートリッヒ・ナウマンが、一九〇四年に書いた試論「機械時代の芸術」の中で、さらに詳しく論じられた。彼はその中で、ウィリアム・モリスの「[7]機械化反対論」に対抗して、高い品質は、機械生産を指向し、なおかつ芸術的素養のある人々によって始めて経済的に達成されると論じた。

このような産業主義や汎ドイツ国家主義が拍車となって、プロイセンの官僚制度は、ヴィルヘルム治下のドイツの俗物性に反発し、「本来の」ドイツ文化を見直そうと、当時始まったばかりのアーツ・アンド・クラフツ・リヴァイヴァルを奨励した。一八九六年、その目的のためにヘルマン・ムテジウスがロンドンに派遣された。彼は、ドイツ大使館館員という肩書であったが、英国の建築とデザインの研究を拝命していた。一九〇四年に帰国すると、彼はプロイセン商務局付き枢密顧問の役職に就き、応用美術の教育に関する国家計画の改良、という特命を受けた。こうした官製の手工芸学校改良運動は、一八九八年、ドレスデンに[8]カール・シュミットが「ドレスデン手工芸工房」を設立することによって、口火が切られたのである。この大勢（たいせい）は、一九〇三年、ペーター・ベーレンスが「デュッセルドルフ工芸学校」校長に任命されたことで、さらに大きなはずみがついた。一九〇四年、ムテジウスは著書『英国の住宅』の中で、本来の手工芸文化の理想的モデルを披瀝、宣伝した。彼にとって、英国のアーツ・アンド・クラフツの建築や家具の重要性は、それらが優れた意匠の基礎である職人芸（クラフトマンシップ）と倹約性（エコノミー）を表していることにあった。

さらに二年後の一九〇六年、ドレスデンでの第三回ドイツ・アーツ・アンド・クラフツ展覧会の作品委員として、ムテジウスはナウマンやシュミットと同調し、当時「ドイツ応用美術連合」の名で知られた保守的で保護主義的芸術家・職人達のグループと対立、ドイツの応用美術の状況を厳しく批判しつつ、同時に一方では大量生産の採用を唱道したのである。翌年、この三人は「ドイツ工作連盟」を設立したが、その創設メンバーは十二人の独立美術家と十二人の職人とから構成されていた。その中の個人には、ペーター・ベーレンス、[9]テオドール・フィッシャー、ヨゼフ・ホフマン、[10]ヴィルヘルム・クライス、[11]マックス・レーガー、[12]アデルベルト・ニーメーヤー、J・M・オルブリッヒ、[13]ブルーノ・パウル、[14]リヒャルト・リーマーシュミット、[15]J・J・シャルフォーゲル、パウル・シュルツェ・ナウムブルク、[16]フリッツ・シュマッハーがいた。一方、商社には、ペーター・ブリュックマン・ウント・ゾーネ、ドレスデン・ヘレラウ・ウント・ミュンヘン全ドイツ手工芸工房、オイゲン・ディーデリッヒ、クリングスポール兄弟、カールスルーエ美術印刷連合、ポーシェル・ウント・トレプテ、ザーレッカー工房、ミュンヘン美術工芸連合工房、ドレスデン・テオフィル・ミューラー・ドイツ家具工房、ウィーン工房、ヴィルヘルム・アンド・カンパニー、ゴットロプ・ヴンデルリッヒなどがあった。

「工作連盟」の構成員は、手工芸教育の改善と、その組織活動のための中心組織の設立に専念した。だが、設立グループが混成集団であることからして、「工作連盟」が全面的に、ムテジウスの言う、工業生産のための規範的デザインの理念を共有するまでには至らなかった。重要なのは、「工作連盟」の設立式典のために最初に予定された場所が、ニュルンベルクであったことである。ここは、ワグナーの中世ギルドに題材をとった楽劇『[17]マイスタージンガー』の背景であったからである。

「工作連盟」のその後の発展、とりわけ産業との関係の中での発展は、ベーレンスが一九〇七年に、AEGの建築家兼デザイナーに任命されてからの活躍と切り離すわけにはいかない。けだし、彼はAEGのためにグラフィック・デザインから[18]プロダクト・デザイン、さらに製造工場に至るまで、同社の統一的スタイルを展開させることになったのである。ベーレンスは、天賦の画才に加えて、一八九九年から一九〇三年までダルムシュタット・コロニー滞在中に「[19]ユーゲントシュティル」のデザイナーとして修業した経験を生かして、これらの課題に挑戦したのである。彼のダルムシュタット時代のスタイルは、ベネディクト派ボイロン修道会の幾何学的比例研究の影響を受けて、様相を変えることになったが、その比例理論は、当時オランダの建築家[20]J・L・M・ラウヴェリクスが実際に応用していたものであった。彼は、一九〇三年にデュッセルドルフの応用美術学校の校長に就任したが、そこでベーレンスと結びつくのである。

ベーレンスは、彼の「感情移入的」手法を「ツァラトゥストラ様式」と呼んでいるが、その手法は、一九〇二年、トリノの国際博覧会のために設計した玄関ホールに要約されていた。そのエネルギーに溢れたうねるような線といい、表情豊かな湾曲した形態といい、いずれもニーチェの言う「形態への意志」を喚起させる試みであった。しかし、こうした修辞法（レトリック）も、やがてラウヴェリクスに影響されて、無表情で非構築的（アテクトニック）なスタイルに交替してしまうのである。こうして生まれたスタイルは、一九〇五年、ベーレンスがオルデンブルクに建てた幾つかの展示館に初めて現れた。ベーレンスは、この新十五世紀ボイロン風とでも称すべき手法を、一九〇六年、ハーゲンに建てた火葬場の設計においてさらに洗練して完成し、その後、一九〇八年のベルリン造船博覧会でのAEGの展示館では、この手法に新古典主義的な響きを加えて採用したのである。

88　ベーレンス，AEG製電球の宣伝ポスター，1910年以前

ベーレンスは、AEGに参画するようになって、産業力という非情な現実と直面しなければならなかった。かつて若いベーレンスは、繊細な演出によって執り行われる神秘的儀式を通して、ドイツの文化生活が活性化される、というヴィジョンを抱いていたが、今や、産業化こそがドイツ国家の厳然たる宿命だと認めなければならなかった。あるいは、彼が思い描いたように、「時代精神（ツァイトガイスト）」と「民族精神（フォルクスガイスト）」とを合一させ、

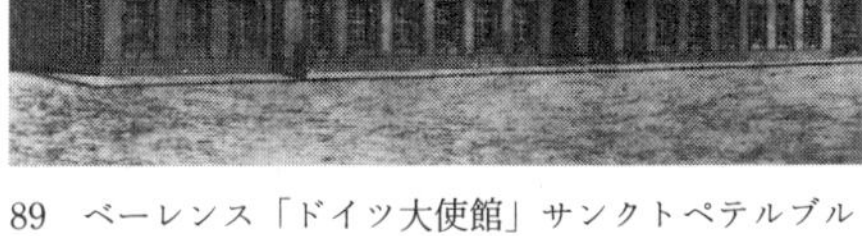

89　ベーレンス「ドイツ大使館」サンクトペテルブルグ，1912年

そこに形態を与えるのが芸術家の本分だとしなければならなかったのである。かくして、一九〇九年に彼が建てた《AEGタービン工場》は、産業を近代生活の生気あふれるリズム源として、意図的に物象化したものであった。この《タービン工場》は、（十九世紀の鉄道駅舎のように）鉄とガラスによる直截な設計とはおよそ縁遠い、濃厚な芸術作品であり、産業の力を象徴する寺院であった。科学と産業の優位を悲観と諦念をもって受け容れながら、ベーレンスは、この工場を農園という名称によって総括しようとした。そうすることによって、工場生産にも、農業独特の共有目的意識を取り戻そうとしたのである。それは、ベルリンという都市に新たに住み始めた半熟練の労働者達が、おそらく抱いていたに違いない郷愁の念であった。そうでないとしたら、《タービン工場》の腰折れ破風の屋根や、一九一〇年に実現されたAEGのブルンネン街の建物群の、カミロ・ジッテ風農園式配置計画などを、どのように説明できるだろう？　ベーレンスは、AEGに参加するやいなや、オルデンブルクの作品で見せた手法を調整して、形態の力強さを保ちながら、厳格な幾何学性をやわらげたのである。このため、《タービン工場》では、街路側正面(ファサード)の軽量スティールの骨組は、その末端部において、内側に傾いた堅固な隅部の要素を設けて終わっている。その表面は煉瓦造、漆喰塗り仕上げで、とても荷重を支持する能力を持たないようである。柱・梁の軽量な骨組を、重量感のある隅部と並置するという非構築的方式は、ベーレンスがAEGのために設計したほとんどすべての工業用構造物の特徴となっている。一九一二年、ベーレンスがサンクトペテルブルグに建てた新古典主義的《ドイツ大使館》に見られるように、骨組構造が機能上の必須条件ではない場合には、隅部を強調するシンケル風の手法が、顕著ではないにせよ、間違いなく見られたのである。

一九〇八年、ベーレンスは「記念的芸術とは何か？」と題する試論において、その根っからの保守性を露呈している。その中で彼は、芸術とは特定の時代において支配権力を握る集団の表現である、と規定した。さらに彼は、技術的ならびに物質的事情から、環境の形態が理論的に派生する、というゼンパーの推論には異議を唱えた。ベーレンスは、ゼンパーが典型的な構築的(テクトニック)要素に与えた重要性を拒絶した。例えば、古典建築のように、表情豊かに加重を支える柱に重要性を与えることに反対した。一方、彼はアロイス・リーグルの「形態への意志(クンストヴォーレン)」というエリート主義理論に深く影響された。この理論は、定式化された「非構築性」の原理となって、優れた多くの人達の活動を通して現れている。リーグルにとってこの意志の力は、その時代に特有な技術的傾向に対立するものであった。ベーレンスがAEGのプロダクト・デザインに果たした貢献も、彼の論文の主題のとおり、技法よりも様式の領域に限られていたのである。

この「規範（ノーム）」と「形態（フォーム）」の分裂、あるいは「型式（タイプ）」と「個性」の決裂は、程なくして「ドイツ工作連盟」の構成員達の関心を一挙に収攬（しゅうらん）することになった。それは、この問題が、一九一四年にケルンで開催された「ドイツ工作連盟博覧会」の折の会議で、ヘルマン・ムテジウスが行った演説によって提起されて、忽ち風雲急を告げることになったからである。その演説でムテジウスが挙げた十箇条の要求項目は、明らかにナウマンの論文の影響を受けており、もっぱら「型式（タイプ）としての物体（オブジェ）」（後出のル・コルビュジエの言う「物体としての型式」を参照のこと）を検討、改良する必要性に集中した。要求項目の一ならびに二において彼が論じたのは、建築もインダストリアル・デザインも、型式（ティピジールング）を洗練、発展させて始めて意義が認められるということであった。要求項目の三から十にかけて、彼は、高い水準の製品は国家的見地から必要であると論じた。なぜなら、そうした製品は世界市場において容易に買い手がつくはずだからだ、と説いた。同じく項目の九では大量生産を論じ、次のように述べている。「輸出の前提条件は、効率的な大企業の存在である。そのうえ、その

90　ベーレンス「AEGタービン工場」ベルリン，1908-09年

91　ベーレンス「AEG施設」ベルリン，1912年．向かって左側の建物は高圧工場，右側は組立工場

大企業の鑑識力に間違いがないことだ。芸術家がデザインした特殊な単品の物体では、ドイツの需要すら賄いきれないだろう。」

　国際的存在としての中産階級のために、文化的物体（オブジェ）のデザインを強調するこの日和見主義的主張は、ただちにアンリ・ヴァン・ド・ヴェルドの抗議に遭遇した。ヴァン・ド・ヴェルドは対立命題を提示し、「輸出用」芸術を拒否し、個人としての芸術家による創造の独立性を宣言した。彼にとって、またベーレンスにとっても、リーグルの言う「形態への意志」が辿る自然な過程だけが、洗練された「規範（ノーム）」の進化を徐々にもたらすはずであった。この問題について幾度も討論が繰り返されたが、ヴァン・ド・ヴェルドの陣営には、[21]ヴァルター・グロピウスやカール・エルンスト・オストハウスといったさまざまな人達からの熱い支援があった。そのため、ムテジウスは自説を撤回せざるを得なくなった。彼は、その十の要求項目を提示するに当たって、型式という理念を次のように改めた。「個性の尊重から型式の創造へという道筋こそ、有機的な発展の道程である。」「今日、こうした道筋こそ製造における方法であり、これによって製品は[…]確実に、改良されつつある。」さらに、彼は次のように言い切った。「本質的に、建築は型式的なものを目指している。型式は、異例なものを放棄し、秩序を確立する。」ムテジウスは、ゼンパーと同様、「型式（タイプ）」は二つの含意（コノテーション）を持っていると考えた。二つとは、「製品としての物体（プロダクト）」と「構築的な物体（テクトニック）」である。「製品としての物体」は、生産と使用によって次第に洗練されていく。「構築的な物体」は分割最小限の建築要素であり、建築言語の基本単位として機能する。

　ユーゲントシュティルが、突如、凋落するのを目の当たりにして、今度は、ほとんどの建築家が統辞法（シンタックス）を求めて、一九一四年の「ドイツ工作連盟博覧会」に集結した。その中にはムテジウス、ベーレンス、ホフマン等も含まれ、彼等は新古典主義を解釈し直した言語によって自己表現を試みた。こうした傾向に対して、例外となった建物が二つあった。その一つはヴァン・ド・ヴェルドの《工作連盟劇場》であり、他の一つはブルーノ・タウトの《ガラスのパヴィリオン》であった。劇場が、ヴァン・ド・ヴェルドの言う「形態の力」の美学による、擬似神智学的雰囲気を漂わせていたのに対して、パヴィリオンは、ベーレンスが一九〇二年のトリノ博覧会に設計した、玄関ホールの儀式的神秘主義を喚起させた。

　この一九一四年の博覧会は、「工作連盟」に所属する新しい世代の芸術家達を、[22]広く一般に喧伝するところとなった。その中にはグロピウスとアドルフ・マイヤーが含まれていたが、この二人は一九一〇年まで、ともにベーレンスの事務所で働いていた。一九一〇年から一九一四年にかけてのグロピウスの活動は、ベーレンスのベルリンでの活躍の後を継ぐものとなった。一九一〇年三月、グロピウスはＡＥＧのエミール・ラーテナウに住宅生産合理化計画の覚書を建白した。けだし、この計画はすでに一九〇六年、ヤニコヴに計画した労働者住宅によって例証されていた。この覚書は、当時二十六歳だったグロピウスの執筆だが、規格化集合住居単位のプレファブ生産、組立、そして流通を成功させる基本的前提条件を、徹底かつ明晰に説明したものとして今なおその価値を失わない。[23] 一九一一年、グロピウスとマイヤーの新しい共同事務所に、カール・ベンシャイトから、アルフェルト・アン・デル・ライネの敷地に《ファグス靴型工場》を設計する委嘱が舞い込んだ。一九一三年に出版された『ドイツ工作連盟年鑑』には、グロピウスの論文が掲載されているが、論文は産業施設を扱ったもので、挿図には「新世界」アメリカの平均的産業施設（インダストリアル・ヴァナキュラー）から採取した、穀物サイロや多層型工場などが掲載されていた。同年、グロピウスはインダストリアル・デザインにも着手し、ディーゼル機関車の車体や配置（レイアウト）、さらには寝台車の内部などを設計した。やがてグロピウスとマイヤーは、一九一四年の「ドイツ工作連盟博覧会」のために、モデル工場を設計することになった。

　グロピウスとマイヤーは《ファグス工場》の建物で、ベーレンスの《タービン工場》に見られる統辞法を、いっそう開かれた建築美学に改良した。《ファグス工場》の隅部は、ベーレンスのAEGの巨大な施設すべてと同様に、その構成を

92　グロピウスとマイヤー「ファグス工場」の詳細，アルフェルト・アン・デル・ライネ，1911年

93　グロピウスとマイヤー「ケルン・ドイツ工作連盟博覧会」モデル工場，1914年．左手の建物は事務所棟

囲み、抑えている。ベーレンスの隅部は必ず組積造であったが、《ファグス工場》の場合はガラスとなっている。垂直に立ち上がるガラス面は、わずかに内側に傾斜した化粧煉瓦の面よりも前に張り出して、あたかも屋上の立ち上がり壁から吊り下げられたような錯視を与える。こうした「吊り下げ（ペンダント）」効果は、隅部が透明なことも手伝って、いわば、ベーレンスの《タービン工場》の構成を逆転させているのである。そのうえ、この垂直なガラスの正面（ファサード）の平面性は、煉瓦貼りの骨組の「古典に倣った」ふくらみ（エンタシス）によって、一段と強調されている。だが、こうした逆転効果にも拘わらず、《ファグス工場》は、その非構築的なガラス面といい、古典的なものへの郷愁といい、充分、ベーレンスの影響を残しているのであった。

全体の構成の中で、隅部や胴蛇腹を強調する詳細部の特徴は、グロピウスとマイヤーの公共的作品のほとんどに見られるところとなり、一九二四年のグロピウスによるデッサウの「バウハウス」の建物にも認められる。このディテールの手法は、間違いなく、一九一四年の「工作連盟博覧会」のモデル工場複合体において、設計戦略として採用されたものであった。その時、ガラスの表皮（スキン）の身体性が、建物両端の螺旋階段を包み込む切れ目のない被膜（メンブレイン）となって現れた。このガラスの包装（エンヴェロープ）の中に、煉瓦造の器官（アーメチュア）が収められ、包むものと包まれるものとの隔離は、フランク・ロイド・ライトのスタイルを真似た、水平に突き出した屋根を持つ二つの展示館によって、いっそう強調された。このように、ガラスと組積造の役割を劇的に逆転させているにも拘わらず、工場の内部空間の配列は、有軸性で、階層性や統辞法のうえでも、「管理」要素と「生産」要素を分離するなど、きわめて常套的であった。公共的で、「古典主義的」で、「ホワイト・カラー」的な正面は前面に露呈され、私的で、実利的で、「ブルー・カラー」的なスティールの骨組構造は、背後に隠蔽されたのである。こうした「管理」と「生産」、公と私、「ホワイト・カラー」と「ブルー・カラー」という二元論による解決は、たとえ見事に分節、表現されようと、とうていベーレンスには受け容れ難いものであったろう。

ムテジウスとヴァン・ド・ヴェルドの分裂は、一九一四年の博覧会当時、「工作連盟」の作品のほとんどにすでに顕在化していた反動的精神を、鮮やかに露呈するものであった。一九一三年と一九一四年の『年鑑』は、それぞれ「通商産業における芸術」、「輸送」などの主題を掲げて、産業施設、鉄道車両、船舶、航空機の内装を特集していた。しかし、一九一五年の『年鑑』になると、「戦時下のドイツ的形式」という不穏な表題がつけられ、一九一四年の博覧会の圧倒的にネオ・ビーダーマイヤー風の作品について、懐古的に、多くの頁を割いたのである。先進工業国家の前途も偉業も、産業を巻き込んだ戦争によってたちまち費消されることになろうとは、とうてい予見するべくもなかった。その結果もたらされた悲劇は、たとい戦没者記念墓標の設計が「工作連盟」の芸術家達に委嘱され、優れた結果を生んだとしても、それで超克できるというものではなかった。因みに、その記念碑の設計は、一九一六年、一七年の『工作連盟年鑑』合併号の特集主題になった。

戦後、ベーレンスは立場を変えた。なぜなら、もはや「民族精神」は誰の目にも同じものではなかったからである。彼は、冷たい古典主義を捨て、産業の威力の象徴を断念した。それに替わって、ドイツ民衆の真の精神を表現するような建築の技法（アート）を改めて探究した。その結果は、ブルーノ・タウトの雑誌「オロール（曙光）」の誌上に紹介された。やがてベーレンスは、かつてのニーチェ風で、ネオ・ロマン主義的な自分自身を乗り越えて、中世に起源を持つ形態や、中世を連想させる形態へと遡行していった。しかし彼は、リーグルの言う「形態への意志」の救済能力を信ずることにおいては、微動だにしなかったのである。[24] I・G・ファルベン・トラストが、一九二〇年、[25]フランクフルト・ヘヒストに建てる新社屋の設計をベーレンスに委嘱した時、彼は、中世の公共建築の今や失われた統辞法を、煉瓦と石の構造によって再解釈することを企てた。そのI・G・ファルベンの建物の中心部には、神秘的で不思議な空間があり、そこは（一九〇二年のトリノ博覧会の玄関ホールを思わせ）儀式と再生を感じさせた。構造は、持ち送り状に組まれた煉瓦造で、その五層分吹抜けのホールには、小刻みに、彩色した面が刻み込まれ、頂部には結晶状の図柄の明かり窓を戴いている。この空間は、青年時代のベーレンスが望んだ、大向こうを狙った空間の引喩であり、またブルーノ・タウトの「ガラスの鎖」（次章参照）の全メンバーを等しく魅了した「文化の象徴」の引喩でもあった。同様な衝撃は、一九二〇年代にベーレンスが設計した、小規模な博覧会のための施設にも現れていた。例えば一九二二年、ミュンヘン応用美術博の折に設計した、勾配屋根に斜め模様の煉瓦造の聖堂石工用宿舎（ドムバウヒュッテ）とか、一九二五年、パリ装飾美術博の折に建てた、ライト風のガラス張り温室などである。それ以来、ベーレンスの作品はアール・デコ様式に接近することになった。一方それに対して、「ドイツ工作連盟」の将来は、「新即物主義運動（ノイエ・ザッハリヒカイト）」[27]と切り離せないものとなった。やがて、この運動は「工作連盟」の後援の下で、一九二七年、シュトゥットガルトにおいて開催された国際集合住宅展（かの有名なワイゼンホーフ・ジードルングを含む）において最高頂に達したのである。

第13章　ガラスの鎖：ヨーロッパの表現主義建築　一九一〇〜一九二五年

われわれの文化を高い水準にひき上げるためには、何が何でも、建築を変えなければならない。そして建築を変えるのはわれわれが暮らしている部屋の閉鎖性を解き放つことによって初めて可能になるだろう。ガラスの建築を導入することによって初めて建築に変化が訪れるのである。ガラスの建築は陽の光や、月の光や、星の光をわずかな窓を通してではなく、できるだけ多くの壁を通して部屋の中へと導き入れるのである。こうした壁はすべてガラスで、しかも色ガラスでできているのである。

——パウル・シェーアバルト『ガラス建築』一九一四年

ガラスの使用ということが、詩人パウル・シェーアバルト[1]の文化的想像力を高揚させ、その想像力は非抑圧的感性への憧憬を結束し、その結果、一九〇九年、ミュンヘンに初めて「新芸術家連合」が創立された。この原初的表現主義芸術運動は、画家ワシリー・カンディンスキー[2]によって指導されていたが、早くも翌年には、二つの無政府主義系の刊行物からの支持を取りつけた。ヘルヴァルト・ヴァルデン[3]の、週刊誌「シュトルム（嵐）」と、フランツ・プェムファート[4]の「アクツィオン（行動）」[5]である。これらの雑誌は、いずれもベルリンの定期刊行物であったが、「ドイツ工作連盟」の設立によって創始された、国家文化に対抗する反文化(カウンター・カルチャー)を奨励するものであった。一九〇七年、シェーアバルトは、そうした動きとは無関係に、ユートピアの未来について「SF」的イメージを打ち出した。そこに描かれた未来は、ブルジョワの改良主義にも、産業国家の文化にも、等しく敵意を見せていた。

一九一四年のケルン「工作連盟博覧会」は、規格的形態(ティピジールング)の全面的容認か、表現的「形態への意志(クンストヴォーレン)」の個人的支持かを巡って、同連盟内に潜むイデオロギー的対立を露呈する結果になった。この対立は、ベーレンスの新古典主義的《大会堂》と、ヴァン・ド・ヴェルドの有機的形態の《劇場》との対照となって現れたが、さらに多くの点で、グロピウスとマイヤーの《モデル工場》と、ブルーノ・タウトの幻想的《ガラスのパヴィリオン》との差異も同様であった。そして、この平行状態こそ「工作連盟」のデザイナー達の間に、一世代以上にわたって続くことになる分裂をもたらしたのである。ベーレンスとグロピウスは、規格的様態、すなわち古典的なものを志向し、ヴァン・ド・ヴェルドとブルーノ・タウトは、彼等の作品において自由に表現される「形態への意志」を明示しようとしたのである。

　シェーアバルトの著書『ガラス建築』の箴言(しんげん)風の短文は、タウトに献呈された。一方タウトは、その《ガラスのパヴィリオン》の中に、シェーアバルトの次のような警句を刻み込んだ。「光は結晶を求める」、「ガラスは新時代をもたらす」、「煉瓦文化はもうたくさんだ」、「ガラスの宮殿なくば、この世は重い」、「煉瓦の建物は有害無益」、「色ガラスで憎しみは消える」。こうした警句は、タウトの《パヴィリオン》が光に寄進されたことを示すものであった。その光は、幾つもの切り子面の丸天井(キューポラ)やガラス・ブロックの壁を透過して、ガラス・モザイクを張り巡らした中央の七層からなる部屋を照明している。タウトによれば、この結晶(クリスタル)状の構造物は、一九一三年のライプツィヒ鉄鋼博覧会に建てた旧作の《パヴィリオン》を下敷きにしたものであり、ゴシック聖堂の精神に則って設計されたという。それは実に、「都市の冠」であった。あらゆる宗教建築の普遍的パラダイムとしてタウトが主張する、ピラミッド状形態であった。この形態は、宗教建築が鼓吹する信条もさることながら、社会再建のために必要欠くべからざる都市要素であった。

　シェーアバルトの想像力が放つ社会的、文化的意味は、一九一八年になって、建築家アドルフ[6]・ベーネによって拡大された。

「ガラス建築が新しい文化をもたらすだろうということは、決して詩人の気まぐれな戯言(ざれごと)ではない。それは事実だ。新しい社会福祉組織も、病院も、発明も、技術革新も、改善も、新しい文化をもたらすことはないだろう。ガラス建築が新しい文化をもたらすだろう。[…]だから、ヨーロッパの人間が、ガラス建築は落ち着けないものになりはしないかと心配するのは、もっともだ。きっとそうだろう。そのうえ、それは少しも好都合なことではない。というのも、何よりもまず、ヨーロッパの人間はぬるま湯の状態からもぎ離されるに違いないからである。」

　一九一八年十一月の第一次世界大戦停戦に際して、タウトとベーネは、「芸術のための労働者評議会」の組織に着手した。しかし、これはやがて、同時期に形成されたやや大きな「十一月グループ」に合併されてしまった。この「芸術のための労働者評議会」の基本目標は、タウトが一九一八年に著した「建築綱領（アルヒテクトゥアプログラム）」の中に明らかにされている。それは、新しい総合的な芸術作品は、人々の積極的参加によって創造されなくてはならないと論じていた。一九一九年の春、「芸術のための労働者評議会」の宣言は、その一般原則を次のように改めた。「芸術と人々は一体とならなければならない。芸術はもはや少数者の贅沢ではなく、広範な大衆の享受し、経験するものでなければならない。目的は、偉大なる建築の翼の下で、諸芸術が相携えることである。」ベーネ、グロピウス、タウトに率いられ、さらに「[7]ブリュッケ（橋）」の画家達もメンバーに加えたこの「芸術のための労働者評議会」は、ベルリン市の内外に住む芸術家、建築家ならびに後援者、約五十名を擁していた。その中には、[8]ゲオルク・コルベ、[9]ゲアハルト・マルクス、[10]ライオネル・ファイニンガー、[11]エミール・ノルデ、[12]ヘルマン・フィンスターリン、[13]マックス・ペヒシュタイン、[14]カール・シュミット・ロットルフ、そして建築家の[15]オットー・バルトニング、[16]マックス・タウト、[17]ベルンハルト・ヘートガー、アドルフ・マイヤー、それにエリック・メンデルゾーンなどがいた。一九一九年四月、前記五人の建築家達は「無名建築家展覧会」と題して、空想的な作品の展覧会を催した。この展覧会の小冊子のために書いたグロピウスの序文は、実は、同じ月に発表された「ワイマール・バウハ

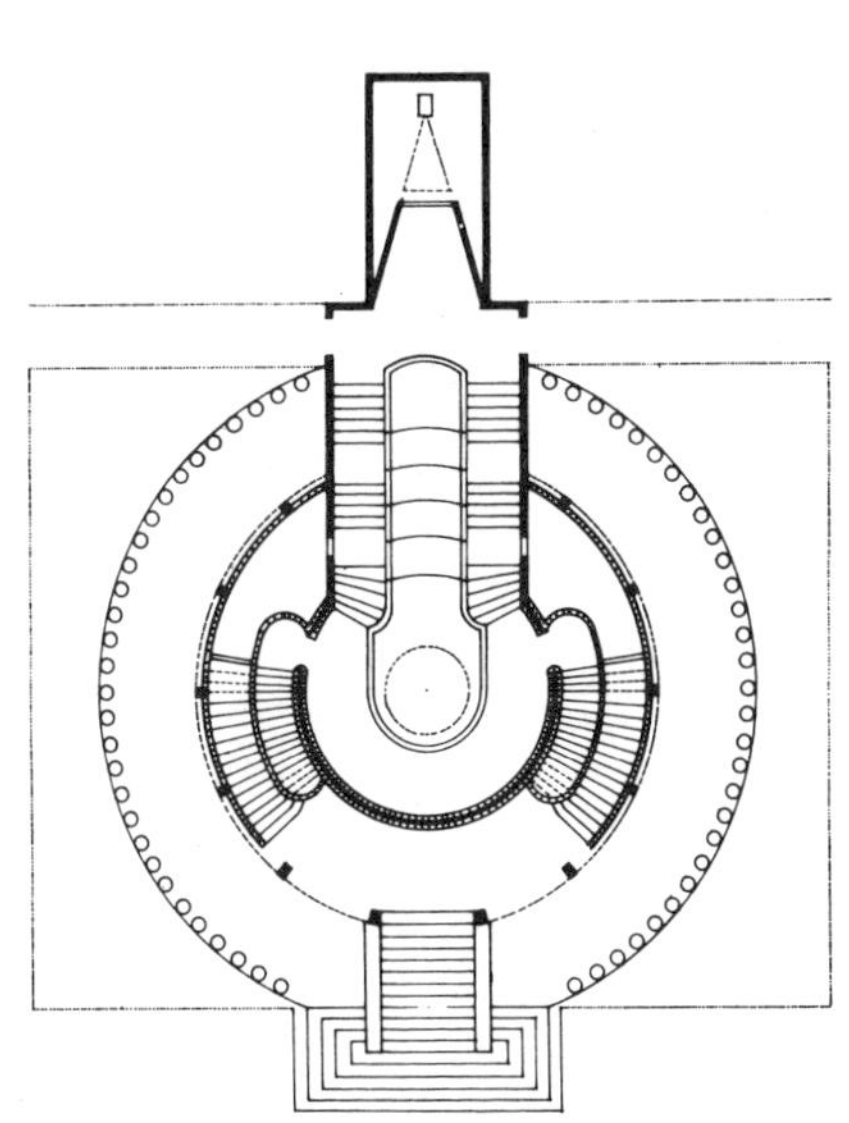

94　タウト「ケルン・ドイツ工作連盟博覧会」「ガラスのパヴィリオン」1914年．立面図と平面図

95　タウト「ケルン・ドイツ工作連盟博覧会」「ガラスのパヴィリオン」，内部の踏み段と滝

ウス綱領」とほぼ同じ内容であった。

「われわれは共同して新たな建築の概念を求め、夢み、創造しなければならぬ。画家、彫刻家よ、建築をめぐる垣根を打ち破ろう。そして芸術の究極の目標に向かって共同の建設者、共同の戦士となってくれ給え。目標は、「未来の大聖堂（カテドラル）」という創造的理念である。これこそあらゆるものを、建築、彫刻、絵画を、再び一つの形態の中に包摂することになるだろう。」

まるで中世期さながら、社会の創造的エネルギーの統一を可能にする新しい宗教的建物を望むこうした要求は、一九一九年に行われた同グループの意見調査に対するベーネの返答に、反響のように響き渡っていた。ベーネの意見は小冊子として出版され、「しかり！　ベルリンの芸術のための労働者評議会の見解」の表題を付けることになった。

「私にとって、最も重要と思われるのは、神の理想的な住まいを建設することである。しかし、それはいかなる特定の教派に属するものではなく、まさしく宗教そのものの住まいなのである。[…] われわれは、新しい宗教心など待つことはない。われわれが宗教心を待つよりも、宗教心の方がわれわれを待っているかもしれないのだ。」

一九一九年、スパルタクス団の反乱が鎮圧されて、「芸術のための労働者評議会」の目覚しい活動も頓挫した。そのため、この集団のエネルギーは、手紙という手段をとって、交換されることになった。これが「ガラスの鎖」と言われるものである。ブルーノ・タウトの発案によるこの「ユートピア回状」は、一九一九年十一月、「われわれの誰もが頻繁に、形式にとらわれずに、気力の充実するがままに [...] 同志の面々と分かち合おうという、さまざまな理念に形象を与え、そして手紙を書くことにしようではないか」という呼びかけによって始まったのである。この回状には十四人の同志が加入したが、後年、重要と見なされる作品を作ったのは、そのうちの約半数でしかない。タウトは自称グラース（ガラス）といい、ほかにグロピウス（マース＝物差し）、フィンスターリン（プロメテ）とブルーノの弟のマックス・タウトがいた。なお、マックス・タウトは本名を使った。この内輪の同志のほかに、何人かの建築家も加わったが、彼等はかつての「労働者評議会」時代には周辺にいて目立たなかったが、その中で、ハンス[18]とワシリーのルックハルト兄弟、ハンス[19]・シャロウンはよく知られていた。この「ユートピア回状」は、タウトの雑誌「オロール（曙光）」への材料提供に一役かっていたが、その他、同志の者達の立場や姿勢を表明したり、展開させたりするうえでも役立った。タウトとシャロウンは、無意識の創造的役割の重要性をとくに強調した。一九一九年、シャロウンは次のように書いている。

「われわれは、われわれの祖先から伝わる血が、創造の波また波を引き起こすままに、行動しなければならぬ。そしてわれわれは、創造活動の特徴や因果について完全に把握できれば、それで満足なのだ。」

　しかしながら、一九二〇年になると、「ガラスの鎖」の結束に破綻が見え始めた。ハンス・ルックハルトが、自由で無意識な形態と合理的な工場生産とは、ある意味で両立するものではないとしたためである。その年、彼はこう書いた――。

「こうした深い精神的な努力に対立するのが、自動的なプロセスへと向かう趨勢である。いわゆる「テイラー・システム」[20]の発明は、この趨勢の典型的特徴である。時代のこうした傾向を認めないのは、全くの錯誤というものであろう。これは歴史的事実なのである。ましてや、それが芸術と敵対することなどあろうはずがない。」

　ルックハルトの合理思想は、一九一四年当時の「工作連盟」を二分したあの問題を蒸し返しかねないほどの影響力を発揮した。しかしタウトは、一九一九年に刊行した著書『アルプス建築』、『都市の冠』で初めて表明したシェーアバルト風の見解を堅持し、一九二〇年には、有名な著作『都市の解体』を刊行することになる。彼は、ロシア革命を奉ずる社会主義者の都市計画家達と共通して、都市の解体と都市人口の田園回帰を推奨した。彼の最も実践的な面を示すものに、農業と手工業とを基盤にした共同体のモデルを作る試みがあった。一方、彼の最も空想的な面を示すものに、アルプス山中にガ

96　ペルツィッヒ「大劇場」ベルリン，1919年

97　ペルツィッヒ「化学工場」リューバン，1912年

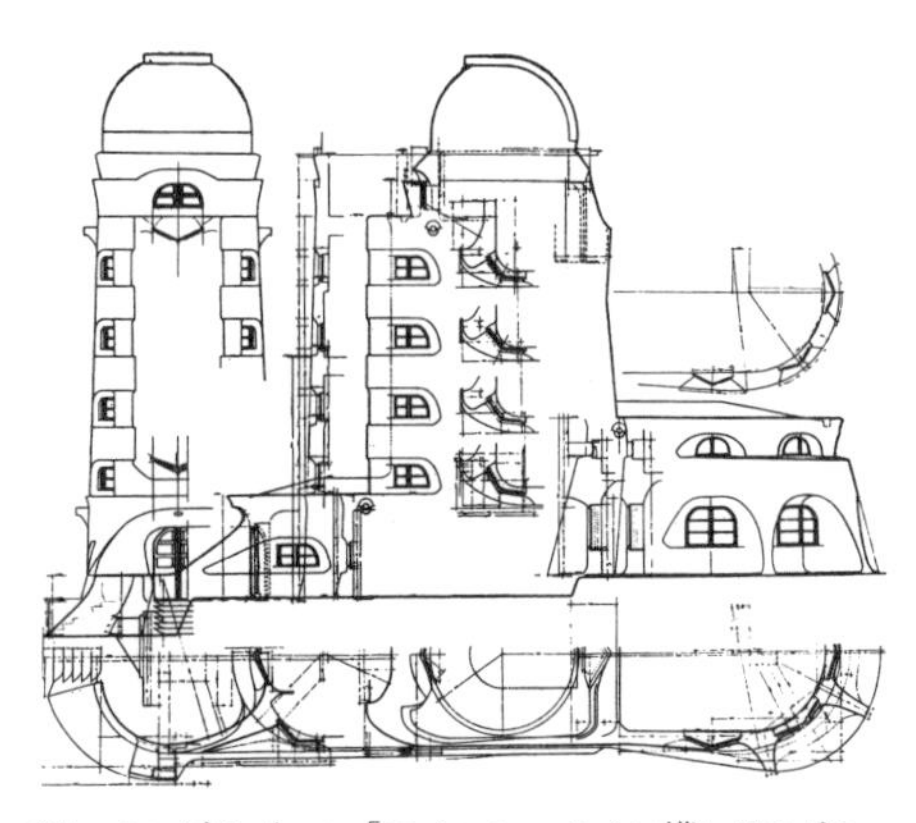

98　メンデルゾーン「アインシュタイン塔」ポツダム，1917-21年，正面図と側面図と平面図（半切）

ラスの神殿を建設する計画があった。タウトがクロポトキンの影響を受けた計画案の中で代表的なものは、円形で、放射状に仕切られた農業定住地のモデルである。その中心部は三つの独立した居住区域がそれぞれ分類され、市民に充てられていた。分類には「知識人（キュンダー）」「芸術家（キュンストラー）」「子供達（キンダー）」の三つがあり、それぞれ菱形をした中庭を中心としていた。この三部構成の組織は、中央の結晶状の「天の家（ハウス・デス・ヒンメル）」へと向かう求心性を持っていた。この「天の家」で、共同体の統治者達による集会が開かれることになっていた。タウトが構想したこうした共同体の階層的な社会制度に、独裁主義的とは言わないまでも、ファシズムの萌芽が含まれていたことは、彼の無政府主義的社会主義にとって逆説の一つである。そしてファシズムは、ほどなく、国家社会主義のいわゆる「血と土」の文化運動によって流布されることになるのである。

　一九二一年、ブルーノ・タウトはマグデブルク市の建築監督官になると、日頃胸に秘めていた「都市の冠」の構想を、翌年設計する市立展示会館の中に実現しようと企てた。しかしその頃には、雑誌「オロール」を通して喧伝してきた運動も陰りを見せ始めていた。このためタウトは、前任者ハンス・ルックハルトと同様、ワイマール共和国の厳しい現実と妥協しなければならなかった。その当時、実際的な要求を突きつけていた社会には、シェーアバルトのガラスの楽園を顧みる余裕などなかったのである。一九二三年になると、そうした状況はさらに一段と厳しくなった。タウトは政府から委嘱を受けて、最初の低廉集合住宅の設計を弟マックスと一緒に着手することになった。

　逆説的なことに、結晶状の「都市の冠」の基本的イメージを実現することになったのは、ブルーノ・タウトではなく、[21]ハンス・ペルツィヒであった。彼が、一九一九年、ベルリンでマックス・ラインハルトの依頼によって設計した五千席の劇場は、形態といい、空間といい、光芒を放ちながら明滅する様相は、タウトが戦後手がけたどの計画案よりも、遥かにシェーアバルトの空想に近いものだった。ワシリー・ルックハルトは、その鍾乳洞のような幻想的室内について次のように書いた。

「大きいドームの内部には、無数のさまざまなペンダントが吊り下がり、それらを取りつけた円天井の窪みに沿って、ゆるやかな曲線を描いている。そのため、光がそれらの先端に取りつけられた小さな反射板に当たると、無窮の果てへと引き込まれるような印象が生ずるのだった。」

　ペルツィヒは、一九一一年、ブレスラウで建築家として独立したのち、独創力に富んだ作品を二つ実現させたが、そのいずれもが、タウトとメンデルゾーンの後年の形態言語を予告するものであった。一つはポーゼンの《水道塔》であり（「都市の冠」の形象化とでも言うか）、他の一つはブレスラウのオフィス・ビルである。このオフィス・ビルこそ、メン

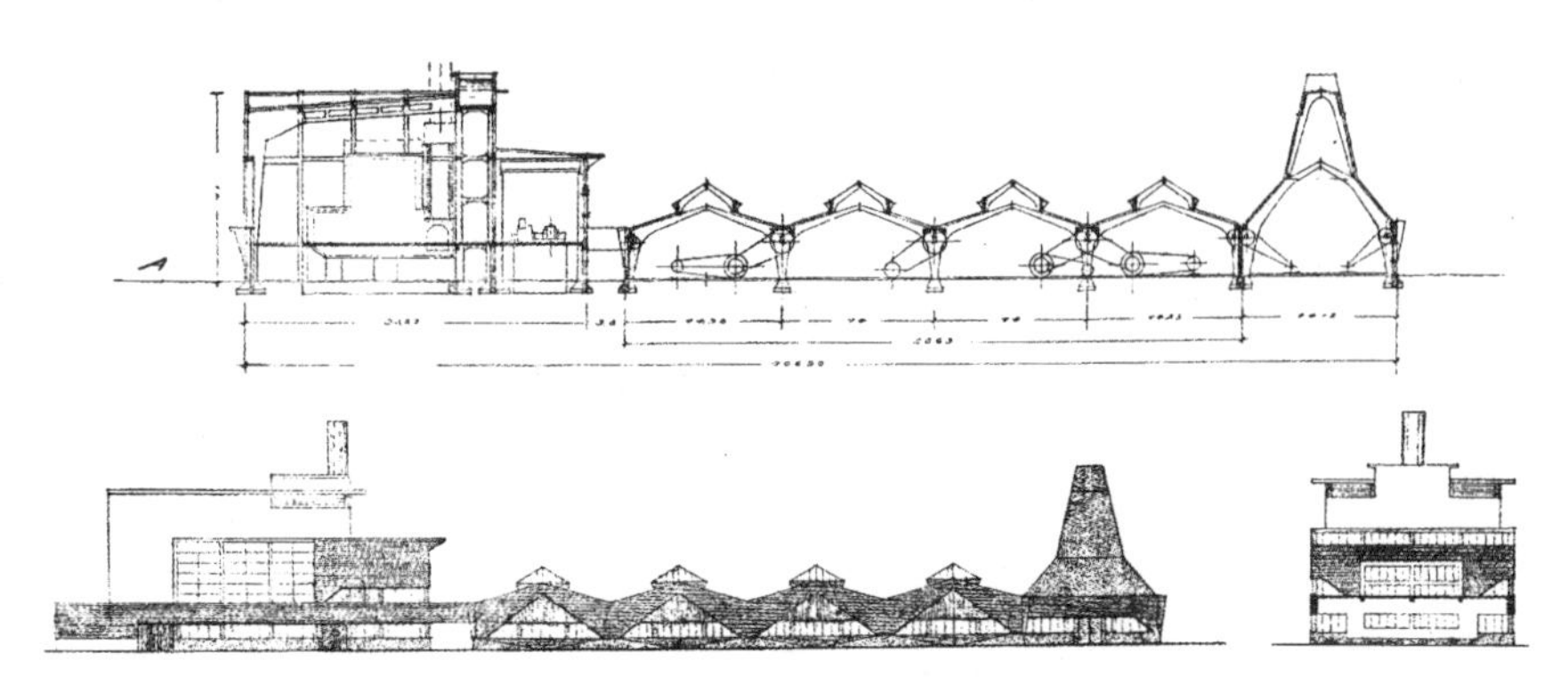

99　メンデルゾーン「帽子工場」ルケンヴァルデ，1921-23年．縦断面図と側面図と背面図

100　メンデルゾーン「ペータースドルフ百貨店」ブレスラウ，1927年

デルゾーンが一九二一年建てた「ベルリナー・ターゲブラット」本社ビルの基本形式を先導するものであった。加えて、ペルツィヒが一九一二年、ルーバンに建てた、分節表現（アーティキュレーション）のきわめて明瞭な煉瓦造の《化学工場》は、ベーレンスが当時AEGの依頼に応じて作った産業様式に匹敵するほどであった。

第一次世界大戦後の一九一九年、「工作連盟」の議長に納まったペルツィヒは、その議長就任演説の中で、「規格化（ティピジールング）」をめぐる論議を再度取り上げる一方、「形態への意志（クンストヴォーレン）」の原理を再度、しかも効果的に論じた。一年後、ザルツブルクの祝祭劇場計画案では、彼は「ガラスの鎖」の芸術家達との友好関係を裏書きするように、新たに考えついたペンダントという主題を積み重ねて、雄大な比例関係（プロポーション）を持つ「都市の冠」の形象（イメージ）を作り上げた。この計画案は、一九一七年のイスタンブールの《友好会館》計画案と同様、アーチ状の形態が、ジッグラト（階段状ピラミッド）のように何段にも積み上げられ、その内部は、ことごとくペンダントからなる、プリズムのように七色に輝く洞窟となっていた。このほかにもペルツィヒは、パウル・ヴェーゲナー[22]監督の映画『ゴーレム』の背景（一九二〇年）などをデザインしたが、とりわけ演出家マックス・ラインハルトの劇場は、ペルツィヒとしては最後の充実した表現主義的作品であった。一九二五年になると、ベルリンの《キャピトル・シネマ》に見られるとおり、ペルツィヒは早くも、秘儀的古典主義の暗闇へと後退したのである。

メンデルゾーンが「都市の冠」を自己流に解釈して実現したのが、一九一七年から一九二一年にかけて、アルベルト・アインシュタインの求めに応じて、ポツダムに建てた観測塔《アインシュタイン塔》である。これは、ヴァン・ド・ヴェルドの《工作連盟劇場》の彫刻的形態と、ブルーノ・タウトの《ガラスのパヴィリオン》の一体的輪郭とを組み合わせたものだが、この設計の発端は、実は一九一四年の「工作連盟博覧会」そのものにあった。しかし、《アインシュタイン塔》の最終的な輪郭には、オランダの建築家エイビンク[23]とスネルブラント[24]による、藁屋根を戴いた土着的（ヴァナキュラー）な作品との形態的親近関係が見られる。因みに、この二人のオランダ建築家は、テオ・ファン・ウェイトフェルト[25]の雑誌「ウェンディンヘン（回転）」に集まったオランダ表現主義の一翼、極端な有機派を代表していた。したがって、メンデルゾーンが観測塔完成直後、ウェイトフェルトの招きに応じてオランダを訪れたのは驚くにあたらない。その時メンデルゾーンは、「ウェンディンヘン」サークルの作品を見るつもりであった。彼はアムステルダム滞在中、当時、工事中であった表現主義的集合住宅を幾つも見て回った。それらは、ベルラーヘによるアムステルダム・サウス地区計画の一環であり、その中には、ミヘル・デ・クラーク[26]の集合住宅《アイヘン・ハールト》[27]（一九一三～一九年）やピート・クラーメル[28]の《デ・ダヘラート》[29]

（一九一八～二三年）なども含まれていた。これらの集合住宅は、装飾煉瓦やタイル煉瓦などで仕上げられていたが、ウェイトフェルトを指導者とする「土着」志向派の建築家が、きわめて彫塑的で土俗的傾向に熱中しているのに較べると、二人の作品は遥かに構造的考え方を示していた。メンデルゾーンは、ウェイトフェルト、デ・クラーク、クラーメルといったアムステルダム派以外の流派に属するオランダ建築家の何人にも会い、彼らからも影響を受けた。その中には、ロッテルダムの合理主義建築家J・J・P・アウト(30)や、ヒルヴェルスムで活躍しているライト風の建築家W・M・デュドク(31)がいた。メンデルゾーンは、夫人へ宛てた手紙の中で、アムステルダム派、ロッテルダム派、どちらに対しても十分に納得ができなかった理由を次のように説明している。

「分析的なロッテルダムは空想性を拒む。一方、空想的なアムステルダムは客観性が理解できない。いずれにせよ、機能が基本的要素であることは確かだ。だが、感性を欠いた機能なんて、ただの箱作り（コンストラクション）じゃないか。僕は、これまでよりますます両者の間を行く計画を立てるだろう。[…]ロッテルダムは単なる箱作りを続けるだろう。なにしろ恐ろしく冷たい気質だからね。一方、アムステルダムは自分自身の運動の炎で燃え尽きてしまうだろう。機能・プラス・力動性、これは挑戦だ。」

101　ヘーリング「ガルカウの農園施設」1924年．畜舎と納屋

この手紙が示唆しているように、オランダ表現主義の構造性優先という特徴は、すぐさまメンデルゾーンのその後の展開に刺激を与えた。オランダ訪問後、彼はポツダムの観測塔の造形性から一転して、素材に特有な構造を表現することに関心を抱き始めた。一九二一年から二三年にかけて、メンデルゾーンがルケンヴァルデに建てた《帽子工場》は、オランダ建築からの影響をよく映し出している。デ・クラークの手法によってまとめた染色工場棟と生産工場棟には、切妻・勾配屋根が架けられ、それらと、平らな陸屋根の動力棟とは強い対照を見せている。そして、この動力棟の、煉瓦とコンクリートによる「立体主義的」層状の表現は、デュドクの初期の作品を想わせる。この《帽子工場》に見られる、劇的にそ

そり立つ生産領域の形態と水平な管理領域の形態の対立という基本原理は、一九二五年、レニングラード（現サンクトペテルブルグ）に計画された織物工場において繰り返された。だが、この場合にはさらなる一歩が印されることになった。その一歩とは、織物工場の管理棟を水平に走っている繰形の帯が、その後一九二七年から一九三一年にかけて、ブレスラウ、シュトゥットガルト、ケムニッツ、ベルリンと、次々に建てられた百貨店の輪郭を予告していることである。それ以降のメンデルゾーンは、レイナー・バンハムが述べているように、「見たところ整然とした輪郭を見せる、幾何学的で単純な単位の構造的集積を心掛けたのである。」

一九二四年、リューベック近傍ガルカウに建てられた《農園施設》は、[32]フーゴー・ヘーリングの傑作と言われるが、そこに見られる、大きい構築的要素や曲線を描く建物隅部と対照となる勾配屋根のついた形態に、同様な表現主義的用法が見られるのである。この作品を遡ること数年前、ヘーリングはベルリンで、四歳年下のミース・ファン・デル・ローエと事務所を共同で使用したことがあった。さらに、ほんの短い期間ではあるが、この二人が互いに影響を与え合ったことは確かである。このことは、一九二一年の有名な《フリートリッヒシュトラーセ・オフィス・ビル》設計競技の二人の応募案を見ると明白である。そこでは二人とも、形態の発生に関して、同様な有機的考え方を採用したのである。しかしながら誰もが予想するとおり、全面的にガラスを採り入れた構造を提案したのはヘーリングではなくミースであった。ガラスという材料の反射性に対するシェーアバルトばりのミースの思い入れは、タウトの雑誌「オロール」の一九二二年終刊号に掲載された、ガラスのスカイスクレイパー（摩天楼）という、尋常ならざる計画案の中にも示されていたのである。

メンデルゾーンと同様に、ヘーリングも機能の優先性を信じたが、彼は、要求項目のいっそう深い理解に基づいた形態を考案することで、単なる有用性という原初的性質を超越しようとした。しかしながら、シャロウンと同様、彼の形態の決定はしばしば単純に生物学的形態の模倣に過ぎないことがあった。この点、シャロウンが一九二八年、ブレスラウに建てた「住宅と労働展覧会」のための建物は、ヘーリングによる一九二四年の《アルブレヒト皇太子庭園》の住宅計画からの影響を受けたと見ることもできよう。ヘーリングは、明らかに表現主義的傾向を見せているが、形態の内発的起源に関心を抱き続けたのである。内発的起源とは、彼が「器官作用」と名付けたものであり、「有機体」の持つ活動内容の本質である。それに対して「形態作用」と呼ばれる、表層に関わる表現がある。こうした二重構造について彼は次のように書いている。

「われわれは事物を研究して、事物独自の形象を発見できるようになりたい。事物に、外側から形態を与えることなど、もとより私の意図ではない。［…］自然界においては、形象とは、全体と部分が充分に、そして効果的に生かされるように、同等に整合された結果なのだ。［…］もしわれわれが、外側から形態を押しつけるのではなく、「真実」の有機的形態を発見しようと努めるなら、われわれの行動は自然と一致する。」

一九二三年、「ベルリン分離派（セセッション）展」の時、ハンスとワシリーのルックハルト兄弟は、ミースやその当時の友人達と語らって、さらに機能的かつ即物的な建設方法を展示することに意欲を燃やした。この時の集まりが次第に発展して、翌年には「十人の環（ツェーナーリング）」の結成を見るに至った。一九二五年、「十人の環」はヘーリングを幹事役として[33]「デル・リング」というグループに改組された。この時は、さまざまな立場の間に何らの分裂を生ずることなく、結束を見たのである。実は、彼等の集団的エネルギーは、時のベルリン市建築監督官[34]ルートヴィッヒ・ホフマンの反動政策に対抗しようと結集したからである。

しかし一九二八年、この抗争に勝利を収めたあと、ヘーリングの「有機的なもの」への関心は、当然のことながら、ル・コルビュジエとの確執を生ずることになった。それはスイス、ラ・サラに、「近代建築国際会議（CIAM）」が設立されるに際して、ヘーリングが「デル・リング」の書記として参加した時のことであった。この時、ル・コルビュジエは、機能主義と純粋な幾何学的形態を持つ建築を声高に主張した。それに対してヘーリングは、「有機的」に建てるという彼自身の構想によって、会議の大勢を掌握しようと試みたが、徒労に終わった。ヘーリングが失敗したことは、かえって、彼の考え方が規格に捉われない、「場所」に根ざした特徴を持っていることを明らかにすることになった。それだけではない。シェーアバルト流の夢想が、遂に決定的に終焉したことも示すことになったのである。第二次世界大戦後になって、一九五四年から一九五九年にかけて、シュトゥットガルトでハンス・シャロウンが《ロメオとジュリエット・アパートメント》を建てた時、また一九五六年から六三年にかけて、ベルリンで彼の最後の傑作《ベルリン・フィルハーモニー・ホール》を建てた時、シャロウンは、まさにヘーリングのヴィジョンを展開させたのである。しかし、その「有機的」考え方の特異性は、その後、流布する機会には恵まれていない。

第14章　バウハウス：理念の進化
一九一九～一九三二年

職人と芸術家の間に越えがたい障壁となっている階級差別を排除した、新しい、職人のギルドを作ろう。職人も、芸術家も、ともに新たな未来の建物を考えて、ともに作ろうではないか。その時、建築も彫刻も絵画も一つに結束するだろう。いつの日か、その建物は、百万の労働者の手によって、新しい信仰の結晶を象徴するように、天に向かって立ち上がるだろう。

——「ワイマール・バウハウス宣言」一九一九年

「バウハウス」は、二十世紀への転換期に、ドイツで行われた一連の応用美術教育改革の成果であった。その改革の筆頭に挙げられるのが、一八九八年のカール・シュミットによる「ドレスデン手工芸工房」の創立である（これはやがて「ドイツ工房」となり、一九〇八年ヘレラウの田園都市へ移転した）。一九〇三年には、ハンス・ペルツィヒとペーター・ベーレンスが、それぞれブレスラウとデュッセルドルフの工芸学校の校長に任命された。一九〇六年になると、ベルギーの建築家アンリ・ヴァン・ド・ヴェルドの指導の下に、「ワイマール大公手工芸学校」が設立されることになった。ヴァン・ド・ヴェルドは、《美術アカデミー》と《手工芸学校》の両校舎を設計して、大いに覇気を示したにも拘わらず、在任中は職人のための比較的穏健な「芸術講座」を開設した以外は、さしたる業績もなかった。一九一五年、彼は周囲と馴染めずに辞職を余儀なくされたが、退職に際して、後任者に相応しい人物としてザクセン州内閣に推挙したのが、ヴァルター・グロピウス[1]、ヘルマン・オプリスト[2]、アウグスト・エンデルであった。その時、ザクセン州内閣と「大公美術アカデミー」校長[3]フリッツ・マッケンゼンとの間で、美術と応用美術の教育上の主導権をめぐって議論が行われたが、折しも第一次世界大戦中のこととて、議論は直ちに決着がつかなかった。当時、グロピウスもこの議論に加わり、応用美術の独立のために論陣を張った。彼が擁護したのは、デザイナーにとっても職人にとってもワークショップ中心のデザイン教育であった。それに対して、校長マッケンゼンはプロイセンの伝統に固執し、芸術家的職人は「美術アカデミー」で訓練されるべきだとして譲らなかった。このイデオロギー上の対立は一九一九年、妥協を見ることになった。その結果、グロピウスは「美術アカデミー」と「手工芸学校」とからなる合併教育機関の校長となった。そして、この措置によって、「バウハウス」はその存続中、常に基本理念において、周囲から一線を画すことができたのである。

一九一九年に発表された「バウハウス宣言」の原則は、一九一八年の遅くに公表された、ブルーノ・タウトの「芸術のための労働者評議会」の建築綱領の中で予告されていたものであった。タウトは、新しい文化の統一は、新しい建設の技術によってのみ達成されるとし、その時、個々の専門分野は、それぞれ文化統一という究極的形態に寄与することになるだろうと論じた。「この時、手工芸、彫刻、絵画、それぞれの間の境界は消滅するだろう。あらゆるものが一つになる。すなわち、建築となる」と彼は書いた。

これは「総合芸術作品（ゲザムトクンストヴェルク）」という理想を、無政府主義の形に書き改めたものといえるが、それはグロピウスの度重なる推敲を経たものであった。すなわち一九一九年四月、彼は「芸術のための労働者評議会」が組織した「無名建築家展」の小冊子に執筆し、それとほぼ同じ頃、「バウハウス宣言」を書いているのである。彼は、小冊子では、すべての美術家にサロン美術を拒絶するよう要求し、未来という隠喩に富んだ大聖堂（カテドラル）に仕えるべく手工芸に回帰しよう——「建設に参加して、それらに童話の世界を与えよう［…］たとい技術的に困難でも、空想によって建てよう」——と呼びかけ、他方、「宣言」の中では、「バウハウス」のメンバーに、「職人と芸術家の間に越えがたい障壁を築いている階級差別を排除した、新しい、職人のギルドを作ろう」と勧告している。

「バウハウス」という言葉からして、意図的に、中世の「バウヒュッテ」すなわち石工小屋を想わせるものである。そのため、グロピウスは、後込みする州政府を説得して、やっと「バウハウス」を、新設された教育機関の正式名称に採用させたのである。この言葉に言外の意味を持たせたことが、実は遠謀深慮であったことは、一九二二年[4]のオスカー・シュレンマーの手紙から確認できる。

「そもそもバウハウスは、社会主義の大聖堂を建てるという構想によって立てられたものだし、各ワークショップは、その大聖堂の現場小屋に似せて作られたものだ。目下のところは、この大聖堂という理念は舞台裏に引っ込んで、それに代わって芸術性の濃厚な理念が表に現れている。今日、ぼくらはせいぜい修道院ぐらいのことを考えるべきであって、たぶん、そんなことぐらいしか考えられないだろう。［…］経

103　イッテン．自分のデザインしたゾロアスター教の衣装を着けている．1921年

102　ファイニンガー「バウハウス宣言」のための木版画，1919年．社会主義の聖堂すなわち未来の聖堂

104　グロピウスとマイヤー「シカゴ・トリビューン社屋設計競技応募案」1922年

済的な苦境にあっては、ぼくらの仕事は、質実剛健を先導することだろう。つまり、日常生活のあらゆる必需品に相応しい単純な形態を見出すことだ。上品でかつ心の籠った形態を見出すことなのだ。」

「バウハウス」は当初の三年間というもの、スイスの画家・教育者のヨハネス・イッテン[5]というカリスマの存在によって抑え込まれていた。彼は一九一九年の秋に「バウハウス」にやって来た。それより三年前、彼はフランツ・チゼク[6]の影響の下に、ウィーンで独自の美術学校を開設したところだった。チゼクは、画家オスカー・ココシュカ[7]や建築家アドルフ・ロース等の無政府主義的な、反分離派（セセッション）活動に染め上げられた熱気に満ちた雰囲気の中で、独自の教育体系を展開していた。それは異なった素材やテクスチャーのコラージュを作ることによって、個人の創造性を刺激するというものであった。彼の理論は、フレーベルやモンテッソリ[8]の方式から、アメリカのジョン・デューイ[9]に始まり、一九〇八年以後ドイツでは教育改革者ゲオルク・ケルシェンシュタイナー[10]によって盛んに普及した「経験による教育」運動に至る、進歩的な教育理論に満ちた文化状況の中で育まれ、成熟したものである。イッテンがウィーンの学校で行った教育や、「バウハウス」で始めた「予備課程（フォールキュルス）」での教育は、このチゼクに由来するものであったが、イッテン自身も、師のアドルフ・ヘルツェル[11]の形態・色彩理論によって自分の方法を充実させていた。イッテンの基礎課程は、初年度の学生の必須課目であったが、その目的は個人の創造力を解き放ち、学生一人ひとりに自分の特殊能力を自覚させることであった。

一九二〇年、イッテンの要望に応じて、シュレンマー、パウル・クレー[12]、ゲオルク・ムッヘ[13]といった芸術家達が「バウハウス」に参加した。その年までにイッテンは、「予備課程」のほかに、一人で四つの別々の手工芸の課程を教えていた。一方、ゲアハルト・マルクスとライオネル・ファイニンガーは、それぞれ陶器、版画といった周辺課程を教えていた。当時イッテンが抱いていた無政府主義的立場は、一九二二年、国家による芸術家救済請訓書に対する彼の反応にも窺われる。

「精神はいかなる組織にも関わることなく独り立ちしている。されば、一度組織されるや（宗教、教会を見よ）、本来の特性から離脱することは必定。[…]国家は市民の一人たりとも飢ゆることなきよう心掛けるべきだが、決して芸術など擁護してはならぬ。」

イッテンの反権威主義的、それどころか神秘主義的ですらある立場は、一九二一年、彼がチューリッヒ近傍のヘアリベルクにあるゾロアスター教本部に長期滞在したことで、いよいよ確実・牢固となった。その年の中旬、「バウハウス」に帰ると、彼は自分の生徒や同僚のムッヘを、この原始ペルシアの宗教の現代版の励行する厳格主義へ転向させてしまった。その宗派は、禁欲的生活様式、定期的断食、チーズと大蒜を主とした菜食中心の食事を旨とした。創造力にとって欠くべからざるものと考えられる肉体的、精神的な満足状態は、呼吸と弛緩の訓練によっていっそう確実になるとされた。この内向性への方向付けについて、イッテンは後年次のように書いた。

「第一次世界大戦による恐るべき損失、おぞましき事件のかずかず、それとシュペングラー(14)の著書『西洋の没落』の詳細な研究。それらが私をして、われわれは今や科学、技術文明の危機に到達したのだと悟らしめたのである。私にとって、「手工芸に還れ」とか「芸術と技術は手を携えよ」とかいう標語を唱えているだけでは十分とはいえなかった。私は東洋哲学を学び、ペルシアのゾロアスター教やインドのヨガの教えを探り、それらと初期キリスト教とを比較した。私が到達した結論とはこうだった。われわれは、外向性の科学研究とか技術思考を、内向性の思索と実践によって平衡させなければならない。私は自分のために、自分の作品のために、新しい生活様式の基礎となるものを探し求めたのだった。」

グロピウスとイッテンの間の溝は深まる一方であったが、さらに、二人の強力な個性の持主がワイマールに現れるに及んで、亀裂は一段と深化した。その二人とは、オランダの「デ・スタイル派」の芸術家テオ・ファン・ドゥースブルフ(15)とロシアの画家ワシリー・カンディンスキーである。ドゥースブルフは、一九二二年の冬、ワイマールに居を定め、一方

105　ムッヘとマイヤー「実験住宅」バウハウス展覧会，ワイマール，1923年

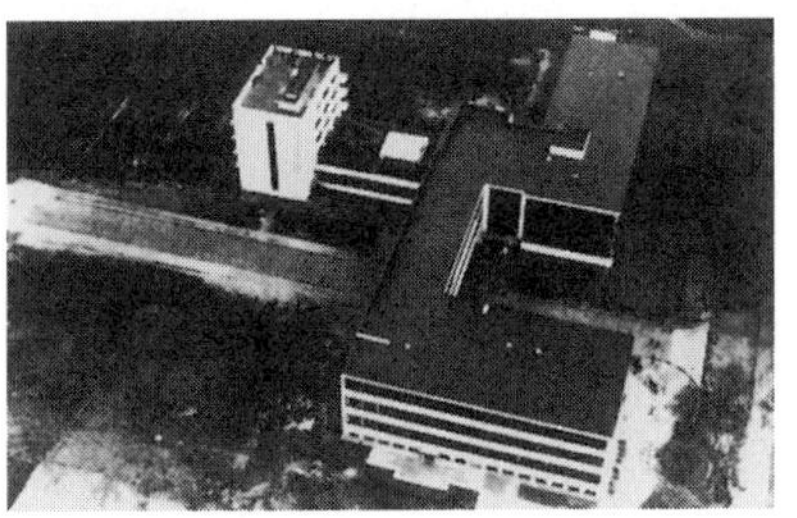
106　グロピウス「バウハウス校舎」デッサウ，1925-26年．風車型の構成が見られる

107　グロピウス「バウハウス校舎」デッサウ，管理棟（左側）と工房棟（右側）を繋ぐ橋がかり．1926年の開校式当日の様子

カンディンスキーは一九二二年の夏、イッテンの教唆に乗って「バウハウス」に参加した。ドゥースブルフは合理的で反個人主義の美学を主張し、カンディンスキーは芸術に対する情緒的で、神秘主義ともいえるアプローチをうち立てた。この二人は、直接の衝突までには至らなかったが、ファン・ドゥースブルフの学外での「デ・スタイル」擁護の論争は、たちまちのうちに多くの「バウハウス」の学生達の心を捉えてしまった。彼の教えはワークショップでの生産に直接衝撃を与えただけではなかった。それは、そもそも「バウハウス」の綱領が、さまざまに解釈できるオープン・エンドな規範であることに、真っ向から異議を申し立てるものであった。彼の影響は、グロピウス自身の部屋の室内仕上げにも、さらに、一九二二年《シカゴ・トリビューン社》設計競技の折、グロピウスがアドルフ・マイヤーと共同して設計した応募案の、非対称的な構成にも見てとれるのだった。

一九二二年、ファン・ドゥースブルフの九ヵ月にわたる改宗勧告もあり、グロピウスはやむなく、批判的な社会・経済状況に従って、当初の綱領にある手工芸中心という方向性を修正する仕儀に至った。彼のイッテンへの最初の攻撃は、「バウハウス」のマイスター（教授）への回状の中で披瀝された。その中でグロピウスは、イッテンの隠遁的な世界拒否を間接的ながら批判している。その本文は、実は「ワイマール国立バウハウスの理念と組織」と題する、彼の試論の原稿だったもので、その後一九二三年、ワイマールで開かれた最初の「バウハウス展覧会」の際に公表された。彼は次のように書いた。

「手工芸を教えることは、つまり大量生産のためのデザインを準備することである。最も簡単な道具と最も容易な作業から始めて、バウハウスの生徒（徒弟）は次第に、もっと複雑な問題に習熟する能力や、機械を使いこなす能力を獲得していく。同時に、生徒は着手から仕上げに至るまでの生産の全工程に関係することになるが、工場労働者はその工程の一端を知るだけで、それ以上のことは決して知り得るに至らないのである。それ故にバウハウスは、現存する産業計画とは、相互の刺激のために、意識的に接触を求めていくつもりである。」

この慎重な言葉づかいによって、手工芸デザインと工業生産との仲介を図った論議は、直ちにイッテンの辞意表明をもたらすこととなった。

教授陣内でのイッテンの空席は、直ちにハンガリーの芸術家で、社会的急進派のラズロ・モホイ・ナジ[16]によって埋められた。彼は一九二一年（短命に終わったハンガリー革命の亡命者として）、ベルリンに辿り着くや、ロシアのデザイナー、エル・リシツキー[17]と知己になった。リシツキーは当時ドイツにあって、翌年の「ロシア博覧会」の準備に当たっていた。この邂逅に勇躍したモホイ・ナジは、自らの構成主義的傾向をいよいよ強め、以来、彼の絵画はシュプレマティズム[18]の要素、すなわちモデュールに則った十字形、矩形を特徴とするようになった。やがてそれらは、彼の名高い「電話による」絵に盛り込まれたが、実際は、エナメル塗装のスティールで作られたのであった。それについて彼はこう書いた。

「一九二二年、私は看板製作工場から、電話で五枚の琺瑯(ほうろう)の絵の注文を受けた。私は工場の色見本を前に置いた。そしてグラフ用紙に絵のスケッチを描いた。電話の向こう側では工場の監督が同じ種類の用紙を持っていてマス目を割っていた。彼は正確な位置に、私から聞き取った形状を描いた。」

このプログラム化された美術制作の見事な実演は、グロピウスをいたく感心させたものとみえて、その翌年、彼は「バウハウス」の基礎課程と金属ワークショップの二つを引き継いでもらおうと、モホイ・ナジを招いた。金属ワークショップの製品は、モホイ・ナジの指導にあって、すぐさま「構成主義的要素主義」へと方向転換する姿勢をとるに至った。しかしその方向性も数年経つうちに、製品そのものの利便性に対して関心が高まるにつれて、薄らいでいった。モホイ・ナジは、基礎課程をヨゼフ・アルバース[19]と分担して受け持っていたが、程なく、この課程に、木やら金属やら針金やらガラスやら、さまざまな素材を用いて、平衡状態を保つ構造体を作る演習を導入した。その目的は、もはやかつてのように、

108　ユッカー「調節可能式ピアノ照明器具」1923年

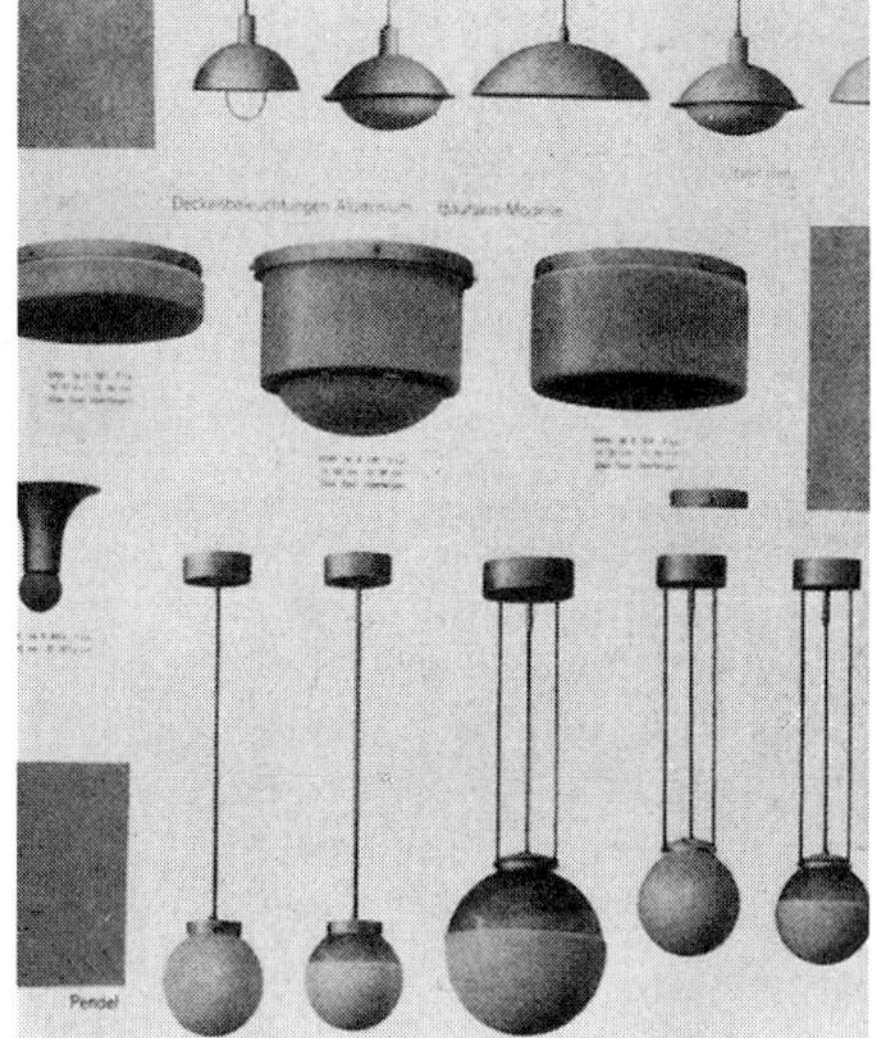

109　バウハウス製照明器具．プレス加工金属板と乳白色ガラスからできたものでH・マイヤーの指導の下に大量生産された

素材や形態のコントラストを、レリーフとして合成してみせるといったことではなく、独立した非対称的な構造体の静力学的、美学的特性を顕在化することであった。こうした「演習」を端的に示したものが、彼自身のいわゆる「光-空間調節装置（ライト・スペース・モデュレーター）」の組み立てであった。一九二二年から三〇年まで、モホイ・ナジはそれに没頭することになったのである。

「構成主義的要素主義」のスタイルは、一部、モホイ・ナジがソヴィエトの「ヴフテマス（技術芸術高等研究所）」から輸入したものだが、その他、「バウハウス」におけるファン・ドゥースブルフによる「デ・スタイル」の影響や、一九二二年以降、シュレンマー指導下の彫刻ワークショップにその実例が見られるような、後期立体主義的考え方などから取り入れたものである。この「要素主義」的美学は、イッテンの退陣後、直ちに「バウハウス」のスタイルとして採用され[20]たが、その初期の実例として、ハーバート・バイヤーとヨースト・シュミットが一九二三年の「バウハウス展」のために採用したサン・セリフ体の活字がある。

その当時、二軒のモデル住宅が、「バウハウス」の各ワークショップの協力によって大々的に建設され、内装を施された。この住宅は「バウハウス」の過渡期の特徴をよく現しており、二軒の住宅には、共通する要素と著しい相異との両面が窺える。モデル住宅の一つは、一九二二年、ベルリン・ダーレムに完成したグロピウス、マイヤーの設計になる《ゾンマーフェルト・ハウス》であり、もう一つは、一九二三年、「バウハウス展」のためにムッヘとマイヤーが設計した《実験住宅》である。最初の住宅は、伝統的な「郷土様式（ハイマートシュティル）」のログ・ハウスで、室内は、彫りものを施した木部や、ステンド・グラスなどがふんだんに使われ、「総合芸術作品（ゲザムトクンストヴェルク）」を作ろうと意図されていた。それに対して二番目の住宅は「即物的（ザッハリヒ）」で、平滑な面に仕上げられた物体（オブジェ）であり、家事労働を最小限に切りつめる工夫が室内に取り入れられ、「住むための機械（ヴォーンマシーネ）」となるような構想であった。この最短動線の住宅は、「中庭（アトリウム）」を中心に組織されていた。ただし、この中庭は吹きさらしではなく、実は、明かり取りの窓を周囲に巡らせた居間であって、その周囲を寝室などその他の小部屋が囲んでいた。これらの部屋はいずれも飾り気なく、むき出しのラジエーター、スティール製の窓や扉の枠組、基本形態からなる家具、シェードのない円筒状の照明装置などで装備されていた。これらの家具、器材の殆どは、「バウハウス」のワークショップで手造りによって製作されたものであったが、アドルフ・マイヤーは『バウハウス叢書』第三巻（一九二三年）として出版された報告書の中で、この住宅が全く新しい材料と方法によって建設されたこと、標準型の浴室、厨房装備によって内装したことを強調した。

「バウハウス」の絶えず変わるイデオロギーは、同じ『バウハウス叢書』第三巻に収められたグロピウスの論文「住宅、

110　グロピウス「バウハウス校舎」デッサウ，1925-26年．大ホールの家具はブロイヤーの設計

産業」に、いっそう顕著に現れていた。同論文の挿図の一つに、カール・フィーガーの計画した注目すべき円形住宅があるが、これは同心円状をした軽量住宅であって、この発想は一九二七年に至って発表されるバックミンスター・フラーの「ダイマクション・ハウス」[21]を先取りするものであった。さらにグロピウスは、自らの「拡張住居単位（ゼーリエンハウザー）」の構想も発表した。これはグロピウスがワイマール郊外に建設を希望していた《バウハウス・ジードルング》の原型として考えられたものであった。この連続住宅は一九二六年になって、「デッサウ・バウハウス」の教授住宅という形でどうやら実現した。

一九二三年以後、「バウハウス」の考え方は極度に「客観的」になった。それは「バウハウス」が、いわゆる「新即物主義（ノイエ・ザッハリヒカイト）」運動と親しく提携したことを意味するものであった。この「バウハウス」と「新即物主義」との提携は、「デッサウ・バウハウス」の校舎の形状・輪郭に、形式主義的傾向を残しながらも反映されていたが、一九二八年、グロピウスが辞任するや、その傾向はなおいっそう顕著になった。グロピウス在任中の最後の二年間には、次のような三つの目覚ましい発展があった。第一は、「バウハウス」がワイマールからデッサウへと、政治的理由によって強制されながらも、整然かつ組織的に移住したことである。第二は、デッサウに「バウハウス」の校舎が完成したことである。そして第三は、一

111　山脇巌「コラージュ：デッサウ・バウハウスの閉鎖」1932年

目瞭然とした「バウハウス」の基本方針が次第に現れてきたことである。そして、その「バウハウス」特有の考え方によって、生産の方法、素材の制約、計画内容の必要性などから導かれる形態に、何よりも重点が置かれたことである。

一九二六年、マルセル・ブロイヤー[22]の見事な指導の下に、家具ワークショップが開設され、スティール製のチューブによる軽量の椅子やテーブルが製作された。それらは使いよく、掃除しやすく、廉価であった。これらの家具は、金属ワークショップによる照明装置と合わせて「バウハウス」の新校舎の内部に用いられた。一九二七年になると、バウハウス・デザインという「商標を持った」工業生産はフル操業に入ったが、ブロイヤーの家具、グンタ・シュタットラー・シュテルツル[23]とその同僚達による手ざわり豊かな織物、それにマリアンヌ・ブラント[24]の優雅な照明、金属器具などはその目玉製品となった。またその年には、「バウハウス」の活版印刷（タイポグラフィー）が、バイヤーの厳格なレイアウトやサン・セリフ体の活字の創案によって完成し、大文字を排除した書体は今や世界的な名声を博している。この一九二七年にはまた、スイスの建築家ハンネス・マイヤー[25]の指導による建築科が設立された。この時期のブロイヤーによるプレファブ住宅の設計の多くには、マイヤーの影響が映し出されていた。マイヤーは、才能豊かなハンス・ヴィットヴァー[26]を伴ってきたが、彼はマイヤー同様、バーゼルの左翼グループ「ABC」の一員であった。

一九二八年も上半期、グロピウスはデッサウ市長へ辞表を提出し、後任の指導者にマイヤーを推薦した。グロピウスは、「バウハウス」が教育機関としてかなり成長したこと、それに個人としての仕事が増加したことなどを理由に、今こそ交代期だと確信したのである。しかし、この人事異動は「バウハウス」を根底から揺るがすことになった。そしてまったく逆説的なことに、デッサウ市の反動的気運の高まりの中で、「バウハウス」はその方向性をさらに左寄りにして、「新即物主義」的な位置へと近づいたのである。さらに、モホイ・ナジもブロイヤーもバイヤーも、さまざまな理由から、グロピウスと行を共にして辞任した。モホイ・ナジの辞任の手紙の中に記されているとおり、彼はマイヤーの厳格なデザイン方法論の即時採用を嫌った。

「私には、このとりわけ純粋に客観的で、効率的な基盤に従って授業を継続する余裕などありません――生産的にも、人間的にもです。[…]いよいよ技術を強化する授業内容では、助手に技術者でもいれば、どうにかやっていけるでしょう。でも、そんなことは経済的理由からして、とても無理でしょう。」

一方マイヤーは、グロピウスが擁していた有名教授達の抑圧的影響を殆どかわすと、「バウハウス」の作品をさらに「社会的に対応する」デザインへと、舵を取っていくことができるようになった。単純で、交換可能で、廉価な合板製の家具が主役となった。また、多種多様な壁紙も生産された。こうして、ますますバウハウス的デザインが以前にもまして作られたが、そのデザインは、美的配慮よりも社会的考慮に力点が置かれていた。マイヤーは、「バウハウス」を四つの主要学科によって組織した。建築（論争を引き起こすという理由から今や「建設」と呼ばれていた）、広告、木工と金工、そして織物である。それに、補充科学課程として産業組織論、心理学などが各科に導入された。建設部門では、力点は平面構成の経済的最適化、照明、日照、熱の出入、音響などの正確な計算法などに移った。こうした野心的な授業内容には、教授陣の増員が必要であった。その結果、ヴィットヴァーが技術指導者として任命され、程なくして彼を補佐する役目として、建築家・都市計画家の[27]ルートヴィヒ・ヒルベルザイマー、技術者のアルカー・ルーデルトが任命され、スタジオの要員には[28]アルフレッド・アーント、カール・フィーガー、[29]エトワルト・ハイベルク、[30]マルト・シュタム等が招かれて、陣容を整えた。

マイヤーは、「バウハウス」が左翼政党の政略の道具にならないように注意していたが（彼は学生の共産党細胞形成には抵抗した）、そのようなことを斟酌しない反マイヤー・キャンペーンは、ついに市長に、マイヤーの「バウハウス」からの退陣を迫った。彼は、市長[31]フリッツ・ヘッセへの公開状の中で、自らの状況の把握を、次のように明らかにした。

「（貴下に）説明するのも無益ですが、ドイツ共産党バウハウス・デッサウ・グループなるものは、党組織としてあり得ざるものでした。貴下に請け合ったところで今にしては無駄ですが、私の政治活動とは文化的なものであって、決して党に関わるものではありませんでした。［…］市政は貴下に、圧倒的な「バウハウス」の成功を、輝かしい「バウハウス」の姿を、信望あつい「バウハウス」の校長を与えよ、と求めているのです。」

市政とドイツ右翼がこの事件で示した反動性は、それだけでは収まらなかった。彼等は「バウハウス」の閉鎖を求めた。「バウハウス」の建物の「即物的」正面（ファサード）に、「アーリア人（非ユダヤ系白人）の」勾配屋根を乗せよ、と要求した。彼等はマルクス主義者の弾劾を求めた。自由主義系亡命者を、彼等の訳の分からない芸術作品も一緒に追放せよと要求した。後年、彼等はそうした作品を退廃と決めつけた。デッサウ市長は、自由民主主義の名の下に、[32]ミース・ファン・デル・ローエの家父長的指導によって「バウハウス」の存続を懸命に図ったが、所詮は水泡に帰する定めであった。「バウハウス」は、以後二年とデッサウには留まらなかった。一九三二年十月、残された者はベルリン郊外の古倉庫へと移った。しかし、その時すでに反動の堰は切って落とされていた。九ヵ月後、「バウハウス」はついに閉鎖された。

第15章　新しい客観性：ドイツ、オランダ、スイス

一九二三～一九三三年

「新即物主義（ノイエ・ザッハリヒカイト）」という表現は、実は、ぼくが一九二四年に造ったのだ。その一年後、マンハイム展覧会があって、同じ名称が使われた。この言い表し方は、本当は、社会主義的傾向を持つ新しい写実主義の標札として使われるべきものだ。それは希望溢れる時代（その捌け口が表現主義だった）のあとの、諦めと冷笑がドイツ全体を覆っていた頃の、共通する感覚に結びついていたのだ。冷笑と諦めは「新即物主義」の否定的側面だし、その肯定的側面は、物事を理想的意味で誤魔化したりせず、物質的基盤に基づいて、全て客観的に受け止めようという欲望の結果として現れた、直接的現実に熱中することだ。こうした健康的な覚醒が最も鮮明に現れている(1)のは、ドイツでは、建築なのだ。

——G・F・ハルトラウプ「アルフレッド・H・バーJr.への手紙」一九二九年七月

「即物性（ザッハリヒカイト）」という用語は、一九二四年以前から、すでにドイツ文化人の間では流行していた。その年、美術評論家G(2)・F・ハルトラウプは、「新即物主義（ノイエ・ザッハリヒカイト）」(3)という言葉を思いついて、戦後の反表現主義絵画の一派の独自性を説明しようとした。「即物性」という言葉が初めて建築の脈絡の中で用いられたのは、一八九七年から一九〇三年にかけて刊行された雑誌「デコラティヴ・クンスト（装飾芸術）」に掲載された、ヘルマン・ムテジウスの連載記事の中であったようだ。この記事では、「即物性」の特性は、英国のアーツ・アンド・クラフツ運動に帰するものだとして、特に手工芸のギルド（例えば、アシュビーの「ギルド・オヴ・ハンディクラフト」のような）や、初期の田園郊外計画などに見てとれると説明している。ムテジウスは「即物性」を、物体（オブジェ）のデザインに当たって、「客観的」で機能主義的で、わけても自作農風（ヨーマン）な姿勢を保ち、産業社会そのものの改革を目指すことと理解していたらしい。一九一五年、(4)ハインリッヒ・ヴェルフリンが著書

『美術史の基礎概念』を書いた時、その中ではこの「即物性」という用語に、いささか異なった意味を与えた。当時、彼は一八〇〇年の「直線的」ヴィジョンについて、次のように書いていた。「新しい客観性を打ち立てるために新しい路線が登場する。」つまり、「即物性」という言葉は、ハルトラウプが「新即物主義」という名称を一九二五年のマンハイムの展覧会に与える以前から、十分に客観的な「新しい」ものと認められていたのである。この展覧会は「魔術的写実主義」の画家達の作品を集めたもので、彼等は第一次世界大戦以来、厳しい社会の現実の外見と本質とを描いていた。しかし、フリッツ・シュマーレンバッハは次のように述べている。[5]

「実際に、この用語が最初に意図し、とりわけ定式化しようとしたのは、新しい絵画の「客観性」などではなく、この客観性に底流しているもっと普遍的なものであった。この用語は、その表現であって、この時代に広く行き渡った精神の姿勢の革命を意味し、思想と感情の新しい「即物性」を意味したのである。」

一九三〇年代の初期には、この表現は人口に膾炙した。ハルトラウプが目論んだように、「新即物主義」は、社会の本質を、感情に溺れることなく冷静に考えるという意味を持つようになった。この言葉は、一九二六年、初めて建築に対して「新しく客観的」で、しかも明白に社会主義的な姿勢の呼称として用いられた。もっとも、シュマーレンバッハが書いているように、この言葉の絵画から建築への転移は、「魔術的写実主義」と新しい建築との間にスタイルの一致があった[6]ためではない。ドイツにおいて「物体（ゲーゲンシュタント）」という言葉が、一九一八年以後、論争の上で最初に登場するようになったのは、ロシアにその直接の由来があった。そしてこの事実が、「新即物主義」の建築の展開に、とくに社会的、政治的な含意を差し挟むことになったのである。

一九一七年のロシア革命の到来と、その翌年のドイツ軍隊の崩壊によって、ロシアもドイツも、西欧列強の敵対勢力によって四面楚歌の状態に陥った。ソヴィエト連邦は、内戦の最中、ずっと外国干渉軍や経済封鎖による損害、損失と戦わなければならなかった。他方ドイツは、ヴェルサイユ条約の懲罰的意図による賠償条件によって、自由を失った。一九二一年、ロシアでは内戦も終結し、外国の圧力も緩和し、レーニンはネップ（新経済政策）を公表するに至ったが、これは、外国資本を導入して、ソヴィエト連邦と共同体制を打ち立てることを意図したものだった。その後間もなくして、ドイツはソヴィエトとの一連の準備交渉を批准して、一九二二年、ラッパロ条約に署名した。これは外交関係を再建し、相互に経済協力を誓約するものであった。一九二一年の末、ロシア・ドイツ国交の開始に伴って、エル・リシツキーとイリ[7]ア・エレンブルグが、ソヴィエト連邦の非公式文化使節としてベルリンにやって来た。彼等の当面の任務は、ロシア前衛芸術の公式の展覧会を組織することであった。一九二二年五月、彼等は三ヵ国語による雑誌「ヴェシチ／ゲーゲンシュタント／オブジェ（対象、物体、客観）」の創刊号を発行した。そして、その表紙には二つの意味ありげなイメージが掲げられていた。それは、雪掻き機関車の写真と、シュプレマティズムの基本的イコンである黒の正方形と黒の円形であった。つまり雑誌「ヴェシチ」は、「即物的」で技術的な物体や、シュプレマティズムの言う「非対象」世界を念願したのである。

一九二三年になると、エル・リシツキーはいよいよこうした文化的宣伝活動に深入りして、ハンス・リヒター[8]やヴェルナー・グラーフ[9]等とともに、ベルリンの雑誌「G」（ゲシュタルトゥング、造形の略）の創刊号の編集に携わり、その年「大ベルリン芸術展覧会」に発表した「プルーンの部屋」によって、自らの建築的構想を公開した。彼の考案になる言葉「プルーン」[10]（これは「新芸術学校」を意味する「プロ－ウノヴィス」を縮めたもの）によって、絵画と建築の間に芸術の新しい領域を招来しようとしたのである。「プルーン」の部屋は、小さな四角い小部屋からなり、その床から天井にかけて、切れ目なく広がったレリーフによって、分節（アーティキュレーション）がつけられ、動きが与えられていた。リシツキーはそれについて次のように書いた。

「その部屋は［…］基本的形態と基本的素材でデザインされている［…］壁（色彩）に沿って水平に広がる面や、壁（木部）に対して垂直な面があり［…］私がこの部屋で探ろうとしている平衡状態も間違いなく要素である。さらに、電話や標準的家具類などによって損なわれることなく変化もできるのである。この部屋は、人間という存在のためのものであって、人間という存在は部屋のためにあるのではない。」

「プルーン」には、雑誌「ヴェシチ」の表紙と同様に、シュプレマティズム的な抽象と標準的物体とが共存しているのである。かつて一九〇四年、フランク・ロイド・ライトが《ラーキン・ビル》を設計した時、そこで使われる電話器をデザインしたが、リシツキーは、フランク・ロイド・ライトと違って、電話器のような量産される物体のスタイルを改める必要をさらさら感じなかった。もっとも、彼は、早くも一九二〇年に、タトリンの率いる「生産主義者（プロダクティヴィスト）グループ」が主張する「反芸術的」功利主義を拒否した。リシツキーは、従来の技術に基づく（即物的）構造物には、空間的美しさも象徴的意味も、兼ね具わることを認めていた。彼が一九二〇年に計画した《レーニン演説台》は、まさしくシュプレマティズムと工学技術を巧妙に組み合わせた実例である。《演説台》の基本構造は、傾斜した格子状の梁で、その頂点には、レーニンの演説姿の写真（フォトモンタージュ）が張りつけられていた。一方、演台と基底部は要素主義的形態からなり、奇妙なことに、空中に浮遊している。このような抽象的で非対象的な要素と、従来の工学技術による形態とが、不統一のまま併存している状態が、一九三〇年代前半のリシツキーの作品の特徴であった。この合成（シンセシス）という方法は、厳密には「即物性」の概念と両立するものではなかったが、リシツキーの考え方は、国際的で、「客観的」スタイルの建物の出発点となったのである。

一九二二年、当時二十三歳のオランダの建築家マルト・シュタムは、マックス・タウトの下で働くべく、ベルリンに赴いた。その地にあって、単独でケーニヒスベルク（現カリニングラード）のオフィス・ブロックの設計競技を準備していた時、シュタムはリシツキーに出会った。以後、二人はベルリン滞在中親しく交際した。一九二三年、リシツキーは、モスクワに立つ「宙吊り式」オフィス・ブロック《ヴォルケンビューゲル（雲の鉤）》の計画案を発表した。この計画案には二つの別々の案があり、一つはリシツキーの単独計画であり、もう一つはマルト・シュタムとの共同計画であった。一九二三年も遅く、リシツキーは肺結核を患い、チューリッヒに転地せざるをえなくなった。その時、シュタムは彼に同行した。翌年、二人はスイスの信奉者達を周囲に集め、一九二五年、リシツキーの教唆によって、バーゼルを中心に左翼的グループ「ABC」[11]を結成した。このグループのスイスの同志には、チューリッヒのエミール・ロート[12]、バーゼルのハンス[13]・シュミット、ハンネス・マイヤー、ハンス・ヴィットヴァー等がいた。彼等は科学的原理に従って、社会的に妥当な建物の設計に専念した。

一九二四年、「ABC」グループは、彼等の見解を雑誌「ABC、建設のために」を通じて普及させ始めた。雑誌はシュタム、シュミット、リシツキーによって編集され、これにロートが協力した。彼等は「新即物主義」という言葉を使用したことはなかったが、「即物的」な方向性を明言していた。創刊号には、シュタムによる論文「集団的造形（コレクティヴ・ゲシュタルトゥング）」と、リシツキーによる「要素と発明」が掲載された。この論文は問題提起を含み、その中でリシツキーは、自らの考え方の二重性を、機能的構造と抽象的要素の合成であると説明した。第二号では、このグループの最大の関心事である標準的規格を取り上げ、パウル[14]・アルタリアの紙の規格化に関する論文を紹介した。実は、第二号は第三号との合併号であったから、同号には、鉄筋コンクリート構造に関する論文も収録され、その実例として、一九一四年から一九一五年にかけてのル・コルビュジエの「ドミノ」方式、ミース・ファン・デル・ローエの一九二二年のガラス・スカイスクレイパー（摩天楼）計画、同年のマルト・シュタムによるケーニヒスベルクのオフィス・ブロック案、同じくシュタムの拡張可能住宅案などが紹介された。同誌は、金属製窓枠と木製窓枠の重さや厚みを比較して、その相違を大々的に強調したり、近代の建築技術が本来的に経済的であることなどを強く訴えた。やがて、「ABC」グループは、重厚な建築に対する嫌悪を次のような方程式で要約して見せた。すなわち、「建物×重量＝記念性（モニュメンタリティー）」。

一九二六年、マイヤーとヴィットヴァーは、バーゼルの《ペータース学校》計画案を発表した。これによって「ABC」グループは、機能主義的、反記念的なプログラムを具体的に示すことになった。マイヤーの説明によると、「ABC」グループの最大の関心事は、精密な計算と社会への適応性であって、この二点は軽量化技術によって具体化されるとした。「理想を言えば、すべての部屋に天窓をとることであり、［…］さらに新しい敷地が都市の一部となることである。目下のところ、こうした要請が叶えられる見込みがあるとも思えない。そこで以下は、旧来の建て方に基づく妥協案である。［…］学校自体を、太陽光と空気が充分なレヴェルまで、地上から持ち上げる。地上には、囲われたスペースの中に水泳場と屋内体育施設だけがある。運動場の残りは、一般の交通と駐車のために開放される。児童の運動場に代わるものとして、二つの広場（吊り下げ式床）と建物の陸屋根が充てられる。［…］建物の自重は、二つの吊り下げ式床のスティール構造を、四本のケーブルで支えるのに利用される。」

このスティールの骨組による「構成主義的」作品は、一九

112　リシツキー，雑誌「ヴェシチ／ゲーゲンシュタント／オブジェ」の表紙，1922年

113　ABCグループはエストベリイの「ストックホルム市庁舎」やボナッツの「シュトゥットガルト駅」やファン・ドゥースブルフとファン・エーステレンの「住宅」を雑誌「ABC」で公然と拒否した．1926年．雑誌「ABC」から

二四年にマルト・シュタムが「ABC」の雑誌に発表した、ソヴィエトの「ヴフテマス」[15]の吊り下げ式レストラン計画を思い起こさせずにはいないだろう。また、《ペータース学校》計画に見られる、機械に似た室内器機類、例えばスティール製窓、アルミニウム製扉、ゴム製床、アスベスト・セメントの外装などは、マイヤーとヴィットヴァーによる一九二七年の《国際連盟》設計競技応募案の仕上げを予告するものであった。

マイヤーとヴィットヴァーは、彼等の《国際連盟》応募案のデザインを科学的だと主張したが、これは確かに検討に値した。構造的に言って、彼等の申し立ては筋が通っている。というのは、全体にわたって標準的モデュールが採用されているため、プレファブリケーションにはきわめて適切であったろう。パクストンによる《クリスタル・パレス》の場合と同様に、いかなる部分もモデュールに則っているから、拡張も縮小も、建物の基本的構成を変更することなく、可能である。議会場に充てられた建物を柱によって持ち上げたのは、その下に駐車場を設置するためであり、充分に理由づけられる。マイヤーが強調する「客観性」は、会議場の断面形を、音響効果の精密な計算によって決定したことからも窺われる。しかし、エレベーターのシャフトが、(ロシア構成主義の手本に倣って)動く「機械美」を示すためにガラス張りとされるとなると、設計者の言う「客観性」に疑念を抱かざるを得ない。さらに、全体の構成の、紛れもなくピクチャレスクな特徴を考えると、疑問が生ずる。このため、たとえマイヤーが報告書の中で、「われわれの建物は何ものも象徴してはいない」と強調し、敷地に対する建物の客観的な独立性は審美的評価を遥かに超えるとしていても、その彼が次のように書いたとすれば、思わず、象徴的意図を漏らしたことは確かである。

「もしも《国際連盟》の意図が偽りのないものであるならば、伝統的建築という窮屈な衣服の中に、こんな新しい社会的組織を押し込めることなど、とてもできないことである。ここは、退屈した専制君主のために柱を並べ立てた応接広間などではなく、人民から選ばれた多忙な代議員のための衛生的な執務室なのだ。人目を避けて外交上のかけひきをする裏廊下などは、ここにはない。公明正大な人間達の、公然たる折衝のための、明るいガラス張りの部屋があるだけだ。」

マイヤーの機能主義的考え方に含まれるこうした潜在的象徴性は、会議棟の使用者達を、彼等の駐車場の位置によって分類する計画の中にも窺われる。さらに、彼等をそこから上階のオーディトリアムの所定の場所へと、人目に立たぬように導くという計画にも見てとれるのである。

「ABC」グループが、建物と生活の双方に対して客観的考え方を採択するに至ったのは、集団的必要のみに応ずる決定からであって、これについてマルト・シュタムは論文「集

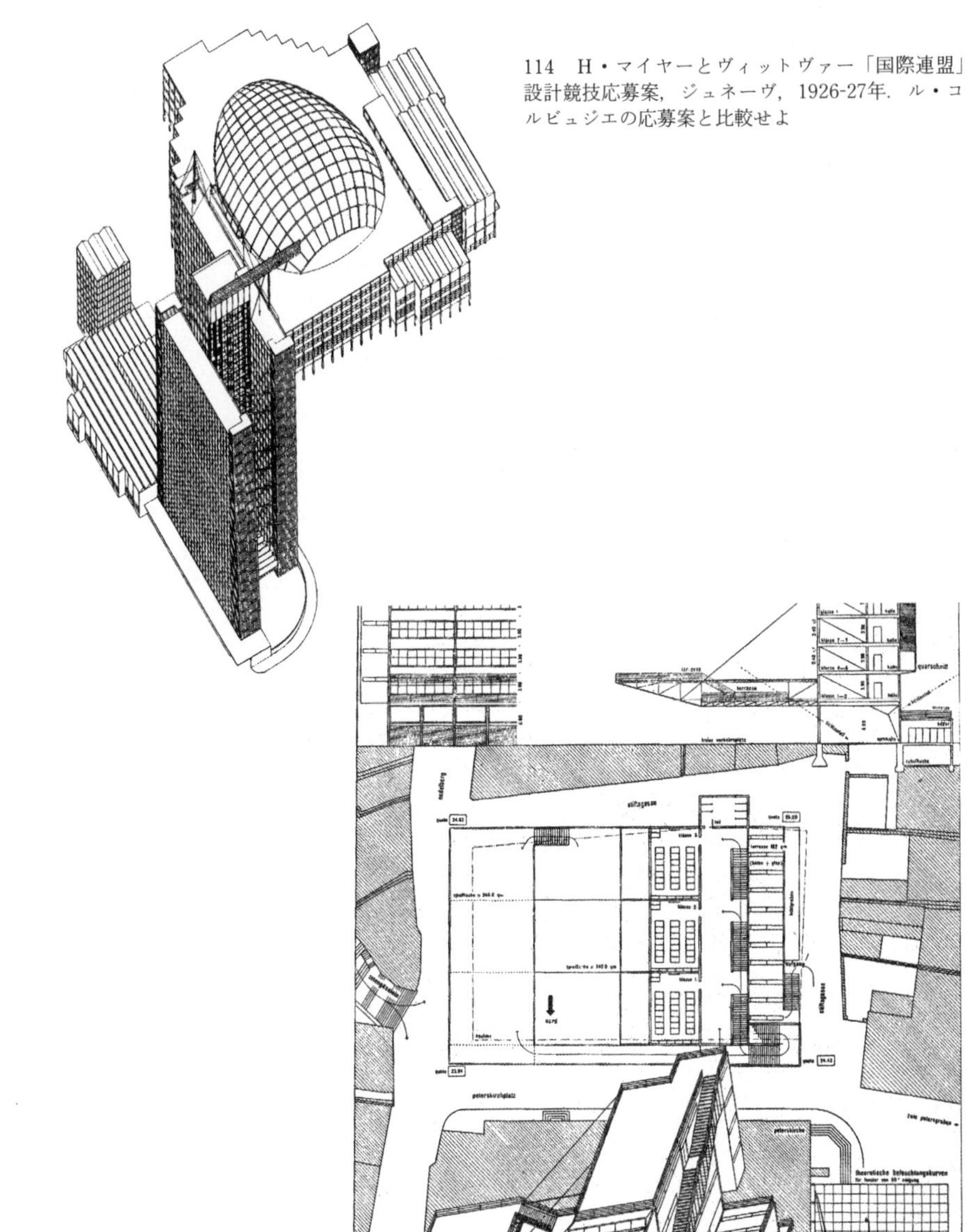

114　H・マイヤーとヴィットヴァー「国際連盟」設計競技応募案，ジュネーヴ，1926-27年．ル・コルビュジエの応募案と比較せよ

115　H・マイヤーとヴィットヴァー「ペータース学校」計画案，バーゼル，1926年

団的造形」の中で次のように書いた。

「二元論的人生観の、例えば天と地、善と悪といった観念は、永遠の内的葛藤を認めるものだが、こうした人生観は、個人に力点を置いて、個人を社会から引き離そうとする。［…］個人は、隔離されることによって、情緒に動かされるようになる。しかし現代の展望は［…］人生を「一致した」力による一致した達成と見る。これは、特殊なもの、個人的なものは、万人に共通なものに代わられなければならない、ということだ。」

マイヤーは雑誌「ダス・ヴェルク（仕事）」（一九二六年）に掲載された論文、「新しい世界」の中で、同様な見解を表明した。

「現代の必要品がいかに標準化されているかは、次のものでよく分かる。曰く、山高帽、断髪、タンゴ、ジャズ、協同組合の製品、ドイツ工業規格基準等々。［…］労働組合、協同組合、カルテル、トラスト、国際連盟など。これらは、今日の社会集団がとる表現形態だ。ラジオ、輪転機こそ、現代のコミュニケーションの媒体なのだ。協同の規則が世界を支配する。共同体が個人を支配する。」

一九二五年、マルト・シュタムはオランダに帰国し、L・C・ファン・デル・フルーフトの下で働いた。[16] 彼の仕事は、鉄筋コンクリート造無梁版構造を採用した《ファン・ネレ工場》の設計主任であった。それは一九二九年に完成した。もしも、マイヤーとヴィットヴァーによる《国際連盟》計画案が、「ABC」グループにとって模範的作品と考えられるならば、この《ファン・ネレ煙草・紅茶・コーヒー包装工場》は、同様に、「ABC」グループの技術と美学の前提を具現化したものと考えられる。この建物では、マイヤーとヴィットヴァーの設計と同様に、構造と移動方式がはっきりと外部に現れていた。もっとも、包装工程での主要移動装置はエレベーターではなく、ガラス張りのコンベヤーであり、それが、カーテン・ウォールの包装工場から運河沿いの倉庫へ、斜めに走っていた。このように、動的でオープンな表現が何を意味するか、ル・コルビュジエのような鋭い感覚の観察者が、それを見逃すわけはなかった。彼はこれを見て、自分の抱いていた空想的社会主義の信念が確かめられたとして、一九三一年、次のように書いた。

「工場へと通ずる道は平らで滑らかであり、褐色のタイルを貼った歩道が脇を走っている。ダンス・フロアのような、清潔な明るさだ。きらきら輝くガラスと、沈んだ色調の金属でできた建物の正面（ファサード）が、真っ直ぐ、空に向かっている［…］静けさが漲っている。あらゆるものが外部からよく見える。これは、八階の室内で働く人達にとってはすごく重要だ。［…］ロッテルダムの《ファン・ネレ煙草工場》は現代の傑作だ。この工場は、あのプロレタリアという言葉からくる古い絶望感を払拭している。利己的な所有本能が集団的な行動

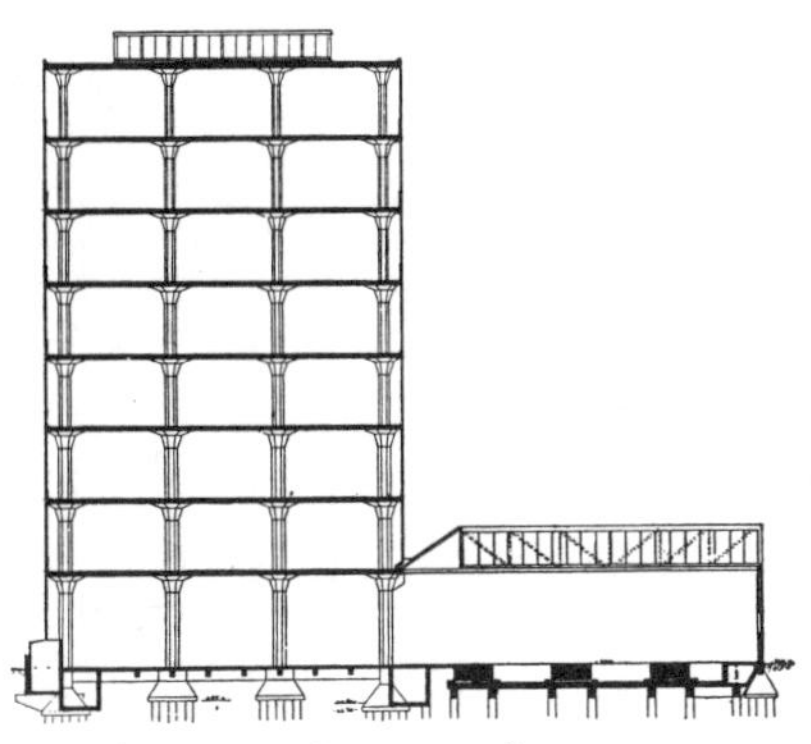

116　ブリンクマンとファン・デル・フルーフト（担当建築家はシュタム）「ファン・ネレ工場」ロッテルダム，1927-29年．横断面図から無梁版構造が採用されていることが分かる

117　ブリンクマンとファン・デル・フルーフト「ファン・ネレ工場」1927-29年

118　ドゥイカーとバイフート「住宅」オールミア，1924年

119　ドゥイカー「ゾンネシュトラール・サナトリウム」ヒルヴェルスム，1928年．管理棟に対して患者棟は放射状に広がっている

120　ドゥイカー「オープン・エア・スクール（野外学校）」アムステルダム，1930年

感覚に転じて、思わぬ幸運がもたらされたのだ。人間の仕事のあらゆる段階に、個人が参画しているのだ。」

《ファン・ネレ工場》の設計に、マルト・シュタムが深く関わったことは間違いないが、ファン・デル・フルーフトの役割もまた無視するわけにはいかない。とりわけ、後年、彼はシュタムの協力を受けずに、《ファン・ネレ工場》に十分比肩できる「客観性」を具えた作品を設計しているのである。その作品は、一九三三年、ロッテルダムに建てられた「生活最小限住宅」《ベルクポルダー集合住宅》である。とはいえ、マルト・シュタムが、オランダ建築に客観性に関する論争を導入するうえで、功績があったことは間違いない。なるほど、それまでに、J・J・P・アウトは、機能主義的な陸屋根の労働者用集合住宅を大量に建設していた。わけても重要な作品は、ロッテルダムの《キーフフーク集合住宅》で、一九二五年当時、それは工事中であった。また、アウトはロッテルダム市の建築監督官であったから、その作品すべてには、街路を、囲われた外部の部屋と考えるベルラーヘ以来の伝統的な都市観が色濃く残っていた。

こうした伝統に対するシュタムの反抗を十分に評価するには、一九二六年、《アムステルダム・ロドキン地区の計画》が取り上げられよう。この計画では、既存の街路の連続性を、連続する高架式オフィス・ブロックの導入によって無効にしたのである。それらのオフィス・ブロックは、エスカレーターや高架鉄道によって利便が図られる。一方、地上は駐車施設、展示場、歩行者専用路として確保されている。この計画案は、確かに挑発的ではあるが、経済的には疑問の余地があった。シュタムが伝統的な都市形態を覆すことにいかに熱心であったかがよく窺われる。それは、彼の言う「開かれた都市」の発想を要約していた。彼はこの都市について、一九二〇年代後期、次のように書いた。

「経済競争の激化に伴う交通量の常時増加現象のため、建築による都市計画の決定的要因は交通組織となる。建築的思考は、前世代が残した美学中心的な考え方から解放されなければならない。都市を囲まれた空間だとする思想はその一つだが、今こそ、それは開かれた都市に代わらなければならない。」

シュタムはその極端な唯物思想のため、一九二〇年、ロッテルダムに設立された機能主義グループ「オプバウ」[17]から孤立してしまった。このグループはオランダ版「新即物主義(ニューウェ・ザケラクヘエイト)」に関与していたのだが、ブリンクマン[18]、ファン・デル・フルーフト、それに彼等の施主で企業家であったキース・ファン・デル・リーヴ[19]といった一部のメンバーは、普遍的で「精神的」な価値によって「客観性」を超克しようとした。そのため、彼等はオランダ神智学運動に参加したり、一九三〇年には、オーメンにクリシュナムルティとその弟子達のために、小さな隠家を建てたりした。

121　マイとルドロフ「ブルッフフェルトシュトラッセ団地」フランクフルト，1925年

同様な精神的なものへの憧憬は、ヨハネス・ドゥイカー[20]とバーナード・バイフート[21]の作品の中にも内在していた。もっとも二人は、一九二四年、オールミアに建てた板貼り仕上げの住宅に見られるように、最初はF・L・ライト風の手法によって出発したのだった。この非対称的で片流れ屋根の住宅は、ドゥイカーの経歴の中では「即物主義（ザケラクヘエイト）」時代の端緒を作った。この傾向の頂点となったのは、構成主義から決定的な影響を受けた鉄筋コンクリートとガラスによる二つの作品である。一つは一九二八年、ヒルヴェルスムに建てられた《ゾンネシュトラール・サナトリウム》であり、他の一つは一九三〇年、アムステルダムに建てられた《野外学校（オープン・エア・スクール）》である。ドゥイカーは、同校体育館の非対称形平面（プラン）のように、要求項目による建物の不整合はやむを得ないと認めてはいたが、潜在する彼の理想主義は、対称的組織への偏向となって現れた。死の直前、彼はこれまでの特徴であった「バタフライ」の「構想（パルティ）」を放棄して、マルト・シュタムの、連続的で無定形な手法に接近した。その結果が、一九三四年、アムステルダムに完成した《シネアク映画館》であり、一九三六年、ドゥイカーの死後、バイフートが完成させたヒルヴェルスムの《フーイラント・ホテル》であった。

マルト・シュタムは、一九二七年、シュトゥットガルトで「ワイゼンホーフ・ジードルング展」のために集合住宅を設計してから、一九二八年、再びオランダを離れてドイツへ向かった。今回はフランクフルトを目指したが、その地で彼は建築監督官エルンスト・マイ(22)の下で、《ヘラーホフ集合住宅》の計画に当たることになっていた。これはエルンスト・マイによる大規模な「新フランクフルト」開発計画の住宅部門に当たった。その年も遅く、シュタムは、ヘリット・リートフェルト(23)とベルラーヘとが奇しくも同席する中で、スイス、ラ・サラで開かれたCIAM（近代建築国際会議）の設立集会にオランダ代表として出席した。この集会から間もなくして、オランダ版「新即物主義（ニューウェ・ザケラクヘエイト）」運動は、「デ・アハ」(24)の名で知られていたアムステルダム機能主義的サークルと「オプバウ」グループとが合同して、その結束が固められた。この二つの集団による連合体は、「デ・アハ・エン・オプバウ」と称したが、一九四三年に至るまでCIAMオランダ派として活発であった。

ドイツでの「新即物主義（ノイエ・ザッハリヒカイト）」の出現は、ワイマール共和国下の集合住宅緊急計画と切り離せない。この計画は、一九二三年十一月のレンテンマルク発行による経済安定によって開始されたのである。この年、いわゆる「連続住宅（ツァイレンバウ）」の創始者であるオットー・ヘスラー(25)は、ハノーヴァー近傍ツェレに《ジードルング・イタリアニッシェル・ガルテン》を完成した。そこで見られる陸屋根や多彩色の塗り壁の正面など、近代主義的公式の特徴は、その後一九二五年、フランクフルトでエルンスト・マイが建てた最初の集合住宅に手本として採り入れられることになった。ヘスラーは一九二四年、同じツェレに第二の《ジードルング・ゲオルクスガルテン》を建設したが、この時は、テオドール・フィッシャーが一九一九年に建てた連続住宅《アルテ・ハイデ》を手本として、それをさらに発展させて、一般的方式を作り上げた。これによって、住居棟は、太陽光線と通風の導入を考慮して、適正な間隔を置いて、連続して配置されることになった。この形式は、周知のように、住居棟はその高さの二倍を下らない間隔を保たなければならないという、ハイリゲンタール条例に基づいていたが、これが「新即物主義」の規準公式となって、その後、一九二五年から一九三三年の間にドイツに実現された数多くの集合住宅計画において、繰り返されることになった。それらの配置計画では、ヘスラーの例に従って、南ないし西に面する居間は、共有緑地に向かって開いている。《ゲオルクスガルテン》の場合、ヘスラーは、南面した短い住棟にテラスを付けたが、テラスは南北に走るため、L字形中庭の連続が生じ、中庭はさらに近隣の市民菜園に達した。その菜園は各家庭ごとに細分割され、食料栽培に当てられた（例えば、一九二六年のアドルフ・ロースによるウィーンの《ハイベルク団地》）。《ゲオルクスガルテン》では、ヘスラーは基本的なアパートメント型式（タイプ）を開発したが、その後、生涯にわたって、さまざまな変形を設計した。彼の基本的アパートメント型式は、三層重ね、回り階段が付き、食堂兼居間、小厨房、WC、三ないし六寝室からなるものだった。伝統的な「居間兼厨房（ヴォーンキュッヘ）」から厨房を分離、独立させたことは、大量な集合住宅の展開にとって劇的な出発点となったが、そこには、家政の中心をブルジョワ・サロンの簡素化へ転位させようという批判的、社会的インパクトが含まれていた。ヘスラーは、一九二九年、ラーテノフの《ジードルング・フリートリッヒ・エーベルト・リング》において、自らの基本的アパートメント型式を改良した。すなわち、独立の浴室が、標準的な階段式（ウォークアップ）低層集合住宅に導入されたのである。

　これらの初期の集落は、洗濯施設、集会室、図書室、運動場等の共有施設を装備していたが、《ゲオルクスガルテン》になるとさらに施設を充実させ、幼稚園、喫茶店、美容院まで備えた。こうした施設空間は、標準的トーネット家具や裸電球など、粗末な設備だが、パイプ類や電気配線などは注意深く処理されて、どうやら息がつけた。だが、これが代表的な「新即物主義」の内部である。それは、冷くて厳しく、同時にきらりと光るところがあった。こうした特徴は外部にも反映していた。平らな漆喰塗りの表面、スティール製の窓、特許のガラス建て込み、金属製手摺などを組み合わせて、普遍的で「即物的」な統辞法が作り上げられたのである。

　一九二七年、シュトゥットガルト郊外に建設された《ドイツ工作連盟ワイゼンホーフ・ジードルング》には、まさしくこうした客観的表現形態が、多少に拘わらず、共通して採用された。そこには国籍、イデオロギーを異にする十七人の建築家達が参加した。ドイツからはベーレンス、デッカー[26]、グロピウス、ヒルベルザイマー[27]、ラーディング、シャロウン、[28]シュネック、ミース・ファン・デル・ローエ、タウト兄弟等がいた。

　ヘスラーは、その後の作品の展開に見られるように、統一共同体という「ジードルング」の表現から逸脱し始め、テラス棟を独立させて、何度も反覆可能な単位として強調した。彼が、一九二九年、カッセルに建てた《ジードルング・ローテンブルク》の最初の平面は、彼自身としても、また同時代の他の「新即物主義的」集合住宅の中でも、これが特徴的に現れている。

　一九二五年、エルンスト・マイがフランクフルト市の建築監督官に就任すると、同地の労働者用集落の建設は、これまでにない規模で開始された。マイは若い頃、ミュンヘンでテオドール・フィッシャーにつき、英国でレイモンド・アンウィンについて学んだため、その合理思想は、伝統に対する感性によって柔軟になっていた。ヘスラーが、《ゲオルクスガルテン》では凹凸のある連続した形態を作り、《ローテンブルク》では、連結しても開放的な配置計画を作り出したのに対して、エルンスト・マイは（同時期の《ベルリン・ブリッツ集合住宅》を設計したブルーノ・タウト[29]やマルチン・ワグナーのように）、プロイセンの伝統的「牧場（アンゲル）」村落を手本として、自立的都市空間の創造にいっそう関心を持った。その結果、マイのフランクフルト市の最初の仕事は、一九二五年の「ブルッフフェルトシュトラッセ開発計画」であるが、設計はC・H・ルドロフの担当であった。それは、「ジグザグ型」の集合住宅が巨大な中庭を囲み、そこには見事に景観処理が施された共有庭園が取り込まれていた。この独特の配置は、形式からすると、一九二二年、ブリュッセルに[30]ヴィクトル・ブールジョワが設計した《シテ・モデルヌ》を思わせるが、やがて一九二六年に作成した「新フランクフルト」のマスター・プランや、一九二五年から一九三〇年にかけて《ニッダ渓谷団地》のレーメルシュタット、プラウンハイム、ヴェストハウゼン、ホーエンブリック各地に建てた集落に見られるさらに一般化した方式に落ち着いた。

エルンスト・マイの指導で建設された一万五千戸の住居単位は、この期間全体を通じてフランクフルトに建てられた集合住宅の九十パーセント以上に相当する。そしてこの数字は、マイが設計ならびに建設の両面にわたって、効率性と経済性を強調したことを物語るもので、それなくしては、とうてい為し能わざるものであった。このような客観的手法は、建設費など現実的諸条件によって強く求められたが、それは必然的に基準的「生活最小限」空間の公式化に到達した。そしてこの基準が、一九二九年のCIAMフランクフルト会議の議題となった。マイの言う最小限の基準は、ル・コルビュジエの言う「生活最大限」という「理想主義的」主張とは対照的に、もっぱら、巧妙に作り付けられた収納部や折畳み式ベッドなどを広く採用し、わけても女流建築家[31]M・シュッテ・リホツキーの設計による超効率的で、実験室のような「フランクフルト厨房」に依存していた。高騰する工費を解決するため、マイはプレファブリケーションによるコンクリート・スラブ工法の先鞭をつけることになったが、「マイ方式」と呼ばれた工法は、一九二七年に開始されたプラウンハイム、ホーエンブリック開発計画の住居地域に採用された。

122　シュッテ・リホツキー「フランクフルト厨房」1926年

ワルター・グロピウスは、一九二六年に「バウハウス」施設を、一九二八年には《テルテン集合住宅》を設計したが、いずれも、彼の「新即物主義」の原理への、二段階にわたる緩やかな転向を示すものであった。とりわけ、テルテンでの「線路型」配置計画は、各住居単位の規格化ばかりか、プレファブ構成部品の移動クレーンによる線状組立工程をも示唆していた。それに対して、《デッサウ・バウハウス》は、非対称的要素による形式主義的な構成であった。その遠心的、風車型形態は、「デ・スタイル」の平面計画を思い起こさせるが、実は、グロピウスとアドルフ・マイヤーによる一九二二年の《シカゴ・トリビューン社》計画案において、最初に試みられたものであった。その後、一九二四年の《エルランゲン哲学アカデミー》の設計では、この風車型形態は、建物を水平方向に非対称形に配置させて、再公式化された。《デッサウ・バウハウス》において風車型形態の美学の表現には、構造体の意図的隠蔽が必要とされたが、こうした隠蔽を埋め合わせたのが、ラジエーター、窓割、手摺、照明装置など二次的構成要素の「即物的」詳細処理であった。同様に、その巨大な交錯する建物の、最終的な分節（アーティキュレーション）は、色彩の変化なくしては、とうてい不可能であったろう。また、一九一四年のグロピウスとマイヤーによる《工作連盟ビル》の、新古典主義的「刳型（モデナチュール）」を思い出させる正面の浅い肉付けなくしては不可能であったろう。

グロピウスの「新即物主義的」作品の中で、衆目を集める

123　グロピウス，合理的「テルテン集合住宅」デッサウ，1928年．建物の配置はタワー・クレーンの軌道に沿っている

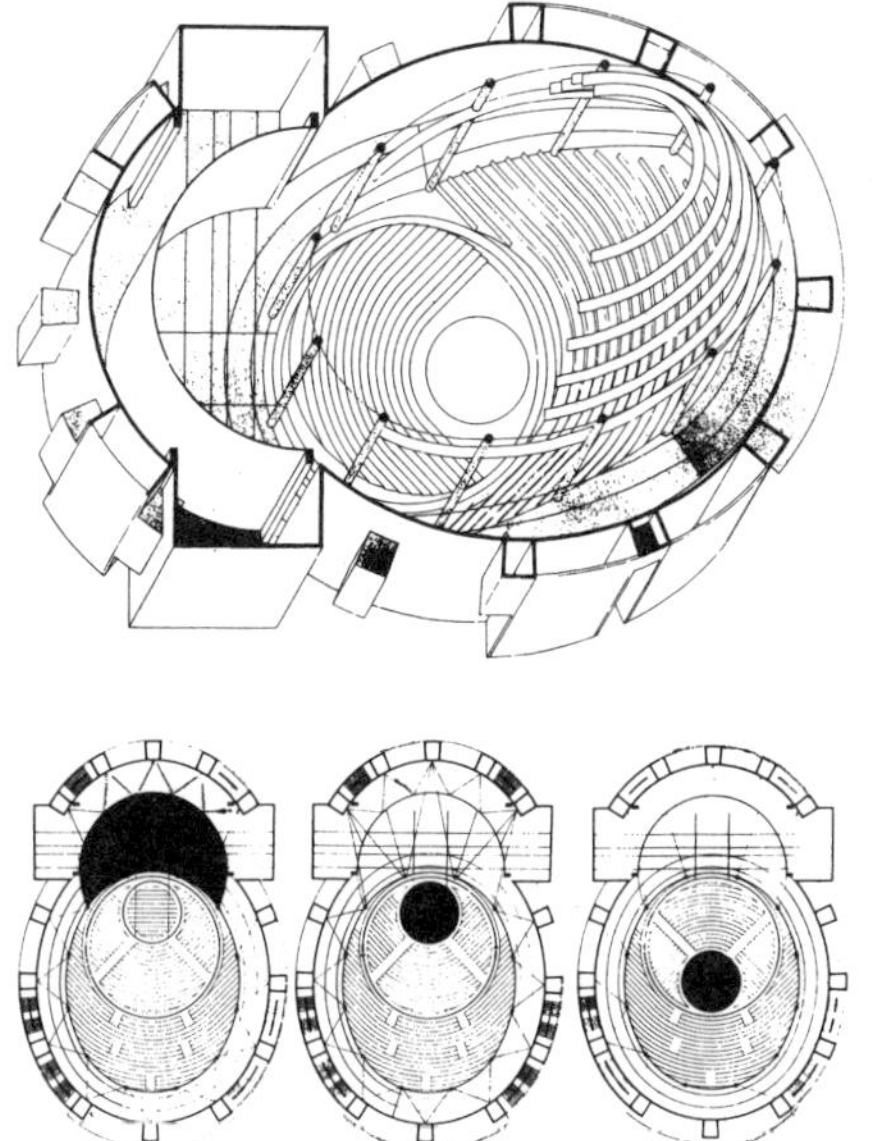

124　グロピウス「全体劇場」計画案，1927年．上部から見た劇場内部とプロセニアム，エプロン，アリーナの3つの可能性を示す

のは、一九二七年の《全体劇場》計画案であり、これはベルリンのエルヴィン・ピスカトール[32]の「民衆演劇(フォルクスビューネ)」[33]のために設計された。ピスカトールは、一九二四年、ロシアの革命的演出家メイエルホリド[34]を手本に、「プロレタリア劇場」を設立した。一方、メイエルホリドの「十月劇場」は、一九二〇年、すでにモスクワで公開されていた。したがって、グロピウスによる「ピスカトール劇場」は、もっぱら、ビオメハニカ[35]による舞台の必要を満たすためであり、メイエルホリドとプロレトクリト[36]の同志が概略を示した「アクションの劇場」の空間を提示するものだった。この劇場にとっては、俳優即アクロバットが理想であった。劇場のエプロン・ステージでは、サーカスもどきの機械化された演技が演ぜられた。メイエルホリドが書いたビオメハニカ演出についての指示は、明らかに政治的内容を多少なりと強制するものであった。

「劇場は絶えず照明で照らされていなければならない。そうすれば俳優と観客との間には切れ目なく視覚的連絡が保たれるのだ。[…]ブルジョワ演劇の「魂のがらくた」などは回避されなければならない。演劇は「文化的に独立している」などと考えてはいけない。舞台は政治の場として、あるいは、秘められた社会的経験の模擬装置として使われなければならない。」

　グロピウスによる解決は見事なほど上品で、かつ融通自在で、ピスカトールのために三つの「古典的」舞台形式、すなわち、プロセニアム[37](前舞台)、エプロン(張り出し舞台)、アリーナ(円形舞台)のいずれか一つに、すぐさま変形できる劇場を提案したのである。いかにしてこれを準備するに至ったのか、また、いかなる演劇的目的があったのか。これらについては、次のグロピウス自身の言葉がよく説明してくれる。一九三四年ローマでの会議の席上、彼は次のように述べた。

「このように建物を完全に変貌させるには、舞台床とオーケストラの一部を百八十度回転させるのです。そうすると、前にプロセニアムであった舞台が中心にくる円形劇場となって、舞台は全く観客席の中に入ってしまうのです！これは上演中でもできるのです。[…]このような観客への攻撃、すなわち、上演中に観客を動かして、思いがけず舞台側に移動させられるといったことは、既存の価値観を変え、観客に空間の新しい意味を提供し、観客を演技に参加させるのです。」

　転換式劇場では、観客席の周囲に舞台が設けられていた。ここでは、演技そのものが観客を取り囲むのである。その他、この「演技の輪(シュピールリング)」には、幾つにも分かれた映写幕が挿入され、裏側から映写して、舞台の演技を助ける映像が上映できた。さらにまた、舞台に着脱可能な円形パノラマが設けられた。この劇場は、中央の円形舞台の真上でアクロバットの演技が行われる装置を設けることで、融通性がいっそう広げられた。この空中舞台は、グロピウスの卵形をした吹抜けを全く三次元の「演劇」空間へと変貌させる効果があったろうし、観客は、あらゆる側面から演技に囲まれたり、あるいは演技を囲むことになったろう。そして最後には、劇場自体が透明な箱であったから、基本構造体は容易に見てとることができたし、卵形の屋根を支える露出した格子状の構造は、楕円形の支持構造の「リング状」に配置された柱と、うまく一致しているのである（ハンネス・マイヤーとヴィットヴァーによる《国際連盟》の集会場を参照のこと）。

この《全体劇場》とほぼ同時期に設計された作品がある。一つは、一九二八年、マルセル・ブロイヤーと[38]グスタフ・ハッセンフルクの計画案、《ハッセルホルスト集合住宅》と《エルバーフィールド病院》である。他の一つは、一九三〇年、ベルナウに完成したハンネス・マイヤーによる《労働組合学校》である。ブロイアー達による、陽の目を見なかったエルバーフィールドの計画案も、マイヤーが完成した学校も、等しく、「即物的」作品であった。両作品とも、要求項目、方位、地形など、それぞれの要請に「同時に」応え、階段状に配置され、同一要素を非対称的に連続させて形作られていた。ブロイヤーとハッセンフルクによる療養所の単位病棟は、コンクリート造の大構造によって支持されるが、各病棟に一つ当ての日光浴用のサン・デッキが、階段状に後退しながら連続している。一方、マイヤーによる学校の全体は、三階建

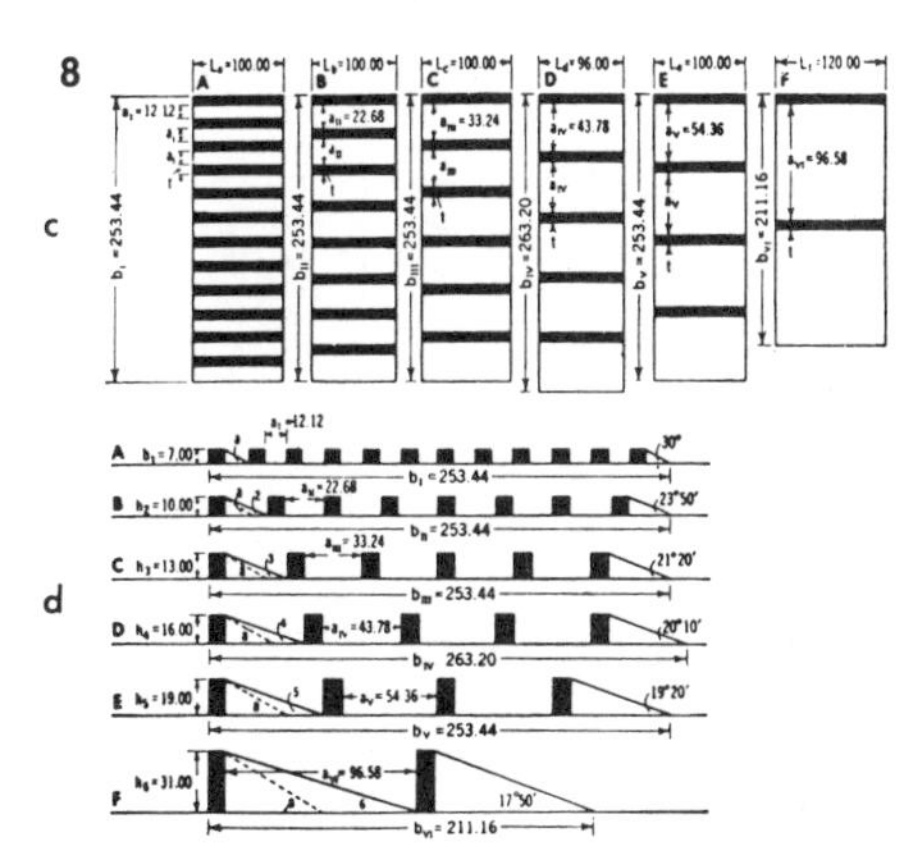

125　グロピウス「1930年CIAM会議に提出したダイアグラム」，住居棟の高さと住居密度と住居棟の間隔の関係を示す

126　雑誌「ダス・ノイエ・フランクフルト」1930年9月号の表紙.「ソヴィエト連邦で活動するドイツ人」の特集.「建築家はドイツを去ってソ連邦へ行く」

ての住居棟で、隅部どうしを繋ぐように、ずれながら、幾つかの棟に分かれているのである。両建物とも、緩勾配の敷地に合わせて、階段状である。しかしこれらの建物は、重要な例外的要素を自由に、そして機能的に結び付けている。それは、療養所の場合は手術棟、X線棟であり、学校では、講堂や共通施設である。

グロピウスは、一九二七年末、「バウハウス」を辞任し、その後は、ますます集合住宅の問題に関わるようになった。その結果、一九二〇年代後期に設計し建設したデッサウ、カールスルーエ、ベルリンなど広域低廉住居計画を別にすると、グロピウスは、集合住宅の基準改善、共同体集落の無階級方式集合住宅の開発など、理論的問題に取り組むことになった。一九二九年のベルリンでの集合住宅計画は実現しなかったが、この計画は、彼のそれ以前の作品を遥かに越える重要な前進を印すものであり、高い生活水準や包括的な社会施設が整備されていた。それに対して、一九三一年、ベルリン近傍ヴァンゼーに想定された中流階級向け高層集合住宅計画案は、レストランや屋上体育施設、日光浴室などを備え、彼にとっては最初の自給自足の共同体建築の試みであった。一九二〇年代後期のグロピウスの見解は、社会民主党左派に与するものだが、それは、一九二九年に書いた論文「最小限集合住宅の社会学的基礎」によって明らかである。その中で彼は、集合住宅供給に対する国家の関与を是とする、有名な社会主義的論議を提示した。

「技術は企業ならびに資金の枠内で働くものであり、また、いかなる経費節減も、まずは私企業の利益のために追求されるものだから、政府の福祉増加施策による住宅建設に私企業が利益増加を見込めるならば、始めて低廉で多様な住宅の供給が可能になるだろう。最小限住居が、住民の支払可能な賃貸料レヴェルで実現されるとすれば、政府に求められるべきものは次のようなものである。一．過大なアパートメントに対する公営基金の浪費を防ぐこと。[…] そのためにアパートメントの規模の上限を制定すべきこと。二．道路ならびに公益事業の初期経費を軽減すること。三．建物の用地を調え、投機業者の手に委ねないこと。四．用途地域規制、建物法規を可能なかぎり緩和すること。」

これらの諸規定は、ワイマール共和国による住宅政策にわずかに先んじていた。そして、共和国は一九二七年から一九三一年にかけて、社会保険と財産税によって、約百万戸の住宅の設計、建設に助成金を出すことになり、新しい集合住宅の七十パーセントがこの期間中に着手されたのである。

このような広範囲に及ぶ福祉国家体制といえども、一九二九年の世界的経済恐慌を引き起こした株式市場の大暴落には、ひとたまりもなかった。貿易は不振に陥り、貸付金は回収され、ドイツはまたしても経済的、政治的混沌に突き落とされた。この結果、世論は右方向へと揺れた。こうした政治の推移に伴って、ドイツの「新即物主義」の建築家達の命運は、否応なく尽きてしまった。亡命以外、彼等に残された方途はなかった。そして、彼等はそれぞれの政治的信念の色合いに従って亡命した。一九三〇年の初めの頃、エルンスト・マイは、建築家、都市計画家の仲間とともに、ウラル山中マグニトゴルスクに鉄鋼精錬工場ならびに都市のマスター・プラン計画に参加するため、ソヴィエトへ出発した。一行の中には[39]フレッド・フォーバット、グスタフ・ハッセンフルク、ハンス・シュミット[40]、ワルター・シュヴァーゲンシャイト、マルト・シュタムがいた。同じ年、ハンネス・マイヤー[41]はモスクワで教職に就くため、ドイツを去った。その他、アルトゥール・コルンもブルーノ・タウトも、一九三〇年代の初めにその例に倣った。一九三三年、国家社会主義党（ナチス）が権力を掌握するや、多少とも穏健な信念を抱いていた残留組の「新即物主義」建築家達も、引退するか故国を去るかのいずれかをとらねばならなくなった。かくしてグロピウスとブロイヤーは一九三四年、倉皇（そうこう）として英国に渡り、次いで米国へと渡っていった。

第16章　デ・スタイル：新造形主義(ネオ・プラスティシズム)の進化と消滅

一九一七〜一九三一年

一．いかなる時代にも古い意識と新しい意識がある。古い意識は個人に向けられる。新しい意識は宇宙に向けられる。個人と宇宙との相克は、世界大戦にも、今日の芸術にも反映する。

二．戦争は古い世界を根こそぎ破壊する。あらゆる分野に見られた個人の卓越性も例外ではない。

三．新しい芸術は、時代の新しい意識の実体を顕現した。宇宙と個人との間の等しい平衡を顕現した。

四．新しい意識は、今やあらゆるものの中に現れようとしている。あらゆる日用品の中にすら現れようとしている。

五．伝統、教条、個人（自然系）の卓越性は、具現化の道程にある。

六．それ故に新造形主義の創設者達は、芸術と文化の改革を信ずるすべての人々に対して、いっそうの発展を阻むものは、ことごとく破壊せよ、と要求する。あたかも、新しい造形芸術において、自然形態の規制を排除することによって、純粋芸術の表現の道に立ちはだかるものを除去するのと同断である。これこそあらゆる芸術概念の究極の帰結である。


——「デ・スタイル第一宣言」より　一九一九年

オランダの「デ・スタイル」[1]運動は、たかだか十四年間続いたに過ぎず、次の三人の作品に集中している。すなわち、画家のピート・モンドリアン、テオ・ファン・ドゥースブルフ、それと家具製作者で建築家のヘリット・リートフェルトである。一九一七年、ファン・ドゥースブルフ指導の下に、最初の旗上げに加入していた他の芸術家達[2]——画家のバル[3]

ト・ファン・デル・レック、ヘオルヘ・ファントンヘルロー[4]、フィルモ・フザール[5]、それに建築家のJ・J・P・アウトとロベルト・ファント・ホフ[6]、ヤン・ウィルス[7]、そして詩人のアントニー・コク[8]――は間もなくこの運動の本流から、彼等、個人個人の方向へと去っていった。とはいえ、ファン・デル・レックとアウトを除く全員が、一九一八年に発行された雑誌「デ・スタイル」第二号に掲載された八項目からなる宣言に署名している。この「デ・スタイル第一宣言」は、個人と宇宙との新しい平衡と、伝統の束縛や個人の崇拝からの解放を求めていた。彼等は、スピノザ哲学からも、また彼等全員の出自であるオランダ・カルヴィニズムの背景からも多くの影響を受けたが、万古不易の法則を強調することで、個人が陥る悲劇を超克するような文化を探し求めた。この普遍的なもの、ユートピア的なものへの憧憬は、次のアフォリズムの中に簡潔に要約された。「自然の対象は人間であり、人間の対象は様式だ。」

この運動は、一九一八年までの早い頃から、神智学ではないが、新プラトン主義哲学を伝えた数学者M・H・スフーンマーケルス[9]の影響を受けた。彼の主著『世界の新しい映像』と『造形的数学の原理』は、それぞれ一九一五年、一九一六年に出版された。スフーンマーケルスの形而上的世界観は、直接、ベルラーへやF・L・ライトから摂取した、いっそう具体的概念や姿勢によって補われることになった。わけてもライトは、一九一〇年、一九一一年と二度にわたって、その作品を収めた有名なヴァスムート版作品集を出版して、ヨーロッパでは夙に知られていた。また、ベルラーへは、社会・文化的批評によって影響力は抜きんでていた。「デ・スタイル」の芸術家達がその名称に「様式」の言葉を採択したのも、まさしくベルラーへの影響であった。しかし、ベルラーへがこの言葉を取り上げたのは、おそらく一八六〇年に現れたゴットフリート・ゼンパーの批判的論文「技術的、構築的芸術の様式あるいは実用の美学」からであろう。

モンドリアンが、もっぱら水平方向、垂直方向に直線を断続させて、後期立体主義風の構成による絵画を世に問うたのは、一九一四年七月、彼がパリからオランダへ帰国したのと同時であった。その頃、彼はファン・デル・レックとともにラーレンで暮らし、殆ど毎日のように数学者スフーンマーケルスと会っていた。「新造形主義」という言葉は、スフーンマーケルスの「新しい造形」という新造語に由来するものであったし、パレットを三原色に限定することも彼に因るものだった。三原色のもつ宇宙的意味について、スフーンマーケルスは著者『世界の新しい映像』の中で次のように書いた。「三つの基本的色彩とは、結局、黄、赤、青である。これが唯一実在する色彩である［…］黄色は光線の運動である（垂直）［…］青色は黄色と対照の色彩である（水平に広がる天空）［…］赤色は青色と黄色を結びつける。」さらに同書の中

127　リートフェルト「カウンター」1919年

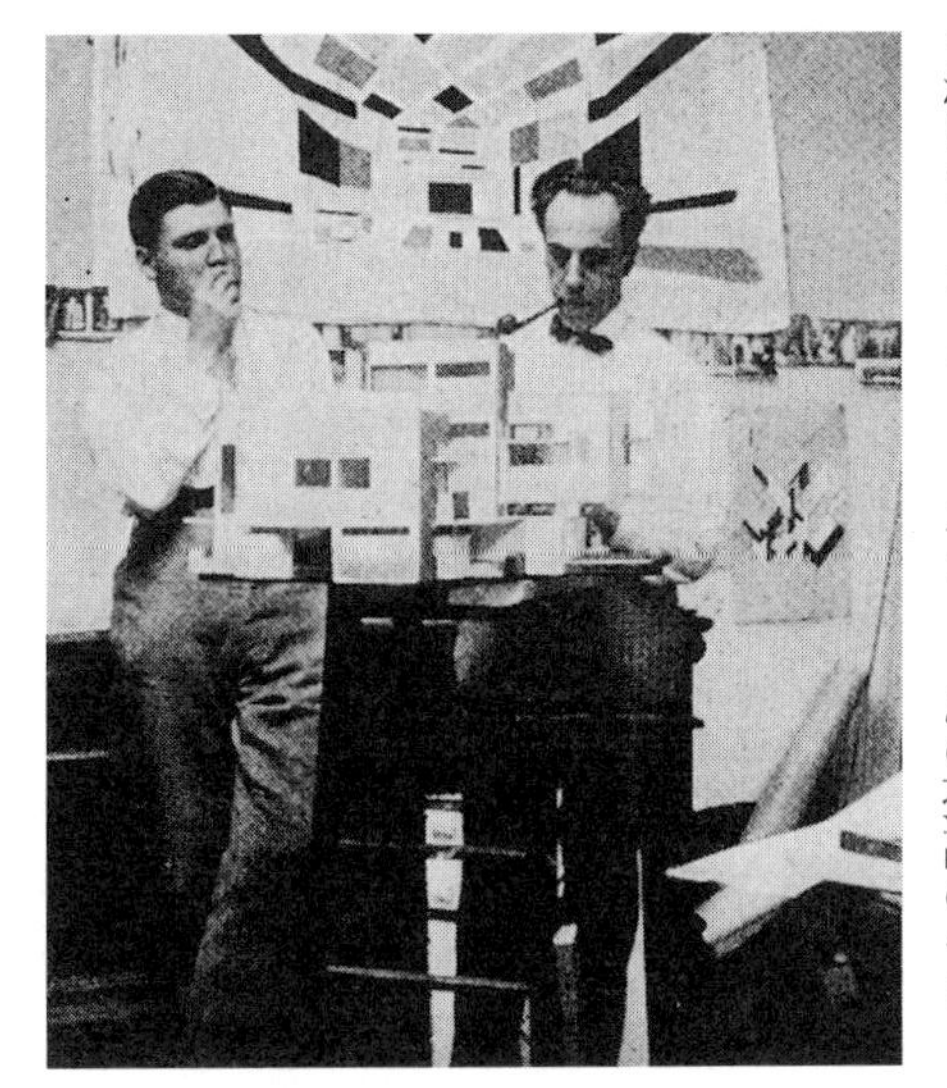

128　ファン・エーステレン（左）とファン・ドゥースブルフ，1923年，パリのローゼンベールの画廊での展覧会を準備している．模型は２人の制作による「芸術家の家」

で、彼は新造形主義的表現が直交要素によって規定される理論づけを提示した。「私達の地球や、そのすべてを形造っているのは、二つの、基本的で互いに相容れないものである。その一つは、水平方向の力の線、すなわち太陽を回る地球の軌道である。もう一つは、太陽の中心から発する光線が辿る、垂直方向の深い空間を貫く運動である。」

スフーンマーケルスは、「デ・スタイル」の形成期に大きな影響を及ぼしたが、その美学的発展に対しては、なんら直接的役割を果したことはなかった。それはファン・デル・レックとファントンヘルローに委ねられた。二人は芸術家としてきわめて独立不羈であり、早くからファン・ドゥースブルフと袂を分かつことになった。しかし、二人の貢献なくしては、「デ・スタイル」特有の美学がこれほど短期間に、これほど明瞭に形を整えられるに至ったとは思えない。例えば、ファン・ドゥースブルフの、一九一六年に制作された『乳牛』と題する一連の抽象化過程を示す有名な連作絵画があるが、これがファン・デル・レックに負うていることは誰の目にも明らかである。また、ファントンヘルローの一九一九年に制作された彫刻作品『塊（マッス）の相互関係』は、ファン・ドゥースブルフ[10]とコル・ファン・エーステレンによる一九二三年の住宅計画案の立体構成を明らかに予告するものであった。さらに、あの孤高のモンドリアンでさえ、雑誌「デ・スタイル」最終号のファン・ドゥースブルフの追悼特集記事において、自分がファン・デル・レックに負うていることを認めたのである。因みに、ファン・デル・レックは、一九一七年、早くも鮮やかな原色を用いていた。

一九一四年から一九一六年にかけて、モンドリアンはラーレンに滞在し、スフーンマーケルスと頻繁に接触した。彼はこの時期、その基礎となる理論的論文「絵画における新造形主義」を書いた。この本文は一九一七年、雑誌「デ・スタイル」創刊号に発表された。モンドリアンは戦時中、隠棲を余儀なくされ、瞑想に耽ったが、それが新しい出発点となった。この時期の彼の作品は一連の構成（コンポジション）であり、彩色された矩形の面が幾つも浮遊していた。モンドリアンもファン・デル・レックも、この時、これこそ全く新しく純粋な造形の秩序だと確信した。そして彼等よりも遥かに若いファン・ドゥースブルフは、二人の後にぴたりと付いていた。とはいえ、モンドリアンは依然として絵画という「浅い空間」の中での面による構成に関わっていた。一九一七年の『白地の上の着色面のコンポジション』にはそれがよく示されている。それに対して、ファン・デル・レックとファン・ドゥースブルフは、絵画の平面そのものを線的に組み立てようとした。それは彩色した細い線の形を、白い地にエッチングしたように並べるのである。ファン・ドゥースブルフの『乳牛』も、一九一八年の作品『ロシア・ダンスのリズム』もこの時期に始まり、両作品ともファン・デル・レックに影響されたものである。

「デ・スタイル」と結び付く最初の建築作品は、ロベルト・ファン・ト・ホフによって作られた。彼は戦前、訪米の折、ライトの作品を実見し、一九一六年にユトレヒト郊外に、間違いなくライトの影響を受けたヴィラを建てた。このファイス・テル・ヘイデの先駆的鉄筋コンクリート造の住宅や、ウィルスの設計した少々野暮くさいライト風の幾つかの作品を除くと、「デ・スタイル」運動初期には、建築家の活動は割合に少なかった。アウトは一九一八年にロッテルダム市の建築監督官に就任したが、その時二十八歳であった。しかし彼は、「デ・スタイル」運動に心底浸りきることはなかった。一九一八年の「デ・スタイル宣言」にも応ずることなく、彼は自らの芸術の独立性を保つように苦心した。アウトは、「デ・スタイル」の「構造的」な関心に引き込まれないように、オーストリアの建築家ヨゼフ・ホフマンの構成にその活路を見出したのではなかろうか。もっとも、その唯一の例外が一九一九年の《プルメレント工場》計画である。そこには新造形主義的要素が、かなりためらいがちに取り入れられている。しかし、そうしなかったならば、この建物は立体の退屈な集合にしかならなかったろう。実際、一九二〇年以前、新造形主義建築は殆どなかった。しかしこの年、まさしくその建築が、リートフェルトの作品によって初めて出現した。[11]リートフェルトは一九一五年まで、建築家P・J・クラールハーメルの下で過ごした。この建築家は「デ・スタイル」とは無縁であったが、当時はファン・デル・レックと共同していた。

一九一七年、リートフェルトのデザインした有名な「レッド／ブルー・チェア」が初めて現れた。この単純で簡素な家具は、伝統的な折り畳み式のベッド・チェアを下敷きにしたもので、新造形主義の美学を三次元へ投影する最初の試みであった。その形態を見ると、ファン・デル・レックの構成の線や面が、空間の中で分節（アーティキュレート）され、変位された要素となっている。この分節を除けば、この椅子を引き立てているのは、黒い枠組と組み合わされた原色である。この黒色と原色との組み合わせは、他に灰色と白色を加えて、「デ・スタイル」運動の標準的色彩計画となった。また、この椅子の構造こそ、リートフェルトにとって開かれた、構築的組織を示す絶好の実例であった。しかも、それは明らかにライトの影響から免れていた。さらにこの椅子は「総合芸術作品」を意味し、十九世紀の人工的な象徴主義の生物学的類似性、すなわちアール・ヌーヴォーに囚われてはいなかった。

リートフェルトの仲間には、彼が一九一八年から一九二〇年にかけてデザインし続けた地味な家具に秘められた可能性を十分に予見することなど、とうてい不可能だったに違いない。大型食器台、乳母車、手押車などは、いずれも「レッド／ブルー・チェア」から直接展開したものだが、木製の角材と面板とを簡単に「だぼ」で止めて組み立てた。しかし、このうちどれ一つとして、リートフェルトが一九二〇年にマールッセンに建てた、ハルトフ博士の書斎の設計で試みる、建築的環境作りを予告してはいなかった。この書斎では、吊り下げ式照明器具を含めて、どの家具も「要素化」された。その結果、モンドリアンの後期の絵画のように、空間の中の座標が無限に連続しているような効果を示した。

多くの点で、ファン・ドゥースブルフは「デ・スタイル」運動そのものであった。このため、一九二一年になると、グループのメンバーは根底から変わった。ファン・デル・レック、ファントンヘルロー、ファン・ト・ホフ、アウト、ウィルス、コク達全員がその時点までに「デ・スタイル」から離脱した。また、モンドリアンはパリで芸術家として一本立ちした。こうしたオランダ国内での離反の続出によって、ファン・ドゥースブルフは、海外での「デ・スタイル」への改宗を進める必要を確信した。一九二二年には、運動に新鮮な血液が注入されて、ドゥースブルフの国際的位置づけにもそれが反映した。その年の新しいメンバーでオランダ人はたった一人、建築家ファン・エーステレンであった。他の新しい顔ぶれは、ロシア人とドイツ人であった。すなわち、建築家で画家でグラフィック・デザイナーのエル・リシツキーと映画製作者ハンス・リヒターである。ファン・ドゥースブルフが一九二〇年にドイツを最初に訪問したのは、このリヒターの招待によるものであった。この訪問の翌年、グロピウスから「バウハウス」への招待状が続いた。だが、一九二一年のファン・ドゥースブルフの短期ワイマール滞在は、「バウハウス」内に危機を惹起した。この危機の余波は以来語り草になっている。それというのも、ファン・ドゥースブルフの理念が、「バウハウス」の学生達や教師陣に与えた衝撃は、直接的かつ顕著であったからである。そういう状況下にあって、当然懸念を懐いて然るべきグロピウスでさえ、一九二三年には、リートフェルトがハルトフのためにデザインしたものに紛うことなき類似性を見せた吊り下げ式照明器具を、自分の書斎にデザインしたくらいだった。

「デ・スタイル」運動の第二期は一九二五年までだが、この期間中とくに重要なのは、ファン・ドゥースブルフとエル・リシツキーの出会いであった。その出会いのちょうど二年前、リシツキーは独自の要素主義的表現を展開していた。この表現は、ロシア・ヴィテブスク[12]のシュプレマティズムの学校で、エル・リシツキー[13]がカシミール・マレーヴィチと共同で進めたものであった。要素主義はロシアとオランダとでは全く別個の起源を持っていた。ロシアではシュプレマティズム、オランダでは新造形主義であるが、いずれにしても、ファン・ドゥースブルフの作品は変化を蒙った。一九二一年以降、リシツキーによる「プルーン」の構成に衝撃を受けて、ファン・ドゥースブルフとファン・エーステレン両人は、軸測投影図法（アクソノメトリック）によって、仮説としての建築計画を連作し始めた。それらはいずれも、空間の中心に、分節化した面の要素が浮遊しながら非対称的に群居しているのである。ファン・ドゥースブルフは、リシツキーに「デ・スタイル」のメンバーになるよう慫慂した。そして一九二二年、リシツキーが一九二〇年に書いて、抽象的な割り付け（タイポグラフィー）で印刷されるはずだった子供向け寓話「二つの正方形の話」が、「デ・スタイル」の雑誌に数頁にわたって掲載された。その時点で、この雑誌自体の体裁が一変してしまったことは、とくに重要であった。ファン・ドゥースブルフは、フザールがデザインした正面性を強調した活字の組み方や木版の題字（ロゴタイプ）を、非対称形の要素主義による割り付け（レイアウト）と「構成主義」的題字（ロゴ）に換えてしまったのである。

一九二三年[14]、ファン・ドゥースブルフとファン・エーステレンは、パリのレオンス・ローゼンベールの画廊「レフォール・モデルヌ（現代の成果）」での二人の作品展で、新造形主義の建築の様式を結晶化させるところまで漕ぎつけた。この展覧会はすぐさま大反響をよび、引き続いてパリの別の会場で再度展示され、後にはナンシイにおいても展示された。それには、前述した軸測投影図法による研究を始め、ローゼンベールの住宅の計画案、その他二つの可能性を秘めた作品などが含まれていた。一つは大学内ホールのインテリアの研究、もう一つは芸術家の住宅計画案であった。

129　リートフェルト「シュレーダー・シュレーダー邸」ユトレヒト，1924年

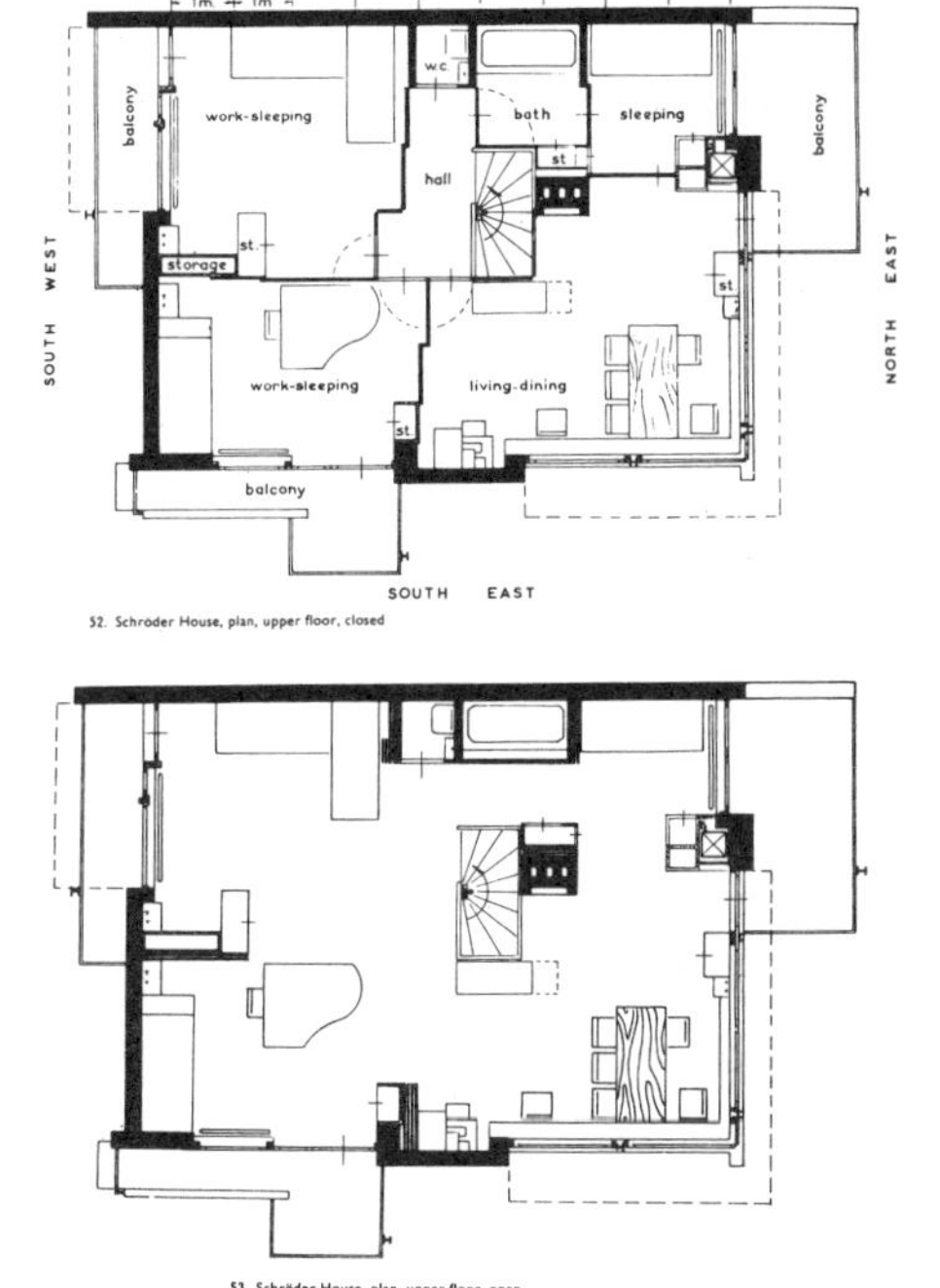

130　リートフェルト「シュレーダー・シュレーダー邸」2階の平面図の変化を示す．上は間仕切りを閉じた状態で下は開いた状態

とかくするうち、オランダではフザールとリートフェルトが共同して、一九二三年の「大ベルリン芸術展覧会」の一隅に建てられる小さな一室の設計に当たることになった。フザールが外郭をデザインし、リートフェルトは家具をデザインしたが、その中には重要な「ベルリン・チェア」が含まれていた。一方同じ頃、リートフェルトはユトレヒトに《シュレーダー・シュレーダー邸》のデザインとその詳細部分の仕上げにとりかかっていた。この住宅は、十九世紀後期に建てられた家並の端に建てられたもので、多くの点で、ファン・ドゥースブルフが同邸竣工時に発表した論文「造形的建築の十六の要諦」を具現化するものである。この住宅は、ファン・ドゥースブルフの定めた規則を満たすもので、その形態は「要素的で、経済的かつ機能的であり、非記念的で力動的であり、反立体的」であった。また、色彩のほうは「反装飾的」であった。上階の居住階は「変形自在」の平面（プラン）で、煉瓦と木を使った伝統的工法による構造であるにも拘わらず、耐力壁や開口部などの不便や制約に煩わされることなく、力動的（ダイナミック）建築を措定したものである。ファン・ドゥースブルフの第十一番目の要諦は、この住宅の理念の解説にはうってつけである。

「新しい建築は反立体的である。すなわち、単一の閉ざされた立体の中にさまざまな機能を持つ空間の小部屋を固定させてはならない。むしろ、立体の中心から機能を持った空間の小部屋が（頭上の平面やらバルコニーの空間も含めて）遠心状に放射されなければならない。こうすれば、高さ、幅員、奥行、そして時間（仮想上でしかあり得ない四次元の実体）が開かれた空間の中で、まったく新しい造形的表現を獲得するのである。かくして、建築は多少なりとも自然の重力に逆らった浮遊性を獲得することになる。」

「デ・スタイル」の活動の第三期つまり最終期は、一九二五年から一九三一年までだが、この第三期は、ファン・ドゥースブルフの絵画の中に斜線が導入されたことを巡って、彼とモンドリアンとの間に劇的な亀裂が生じたことから始まった。それは、一九二四年に完成された彼の一連の「反-構成」（カウンター・コンポジション）の絵画であった。この時点に至るまでに、グループ設立当初の団結はとうに失われていたが、それはファン・ドゥースブルフが絶えず物議を起こしたためと、恣意的に新造形主義の規範を変更したためであった。ファン・ドゥースブルフは、リシツキーと結託してからというもの、普遍的調和という「デ・スタイル」の理想に対してなお抱いていたはずの関心をことごとく無視して、社会構造や技術を、形態の最も重要な決定要素と見なすようになっていた。一九二〇年代の半ばになると、普遍性は表面的に規定される文化を生み出すだけで、しかもその文化は、日常的物体に対する反感によって、芸術と生活の一体化という「デ・スタイル」当初の関心――モンドリアンでさえも認めていた――に逆らうことにしかならないと、彼は悟ったのである。ファン・ドゥースブルフは、このディレンマを脱するため、リシツキー流の解決法を選択したものと思われる。そうすれば、環境の規模と物体(オブジェ)の状態が、抽象的概念に合わせて、ディレンマの処理される程度を決定するに違いない。かくして、社会全体によって生産される家具や装備は、文化の既製物体(レディーメイド・オブジェクツ)として受け容れられなければならないし、一方、人工的環境はさらに高度の秩序に順応できるだろうし、また、そうならなければならない。

ファン・ドゥースブルフとファン・エーステレンは一九二四年に発表した論文「集団的建設をめざして」の中で、こうした立場を理論化したが、そこで二人は建築の総合の問題に対して、さらに客観的で技術的解決へと傾斜を強めていった。

131　ファン・ドゥースブルフ「カフェ・オーベッテ」ストラスブール，1928-29年

「われわれは、生活と芸術とはもはや分離した領域ではないものと理解しなくてはならない。これこそ、実生活から遊離したヴィジョンとしての「芸術」という「理念」が、消滅しなければならない理由なのだ。「芸術」という言葉はもはや、われわれにとっては何物も意味しない。それに代わって、われわれは不変の原理に基づいて、創造的諸法則に従う環境の建設を要求する。これらの法則は、経済学、数学、工学、衛生学等々の法則に従いつつ、新しい造形的統一へと導かれていく。」

この論文の後半になって、ファン・ドゥースブルフは、晩年の代表作となった、一九二八年の《カフェ・オーベッテ》の特徴を説明する精神の本質に触れている。それは、かの宣言の第七の要諦であった。

「われわれは、建築における色彩の真の位置づけを確立した。われわれは、絵画が建築と関わりを持たないならば（つまり、画架上のものならば）、もはや存在理由はないと断言する。」

一九二五年以後、リートフェルトは殆どファン・ドゥースブルフと提携関係を結ばなかった。それにも拘わらず、彼の作品は、同じような方向に発展した。《シュレーダー邸》の要素主義や初期の直線的家具から離れ、技量を発揮して、さらに「客観的」解決を目ざした。リートフェルトは、椅子の背板や座板を曲面にする方向へ向かった。こうした形状は遥かに快適であるばかりでなく、より構造的強度があるというのが理由だった。ここから木造積層材の技術へ発展するのは必至だし、ひとたび抑圧的な新造形主義美学が放棄されれば、一枚の合板から椅子を成型するのは、わずか一歩踏み出せばよかった。一九二七年、リートフェルトがユトレヒトに建てた運転手のための二階建て住宅は、ほぼ同じ考え方によるものであった。高度の技法が用いられているにも拘わらず、いや、用いられているがために、創成期の「デ・スタイル」美学は些かも残存していなかった。露出したスティールの骨組も、コンクリート・パネルも、原色ではなく黒色に塗装され、パネル表面には正方形の格子が白色で重ね塗りされていた。それは、ファン・ドゥースブルフが「造形的建築の十六の要諦」の中で提示した反立体的空間という発想からほど遠く、普遍的な形態に対する衝動よりも、遥かに技法（テクニック）によって決定されたものだった。

一九二八年に設計された、ストラスブールの《カフェ・オーベッテ》は、十八世紀に建てられた建物の中にあり、二つの大きなラウンジと付属空間が付いていた。これらの部屋は、ファン・ドゥースブルフが[15]ハンス・アルプ、[16]ソフィー・タウバー・アルプと提携して設計、実現された。ファン・ドゥースブルフが全体の主題を取り仕切り、二人の芸術家は割り当てられた部屋を自由にデザインした。ハンス・アルプによる壁画を除いて、どの部屋もアブストラクトの図柄による壁のレリーフ、色彩、照明、装備機器によって変化がつけられ、それぞれ独自の構成に組み込まれていた。このファン・ドゥースブルフの計画は、実は、一九二三年の大学ホール計画を手直ししたものであった。その計画案では、斜線を強調した要素主義の構成が、部分的に直角を残した室内の表面を、隈なく覆い尽くしていた。同様に《オーベッテ》でも、巨大な斜めのレリーフ、すなわち反-構成の直線が室内表面を斜めに走って、空間に特色を与え、空間を歪ませた。このレリーフによる截片化――これは一九二三年のリシツキーの「プルーン」の部屋の延長であった――は家具装備が要素主義的作品によらないことで補完されていた。その代わり、ファン・ドゥースブルフは「標準的」な曲木椅子をデザインし、あるいは、きわめて客観的な詳細処理を取り入れた。チューブ状の手摺はすべて熔接で済ませたし、主な照明は、天井から吊り下げた二本の金属チューブから裸電球が突き出していた。このデザインについて彼はこう書いた。

「空間での人間の行動径路（左から右へ、前から後へ、上から下へ）は、建築の中の絵画にとって基本的に重要である。[……]この絵画では、ある壁から他の壁へと、空間の絵画的展開を見せるために、人間を壁の画面に沿って引っ張っていくのが目的ではない。問題は、絵画と建築の同時性の効果を喚起することである。」

《オーベッテ》は一九二九年の完成だが、新造形主義最後の重要建築作品である。これ以降、「デ・スタイル」になお与していた芸術家達は、ファン・ドゥースブルフやリートフェルトを含めて、ますます「新即物主義（ノイエ・ザッハリヒカイト）」運動の影響下に入った。その結果、国際的社会主義の文化的価値観に支配されることになった。一九二九年前後に、ファン・ドゥースブルフがパリ郊外ムードンに建てた自邸は、一九二四年に彼自身の書いた宣言の十六の要諦をどれ一つとして満たしてはいない。それは、漆喰塗り鉄筋コンクリート造の骨組にブロックを充填した構造で、実用的なスタジオに過ぎず、見たところ、辛うじてル・コルビュジエが一九二〇年代初期に計画した職人用住宅の型式を思わせる。ファン・ドゥースブルフは、この住宅の窓に、フランスの大量生産式標準的サッシを選択して、使用した。また、家具はスティール製チューブによる「即物的」椅子を、自己流に調整した。一九三〇年になる前に、諸芸術を統一し、芸術と生活との隔壁を超克しようという新造形主義の理念は放棄され、抽象絵画の起源へと回帰した。ムードンのスタジオの壁に掛けられた反‐構成の「具体芸術（アール・コンクレ）」がそれである。しかし、ファン・ドゥースブルフの普遍的秩序に対する自意識過剰な関心は、相変わらず健在だった。最後の論争となった「具体芸術宣言」（一九三〇年）の中で彼はこう書いた。「もしも表現手段があらゆる特殊性から解放されるならば、その手段は芸術の究極的目的と一致する。究極的目的とは普遍的言語を実現することである。」こうした手段が、家具や装備など応用美術において、どのようにして解放されるというのか？ これについては、遂に明らかにされることはなかった。一年後、ファン・ドゥースブルフはスイス、ダヴォスのサナトリウムで亡くなった。享年四十八歳。彼の死とともに新造形主義の推進力は失われた。「デ・スタイル」の創立に関わった芸術家のうち、モンドリアンだけがこの運動の原理に厳密に一身を捧げ続けたのではなかろうか。直交性と原色性。これこそモンドリアンの円熟期の作品の構成要素であった。彼はこの二つによって、実現不能なユートピアの調和を描き続けたのだった。彼は著者『造形的なものと純粋造形芸術』（一九三七年）の中でこう書いた。「生活の美がなお不完全である限り、芸術は代用に過ぎない。生活が平衡を獲得するにつれて、芸術は比例関係（プロポーション）の中に消えていくだろう。」

第17章　ル・コルビュジエとエスプリ・ヌーヴォー
一九〇七〜一九三一年

あなたは石や木やコンクリートを取り上げ、それらを材料にして住居や宮殿を建てる。それは建設である。そこには創意が働いている。だが、突然、あなたは私の琴線に触れる。あなたは私を喜ばせる。私は幸せとなり、「これは美しい」と言う。それが「建築」なのだ。そこには芸術が介入している。私の住宅は実用的だ。私は、鉄道技師や電話会社に感謝するように、あなたに感謝する。だが、あなたは私の琴線に触れてはいない。しかし、今ここに壁が天に向かって、私を感動をさせようと立ち上がっているとしよう。私はあなたの意図を感ずる。あなたの雰囲気は優しく、猛々しく、愛らしく、気高い。あなたが築き上げた石のかずかずが私にそう語りかける。あなたは私をその場所に釘づけにし、私の目はそれを見詰める。私の目は思想を表す何かを見詰める。その思想は、言葉や音ではなく、もっぱら形によって、相互に一定の関係を保っている形によって、自らを表す。それらの形は、光の中ではっきりと表れる形だ。形どうしの関係は、必ずしも実用的なこと、説明的なことを参照しない。それはあなたの精神の数学的創造だ。それが建築の言語なのだ。鈍重な素材を用いて、多少なりと実利的条件から出発して、あなたは、私の情緒を掻き立てる関係性を築いた。これこそが建築だ。

——ル・コルビュジエ『建築をめざして』一九二三年

二十世紀建築の発展の過程で、[1]ル・コルビュジエが果たした中心的、また生産的役割を考えるには、どうしても彼の生涯の初期に展開された事象を詳細に検討しなければならない。そして、ル・コルビュジエの偉業の根本的意義は、彼が十八歳でラ・ショー・ド・フォンに最初の住宅を建てた一九〇五年から、パリに移る直前、同地で最後の作品を実現させた一九一六年までの十年間に、彼が受けたさまざまな影響の重大さを参照することで、初めて明白になると言っても過言ではない。とりわけ、自称カルヴァン派の彼の家系が遥か遠くアルビ派に繋がる背景とか、彼の精神の「弁証法的」習性の起源になったと考えられる、今は半ば忘れられて潜在的でしかないマニ教的世界観などに着目する必要があるように思われる。私がここで言及しようとしているのは、彼の建築に充溢し、彼の理論的文章に精神の習性として明白に現れる、対立物との絶えざる活動のことである。密実と空虚、明と暗、アポロンとメドゥーサの対立のことである。

ル・コルビュジエは一八八七年、時計製造で知られるスイスのラ・ショー・ド・フォンに生まれた。この町はジュラ山脈中、フランス国境近くに位置している。彼の青春時代に繋がる重要なイメージの一つが、きわめて合理的な格子状のこの工業都市であったことは間違いない。この街は彼の誕生より二十年以前、火災で焼失し、その後再建されたのである。その地の応用美術学校にデザイナー、彫物師として修業中、(当時の)シャルル・エドゥアール・ジャンヌレはアーツ・アンド・クラフツ運動の晩期の十年に引き込まれることになった。彼の処女作の住宅、すなわち、一九〇五年の《ファレ邸》に見られるユーゲントシュティルの作風は、彼の師であるラ・ショー・ド・フォンの応用美術学校「高等講座」科長[2]シャルル・レプラトニエから教えられたものすべてを結晶化したものであった。レプラトニエ自身の出発点は、オーウェン・ジョーンズであった。ジョーンズの著書『装飾の文法』(一八五六年刊)は装飾美術についての概説決定版であった。レプラトニエはジュラ地方のための応用美術ならびに建築の土着(ネイティヴ・スクール)派を作り出そうと目論んでいた。ジョーンズに倣って、彼は生徒達にすべての装飾を身の回りの自然環境から抽出するようにと教えた。《ファレ邸》の地方的(ヴァナキュラー)型式や装飾は、この点、模範となるものだった。《ファレ邸》の全体の形態は本質的にはジュラ地方の木と石による農家の変形であったし、その装飾の要素はこの地方の動・植物相に由来していた。

ブダペストで教育を受けたレプラトニエは、オーウェン・ジョーンズを賞讃していたにも拘わらず、彼にとってのヨーロッパ文化の中心は依然ウィーンだった。したがって彼の野心は自分の一番弟子をウィーンのヨゼフ・ホフマンに年季奉公させることであった。そのため一九〇七年の秋、ル・コルビュジエはウィーンへと派遣された。彼は歓迎されたが、ホフマンからの仕事の申し出を断わってしまったらしい。これは今や古典化してしまったユーゲントシュティルのまやかしを拒絶したのだと言えよう。確かに、彼はウィーンに滞在中、一九〇九年にラ・ショー・ド・フォンに完成する住宅を設計したが、その設計にはホフマンの影響の痕跡は殆ど認められない。今や衰残のユーゲントシュティルに対するあからさまな彼の不満は、一九〇七年の冬、リヨンでトニー・ガルニエとの出会いによっていよいよ高まった。当時、ガルニエは一九〇四年の《工業都市》計画案の拡大充実に着手したところであった。ル・コルビュジエの空想社会主義に対する共感や、建築に対する古典主義的というよりも類型学的（タイポロジカル）考え方は確かにこの出会いに始まっている。それについて彼はこう書いている。「この人には、新建築の切迫した誕生が、社会現象に懸かっているのだと分かっていた。彼の作る平面（プラン）は見事な手際を見せた。それはフランス建築百年の進化の結果であった。」

一九〇七年という年は、ル・コルビュジエの生涯にとって転換点であったと見てよかろう。すなわちこの年、彼はガルニエに出会った。そればかりではない。トスカナのエマのカルトゥジオ会修道院を訪れた。それは決定的訪問と言ってよかった。そこで彼は初めて生ける「共同体（コミューン）」を体験した。その体験こそ、彼がレプラトニエやガルニエから受け継いだ空想社会主義的理念を、自分流に解釈するうえでの社会的、具体的手本となったのだった。その後、ル・コルビュジエはこの修道院のことを教育機関（インスティテューション）と呼ぶようになり、そこでは「正真正銘の人間の呼吸が満ちていた。沈黙、独居、のみならず、日頃の交際までも」と記した。

一九〇八年、ル・コルビュジエはパリのオーギュスト・ペレの事務所で臨時傭いの口を得た。ペレは、一九〇四年、フランクリン街に建てたアパートメントの建物によって鉄筋コンクリートを「定着」させたことで、夙（つと）に名声を確立していた。ル・コルビュジエのパリ滞在は十四ヵ月であったが、この期間が彼の人生にとっても、活動にとっても全く新しい展望をもたらしたのである。鉄筋コンクリートの技法に関する基礎訓練を修得させたばかりか、パリは、彼にフランス古典文化の知識を広げる機会を与えた。彼は美術館、博物館、図書館、講演会場を限なく訪れた。同時に、レプラトニエの不賛成にも拘わらず、彼はペレとの接触を通じて、今や「ベトン・アルメ（鉄筋コンクリート）」こそ将来の素材であると確信するに至ったのである。ペレは、コンクリートという素材が展性を具え、耐久力があり、元来経済的であるという点を別にしても、コンクリート造の骨組が、ゴシックの構造中心思想と古典主義的形態の人文主義的価値観との年来の相克を解消するうえで、有効な手段となるだろうと評価していた。

こうしたさまざまな経験がどれほどの衝撃をル・コルビュジエに与えたかは、彼が一九〇九年、ラ・ショー・ド・フォンに帰郷した時、母校のために立てた計画案から推し量ることができよう。その建物は、明らかに鉄筋コンクリート造で構想され、三層の階段状の芸術家用スタジオからなり、それそれは中庭を囲い、中央の共通広場をぐるりと取り囲み、その上にピラミッド状のガラスの屋根が架かるのである。ここでは、カルトゥジオ会修道院の僧房の形態を、共同体性という意味も含めて自在に応用しているが、この計画案は、ル・

コルビュジエが全く新しい型式(タイプ)の内容に応ずる時、これまでの型式を再解釈する手法の最初の例となった。こうした類型学的変換操作(トランスフォーメーション)は、当然、空間的参照ばかりでなくイデオロギー的参照も含めて、その後の彼の作業方法の本質的部分となった。だが、この手法は純粋とは言えず、合成的であるから、当然、ル・コルビュジエは多数のさまざまな前例を同時的に参照しなければならなかったに相違いない。その過程は半ば無意識に進められることが多いが、この美術学校の計画案はエマの僧院の再解釈である、と同程度に、ゴダンによる一八五六年の「ファミリステール」を引き継いでいることも間違いない。それでも、エマでの体験はル・コルビュジエの想像力の中に調和のイメージとして長く残留し、その後、何度となく解釈を加えられることになる。その最初の大規模なものが、一九二二年の「高層住宅(イムーヴル・ヴィラ)」計画案であり、その後は、やや間接的だが、十年間にわたって、仮想的都市計画の住宅棟型式として解釈し直されるのである。

一九一〇年、ル・コルビュジエはドイツに赴いた。表向きには鉄筋コンクリート技術をさらに修得するためとなっていたが、滞在中、ラ・ショー・ド・フォンの美術学校から装飾美術研究の委嘱を受けていた。この依頼は、その後一冊の著書を生むことになったが、同時に「ドイツ工作連盟」の重要人物達との接触をもたらすことになった。とりわけペーター・ベーレンス[3]とハインリッヒ・テッセナウとの交際は頻繁で、ル・コルビュジエのその後のラ・ショー・ド・フォンでの作品、すなわち一九一二年の《父ジャンヌレのヴィラ》や一九一六年の《スカラ映画館》などに大きな影響を及ぼすに至った。それを措いても、「工作連盟」との接触は彼に近代的生産技術の成果、すなわち船舶、自動車、航空機などに対する意識を目覚めさせ、それらが彼の多分に挑発的論文「物見ない目」の内容を形作ることになった。その年の暮、ベーレンス事務所に五ヵ月滞在したのち、レプラトニエからの申し出でラ・ショー・ド・フォンで教壇に立つため、彼はドイツを去った。ベーレンスの事務所では、間違いなくミース・ファン・デル・ローエに会ったはずである。しかしスイスへ帰る途中、彼はバルカン諸国、小アジア地方を広く旅行した。これ以後、トルコ建築は彼の作品に対して無言だが決定的影響を及ぼすことになった。それは一九一三年に書かれた抒情的旅行記『東方の旅』から明らかである。

一九一六年までの五年間は、その後のパリでの生涯の方向付けの期間となった。彼は最後にはレプラトニエと訣別することになったが、また、一九一〇年から一一年にかけて出版されたヴァスムート版作品集から知ったと思われるフランク・ロイド・ライトの作品も受け容れなかった。彼は、鉄筋コンクリート造による合理的生産の可能性を受け容れたのである。一九一三年、ラ・ショー・ド・フォンに事務所を設立、「ベトン・アルメ」専門とはっきり謳ったのである。

一九一五年、彼は幼馴染みのスイス人技術者マックス・デュ・ボワ[4]と一緒に二つの着想を得たが、この着想こそ、一九二〇年代の発展を決定するものとなった。一つは、アンヌビック方式による骨組を「メゾン・ドミノ」に解釈し直したことである。これは、その後一九三五年までの彼の住宅の大半の構造の基礎となった。そしてもう一つは、「ピロティ都市」である。これは台杭の上に建てられることを想定した都市であり、明らかに、一九一〇年のウジェーヌ・エナールによる計画案「未来の街」に由来する高架式街路という発想であった。

一九一六年という年は、ラ・ショー・ド・フォンにおけるル・コルビュジエの経歴の頂点となった。《シュオッブ邸》が完成したが、この住宅は彼のそれまでの経験すべてを見事に統合していた。それはなによりも彼が、アンヌビック方式の持つ空間的可能性を十分に吸収したことを意味するものであり、ホフマン、ペレ、テッセナウ達の様式的要素を構造の骨組に付け加えるほどであった。そのうえハーレムの好色性すら喚起していた。そのため、この建物は「トルコ風ヴィラ」と渾名された。同時に、これがル・コルビュジエにとって住宅を宮殿のように尊称して発想する最初の機会であった。広狭交代する窓間、対称的な平面組織、これらが《シュオッブ邸》に紛れもなくパラディオ風構造を与えた。同じような古典主義的含意は、この住宅が一九二一年発行の雑誌「エスプリ・ヌーヴォー（新精神）」に発表された時、併記された文中に窺われる。それについてジュリアン・カロン[5]は次のように書いている。

「ル・コルビュジエは、純粋な建築作品の制作に付随する微妙な問題を解決しなければならなかった。それは、建物の全体を初等幾何学の正方形と円形によって設計することである。住宅を建てる時に、こうした考察は、ルネッサンス期を除けば絶えてなかった。」

この時初めてル・コルビュジエは「規準線（トラセ・レギュラトゥール）」を採用した。これは、建物の正面全体（ファサード）を比例関係によって抑制する古典主義的装置であって、例えば、黄金分割によって窓の割り付けをする場合にはっきりと分かる。あくる年、「住宅・宮殿」という主題は、彼の作品では二つの規模によって実現したが、それぞれ関連しながら別々の社会・文化的意味合いを備えていた。第一のものは、パラディオを先例とするブルジョワのための独立したヴィラで、一九二〇年後期の手練れの住宅群がそれである。第二のものは集合住宅で、バロック宮殿として発想され、「街路から後退する」平面から、「ファランステール」のイデオロギー的含意が喚起される。

ル・コルビュジエは、一九一六年十月パリに移り、実務に就くと間もなく、幸運にもオーギュスト・ペレから画家のアメデ・オザンファンに引き合わされた。そして彼と一緒に、純粋主義（ピューリスム）という広い意味を持った機械美学を展開することになった。純粋主義は、新プラトン主義哲学に基づいて論説を広げ、サロン絵画からプロダクト・デザインや建築に至る、あらゆる形式の造形表現を含んでいた。それは、既存のあらゆる型式の意識的精錬を大いに唱える総合的文明論以外の何ものでもなかった。それ故、純粋主義は、絵画ではル・コルビュジエやオザンファンが立体主義の不当な歪曲としたものを退け、それとは逆に、「進化的」完全性、例えばトーネットの曲木家具や標準的茶器・食器などをとりわけ賞讃した（一九一八年刊の最初の挑戦的共著『立体主義以後』を参照）。その美学が初めて十分に体系立てられたのは二人による論文で、「純粋主義」と題されて一九二〇年、雑誌「エスプリ・ヌーヴォー」第四号に掲載された。この雑誌は文学・美術雑誌として、詩人ポール・デルメと共同で、一九二五年まで三人によって編集された。確かに、彼等二人の共同体制の最も実りのある時期は、著書『建築をめざして』が構想された頃であった。この著書は、一九二三年に単行本として刊行される前に、その一部が「エスプリ・ヌーヴォー」誌上に発表され、署名はル・コルビュジエ・ソーニエという二重の筆名であった。

その本文は、単行本になった時にはル・コルビュジエが著作権を独占したが、明らかに、彼の作品の残余を説明することになる概念的二元性を節々に表していた。すなわち、一方において、経験的形態によって機能上の要求を満たすという強制的必要性と、他方において、感性に訴え、知性を養う抽象的要素を採用する衝動という二元性である。こうした弁証法的形態観は、同書の中で「技術者の美学と建築」という標題で、序文として掲載されている。そして、その実例として挙げられているのは、当時、最新の技術的構造物であった、一八八四年のエッフェルによる《ガラビ橋》と、一九一五年から一九二一年にかけて建てられたジアコモ・マッテ・トルッコ設計の《フィアット工場》[6]であった。

「技術者の美学」のもう一つの面であるプロダクト・デザインは、船舶、自動車、航空機に代表されたが、これらは「物見ない眼」という一般的な標題を付けられて、小節として扱われた。第三部は一転して、読者を古典主義的建築の対立物（アンチテーゼ）であるアテネのアクロポリスの明澄な詩学へ連れ戻す。アクロポリスは、「建築、精神の純粋な創造」という表題で、末尾の手前の章で賞揚されている。ル・コルビュジエは工学技術的正確度を強く賛美しており、パルテノンの輪郭は機械用具で作られたものに類似すると述べ、次のように書いた。「どこまでも造形的なこの機械は、私達が機械に適用している精密さで、大理石を用いて実現されている。その印象は、まるで裸身のまま、磨き上げられたスティールだ。」

ル・コルビュジエは、パリでの最初の五年間、激しく活動した。日中はアルフォールヴィルにある煉瓦工事や建材工場の監督として働いて生活費を稼ぎ、余暇には絵画と執筆に専

132.　ル・コルビュジエ「メゾン・ドミノの可能な集合体」

133　ル・コルビュジエ「ドミノの構造」1915年

念した。一九二二年、彼はこの地位を捨てて、従弟ピエール・ジャンヌレと一緒に実際の設計に就いた。従弟との共同契約は、第二次世界大戦の勃発まで続いた。彼等の共同事務所の最も初期の仕事の一つは、「建設的」な着想を進めることであった。すなわち、「メゾン・ドミノ」と「ピロティ都市」である。これらは、第一次世界大戦の当初、デュ・ボワと一緒に手をつけたものであった。

「ドミノ」は原型（プロトタイプ）であって、さまざまなレヴェルで解釈が可能であった。一方では単純に生産を目的とする技術的工夫であり、他方では特許工業製品の名称を「ドミノ」という言葉にかけた遊戯であって、標準化住宅を意味した。この遊戯は文字どおりの語呂合わせによって、その平面の独立柱はドミノ牌の黒点と見なせるし、ジグザグ状に繋がったこの住宅の集合はドミノ・ゲームの形に似ていたのである。しかし、それが対称的配置であったから、その形状には特別な含意が与えられた。まず、それはフーリエの「ファランステール」の典型的バロック宮殿風平面に類似していた。あるいは、一九〇三年のウジェーヌ・エナールによる「入隅型遊歩道（ブールヴァール・ア・ルダン）」を連想させた。ル・コルビュジエは一九二〇年、自分でも「入隅型街路」を計画し、「ファランステール」のイメージと彼自らの「廊下式街路反対」論とを組み合わせようとした。同時に彼は「ドミノ」を建築設備の一部と見て、その形態や組み立て方法がプロダクト・デザインの典型的作品に類似することを願った。このような要素を、ル・コルビュジエは「物体型（オブジェ・ティプ）」としているが、その形態は、型式的要求に応えてすでに洗練されてきたものであった。彼は『建築をめざして』の中で次のように書いている。

「もし私達の精神や頭脳から、住宅に関する無益な概念をことごとく追い出して、批判的、客観的な観点に立って問題を眺めるならば、私達は「住宅機械」という概念に到達するだろう。これは、私達の生活に欠かせない作業機具や道具が美しいのと同様に、健康的で（しかも道徳的で）美しい大量生産住宅である。」

ヴォワザン航空機会社は第一次世界大戦後、木造住宅を流れ作業による組み立て工程で生産しようとフランス住宅業界に割り込んできた。ル・コルビュジエは、この計画を雑誌「エスプリ・ヌーヴォー」誌第二号で熱狂的に歓迎した。しかし同時に彼は、こうした生産は、工場の条件下で、高度な熟練によって初めて達成されることを思い知らされた。それは建設産業では稀有な条件の組み合わせであった。彼は、「メゾン・ドミノ」計画に限界があることを認めた。なにしろこの計画は、型枠や鉄筋補強は別としても、未熟練労働者によって建設されるように設計されていたのである。彼は、早くも一九一九年には、建築の組み立てについては、比較的「コラージュ的」手法を採用した。当時、彼は「メゾン・モノル」計画で、コンクリート・ヴォールトの屋根の型枠にアスベスト波板を使うことを提案していたのである。

一九二二年、「メゾン・ドミノ」と「ピロティ都市」はさらに発展して「メゾン・シトロアン」と《現代都市（ヴィル・コンタンポレヌ）》となった。この二つの計画案は、その年のサロン・ドートンヌ展に展示された。後者は、少なくともその断面を見る限り、エナールが一九一〇年に発表した「未来の街」をそのまま発展させたものであった。一方、前者はアンヌビック方式の骨組を採用して、直方体空間の長手の一端を開放させたものであるが、これは地中海地方の伝統的メガロン形式にほぼ近いものであった。これを基本型式として、ル・コルビュジエは立て続けに二つの改良案を設計し、二層分の天井高を持つ居間に、中二階の寝室と屋階の子供用寝室が一体となった、独特の空間を初めて提示した。この型式（タイプ）がギリシア特有のものに根差すことはよく言われるが、これを一九二〇年に初めて作ったとすれば、その当時、彼が従弟といつも昼食をとったパリ・バビロン街の労働者相手のカフェに由来するものと思われる。二人は、その小さなレストランから断面の形状と基本的配置を採って、「メゾン・シトロアン」に当てはめたのである。「光源を簡単にすることである。空間の両端の柱間は一つである。長手方向には二枚の耐力壁がある。頭上には陸屋根。これはまさしく箱である。でも住居として使える箱なのだ。」

「メゾン・シトロアン」を「ピロティ（杭）」によって地上

から持ち上げたものを、一九二六年、ル・コルビュジエは公式「新建築五つの要諦」にまとめることになる。しかし、それは「郊外の」開発以外にはとうてい当てはまりそうになかった。間もなくして彼は、その改良案を用いて、一九二六年、リエージュとペサックに田園都市団地を建てた。ペサックでは実業家[7]アンリ・フルージェのために、百三十戸の鉄筋コンクリート造箱型住居を建設した。その時支配的だった型式が、「スカイスクレイパー（摩天楼）」単位と言われるもので、これは「メゾン・シトロアン」と、その年オーダンクールの「都市」のために設計した「背中合わせ型」住居単位とを組み合わせたものであった。結局、「シトロアン」型式の変形は実現されなかったが、一九二七年になって、シュトゥットガルトの《ワイゼンホーフ・ジードルング》においてどうやら現実のものとなった。住居単位の型式を混合させた《ペサック団地》は、その成立から分かるように、彼が一九二〇年代初期に規格化を目的とした住居を生産に乗せようと試行してきた結果であった。「シトロアン」という名称は有名な自動車会社の特許名（シトロエン）にかけた遊びであって、住宅は、自動車のように規格化する必要があることを示そうとしたのである。《ペサック団地》は、純粋主義の彩色法を初めて建築へ意識的に転位した最初の試みであった。設計者は当時、次のように述べている。

「ペサックの敷地は非常に乾燥している。灰色のコンクリートの住宅は息が詰まりそうな、耐えられない塊（マッス）になってし

134　ル・コルビュジエ「メゾン・シトロアン」1920年

135　ル・コルビュジエ「ペサック団地」ボルドー近郊，1926年開場風景

136　パリのカフェで談笑するグロピウス（左）とル・コルビュジエ．中央はグロピウス夫人

まう。そういう時、色彩はわれわれに空間を感じさせてくれる。こういうわけで、ここにわれわれは確実で不変な要諦を打ち立てたのだ。何軒かの正面は代赭色（たいしゃ）に塗られる。他の住宅では、明るい群青色に塗って、建築線を後退させた。さらに、ある正面は淡緑色に塗り、ある断面では庭や木立の葉が区別できないようにした。」

ル・コルビュジエは、グロピウス、ミース・ファン・デル・ローエなど同時代の人達とは違って、建築の都市的含意を明らかにしようとした。その「三百万人のための現代都市」は、一九二二年に至るまでの彼の作品の中で、この側面を一番よく説明するものであった。ル・コルビュジエは、アメリカ合衆国の格子状の超高層（スカイスクレイパー）都市からも、ブルーノ・タウトが（一九一九年の）著書『都市の冠』の中で提示した「冠」のイメージからも、同じように影響を受けたが、彼はこの《現代都市》を管理と制御を司るエリートのための資本主義都市とし、都市を取り巻くグリーンベルトの「安全地帯」を越えて産業を伴った労働者用田園都市を計画していた。

この都市自体は、東洋製絨毯のように、マンハッタンの地表面の約四倍もの稠密さで織り込まれ、その中心部には十階から十二階建ての住居棟と六十階建てのオフィス・タワー二十四本が建つことになっていた。全体をピクチャレスクな公園が取り囲み、この公園が伝統的「堤防（グラシ）」の役を果たして、都市内のエリート階級と郊外のプロレタリアート階級を分離していた。十字形平面のオフィス・タワーは――いわゆるデカルト式超高層と呼ばれ――平面の形状は鋸歯状で、そのため、クメールあるいはインドの寺院の形態を想わせた。このように、オフィス・タワーは、明らかに伝統的都市の宗教的建造物を世俗的権力の中心に置き換えようと意図されたものであった。権力中枢にこうした特徴的形態を与えたということは、それらの形態と都市の格子との比例関係（プロポーション）によって説明される。それらの形態は、平面（プラン）の面積の黄金分割に従い、全体として、都市は正方形二つ分の中に収められる。

しかし、共産主義系新聞「ユマニテ」は、こうしたことの一つも見逃さなかった。彼等は、この計画案全体を反動的だと考えた。ル・コルビュジエがサン・シモン流の管理・統制方法に関わっていると感じ取った。彼が一九二五年に出版した著書『都市計画（ユルバニスム）』に、アンヴァリッド（廃兵院）建設を指揮するルイ十四世の挿図を巻末に掲載したことが、彼らの疑惑を決定的にした。さしものル・コルビュジエも、この図像にはほとほと困惑し、写真説明の下に、これをフランス・ファシスト党「アクション・フランセーズ」を支持するものと受け取らないようにという添え書きをつけた。

《現代都市》は、その住居地域の詳細な組織化に当たって、少なからずイデオロギーに染まっていた。住居地域は、二つの異なる住居棟の原型（ブロック）からなり――周縁型式と、「セットバック」あるいは「入隅」型式――おのおの異なった都市概念

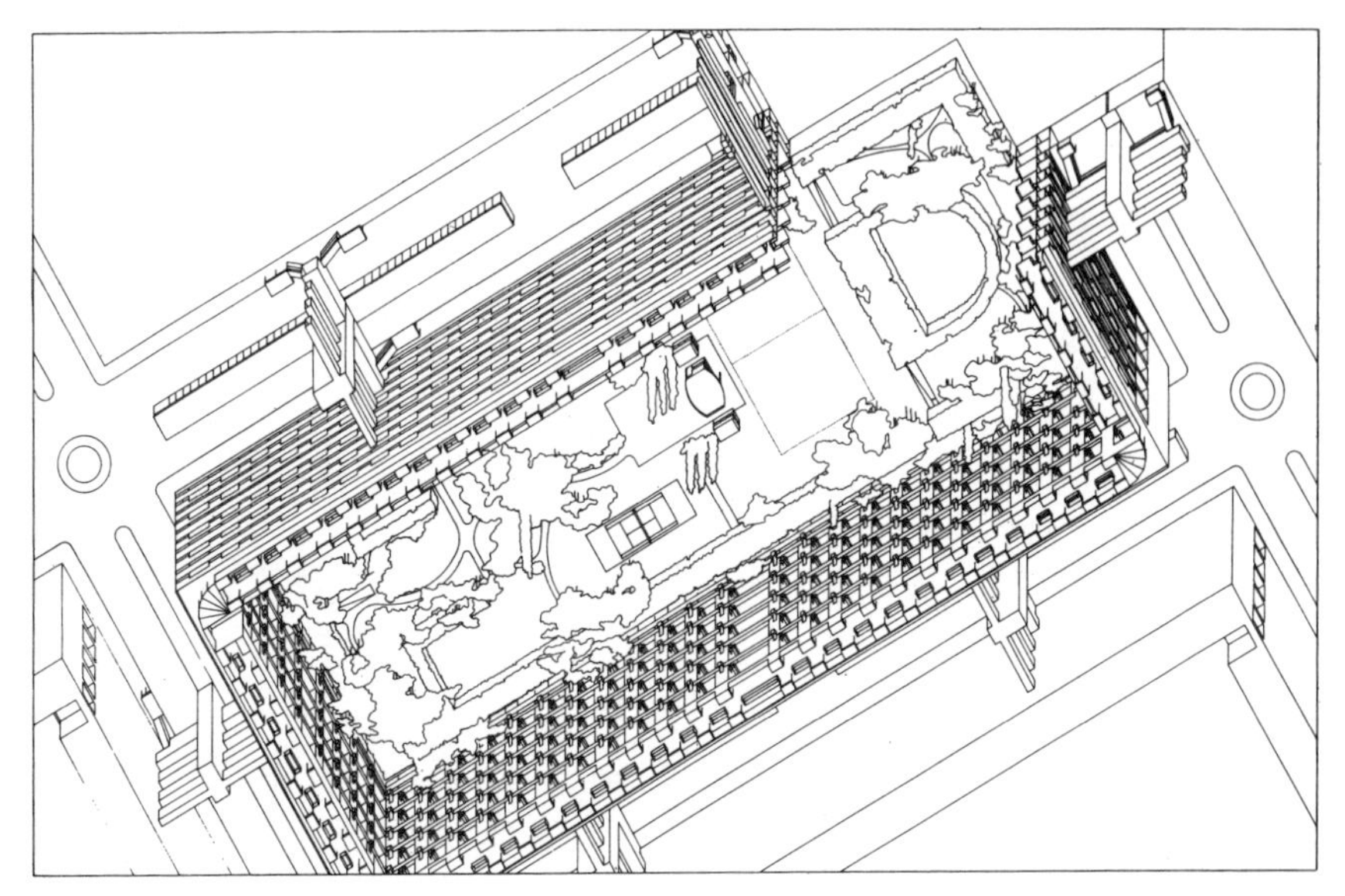

138　ル・コルビュジエとジャンヌレ「現代都市」1922年．細胞状の境界壁を作る住居棟は「イムーブル・ヴィラ」を単位として構成されている

139　ル・コルビュジエ，装飾美術展覧会に展示された「エスプリ・ヌーヴォー館」パリ，1925年．室内は物体型の品々を具え，レジェやル・コルビュジエの純粋主義の絵画が壁面を飾っている

137　ル・コルビュジエとジャンヌレ「パリ市のためのヴォワザン計画」1925年．彼の手が都市のビジネス・センターを指さしている

を仮定している。前者は、街路が構成する「城壁」都市の観念をなお留めていた。後者は、壁のない開放的都市を想定し、連続する公園の地表面から高く持ち上げられた高密度都市である。そのヴィジョンは、最後には《輝く都市(ヴィル・ラディユーズ)》の中に結実するのである。このヴィジョンの暗黙の「反街路」という問題提起は、その後一九二九年、ル・コルビュジエがサンディカリズム系の新聞「アントランシジャン(妥協せぬ人)」に書いた、街路に関する試論の中ではっきりと示された。

開放的都市は、太陽光線と緑の「基本的な悦楽」をもたらすことは勿論だが、移動を促進するものであった。これは「スピードのために作られた都市こそ成功する都市だ」というル・コルビュジエによる企業家張りの箴言(しんげん)に合致している。この箴言こそ、彼が一九二五年、パリを想定して立てた《ヴォワザン計画》の修辞法であった——自動車は、実際には大都市を破壊しているのに、今や都市を救済する道具として利用されるという逆説である。自動車・航空機の企業連合であるヴォワザン航空機会社は、財政的援助を約束しているにも拘わらず、シテ島の隣に巨大な十字形平面の塔を何本も建てることが、経済的にも政治的にも不可能であることを充分承知していた。

この《現代都市》が、今なお極めて重要な貢献だと言われるのは、その「イムーブル・ヴィラ(自由土地保有権付き郊外住宅)」と呼ばれる住居単位にあった。これは高層高密度住居に、「メゾン・シトロアン」を一般的型式として適用したものであった。この住居単位は、二層式住居を六階分積み重ねたもので、各二層式住居単位には庭園テラスが付いていた。この配列方式は、今日、「家族」向け高層住居として採用できる数少ない解決案の一つであろう。《現代都市》の、いわゆる「小室型」周縁棟では、このテラス付き二層式住居単位が、地上の矩形状の緑地に向かって開かれ、その緑地空間は共用の休養施設を備えていた。この棟の内部、あるいは、その地域周辺に共用の付属空間を配備したり、至るところに宿泊施設を意図的に設置したりしたので、この計画案はブルジョワ用アパートメント棟と社会主義的な集合住宅の中間に位置づけられた(ファランステールとボリーのアエロドゥローム(飛行場)を参照のこと)。この「イムーブル・ヴィラ」式住居単位はその後詳細な研究を経て、一九二五年、パリで催された装飾美術展覧会に《エスプリ・ヌーヴォー館》として建設され、その原型が展示された。残念ながら、その後、この住居単位を、都市内で自由土地保有権付き複層住宅として、あるいは郊外の独立住宅として市場に出そうと試みたが、いずれも不成功に終わった。この《エスプリ・ヌーヴォー館》は純粋主義の感性を凝集したものであった。それは、外見的には大量生産と高密度集合体を目標に設計され、機械化の約束と都市化の含意を込めていたが、その内装は純粋主義の「物体型(オブジェ・ティプ)」の規範によって整えられた。すなわち、英国のクラブで見かける肘掛け椅子、トーネット製の曲木家具、パリ公園用鋳鉄製標準什器、それに純粋主義の「物体絵画（オブジェ・タブロー）」と東洋製絨毯と南米の陶器などで飾り付けられていた。民芸、工芸、機械で製作された物体をこれほど見事に平均して集め、アドルフ・ロースの精神を借用したこの《エスプリ・ヌーヴォー館》は、アール・デコ運動に対する挑戦的姿勢として、芸術文化省の後援を受けていた。

一九二五年、ル・コルビュジエはまた一方で、ブルジョワのヴィラという主題に立ち戻った。まず最初に《クック邸》を、一九二六年に発表した論文「新建築の五つの要諦」の実例として、同年に完成した。それから《マイヤー邸》計画が続き、これを先例として、《ガルシュの家》、ポワシイの《サヴォワ邸》がそれぞれ一九二七年、一九二九年に完成した。

これらの住宅はすべて、「五つの要諦」の統辞法（シンタックス）による表現を備えていた。その「要諦」とは次の通りであった。一.ピロティは、建物全体を地上から持ち上げる。二.自由な平面は、耐力柱を間仕切壁から分離させて達成される。三.自由な正面は、自由な平面の垂直面への必然的投影である。四.横長引き違い窓、または「水平窓」が取り付けられる。そして最後に、五.屋上庭園は建物が占める地上の面積を取り戻すことになる。

これらのブルジョワ住宅の基本的構想（パルティ）は、「メゾン・ドミ

140　ル・コルビュジエとジャンヌレ「ガルシュの家（ヴィラ・ド・モンジー）」ガルシュ，1927年

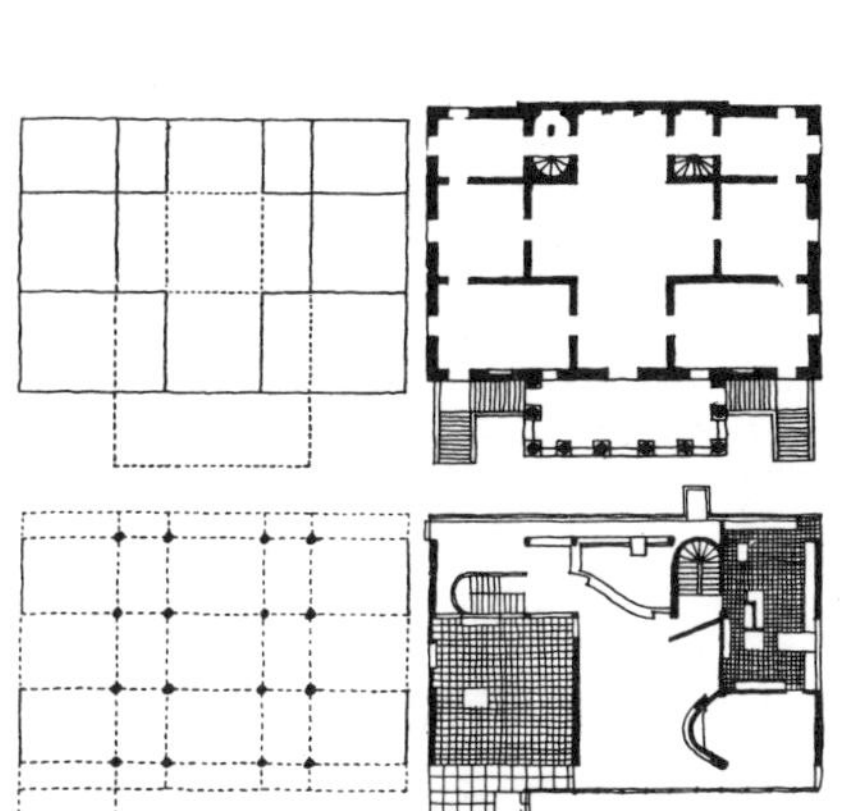

141　パラディオの「ヴィラ・マルコンテンタ」とル・コルビュジエの「ガルシュの家」の比例とリズムの比較

ノ」のアンヌビック式骨組と「メゾン・シトロアン」式連続横長壁に潜在する可能性によって、同程度に、決定された。そのほかに、独立柱の自由な採用、水平横長窓のある正面、片持梁(カンティレヴァー)による床版などがそれに加わった。「メゾン・ドミノ」の構造分割は（二つの広い柱間と階段のある狭い柱間(ベイ)によるAABというリズムの公式が成り立つし）、《シュオッブ邸》へのパラディオの歴然たる影響を、《ガルシュの家》へのパラディオの隠然たる影響に結びつけている。このどちらの住宅も、コーリン・ロウ[8]が述べたように、見たところ古典的なパラディオのABABAというリズムによって組織されている。パラディオの《ヴィラ・マルコンテンタ》は、一五六〇年の作品であり、ル・コルビュジエの《ガルシュの家》は約三百五十年後の作品だが、長手方向では、同じように、ダブルとシングルの柱間を、交互に繰り返して、2：1：2：1：2というリズムを作っている。ロウが指摘しているように、同様な区分けが、他の次元で達成されている。

「いずれの場合でも、「横断方向」の六本の支持線が、シングルとダブルの柱間をリズミカルに、交互に繰り返して、成り立っている。しかし、平行方向の支持線のリズムは、ル・コルビュジエが片持梁を採用したため、いささか趣きを異にしている。《ガルシュの家》では、それは$\frac{1}{2}$：$1\frac{1}{2}$：$1\frac{1}{2}$：$1\frac{1}{2}$：$\frac{1}{2}$であり、《マルコンテンタ》では$1\frac{1}{2}$：2：2：$1\frac{1}{2}$である。平面では、ル・コルビュジエは中央の柱間に圧縮を与え、焦点は外側の柱間へ移ったように見える。しかも、その柱間は片持梁の単位半分だけ余計に広がっている。これに対して、パラディオは中央部分の優位性を確保し、さらに玄関への進行を確実にしている。そのため、そこに焦点を集めている。どちらの場合も、張り出し要素、つまりテラスも玄関も、奥行は$1\frac{1}{2}$単位である。」

続いてロウは、《ヴィラ・マルコンテンタ》の求心性と《ガルシュの家》の遠心性を対比する。

「ガルシュでは、中心の焦点は絶えず妨げられる。一点求心性が解体される。付帯的要素が周辺に散在する。解体された中心の焦点の断片が、平面の外周に沿って、連続的に仕掛けられている。」

《ガルシュの家》では、ロウとロバート・スラツキー[9]が述べたように、正面に対して平行な平面が、純粋主義風に何枚も層状に立て並べられ、字義どおりで、見えがかりの透明性を演出している。それとは別に、この住宅は、ロースが最初に提起した問題を解決している点で重要であった。その問題とは、アーツ・アンド・クラフツ建築の平面の快適性や安楽性と、新古典主義ほどではないが、幾何学的形態の荒い感触をどのように結びつけるか——つまり、近代の利便性という私的領域と建築の秩序という公(おおやけ)の正面性をどのように中和させるか、である。これを《ガルシュの家》は、自由な平面の導入によって可能になった変位の概念で、ロースが拒絶した優雅さを込めて、解決できたのである。その辺りの事情は、一九二九年にル・コルビュジエが描いた「四つのコンポジション」が説明してくれよう。複雑な内部の、言わば離接関係(ディスジャンクション)は、自由なファサードの省略によって、公(おおやけ)の正面性と離れることになった。

《ガルシュの家》が《ヴィラ・マルコンテンタ》を連想させるとすれば、《サヴォワ邸》は、これまたロウが指摘しているように、パラディオの《ヴィラ・ロトンダ》に較べられる。《サヴォワ邸》の平面はほぼ正方形で、一階は楕円状の平面で、中心部に斜路がある。そのため、この平面は、《ロトンダ》の双軸性と集中型平面の複合化した隠喩と読み解ける。しかし相似性はそれまでで、パラディオは求心性を強調し、ル・コルビュジエは好みの正方形の中で、非対称性、回転性、周縁指向性といった螺旋的(スパイラル)特性を主張している。にも拘わらず、ル・コルビュジエは著書『プレシジョン（闡明(せんめい)）』（一九三〇年）の中で、《サヴォワ邸》の内在的古典主義を余すところなく明らかにしている。

「住み手の人達がここにやってくるのは、ここの田園風景が田園生活にぴったりだからです。その人達は、自分の領地を屋上庭園の高みから、あるいは四つの横長窓から飽きるまで眺めるのです。この人達の家庭生活はヴェルギリウスの夢の中へと入っていくのです。」

142　ル・コルビュジエとジャンヌレ「サヴォワ邸」ポワシイ，1929-31年．1階の上に設けられた「空中庭園」

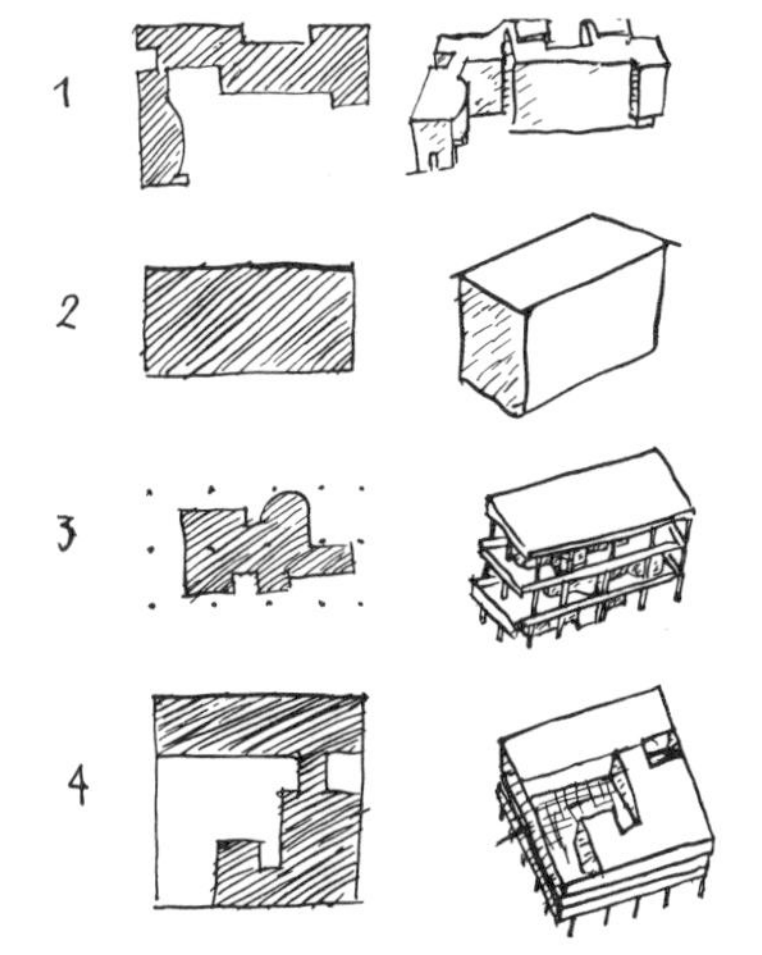

143　ル・コルビュジエ「四つのコンポジション」，1929年．1は「ラ・ロッシュ邸」，2は「ガルシュの家」，3はシュトゥットガルトの「ワイゼンホーフ・ジードルング」，4は「サヴォワ邸」

《サヴォワ邸》は、ル・コルビュジエの「四つのコンポジション」の最後に挙げられている。一番目は、一九二三年の《ラ・ロッシュ邸》で、彼はこれを一九二九年にゴシック・リヴァイヴァリズムのL字形平面の純粋主義的解釈として示した――「むしろ容易で、絵画的で、動きのあるもの」だった。二番目は、理想的な角柱となった。三番目と四番目（《ガルシュの家》と《サヴォワ邸》）は、一番目と二番目とを中和させる代替案として示された。つまり、三番目は一番目と二番目とを巧妙に総合したものであり、四番目は一番目を角柱に内包したものである。

一九二七年、ジュネーヴの《国際連盟本部》の国際設計競技への応募から、ル・コルビュジエとピエール・ジャンヌレは、大型公共建築の設計を開始した。二人の関心は、それまで住宅や基本的角柱の付随的単純性に集中していた。しかし今や二人は、「宮殿」という型式の必然的複合性に本格的に取りかかったのである。設計競技条件は、二つの建物を求めていた。事務局と会議場である。この要求項目の二元性のため、彼等は設計に対して要素主義的にアプローチすることになった。すなわち、まず構成「要素」が設定された。そして、幾つもの配列案を作るため、それらの要素を操作した。世紀の転換期に「ボザール（美術学校）」教授ジュリアン・グァデが教授した要素主義が、グァデの門弟ガルニエやペレを経て、ル・コルビュジエに達したと言えよう。彼が大規模複合施設を扱う時に、このアプローチを採用したことは、一九三一年の《ソヴィエト・パレス》計画案の際の試案が説明してくれる。その時、八つの代替案が示され、その下に次のような説明がある。「（これらの代替案は）この計画のさまざまな段階を示すもので、早い段階から確定した機関があり、それが次から次へと少しずつ、前とは相反する位置へと動きながら、合成的解決へと上り詰めていく様子が分かろう。」これと同様な注釈が、ル・コルビュジエの著書『住宅、宮殿』（一九二八年）に掲載された《国際連盟》計画代替案に見られる。そこでは、（操作的観点からすれば、明らかに合理的である）対称的配置による、「構成の同一要素を用いて行った代替案」とある。最終的に採用された非対称性は、対称的配置に見られる循環論理と、主要建物の表象的ファサードに軸線を設置する古典主義的偏好との間の相剋を暗示している。

《国際連盟》計画案は、ル・コルビュジエの初期の経歴の中での最高峰である、と同時に最大の危機でもある。国際設計競技の勝利者として喝采を博したのもつかの間、たちまち審査員から拒絶されてしまうのである（もし彼の言うことを信ずるなら）。その理由は、応募要綱に定められた表現手段によって計画案を提出しなかったからであり、そのため勝利者としての資格は剥奪されてしまった。この計画案がル・コルビュジエの純粋主義時代の絶頂期を代表するものであることは間違いない。実際、この計画案は、彼が絵画の中に具象的要素を導入した時期と符合しているばかりでなく、後年、彼が「詩的情緒を喚起する物体（オブジェ）」と呼ぶものを導入した時期でもあったのである。因みに、それ以後というもの、絵画はいよいよ有機的で具象的になる一方、建築は――少なくとも公共的レヴェルの建築――ますます対称形になっていく。思うに、この《国際連盟》応募案は分水嶺だったに相違ない。分水嶺とは、ル・コルビュジエの作品経歴だけではなく、国際的近代運動における彼と彼の信奉者達との関係についても同様だったに違いない。とくに、左翼思想を政治的信条とする支持者達にとって、事態は由々しいことであった。一九二七年当時、この《国際連盟》応募案はロシア構成主義に近似していると言われた。例えば、宙吊り状態の非対称性や最新の技術改新を採り入れたり、事務局の建物をピロティで持ち上げたり（平面を見るとリシツキーの《ヴォルケンビューゲル（雲の鉤）》を想わせる）、清掃方式を機械化したり、会議場に空調設備を施したりした（その形状は音響学的に決定され、調整され、照明をふんだんに備えつけた）ことである。こうしたことは、政治的信条に関わりなく、若い世代の熱狂的支持をいやが上にも高めずにはおかなかった。しかし、その打ち消しがたい記念性（モニュメンタリティー）は――その石貼りの仕上げにも、さまざまな階層の利用者を会議場内部の所定の場所へ導くために提案されたという階層別、七箇所の扉・入口方式にも歴

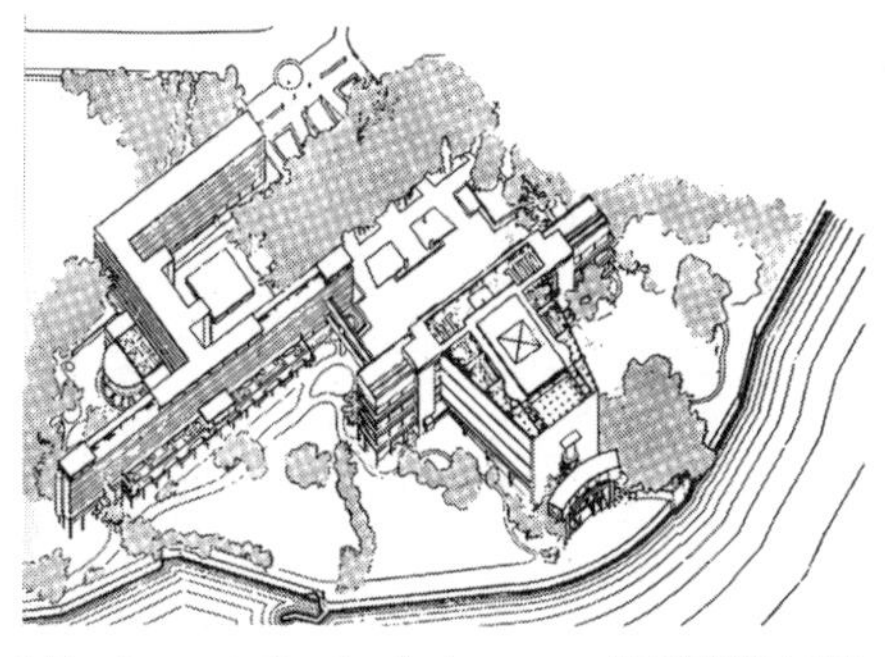

144　ル・コルビュジエとジャンヌレ「国際連盟本部」設計競技応募案，ジュネーヴ，1927年．H・マイヤーとヴィットヴァーによる応募案と比較のこと

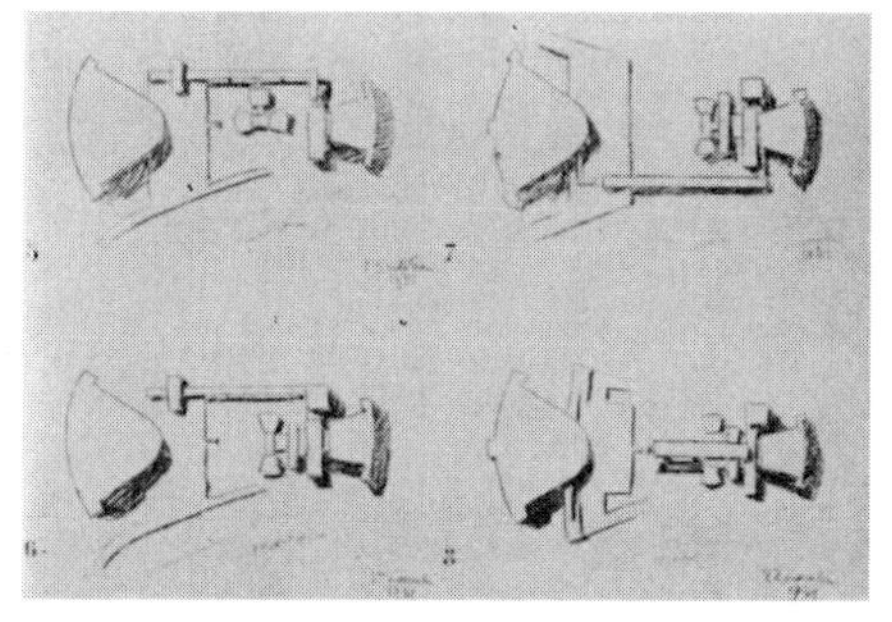

145　ル・コルビュジエとジャンヌレ「ソヴィエト・パレス」設計競技応募案，モスクワ，1931年．同一の要素によって配置が4例も可能なことを示す

然と表れており――間違いなくイデオロギー的不信感を招く結果になったものと思われる。

ル・コルビュジエは、「技術者による美」と「建築」との二極分解を解消しようと積極的だったし、効用性に「神話という階層性」を吹き込もうと懸命だった。そのため、一九二〇年代後期の機能主義的、社会主義的デザイナー達との確執に巻き込まれる羽目になった。彼の「ムンダネウム」あるいは《世界都市（シテ・モンディアル）》計画は、一九二九年、世界思想の中心として、ジュネーヴに計画されたものであった。しかし、これがチェコの左翼芸術家兼批評家カレル・タイゲ(10)の鋭い反論を誘発したのである。しかもタイゲは、ル・コルビュジエの崇拝者であって、一九二七年《国際連盟》応募案をめぐる国際的論争に際しては、公然とル・コルビュジエを支持し、他のチェコ芸術家にも彼に従うよう呼びかけたほどだった。そのタイゲが、それから二年経つや経たずのうちに、今度はル・コルビュジエを激しく攻撃したのである。タイゲが反対した理由は「都市」の内容ではなく、その「形態」であった。とりわけ、《世界博物館》の螺旋状ジッグラトであった。ル・コルビュジエはタイゲの雑誌「スタフバ（建物）」に「建築の擁護」と題する論文を書いて、直ちに反論せねばならなかった。タイゲは攻撃文の中にハンネス・マイヤーが一九二八年に書いた論文「建設する（バウエン）」から次の一節を引用していた。

「この世のすべてのものが、機能×経済という公式の積あるいは産物なのだ。それ故に、これらのどれ一つとして芸術作品ではない。あらゆる芸術は構成である。それ故に、特定の目的に適するものではない。すべての生活は機能である。それ故に芸術的ではない。船渠（ドック）の構成などとは笑止千万だ。では、都市計画はどのように設計するのか？　住居の平面はどうか？　設計競技か機能か？　芸術か生活か？」

ル・コルビュジエはこの引用文を自分の論文の冒頭に置いて、この応酬がタイゲにも、そして同時にマイヤーにも向けられることを明らかにした。彼は次のように論じた。

「今日、新即物主義（ノイエ・ザッハリヒカイト）を奉ずる前衛達の間では、次の二つの言葉が抹殺されている。すなわち、建築（バウクンスト）と芸術（クンスト）の二語である。これらを換えるに建てる（バウエン）と生きる（レーベン）を当てる［…］。今日、機械化が大型生産を可能にするというなら、ハンネス・マイヤー氏よ、建築は、何はさて措き、戦艦の中にすっぽり収まってしまうだろう。同様に、戦争の行動の中に、さもなくばペンの形の中に、電話の中に収まってしまうだろう。建築とは、順序配列に従う創造現象なのだ。配列を制するものが、構成を制する。」

タイゲの攻撃があった同じ年、彼は著書『プレシジョン』の中で、「ムンダネウム」がドイツ建築家左派から悪評を蒙ったことを認めたが、基本姿勢を修正する理由などいささかも認めず、なお次のように言い続けたのだった。

「計画された建物は、厳密に実用的なものであります――

とりわけこの螺旋状の《世界博物館》はきわめて厳しく断罪されました。［…］《世界都市》計画は、機械そのものである建物に壮麗さを添えるものです。ですから、是が非でも考古学的霊感を見出したいと願う人もいるのです。しかし私の見方からすると、この調和的特性はもう一つのものから生まれるのです。問題をよく整理して、素直に答えることから生まれるのです。」

それにも拘わらず彼は、この《世界都市》の配置が「規準線」による網目で決定されたことを否定できるはずはなかったし、事実、否定しなかった。《ガルシュの家》の正面を調整した時と同じ規準線であるが――その正面は、どれほど純粋主義的機械美の規範に準じていようと、その構造が由来しているパラディオの平面型式と同様に、類似性において古典主義を温存させていたのであった。

第18章 ミース・ファン・デル・ローエと事実の意義

一九二二〜一九三三年

ようやく私には、建築の仕事とは形態を作ることではないのだと分かってきたのでした。そして、その仕事とは何であるかを理解しようとしました。私はペーター・ベーレンスに尋ねてみました。しかし彼は答えられませんでした。彼はそんな疑問を考えてもみなかったのです。他の者はこう言うのです。「われわれの建てるものが建築なのだ。」しかし、私達はこの答えには満足しませんでした［…］私達はこれが真理の問題であると知っていましたから、では真理とはいったい何かを見出そうとしたのでした。私達は聖トーマス・アクイナスの真理の定義を知ってひどく喜んだものでした。Adequatio intellectus et rei. 現代の哲学はこれを今日の言葉でこう言い表しています。「真理とは事実の意義である。」

ベルラーへはたいへん真面目な人でしたから、虚偽のものは何一つ受け容れようとはしませんでした。明快に建てられないものは建ててはならない、そう言ったのは彼でした。そしてベルラーへはまさしくそれを実行しました。彼はそのとおりに行いました。その結果、アムステルダムの彼の有名な建物である《株式取引所》は、中世的でないのに、中世的特徴を備えています。彼は、中世の人達のとおりに煉瓦を使いました。そこを訪れてみて私には明快な建て方という意味が分かりました。私達はそれを基本の一つとして受け取らなくてはならないのです。われわれはそれをいとも気易く話しますが、実行するのは容易ではありません。この基本的建て方を守り、それを構造物に仕上げることは非常に難しいことです。ここで私がはっきりさせておきたいことは、英語では、あなた方はなんでもかんでも構造物と呼んでいることです。ヨーロッパではそうではありません。掘立小屋は掘立小屋と呼びます。構造物ではないのです。構造物という言葉に哲学的理念を持たせているのです。構造物（ストラクチャー）とは頂点から底辺まで、細かいディテールに至るまで同一の理念で貫かれている全体のことです。これこそ私達が構造物と呼ぶものなのです。

――ミース・ファン・デル・ローエ（ピーター・カーター[1]の引用による。
「アーキテクチュラル・デザイン」誌　一九六一年三月号）

前掲の引用文が示す通り、ルートヴィヒ・ミース[2]――その後、彼は母方の姓、ファン・デル・ローエを付け加えるようになった――はオランダの建築家ベルラーヘの作品からも、また、彼が直接の後継者となったプロイセン新古典主義派の作品からも同様に鼓吹されたのである。同世代のル・コルビュジエとは違って、彼はユーゲントシュティルのアーツ・アンド・クラフツ的精神の中で教育を受けたことはなかった。十四歳の時、彼は父親の石工の実務に就いた。二年後、実業学校に入ったが、その後の一時期、地方の施工業者の漆喰職人となった。一九〇五年、故郷の街アーヘンを後にしてベルリンに赴き、木造を専門とする建築家の下で働いた。その後、家具デザイナーのブルーノ・パウル[3]の下で修業を積み、一九〇七年には一時自立して、処女作の住宅を控え目な「英国風」手法で建てたが、これは「ドイツ工作連盟」の建築家ヘルマン・ムテジウスの作品を想わせるものであった。その後はペーター・ベーレンスに就いたが、ベルリンに新設されたベーレンスの事務所はちょうど、電気トラスト「AEG（アーエーゲー）」の一貫した企業スタイルを展開しようとしているところであった。ベーレンスの事務所に在職すること三年、その間、ミースは「シンケル派」の伝統に通ずるようになった。「シンケル派」は、新古典主義にその起源を持つ一方、「建築（バウクンスト）」の理念に関わるものであった。この「建築」の理念には、技術による上品さという理念のみならず、哲学的な概念としての意味も含まれていた。シンケルがベルリンに設計した煉瓦貼りの《建築アカデミー》は、倉庫風の詳細にも拘わらず、後年、ミースがベルラーヘの《アムステルダム株式取引所》の分節明瞭（アーティキュレート）な建て方と比較したものであった。ミースは一九一二年にオランダを訪れ、そのとき初めてベルラーヘの建物を見た。ベーレンス設計のサンクトペテルブルグ《ドイツ大使館》の現場づめ建築家として短期間働いた後、一九一一年、ミースはベーレンスの下を去って、《ペルルス邸》の設計によって自分の事務所を設立した。この住宅は、同年、ベルリン・ツェーレンドルフに完成したが、第一次世界大戦の勃発以前にミースが設計した五軒のネオ・シンケル風住宅の嚆矢となった。一九一二年、彼はベーレンスの後を引き継いで、H[4]・E・L・J・クレーラー夫人付きの建築家となった。夫人は、ハーグに有名なクレーラー・ミューラー・コレクションを収めるギャラリーと住宅を求めていたのである。この計画は、敷地現場にキャンヴァスと木で実物大の模型が作られるところまでいったが、間もなく理由も明らかにされないまま放棄されてしまった。この年にはまた、ブレ風な《ビスマルク記念碑》の計画案があったが、これこそミースの戦前の作品歴の中で最後の重要作品であった。

第一次世界大戦によって、軍事産業の絶対権力が敗北、壊滅すると、ドイツは経済的にも、政治的にも混乱状態に陥った。ミースは、戦争参加の経験を持った他の建築家達と同じように、シンケル以来の伝統である専制的規範を遵守するよりも、一段と有機的である建築を探った。一九一九年、彼は急進的な「十一月グループ」の建築部門の指揮に当たった。この集団は、共和制革命成立の月を記念して名付けられたもので、全ドイツ芸術の再活性化を目指した。この連帯が、ミースを「芸術のための労働者評議会」に、そしてまたブルーノ・タウトの「ガラスの鎖」（第十三章参照）の思想に近づけた。したがって、ミースの一九二〇年の最初の《ガラスのスカイスクレイパー（摩天楼）》計画案が、パウル・シェーアバルトの一九一四年の著書『ガラス建築』に対する反応だったとしても、あながち荒唐無稽ではない。それと同様の透明多面体スカイスクレイパーの主題は、一九二一年の《フリートリッヒシュトラッセ・オフィス・ビル》設計競技応募案にも登場している。この二つの計画案は、タウトの雑誌「フリューリヒト（曙光）」最終号に掲載されたが、これはミースと戦後の表現主義との提携関係を裏付けるものとなった。当時の彼の意図は、ガラスを複雑な反射面として演出することであった。こうすることによって、光の下にあって反射面は絶えず相貌を変えることになるはずである。この考え方がよく窺えるのは、フリートリッヒシュトラッセ計画の最初の発表の際に付せられた次の一文である。

「ベルリンのフリートリッヒシュトラッセ中央駅のスカイスクレイパーを計画するに当たって、私は角柱（プリズム）の形態を採用した。これが三角形の建設用地に一番相応しいと思えたからだ。私は、ガラスの壁面が互いにわずかな角度で折れながら続いていくようにして、大きなガラス面だけの単調さを排除した。私は実際のガラスの模型を使って、こういうことが分

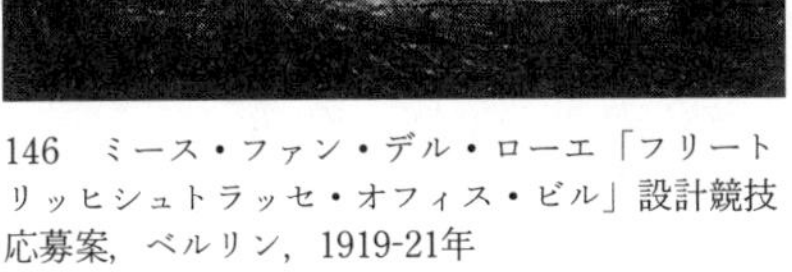

146　ミース・ファン・デル・ローエ「フリートリッヒシュトラッセ・オフィス・ビル」設計競技応募案，ベルリン，1919-21年

かった。すなわち、重要なことは反射作用のゆらめきであって、普通の建物で見られるような光と影の効果なのではない、ということである。

こうした実験の結果が、ここに掲載されている第二案に見られる。見たところ、その平面(プラン)の曲線は思いつきのように見えるかもしれない。だが、この曲線は、次の三つの要因によって決定されたのである。室内への十分な照明、街路から離して建物を独立した物体として表現すること、そして最後に反射作用の変化、これら三つである。私がガラスの模型を使って分かったことは、光と影を計算しても、ガラスの建物の設計には役に立たないということである。」

こうした背景の中で、ミースの応募案とフーゴー・ヘーリングの応募案を比較すると、はなはだ意味深い。一方が三角状で波を打ち、凸面形をしているのに対して、他方は三角状だが、多面体で凹面形である。こうした相違点はともかく、二つともに表現志向的であり、一致点があるとすれば、それはヘーリングが一九二〇年初期を通じてミースとアトリエを共用していたという事実によって、あるいは説明がつくかもしれない。

ミース・ファン・デル・ローエの生涯のうち、いわゆる「Gの時代」は一九二三年に始まる。彼はこの年、雑誌「G」の創刊に参加した。この雑誌は副題を「基本的形態のための素材」といい、ハンス・リヒター、ヴェルナー・グラーフ、リシツキーが編集に当たった。前年のミースの《ガラスのスカイスクレイパー》は、半透明な表面に動きのある反射を繰り広げ、独特のG感覚とでもいうべきものをすでに予告するものであった。このG感覚というのは、構成主義の客観性とダダイズムの偶然性とを結びつけたものといえよう。しかし、ミースが雑誌「G」の創刊号に提示した七階建てのオフィス・ビルは、また別の問題を掘り起こすものだった。なぜならば、ここでの基本的な表現の素材は、ガラスではなくコンクリートだったからである。鉄筋コンクリートの骨組から片持梁(カンティレヴァー)によってコンクリートの「受皿」がはね出した格好の建物であった。ちょうど、一九〇四年のフランク・ロイド・ライトによる《ラーキン・ビル》のように、この「受皿」の「立ち上がり」部分は、後退したガラス面の帯の下に据えられる標準型書類収納庫を納める高さによって決められた。この計画案を発表するとともに、ミースは形式主義と美学的理論に対して反対声明を出した。ヘーゲル調の文体によって重々しく、彼は次のように書いた。「建築とは空間の言語によって把握された時代の意志である。それは生命に溢れ、変化に富み、常に新しい。」同時に彼は、次のように続ける。「このオフィス・ビルは、仕事の［…］組織の容器であり、明晰性を備え、経済的である。明るくゆったりとした執務室は、監督しやすく、仕事によって分割される時以外は、一望の下にある。必要最小限の手段によって最大効果を挙げてい

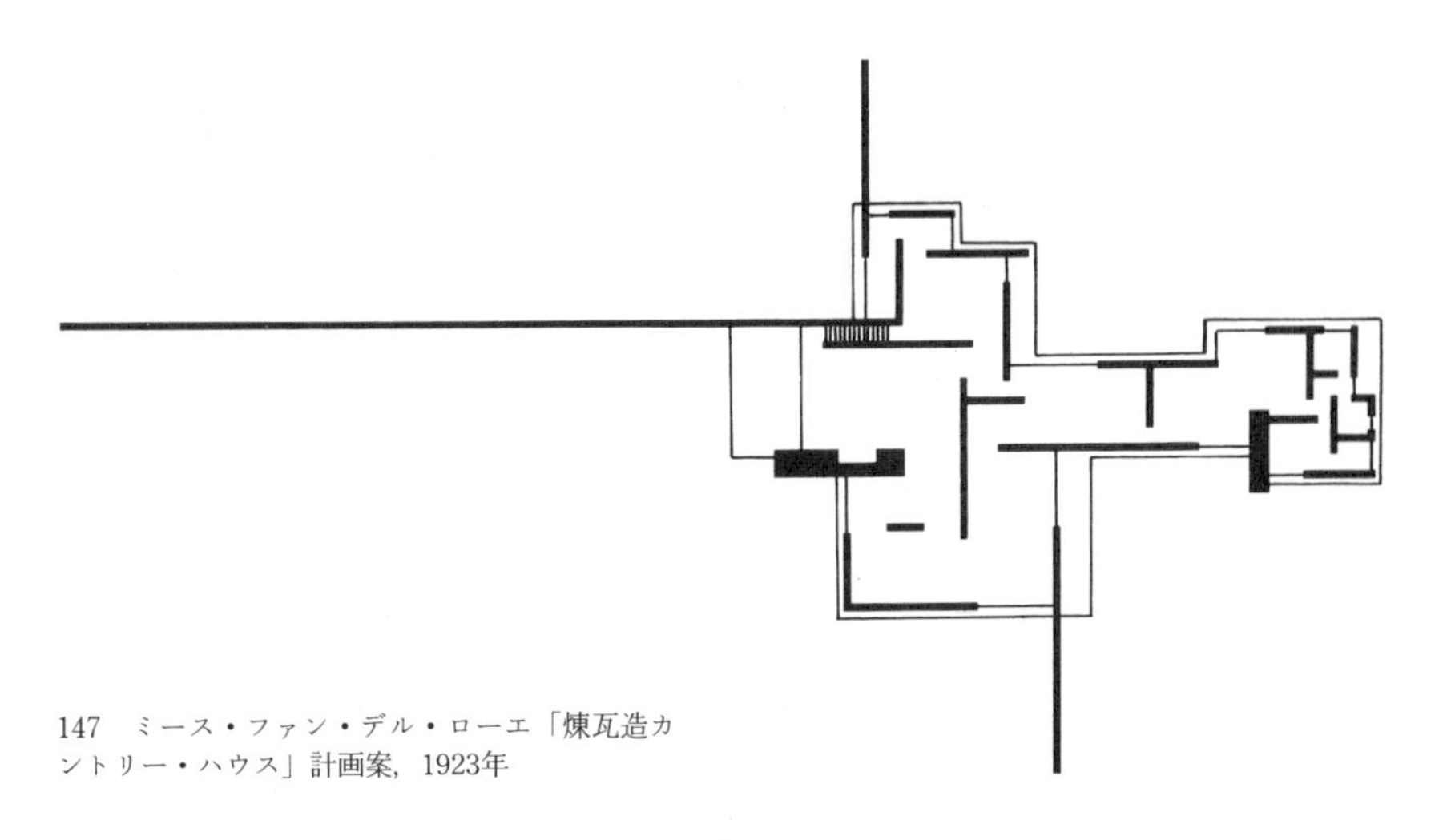

147　ミース・ファン・デル・ローエ「煉瓦造カントリー・ハウス」計画案，1923年

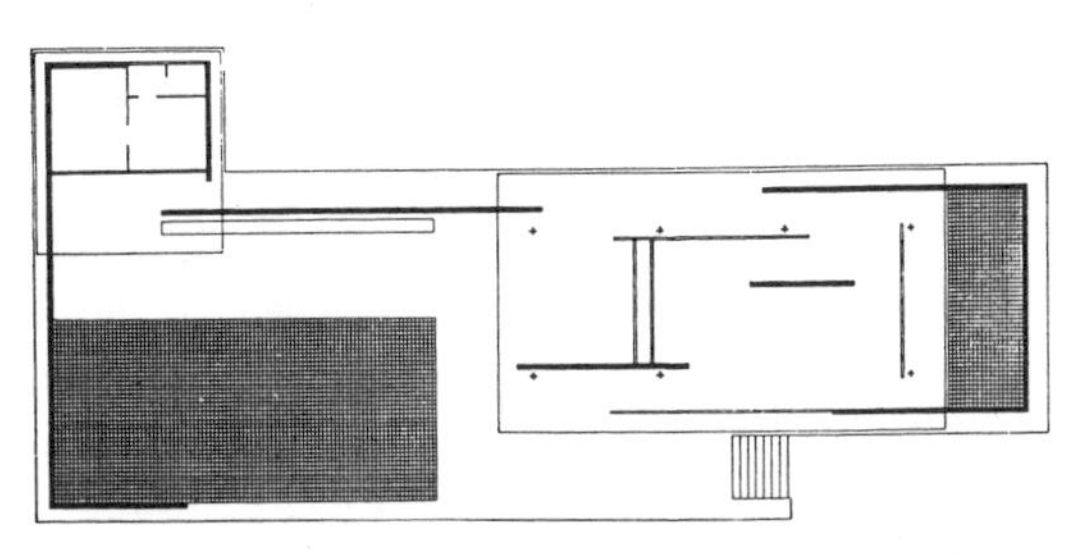

148　ミース・ファン・デル・ローエ「バルセロナ・パヴィリオン（ドイツ館）」バルセロナ世界博覧会，1929年

149　ミース・ファン・デル・ローエ「バルセロナ・パヴィリオン（ドイツ館）」内部

るのだ。素材はコンクリート、鉄、ガラスである。」
この「皮と骨（スキン・アンド・ボーン）」という客観性を主張する建築は、ル・コルビュジエの「ドミノ計画」を想わせるが、その中にはアカデミズムの伝統の痕跡が見出される。例えば、建物の隅部を「強調」するために、隅部の柱間は他のものより幅を広くしてある。しかしながら、ミースの、シンケルによる新古典主義原理への明らかな参照もこの作品までで、十年後、一九三三年の《国立銀行》計画案では、「新たなる記念性（モニュメンタリティー）」を演出するのである。

絶えず見え隠れする新古典主義の底流は別にして、一九二三年以降のミースの作品には程度の差こそあれ、次の三つの重要な影響が窺える。一、ベルラーへから受け継いだ煉瓦造の伝統と「明快に建てられないものは建ててはならない」という彼の信条。二、フランク・ロイド・ライトの一九一〇年以前の作品——これは「デ・スタイル」グループによって濾過されたものであるが、その影響は、ミースが一九二三年に計画した《煉瓦造カントリー・ハウス》に見られるように、風景の中まで伸びる水平性の強い輪郭の中に認められる。三、カシミール・マレーヴィチのシュプレマティズム。これはリシツキーの作品を通して解釈されたものであった。ライトの美学は、「シンケル派」の「建築」の伝統の中で容易に吸収されたが——その「建築」は、ヨーロッパの組積造の最高標準によるものだった。一方、シュプレマティズムはミースを刺激して、自由な平面を展開させた。ミースが抱いた「建築」の理想は、一九二六年、煉瓦造によって完成した[5]《カール・リープクネヒトと[6]ローザ・ルクセンブルグ記念碑》と《ヴォルフ邸》において実現されたし、自由な平面は、一九二九年の《バルセロナ・パヴィリオン》において、いわば完全武装して出現することになった。

このように多様で強力な影響下にありながら、ミースは、かつての「十一月グループ」時代の表現主義美学を振り切るのに苦労したようである。いささかロシア的色彩感覚に通ずるような感性が、一九二七年の「ベルリン絹製品産業展」の展示にはなお歴然としているのである。この展示は、もともとファッション・デザイナーとして教育を受けた[7]リリー・ライヒとの共同で設計されたものであった。黒、オレンジ、赤のビロードと金、銀、黒、レモンイエローの絹は、無論ライヒの趣味を映しているが、《チューゲントハット邸》の居間の家具に用いられた強烈な緑色の牛皮による家具類も、同様、彼女の好みであった。同年、シュトゥットガルトで開催された「ドイツ工作連盟、ワイゼンホーフ・ジードルング博覧会」においても、表現主義に対する潜在的感情がなお窺えるのである。この博覧会では、個々の設計が独立した物体を目指したかのように思われがちであるが、ミースは最初、この博覧会を、中世都市のような連続する都市的形態として構想していたのである。ここには、痕跡的ではあるが「都市の冠」さえあったのである。それは無論、団結を志向するブルーノ・タウト気取りのジェスチャーであって、直ちに中止される羽目にあった。配置計画の決定案では、ミースは敷地を短冊状に分けて、それぞれの敷地では独立「展示」住宅が、「工作連盟」の建築家達の設計によって建てられた。その建築家の中にはヴァルター・グロピウス、ハンス・シャロウンは含まれていたし、ル・コルビュジエ、ヴィクトル・ブールジョワ、J・J・P・アウト、マルト・シュタムなど外国人建築家も多数参加した。

《ワイゼンホーフ・ジードルング》はそもそも、一九〇一年のダルムシュタットの展覧会「ドイツ芸術の記録」を起源に、その精神を依り所として発想されたものであった。その白くて、四角くて、陸屋根という建物の形式を、初めて国際的に表明する機会となった。やがてこの形式は、一九三二年、「国際様式（インターナショナル・スタイル）」として認められることになるのである。ミースがこの博覧会のスタイルと内容双方に果たした功績が、この計画の中心的骨格として設計した《アパートメント・ハウス》であった。その五階建ての建物は、だいたい当時開発されたばかりの標準型「連続住宅（ツァイレンバウ）」に相似していた。しかし、典型的な連続住宅棟と相違しているのは、ミースの建物が、多種多様な形状と規模のアパートメントに自由に適応できるという点であった。ミースはその解決法について、一九二七

150　ミース・ファン・デル・ローエ「チューゲントハット邸」チェコ，ブルーノ，1930年

151　ミース・ファン・デル・ローエ「チューゲントハット邸」食堂

年当時次のように書いている。

「今日、経済性という要因が、賃貸住居における合理化、規準化を強制的なものにしている。他方、現代の要求がいよいよ複雑化するため、融通性が求められている。将来はこの経済性と融通性の両方を考慮に入れなくてはならないだろう。そのためには、骨組による建設が最適の方式である。これによって建設方法の合理化が可能となり、室内を自由に分割できるようになる。鉛管工事を考慮して、厨房と浴室を住居の中の固定した核と見れば、他のすべての空間は可動式壁によって間仕切り可能となる。こうすれば通常のすべての要求を充たせるであろうと私は信じている。」

ミースの初期の経歴のうちで頂点となるのは、《ワイゼンホーフ・ジードルング》完成後、次々に設計した三つの傑作である。すなわち、一九二九年のバルセロナ世界博覧会におけるドイツ政府《パヴィリオン》、一九三〇年のチェコスロヴァキア・ブルーノの《チューゲントハット邸》、そして一九三一年のベルリン建設博覧会のために建てられた《モデル住宅》である。これらすべての作品に見られるのは、中心から水平方向に伸びていく空間が、独立した平面と柱によって分割されたり、分節化(アーティキュレート)している様相である。ここに見られる美学は（一九二二年、一九二三年の《カントリー・ハウス》計画案の中にすでに予見されてはいたが）基本的にはライト的であるとはいえ、それはGグループの感性ならびに「デ・スタイル」の形而上的空間概念を通して解釈されたライトであった。アメリカの美術評論家アルフレッド・バーが述べたように、ミースの《煉瓦造カントリー・ハウス》の耐力壁は、ファン・ドゥースブルフの一九一七年の絵画作品「ロシア・ダンスのリズム」の中に見られる密集する要素のように、ここでは風車状に布置されている。

《バルセロナ・パヴィリオン》は、その八本の柱からなる規則的格子といい、伝統的素材の自由な用法といい、古典主義と連携するところがあったにも拘わらず、紛れもなくシュプレマティズム的で、さらに要素主義的な構成であった（マレーヴィチの一九二四年の素描「地球の住民のための未来惑星」あるいはその間接的門弟[8]イワン・レオニドフの作品を参照のこと）。当時の写真を見ると、パヴィリオンの空間的また物質的な形態は、言葉では言い表せない、両義的な特性を持っていることが分かる。当時の記録から推測できるのは、例えば淡い緑色のガラス壁を用いて、主要な境目の面に「合わせ鏡」のような効果を持たせるといった、表層の錯視的な解読によって、内部空間に変位を生み出そうとしていることである。その境界面には、緑色のタイニ産大理石を磨いて貼り込んでいるため、ガラスを支持しているクローム鍍金(メッキ)した輝く垂直な支柱の光彩が映し出されていた。テクスチュアや色彩による同様な効果は、磨きこまれたオニックスによる内部の中心部分の面（ライトが住宅の中心に据える煙突に相当する）と、光を反射する大きなプールのあるテラスに沿った、長いトラヴァーチンの壁とのコントラストが作り出したものである。プールはトラヴァーチンに囲われ、風のそよぎに揺らいで、千々に砕けた水面が建物の歪んだ形象を映した。それとは対照的に、パヴィリオンの内部は柱と方立（マリオン）で調整されており、端部には中庭があって、反射効果のあるプールがあり、黒のガラスと向かい合っていた。この、容易に近づき難いくらい完璧な鏡の中に、ゲオルク・コルベの彫像「踊子」の凍ったような形象と映像がすっくと立ち上がっていた。しかし、こうした微妙な美の対照が幾つもあるにも拘わらず、建物は単純に、十字形の断面をした八本の独立柱で組み立てられ、その柱が陸屋根を支えていた。この構造の規則性といい、沈んだ色合いのトラヴァーチンの基壇の堅固さといい、ミースが回帰することになる「シンケル派」の伝統を想起させた。

この《バルセロナ・パヴィリオン》は、一九二三年の「デ・スタイル」の部屋と同様に、家具の古典的傑作を生み出す絶好の機会となった。すなわち、「バルセロナ・チェア」である。これは、この建築家が一九二九年から三〇年にかけてデザインした、五つのネオ・シンケル風家具の一つであった。他の四つは、バルセロナ・スツールとテーブル、チューゲントハット肘掛け椅子、それとボタン止め革張りの寝椅子である。「バルセロナ・チェア」は、クローム鍍金したスティールの平板材を熔接して骨組を作り、子牛の革に詰物をして、ボタン止めにした。リートフェルトの「レッド／ブルー・チェア」が、ベルリン展覧会の「デ・スタイル」の部屋に置かれたのと同じように、「バルセロナ・チェア」は、まさしくこのパヴィリオンのデザインにはなくてはならぬものとなっていた。

《チューゲントハット邸》は、チェコスロヴァキアの小都市ブルーノにあり、街を見渡せる懸崖に、一九三〇年に建てられた。ここでは、《バルセロナ・パヴィリオン》の空間概念が住居の目的に適応された。さらに、ライトの《ロビー邸》の層状的、各室独立的平面計画――もっとも《ロビー邸》では設備関係が主要な生活空間の後方にずれている――とシンケルのイタリア風ヴィラの典型的ロジア形態とを結び付ける試みを見ることができよう。いずれにしてもこの住宅では、自由な平面は、もっぱら水平に広がる生活空間に充てられ、ここでもクローム鍍金した十字形断面の柱が空間を調整し、長手方向の側面は、ブルーノの町の眺望を入れるため広々と開放され、短手方向の側面は温室で、大きな板ガラスが嵌め込まれている。長いガラス壁全体をそのまま機械仕掛けで床下に沈めてしまうと、この住宅の生活領域は、そっくり展望台に変貌してしまうのである。一方、温室は、自然の植生と室内の風化したオニックスとを媒介すると同時に、象徴的意味では自然の箔の役目を果たしている。同じような手法を使って、合板製の食堂の囲いは黒檀を貼って仕上げ、その小空間で供される生命の糧を思わせる。同様に、住宅の生活空間はオニックス製の矩形の面で仕切られているが、まさにこの面を境にして、面の片側に見られる空間の世俗性を意味している――そこは居間と書斎が配置されているのである。こうした修辞法が読み取れるのは下階だけに限り、入口レヴェルに配置された寝室は、全く密室空間として扱われている。

　他方、ミースは、一九三一年のベルリン建設博覧会のために建てた《モデル住宅》によって、自由な平面が寝室にまで延長できる可能性を示した。その後の四年間、この考え方を研究して、きわめて優雅な一連の中庭付き住宅を設計したが、残念なことに、いずれも建設されなかった。

　ミース・ファン・デル・ローエは理想主義を信奉して、気質的にはドイツ特有のロマン的古典主義に対して親近感を懐いていた。このため、あきらかに彼は「新即物主義（ノイエ・ザッハリヒカイト）」の大量生産志向性とは距離を保っていた。どちらの場合も、客観性の感覚の相違は自明であった。「新即物主義」に対して、ミースは自分の立場は反動的ではないが、非政治的なものであると公言していた。一九三〇年当時、彼はハンネス・マイヤーの後任として「バウハウス」の指導を受諾したところであった。彼はこの地位に指命された時、「新時代」と題する試論を書いたが、その中で、自らのいささか両義的立場を定式化しようとしている。彼は、ハンネス・マイヤーの「唯物論的」試論「建設する（バウエン）」に応える形で次のように書いた。

　「新時代は事実だ。われわれの否応に関わりなく、新時代は厳存する。しかし、新時代は他のいかなる時代に較べて可でもなく不可でもない。それは、それ自体価値内容を持たない、純粋なる基準である。だから私は新時代を規定するつもりもないし、その基礎構造を明らかにするつもりもない。

機械化と標準化に過大な重要性を与えてはならない。

変転する経済、社会条件を事実として受け容れよう。

これらはすべて遮二無二、与えられた道筋を突っ走る。

一つのことだけが決定的となるだろう。周囲の状況の中で自分を主張すること。

　この地点から精神の問題が始まるのだ。問うべき重要な質問とは、「何を」ではない。「いかに」である。われわれはどんな商品を造るか、あるいは、われわれはどんな道具を使うか。こんなことは精神的価値の問題にはならぬ。

　高層建築と低層建築の対立の問題にいかに決着をつけるか、あるいは、われわれはガラスで建てるべきか、スティールで建てるべきか、こうした問題は精神の見地からすれば重要ではない。

　都市計画の際に集中化に向かうか、分散化に向かうか、これは実際的問題であって、価値論的問題ではない。

　しかし、決定的なのはまさしく価値論の問題である。

　われわれは新しい価値を掲げ、われわれの究極的目標を設定しなければならない。そうすれば、われわれは標準が立てられるようになるだろう。

なぜなら、いつの時代にも、そうだ、新時代も含めていつの時代にも、正しく、重要なことはこれだ――精神に存在の機会を与えること。」

ミースの精神的価値に寄せるこうした新古典主義的関心こそ、一九三三年、国家社会主義が権力の座に就いた年、《国立銀行》設計競技に提出した応募案の理想化された記念性に直ちに結び付くのではなかろうか。この時までミースを支えていた非古典主義的な内的欲求――彼に独自の自由な平面の解釈を鼓吹したシュプレマティズム的要素主義――は今や無表情な記念性に道を譲った。この記念性は、その表皮の中立性を別にすれば、官僚主義的権威の理想化以外の何ものでもなかった。このシュプレマティズム的感性は、一九三九年までミースの作品の中では抑圧され続けていた。しかしこの年、彼は合衆国へ移住し、シカゴの《IIT（イリノイ工科大学）》キャンパスの最初のスケッチをする時、このシュプレマティズム的感性は、一時的ではあるが、再び噴き出したのである。

第19章　新しい集団性：ソヴィエトの建築と芸術

一九一八〜一九三二年

国際主義の単純にして古典的な概念は、一九二〇年代末期までに驚くべき変化を遂げた。当時、全世界同時革命の希望は後退し、一国社会主義建設という、遥かに専制主義的段階が始まった。同時に、技術についてのふつふつとしたロマン主義的発想から醒めて、ロシアにおける技術とは、最も原始的手段から始めて、農民経済を現代の産業有機体へと変貌させるための骨の折れる過酷な努力を意味することが、はっきりと分かってきたのである。しかし、こうした変革の意味するところを理解できず、またその変革に適応することにも失敗したため、彼等は、かつて形式主義者達が招いたのと同様に、この（建築という）職能を全くの無能の縁へと追いやってしまったのである。

建築という職能は、過去の建築の伝統一切を拒絶することによって自ら武装解除し、次第に自信を喪失し、さらにはその社会的目的に対する信念すらも失ってしまった。自らに対して最も忠実であった建築家達は、技術者の尊重とすべての建築的伝統の拒絶によって、建設技術者、管理者、都市計画家になろうという結論に達して、実際、建築を放棄してしまったのである。

極度に期待をかけられた技術が描く幻想と、原始的で立ち遅れた建設産業が直面する現実との不一致は、ますます、理想化された技術に低水準の日常的解決への譲歩を強要し、空虚で、まやかしの美学をもたらした。それは、簒奪を企む形式主義者達の美学とは区別がつかず、現実的媒体を欠いたままで、先端技術の不純な形態を再製することを強制された。

機能主義者達が、自らの信条を高らかに宣した時のあの攻撃的な自信をもってしても、彼等の教義の無能、その実践の不毛は、とうてい覆い切れるものではなかった。その当時のわずかに残る建物がこれを立証する。
——バーソルド・リュベトキン[1]「ソヴィエト建築、一九一七年から一九三二年までの展開についての覚書」一九五六年　AAJ

一八六一年の農奴解放後に生じたロシア汎スラブ文化運動は、広い範囲にわたってスラブ偏向のアーツ・アンド・クラフツ・リヴァイヴァルの様相を呈していた。この運動は、一八七〇年代初期に、まずモスクワ近郊のアブラムツェヴォで誕生した。その地には、鉄道王サッヴァ・マーモントフ[2]が、人民党員つまりナロードニキの画家達のために別荘を作っていた。画家達は「移動派」と名のり、一八六三年にはペテルブルグ・アカデミーを中退し、人民に「芸術」を与える流浪の芸術家になろうとしていたのである。

この運動は、一八九〇年、テーニシェヴァ公爵夫人[3]がスモレンスクに、伝統的スラヴ手工芸の復興を目的として創設した家内産業芸術家村において、さらに現実的形態をとるようになった。マーモントフの支援するインテリゲンチャ達が実際に成し遂げたのは、V・M・ヴァスネツォーフ兄弟[4]の《アブラムツェヴォ礼拝堂》(一八八二年)のような中世リヴァイヴァリズム(古代ロシア様式)から、リムスキー・コルサコフ[5]の歌劇『雪娘』の初演のレオニード・パステルナーク[6]の意匠にまで及んだが、テーニシェヴァ芸術家村での作品は規模もずっと小さく、簡素で、軽く、雷文々様を施した住居、家具、日常用具で、その基本形態も、殆どが伝統的木構造に由来し、装飾的要素の大半は「ルボック」の名で知られる伝統的木版の説話美術形式に似た、農民の手工芸に由来するものであった。大衆性と表現性を合わせたような、アブラムツェヴォ・サークルによる絵画は、やがて来るべき二十世紀初期の急進的ロシア芸術の試験的第一歩であって、アレクセイ・クルチョーヌイフ[7]のダダイズム的「ザーウミ(手綱)」の詩や、ミハイル・マチューシン[8]の無調性音楽を予告するものであった。一方、テーニシェヴァ手工芸の方は、革命後のプロレトクリト(プロレタリア文化)運動の、構成主義的な木造構造物や、ステンシルの印刷術を予告するものであった。

芸術一般に見られた汎スラヴ運動の隆々たる生命感とは対照的に、ロシアの建築は一八七〇年以降の目覚ましい成果にも拘わらず、様式としては(とくにモスクワにおいては)サンクトペテルブルグの諸施設の古典主義的規準と、遅ればせながら現れた国民的ロマン主義運動の中間にあった。この運動は、一八三八年、K・A・トーン[9]の設計したネオ・ビザンチン様式の《クレムリン宮殿》から始まったが、この世紀の最後の十年間には、ヴァスネツォーフ兄弟、A[10]・V・シチューセフ、V[11]・F・ワルコット、F[12]・O・シェフテリといったいわゆるネオ・ロシアの設計者といわれる人達が現れた。とりわけシェフテリが一九〇〇年に設計した《リャブシンスキー邸》は、優に、アウグスト・エンデルの絶頂期に匹敵するほどであった。その表現の特徴は、アール・ヌーヴォーに親しく起源を求め、ヴォイジー、タウンゼンド、リチャードソンといった人達なども参照しながら、実に多種多様であり、その実例には、シチューセフの設計したきわめて折衷的で時代遅れの《カザン駅》（起工は一九一三年）から、ヴァスネツォーフ兄弟設計の見事な《トレチャコフ美術館》（一九〇〇～〇五年）まで揃っている。とくにこの美術館は、折衷主義的ではあるが、今なお、オルブリッヒ設計の一九〇一年の《エルンスト・ルートヴィヒ館》に比肩する。これらは、殆ど工学技術の発達とは無縁であったが、この領域では技術者V・A・ジューコフの作品が優れ、モスクワでA[13]・N・ポメランツェフによる《新通商会社》のためのガラス屋根を設計し（一八八九～九三年）、その後、一九二六年には、モスクワで錐台状（フラスタム）で軽量なラジオ塔を設計した。

革命後の建築にとって何より重要なことは、スラヴ運動が、草の根文化の推進力に変貌したことであった。そして、この草の根文化の推進力は、一八九五年以来「ボグダーノフ（神童）」と称した経済学者[14]アレクサンドル・マリノフスキーの説く、「科学的」文化理論によって鼓吹されていた。一九〇三年の革命的危機の最中、ボルシェヴィキに味方して社会民主党の立場を放棄したボグダーノフは、一九〇六年、プロレトクリトとして知られる組織「プロレタリア文化組織」を創設した。この運動は、科学、産業、芸術の新たなる統一によって、文化の再生を図ることに専念した。ボグダーノフによると、「テクトロジー」という名のスーパー・サイエンスは、新しい集団性という理念に相応な手段であって、伝統的文化やその物質的成果に、高度な統一的秩序を与えるものであった。[15]ジェームズ・ビリントンは次のように書いている。

「ボグダーノフは、どちらかと言えばマルクスよりもむしろサン・シモンの流儀に従って、実証的な新しい宗教なくしては、過去の破壊的闘争は解決されないだろうと論じた。かつて、信仰や宗教的信条の中枢としての寺院が社会において果たした統一化への役割は、今日では、プロレタリアートの生きた寺院あるいは実践的で社会に根差した「経験一元論」の哲学によって果たされなければならない、と論じたのである。」

一九一三年、ボグダーノフは、テクトロジーすなわち「普遍的組織の科学」に関する論文の第一部を発表した。そしてちょうどこの年、クルチョーヌイフの未来主義的戯曲『太陽の征服』がサンクトペテルブルグにおいて、マチューシンの音楽とマレーヴィチの装置ならび衣裳によって初演されたのである。この黙示録的戯曲に対して、マレーヴィチがデザインしたカーテンに、黒の正方形の主題が初めて用いられ、以後、シュプレマティズムの基本的図形となった。

第一次世界大戦前夜までには、ロシア前衛文化は、明白に異なる、しかし明らかに関連し合った二つの傾向に分裂していた。そのうちの第一のものは、非実用的な総合芸術形式をとって表現されるものであり、日常生活を、クルチョーヌイフの詩やマレーヴィチが喚起するような千年王国的未来へ変貌させることを約束していた。そして第二のものは、ボグダーノフが提示したように、ポスト・ナロードニキの仮説であって、目前の切迫した共同体生活や、生産に関する物質的・文化的状況から、新しい文化の統一を探ろうとした。一九一七年十月を過ぎると、新たに形成されたソヴィエト国家という現実が、この二つの立場――「黙示録的」な立場と「合成的」な立場――を拮抗させることになり、混成的な社会主義的文化形態を誘導した。例えばリシツキーは、マレーヴィチの「黙示録的」で高度に抽象的な美術を、彼のいわゆるシュプレマティズム的要素主義の実用的目的に応用した。

一九二〇年、モスクワに美術、建築、デザインの総合教育機関として「インフーク」[16]と「ヴフテマス」が創設された。両教育機関は、公開討論の場を提供する役目を果たすものであって、そこでは、マレーヴィチやワシリー・カンディンスキーなど神秘主義的な観念論者達や、ペヴスナー兄弟など客観的芸術家達が等しく、いわゆる生産主義者を称したヴラジーミル・タトリン、アレクサンドル・ロドチェンコ、アレクセイ・ガンへの反対を表明していた。[17] 一九二〇年、純粋に芸術の立場からの異議申し立てが、[18] ナウム・ガボ（ペヴスナーの弟）によって、弁舌巧みに表明された。後年、彼はタトリンの《第三インターナショナル記念塔》に対する批判を、次のように書いている。[19]

「私は、彼等に《エッフェル塔》の写真を見せて、こう言った。君達が新しいと考えているものは、とうの昔にできていたのだ。機能的な住宅や橋を造るか、純粋芸術を創造するか、さもなければその両方を造ることだ。両方を混同することは禁物だ。そんな芸術は、純粋に構成的芸術ではない。たんなる機械の模倣だ。」

こうした説得力のある修辞法の論理にも拘わらず、ガボやカンディンスキーなどの観念論者達は、ソヴィエト連邦を離れざるを得まいと感じていた。だが一方、マレーヴィチは、うまくヴィテブスクに留まって、一九一九年に入って間もなく、同地にシュプレマティズムを基本方針とした学校、「ウノヴィス（新芸術学校）」を設立した。[20] この教育機関は、リシツキーの発展に決定的影響を与えることになったが、その結果、彼は、表現主義的なグラフィックに終止符を打ち、シュプレマティズムのデザイナーとして出発するようになった。

ほどなくして、明らかに革命時における情報伝達の必要から、プロレタリア文化が自然発生的に生まれてきた。これこそ、文化形態に活力を付与したのである。そうでなければ、文化形態は革命以前の状態と何ら変わらなかったであろうし、粗末な居住環境も不十分な食糧事情も、わけても文盲状態であった民衆の切実な要求も、改善されないままで終わったであろう。とりわけグラフィック・アートは、革命の使命を普及させるうえで目覚ましい役割を果たした。それは大がかりな街頭芸術（ストリート・アート）という形式をとり、プロレトクリトの芸術家達が考案した[21]アジト・プロップ・プロパガンダ（扇動と宣伝）のための列車やボートによって展示された。また、革命直後当局が開始した「記念的宣伝計画」に採り入れられたり、ありとあらゆるものの表面を、扇動的宣伝文や挑発的図像で埋め尽くし、急報するために利用されたのである。当時のプロレトクリトの中心的課題は演劇、映画、告知ポスターなどを通じての、公報の宣伝・普及であった。したがってその形態は、必然的に移動可能、解体可能であった。あらゆるものが簡単に輸送でき、簡単な作業で組み立てられるものでなければならなかった。宣伝の伝播・普及とは別に、タトリン、ロドチェンコなど生産主義（プロダクティヴィズム）の芸術家達は、軽量で折り畳み式の家具の設計や、労働者用の長持ちする服などの製作に打ち込んだ。タトリンは、最小限の燃料を使って最大限の熱を放射

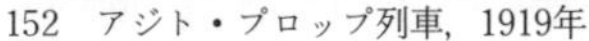

152　アジト・プロップ列車，1919年

153　タトリン「第3インターナショナル記念塔」計画案(模型)，1919年．パイプを手にして立っている人物はタトリン

するストーヴを設計している。この「移動可能」という当時の風潮が普遍性を持っていたことは、一九二〇年代の後期に至って、ヨーロッパの建築家達が軽量の家具を設計したことによってよく示されるのである。実際には解体可能ではなかったが、ともかくも「取り外しがきく」ことを前提として考えられた椅子が、ミース・ファン・デル・ローエ、ル・コルビュジエ、マルト・シュタム、ハンネス・マイヤー、マルセル・ブロイヤー達によって作られたのである。とくにブロイヤーがこの影響を受けたのは必定である。彼が一九二六年に設計した有名な「ワシリー・チェア」は、ほぼ同時期に「ヴフテマス」でデザインされたキャンヴァスとチューブの椅子と殆ど変わらないのである。さらに、一九二三年以降の「バウハウス」が、「ヴフテマス」から直接影響を受けていたことが、最近発見されたモホイ・ナジとロドチェンコとの往復書簡から明らかである。

一九二〇年代初期、プロレトクリトはその最も充実かつ総合化された表現を、演劇の領域において達成した。そのきわめて顕著な例が、[22]ニコライ・エヴレイノフの言う「日常生活の演劇化」であって、毎年、恒例の冬宮の襲撃を再演するために、実際の軍隊行進を用いた。これほど大がかりなものを必要としない場合には、街頭にパレードが組織された。そして構成主義者（コンストラクティヴィスト）は、このパレードの中に革命か、あるいは革命の敵対者=資本主義か、いずれかを表象する人物を常に配して、大衆デモの関心の中心となる図像（イコン）の役を務めさせた。これとほぼ同じような挑戦的意図から、V・メイエルホリドは「十月劇場」を宣言した。それは、前に述べたアジト・プロップの街頭活動を、扇動的演劇の原理へ転換させようとするものであった。一九二〇年のメイエルホリドの「十月派」宣言には、演劇を構成する次のような要素ならびに原理がはっきりと規定されていた。一、観客と俳優が一体となるように、円形の舞台が用いられ、常時照明されていること。二、メカニズムに合致した演出は、反自然主義的形態を保ち、これによってメイエルホリドの言う「ビオメハニカ」演劇の理想的型式、すなわち俳優即アクロバットが演ぜられる。つまり、この演劇の形態そのものが、明らかにサーカスとの類似[23]性を持っているのである。三、そのため、幻想を排除し、スタニスラフスキーの「モスクワ芸術座」に見られるようなブルジョワ演劇に深く滲み込んでいる象徴主義を徹底的に追放することであった。これと同様の規定が、エルヴィン・ピスカトールによって一九二四年、ベルリンに「プロレタリア劇場」を創設する際にも行われるのである。

とかくするうち、レーニンは、ボグダーノフが過激に主張する社会主義達成のための三つの独立した道程、すなわち経済的道程、政治的道程、文化的道程が、懸念するほどではないにしても、信じられなくなった。そして一九二〇年、ボグダーノフは公職を解かれ、その結果、プロレトクリト運動は

「ナルコムプロス（教育人民委員会）」[24]に従属することになった。それにも拘わらず、アジト・プロップ文化の精神は消滅することなく、とくにメイエルホリドの演劇の中に生き続けた。またその精神は、G・クルツィスやロドチェンコなど生産主義の芸術家達が設計した思想教育情報伝達用施設や、キオスク、演壇など、かずかずの計画案の中に依然として現れていた。そして、こうした計画案は、建築の専門家によらない社会主義様式を打ち立てる、ごく初期の試みとなったのである。例えばリシツキーが一九二〇年に設計した《レーニン演説台》（二三一頁参照）は、当初「プルーン」として計画されたもので、意図的に「実現不可能」とされてはいるものの、建築の専門家によらない社会主義様式の一つであった。「プルーン」という言葉は、リシツキーによって造られたものだが、これは、「プロ・ウノヴィス（新芸術学校のために）」に由来するもので、絵画と建築との狭間のどこかに位置を占めるはずの、未開拓な創造領域を指すものであった。

こうした先駆的作品の中で最も重要なものは、タトリンが一九一九年から一九二〇年にかけて設計した、高さ四百メートルの《第三インターナショナル記念塔》であった。これは格子状構造による螺旋が二つ、相互に織り合わされたもので、螺旋の内部には四つの巨大で透明な立体が吊り構造によって作られ、その一つ一つが、一時間に一回、一日に一回、一月に一回、一年に一回といった割合で、次第に速度を下げて回転する仕掛けになっていた。この四つの立体は、それぞれ映写機関、情報機関、行政機関、立法機関の目的に充てられた。あるレヴェルでは、この塔はソヴィエト国家の憲法と機能の記念碑であった。しかし別のレヴェルでは、色彩・線・点・面など「知性の素材」も、鉄・ガラス・木など「物性の素材」も、主題的には同等の要素であると考える、生産主義的・構成主義的方針を具体化するものであった。このような観点からすると、この塔を全く実用的な物体として見なすわけにはいかなくなる。一九二〇年の「生産主義者グループの方針」[25]に見られる反芸術、反宗教の宣伝にも拘わらず、この《第三インターナショナル記念塔》は、新しい社会秩序の調和のための記念碑の隠喩でもあった。この塔は、「技術者が新しい形態を創造する」という公約を掲げた旗の下に、初めて展示されたのである。その形態や素材についての千年王国（ミレニアム）的象徴性は、当時の記述の中にはっきりと見てとれるし、それはタトリン自身の言葉を要約しているものと思われる。

「波長と振動教の積によって、空間中を伝わる音速を測定するが、それと同じように、ガラスと鉄の割合は、物質的リズムを測定する。これらの基本的で、不可欠で、重要な素材を一体化することによって、簡潔にして堂々たる単純性と、同時に、関係性が表現される。これらの素材こそ近代芸術の要素を形づくり、火はこれらの素材に生命を与える創造者である。」

タトリンの《第三インターナショナル記念塔》は、螺旋（スパイラル）を主題として取り上げ、内部に、順次小さくなっていくプラトン的立体（立方体、円錐、円柱）を封じ込め、鉄とガラス、そして機械的な運動を修辞的に提示することによって、千年王国を予言すると同時に、ロシア前衛建築の二つの傾向を予告している。その一つは、[26]ニコライ・A・ラドフスキーによる第一学年ならびに第二学年の課程の一部として、「ヴフテマス」内部に設立された一派であった。この構造主義的（ストラクチュアリズム）、というよりもむしろ形式主義的（フォーマリズム）一派は、明白に人間的知覚の法則に基づいて、造形的形態の全く新しい統辞法を展開しようと試みた。もう一つは、それより遥かに物質主義的で内容尊重主義的（プログラマティック）な考え方を採用し、一九二五年、建築家[27]モイセイ・ギンズブルクの指導の下に、はっきりと出現した。

一九二一年、ラドフスキーは、形態の知覚に関する組織的研究のため、「ヴフテマス」に研究所を設立せよと要求した。「ヴフテマス」の基礎デザインは、それまでもラドフスキーの管理下に置かれていたが、その特徴は、純粋形態の表面のリズムを描写すること、あるいはそれと対照的に、力動的形態の成長と減退を、数学的級数の法則に従って研究することであった。こうした「ヴフテマス」での演習は、しばしば幾何級数的に変化する空間を扱い、その大きさや位置を加減、変化させたりした。時折、こうした研究は、実際の建物の設計に応用された。例えば、一九二三年頃、[28]シムビリチェフが設計した《空中レストラン》である。その全くの透明性と奇抜なアクセス方式は、生産主義者達の表現豊かな実用主義を反響させていた。こうした空想的構造物は、明らかに当時のソヴィエトの技術能力を上回っていた。しかも、水平面の何段もの変化は、レストランとしての用途を確実に限定したはずである。

ラドフスキーの言う「合理主義」は、いささかも計画内容（プログラム）を尊重するものではなかった。彼が究極的に求めたのは、リュベトキンが述べたように、ラルース版フランス語辞書のような普遍性であった。彼は、ちょうど十八世紀後期の新古典主義建築家達のように、球体、立方体という幾何学的実在を好んで用いた。そして、それらの形態は、いずれもある特殊な心理状態に関連するものと考えられる。一九二三年、ラドフスキーは「[29]アスノヴァ（新建築家協会）」を設立して、自分の見解の普及を試みた。「アスノヴァ」は、「ヴフテマス」を中心に集まった建築家の集団であった。この組織は、一九二五年頃、最も影響力を発揮した。その時期には、リシツキーも建築家[30]コンスタンチン・メルニコフも「アスノヴァ」と提携していた。メルニコフは一九二四年、木造による解体可能の営業用屋台を設計しているが、同様に、一九二五年にはパリの「装飾美術博覧会」に《ソヴィエト展示館》を設計した。これは、当時のソヴィエト建築の一段と進歩的な側面を総合したものであった。この展示館には、木製の筋交いと板を交互に重ねるという大胆な手法が見られたが、それは、ステップ（大草原）の伝統的な風土様式を思い出させるだけでなく、一九二三年の「全ロシア農業工芸博覧会」の折に設計された幾つかの展示館、例えば美術家A[31]・A・エキセター、グラト[32]コフ、ステ[33]ンベルク等の設計した新聞「イズヴェスチア」のキオスク、それにメルニコフの設計になる《マホルカ煙草の展示館》などを想起させずにはおかなかった。このメルニコフの展示館の基本構想には、ラドフスキー派のリズム尊重の形式主義が反映していた。展示館の平面（プラン）の形状は長方形であるが、斜めに走る階段によって動きが与えられ、地上階は、同形の二つの三角形からなる平面となっている。この階段は、十字に交差する面と面を支えている木構造の中空部分を昇り降りして、建物の上階への唯一の近道となっている。この展示館の交差する屋根の形は、タトリンの《第三インターナショナル記念塔》の対数曲線の螺旋と同様、ロシア前衛主義者達の間で、「幾何級数」的装置として、瞬く間に流行するようになった。メルニコフの力動的木造の架構を引き立てているのが、ロドチェンコによる内部であった。その内部空間は理想的な労働者クラブとなり、軽量で、典型的な生産主義的家具を備え、そこには一台の机と二脚の椅子からなる、赤と黒に塗り分けられたチェス試合用スィートが向かい合って置かれていた。

154　ヴフテマスのラドフスキー・アトリエに所属するシムビリチェフが計画した「空中レストラン」1922-23年

「アスノヴァ」グループは、いっそう科学的な美を探求しただけではなく、新しい社会主義国家の状況を満足させ、かつ表現するような、新しい建築形態を作り出そうとした。彼等は、労働者クラブや厚生施設などの建物に熱中し、それらが新しい「社会的充電装置（ソーシャル・コンデンサー）」として機能するように設計した。リシツキーが一九二四年に発表した《ヴォルケンビューゲル（雲の鈎）》は、アメリカのスカイスクレイパー（摩天楼）を、社会主義的形態に作り直そうとしたものだが、これもまた、新しい形態を生み出そうという内的な衝動があればこそであった。《ヴォルケンビューゲル》は、モスクワの中心地を囲む大通りに向かって高々と聳え、開け放たれた市門として構想された。いささか奇妙な格好だが、これには資本主義のスカイスクレイパーや古典主義の城門に対する批判的反論の意図が込められていた。

メルニコフの初期の生産主義的作品はことごとく、経済の比較的安定していた時期に建てられた。この経済安定は、レーニンの新経済政策（ネップ）のもたらしたもので、内戦終結後の一九二一年三月、外国資本をソヴィエト連邦と提携させようとして採られた政策である。一九二四年一月、レーニンの死によって、ネップの文化政策は終焉したが、それだけではなかった。党は、レーニンの墓碑に相応しい様式を決定するという、皮肉な問題に直面することになった。「国際装飾美術博覧会」でのソヴィエト連邦の説明からすれば、生産主義的手法こそ十分相応しいと考えられるところだが、その手法はあまりに存在感がなく、とうてい世界最初の社会主義国家の創設者を祀るのに相応しくなかった。新古典主義も、そこに含まれている観念主義的意味からして、同様に不適格であった。レーニン廟は結局、伝統尊重派のシチューセフが設計した。その設計には、こうした黒白のつかない不確定なところが窺われる。それでも、まずは木造による仮設構造物が建てられ、対称的形態にも拘わらず、生産主義美学との類似点も認められた。しかし、次に建てられたものは、石造の恒久的建造物であり、中央アジアのタタール人の墳墓の形式を作り直そうとしたものであった。

レーニンの死とともに、革命の英雄時代は終わりを告げた。そして革命もまたその時までの歴史を深く刻み込んでいた。そこには、内戦時代の白軍との惨憺たる戦いの果ての勝利、クロンシュタット軍港での党に対する反乱鎮圧の悲劇、そして、プロレタリア国家内部のネップという名の国家資本主義の樹立などが記録されていた。レーニンというカリスマを失って、束の間の繁栄は、難問の解決どころか抗争そのものであった——党内の後継者をめぐる闘争、工業と農業の近代化、文盲対策運動、住居や食糧支給をめぐる毎日の衝突、電化推進、都市の産業プロレタリアートと散在する古い封建的農民社会とを結びつける緊急課題等々、その戦いは多岐にわたっていた。わけても、孤立した反抗的な地方からの、都市の住民のための食糧徴発による争いが毎年生じた。地方在住者たちは、ネップの規定によって、いったんは受け容れた勧告を頑なに拒み続けたのである。

建築的な観点からみた最も慢性的な悪疫は、なんといっても住宅問題であった。実際、第一次世界大戦勃発以来、集合住宅は一つとして建設されなかった。そして、戦前からの集合住宅の質の低下は、一九二四年の第十三回党大会の議事録にも記されるほどであった。その中で、集合住宅は「労働者の物質生活の中で最重要な問題」だとされたのだった。こうした住宅不足の難局を処理するに当たって、若い世代の建築家達の中のある者は、今なおラドフスキーの影響下にある「ヴフテマス」の形式主義には、とうてい満足できないと感ずるようになった。

こうした反動から、にわかに、「オサ[34]（現代建築家協会）」という新しいグループが結成された。ギンズブルグを指導者として、グループの創立メンバーにはM[35]・バルシュチ、A[36]・ブーロフ、L[37]・コマロヴァ、Y[38]・コーンフェルト、M[39]・オヒトヴィッチ、A[40]・パステルナーク、G[41]・ウェグマン、V[42]・ウラジミロフ、ア[43]レクサンドルおよびヴィクトル・ヴェスニンが加わった。グループ結成後すぐさま、「オサ」は社会学や工学など関連領域からのメンバーの加入を認めた。「オサ」グループの中心思想である計画内容指向性は、プロレトクリトの生産主義文化と真向から対立するものであり、また同時に、ラドフスキーの感覚的唯美主義とも対立した。「オサ」は最初から、建築家の作業方法（モーダス・オペランディ）の変革を企てた。すなわち、施主に対して職人的関係を保つ伝統的な様態から、新しいタイプの職能へ変革しようとした。新しい職能人は、施主に対してまず社会学者であり、政治家であり、そして技術者でなければならなかった。

一九二六年、「オサ」は彼らの見解を雑誌を通じて普及しようとした。雑誌は「ソウレメンヌイ・アルヒテクトゥーラ（SA：現代建築）」と名付けられ、科学的方法を建築の実践に組み込むことを標榜した。その第四号では、「オサ」による陸屋根構造の国際的アンケートが行われた。タウト、ベー

155　メルニコフ「スーチャレフ市場」モスクワ，1924-25年

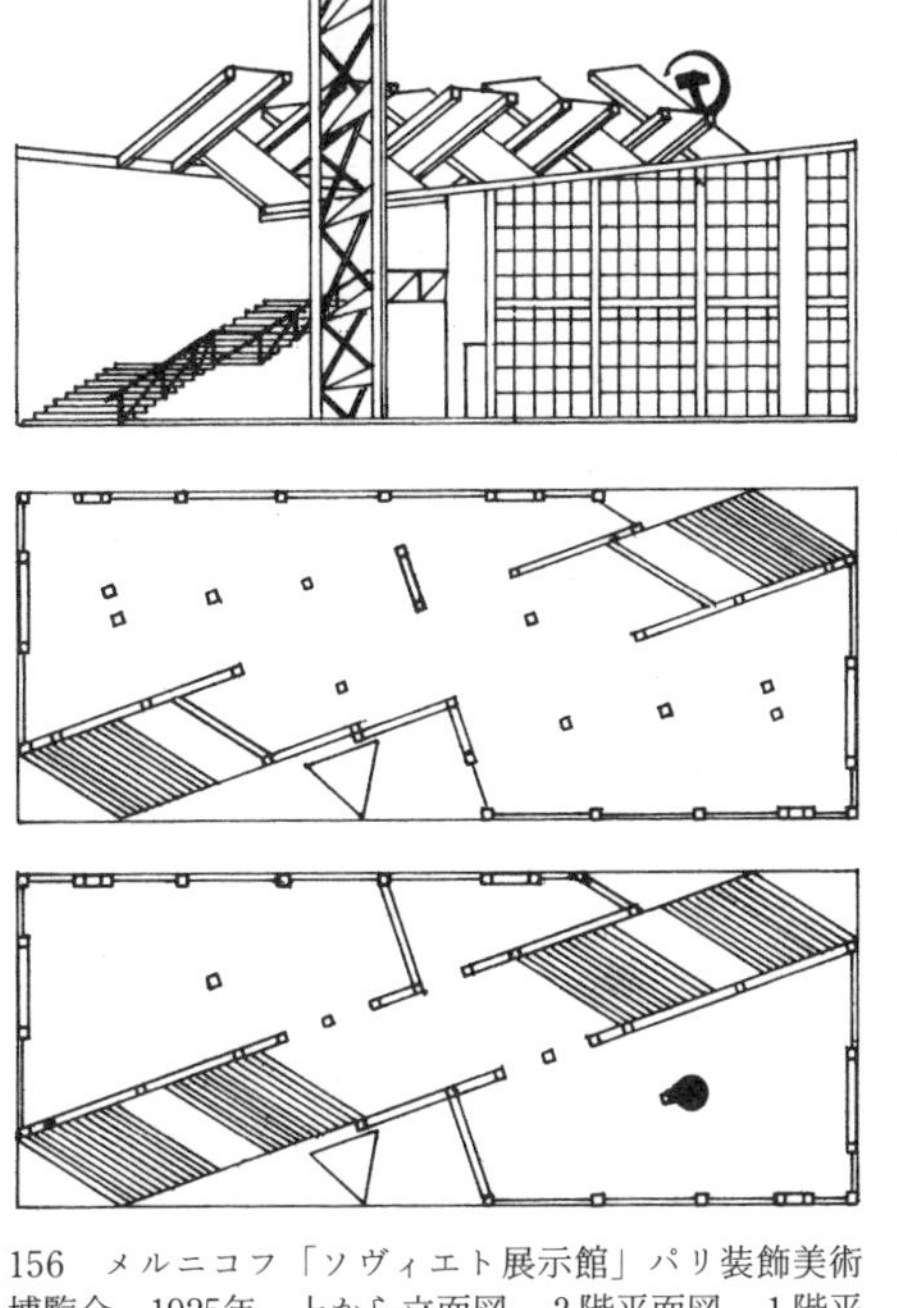

156　メルニコフ「ソヴィエト展示館」パリ装飾美術博覧会，1925年．上から立面図，２階平面図，１階平面図

レンス、アウト、ル・コルビュジエ達が、陸屋根の技術的可能性や優位性について意見を求められた。また「オサ」は、発生期にある社会主義社会にとって必要な計画内容や型式的形態を公式化する課題を自らに課し、エネルギー配分や人口分散といった幅広い緊急問題にも、同様に関心を払った。すなわち、「オサ」の主要関心事は、第一に共同集合住宅の問題と適正な社会的単位の創出であり、第二は分配のプロセス、すなわち、あらゆる形式の輸送であった。

　第一の問題点を探究するため、雑誌「ソウレメンヌイ・アルヒテクトゥーラ」は、一九二七年に二回目のアンケートを行った。それは新しい共同住居、すなわち「ドム・コムーナ」の適正な形態に関するものであった。寄せられた回答をもとに、グループ内で設計競技が行われたが、これはフーリエの言う「ファランステール」の方針に近い、新しい住居の原型を開発、推進させる試みであった。応募案の大多数が、住居内の、両側に扉を持って三層に跨る廊下を実用的とし、また象徴としても重視していた。この廊下は、二層式（デュプレックス）アパートメントが相互に噛み合わさって作られる空間であった。この断面の変形は、一九三二年以降、ル・コルビュジエの採用するところとなり、彼の設計した《輝く都市》の中の典型的住居棟に「交差型」断面となって現れている。

　こうした活動に促されて、政府はギンズブルグの指導の下に、集合住宅の標準化研究グループを結集した。このグループは、ストロイコマ単位（ロシア共和国建設委員会による単位）と呼ばれる一連の住居単位の開発を指導したが、この中の一つが、ギンズブルグによって取り上げられ、一九二九年、モスクワに建設された《ナルコムフィン・アパートメント》に採用された。このアパートメントの屋内街路または屋内廊下という方式によれば、食堂、体育館、図書室、保育施設、屋上庭園などを収めた隣接建物に、直接アクセスが可能となるが、ギンズブルグ自身は、このような建物の形態だけでは、住み手に集団性を意識させることは不可能であろうと鋭く見抜いていた。当時、彼は次のように書いている。

「われわれは、とうてい、特定の建物の住民に集団的に生活せよと強要するわけにはいかない。過去においてはこうしたことを求めたものだったが、大抵はよくない結果を生んでいる。われわれは、いろいろな生活領域の中で、共同利用の方向へと無理のない漸進的移行が可能になるよう、心掛けなければならない。だからこそ、われわれは、各単位が互いに隔離するように努めたのであって、厨房をアルコーヴ型にして、最小寸法による基準要素として設計する必要があったのだ。こうすれば、アパートメントからこのアルコーヴ型厨房をまるごと取り外せて、いつでも必要に応じられる食事施設を導入することもできる。われわれは、社会的にすぐれた生活様式への移行を促すような特徴を取り込むことが絶対に必要だと考えた。つまりそれは、「手本を示すも命ずるな」と

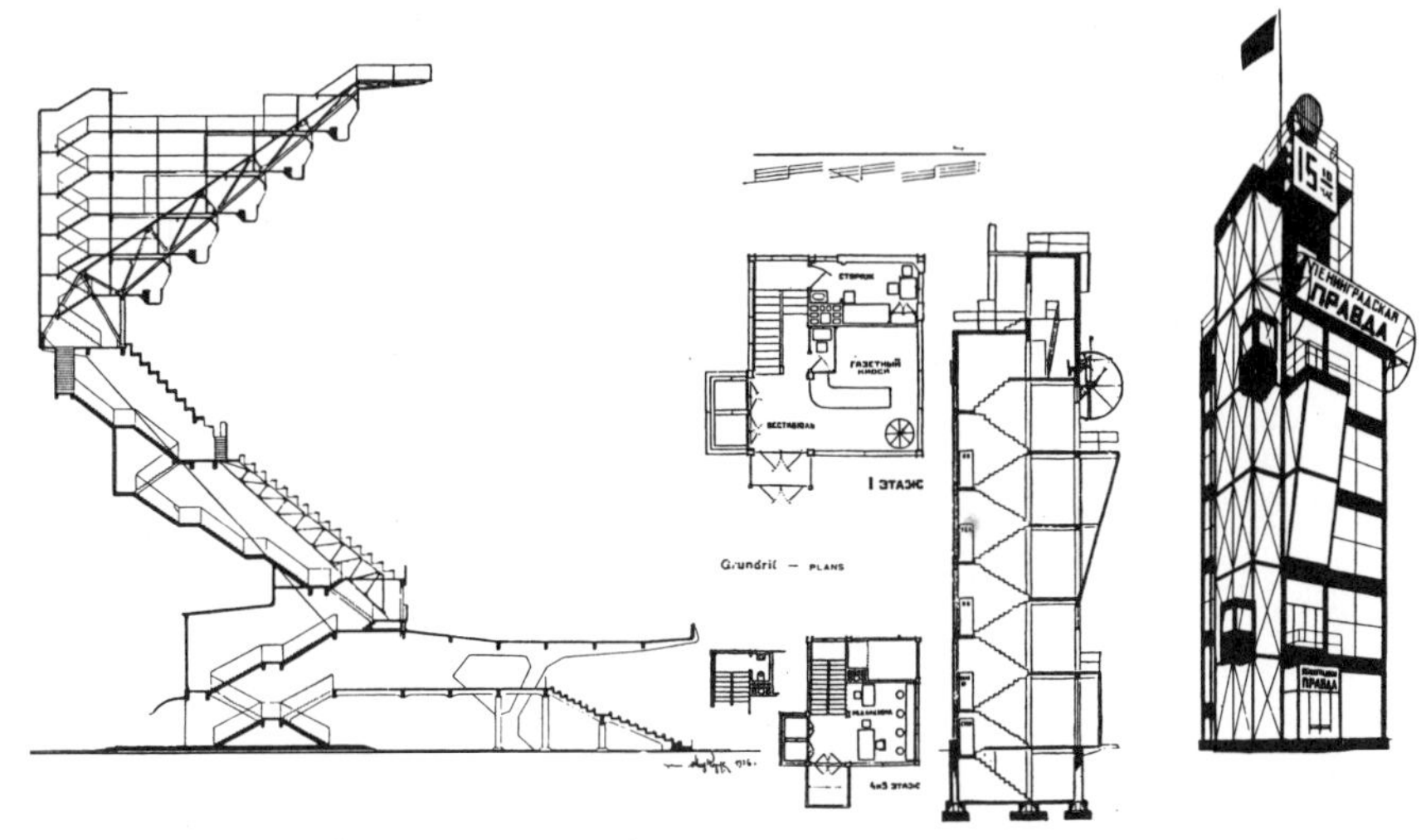

157　1920年代の構成主義作品例．コルシェフ「スパルダキアダ・スタジアム計画案」（左：観客席断面図）モスクワ，1926年．ヴェスニン兄弟「プラウダ本部計画案」（右：平面図，断面図，全体）モスクワ，1923年

158　シチューセフ「仮設木造レーニン廟」モスクワ，1924年

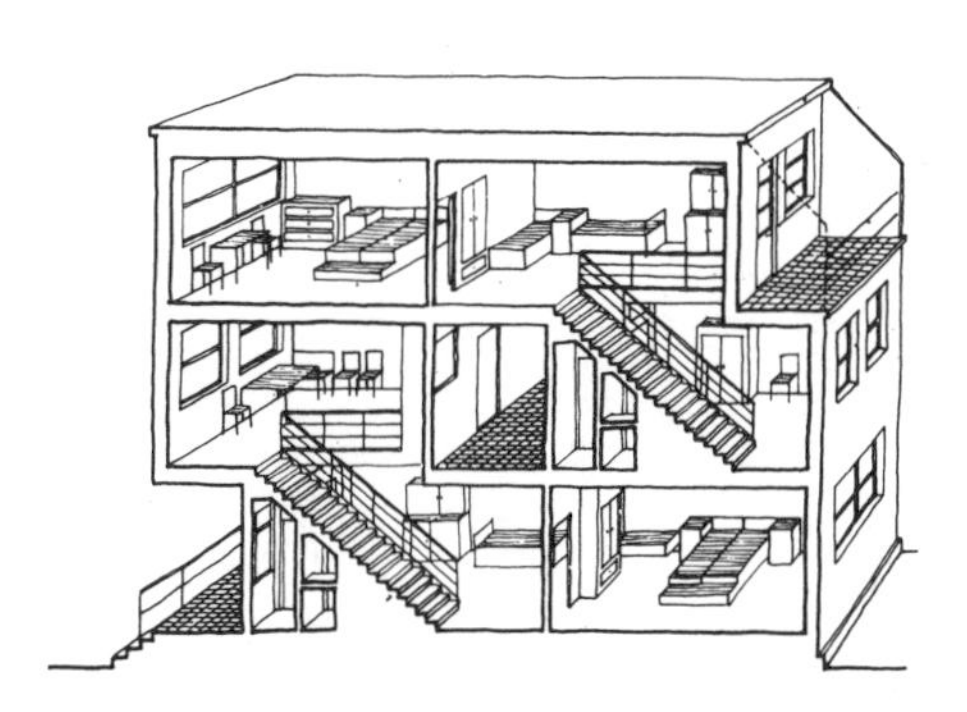

159　オサ・レニングラード会員，イワノフとラヴィンスキー「中廊下を持つ二層アパートメント計画案」オサ主催設計競技，1927年

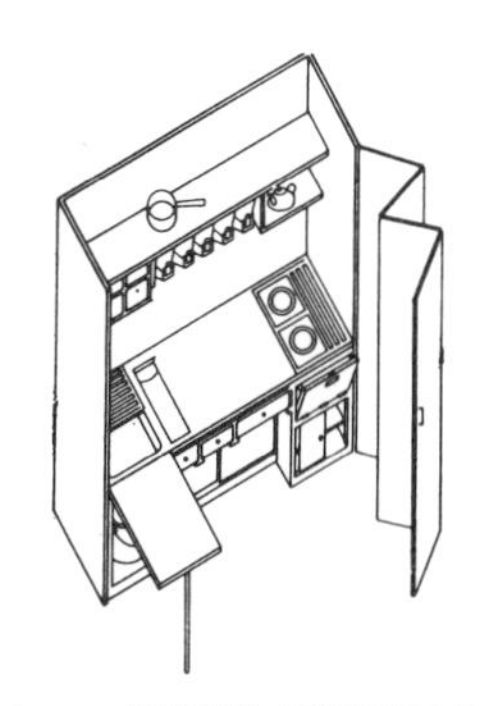

160　ソヴィエト連邦経済会議建築委員会による梱包型「厨房装置」1928年

いうことだった。」

その前年、「オサ」は「社会的充電装置」のもう一つの型式である労働者クラブの設計に関心を向けた。[44]アナトール・コップは次のように述べている。

「一九二八年はクラブ建築に大きな変化をみた年であった。クラブの建築には幾つもの刷新があったにも拘わらず、既存のクラブは、例えばメルニコフや[45]ゴロソフが設計した最も近代的なものさえも、痛烈に批難されたのである。曰く、舞台が中心になっている、あるいは専門演劇に結びついている、と。」

イワン・レオニドフは、ギンズブルグの信任が厚かったが、彼は、こうした動向に対して、全く別な型式のクラブ建築を計画した。そのクラブでは、教育施設や体育施設にとくに焦点が当てられた。一九二八年、彼は一連の設計を始めた。それらはいずれも、その前年、モスクワ郊外レーニンの丘を敷地として、彼が計画した見事な《レーニン研究所》の改作であった。この高等学術研究所は、彼の設計によると二つのガラスの基本形態から成り立ち、一つは直方体の図書館の塔であり、他の一つは、一点で支持される球体の講堂であった。全体が吊り構造によって浮游し、支持ケーブルで固定されるが、この複合施設は、高架モノレールによって都市と連結することになっていた。レオニドフが懐いた、クラブをシュプレマティズム的巨大構造物（メガストラクチャー）にしようというSF的発想は、明らかにマレーヴィチの作品から影響された幻想である。その発想は、一九三〇年の《文化宮殿》の計画案において頂点に達した。これはガラスの講堂、プラネタリウム、実験棟、ウィンター・ガーデンからなり、それらが伝統的ランドスケープの領域とは抵触することなく、マトリックス（直交格子状）に布置されている。このマトリックスを刻み込んだ形而上的な地表面は、鬱蒼とした植物の群落や機能には無関係な角柱（プリズム）によって、内部を露呈しながら、際立っている。こうした構成（コンポジション）の中で、軽気球係留柱は明らかに、地上の構造物に使用されるのと同じ軽量構造技術が使われているところを見せる意図を持っていた。そうした建物の立体骨組工法（スペースフレーム）は、コンラッド・ワックスマンやバックミンスター・フラーといったデザイナー達による今世紀中期の作品を予告するものであった。

これら複合施設においてレオニドフが描いていたのは、教育とレクリエーションとの継続過程を制定化することであった。体育、科学の実演、政治集会、映画会、植物展示会、政見発表会、飛行機操縦、滑空機（グライダー）操縦、自動車競走、軍事演習などが考えられていた。このレオニドフの空想はあまりにユートピア性が強く、そのため彼は「[46]ヴォプラ」（「全ロシア・プロレタリア建築家協会」の頭文字をとったもの）と名のるスターリン主義の先駆的グループから攻撃された。彼等はこうした計画を無益な観念論として断罪したのであった。

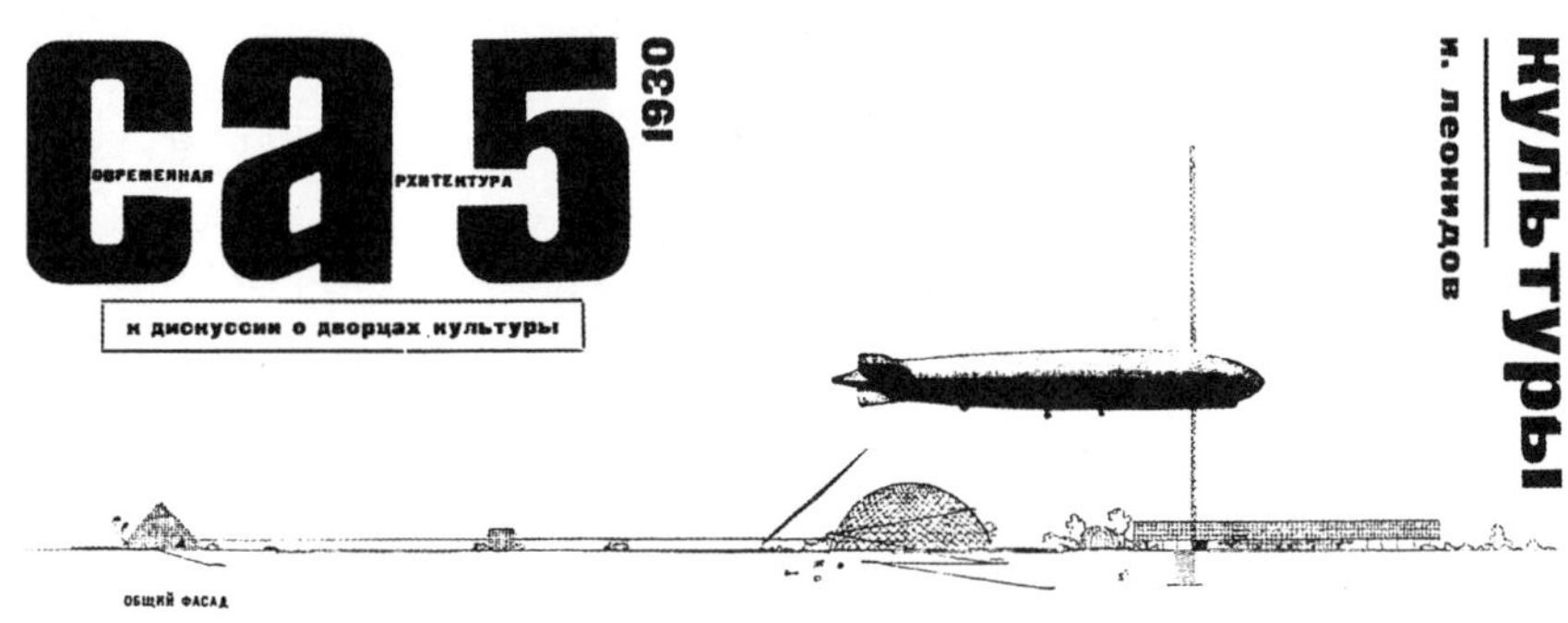

161　レオニドフ「文化宮殿」計画案，1930年．左より「身体文化領域」，「示威運動領域」，「大衆活動領域」に3施設が備えられる．雑誌「SA」より

一九三二年四月、建築に関する党の方針が制定され、その結果、ソヴィエトのさまざまな建築の前衛主義者達が抑え込まれた。しかし「オサ」はそれ以前から、「社会の充電化」問題を地域計画という大きな規模で扱うようになっていた。ただ、当時はまだ地域計画は応用科学としては未発育の状態にあった。「オサ」に属していた地域計画の重要な理論家オヒトヴィチによれば、ソヴィエト連邦の電化計画そのものが、あらゆる地域計画の基本構造を担うモデルであった。彼が立てた田園地帯の非都市化（ディスアーバニゼーション）戦略は、文字通り高圧送電線網や道路組織などに合わせて進められるはずであったが、これは都市化推進論の主要な理論家L・サブソヴィチが当時提案していたスーパー・コミューン、すなわちコンビナートや「ドム・コムーナ」の概念に対して批判的姿勢を見せていた。一九三〇年、オヒトヴィチは次のように書いている。

「私達はやっと、あのいわゆる「コミューン（自治体）」の夢から醒めたところだ。なにしろ、このコミューンときたら、労働者には、廊下や暑苦しい通路ばかりで、生活空間を奪ってしまったのだ。労働者達にわが家で睡眠しか与えないような擬似コミューン、あるいは生活空間や個人的利便さを奪うような擬似コミューン（この路線は浴室や外套室の外で、食堂の中で形成されるのだ）は、今や大衆の不満を掻き立てているのだ。」

結局、超集団的（スーパー・コレクティヴ）コミューンは不信を買うことになった。

その理由は、こうしたコミューンが社会的に受け容れられず、さらに、その巨大規模が、不適切な技術や乏しい資源の使用を当然としたからであった。ひとときではあったが、オヒトヴィチやニ[47]コライ・アレクサンドロヴィチ・ミリューティンの唱えた非都市化計画は、公式の席上では好意的に受け取られた。しかし、いくら理論的な政策が好意的に受け容れられても、国中に広く適用できる経済的集落の図式を作るとなると容易ではないことが分かった。そのうえ、これが適用されないところについて、どのようにすれば最善の結果が得られるかをめぐって、「オサ」グループは内部分裂した。結局、提案されたものは、ソリア・イ・マータの線状都市に倣った紐状の集落であった。この提案は想像性には富んでいたが、あまりに恣意的な形態になることが多かった。こうした計画を代表するのがバルシュチとギンズブルグによるモスクワ拡張計画《グリーン・シティ》であり、一九三〇年に発表された。これはかなり風変わりな計画案で、地上から杭で持ち上げられた「独身者用」の住居単位が、折れ曲がりながら延々と続く脊柱となっているのである。この脊柱は、住居としての施設を備えているだけではなく、明らかに都市の存在を意味するものとして構想されている。脊柱の両側には、共用施設が五百メートル間隔で設けられている。さらにこれらの建物に隣接して、運動場や水泳場が添えられている。そしてこれらの建物群は、中心となる緑地「帯」の両側に横たわる連続する公園の中に収まっている。一方、この緑地帯は、その幅が場所によって異なり、外縁部では全体組織にアクセスする専用道路の往還（ゆきき）の流れによって決定される。ギンズブルグが立てた全体的戦略は、このような主要幹線をモスクワの現在の人口の累進的な移動に役立てることであった。それによって、古い首都は朽ちていくが、そこは都会と田園とが半々の公園用地へと漸次回復させられるのである。そして、この公園用地の中では、重要な記念建造物が過去の文化を偲ばせるものとして残される。

　これよりも遥かに抽象的で理論的に一貫している提案は、ミリューティンが進めていた連続都市の原理であった。一九三〇年、ミリューティンはこれについて論じ、連続都市は、六つの平行して走る地帯もしくは地域からなるという。それらの地域は、次の順序で配置されることになっていた。一.鉄道地域。二.工業地域。ここには生産の中心のほかに、教育や研究の中心も含まれる。三.緑地帯。ハイウェイがここを走っている。四.住居地域。共用施設、住居施設、児童地区に分けられ、児童地区には学校、幼稚園が含まれる。五.公園地域。スポーツ施設が付属している。六.農業地域。

　以上のような配列は、実は政治的、経済的意図から出たものであった。すなわち、工業労働者ならびに農業労働者は、同じ住居地域に集結することになっている。一方、工業、農業いずれかの余剰生産物は、鉄道地域あるいは緑地帯に設けられている倉庫へ直接流通していく。そして、そこにいったん貯蔵されたのち、国内に再分配される。一方、住居地域から出る固形廃棄物は、同じ「生物学的」モデルに従って、直接、農業地域へ向けられて、食物へと再利用される。すべての中等教育ならびに技術教育は、一八四八年の『共産党宣言』に規定されている原則に従って、労働の場で行われる。これによって、理論と実践とが一つになる。こうした生物学的計画について、ミリューティンは次のように書いている。

「これら六つの地域の連続性から逸脱してはならない。そんなことになろうものなら、全体の計画が覆されるばかりでなく、各個人の住居単位の発展や拡張も不可能になり、不健康な生活条件が生じ、この連続方式が実現しようとしている生産の向上を導く特性が全く無効になってしまう。」

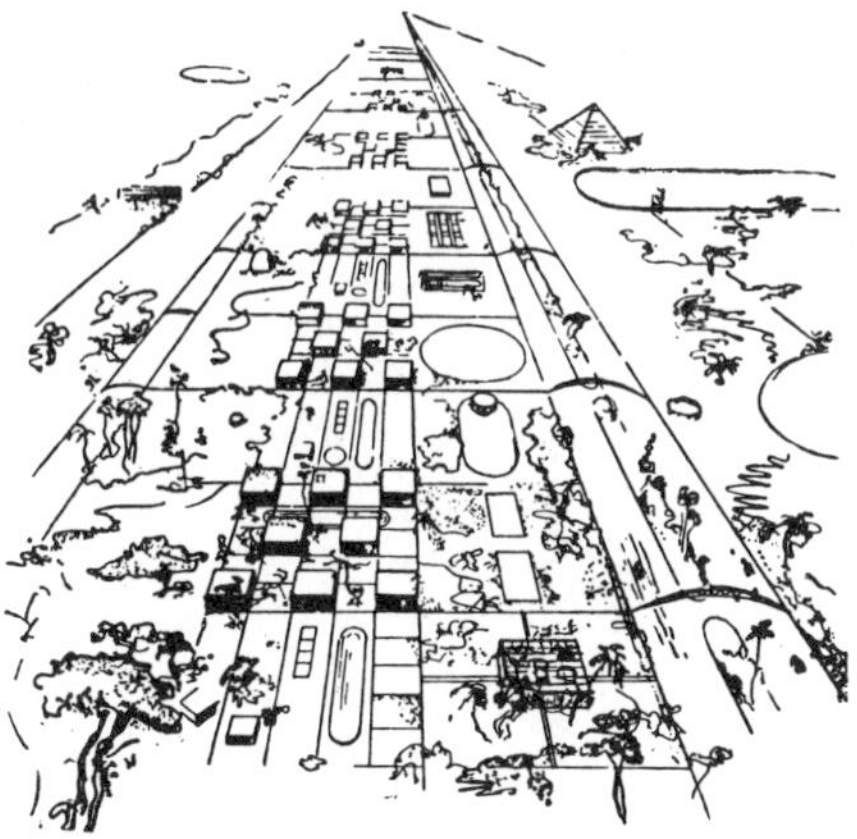

162　レオニドフ「マグニトゴルスク計画案」1930年．32キロメートルの道路は産業プラントと国内農業共同体を結ぶ

一九二九年一月、ソヴィエト政府は、ウラル東方の鉄鉱資源を開発するため、マグニトゴルスクにおける都市建設を公表した。ただちに、ミリューティンならびにギンズブルグ、レオニドフなどの「オサ」グループの建築家は、新都市のための概略計画を提供するように命じられた。しかし彼等の抽象的な計画は、いずれも当局から拒絶された。そして当局は、彼等に替えて、ドイツの建築家エルンスト・マイならびに彼の率いるフランクフルト・チームに、マグニトゴルスクの公認計画を設計するよう依頼することにした。ロシアの前衛建築家達は、果てしない理論闘争に明け暮れた。「都市」派と「反都市」派の駁撃（ばくげき）、反駁撃が繰り返された揚句、ソヴィエト当局はこのような分派問題を回避して、ワイマール共和国の実際的で経験を積んだ左翼建築家を招いて、最初の五ヵ年計画実現という課題に対して、その規範的な計画方法、生産方法を適用しようとした（具体的にはいわゆる「連続住宅」の配置計画と合理的建設工法を求めたのである）。

「オサ」は、結局、大規模計画に関する十分に具体性に富んだ計画を提示できなかったし、四面楚歌の状態にあった当時の社会主義国家の必要と資源に相応しい住居形式を開発するのにも失敗した。そして、この失敗のためと、さらにスターリン治下の国家権力による検閲と統制の偏執狂的傾向も手伝って、ソヴィエト連邦から「近代」建築は一掃されることになった。レーニンは、プロレタリア文化は「資本主義の軛の下に、人類が蓄積してきた知の貯蔵を有機的に利用すること」に懸かっていると力説しているが、その彼の一九二〇年十月のプロレトクリト弾圧が、方向転換の第一歩となったことは否めない。確かにそれは、革命によって解放された目覚ましい創造力を抑え込んでしまう最初の企てであった。そしてレーニンの打ち出したネップ政策は、これまた確かに、参加型共産主義に限界を設定したという点で、創造力抑圧の第二歩であった。とりわけ、ネップは経済的にいえば妥協であって、それがためにブルジョワ時代に属す「政治的には信用できない」専門家達を呼び戻し、雇用することが必要となったのであろう。そうした専門家の中にはシチューセフも含まれていて、皮肉なことに、その彼が《レーニン廟》を設計することになるのである。国家管理の下で、ブルジョワ出身の専門家達を体制に加えることは、結果が良くなったことは別として、重大な妥協であった。それは革命の原則を傷つけるのみならず、集団的文化の展開を阻害するものでもあった。他方、歴史的環境は失われ、人々は、社会主義を奉ずる知識人達が提示する生活様式を採り入れることなどとてもできなかった。そのうえさらに、建築の前衛達はそういう生活に対して空想豊かな計画を描いたものの、それを実施する技術的水準とは十分に噛み合っていなかったため、当局から不信を買うに至った。とどのつまり、国際社会主義文化を、という彼等の呼びかけは、一九二五年以降、ソヴィエト政策に真向から対立するものとなった。そして当時、スターリンは「一国内社会主義建設」の決定を公表した。スターリンがエリート主義的国際主義などというものには用はないと言ったことは、一九三二年に公布された(48)アナトール・ルナチャルスキーの国家主義的、人民主義的文化綱領によって公式的に認められることになるのである。その有名な標語は「人民のための支柱」であるが、これが巧みにソヴィエト建築を、それが今まさに抜け出そうとしている歴史主義の退行的形態へと巻き戻してしまったのであった。

第20章　ル・コルビュジエと「輝く都市」

一九二八〜一九四六年

社会機構は、その深いところで変調をきたしてしまい、今や改善か破滅かの狭間を揺れ動いている。改善はむろん歴史的意義のあることだ。すべての人間の生物としての原始本能とは自らの住居を確保することである。今日の社会のさまざまな階級に属する労働者は、彼等の必要に見合った住居を持つことはもはや不可能であるし、芸術家にも知識階級にもできない。建てるという問題。これは今日の社会不安の根底にある問題なのだ。建築か革命か。

——ル・コルビュジエ『建築をめざして』一九二三年

一九二七年の《国際連盟》設計競技の後、ル・コルビュジエは自ら設定した「技術者の美学と建築」という主題によって、ますますイデオロギーの分裂に拍車がかかったようだった。しかし、決して分裂を縫合する方向へは向かわなかった。一九二八年になると、この裂け目はもはや決定的となった。けだし、《世界都市(シテ・モンディアル)》計画に見られる紛れもない記念性(モニュメンタリティー)と、同じ時期に[1]シャルロット・ペリアンと一緒に設計した、軽量スティール製チューブによる家具の優美さとのコントラストがその証と言えよう——例えば、上下可動式背もたれ付き肘掛け椅子、大型安楽椅子、長椅子、飛行機用チューブによる机、回転腰掛けなど、これらはいずれも一九二九年のサロン・ドートンヌ展に出品された。しかし、こうした考え方に見られる相違をある程度合理化しようという試みは、すでに純粋主義美学の中に予見されていた。純粋主義(ピューリスム)によれば、人間と物体(オブジェ)との関係が親密であればあるほど、物体は人体の輪郭を反映させなくてはならない。つまり、物体はますます技術者の美学である人間工学の等価物に近似せざるを得なくなるのである。また、反対に、人間と物体の関係が疎遠であればあるほど、物体はますます抽象化に向かう。すなわち建築に向かうだろうというのである。

　建物について言えば、その形態の決定を、人間との距離が近いか遠いか、あるいは人間がいかに使いこなすかに委ねてしまうことは問題であり、複雑であった。大規模生産の必要性という問題もあり、また、特定の記念建造物の建設と、全般的住居供給のための合理的生産方法に潜在する有利性とでは、全く異なる問題もあった。こうしたことが契機となって、ル・コルビュジエは周縁型集合住宅つまり「イムーブル・ヴィラ」型を放棄して、大量生産にいっそう相応しい形態を取り上げるようになったのであろう。その形態がすなわち「入隅型」集合住宅で、どこまでも続く並列住宅として《輝く都市（ヴィル・ラディユーズ）》の計画に登場している。ル・コルビュジエの「入隅型」形態は、一九〇三年発表のウジェーヌ・エナールの「入隅型遊歩道（ブールヴァール）」に基づいていた（この入隅（ルダン）という用語も、遊歩道という用語も、軍事要塞技術から借用したものである）。これは連続したテラスを備え、テラスの前面が街路の縁に接したり、後退したり、それが交互に規則的に行われていた。

「イムーブル・ヴィラ」と「入隅型」という二つの型式（タイプ）の集合住宅では、住居単位の組織に相違があり、それは外観の形式の相違に現れた。「イムーブル・ヴィラ」型は、（その名称が示唆するように）「質」を重視するものであり、各戸に「空中庭園」を備えた住宅が独立単位であった。一方「輝く都市」型は、遥かに経済的基準に方向を定めているもので、大量生産という「量」の基準を定めていた。さらに、「イムーブル・ヴィラ」型は家族の大きさには関係なく一定の広さを占め、二層吹抜けの居間や、たっぷりとした庭園テラスを取り込んでいた。これに対して「輝く都市」（以下Ville Radieuseの頭文字VRと略記）型の住居単位は、広さも変わる伸縮自在の単層アパートメントで、二層式の断面に較べると、空間的に遥かに経済的であった。VR型住居単位では、いかなる空間も、一センチ四方といえども無駄にしてはいなかった。間仕切りの厚さも極度に縮められ、音響を遮断するには不十分なほどであった。同じ趣旨から、設備中心部、すなわち厨房と浴室は最小限に圧縮された。さらに各個室は、引き違いの間仕切りを引き込めば、昼と夜の使用目的に応じて変換が利いた。閉じた場合には個室は寝室になり、開けた場合には子供の遊び場となり、居間に繋がっていた。こうした仕掛けによって、VR型住居のアパートメントは、ちょうど「寝台車」の就寝小室のように、人間工学的観点から効率的に設計されていた。ル・コルビュジエは、確かに同様な空間的規準を幾つも採用している。これは、空調や、閉鎖的正面（ファサード）とともに、機械時代の文明に相応しい規範となる装備を提供する意図を明らかに説明するものであった。VR型の集合住宅は、伝統的な意味の建築とは違って、むしろプロダクト・デザインに近く、とうてい《世界都市》計画の精神から生じたものとは言えない。

こうした自給する周縁型集合住宅から連続する集合住宅への転換と、「ヴィラ」というブルジョワの規準から工業化の標準への転換は、CIAM（近代建築国際会議）の中の左翼分子の技術官僚的な挑戦に対する応答だと考えてよかろう。因みに、ル・コルビュジエは、一九二八年、CIAM創立会議において、そうしたドイツならびにチェコスロヴァキアの「新即物主義（ノイエ・ザッハリヒカイト）」の建築家達と初めて出会ったはずである。こうした「唯物論的」建築家達は、一九二九年、再びル・コルビュジエに挑戦することになった。それはフランクフルトで行われたCIAM第一回作業部会の折である。この部会は「生活最小限（エクシステンツミニマム）」と名付けられ、最小限標準住居の適正規準を決定することを目的としていた。ル・コルビュジエは、エルンスト・マイ、ハンネス・マイヤーといった還元主義的思考をする建築家達に反駁し、自分の「最大限住宅（メゾン・マキシマム）」の空間的規準を言葉巧みに述べ立てた。これは、その前年、ジャンヌレと共同で設計した経済的自動車を「最大限車両（ヴォワチュール・マキシマム）」と名付けたことの、反語的な言葉遊びであった。しかし、この中で経済的な自動車という点については、やがて妥当であることが証明されるのである。ル・コルビュジエとジャンヌレの「最大限車両」は、第二次世界大戦後の、耐乏政策に合った自動車の原型となって、ヨーロッパにおいて大量に生産されるようになったのである。

「新即物主義」の建築家達との出会い、それに一九二八年から三〇年にかけての三度にわたるロシア訪問、これらが、

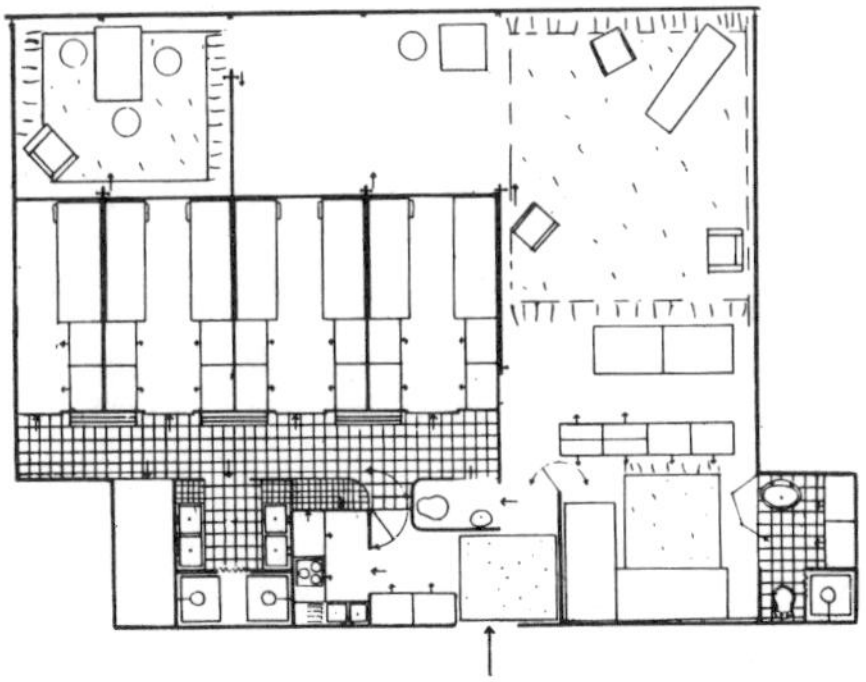

163　ル・コルビュジエとジャンヌレ計画案「輝く都市」1931年．5寝室を持つ単位

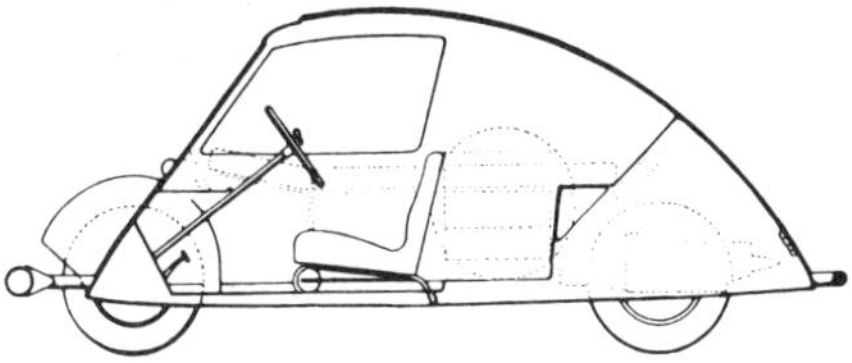

164　ル・コルビュジエとジャンヌレ「最大限車両」1928年

ル・コルビュジエを国際的左翼思想に接近させた。このため、当時の西側の反動批評家[2]アレクサンドル・フォン・ゼンゲルから、ル・コルビュジエはボルシェヴィズムのトロイの木馬だと非難される始末であった。しかし、ロシアとの出会いはル・コルビュジエにとって、とくに後年の彼の展開にとって、重大な影響を与えることとなった。なかでも、一九二七年に計画されたロシアの「オサ」グループによる集合住宅の原型とN・A・ミリューティンの線状都市の概念との出会いは決定的であった。この両者の発想は、すぐさまル・コルビュジエの作品の中に現れてくる。一九三二年の交差型二層式断面と一九三五年の「線状工業」都市である。さらに、それらを十分に消化したあと、一九四〇年代に再び形を改めて現れてくる。すなわち、「ユニテ・ダビタシオン（住居単位）」の原型となった断面と「工業都市（シテ・アンデュストリアル）」計画である。これはル・コルビュジエの地域計画の主題の中心となるものであり、さらに著書『三つの人間機構』に結実するものである。一方、彼はソヴィエト連邦に対する、いわば返礼として、ガラスのカーテン・ウォールを紹介しようとした。一九二九年モスクワに、技術的には「進歩的」だが、結局は厄介物になった《セントロソユーズ（消費組合本部）》の一部が建てられたのである。その二重のガラス壁は（スイスのジュラ地方では標準的な技術であって、ル・コルビュジエは《シュオッブ邸》で用いているが）、とうていロシアの冬の厳しさには堪えられるものではなかった。それにも拘わらず、ガラスのカーテン・ウォールは、ル・コルビュジエが一九三〇年に書いた「モスクワへの返書」というアンケートへの返答の中でも、技術的要素の一つとして挙げられていた。そして《輝く都市》の何枚かの挿図は、その記録としてとくに用意されたものと思われる。

都市の原型について、一九二〇年代のル・コルビュジエの思想変化には、機械時代の都市に関する発想の重要な変化が含まれていた。一九二二年の階層性を打ち出した《現代都市》は、一九三〇年の階級のない《輝く都市》になったのである。こうした変化の中で最も重要なのは、集中型の都市形式から離反して、理論的には無限定な発想へと推移したことである。そして、この発想による都市の秩序の原理は、ミリューティンの線状都市のように、都市を平行する帯状の地域に分けることに基づくのである。《輝く都市》では、この帯は次のような用途に当てられている。一．教育のための衛星都市。二．業務地域。三．交通地域。ここには旅客鉄道と航空輸送が含まれる。四．ホテルならびに大使館地域。五．住居地域。六．緑地帯。七．軽工業地帯。八．倉庫と貨物鉄道。九．重工業地帯。しかしながら、このモデルには人文主義的な、擬人化の隠喩らしいものが忍び込んでいて、これが、控え目に言っても、逆説となっている。これは、この時期にル・コルビュジエが描いた説明のスケッチを見るとよく分かる。そこには、十六棟の十字形平面のスカイスクレイパー（摩天楼）が、独立した「頭部」となり、その下に文化施設という「心臓部」があり、住居地域という「肺」がその両側に振り充てられているのが分かる。こうした生物学的隠喩によって生ずる歪曲もあるが、線状都市の形式はどこまでも維持されている。そのため、階層性の希薄な地域が、それぞれ互いに煩わされずに拡張可能となっている。

《輝く都市》は、《現代都市》の中に潜む開放的都市という発想を引き継いで、それを論理的に発展させた結論である。この都市の典型的断面を見ると、建造物はすべて地上から高く持ち上げられていることが分かる。駐車場も寄り付き道路もその例外ではない。あらゆるものが「ピロティ（杭）」によって高架になることによって、地表面は連続する公園となり、歩行者はそこを自由に逍遥することができるのである。このVR型集合住宅の典型的な縦断面とそれを包むガラスのカーテン・ウォールすなわち「パン・ヴェール」は、「太陽」「空間」「緑」という「基本的な喜び」を確保する決定的な役割を果たしている。そして最後の「緑」については、公園がこれを保証しているだけでなく、連続する「入隅型」集合住宅の屋上の庭園との連続によっても確保されるのである。

一九二九年、ちょうど《輝く都市》を仕上げる直前、ル・コルビュジエは南米を訪れた。ここは、メルモス、[3]サン・テ

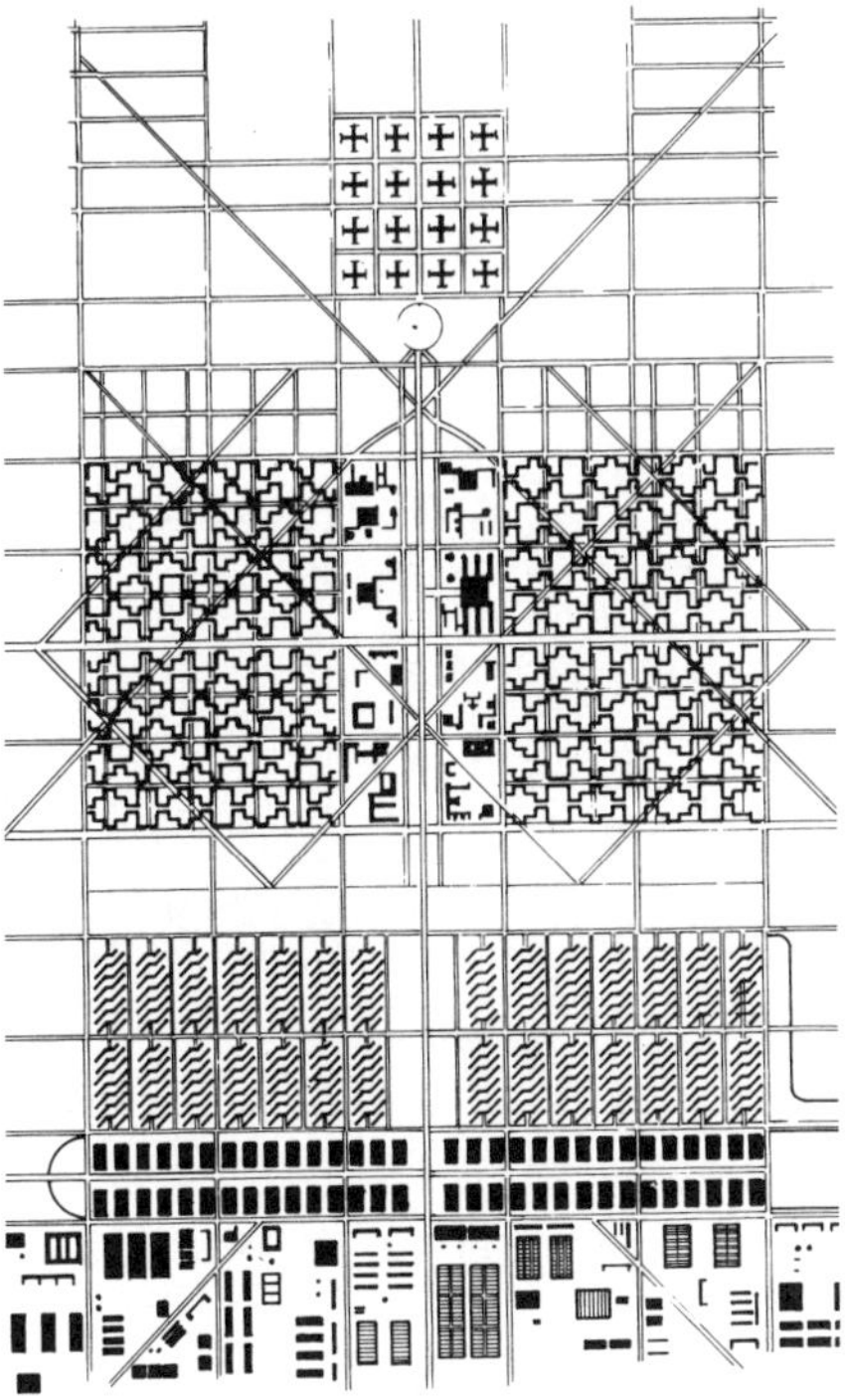

165　ル・コルビュジエとジャンヌレ計画案「輝く都市」1931年．上からオフィス群，住居群，工場施設が帯状に平行している

グジュペリといった飛行家の先輩達が、すでに航路を開いたところだった。その南米で、上空から熱帯の風景が今なお息づいている様相を見る刺激的体験をした。眺望の利く位置から見たリオ・デ・ジャネイロは、彼にとってまさに自然の作った線状都市であった。一方は海、他方は切り立った火山の岩山。その懸崖に沿って、都市は細いリボンのように伸びているのである。こうしたリオ・デ・ジャネイロの都市の地形は、自ずと「橋梁都市」の着想を暗示したものと思われる。ル・コルビュジエはすかさずリオ拡張のスケッチを描いた。それは海岸に沿って走る高速道路で、長さは約六キロ。地上から百メートルの高架式で、道路面の下には十五層の「人工土地」が重なり、住居用空間となる。断面図を見ると、全体の巨大構造物(メガストラクチャー)がリオ・デ・ジャネイロの都市の平均的屋根の上に聳立(しょうりつ)しているのがよく判る。

この感応的に作られた計画案から、すぐさまアルジェの計画が導き出された。これは一九三〇年から一九三三年にかけて研究されたものである。計画には数案あり、第一案は、リオの場合と同様に、見事な眺望を持った懸崖にわたって、自動車用道路の巨大構造物を建てるというものであった。この計画に与えられたコード・ネームは「砲弾(オビュ)」であったが、それはこの入江に沿って湾曲した格好が、砲弾の弾道に似ていたからであった(それにしても、ここでも軍隊用語が用いられている点に注意したい)。アルジェの場合、道路面下には六層、上には十二層の空間が重層しているが、ここでは「橋梁都市」の着想が十分に生かされている。各層は約五メートルのゆとりを持って人工土地を構成し、そこは個人の所有が許され、所有者は「各人に最適の様式で」二階建ての住居単位を建てる。公共的ではあるが、個人所有を目標とした、多様性を持ったインフラストラクチュア(下部構造)を提供しているところが、第二次世界大戦後の無政府主義的な建築の前衛達の間では、かなり一般的になった(例えば、[4]ヨナ・フリードマンや[5]ニコラス・ハブラーケンの計画した都市のインフラストラクチュアにそれが見られる)。

リオ・デ・ジャネイロやアルジェといった都市のための計画の平面(プラン)は、いずれも「エロティック」な形状をしているが、それは、ル・コルビュジエの絵画の表現構造の明らかな変貌に関係しているものと思われる。彼の絵画は、一九二六年以降、純粋主義の抽象性から、感覚的な具象性を帯びた構成へと動き始めていた。彼のいわゆる「詩的反応の物体(オブジェ)」を扱うようになったのである。この時期、女性像が彼の絵に初めて現れる。それらの女性像は感覚的で、粗野に描かれているが、こうした手法は、ル・コルビュジエがかつてのドラクロワのように、アルジェのカスバで女体の美の本質を再発見したという話を明らかに裏付けるものである。

ル・コルビュジエの一九三〇年の「アルジェ計画」は、彼の圧倒的なほどに雄大な都市計画の掉尾を飾るものである。

166　ル・コルビュジエ「リオ・デ・ジャネイロ拡張計画」1930年

167　ル・コルビュジエとジャンヌレ「アルジェのためのオビュ計画」1930年

168　ル・コルビュジエとジャンヌレ「ズリーンのための計画案」チェコスロヴァキア，1935年．平行する帯の線状都市として組織された

この計画においては、地中海地方の自然の美しさに対する彼の度を越すほどの熱狂ぶりが情熱的詩となって現れ、どこかガウディの《グエル公園》の感覚を想い出させる。それ以後というもの、都市計画に対するル・コルビュジエのアプローチはいっそう実践的になった。一方、都市建築の型式は、次第に理想的形態から離れていった。十字形平面のデカルト的(直交座標に則った)スカイスクレイパーは廃棄されて、Y字形のオフィス・ブロックが採用されるようになった。このY字形のおかげで、建物の面のすみずみまで、陽光を思う存分行き渡らせることが可能となった。同様に、彼の典型的なVR「入隅型」の建物は、「砲弾(オビュ)」計画では、アラベスク風形態に変形され、その後は全く姿を消してしまった。こうした修正が決定的となるのは、一九三五年の北アフリカ、ヌムールとチェコスロヴァキア、ズリーン(現ゴットヴァルドフ)の両都市のために立てた計画案からであって、その際、ル・コルビュジエが基本的住居型式として採用したのは、独立した版状建築(スラブ)であった(一九五二年の「住居単位」の版状建築を参照のこと)。この二つの計画の場合はいずれも急斜面という敷地で、そうした条件に、この独立した版状建築はとりわけ適していた。どちらも碁盤目模様の配置で、下り勾配の敷地に適するように布置されている。この形式はやがて一つの公式となり、地形に関わりなくあらゆる場所に応用されるようになった。さらにこの配置形式は、高密度集合住宅に対するル・コルビュジエ独特の解決方法として模倣されることになった。しかし、その後の多くの都市開発における結果は、いずれも失敗に終わった。戦後の「団地(グラン・ザンサンブル)」計画の多くの場合に見かける、疎外感を抱かせる環境は、明らかにル・コルビュジエの影響によるところ大である。

「ズリーン計画」は、版状建築の「住居単位」が展開していくうえで、背景としての役割を果たした。それはともかく、名高い製靴会社バータの依頼に応じて立てられたこの計画の重要性は、ミリューティンが提唱した線状都市の計画を、特殊な敷地に巧妙に適用させた点にある。この計画では、渓谷の底部にあるズリーンの旧市街や産業の中心地を、台地にある行政府の飛行場と連結するため、道路と鉄道を渓谷いっぱいに平行して走らせた。そして一方の側には新しい産業を置き、他方の側には企業の集合住宅を置いた。つまり「ズリーン計画」は、ソヴィエトのモデルに従ったル・コルビュジエ最初の線状都市を公式化したものであった。それはやがて、三つの生産単位(すなわち、「人間機構」と称するもの)と名付けるものの一つの型式であった。なお、他の二つの型式とは、伝統的な放射状都市と「農業生活共同体」である。

一九四四年に出版されたル・コルビュジエの著書『三つの人間機構』[6]の中で述べられている論点は、ドイツの地理学者ヴァルター・クリスタラー、スペインの線状都市の理論家ソリア・イ・マータ等がすでに進めてきた地域計画の主題を再解釈したものであった。ル・コルビュジエは、自らの地域計画の図式を提出するのに、クリスターラーの都市発展の法則を応用した。この法則によれば、ドイツの都市の集落は、その他の要因と同様に、常に三角形状ないしは六角形状の格子の交点で発生している。ル・コルビュジエは、ソリア・イ・マータの線状郊外の着想を利用して、クリスターラーの分析を補完したに過ぎない。その際、彼が提案したのは、既存の放射状同心円の都市を連絡して、線状の産業集落とすることである。続けて彼は、そうなれば格子内の亀裂も、農業生活共同体によって解消されるだろうと言う。こうした総合的地域計画を進めるに当たって、拡大された規模による新しい類型学（タイポロジー）が開発されなければならなかった。この点、「ズリーン計画」は、広い意味での「線状・産業都市」となるものであった。そして一九三三年、サンディカリストの農業労働者ノルベール・ベジャールの依頼に応じて設計した「放射状農場」や「放射状村落」は、新しい農業生活共同体の構成要素として考えられるものであった。

169　ル・コルビュジエ「ポルト・モリトール」アパートメント，パリ，1933年

『三つの人間機構』は、ル・コルビュジエによれば、町を都市化することを可能にし、また村を都市化することも可能にするが、そもそも、一九二〇年代後期のロシアの都市計画家達を無情にも二分した紛争を解消するための試みであった。当時、彼等は反都市派と都市派に分かれ、前者はソヴィエト連邦全土にわたって現存の人口を配分し直すことを唱え、後者は既存の都市の維持と都市センターを追加開発することを訴えた。

《輝く都市》は遂に実現されるには至らなかったが、戦後のヨーロッパその他における都市の発展にとって、モデルとしての《輝く都市》の影響は広い範囲に及んだ。数多くの集合住宅計画に加えて、二つの新しい首都の他に例を見ない組織は、明らかに《輝く都市》の中に具体的に示されていた幾つかの着想に負うものであった。二つの首都計画とは、一九五〇年のル・コルビュジエによるチャンディガールのマスター・プランと、一九五七年の[7]ルシオ・コスタによるブラジリアの計画である。ル・コルビュジエは計画に当たって、同年、アメリカの都市計画家アルバート・メイヤー[8]が作ったチャンディガール田園都市の配置計画を基本的に受け容れた。それは、ル・コルビュジエが、暗示的形態による定形的都市を作る意図を全面的に放棄したことを明瞭に示すものであった。さらに、彼のアプローチが、地域的規模に基づいた力動的な成長の図式を促進する方向へと移ったことを意味するものであった。ル・コルビュジエはメイヤーの計画を調整したにも拘わらず、彼の「理想都市」はこの点で、一九五〇年のチャンディガールの政府庁舎だけに縮小されることになった。この現実主義的戦略は、すでに一九四六年の「サン・ディエ計画」の折に予見されていたことであった。そしてこれ以後、ル・コルビュジエは、ルネッサンス期の巨匠達のように、表象的要素をモニュメンタルな規模で計画することで、とうてい実現不可能な全体を補おうと専念したのであろう。

一九三〇年代の上半期を通じて、ル・コルビュジエのこうした記念性志向は潜在的であったが、「機械時代」の文明を扱おうという関心も、決して消失していたわけではない。彼はなおも自らを企業家達に売り込み、あらゆる機会を利用して、大規模な「物体型（オブジェ・タイプ）」のものについての自らの設計能力を彼等の関心の的にした。この「物体型」こそ新しい時代の装備には必要不可欠だと彼は見なしていたのである。そして、一九三二年から一九三三年の間に彼が実現した四つの代表作品は、まさしくそれに相応しいものであった。その四つとは、ジュネーヴのアパートメント《メゾン・クラルテ》、そのほかパリに建てられた、大学都市の《スイス館》、《救世軍本部》、それに彼自身のアパートメント《ポルト・モリトール》である。これら四つの建物では、いずれもモデュール方式、ガラスとスティール、「ガラス張り」正面が採用されたが、「機械時代」の美学を表明しようという意図からであった。同様に、それは一九二〇年代に設計した何軒かのヴィラで用いられた、コンクリート造の骨組にブロック積み漆喰塗りという手法との訣別を意味するものであった。しかし、こうした「技術者の美学」の神格化は、皮肉にも、機械時代の必然的勝利に対するル・コルビュジエの信念が揺らぎ始めたまさにその時に現れたのであった。一九三三年を過ぎると間もなく、ル・コルビュジエの「住むための機械」の合理的生産に対する反動が始まった。しかし、それが近代的技術に対する幻滅によるものか、あるいは経済不況や政治的反動によって四分五裂した世界に対する絶望によるものか、今は知るべくもない。最近になってロバート・フィッシュマン[9]が指摘したように、ル・コルビュジエはテイラー・システムによる大量生産の将来性については、両義的感情を常に持ち続けていたようである。

「ル・コルビュジエは、一九三〇年代、権威希求の念が強く、それは工業化に対する彼の矛盾する姿勢の中に映し出されている。彼の社会観にせよ建築にせよ、いずれも、産業社

170　ル・コルビュジエとジャンヌレ「エラツリス邸」チリ，1930年

会は真実で愉しい秩序を生みだす生得的能力を具えている、という信念に基づいていた。しかし一方、こうした信念の背後には、工業化も悪用され管理を誤ると、文明を破壊しかねないという不安もあった。若い時分、ラ・ショー・ド・フォンでル・コルビュジエは、ドイツ製の大量生産による不様な時計によって、同地の時計製作業者の技術が見る影もなく蚕食されてしまった有様を、目の当たりにしていたのであった。この教訓は彼にとって終生忘れられることはなかった。」

一九三〇年以降になると、その根本的理由はどうであれ、ル・コルビュジエの作品の中にプリミティヴな技術的要素ともいうべきものが、頻繁かつ奔放な表現で見られるようになった。その最初の例が、一九三〇年チリに計画された《エラツリス邸》で、これは勾配屋根を持ち、木造石積みの住宅であった。一九三一年にはツーロン近傍にマンドロ夫人のためにヴィラを建てたが、これは野石積みの建物であった。そして一九三五年と一九三七年には、それぞれ注目すべき作品が二つ作られている。一つはパリの郊外に建てられたコンクリートのヴォールト（曲面天井）を架けた《週末住宅》であり、もう一つは一九三七年のパリ万国博覧会のために建てられた《新時代館》で、これは軽量構造キャンヴァス張りの建物であった。このうち《週末住宅》の屋根は一九一九年の《メゾン・モノル》を想起させるが、それだけでなく、地中海地方に伝統的なバレル・ヴォールト構造の記憶をいっそう強く揺さぶるのである。また《新時代館》の方は遊牧民のテントを、いやそれのみか、彼が著書『建築をめざして』の中で、規準線（トラセ・レギュラトゥール）を説明するのに実例として挙げた、荒野のヘブライ人の寺院の復原を想い起こさせるのである。こうした一連の作品において、その表現にかかる比重が抽象形態から工法そのものへと移っていく様子がよく分かる。《週末住宅》についてル・コルビュジエ自身次のように述べている。「こうした住宅の平面計画には細心の注意が必要であった。工法上の要素がそのまま建築表現となったのだ。」この二つの作品には確かにプリミティヴなもの、また土着的（ヴァナキュラー）なものへの参照が含まれているが、先端技術の幾つかも利用していたのである。すなわち、《週末住宅》では鉄筋コンクリート、合板、レンズ型ガラス・ブロックが効果的に利用されていたし、《新時代館》ではスティールのケーブルによる吊り構造が大胆に採用されていた。そしてこれは、当時航空工学の分野でしか見られないジョイント（継手）の技術をいかにも想わせるものであった。つまり、この二つの作品は、プリミティヴな技術と先端技術の両方を必要と状況に応じて自由に混用するような、教義に囚われない未来の隠喩、それも精巧に作られた隠喩ではなかっただろうか。

一般に必要とされている財貨を、どのように分配すれば社会的、政治的に最善となりうるか。この問題をル・コルビュジエは、一九三一年一月から寄稿していたサンディカリズム系の月刊誌「プラン」の中で初めて取り上げ、明瞭に答えている。当時、この雑誌はフィリップ・ラムール、ユベール・ラガルデル、フランソワ・ド・ピエルフー、ピエール・ウィンテルなどによって編集されていた。[10] [11] 一九三一年十二月、ル・コルビュジエは「決断」と題する試論を書いた。その中で彼は、自分の都市観が実現されるための政治的前提条件を打ち出した。彼は、都市の土地は国家の管掌するところでなければならないと提唱したが、これは反動諸勢力の格好の攻撃材料となった。彼等は、夙（つと）にル・コルビュジエを覆面ボルシェヴィキとして目の敵にしていた。一方、国家は布告を発して不用消費物資の生産を禁止すべし、とする彼の要請は右翼技術官僚達を逆撫でしたに違いない。なにしろ彼等は罷り間違えばル・コルビュジエを自分達の利益の紛うかたなき代表と見なしかねない人達であったからである。

一九三二年、ル・コルビュジエはラムールと袂を分かち、「地域主義・サンディカリズム・アクション委員会」のメンバーの一人になった。そしてさらにユベール・ラガルデルの編集する雑誌「プレリュード」の寄稿者となった。ラガルデルはジョルジュ・ソレルの愛弟子で、イタリアのファシスト運動の左派と密接な関係を保ち、その意味では親ファシズム派といってよかった。[12] ル・コルビュジエの著書『輝く都市』は、実は一九三三年単行本として刊行されるに先立って、最初は雑誌「プラン」に、その後、一九三二年からは雑誌「プ

171　ル・コルビュジエの著書『大砲？弾薬？結構！住宅をどうぞ』の表紙，1938年

レリュード」にサンディカリズムの御墨付きを得て数回にわたって連載されたのである。彼はむろん、ジュラ地方に伝統的な圧倒的サンディカリズムの影響を受けていた。したがって、仲間のサンディカリズム信奉者達と同様に、彼もまたサン・シモンの唱えた独裁主義的空想社会主義と、シャルル・フーリエの著作に見え隠れする無政府主義的社会の狭間にあって去就を決めかねていた。しかし著書『輝く都市』の中では、サンディカリズムの政策に従ってル・コルビュジエは「メティエ（ギルドないしは労働組合）」による直接統治制を唱道したものの、他の編集仲間達と同様、この「メティエ」の統治がいかにして確立されるものかについては漠然とした観念しか持ち合わせなかった。

一九三〇年代のフランスのサンディカリズム信奉者達は、権力への唯一の最短距離が結局のところゼネストしかないとしつつも、これを無期延期にすることを黙認し、革命よりも改革を、国家の廃絶よりも国家の合理化を望んでいたのであった。彼等は進歩的で、企業家寄りの考え方をしていたが、前産業時代の調和の観念に対して郷愁を感じていた。反資本主義的であったが、エリート技術官僚養成を推進させようとした。それというのも、彼等はボルシェヴィズム国家の寡頭政治には反対するものの、同時に技術官僚の権威を推奨したのである。彼等は一致して、熱烈なる国際主義者(インターナショナリスト)であり平和主義者(パシフィスト)であり、軍需生産や自由消費などを無駄として反対した。こうした目的からル・コルビュジエは一九三八年、一巻の書を書くに至った。その書は皮肉を込めて、『大砲？弾薬？結構！住宅をどうぞ』という予言的な題名が付せられることになった。それにも拘わらず、サンディカリズムは大衆の中に根をおろすことができなかった。福祉国家の建設か、質の高い大衆文化の確立か。ル・コルビュジエもこのディレンマから逃れることができなかった。しかし彼は持ち前の傲岸さで、一九二九年に制定されたロシュール法が支給する前(プロト)・人民主義(ポピュリズム)的とでもいうべき集合住宅に対して異を唱えた。実は、このロシュール法のおかげで、ル・コルビュジエはかつて労働者用最小限住居の設計ができたのであった。彼はその計画案に関する最初の説明を次のような諦めの言葉で結んでいるのである。

「われわれは今後一つとして作ることはないだろう。……。私の計画案（それは生活の仕方だ）と、この法規が制定される動機となった人達、つまり何ら教育を受けたことのない潜在的施主との間にはいかなる接触点も存在しないのである。」

なぜなら、あなたの法規には現実の基盤が欠けているからだ。

第21章　フランク・ロイド・ライトと「消滅する都市」

一九二九〜一九六三年

新聞に掲載された報告によれば、ヘンリー・フォードは次のような布告を発布した。すべての既婚労働者ならびに被雇用者は、その休暇時において、すべからく自らの菜園において野菜を栽培しなければならない。その際、ヘンリー・フォードがこのために雇用した専門家が詳細なる指示を与えるので、それに従わなければならない。この布告の意図するところは、これによって彼等は、その必要とするところの大部分を自給できるということである。必要な菜園の土地は彼等の裁量に委ねられるのである。ヘンリー・フォードは次のように語っている――セルフ・ヘルプ（自助）こそ経済不況と闘うただ一つの手段だ。自らの菜園を耕すのを拒む者は、いずれは解雇されることになろう。

――「ディー・ハイムシュテッテ（農地付き住宅）」誌　第十号　一九三一年

フランク・ロイド・ライトの生涯で二度目に訪れた重要な時期とは、一九二九年、オクラホマのタルサにおいて建設した、一連のコンクリート・ブロック造住宅の最後のものの完成から始まった。それはまた、ロサンゼルスに計画した《エリザベス・ノーブル・アパートメント》に見られるような、鉄筋コンクリートによる片持梁（カンティレヴァー）の可能性を追求した最初の計画案の時期でもあった。これらのアパートメントの結晶のような美しさは、一九二四年、シカゴに計画した《ナショナル生命保険会社ビル》の中ですでに予告されたものだった。このビルの煌めくような銅板とガラスの正面（ファサード）は、ライトの言う「彫りのあるコンクリート・ブロック」の美学を、ガラスへ移しかえたものであった。

ヘンリー・フォードによる自動車の大量生産、それと、いわゆる大恐慌の衝撃によって、ライトはエルドラド（黄金郷）の夢想から目覚めたようだった。ライトが南カリフォルニアの緑濃い丘陵地帯に、富裕な階層のために建てた、唯美主義に代わるマヤ文化を「手っ取り早く」貼り付けた一連の住宅から離れたのは、そのためではなかったろうか。当時、ヨーロッパの「新即物主義（ノイエ・ザッハリヒカイト）」の果たした役割を見て、ライトは、アメリカ合衆国の社会秩序を再建するうえでの建築の新しい役割を公式化しようとしたのであった。

一九〇一年の講演「機械の芸術と技術」以降、ライトは、文明の本質に深刻な変化をもたらすものは機械であって、それは不可避だと認めていた。ライトの機械に対する基本的姿勢は、その後一九一六年まで変わることはなかったが、それは高度の工芸文化を創造するために、機械を適用するというものであった。すなわち、ライトは自らの「草原様式（プレーリー・スタイル）」を脇目もふらずに形造るに当たって、機械を応用しようと考えたのである。ライトにとって「機械」の表現は、必然的に片持梁の修辞的な使用と関係していたらしいが（その代表的実例が一九〇九年の《ロビー邸》である）、依然として彼は、伝統的素材や方法に絶対的な権威を認めていたのだった。一九〇八年の《クーンレイ邸》や一九一四年の《ミッドウェイ・ガーデンズ》を見れば分かるとおり、ライトが大量生産による合成的な要素を集成して建物全体をまとめ上げようと考えたのは、一九二〇年代も前半期であった。その頃までに彼は、カリフォルニアの住宅に見られるような、コンクリート・ブロックによるモザイクや現場打ちのコンクリート構造の仕上げのために考えた、モデュラー方式のカーテン・ウォールなどを開発していた。

しかしライトも経済の力には抗し切れず、伝統的な素材や工法の限界を認めるに至り、「草原様式」という大地に密着した統辞法を諦めることになる。だが、彼は鉄筋コンクリートとガラスを独特の方法によって組み合わせ、角柱状（プリズム）で、切子のような面を持った建築を作り出した。それは浮游した幾つもの面によって組み立てられ、ガラスの外壁を持ち、まるで無重量のような錯覚を与えるのだった。ライトは、まるであのパウル・シェーアバルトのように、たちまちガラスの表現の豊かさに取り憑かれてしまったようだった。ガラスの水晶のような半透明性は、無柱空間の平面（プラン）の開放性によって光彩陸離としたのである。組積造の巨匠であるライトが、ガラスをすぐれて現代に相応しい素材だと称揚したのは、一九三〇年、プリンストン大学での有名な「カーン記念講演」の時であった。「産業の様式」と題する講演において、彼は次のように述べている。

「ガラスは今や完璧な可視性を具えています。それは空気が薄い板状に結晶化して外部あるいは内部の気流を保っているのです。ガラスの表面も、視界を広く取り入れるように、完璧にまで磨き上げられるでしょう。それなのに、伝統は、この素材を完璧な可視性を与えるものとしていささかも認定していないのです。それ故、結晶としてのガラスという感覚がいまだに建築に取り入れられていません。詩も同断です。

ガラス以外の材料による色彩や物質の価値は、永続性という点でガラスと太刀打ちできるかもしれません。陰影をつけることが古（いにしえ）の建築家の「画法（ブラッシワーク）」でした。現代の建築家は光で作品を作ろうではありませんか。拡散する光や反射する光を使って、光そのもののために、陰影など用いずに。そして、「現代」をガラスによるかくも類まれなる新しい時代に仕立てているのは、まさしく機械なのです。」

一九二八年、ライトは「ユーソニア」という言葉を造った。この言葉は、アメリカ合衆国にやがて自発的に現れるであろう平等主義の文化を指し示すものであった。しかし、この言葉によって、ライトは草の根的つまり大衆的個人主義のみならず、自動車の大衆化によって当時ようやく可能となった、新しくて分散的な文明形態の実現をも意図しているらしいのである。「大衆的」な移動の手段としての車という観念は、ライトの反都市的実例すなわち《ブロードエーカー都市》の概念の「デウス・エクス・マキナ（救いの神）」となるものであった。《ブロードエーカー都市》においては、十九世紀の都市集中が地域中心の農業を単位とする格子によって再編成されるはずであった（これは一九一三年に行われたシカゴ郊外を細分割するに当たっての、《シティ・クラブ》設計競技に対するライトの応募案の中に早くも予告されているのである）。彼は先に触れた「カーン講演」の末尾のところで、伝

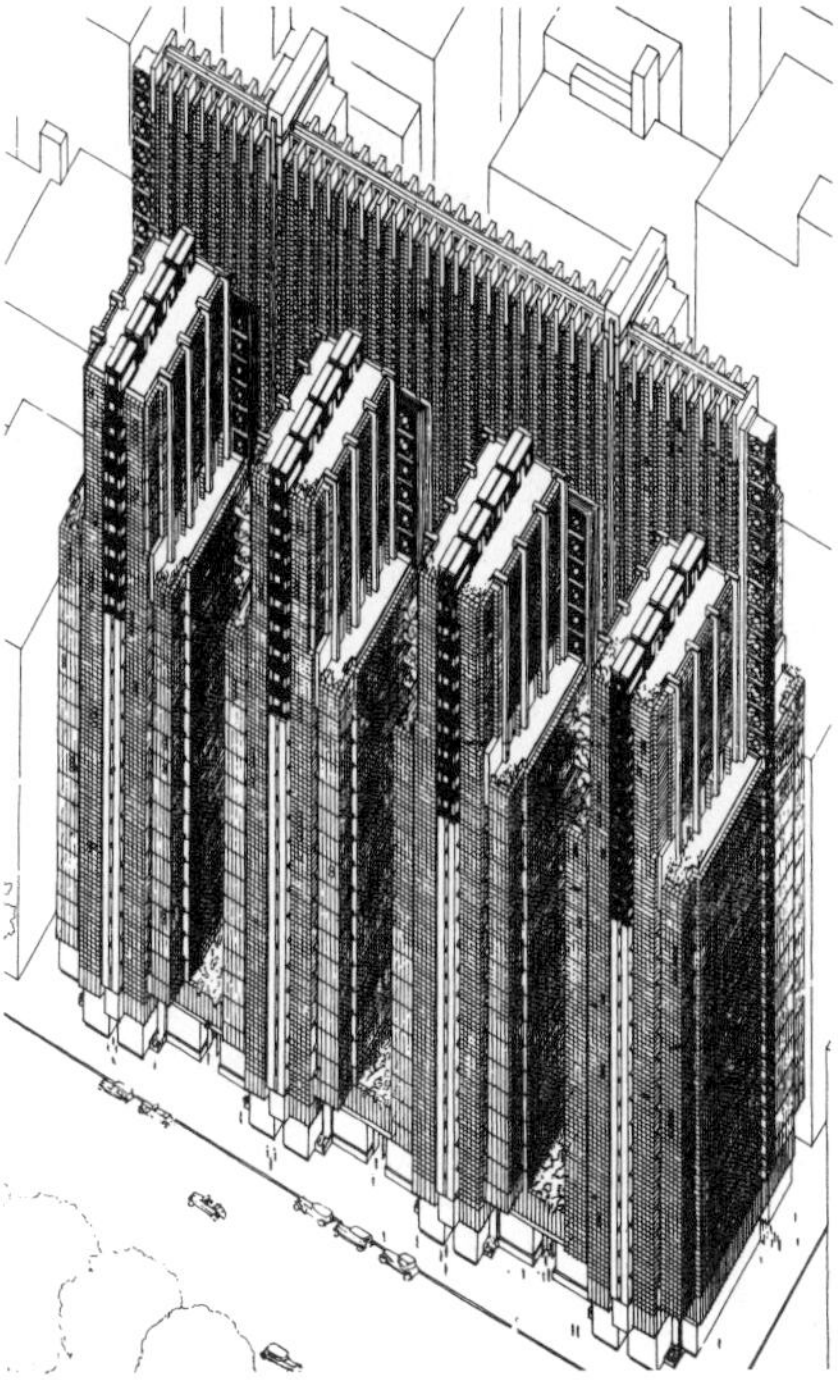

172　ライト「ナショナル生命保険会社ビル」計画案，シカゴ，1924年

統的都市に対する反対をはっきりと述べているのである。「こうした都市とは社会の罹る宿痾なのだろうか？　あらゆる都市はいつかはこうなる定めにあるのだろうか？」しかし、この《ブロードエーカー都市》が、一八四八年の『共産党宣言』の中で述べられた中心問題に対して、他のいかなる急進的な都市形態よりも遥かに切実に応えていたということは、今世紀の皮肉の一つである。因みに、同宣言には次のように唱道されているのである。すなわち、「全住民を全土地にすべからく等しく配分し、都市と地方の区別を漸次撤廃していくこと」。

とはいえライトの新しい「ユーソニア」文化を求めての最初の計画案、つまり一九三一年の《セント・マークス・アパートメント・タワー》と同年の《キャピタル・ジャーナル新聞社》は、農業中心的どころか都会的雰囲気を具えていた。オクラホマ州バートルズヴィルの《プライス・タワー》やウィスコンシン州ラシーンの《ジョンソン・ワックス本社》は、それぞれ一九五二～五五年、一九三六～三九年にどうやら実現することになるのだが、これらの計画案はいずれも鉄筋コンクリートの片持梁に結晶状の皮膜（メンブレイン）を被せたものであった。これらの作品を象徴的レヴェルで考えた場合、一九〇四年の《マーチン邸》や《ラーキン・ビル》以降のライトの作品の、ある重要な極性を具現していることが分かる。それは、住居の建設を自然の営むプロセスになぞらえる一方、仕事場の建物を儀式の観念として捉えるという、[1]アメリカ・ファンダメンタリスト（正統派キリスト教）的な解釈である。そしてこの極性は、ライトの「ユーソニア」期に、次の二つの傑作によって鮮明に形造られたのである。その二つとは、一九三六年、ペンシルヴェニア州ベア・ランに建てられたカウフマンの週末住宅すなわち《落水荘（フォーリング・ウォーター）》と、同年着工された《ジョンソン・ワックス本社ビル》である。いずれも、これまでにない豊饒と広闊とに満ちた作品である。

ライトは「有機的」という言葉を、一九〇八年、初めて建築に用いたが、それはコンクリートによる片持梁を用いることであった。けだし、それが自然の樹木のような形状であったからである。ライトは、こうした形態をルイス・サリヴァンの言う「種子の胚」に関する生気論的隠喩を直接的に拡大しようと考えたが、ここではサリヴァンのように装飾だけに止まることなく、構造全体にまで及ぶように拡張されたのであった。ライトは死の直前、《グッゲンハイム美術館》の広間（フォワイエ）にある女陰の形をしたプールについて次のように書いている。「この建物の詳細部分について特徴的なのは、その象徴的な形状で、楕円形の種子の形の中には、球状の単位が包まれている。」

《ジョンソン・ワックス本社ビル》においては、有機的なものの隠喩は、背の高い細身の無梁版構造の柱の形象となって現れている。この柱は下方ほど細くなり、高さ九メートルの空調を備えた、開放的平面の執務空間を支える主体構造となっている。柱は、屋根のレヴェルでは大きなコンクリート製の水蓮の葉のような円形となり、葉と葉の隙間には耐熱ガラスのチューブによる膜が「相互に張りめぐらされ、縫い合わされている」。まるで柱が支えているような水平に広がる屋根の光といい、またこの柱自体といい（その芯の中空の部分は雨水の樋の役目を果たしているし、足元はブロンズの金具をはかせてピン接合となっている）、ライトの技術的想像力の入神的な絶妙ぶりを発揮している。これこそ「ユーソニア」の極地を表現するものであって、伝統的要素を見事に転倒して作り上げた驚くべき技の詩であった。当然、密実（ソリッド）であることを予想していた箇所（ここでは屋根）に光が満ちていたり、あるいは、当然光を予期している箇所（ここでは壁）が密実であったりしているのである。このことについてライトは次のように書いている。

「煉瓦のように壁に積み込まれたガラスのチューブが光の面を作っている。光は、普通なら蛇腹（コーニス）となるところから建物の中に入ってくる。室内では、箱状の構造体は全廃された。ガラスの肋骨（リブ）を支える壁は、赤い硬質の煉瓦と赤いカソタ産砂岩からできている。建物全体は鉄筋コンクリート造で、鉄筋には冷間加工のメッシュが使用された。」

このコンクリート無梁版構造のおかげで、ライトは初めて、

173　ライト，土地の典型的分割を細分割するための計画，シカゴ，1913年

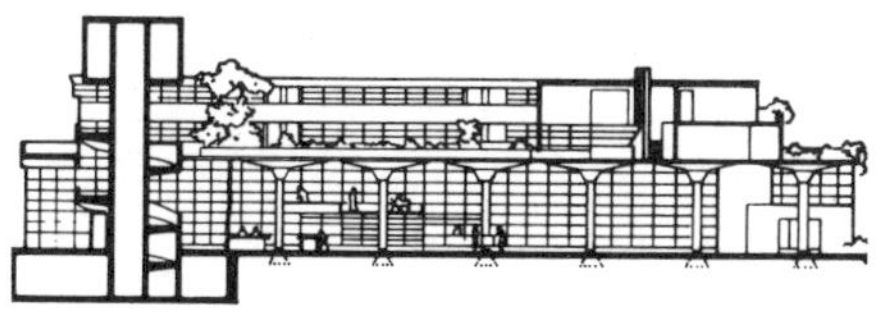

174　ライト「キャピタル・ジャーナル新聞社」計画案，オレゴン州サレム，1931年

建物の隅部を丸めた輪郭と円形中心の造形語彙(ヴォキャブラリー)を用いることになった。全体は、硬質で緻密な材料によって製作され、半透明のガラス・チューブで隈なく照明されていた。そして、この造形語彙と輪郭が建物に、当時、何事によらず付き纏っていた、あの「モダン」で流線型の雰囲気を幾分なりと与えていたのである。同時に、このサイエンス・フィクション的雰囲気は《ジョンソン・ワックス本社ビル》を、自制的で禁欲的な仕事の場にしていた。ヘンリー・ラッセル・ヒッチコックが書いているように、「ここには水族館の水底から仰ぎ見る空のような幻影がある」(2)。《ラーキン・ビル》の場合と同様、ここでもライトは閉鎖的環境を作り出したのであった。そして、この環境の仕上げのためにとくに設計した特殊な設備、装備の色彩や形態が、外界からの遮断性をいっそう強めるのに役立った。

《ジョンソン・ワックス》の建物が神聖なる仕事の場の再解釈であったのに対して、《落水荘》は自然と融合した生活の場というライトの理想を具体化したものであった。ここでも、鉄筋コンクリート構造が出発点にあった。しかしこの時には、片持梁の使い方が極端に無意味なくらいに大袈裟であって、《ジョンソン・ワックス》の無梁版構造の抑制した静けさとは好対照であった。《落水荘》は自然の岩に固定されているが、小さな渓流の上にまるで床を浮かべたように、岩から張り出している。わずか一日にして設計されたこの建物の演出たっぷりな構造の表現こそ、ライトのロマン主義の最高の表明であった。そのテラスは、かつての草原様式に見られるような地平線による拘束を払拭して、生い茂る木立の渓谷の中に、さまざまな高さで、奇しくも空中に浮游する平面の集合のようであった。テラスを支える鉄筋コンクリートの梁が、建物を背後の岩壁に緊く固定しているが、《落水荘》は写真撮影を固く拒んで寄せ付けない。それは、すべてにわたって自然と融合しているのである。水平方向にガラスが広く使用されてはいるものの、自然は建物のあらゆる隅々から入り込んでいる。その室内は、伝統的な意味での住宅の内部というよりも、仕上げを施した洞窟といったところである。粗石積みの壁や石貼りの床が、敷地に対する敬意から生まれたのだろうということはよく分かるが、それは居間の階段を見ればいっそうはっきりする。何しろ、この階段は下の渓流へと降りていくだけで他の機能はなく、人をただ流れの水面(みのも)とより深く親しむように導いているのである。しかし、この住宅ほどものの見事にライトが終生抱いていた矛盾する技術観を表現したものは他にはなかった。コンクリートは、この設計を実現可能にしたにも拘わらず、ライトは依然それを正統的ではない素材として、彼の言い方によれば「品質低劣なるコングロマラ(塊り)」と見なしていたのだった。彼は当初、《落水荘》のコンクリートを金箔で被覆するつもりであった。このキッチュな表現を思い止まらせたのは施主の分別の良さだった。ライトは止むなくそれに薄い黄色の塗装をすることにしたのだ！

それからというもの、すぐれて実用的な「ユーソニア」住宅の設計のかたわら、ライトは奇妙なサイエンス・フィクション的建築を展開し続けた。晩年のレンダリング（完成図）に見られる一風変わったスタイルから忖度するところ、このSF建築は、なにやら地球以外の生物のためのものらしく思われる。この芝居がかった異国趣味は、カリフォルニアの《マリン郡裁判所》の建物ではウルトラ・キッチュにまでなり下がってしまった。この建物は、一九五七年に設計依頼、一九六三年、ライト没後四年してから完成した。ライトには夙に空想的なものに対する強迫観念があった。一九二八年、彼はこう書いている。「今なお依然としてユーソニアには空想と情感とが求められている。たとい失敗したとしても、試してみないよりは遥かに重要なのだ。」

ライトの「ユーソニア」の将来像は、一九三〇年代中葉の傑作の中にまず結晶しているが、その実現は一九四三年、ニューヨークに完成した《グッゲンハイム美術館》まで待たねばならなかった。この美術館の構造上の着想は、一九二五年の《ゴードン・ストロング・プラネタリウム》の計画案まで溯及できるだろう。このプラネタリウムはきわめてサイエンス・フィクション的な計画案で、ジッグラト状の形態をして

175　ライト「S・C・ジョンソン父子会社管理棟（ジョンソン・ワックス本社）」ウィスコンシン州ラシーン，1936-39年．夜景

176　ライト「S・C・ジョンソン父子会社管理棟（ジョンソン・ワックス本社）」内部

177　ライト「落水荘」ペンシルヴェニア州ベア・ラン，1936年

おり、「自然崇拝の」巡礼者達の半ば宗教的な喜びを表すためのものであった。《グッゲンハイム美術館》の建築は、プラネタリウムの内部の減衰曲線状蔓巻線（ヘリックス）を逆転させて、外部に表現したものに過ぎない。蔓巻線を逆転させることによって、プラネタリウムでは自動車の斜路であったところが、美術館では内側になって、螺旋状（スパイラル）のギャラリーに変換している。この拡散型蔓巻線をライトは後年「途切れることなき波状」と呼んでいる。この《グッゲンハイム美術館》は、ライトの後期の作品中の最高点と見て間違いない。なぜなら、それは《落水荘》の構造的、空間的原理と《ジョンソン・ワックス本社》の頂光（トップライト）のある密封性とを結び付けているからである。ライトはこの美術館を、月並なオフィス・ビルや住居建造物などよりも公園の中の寺院のようであれかしと言明したが、美術館の発想をこうした非日常的なものに求めたのは皮肉といえよう。

　ライトの都市計画に関する最初の著書『消滅する都市』は《ブロードエーカー都市》についての研究が完成した時、一九三二年に出版された（なお最初の草稿では『産業革命は往く』と題されていた）。その中で彼は、未来の都市は至るところに存在するだろう、またどこにも存在しなくなるだろう、と明言した。そしてさらに、「それは往時の都市や今日のいかなる都市とも甚だしく隔絶しているだろう。したがって、われわれはそれがかくの如きものとして到来すると認識することなど恐らくできない」と述べている。さらに別のところで、「アメリカは《ブロードエーカー都市》を建設するのに援助など不要だ。それはおのずから、思いもかけずに建つだろう」と言明した。ライトは、この挑戦的言明に伏在している自家撞着に満足な解答を見つけもしなかったし、見つけようとすらしなかった。一方において彼は、人間は意識的に分散型定住方式を新しく確立しなければならないと論じた。これは、その規定からして反都市的である。他方、彼は、そんなことをする必要など殆どあるまい、なぜなら、それは放っておいてもそうなるのだから、と言明しているのである！

　ライトは、この歴史決定論において、機械を建築家がどうしても手懐けなければならない手強い相手だと見ている。だが、依然として昔からの難問は解決されなかった。それは、機械をのさばらせることなく、機械とどうすれば折り合いがつけられるかである。ライトにとって、この問題は終生付き纏った文化の探究であった。したがって、一九五八年に刊行された著書『生きている都市』の中で、彼は次のように言っているのである。「われわれの目まぐるしく変わる文化などにはとうてい及ばない技術上の発明の奇跡こそ——たとい誤用されたにせよ——新しい力であって、固有の文化を求めるからには、これを無視してはならない。」彼は蒸気力や、それを利用した鉄道のことには思いもかけなかったが、当時のソヴィエトの都市分散論者達のように、電気を静かなる動力

178　ライト「グッゲンハイム美術館」計画案，ニューヨーク，1943年

179　ライト「ブロードエーカー都市」1934-58年

源として、また、自動車を無限の運動の供給源として歓迎した。彼はこれら新しい力が西洋文明の基盤を次のように変化させるだろうと認めていた。一、電化。これは距離という相互の隔離を消滅させ、人間の占居するところを絶えず照明する。二、機械化された移動。航空機、自動車の発明によって人間どうしの接触が限りなく拡大される。そして最後に、三、有機的建築。これは常に正確な定義の手を逃れているのだが、ライトにとっては結局のところ、有機的建築とは自然に内在する原理に従って、人間による形態と空間を経済的に作り出すことではなかったのか。しかも、その自然の原理は鉄筋コンクリート構造の応用によって実現されるのである。ライトは別の機会に、《ブロードエーカー都市》を間違いなく形づくるものとして自動車、ラジオ、電話、電信、とりわけ標準的工場生産方式を挙げている。

ライトにとっては、「ユーソニア」文化も《ブロードエーカー都市》も、ともに切り離せない概念であった。前者は、これらの概念を建築的に実体化したものであった。《落水荘》も《ジョンソン・ワックス本社》も当然、《ブロードエーカー都市》の中での特定の場所があってしかるべきものであった。だが、ライトは「ユーソニア」という言葉によって、もっと謙虚で上品なもの全体を意図しようとした。すなわち、利便性と経済性と快適性を意図して設計された、暖かく、開放的平面の小住宅である。「ユーソニア」住宅の中心は、「タイム・アンド・モーション（作業過程）」研究に基づいて設計された厨房であった。すなわち、生活空間から独立して設計された囲われ型（アルコーヴ）の作業空間であった。ヘンリー・ラッセル・ヒッチコックが述べているように、これがアメリカの住居の平面計画に重要な貢献を果たしたのだった。同じように、現代の室内設計にとって重要なのは、当時、ライトが小住宅の中の空間を最大限にしようと、壁に沿って座席を連続して取り付ける方法を導入したことである。一家族用「ユーソニア」住宅が幾つも《ブロードエーカー都市》の集合住宅に計画されたが、それが実際に実現したのは、一九三二年から一九六〇年にかけてライトが設計して建てた多数の郊外住宅においてであった。その中で有名なものは、一九三九年、フィラデルフィア郊外に建設された四家族用の《サントップ・ホームズ》で、風車型の平面をしていた。

ライトの理想都市にとって、遥かに重要と思われる建物の型式は、住居などではなく、一九三二年に計画された《ウォルター・デーヴィッドソン・モデル農場》であった。その農場単位は、住宅と土地両方の経済的運営を促進するように設計されていた。この点、それは《ブロードエーカー都市》の経済全体にとって重大な意味を持つものであった。《ブロードエーカー都市》では、人は誕生とともに一エーカーの土地を確保され、成年に達すると、その者の自由裁量に任され、何人も自らの食糧はその一エーカーによって獲得しなければならないように定められていたからである。

これに付随して考えられる土地単一税制あるいは社会負債といった社会的な諸概念は、大恐慌当時きわめて持てはやされた救済案ではあったが、これらを措くとして、《ブロードエーカー都市》は何よりも、ピョートル・クロポトキンが一八九八年に出版した著書『工場、農場、仕事場』の中で唱道した小自作農、小工業経済の現代版であった。しかし、そのような命題を再生しようという試みには、少なくとも一つの、どうにもならぬ矛盾があった。それは、個人主義に基づく土地均等分配による経済が、必ずしも産業社会の存在あるいは大量生産の恩恵を保証するものではないということである。なぜなら、大量生産の恩恵は、自動化にも拘わらず、今なお、ある程度の労働の集中と資源の集約が欠かせないからである。しかし、このことをライトは頑なに認めようとしなかった。この点ライトは、ヘンリー・フォードに似ていた。クロポトキンですら重工業のためには労働と資源の集中の必要性を認めていたのである。ライトの描いた都市の映像（ヴィジョン）を見ると、臨時雇いの小自作農労働者が、中古のT型フォード車に乗って仕事や田園の農場へ行く様子が描かれているが、これは「ブロードエーカー」の経済を成功に導くには、季節労働者による「低賃金一率労働（スウェット・エクエティ）」が欠かせないことを暗示している。

当時、[3]マイヤー・シャピロがすでに指摘していたように、ライトは絶え間なく地代と利潤を攻撃し、都市の消滅を早くも予見していたにも拘わらず、「ブロードエーカー」の基本理念にとっては最も重大な、権力という緊急課題を避けて通っていた。その頃にはすでに活動的であったバックミンスター・フラーと同様、ライトは建築や都市計画がどうしても階級闘争の問題と直面せざるを得ないことを認めようとはしなかったのである。シャピロは一九三八年、ライトのユートピア思想を次のように正しく捉えて要約している。

「自由と、身だしなみの良い生活を決定する経済的条件は、ライトによって殆ど無視されている。労働者は自分のための工場製の住宅を、浴室と厨房から始め、あとは資力によって、工場での自分の仕事による収入に応じて、一部ずつ、他の部屋を増築しながら建てるのだとライトは規定しているが、このとき彼には、この新しい封建制の集落の貧困が見えているのだ。所有関係や国家に対する彼の無関心ぶり、例えば、私有産業を認めたり、公私両様の労働が併存する牧歌的世界に中古のT型フォード車を許可することなど、まさにライトの反動的性格を示すものである。かつてナポレオン三世の独裁下にあって、古いユートピア思想から想を得た当時の国営農園は、公式の失業対策であった。民主主義のライトのことであるから、地代と利潤追求を攻撃することだろう。しかし彼は、土地単一税制に対する通り一遍の言及を別にすると、階級と権力の問題には触れていない。」

第22章　アルヴァ・アアルトと北欧の伝統：国民的ロマン主義とドリス的感性

一八九五～一九五七年

カレリアの建築で興味深く最も重要な特徴とは、その均一性である。これに匹敵する例はヨーロッパには殆どない。カレリアの建築は全くの森林集落の建築である。その建築では素材としても継手の方法のうえでも木が百パーセント圧倒的である。太い梁の並んだ屋根から、動かせる建物の一部に至るまで、木は殆ど生地のまま、たとい塗装されてもペンキが生地を損なうようなことはない。さらに、できるだけ自然のままの比例で、木に特有の大きさで用いられている。荒廃にまかされたカレリアの村落はどこかギリシアの廃墟に似た佇まいだ。ギリシアの廃墟でも、木が大理石に代わっただけで、同じように均一性が主な特徴である。もう一つの重要な特徴とは、カレリア地方の住居が生まれてきた風習、歴史的発展の跡、建設工法である。民族学的に詳しく調べなくても、その内に秘めた方式が環境に対して方法的に適応していることが判る。カレリアの住居はただ一つの小さな室から始まる建物だといえよう。未発育の建物、人間や動物の隠れ家である。そして年を経て成長し、その特徴が形成されたのである。大型のカレリアの住居は生物学の細胞形成に喩えられよう。もっと大きくて、いっそう完成した建物になる可能性がいつも開かれている。

成長し、環境に順応するという、この素晴らしい能力はカレリアの建築原理の中に見事に反映しているのである。すなわち、屋根の角度は一定していないのである。

――アルヴァ・アアルト「カレリアの建築」一九四一年

フィンランド東部特有の農家の建物について、理解の行き届いた前掲の論文の中で[1]アアルトは、意図せずして、十九世紀後半の二つの主要な建築形態であるロマン的古典主義とゴシック・リヴァイヴァルを引き出している。屋根の勾配の変化を強調しながら、土着の農家の形式についてのアアルトの説明は、中世住居様式の復興を図るピュージンの独創的な指南にきわめて近いものである。一方、朽ち果てたカレリアの村落を、石に代わって木で覆われたギリシアの廃墟だと見なしたアアルトの描写は、パルテノンのメトープは木造架構の痕跡そのものではないかというオーギュスト・ショワジーの主題の鏡像といえよう。前掲の一文は、アアルト自身の古典主義への意識とほぼ原始の郷土的なものへの関心とをわれわれに告げるものであり、それ以外にも、北欧の伝統の中にある二つの様式上の主題の紹介もしてくれる。その二つとは、一八九五年に溯る国民的ロマン主義の手法と、一九一〇年頃スカンディナヴィア一帯に生まれたドリス的感性である。アアルトの長期にわたる輝かしい経歴は、こうした主題との明瞭な関連なくしては、とうてい理解し得ないものである。なぜならば、彼自身はそのいずれにも直接関わりを持ったことはなかったが、常にその作品は、国民的ロマン主義の強調する触覚性か、ドリス的形式の特徴である厳格性か、いずれかに負うていることを示すものだからである。

この二つの建築様態の起源は、それ相応の意味を持っている。すなわち、国民的ロマン主義は、明らかにゴシック・リヴァイヴァルから生まれ、H・H・リチャードソンのアメリカ・シングル様式を経たものであり、ドリス的感性はシンケルのロマン的古典主義に由来するものである。ヘルシンキという都市は、一八一七年にJ・A・エーレンシュトローム[2]による直交格子の上に、フィンランドの首府として打ち立てられたが、殊のほかロマン的古典主義様式の影響を受けやすい状態にあった。それというのも、ヘルシンキの都市が議事堂、大学、聖堂(カテドラル)といった古典主義による代表的建物を骨格として配置計画が行われたからであった。これらの建物はシンケルの弟子のカール・ルートヴィヒ・エンゲル[3]の設計によるもので、一八一八年以後に完成している。国民的ロマン主義についていえば、アアルトはこの運動に多くを負うている故、彼の後年の経歴を十分に理解するには、その起源と目的をまず検討することなくしては、とうてい不可能である。

まず最初に、国民的ロマン主義は、フィンランドと同様スウェーデンにおいても広く行き渡っていた。特に、同国の建築家グスタフ・フェルディナンド・ボーベリイ[4]の作品に影響を与えていた。そしてこの人物こそ、スカンディナヴィアにリチャードソンの作品を紹介することになる《ゲヴレ消防署》を一八九〇年に完成させたのである。しかし一般的に言って、スウェーデンの建築家達は、このネオ・ロマネスク風手法を納得のいく国民的様式に変える能力に欠けていた。スウェーデンよりもデンマークではいっそう、この傾向が強かった。同国のマルチン・ニロップ[5]による一八九二年完成の《コペンハーゲン市庁舎》は新中世様式によるもので、評判もよかった。しかし、たといそれが歴史主義による成功例としても、リチャードソンの大胆な実例の示す自信や高潔さにはいささかも動かされたところがなく、甚だしく折衷的なところに安んじていた。実のところ、スウェーデンとデンマークは、国民文化運動の気運がすでに退潮した後になってどうやら、確かな国民文化リヴァイヴァル様式に到達できたのである。その最も優れた例が[6]ラグナー・エストベリイの設計になる城郭風の《ストックホルム市庁舎》（一九〇九〜二三年）であり、[7]P・V・イエンセン・クリントによるコペンハーゲンの《グルントヴィク教会》である。なお、この教会は原始表現主義的な建物で、一九一三年の設計だが、一九二一年から一九二六年にかけてようやく実現された。

フィンランドの国民的ロマン主義は、一八九五年にはすでに無視できぬ勢力になっていた。当時、一団の芸術家達が時を同じくして、イデオロギー的にも手法的にも、成熟の秋を迎えていた。作曲家ジャン・シベリウス、画家[8]アクセリ・ガレン・カレラ、それに建築家[9]エリエル・サーリネン、[10]ヘルマン・ゲゼリウス、[11]アルマス・リンドグレン、やや距離をおいて[12]ラーシュ・ソンク達である。彼等の作品の背後にある発想源には、フィンランドの民俗叙事詩『カレワラ』があった。これは十九世紀の初頭、[13]エリアス・レンロートによって収集、編纂されたところであった。

フィンランドの国民的ロマン主義の背後にあって、これを推進させた力は、部分的ではあるが、ロマン的古典主義とは違った国民的様式を見出そうという切実なる要求によるものであった。それというのも、このロマン的古典主義は、ロシアの庇護下で建設されたヘルシンキの帝国主義様式だったからである。フィンランドでは、リチャードソンの統辞法が比較的容易に受け入れられたが、さらに同国で豊富に産出された花崗岩を利用しようという必要もあって、さらに独自の形式を求めようという目的から、この素材によるスコットランドの建設技術を研究するため、一八九〇年代の初め頃アバーディーンへ派遣団が送り込まれた。花崗岩を使用した最初の国民的ロマン主義の建築家はソンクであった。彼が一八九五年にトゥルクに建てたネオ・ゴシック様式の《聖ミカエル教会》は見事に彫刻を施した花崗岩による柱や装飾を備えており、硬直して、装飾も少ない室内と鮮やかに対照をなしている。この《聖ミカエル教会》の室内には、エッチングのような細やかさがあるが、それは、例えば十年後に建てられるウィーンのオットー・ワグナーによる《シュタインホーフ教会》の室内と同様な、表層の分節的表現（アーティキュレーション）といったものを見せている。これは、ソンク達の世代の建築家達が、フィンランドの工科大学で[14]カール・グスタフ・ニイストロームの監督下で修学したということで説明がつくかもしれない。なぜならば、ニイストロームは官僚的ではあったが、古典主義の教育を受け、花崗岩による工法を開発する一方、一八九〇年、自作の《国立公文書館》の建物で、ワグナー風技術官僚ぶりを自ら示しているからである。やがて彼は構造的合理主義者として傑出するようになり、一九〇六年、C・L・エンゲルの《大学図書館》の背後にスティールとコンクリートによる書架を建て増して、その実例を見せた。

ソンクの代表的作品は《タンペレ大聖堂》(一九〇二年)と《ヘルシンキ電話局》(一九〇五年)であるが、いずれも明らかにリチャードソンの作品から影響を受けた。アスコ・サロコルピが述べているように、リチャードソンの組積造による統辞法は、フィンランドの中世の伝統に相似していたのである。このリチャードソンの手法は、間もなくエリエル・サーリネンとアルマス・リンドグレンによって、一九〇〇年のパリ万国博覧会のオリエント風ネオ・ロマネスク様式の《フィンランド展示館》の中に応用されることになる。この手法の住宅版とでもいうべきものは、一九〇二年、ゲゼリウスも共同した作品、優れてロマン的な《ヴィラ・フヴィトラスク》において採用されている。しかし、その室内ではリチャードソン的なところは少なく、多くの点において、ガレン・カレラが一八九三年にルオヴェシに建てた丸太を積んだスタジオを下敷きにしていた。《フヴィトラスク》の内部装飾は、フィンランドの郷土的な木造建築を精神的拠り所として解釈したものであるが、それを措けば、フィンランド・ハンガリー文化の失われた形象と映像を呼び戻そうという、画家ガレン・カレラの意図を繰り返すものであった。その二年後、すなわち一九〇四年、ライトを追い越そうとして、《フヴィトラスク》で仕事も生活も共にしていたサーリネン、ゲゼリウス、リンドグレンの牧歌的ギルドに突然終止符が打たれた。サーリネンが《ヘルシンキ駅》の建物の設計競技に単独で応募し、第一位に入賞したためである。その応募案に見られる構築的(アーキテクトニック)な創意には、一九〇五年のホフマンによるブリュッセルの《ストックレー邸》や、一九〇八年のオルブリッヒによるダルムシュタットの《成婚記念塔》などの建物に窺われるような、「純粋化された」ユーゲントシュティルが映し出されていた。後期ユーゲントシュティルの手法を好意的に受け容れたフィンランド建築家はサーリネンだけではなかった。[15] オニ・タルヤンヌの見せた「ワグナー派」様式は、さまざまな意味でサーリネンに優るとも劣らぬものであった。とりわけ、一九〇三年のタルヤンヌの《タカハリユのサナトリウム》がその好例である。(わずか五年前に、タルヤンヌがヘルシンキに《フィンランド国立劇場》を国民的ロマン主義的なリチャードソンの手法で設計したということは、彼の見事な才能を偲ばせる目安である。)[16] フィンランドのユーゲントシュティルの白鳥の歌はセリム・A・リンドクイストの、あのひときわ微妙なホフマン風の作品であった。それは一九〇八年ヘルシンキに建てられた《スヴィルハティ発電所》や、一九一〇年の《ヴィラ・エンシ》などである。

当然のことながら、フィンランドの長い帝国主義下の植民

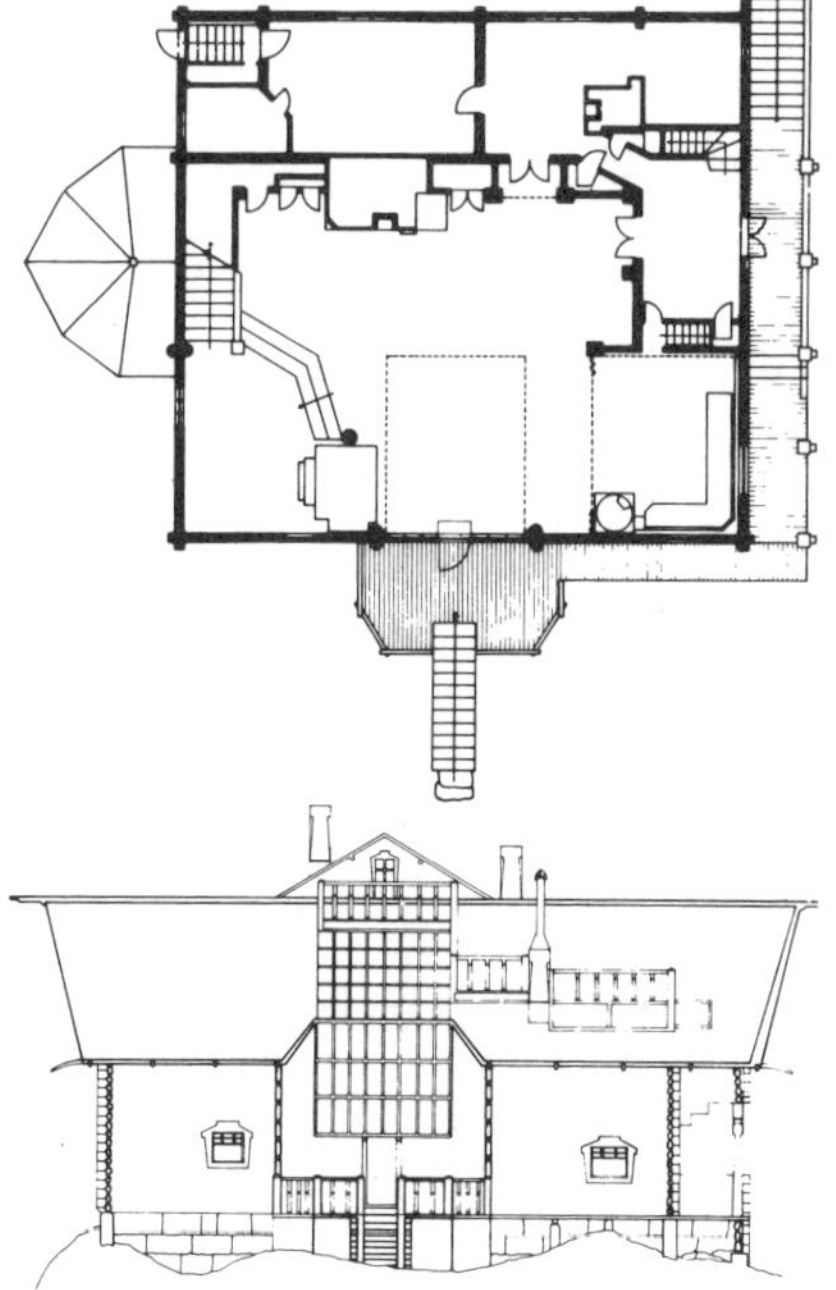

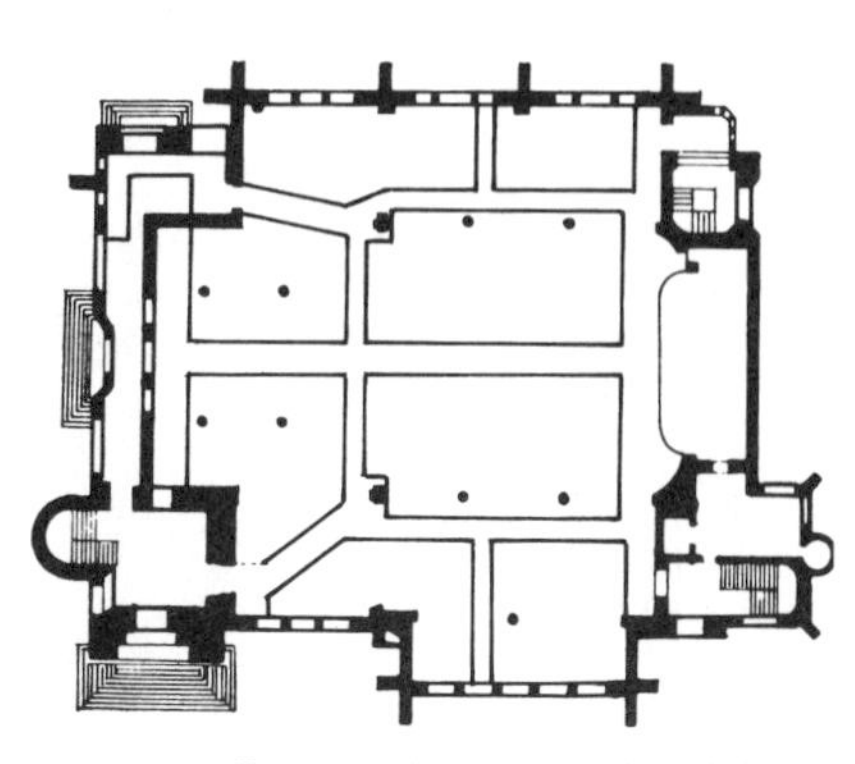

180　ソンク「タンペレ大聖堂」1902年．建物隅部に「ログ・キャビン」の手法が残っている

181　ガレン・カレラ「スタジオ」ルオヴェシ，1893年．平面図と立面図

182　サーリネン，リンドグレン，ゲゼリウス「ヴィラ・フヴィトラスク」ヘルシンキ近郊，1902年

地としての歴史のあと、すなわち、最初はスウェーデンの、次いでロシアの植民地だった歴史のあとにスカンディナヴィアにはロマン的古典主義のリヴァイヴァルが、いわゆるドリス的感性と称するものがやってきた。それはまずデンマークに始まった。それはヴィルヘルム・ワンシャー[17]やドイツ人のパウル・メーベス[18]といった人達の著作の影響を受けて生まれたのである。ワンシャーは一九〇七年、初めて新古典主義についての論文を発表したし、メーベスの著書『一八〇〇年代』は一九〇八年に刊行された。こうした人達（H・カンプマン[19]やE・トムセン[20]等を含めると）の関心は反歴史主義的、原始的、ドリス的簡潔性にあり、これは古典的でもないし郷土的（ヴァナキュラー）でもない、遥かに原初的な構築的要素から成り立つものであった。彼等のこうした関心が、デンマーク派のロマン的古典主義、すなわちゴットリープ・ビンデスブル[21]（一八〇〇〜五六年）やクリスチャン・フレデリック・ハンセン（一七五六〜一八四五年）等の作品への関心を惹起したのである。一九一〇年、カールスバーグ醸造所が、C・F・ハンセンの設計した《フリュー教会》には尖塔を付け加えるべきだと世論を後楯に要求を掲げた時、この感性は、はっきりとした形を現すことになった。この時、建築家カール・ペーターセン[22]は、ハンセンの建築図面の展覧会を組織して、その横暴に応えた。その翌年、画家の一団がペーターセンに《ファーボルグ美術館》の設計を委任することで彼の誠意に報いたが、この美術館こそロマン的古典主義リヴァイヴァルの最初の建物だと普く認められている。

この運動がスウェーデンに波及するまでには何ほどかの時間が経った。その風潮の刺激は、一九一五年にカール・ウェストマン[23]の設計した《ストックホルム裁判所》の建物の中に認められる。この建物は、一部、国民的ロマン主義、一部、古典主義という作品であった。この後、イヴァル・テンボム[24]による新古典主義的《ストックホルム・コンサート・ホール》（一九二〇〜二六年）が続き、さらにグンナー・アスプルンド[25]の《ストックホルム市立図書館》（一九二〇〜二八年）が現れる。つまり、スウェーデンにおけるこの運動の絶頂期はフィンランドにおけるこの運動の衰退期に当たり、当時、J・S・シレン[26]が《フィンランド国会議事堂》（一九二六〜三一年）を建てたところであった。スウェーデンにおいてのロマン的古典主義リヴァイヴァルは、とうてい「即物的（ザッハリヒ）」でもなく、規範的でもなく、平面（プラン）の変化を求める傾向のあまり、さらに地方色の陰影に対する執着のあまり、歪曲されたものになった。こうした歪曲は、エストベリイの国民的ロマン主義の手法による斜めに歪んだ平面計画や図像性の中に早くも作り上げられていた。これは、抑制の利いた、よく纏め上げられた表現形式であって、間違いなく地形や地方色（ゲニウス・ロキ）を体現していた。アスプルンドも、この歪曲への衝動に深く染め上げられていた。彼は「クララ・スクール[27]」において、エストベリイとテンボムの両方から影響を受けていた。そして、その生涯を通じて「様式の戦い（バトル・オヴ・スタイルズ）」[28]に堕することなく、散発的ではあったが、郷土的なものと古典的なものを、原始的で、さらに正統的な表現形式へと融合させることを探っていた。そういう機会はストックホルム・サウスの墓地に、《森の礼拝堂》（一九一八～二〇年）を設計する時に訪れた。この墓地は、それ以前の一九一五年に、シグルド・レヴェレンツ[29]と一緒に設計競技の際に設計していたものであった。この小さく、窓一つからなる建物は、基本的には古典主義で設計され、トスカナ式柱式（オーダー）の列柱の上に、輪郭もくっきりと鮮やかな、柿（こけら）葺きの屋根が載っている。これは明らかに、アスプルンドがかつてリゼルンドの庭園で見かけたことのある「原始の小屋」から由来するものであった。アスプルンドは、一九二八年から一九三三年にかけて僅かな期間「機能主義」を奉ずることがあったが、それまでの間の彼の作品は実に多種多様で、時代もまちまちの影響を受けていたらしい。その中には、フランスの新古典主義、ヨゼフ・ホフマン、それにビンデスブルがあった。とりわけ、ビンデスブルが一八四八年に設計したコペンハーゲンの《トワルトセン美術館》は、アスプルンドにエジプトならびに新古典主義の作法を教えた。その結果、アスプルンドの一九二〇年代の作品の中には、例えば一九一五年のヨーテボリの《カール・ヨハン学校》を最初として、次いで一九二一年のストックホルムの《スカンディア映画館》、そして最後には一九二八年に完成した《ストックホルム市立図書館》などの中には、この作法が繰り返し現れている。

183　アスプルンド「ストックホルム市立図書館」1920-28年

　アルヴァ・アアルトの初期の経歴において触媒の働きをした人物は、彼の直接の師であるユスコ・ニイストローム[30]からの「ワグナー派」の影響にも拘わらず、まさにアスプルンドその人であった。一九二二年、アアルトは独立したが、アスプルンド同様、さまざまな方向を目指していたように思える。同年、タンペレで行われた産業博覧会のために彼が設計した四つの建物は明らかに、すべて異なった文化的発展段階を暗示している。後年になってからの作品に見られる修辞法の多様さを考えると、ここでの作品に見られる対照性、すなわち、一八九九年のオットー・ワグナーの《カールスプラッツ地下鉄駅》の系列に沿った規格パネルによる古典主義的な産業展示館と、フィンランドの手工芸を展示するために設計された「地方色豊かな」藁葺きのキオスクとの際立ったコントラストが、これほど明白に表れているのはこの時だけであった。

一九二三年から一九二七年にかけて、アアルトがユヴァスキュラにおいて実現した初期の作品は実に変化に富んでいた。労働者用アパートメントやクラブ（双方ともに一九二四年に建てられた）の他に、驚くほど多数の教会およびその修復があり、さらに一九二七年には、セイナヨキとユヴァスキュラに民間警備会館の建物が建てられた。これらの作品はどれも、アスプルンドの影響下、広い意味でのドリス風様式で建てられている。すなわち、部分的にはその地域の郷土的木造工法に依存しながら、同時に、ホフマンの厳格な線の扱い、また、シンケルのイタリア好みの雰囲気などにも多くを負うているのである。一九二七年、アアルトは《ヴィーニカ教会》ならびに《ヴィープリ図書館》の設計競技応募案において、決定的にロマン的古典主義へと近づいていった。このうち、図書館は一九三五年に、修正された形で実現されるが、アスプルンドから明々白々な影響を受けて、その形態には、アスプルンドの《ストックホルム市立図書館》から直接借用した特徴が幾つも含まれていた。中でも、主軸上にスカラ・レジア（主要階段）を配備した新古典主義的な平面（プラン）、およそ非構築的正面（ファサード）と小壁（フリーズ）、とりわけあの巨大なエジプト風の扉は、紛れもなく、アスプルンドがビンデスブルから引用したものであった。アアルトが最初の成熟期を迎える一九二七年から一九三四年にかけて、基本線として機能主義的様式を確固と定めたのは、一九二八年に行われた、《パイミオのサナトリウム》の設計競技の入賞案を設計した時であった。

アスプルンドを除いて、アアルトの初期の設計展開に重要な役割を果たした人物とは、僅かばかり年長の自国の建築家[31]エリク・ブリッグマンであった。アアルトと妻アイノは一時、短期間ではあるが、このブリッグマンと共同したことがある。それは一九二七年の末、二人が南フィンランドの新興都市トゥルクへ移った時のことであった。間もなくアアルトはブリッグマンを凌ぐようになり、一九二八年にはトゥルクにアスプルンド風の《南西地方農業共同組合ビル》を完成したが、これはブリッグマンによる一九二五年の《アトリウム・アパートメント》に見られる無装飾の古典主義を遥かに凌駕するものであった。その建物の中にある劇場で見せたアアルトの色彩計画は、例えば、オーディトリアムの濃紺の段壁と、灰色と桃色のフラシ天製の座席などは、間違いなくアスプルンドの《スカンディア映画館》から借用したものである。外観でも、軒蛇腹（コーニス）の下を走る小壁が同様である。アアルトとブリッグマンの共同の成果といえるものは、まず、ヴァーサの町のオフィス・ビル計画案と、それから、一九二九年のトゥル

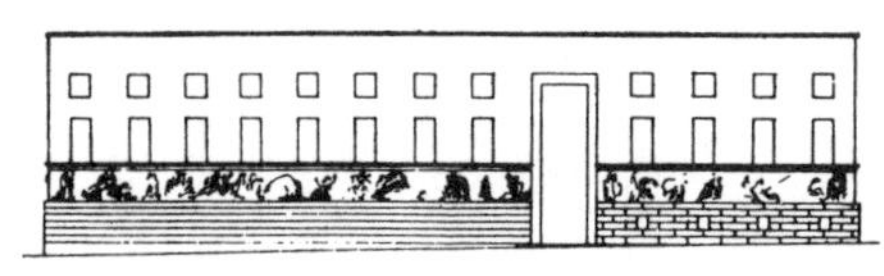

184　アアルト「ヴィープリ図書館」計画案，1927年

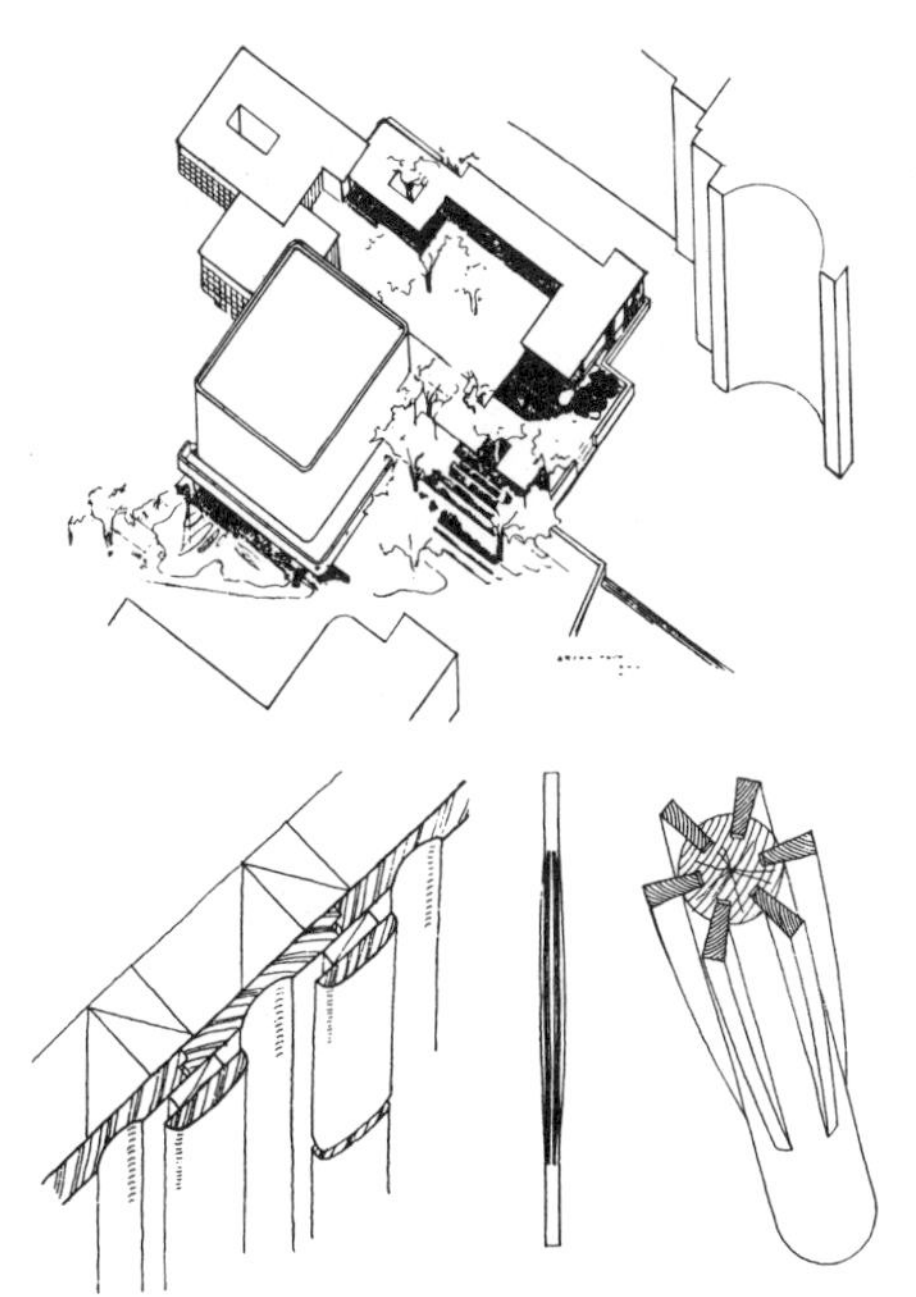

185　アアルト，万国博覧会「フィンランド展示館」パリ，1937年．上は外観全体．詳細図は左から板張り壁，ロシアの補強木造柱，鰭板をつけて補強した丸柱

ク建設七百年を祝う展覧会であった。この仕事は、アスプルンドが一九二八年のストックホルム博覧会のための計画案の素案で見せたような、軽量構造材を露出させた片持梁(カンティレヴァー)のトラスや懸垂式の標識や「扇動的」な標示物などに影響され、その結果、ブリッグマンもアアルトも、ソヴィエト・アジト・プロップが見せた建築による修辞(レトリック)での一日の長に従うことになったのである。

一九二八年、アアルトはトゥルクに構成主義(コンストラクティヴィズム)の影響を受けた《トゥルン・サノマット新聞社ビル》を実現したが、これは一九二三年のヴェスニン兄弟による《プラウダ》の計画案に似ていた。その後、アアルトはいよいよ高まる名声のおかげで、近代建築やその工法に関する国際会議に参加するようになった。一九二八年、パリで行われた鉄筋コンクリート工法についての会議の席上、アアルトはドゥイカーの作品を親しく知るに至った。ドゥイカーの鉄筋コンクリートによる《ゾンネシュトラールのサナトリウム》こそ、アアルトの《パイミオのサナトリウム》の設計競技応募案の出発点となった作品であり、その結果、彼は一九二九年一月に正式に設計を依頼されたのである。この時以来、アアルトは決定的にオランダ、ロシアの構成主義の影響下に入った。特に、ドゥイカーの作品とN・A・ラドフスキーの率いる「アスノヴァ」ならびに「ARU[32]（建築家・都市計画家協会）」グループによる都市計画の影響の中に入ったのであった。例えば、一九二六年のラドフスキーによるモスクワ・コスティノ地区計画に見られるような、ARUが何度となく提案した連続的、幾何学的計画は、明らかに《パイミオ》の設計の源泉であり、サナトリウムの入口の平面の輪郭や連続した風景などにその跡が現れている。《パイミオのサナトリウム》は、ARUの都市計画の考え方を反映しているばかりでなく、また、ディテールの点でも転回点を画するものであった。すなわち、そこには構成主義からの引用がふんだんに盛り込まれていたのである。

アアルトは国際的に話題となった論争には距離を保っていたが、この時期、すなわち一九二九年、CIAM（近代建築国際会議）フランクフルト会議で、ドイツの「新即物主義（ノイエ・ザッハリヒカイト）」の建築家達が「生活最小限住宅」を巡って討議して採択した、きわめて経済性優先の立場に対して、彼は驚くほどに接近したのである。そういう彼の関心は、一九三〇年のフィンランド・アーツ・アンド・クラフツ協会のためのアパートメントの設計や、一九三二年の「北欧建築会議」のための最小限住宅の原型の設計などに反映している。

それとほぼ時を同じうして、アアルトは[33]ハリー・グリクセン、マイレア・グリクセン夫妻に出会った。そしてこの出会いによって、アアルトの工業生産への仕事が開かれたのである。グリクセン夫人マイレアはアールシュトロームという木材、紙、セルロースの大コンツェルンの相続人であった。彼女は、ヘルシンキのとある店頭でアアルトの初期の家具を見知っていた。そこで量産用の家具を一式設計して欲しいと彼を招いた。こうした経緯があって、その結果が一九三五年のアルテック家具会社（アアルトの家具を卸すための）の設立となり、《スニラ・パルプ工場》と《労働者用集合住宅》の設計となった。それらの建物は、一九三五年から一九三九年にかけてコトカに建設された。幸い、アアルトの設計した家具は容易に大量生産できるものであった。彼は、すでに一九二六年、早くも合板（プライウッド）による家具の設計を始めていた。当時、彼はユヴァスキュラの警備会館のために積み上げ可能の椅子を製作していたし、それに続いて、《パイミオのサナトリウム》のために積層材の肘掛け椅子を設計、成功させていた。この肘掛け椅子は原型となるものであって、一九三三年、遂に生産されることになった。ここで付言しておきたいことは、アアルトが、実は、すでに一九二〇年後期にオット・コルホーネンが製作していた標準的な合板製曲木椅子から、自らの設計のためにその技法を取り入れたということである。

アアルトはフィンランドの木材産業の後援を受けた。事実、アールシュトロームとかエンソ・グートツァイトといった大産業コンツェルンは、アアルトの後半生の支援者となった。こうしたことがあったため、彼は、木材がコンクリートよりも表現のための基本的素材として価値があることを再認識するに至ったのである。それとともに、彼は次第に、素材感を特に重要視する建築、つまりフィンランド国民的ロマン主義運動やサーリネン、ガレン・カレラ、ソンクの作品へと回帰していったらしい。国際的な構成主義から離脱する動きが最初に看取できるのは、一九三六年、ヘルシンキ・ムンキニエミに建てた自宅であった。この住宅はやや不整形のL字型平面をした建物で、白い漆喰を塗った組積造の部分、溝を付けた板貼りの部分、煉瓦積みを露出した部分などがコラージュされたものであった。そして、この住宅に続くのが、一九三七年のパリ万国博覧会のための《フィンランド展示館》の設計競技入賞案である。この木造建築は、いかにもそれらしく「木は進む」と名付けられた。そして、これはまさしく木造構造の修辞法を隈なく示すものであった。その中の多種多様な部材は、木独特の特性をよく示していた。大広間の建物の突き付け小割板、また、壁の内側に沿って展示空間を設けた木構造の建物などは、木の継手についてのさまざまな技法の名人芸を見せるものであった。こうした構造上の工夫もさることながら、この《フィンランド展示館》を重要ならしめている主なる特徴は、これがアアルトの後年の経歴を支配する敷地計画の原理の形成に与っていることである。それによると、いかなる建物も必ず二つの違った要素に分けられる。それにして、その二つの要素の間の空間は、人間が居るのに似つか

186　アアルト「ヴィープリ図書館」1927-35年．貸し出し部門と読書室とはレヴェル差がついている

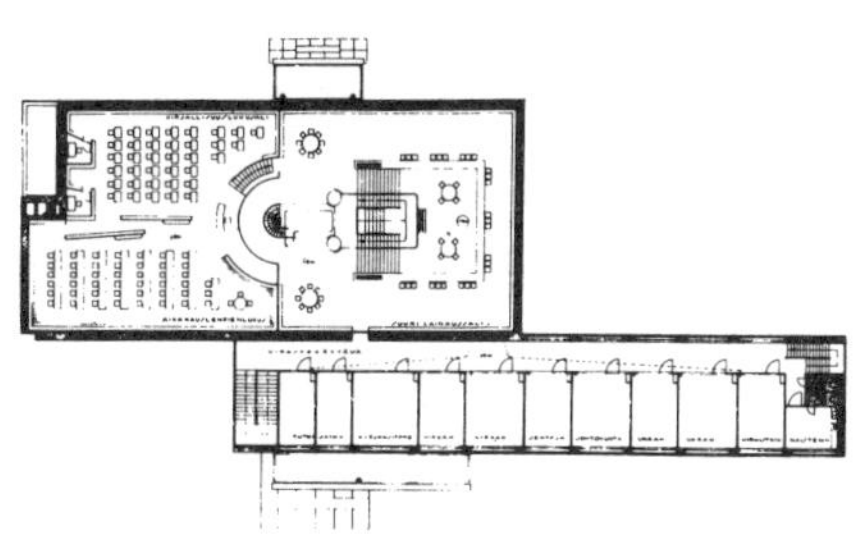

187　アアルト「ヴィープリ図書館」平面図

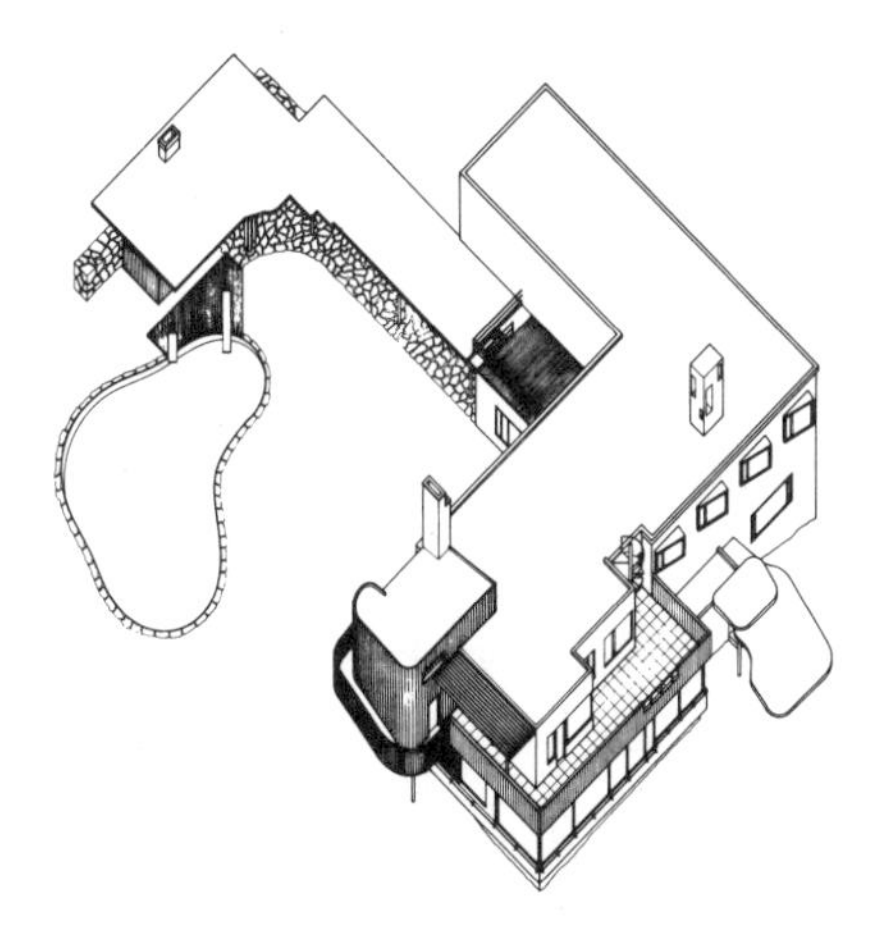

188　アアルト「ヴィラ・マイレア」ノールマルック，1938-39年

わしい空間として分節されているのである。(《ヴィラ・マイレア》、《セイナッツァロ町役場》参照)。彼はこの《フィンランド展示館》について、論文集の中で次のように書いている。

「建築の問題で最も難しいものの一つは、建物の周囲を人間の尺度に合わせて形造ることである。近代建築の場合には、構造の骨組が合理的であり、建物の輪郭が合理的であって、この合理性が万事を決定しかねない。従って、敷地の余った箇所に真空地帯がしばしば生ずる。この真空地帯を飾り立てた庭園などで満たすかわりに、人々の有機的動きを敷地の形状に合うように縫いつけて、人間と建築との間に親密な関係が打ち立てられるならば、さぞかし素晴らしいだろう。パリの《フィンランド展示館》では、幸運にもこの問題が解決できた。」

アアルトは後年になって、鉄筋コンクリート造の表現から木材や自然の素材へと推移していったことを、自分の建築の発展にとって殊のほか重要だと見なすようになった。彼は、自分の積層材による家具を、直観による、迂遠だが遥かに批判的な設計の考え方を示すものだとしている。そしてこの考え方によって、直線的論理によって得られるような環境よりいっそう肌身に感ずる陰影に富んだ環境が、初めて達成できるのだとしている。一九四六年、チューリッヒで行われた家具展覧会の折、アアルトは次のように書いている。

「建築の実際的目標を達成し、真に美しい形態を獲得したいなら、いつも合理的、技術的見地から出発するわけにはいかない。いや、これまでだってそうだったはずだ。人間の想像力には、それだけの自由な余裕がなければならない。私が木材で実験した場合がそうだった。実用的機能など全くない純粋に愉しい形が、しばしば、十年も経つと実用的になるのだ……彫刻の技法などに頼らずに、木の形態から有機的な形態を作ろうとまず心掛けること。そうすれば、十年も経てば、それが木の繊維の目に沿った三つ巴の解決を導いてくるのだ。家具の形の中で垂直の力を支持する部分というのは、実に建築で言う、柱の小さな妹に当たるのである。」

こうした有機的な設計の考え方は、《ヴィープリ図書館》や《パイミオのサナトリウム》のディテールの中にすでに含まれている。こうした一九二〇年代後期の傑作はいずれも鉄筋コンクリート造であったが、アアルトにとっては機能主義の規範を拡張して身体的かつ心理的要求を十分に満足させる機会となったのである(ノイトラの言う「生物学的」な考え方を参照のこと)。それはアアルトが、終生、空間の全体的な雰囲気に対して関心を懐き、さらにまた、熱や光や音を微妙に濾過させることで空間を調整させることに関心を持っていたからこそ、これらの作品の中で、初めて公式化できたのである。例えばパイミオの場合、二人用病室は患者の要求に応えられるように、ぬかりない配列がされている。それも環境調節についてだけの心配りではない。自己確認(アイデンティティー)や私生活の点でも神経が行き届き、また、患者の頭に光や暑気が直接当たらぬような配慮まで行われている。一方、天井は彩色していい眩しさを落とし、手洗器は音が立たないように設計されている。同様に、《ヴィープリ図書館》では、主な閲覧室は常時間接照明を受けている。すなわち、日中は通風筒の形をした天井の明かり取りから採光し、夜間は引き込み式のスポット・ライトが向かいの壁に光をぶつけて照明するのである。さらにアアルトは、同じような注意の行き届いた配慮を図書館の音響的特性にも払っている。閲覧室は交通の騒音から隔離し、矩形の平面の講堂では、天井の長手方向いっぱいに波型にうねる反響板を装備してある。総じて、こうした図書館やサナトリウムに採り入れられた「自由な平面計画」という原理が、アアルトのいう有機的な建築の考え方なのである。しかしこの考え方は、本来の自由、束縛の無さにも拘わらず、形態的に見ても、抑制が利かないことは滅多にないのである。アアルトは絶えず環境と自然に従って変化、調整すること、また敷地の内在的な特性などに関心を払っているから、一九二〇年代後期の機能主義の時期から一九五〇年代初期に始まる表現性豊かな時期にかけて、作品に独特の連続感が与えられたのである。彼は自分の反機械論的姿勢について一九六〇年にこう書いている。

189　アアルト「ヴィラ・マイレア」室内

190　アアルト「ヴィラ・マイレア」外観

191　アアルト「セイナツァロ町役場」1949-52年

「建築をさらに人間的にするということは、より良い建築を作るという意味である。それは単なる技術的な機能主義よりも遥かに大きな機能主義という意味である。こういう目標も建築的方法によってのみ達成できるのだ。すなわち、いろいろな技術上の問題を人類に最も調和のある生活を営めるように組み合わせ、作り出すことによって成就できるのである。」

一九三八年、アアルトは第二次世界大戦以前の経歴の中での最高傑作を完成する。ノールマルックにマイレア・グリクセンの依頼によって建てた夏の家《ヴィラ・マイレア》である。この家はL字型の平面をしており、その最初の素案を見ると、明らかに国民的ロマン主義を参照している。居間に当たる大きな生活広間をとった平面は、ガレン・カレラが一八九三年に建てたルオヴェシのスタジオを直接引用したものである。どちらの場合も、それは中心にあって人目を引く。漆喰塗りの、彫りの深い暖炉があり、段差を取り入れた居間があり、このレヴェルの差が中二階への階段に繋がっている。《ヴィラ・マイレア》も、アアルトのムンキニエミの自宅と同様に、煉瓦造と漆喰塗り組積造と木による羽目板の混合からなっている。

このヴィラは、アイノ・アアルト、アルヴァ・アアルトの戦前のどの作品にも増して、二十世紀の合理主義的な構成主義の伝統と国民的ロマン主義運動の精神的な遺産とを概念的に連結していることを示すものである。この住宅の中心となる空間は、食堂と居間であり、それらは囲われた庭園に接している。そして庭園自体は、大きく円形に切り開かれた森の中の空地にある。住宅の建物が「地質学的瘢痕（はんこん）」のように集積している様子と、サウナの飛び込み用プールの不整形な輪郭は、まさしく人工の形と自然の形の隠喩を思わせる対立である。そしてこの二元性の原理が作品の隅々に至るまで行き渡っている。船首の形をしたグリクセン夫人のスタジオを「頭」と見立てれば、それはサウナの「尾」と向かい合っている。また、接客用の部屋の並ぶ建物の木の羽目板は、家族用の部分の白漆喰と鮮かな対照をなしている。同様に、複雑な形態操作がこの住宅の随所に溢れている。例えば、入口のキャノピー（天蓋）に見られる「換喩（メトノミー）」、入口の木造目隠しの間隔の不規則なリズムは、近くの森の松の木立を砑している。そして、この仕掛けは室内の階段の手摺にも繰り返し使われている。こうしたことは、特に連続性について言えば、スタジオにおいても、住宅と同じ平面の繰り返しに繋がっている。すなわち、そこにも入口のキャノピーと飛び込みプールがあるのだ。そしてそのすべてが、フィンランドの湖の、あのうねうねとした周囲を想起させるのである。一階の床の仕上げも内的風景として読み解かれる。すなわち、この室内の風景で、床の仕上げをタイルから板張りに、あるいは粗石貼りへと変化させているのは、人の動きに従って、例えば、暖炉のある家族室から客間や談話室へと移動する時の雰囲気の変化、格式の変わり様を示しているのである。そうして、このヴィラの構造自体も、この建物の起源を想起させるうえで、象徴的に用いられている。《ヴィラ・フヴィトラスク》の場合と同様、このヴィラのサウナは土着の文化を表すものである。さらにぐるりと続く野石積の壁によって主屋と繋がれているサウナは、伝統的な木造校倉造りで、芝生を載せた屋根がのっている。フィンランドの風土性を見せる木造の規準に従って建てられているこのサウナは、主屋の洗練された構築性と相対立するものなのである。

一九三九年のニューヨーク万国博覧会の展示館の設計では、修辞過多の気味があり、一九四七年、マサチューセッツ・ケンブリッジのMIT（マサチューセッツ工科大学）のために設計した《ベイカー寄宿舎》の設計では、いささか優柔不断なところがあり、こうして、アアルトの作品には、一九四九年になるまでどっちつかずの表現が付き纏ったのだった。そしてこの年、アアルトは《セイナツァロ町役場》を設計し、彼の経歴の第二期が決定的に開始されたのだ。《ヴィラ・マイレア》の場合、その表現に節目（アーティキュレーション）、折り目を付けているのは木造の防御壁であった。それに対して、セイナツァロの場合、形態に切れ目（シンコペーション）、抜け目を付けているのは窓の割り付けであり、煉瓦積みの精妙な型枠であった。こうした相違にも拘わらず、この二つの作品の基本概念は同じであり、建物より庭を中心に二つの部分に分かれていた。そうした要素は、《ヴィラ・マイレア》の場合には、住宅と飛び込みプールとでL字形の格好を作り、セイナツァロでは、管理棟と独立した図書館の建物とがU字形を作り、この二つの形態が中庭を囲み、街路のレヴェルを見下ろしていた。こういう構想（パルティ）は、ヘルシンキの《国民年金協会》でも再び採り上げられるが、これは、実はカレリア地方の伝統的農家や村落に由来しているものと思われる。それについて、アアルトはすでに一九四一年に書いたことがあった。こうした構成の二元性の起源は、アアルトの独特な建築創作の過程論にあるのかもしれない。これについて、彼は論文「鱒と渓流」（一九四七年）を書き、次のように述べている。

「私が申し添えたいことは、建築にせよそのディテールにせよ、とにかく生物学に関連があるということです。それは大きな鮭、あるいは鱒のようなものです。彼等は決して生まれながらにして成熟しているわけではないのです。広い海や普通に生活できる水に生まれるわけでもないのです。彼等は、自分の生息に適した環境から何百里も離れた所に生まれるのです。一方、川は、私達が見慣れた環境から遠く隔った所では、小さな流れに過ぎません。山間を下る輝く水の粒に過ぎないのです。人間の精神生活も本能も日常生活から掛け離れるとそうなのです。ですから、魚の卵が成熟した生物になるのに時間がかかるように、何事も、思想の世界の中で展開して実が結ぶにも、時間が必要なのです。建築には他の創造的仕事よりも遥かにこういう時間が要るのです。」

これまでに述べた建物は、どれもこの建築創作の二元性を象徴しているように思われる。すなわち、それらの建物の主要部分であるL字形あるいはU字形の囲うような格好をした形態、つまり「魚」に当たる要素は、その隣りの「卵」に当たる要素の独立した形態とは対立しているのである。《ヴィラ・マイレア》や《セイナツァロ町役場》について言えば、魚の形態の頭に当たる所は、一番格式の高い公共的な要素を収めるようになっている。すなわち、ヴィラの場合のスタジオであり、町役場の会議場である。

こうした階層性（ハイアラーキー）による各箇所の差異付けは、材料や構法に変化を付けることでさらに仕上げられる。セイナツァロにおいて、いわば「俗」の部分に当たる寄りつきの廊下や階段の煉瓦の舗装は、「聖」に当たる会議場の上を覆う吊り木造床の下位にくるのである。この格式の変化は、会議場の天井の屋根トラスを見事な詳細部で納めることで確実に示される。ここでは、中世の詳細部への参照がはっきりと認められるのである。象徴の内容上の同じような転移は、「卵」の部分にも生じている。すなわち、《ヴィラ・マイレア》では「卵」とは水泳プールであり、これは肉体の再生を司る場所である。一方、《セイナツァロ町役場》では「卵」とは図書館であり、知的栄養を貯える場所である。さらに、中庭自体の詳細部の納まり、特にセイナツァロと《年金協会》の場合では、詳細部には同じような神秘的意図が窺われるのである。いずれの場合も、この「アクロポリス」というべき箇所へ到達する径路が、一方の上品な雅やかさと他方の健康な質実さの狭間を通っていく「通過儀礼」のように扱われている。どちらの場合にせよ、その空間は水の存在によって豊かな感じが与えられ、誕生と再生の過程をここでも暗示している。

ヘルシンキの《年金協会》は、一九四八年の設計競技の際に設計が始められ、一九五二年から五六年にかけて建設されたものであり、アアルトを戦後の巨匠の一人として不動のものとした。過去二十五年間の彼の経歴の中のどの作品とも同じように、この大型の官僚機関の建物は、彼自身の言葉で言うと、「生きることにいっそう敏感な構造」を与える建築であった。そういう意図は、例えば玄関広間の腰掛けから来客用外套掛けに至る、あるいは照明から埋め込み暖房をも含めた、ごく小さな部分の便利さ、肌理（きめ）こまやかさに明らかに表れている。とりわけ明かり窓の下の広間に並べられた絶妙な規模の個人相談用の小室（ブース）は、そういう意図を鮮やかに見せている。黒と白の大理石で舗装されているこの広間は、他の部分に対して格付けを決める「鍵」となっている。これに従って、各空間は格式の変化を暗示するように、色彩に符号（コード）が付けられている。すなわち、主要入口は白と濃紺のタイル、職員食堂は茶と白とベージュのタイル……などとなっている。

普通の人間に奉仕すること。こういうアアルトの決意は、一九五五年、ベルリンの「ハンザフィアテル・インターバウ」博覧会のために建てた高層アパートメントに「中庭」の概念を適用することによって、再び現れることとなった。この創意に富んだ設計は、第二次世界大戦終結以来このかた考案されたアパートメントの型式の中でも、最も有意義なものの一つであった。ル・コルビュジエの有名な「住居単位（ユニテ・ダビタシオン）」のメゾネット型は、世界中の低コスト集合住宅において、遍く模倣されるところとなったが、アアルトのこのアパートメントと比較すると、家族用の住居としては分が悪い。アアルトのアパートメント型式の第一に挙げられる長所とは、それが狭い住居の範囲内に、一家族の住宅が必要とするさまざまな属性をすべて備えている点である。一戸はU字型に組織されており、その中の囲われた充分広い中庭は、居間と食堂に接している。そして、その他の二つの辺は私的空間、つまり、寝室と浴室に面している。こうしたアパートメントを単位とする集合は、自然採光を備えた階段室が中心になり、その結果、「単一型式（モノタイプ）」のアパートメントを幾つも積み重ねて高層建築

192　アアルト「国民年金協会」ヘルシンキ，1952-56年

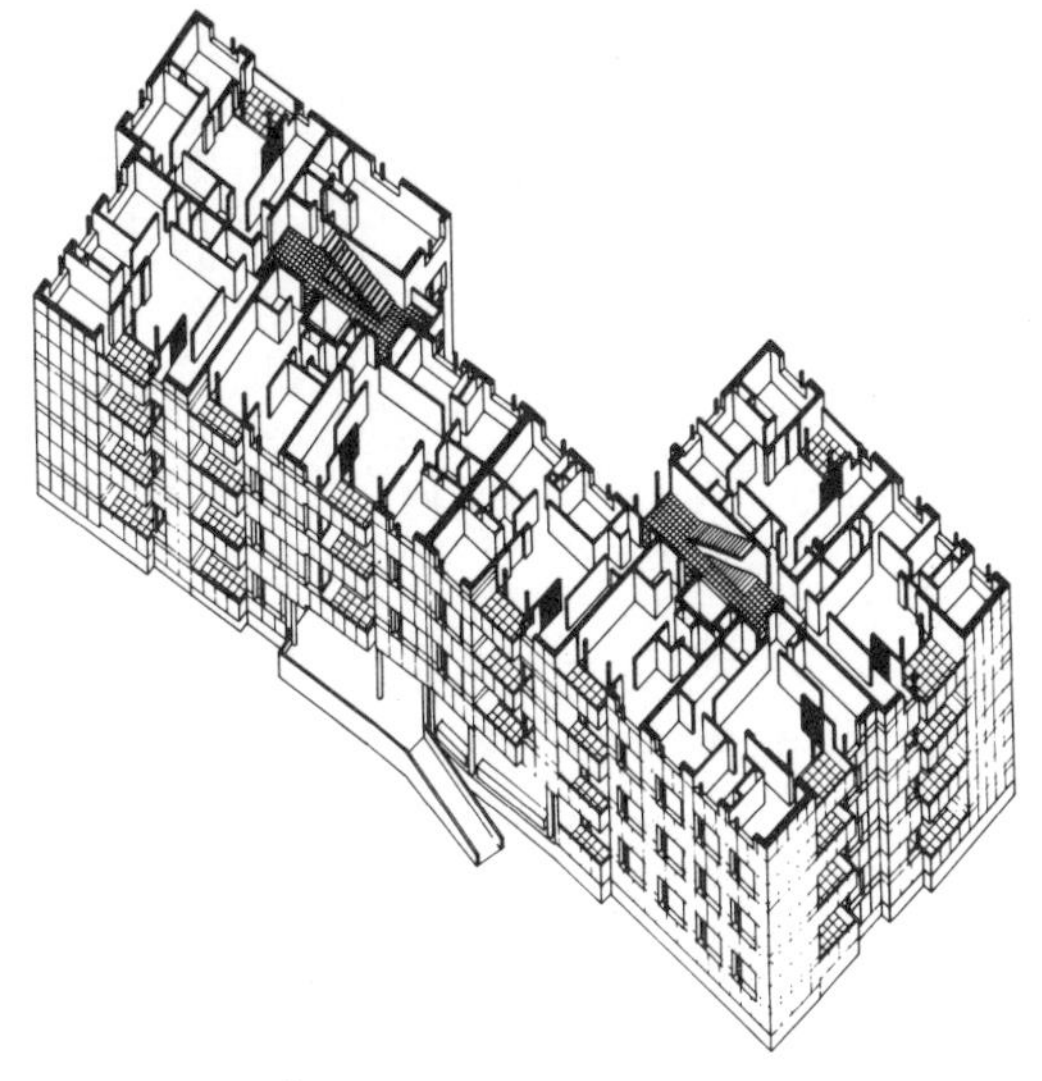

193　アアルト「ハンザフィアテル・インターバウ」博覧会のアパートメント，ベルリン，1955年

にしたという感じにはならないのである。

アアルトは終生、社会的かつ心理的基準を満足させようと試みた。そのため、一九二〇年代の甚だ教条的な機能主義から巧みに距離を保つことができた。アアルトが最初の重要な作品を設計した当時、教条的機能主義はすでに確固不動であった。当時、アアルトはまずソヴィエトの構成主義のダイナミックな形態に反応したが、彼は常に、人間の幸福にとって資するところのある環境の創造に意を注いでいた。彼の作品中、最も機能主義的だとされるもの、例えば一九二八年の《トゥルン・サノマット新聞社ビル》ですら、彼の涸れることなき光への感受性を反映して、下手をすればまったく教条的で飾り気のない建物を豊かなものにしているのである。

このように終始一貫して有機的考え方をしていたおかげで、アアルトは発想の点からするとブルーノ・タウトの「ガラスの鎖」の中心原理に、とりわけハンス・シャロウンの作品やフーゴー・ヘーリングに近付いている。それ故、彼は、北ヨーロッパの表現主義の建築家のグループに属すと見ていいだろう。その建築家達は、建物を作るということは、生活を抑圧するのではなく、生命を付与することでなければならないと考えている。これは、規範的な直交格子に内在する専制性が、敷地や計画内容の特異性に応じて、必ず砕片化して、抑揚しなくてはならないという意味である。一九六〇年、レ(34)オナルド・ベネーヴォロは、この観点に立って、アアルトの業績を次のように要約している。

「初期の近代的建物においては、直角が常に保たれることによって、部分相互の先験的(アプリオリ)な幾何学的関係性を作り上げるうえでの構成の過程が一般化されたのだった。換言すると、あらゆる矛盾は、線や面や立体を平衡させることによって幾何学的に解決される、ということであった。パイミオの場合のように、斜線を導入することによって、それとは反対の過程が浮き上がった。それは、形態をもっと個性的に、もっと精緻にすることであった。それは、不均衡や緊張をそのままに保ちながら、部分部分や周囲のものとの実際の調和によって、平衡させようというのであった。こういう建築には教条めいた厳格さが欠けているが、暖かみや豊かさや感情がある。そして行動の範囲を拡張するものである。なぜならば、個性化の過程は、既得の一般化の方法に基づくものであり、それなくしては成り立たないからである。」

それにしても、これは実に慎重にして、ごく鋭敏な建築の方法であった。それは、郷土的なものと古典的なものを、別の言い方をすれば、特異なものと規範的なものとを融合しようという北欧の伝統の本質を受け継ぐものであった。一九〇九年のエストベリイによる《ボニエ・ヴィラ》から、一九七六年のアアルトの死の四年前、ヘルシンキに完成した彼の《フィンランディア・コンサート・ホール》に至る、長い切れ目ない半世紀にわたる発展の継続の上にあるものだった。

第23章　ジュゼッペ・テラーニとイタリア合理主義建築

一九二六〜一九四三年

われわれは自分自身を大聖堂や古い公会堂の人間だなどとは、もはや思ってもいない。われわれはグランド・ホテルや鉄道駅、大通りや大港湾、地域再開発や公益スラム・クリアランスの人間なのだ。

——アントニオ・サンテリア「声明」（『新都市』一九一四年のためのテキスト）

われわれの過去と現在は互いに両立し合わぬものではない。われわれは伝統の遺産を無視しようとは望まない。伝統こそ伝統を変え、少数の者にしか分からぬ新しい面を与えているのである。

——グルッポ7「覚書」（「ラセーニャ・イタリアーナ」一九二六年十二月号）

第一次世界大戦後、イタリアに生じた古典主義的で無類の表現は、かつての未来派論争の遺産であった。と同時に、それはまたイタリア合理主義の発展にとって、入り組んだ出発点であった。まず、そうした表現は、[1]ジョルジョ・デ・キリコの率いる、極めて形而上的な「[2]ヴァローリ・プラスティーチ（造形価値）」運動による絵画の中に現れ、次いで、[3]ジョヴァンニ・ムッツィオが口火を切った古典主義的「[4]ノヴェチェント（二十世紀）」運動を背景に、建築においても生じたのである。

合理主義を標榜する「グルッポ7（セッテ）」は、まず雑誌「ラセーニャ・イタリアーナ（イタリア雑誌）」によって声明を出したが、そのグループの構成員はセバスティアーノ・ラルコ、[5]グイド・フレッテ、[6]カルロ・エンリコ・ラヴァ、[7]アダルベルト・リベラ、[8]ルイジ・フィジーニ、[9]ジーノ・ポリーニ、[10]ジュゼッペ・テラーニ、いずれも「ミラノ・ポリテクニコ（ミラノ工科大学）」出身の建築家達であった。彼等は全員、イタリア古典主義の国家主義的価値観と機械時代特有の構造的論理との間に、新しい、さらに合理的な統合を打ち立てようとしたのだった。一九二六年に発表された「覚書」を見ると、彼等がいわゆる「ノヴェチェント」の秘法的言語と——この点、一九二三年、ミラノに建てられたムッツィオのアパートメント《カ・ブルッタ（醜い家）》は影響力のある作品であった——未来派が彼等に遺した工業的形態のダイナミックな造形語彙との中間地帯を探究しようとしていたことが分かる。さらに、このグループはまた、「ドイツ工作連盟」にも、ロシア構成主義にも、明らかに共鳴していた。しかし「グルッポ7」は、機械時代に対して全面的歓迎の意を表しながらも、近代性に対してよりも伝統の解釈に対してよりいっそう重きを置いていたのである。したがって一九二六年、彼等は未来派について批判的に次のように書いている。

「初期の前衛達の特徴は、そのわざとらしい刺激性であり、無益で、破壊的激しさであり、長所も短所も混ぜ合わせてしまった。今日の若者の特徴は、明晰さと分別とを求める点である……これは是非明らかにしておかなければならない……われわれは伝統との断絶を意図しているのではない……。新しい建築、すなわち真の建築は論理性と合理性との密接な協同の結果でなければならない。」

　このように伝統への忠誠を明らかに宣しながらも、合理主義者達の初期の作品、わけてもジュゼッペ・テラーニの計画案は、産業というテーマに基づく構成（コンポジション）への偏愛を示していた。一九二七年の第三回モンツァ・ビエンナーレに出展されたテラーニのガス工場、鋼管工場計画案は、ル・コルビュジエの著書『建築をめざして』の二元論に従えば、明らかに「建築」よりも「技術者の美学」に近いと思われる。因みに、同書は一九二三年の刊行以来、合理主義者達にかなりの影響を及ぼしていたのである。この影響に対して素直に応じたものは、間違いなく、一九二六年、コモに建てられた[11]ピエトロ・リンジェーリ設計のボート・ハウスである。船舶工学を引喩したこの建物は、ル・コルビュジエの作品に対して、いささか率直すぎる賛辞を捧げていた。

　ムッツィオの影響を誰よりも受けていたテラーニは、一九二八年、コモに《アパートメント・ノヴォコムン》を完成して、まずはその地歩を固めた。「トランスアトランティコ（大西洋横断汽船）」の名で広く知られているこの建物は、五階建て、左右対称形の構成で、合理主義者に通有の、建物の輪郭の修辞的な置換に関心を示すものであった。例えば、古典主義の規律によれば、建物の隅部は強調されねばならぬはずであるにも拘わらず、この建物では、隅部はガラスの円筒を露出するために、大胆に切り取られてしまったのである。さらに、この円筒の上部には、最上階の重い輪郭が張り出して覆い被さり、さらに三階ではバルコニーを横断させ、二階では輪郭を突き出させることによって、円筒は全体の構成に緊結しているのである。このような解法が、純粋主義よりもロシア構成主義に負うところいっそう大なることは一目瞭然であって、わけても、一九二八年、モスクワに完成したゴロソフ設計の《ズイエフ労働者クラブ》の第一案が、先例として最も明白なものであった。

イタリア合理主義運動は、短期間ではあったが、「イタリア合理主義建築運動（モヴィメント・イタリアーノ・ペル・ラルキテットゥーラ・ラツィオナーレ）」（略称MIAR）という名の公式団体を制定していたことがあった。それは一九三〇年に発足し、その翌年にはローマのバルディ経営のギャレリア・ダルテにおいて、「グルッポ7」の第三回展覧会を開催した。MIARの影響は短いものであった。それは、間もなく反動的文化の圧力によって切り崩されてしまう運命にあったからである。初期の合理主義の作品は、発表されても、彼等より保守的な建築家をあまり刺激することもなかったが、この第三回展覧会の時には、ある挑発的小冊子が随伴していたのである。それは「ムッソリーニへの建築報告」と題され、美術評論家[12]ピエトロ・マリア・バルディの執筆であった。その中で彼は、合理主義建築こそファシスト革命の原理を表現する唯一にして、正しいものであると断言している。この時期のMIARの宣言も、同じような便乗主義的な主張をしていた。すなわち、「この厳しい状況下において、われわれの運動は（ファシスト）革命に奉仕する以外の、いかなる道徳的目的も持たない。われわれはこれを成就するため、ムッソリーニの誠実に期待する。」

194　ピアチェンティーニとそのチーム「ローマ大学」1932年．開館日の評議員会館

ムッソリーニは展覧会を開催した。だが彼の信念は、古典主義者[13]マルチェロ・ピアチェンティーニの感化を受けた、「建築家国家同盟」からの敵意も露わな反動をよく防ぎ切れるものではなかった。展覧会開幕後三週間、「建築家国家同盟」は、かつて支持を与えていた作品を今度は否認したのである。加えて、合理主義建築がファシズムの修辞的要請とは両立するものではないと公式声明を出したのだった。ピアチェンティーニに課せられたのは、いわゆる「ノヴェチェント」の形而上的伝統主義と合理主義者の前衛主義とを調停することであり、また、自らの極めて折衷的な「スティーレ・リッ

トーリオ（官吏様式）」を党公認の作風として提示することであった。この作風は、彼の設計になる《革命塔》にまず現れたが、決定的に確立されたのは、一九三二年、ミラノに起工された彼自身の設計による《裁判所》においてであった。そして先の《革命塔》は、この年、ブレシアに完成したのである。

　ピアチェンティーニの地位は、「現代建築家ファシスト集団」の創立によって、一段と強化された。この集団は、「ノヴェチェント」、合理主義のいずれに対しても明確な断罪を下すことを避け、官吏様式の痕跡的古典主義に支持を与えた。一九三二年、ローマに大学が新設されるに当たって、ピアチェンティーニが九人の共同建築家に課した指導要綱には、ファシズム公認の作風の原則が提示されていた。それは簡単な要素の幾つかを反復するものであった。この見事なほどに堅固な様式は、殆ど例外なく四層の煉瓦造もしくは石造の建物で、頂部には痕跡的な軒蛇腹を頂き、矩形状の開口部を調節することで、節目、折り目をつけていた。ある程度の不整合性、非対称性が詳細部の設計において許されていたから、この様式をよく代表する表現は、いきおい、入口に限定されることになった。その入口では列柱廊、浮き彫り、文字を彫り込んだ小壁などを伴った古典主義的形態が採用されていた。この大学の建物に関しては、「グルッポ7」からは誰も参画してはいなかったが、ピアチェンティーニのチームの設計による建物のうち、三つが合理主義との類似性をゆくりなくも露呈していた。[14]ジオ・ポンティの《数学教室》、[15]ジョヴァンニ・ミケルッチの《鉱物学教室》、そしてとりわけ、[16]ジュゼッペ・パガーノの、仕上げ煉瓦も優美な《物理学教室》である。

　パガーノは、一九三二年以前、すでに国家様式の展開を巡る論争に寄稿していた。彼は一九三〇年、トリノの美術評論家・デザイナーの[17]エドアルド・ペルシコと共同して、雑誌「カサベラ（美しい家）」の編集に手を染めた。そしてこの二人は、同誌の社説を通じて「ノヴェチェント」の浮動分子に、ピアチェンティーニの官吏様式を捨ててテラーニの合理主義に付けと説いた。一九三四年には、ペルシコは合理主義の状況を次のように書いている。「今日、芸術家はイタリア固有の生活の最大の難問に取り組まなくてはならない。それは、特定のイデオロギーを信ずることができるかどうか、「反‐近代」を称える大衆に抗って闘争を続ける意志があるかどうか。この二点である。」

　一九三二年、テラーニはイタリア合理主義運動の標準的作品ともいうべき《カサ・デル・ファッショ（現カサ・デル・ポポロ）》をコモに作った。平面を正方形の中に収め、高さは正方形の一辺三十三メートルの半分とした。このように、《カサ・デル・ファッショ》は半切立方体という厳密に合理的な幾何学に基づくものであった。この半切の立方体の内部には、柱・梁式骨組の論理が露呈されているだけではなく、層状化した正面（ファサード）の形成を下支えする「合理的」コードも露わにしている。どの側面でも（東南の立面は主要階段を強調しているため、例外として）、建物の窓割と、表層は内部の吹き抜けの存在を表すように仕掛けられている。この建物の初期のスケッチを見ると、もともとはテラーニの他の作品、例えば一九三六年の《サン・テリア学校》のように、屋根のない中庭を中心にして、伝統的なパラッツォ（宮殿）を手本に計画されたことが分かる。その後の設計の段階で、この「コルティーレ（中庭）」は、建物の中心に位置する集会用広間になるのである。この広間は二層分の高さを持ち、ガラス・ブロックを埋め込んだコンクリート造の屋根による頂光（トップライト）を備え、四周に回廊（ギャラリー）、事務室、会議室を巡らせている。この建物全体に具わっている記念性の格調は、一九二九年のミース・ファン・デル・ローエの《バルセロナ・パヴィリオン》の場合と同様、組積造の基壇によって、全体がわずかに持ち上げられていることによって生じたのである。テラーニはそれを「ピアノ・リアルツァート（路面より持ち上げられた面）」だと説明している。この構造物の本来の政治的目的は、ほぼ文字通りに、一列に並んだガラスの扉によって表されている。このガラスの扉は、入口の広間と前面広場を隔てるものであるが、電動装置によって一斉に開かれると、「コルティーレ」

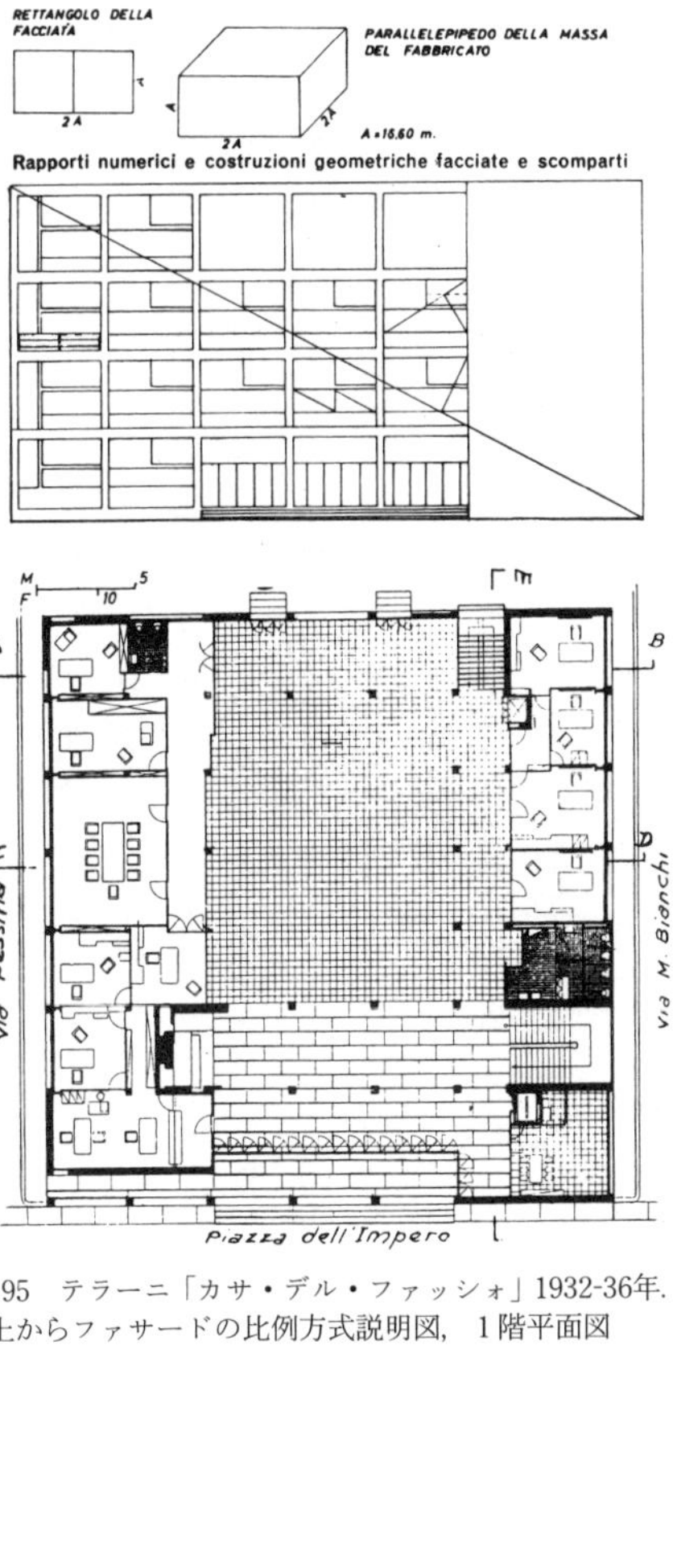

195　テラーニ「カサ・デル・ファッショ」1932-36年. 上からファサードの比例方式説明図，１階平面図

の内部広場が前面広場と一体になるのである（図24：第Ⅱ部扉頁参照）。こうして大衆デモの流れが、淀みなく街路から室内へと導き入れられることになる。それに匹敵できる政治的意味の含みといえば、大会議室を[18]マリオ・ラディーチェのフォトモンタージュの壁画で仕上げたこと、あるいは、ファシズム運動の戦死者達を記念する聖堂などである。言うまでもなく、こうしたイデオロギー上の考慮を超越するような、この建物独自の様相もある。それは形而上的な空間を創り出すことである――実際、建物は、上下、左右という特定の位置関係に拘束されることなく、あたかも連続した空間の行列式（マトリックス）であるかのように処理されている。したがって、ガラスの鏡面効果が広間の天井面の仕上げに利用され、その結果、実際の内部空間とは全く異なった、柱・梁の骨組が無限に続くかのような幻覚を生んでいるのである。それと同時に、この建物は、都市の歴史的中心に注意深く挿入され、外装の全面にボルティチーノ産大理石を貼り巡らし、貴賓室には他との区別をつけるためガラス・ブロックを用いるなど、それらが一体になって、この建物に構築性と精密性と記念性を与えているのである。

このようにファシズムの理想を象徴することとは、決して特異なことではなかった。この運動に対する修辞的な提案は、一九四〇年代中葉、合理主義者達が運動と決定的不和になるまで、何度となく彼等によって行われたのである。なかでも、一九三二年、ローマで開催された「ファシズム革命博覧会」のための建物には、ぜひ触れておかなくてはならない。この展覧会は、ローマ進撃十周年を記念して行われたもので、そのための仮設建物はリベラと[19]デ・レンツィの設計になるものであった。建物は、著しいまでにレオニドフの作品を想起させるもので、その中には幾つかの型通りの装置に混じって、テラーニの設計による《一九三二年記念室》があった。これはダイナミックな壁面の浮き彫りが中心で、浮き彫りには立体、平面、写真といった要素が組み合わされ、その手際は、一九三〇年、ドレスデンで催されたリシツキーによる「ソヴィエト国際衛生博覧会」を想わせるものであった。

一九三〇年代中期になると、合理主義建築の実際は、広く多種多様になった。その中には、テラーニのすぐれて知的な作品から、[20]「コマスコ」グループによる平凡な国際様式までが含まれていた。「コマスコ」グループは短命に終わったが、彼等の設計による《芸術家の家》という作品は、一九三三年の第五回ミラノ・トリエンナーレ展に展示された。テラーニも八人からなる設計集団の一員としてこの展覧会に参加したが、会の出来栄えには殆ど影響を与えなかったものと思われる。こうした印象力の欠如は、一九三〇年、ミラノ・トリエンナーレ展の際のフィジーニとポリーニの処女作《電気館》と、一九三三年の次のトリエンナーレのための彼等による《芸術家の家》とを比較してみれば推測に難くない。この事実が物語るのは、イタリア合理主義が、第五回トリエンナーレの時にはすでに、陳腐な近代主義、あるいは反動的古典主義のいずれかと妥協したということである。

一九三四年、ペルシコと[21]マルチェロ・ニッツォーリは、ミラノのイタリア航空ショーのために、今なお名高い《金賞の部屋》を設計した。これは白い木製の格子による優雅な迷宮であって、床から高々と持ち上げられた格子は、印刷物や写真などの映像をいっぱいに支持し、そのため、これらの映像は広間の奥行いっぱい宙に浮いて、前面に出たり、背後に退いたりしている様相であった。この吊り方式の構造は、展覧会設計の全く新しい標準方式となるものであって、第二次世界大戦後まで大きい影響を及ぼすことになった。しかしこの頃から、ペルシコやニッツォーリのすぐれた作品が例外として時たま現れるくらいで、イタリア合理主義は衰え始めていた。この事実は、何よりもペルシコ自身のその後の作品がよく物語ってくれる。彼は、二年という時間の間に、華やかで快くかつ洗練された設計から、冷たく、非構築的（アテクトニック）な記念性へと舵を取ったのである。一九三六年のトリエンナーレ展の

196　テラーニ「カサ・デル・ファッショ」1932-36年．会議室．突き当たりのラディーチェによるデザインのパネルにはムッソリーニの肖像がある

197　ペルシコとニッツォーリ，第１回イタリア航空ショー「金賞の部屋」ミラノ，1934年

《サローネ・ドノレ（名誉サロン）》がそのよい例であって、この設計にはニッツォーリ、パランティ[22]、フォンタナ[23]が共同していた。そして、ひとりテラーニだけが、ピエトロ・リンジェーリやチェーザレ・カッタネーオ[24]と共同して、概念、構造、象徴を一つの形態に統合することを求めて、合理主義本来の思考方法の知的水準の高さを維持し続けていた。

一九三六年のペルシコの不慮の死のあと、合理主義者達の政治的また文化的危機はいよいよ高まった。パガーノは、絶えず公認団体と密接に繋がっていたし、一九四二年、ローマ郊外に開催予定の「ローマ万国博覧会'42（エスポジチオーネ・ウニヴェルサーレ・ローマ）（EUR'42（エウル））」の計画では、ピアチェンティーニと共同することになって、いよいよ自らの名を危うくするに至った。ファシズムによる新都市、リットリア、サバウディア、カルボニア、ポンティニア（この新都市は沼沢地ポンテーネに建設されることになっていた）などと同様、このEUR'42で恒久的建物となる博物館、記念碑、宮殿などは、ムッソリーニから「第三ローマ」の核となるように選定されたものであった。しかし、いかなパガーノの知性をもってしても、このような法外なイデオロギーの体裁が、陳腐な新古典主義の形態の寄せ集めに堕していくのに歯止めをかけられなかったのである。とりわけ、その代表的作品である《イタリア文化宮殿》は、ゲリーニ、ラ・パドゥラ[25]、ロマーナ[26]の設計であるが、何よりも「ヴァローリ・プラスティーチ」運動の徹底的卑俗化そのものであった。ピアチェンティーニの建てたEUR'42の計画は、一九三一年のムッソリーニによるローマのオースマン化（古代の遺跡から中世の都市構造をことごとく撤去してしまう計画）と同様の精神を持つもので、合理主義者も含めた多種多様の建築分派と同様、近代文明を創造しようという後期（ポスト）未来派的欲求と、その同じ近代文明をローマ帝国の栄光の力を借りて正当化する要求とのちょうど中間に位置するものであった。かくして、EURの建築群は主軸をティレニア海に向けて、その記念建造物の一つには、次のような予言が刻み込まれていたのである。曰く、「第三ローマは彼方の丘陵を越えて聖なる河（テベレ）に従い海の岸へと拡がるであろう」。このようなファウスト的企てに、合理主義者達が加わったことについて、レオナルド・ベネーヴォロは次のように書いている。

「パガーノの企てた妥協案は、とうてい維持できないものであった。ローマ時代へと溯行する「理念の輪」に従えば、どの建築家もたった一つの結果に行き着いてしまう。すなわち新古典主義への順応だ。ブラシーニ[27]の応用考古学とフォスキーニ[28]の意図的単純化との雰囲気の違い。あるいは若きローマ人（建築家達）の洗練されたリズムと、若きミラノ人（建築家達）の計算されたリズムとの気風の相違。そういうものは、計画のうちでこそ重要と思われたが、実際になると悉く消え失せてしまった。ドイツやロシアやフランスでかつて生じたことが、ここでも繰り返されたのだった。すなわち「ポンピエ達（ボザール派）の国際化」である。」

一九三〇年代半ば、イタリアを席巻した建築と政治の反動の嵐は、一人の男のサン・シモン主義的大望[29]によって、わずかながら凪いだことがあった。その男の名はアドリアーノ・オリヴェッティ。一九三二年に名高い事務器械コンツェルンを父親から継いで社長に就任したアドリアーノは、一九三四年、近代デザインによって産業福祉に貢献したいという希望の実現に着手した。彼はイヴレアのオリヴェッティ社の一連の建物を設計してもらうべくフィジーニとポリーニに次々に依頼した。最初は一九三五年の新しい本社センター、次いで一九三九年から一九四二年にかけて建てられた労働者用集合住宅、コミュニティー施設である。一九三七年には彼は地域計画へと後援の手を拡げ、アオスタ峡谷の計画を立てるべくフィジーニとポリーニ、それに[30]BBPR（バンフィ、ベルジォヨーソ、ペレスッテ、ロジャース）に求めた。

間もなく、テラーニのスタジオから互いに密接に関連し合った設計がどっとばかり迸り出てきた。その中には一九三七年の《パラッツォ・リットリオ》設計競技応募案や、一九三八年の《EUR会議場》設計競技応募案があり、いずれもカッタネーオとリンジェーリとの共同設計になるものであった。ほぼ同じ頃テラーニは、その作品歴中最も形而上的な作品を制作した。一九三八年の計画案《ダンテウム》である。

198　テラーニ「ダンテウム」計画案，ローマ，1938年

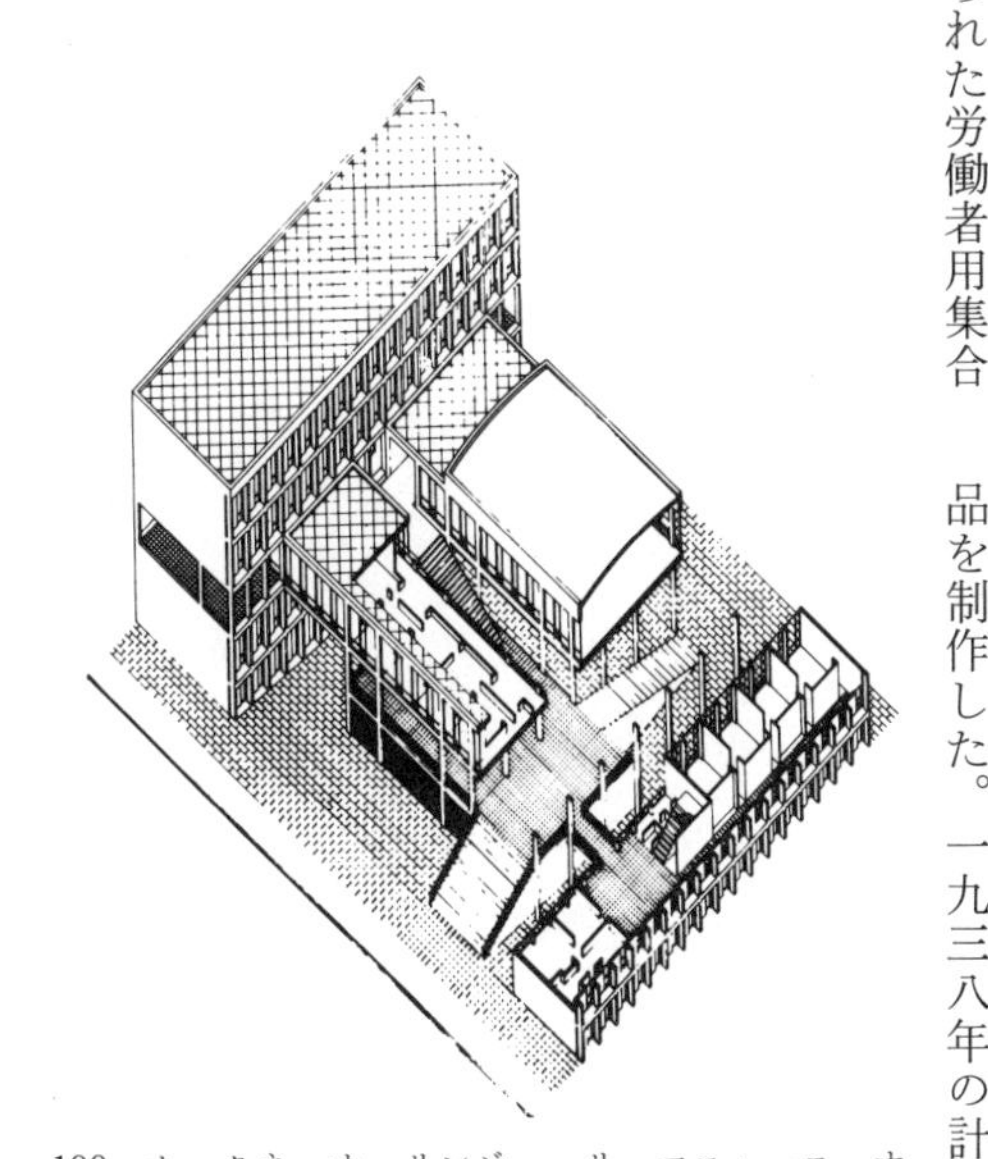

199　カッタネーオ，リンジェーリ，マニャーニ，オリゴーニ，テラーニ「ファシスト労働組合ビル」計画案，コモ，1938-43年．アクソノメトリック(軸測投影図)による展開図

これはムッソリーニが古代都市（ローマ）に貫通させたデル・インペロ通りに面したモニュメントを美化する目的を持ったものであった。この計画案は多くの点で《EUR会議場》に用いられた構想（パルティ）を抽象化したものであった。矩形の空間が漸次区画ごとに密度を薄めながら迷宮のように配置されたもので、それぞれの段階が地獄、煉獄、天国を象徴しているのである。

テラーニは「透明性」の建築に対して執着していた。これは街路を住居の内部へと伸ばしていくという、未来主義のプログラムを純化したものであった。彼のそうした強迫観念はまず《カサ・デル・ファッショ》で助長された。それ以後、その強迫観念は公共建築のすべてを通じて絶えず動因となって繰り返し現れ、一九三四年コル・デケーレに建てられた《サルファッティ記念碑》から始まって《EUR会議場》の最終設計にまで及んでいる。テラーニは、三十三本のガラスの柱とガラスの天井を備えた《ダンテウム》の中の天国のヴォリュームによって「明晰性」の極限を究めたが、それとは別に、二つの基本的装置によって概念としての透明性の感触を出すことに成功している。この二つの装置は、ミラノに完成した七階建てアパートメント《カサ・ルスティーチ》（一九三六〜三七年）においては巧みに融合しているのである。その二つとは、（一）二重性で、これは一九三一年、コモに建てられた《大戦記念塔》の形態に始まり、大体、二つの平行した矩形状の建物が間に空間を挟んで立っていることである。それと、（二）正面を向いて平行している矩形状の吹抜け（ヴォイド）か建物（マッス）で、ある視点から見ると連続画面さながらに後退しているのである。例えば《カサ・ルスティーチ》の場合、正面（ファサード）の空中を横切っているバルコニーと橋掛りとがその例である。また、《パラッツォ・リットリオ》のガラス張りのオフィス・スラブの場合、空間の層が後退していくに従って、この計画では補助的な役割を果たす地上のレヴェルに宿泊施設、オーディトリアムなどの領域が拓かれているのである。

このような、実在と不在のヴォリュームが交互に平行して正面性を打ち出すという定式は、EURでの計画案では非対称になるように回転しているし、さらに、テラーニの遺作、一九四〇年コモに完成した四階建てのアパート《ジュリアーニ・フリゲリオ》では、圧縮された形をとっている。《カサ・デル・ファッショ》の場合と同様に、この建物における設計者の意図は、主要の正面と副次の正面とを互いに直角になるように配置することによって、立体（プリズム）としての建物の方向性に屈折をかけようというものではなかったろうか。同様の回転した「立体派的（キュビズム）」な構成はすでにテラーニの初期のヴィラに現れているし、同じ「定式（フォーマット）」が、一九三八年チェルノッビオに建設されたカッタネーオの設計になるアパートメントに採用されている。

この連作の最後の作品となったのは、テラーニは直接参加していなかったものではあるが、コモの《ファシスト労働組合ビル》である。これは一九三八年から一九四三年にかけて《カサ・デル・ファッシォ》の隣地に建設が行われたもので、設計はテラーニの一番弟子のカッタネーオ。それにリンジェーリ[31]、アウグスト・マニャーニ[32]、L・オリゴーニ、マリオ・テラーニが共同した。この建物は柱・梁式の構造を持つ、直角性の圧倒的に強い建物で、ある方向ではABABABABAというパラディオの格子（グリッド）に従って組織されているし、別の方向ではモデュールに従って、中間に空隙部分（シンコペーション）を設けている格子に則ったものである。この建物はいろいろの点からして、コモの合理主義者達が始めた構成と類型論（タイポロジー）をない交ぜにしたテーマを格調高く解釈したものであって、このような理由からして、この建物こそ最近十年にわたって生み出されたイタリアの「テンデンツァ（傾向派）」のいわゆる「自律的建築」の背後に潜む重要な源泉の一つだと言ってもいいだろう（一九七四年、ジョルジョ・グラッシがモネスティロリ、コンティ、ガッツォーニと共同で設計した《キエーティの学生寮》を参照のこと）。この《労働組合ビル》は二つの五階建ての棟からなり、二つを隔てて中庭があり、そこには二階建ての補助棟が浮かび、その中に入口用の基壇、事務局、五百席のオーディトリアムが収められている。

この建物が完成した一九四三年という年はまた、テラーニとカッタネーオの二人がいささか不審の死を遂げた年でもあり、その死はいかにも二人にとって早過ぎた。彼等の死によってこの運動は頓挫をきたすことになったが、二人の作品は、合理的に組織され、文化的に階級差のないような社会のための理想的な背景を実現しようという彼等の努力を、今なお証し続けているのである。実際、そういう理想が広く社会の中ではなく、彼等の建築の透明な論法（ロジック）において達成されたことは事実で、シルヴィア・ダネシは一九七七年、この二人について書いた論文の中で、次のようにこのことに触れている。

「二人においては、中産階級の指導的役割について、また、社会契約の中枢として中産階級が管理機能において見せる組織能力について、満幅の信頼を寄せている。彼等二人は、やがて彼等の世代を巻き込むことになる危機を、毛ほどにも感じていなかった。二人が思っていたのは、彼等が帰属する階級が、この国の残余の部分から委託された課題を完全に実行できるようになるだろうということであった。彼等は、地方の産業中産階級が次第に基盤を失って、一九二九年の強い危機感を背景に形成されつつあった新しい国家ブルジョワジー（銀行の国有化、IRIすなわち産業復興公社の創設等々）に取って替わられようとしていたとは思ってもみなかった。さらにそれが、今日に至るまでわれわれを支配するようになろうとは考えもつかなかった。新しい国家ブルジョワジーはやがて巨大資本集団と折り合い、全体主義体制と同調するようになるのだった。」

第24章　建築と国家：イデオロギーと表象
一九一四〜一九四三年

道は孤を描いて、かすかに傾き始める。突如、右手の水平線から塔と丸屋根が見え出す。青空を背に、日に照らされて薄紅色に、乳白色に踊っている。コップの牛乳のようにさわやかで、ローマのように堂々としている。手前間近に白亜のアーチが現れる。

自動車は幹線道路を外れ、巨大な記念建造物の背ほどもない赤い台座をぐるりと回って停まる。旅客はほっと息をつく。目の前には爪先上がりの砂利道が伸びている。先ぼそりして、果てしなく先へ先へと伸びていく見通しは、あたかも縮尺鏡を覗いて眺めるようだ。目路の果て、緑の木立の梢の上に頭を出して、行政の座、八番目のデリーが輝いている。丘の上の広場だ――丸天井に塔。さらにまた丸天井に塔。そしてさらに丸天井に塔。赤に、薄紅に、乳白色に、金色に、朝の陽光の中で光っている。

――ロバート・バイロン[1]「ニューデリー」
「アーキテクチュラル・レヴュー」誌　一九三一年

近代主義には、あらゆる形態を抽象へ還元してしまおうとする傾向があった。そして、この傾向は国家の権力やイデオロギーを表象するうえでは満足すべきものではなかった。近代主義のこうした図像学的無力さは、二十世紀後半においてなお歴史主義的アプローチが存続することをよく説明している。かつて歴史家ヘンリー・ラッセル・ヒッチコックが、この退化器官のような伝統の持続を認識する必要があるとしたのは、まさに彼の歴史家としての名誉である。しかし、一九二九年、彼が近代主義の開拓者達の作品から明らかに保守的な傾向を区別するために名づけた「新しき伝統」という用語は、今や時間の検証にとうてい耐えられるものではない。当時、彼がその伝統に付与した幾つもの属性や年代記は、あまりにも漠然としていて、広く承認されるものではなかった。それにも拘わらず、表象、あるいは逆に表象の欠落が提起する問題を扱う必要性は、ここ数年、減少するどころか増大しているのである。従って、社会的リアリズム[2]といえども、広い意味で文化的窮地に追い込まれているという事実も、今日、われわれの批判的研究の対象から外されることなどとうていあり得ない。一般に、この「新しき伝統」という用語は、抽象的形態の意思伝達不能の証のように受け取られている。しかしそうではなくて、ヒッチコックが一九五八年に書いたように、「歴史家は《ストックホルム市庁舎》とか《ウールワース・ビル》といったものについても評価を下すことをしなければならぬ」のである。

いわゆる「近代運動（モダン・ムーヴメント）」の主流から外れた「新しき伝統」の起源は、一九〇〇年から一九一四年にかけての意図的に「近代化された」歴史主義様式の出現にあると見てよかろう。まず第一に、体制特有の様式、すなわち、ネオ・ゴシック様式とネオ・バロック様式との狭間を絶えず往復していた十九世紀後期の大衆の生活様式は、その確たる概念規定を喪失し始めた。とりわけ英国とドイツにあっては、体制の持つ一般的様式は折衷の洗練化に堕落して、説得力のある建築表現など、とうてい成し遂げることなど不可能な有様を呈していた。同時に、ヨーロッパの古典主義の主流であるボザール派は、一九〇〇年のパリ万国博覧会において、いわゆる「ポンピエ」[3]の袋小路、つまり装飾過多という行き止まりに迷い込んでしまった。例えば、あの《グラン・パレ》の目を欺くばかりに飾り立てた修辞法（レトリック）が、発達した産業社会の進歩的イデオロギーを表象するのに相応しからぬことは明らかだった。見事な石の背景画（セノグラフィー）に封じ込まれた《グラン・パレ》の、あの鉄とガラス細工のインテリアほど抑圧を象徴するものが他にあり得るだろうか？　その後、アール・ヌーヴォーから引いてきた波動湾曲する植物のモティーフを纏った石の形態に対する尽きることなき偏愛を蘇生させようとする試みはなお続いたが、沈鬱な象徴主義の愁いを帯びた石のように硬い古典主義による幾つかの例を生み出しただけであった。例えば、一九一一年パリに建てられたボワロー設計の《ホテル・ルテシア》がそれで、ル・コルビュジエはこれをひどく蔑視したものであった。

他方、本質的に反体制的であるアングロ・サクソン系のいわゆる「フリー・スタイル」、あるいはそれをさらに解放した形にした後継者、すなわちアール・ヌーヴォーは、この時点に至るまでには甚しく硬直化した結晶状の表現形式に堕してしまった。加えて、アンリ・ヴァン・ド・ヴェルドが一九〇八年に予見した通り、「総合芸術作品」という観念そのものが、作品の社会・文化的重要性を私有化してしまうという不幸な事態に立ち至ってしまったのである。ラファエロ前派のいう農業中心の手工業経済への回帰という遅延した神話も、アール・ヌーヴォーの雅やかな異国趣味も、いずれも議会制民主政治を表象するべく利用されることはあり得なかったし、いわんや自由で進歩的社会のイデオロギーに対する熱望を表象することなど思いも寄らなかった。ペーター・ベーレンスにしてからが、一九一〇年には、たとえそれが近代産業国家（マックス・ウェーバーの言う「権力国家（マハト・シュタート）」）のためではなくて、とくにカルテルのためにと構想した新しい規準としての様式の端緒を掴んでいたというのに、一九一四年の「工作連盟博覧会」の開催時には創造意欲を失い始め、《工作連盟大会ホール》に見られるような新古典主義と見紛うばかりのものへと後退するに至ったのである。

ラグナー・エストベリイは、英国の「フリー・スタイル」の原理を公共施設を表象する目的で独得に適用した。それが一九〇九年から二三年にかけて建設された《ストックホルム市庁舎》である。この建物は図像学上の偉業というべく、その見事な成功は、この建物が産業国家よりも伝統的な「自治都市（ビュルガー）」の港町を表象しているという事実に負うているからだといえよう。この点、この建物が第三帝国（ドゥリッテ・ライヒ）の建築政策に暗示を与えたことは確かで、その後、第三帝国はそのイデオロギーの目的のために特定の様式を留保することになった。

第一次世界大戦直前、「新しき伝統」を表象する多数の作品が見られるようになった。その「歴史主義的」建物はいずれも、そのコンセプトが歴史的に決定されたとは、とうてい言い難かった。このため、キャス・ギルバート[4]がニューヨークに設計した《ウールワース・ビル》では、その厳格な組織の仕方といい、エキゾティックな輪郭といい、戦後のフランク・ロイド・ライトやレイモンド・フッド[5]によるスカイスクレイパー（摩天楼）の発達を予見するものがあるにも拘わらず、ゴシック風のディテールはいかにも偶発的であった。

ヨーロッパにおける「新しき伝統」の創始はそれより遥かに自覚的であった。その代表的作品といわれるものは、当時一般に認められていたネオ・バロック風の大衆的スタイルには超然と絶縁し、形こそ違え精神的には古代ローマの重厚、明晰さに回帰していくものであった。その代表例を幾つか挙げるとすると、パウル・ボナッツ[6]設計の一九一三年から二七年の《シュトゥットガルト駅ビル》や、エドウィン・ラッチエンズの「ニューデリー計画」で、これは一九一二年ラッチエンズが使命をうけ、一九三一年になってやっと最終の形態が実現された。

ジョージ五世がデリーを首都とする旨を宣言した時、表敬のためにインド土侯や大衆によるページェントが繰り広げられた。しかしこれは仕組まれたイデオロギーの見栄などではないにせよ、一九一一年、インドの首府をカルカッタからデリーへ遷都するのは、全く英国側の便宜のためだという事実を隠蔽するため以外の何ものでもなかった。英国側が望んだのは明らかに、ムガール宮廷でのページェントを、ラージャ（主権）の名において帝国の中心に再興することによって、英国はその植民地経済を維持し、一方、地方自治を歓迎するという矛盾した政策を今後も続けたいということであった。その時、王が象ではなくて馬に乗って入府したため帝国の名誉が甚だ損われたという事実は、意味のないことではない。寛容な妥協を求めて払った外交上の努力も、この国の伝統的掟を理解し得ぬものにしてしまった。そして、王はデリーの市門を全く振り返ることもなく潜ったのだった。ニューデリーの建物が、このような脆弱なイデオロギーの見栄の具体化であったことは、一九一三年から一九一八年に至るまでの遅々とした仕事ぶりからも明白であって、その目標は当事者全員を満足させるアングロ・インディアン様式であった。しかし、まず誰よりもそれはラッチェンズ自身を納得させるものであったはずである。なぜならば、ラッチェンズこそ、ファテプール・シクリ宮殿のムガール朝都市が唯一土着の建築としてはヒューマニズムの伝統に巧みに取り込むことが可能なものであると断定したからである。ヒューマニズムすなわち古典主義という定式は、世紀の改まった頃より英国の建築文化の中で軽率にも認められてしまったことであった。それはまずショーやラッチェンズの建築において、次いで、遥かに洗練の度を高めた理論的水準の、例えば、一九一四年に出版されたジョフリー・スコット[7]の『ヒューマニズムの建築』において再認識されているのである。

ラッチェンズにとっては、ヒューマニズムの基準を擁護する一方、強力な異国の文化を同化する必要があった。その結果、彼は抽象的なほどの正確さとバランスの極に達した。それはかつて彼も以前には到達し得なかったものであって、第一次世界大戦没者のための幾つかの記念碑においてわずかに到達できたものであった。一九二〇年に除幕したロンドンの《慰霊碑》と、一九二四年に建てられたソンムの戦いの戦死者・行方不明者の記念碑《ティープヴァル・メモリアル・アーチ》がそれである。ニューデリーの《インド総督邸》は一九二三年から一九三一年まで工事がかかり、ラッチェンズはそれまでのカントリー・ハウスで見せた不毛ともいうべき歴史主義を超克して、ライトのように、「開拓地（フロンティア）」文化の可能性を措定するに至った。それは決して太陽の没むことのない帝国、不自然な帝国であった。皮肉なことに、歴史はその後英国にわずか十五年ほどの支配しか与えなかった。にも拘わらず、ニューデリーは彼等が建てた最も記念すべき建築群となった。そして《インド総督邸》は、殆どが住居風のインテリアになっているが、ヴェルサイユ宮殿に匹敵する面積を占めているのである。

ヴェルサイユの場合と同様、一九一二年のニューデリーの設計の発注は一つの時代の幕開けであった。そこでは、建築は再び国家の大義に沿って活用されることになった。まず、激動の第一次世界大戦の結果生じた新生独立民主主義諸国を表象することである。次いで、一九一七年から一九三三年にかけてさまざまな装いの下に表れた革命的「千年王国（ミレニアム）」を祝(ことほ)ぐことであった。最初はソヴィエト連邦、そして一九二二年にはファシズムのイタリアで、そして最後には第三帝国においてと、次々に続いた。一般的用語でいえば、一九二九年の大恐慌を挟んで、独占資本の復活と命運を表象することが求められていたのである。

　この時代の御用建築に課せられたイデオロギー上の負担や、それに加担した建築家達大半の文化背景であるボザール派、あえて古典主義と言いたいが、これが全体の発展をいわゆる「近代運動」の進歩志向から疎隔させる原因となった。そして殆どの場合、この疎隔は故意に求められたものと思われるのである。シレンによる《フィンランド国会議事堂》は一九二六年から三一年にかけて、新たに独立を勝ち得た国家のために新たにヘルシンキに建てられたものだが、「新しき伝統」による新たなる新古典主義的規準を確立したのだった。さらにシレンのひときわ見事に計画されたこの《国会議事堂(リクスダグスフセト)》はスカンジナヴィアの新古典主義リヴァイヴァルに直接繋がるものであって、一九二〇年から二八年のアスプルンドの《ストックホルム市立図書館》と密接に関係していた。しかし、アスプルンドの作品と比較すると、シレンの作品はだいたい劇場的効果を狙ったものが多い。その奥行のない列柱廊(ペリスタイル)は、下手をすれば単調なものになりかねないほど、徹底して無味乾燥な内部空間の緊密に組織構成された建物に加えられた

200　ラッチェンズ「インド総督邸」ニューデリー，1923-31年

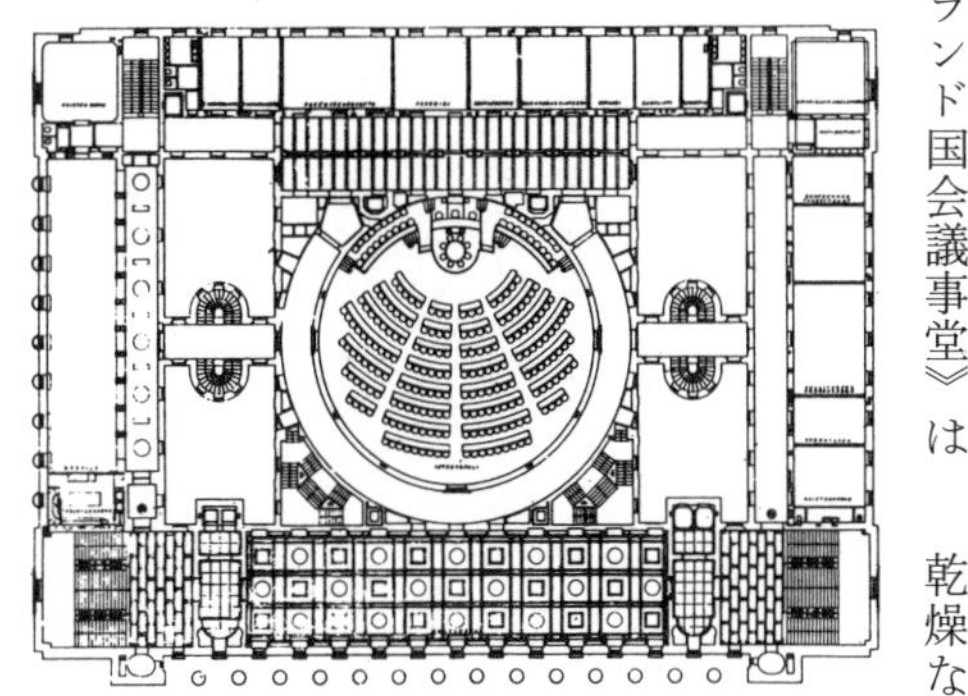

201　シレン「フィンランド国会議事堂」ヘルシンキ，1926-31年．主要階平面図

書割的な（セノグラフィック）レリーフ以外の何ものでもなかった。

いわゆる「近代運動」と「新しき伝統」との明白な対立は、一九二七年に行われた《国際連盟》設計競技の時に頂点に達した。ボザール派のアカデミシャンとアール・ヌーヴォーの古参達——すなわち、前者の陣営からは(8)ジョン・バーネット、(9)シャルル・ルマルキエ、カルロス・ガト、後者の陣営からはヨゼフ・ホフマン、ヴィクトル・オルタ、そしてヘンドリック・ベルラーヘ——からなる審査員は二十七案の設計を選出したが、これらは、当時の三つの基本的アプローチを代表するものであった。ボザール系九案が優秀作として認められ、「近代運動」系では八案が認められ、その中にはル・コルビュジエやハンネス・マイヤーによる名高い計画案も含まれている。一方、「新しき伝統」系からは十案が選ばれ、L・C・ボワロー、パウル・ボナッツ、マルチェロ・ピアチェンティーニ等の応募案が入選していた。佳作に入賞した三人のボザール系の建築家と、「新しき伝統」系の(10)ジュゼッペ・ヴァゴとが実施案を纏めるよう委任された。そしてその結果は、驚くほどロシアの社会的リアリズムの無装飾古典主義に近いものであった。

ソヴィエト連邦　一九三一〜三八年

いわゆる「近代運動（モダン・ムーヴメント）」と「新しき伝統」との間の相克は、一九三一年の《ソヴィエト・パレス》設計競技の際に再度展開されることとなった。この設計競技は《国際連盟》の建物に対するロシアからの婉曲な反発であった。この設計競技がソヴィエト国内の建築に与えた衝撃は決定的であった。なにしろ、この設計競技にはル・コルビュジエ、ペレ、グロピウス、ペルツィヒ、リュベトキン達から応募案が寄せられたばかりではなく、ソヴィエト連邦内部でも同様な応募活動を促し、多数の個人建築家のみならず、「アスノヴァ」「オサ」「ヴォプラ」といった主要建築集団からの応募も多数あったからである。

ル・コルビュジエの計画案（二七六〜七七頁参照）が彼の設計経歴の中で最も構成主義的であったということは、その中のオーディトリアムの屋根の架構が露出されていることから明白である。また、外部の被膜（スキン）を全く透明にしていることからも同様である。しかし、これら要素一つひとつを還元的な性質のものとしているにも拘わらず、この計画案の象徴性は演説台一つの中に絞り込まれているのである。それは図書館棟の端部に位置し、「レス・プブリカ（国家）」のための基壇を一望に収めているが、大型のオーディトリアムへの背面に当たっていた。彼以外の殆どの応募案はこのようにはせず、さまざまな構成要素の機能性に対して象徴として価値を与えていた。こうしたことから、ル・コルビュジエの案には、それより四年ほど以前にグロピウスが設計したピスカトールのための劇場と同様、その組織構成の点でも、形態の点でも教導的な作品であることが分かるのである。しかしながら、審査員はル・コルビュジエの応募案を「機械主義と美化過程の過度な礼讃に現を抜かした」ものと見たのである。

しかし、これはまたロシア側の計画案の多くについて言えることであった。それらはいずれの場合も、新たに産業化された社会主義国家の隠喩として計画された技術中心的な修辞法(レトリック)の手の込んだ実習に過ぎなかった。この設計競技での皮肉の一つは、記念性(モニュメンタリティー)を尊重する社会主義リアリズムという、明くる一九三二年の四月に党中央委員会で公式に採択されることになる路線が、最左翼の「プロレトクリト」や「全ロシア・プロレタリア建築家協会」といった派閥からの応募案には見られなかったということである。(11) それに代わって、この社会主義的リアリズム様式は、B・M・イオファンの入賞案の中でためらいがちに発露されているのである。この入賞案での構成主義風なオーディトリアムは、矩形状の古典主義的中庭の境界を限っている半円形の建物なのである。そしてこの懐き込まれた広場の中心には、同じように古典主義によるパイロン（塔）が聳え立ち、その頂点には労働者の彫像が立っている。この人物像はどうやら自由の女神に対する意図的な参照を匂わせ、その振り上げた腕は、自由ではなく、反抗の光を放っているのであろう。一九三三年以降も、この設計

202　ネノ，ブロッギ，ヴァゴ，ルフェーブル「国際連盟会館会議場」ジュネーヴ．壁画はJ・M・セルト

203　イオファン「ソヴィエト・パレス」計画案，モスクワ，1934年

案はイオファンにアカデミシャンのゲルフレイフ[12]とV・シチューコ[13]が協力して引き続き展開された結果、ますます修辞法の色合を深めた。一九三四年になると、最初の案にあった二つのオーディトリアムが一つになって、柱廊（コロネード）を何層にも積み重ね、頂点に彫像を戴く「ウェディング・ケーキ」状のものになってしまった。頂上に君臨するのは巨大なレーニン像で、宇宙に向かって手を差し延べている。その高さは四百五十メートル。三年後、全体の形は原形のままだが、大きさ全体を小ぶりに、柱廊はアール・デコの付柱（ピラスター）に再構成された。

一九三二年を過ぎると、A・V・シチューセフといったアカデミシャン達が次から次へと似而非（えせ）新古典主義のモニュメントを建て始めた。一体、シチューセフの折衷的な国民的ロマン主義の《モスクワ・カザン駅》は一九一三年に建造されたものだし、彼等アカデミシャンは革命以前に地歩を固めていたから、革命後は伏在を余儀なくされた。一九三八年に建設されたシチューコによる《レーニン国立図書館》は、こうした本流でない様式を代表するものであって、非対称形の立体（ヴォリューム）が重なり、無装飾の付柱をつけ、古典主義による末梢的なエピソードが挿入し、さらに彫刻を巡らせて飾り立てられている。ソヴィエト連邦に「新しき伝統」が出現したのは、幾つかの要因の所為である。まず第一に、「ヴォプラ」は構成主義を奉ずる知識人に対して、プロレタリアだけがプロレタリア文化を創造する担い手だとする、教条的かつ弁駁不可能な挑戦状を投げつけた。次に、復職した戦前のアカデミシャンは、彼等が建設実務（プログラム）にとって技術的見地から必須であったから、構成主義に対して依然悪意を保持していた。そして共産党自体、一般民衆は近代建築の抽象的美によく反応することはできないと感じていたのである。一九三二年に示された党公認の社会的リアリズム路線という絶対的イデオロギーを戴いた便宜主義こそ、その明くる年のアナトール・ルナチャルスキーの詭弁をよく説明するものである。彼は社会的リアリズムに対して必要以上の弁明を書いているが、その中で、ヘレニズム文化との隔たりを認めつつも、「その文明と芸術の揺り籠」がソヴィエト連邦の建築にとって依然としてモデルとなると主張している。このような国家文化は、以後四十年以上の長きにわたって一貫した政策として保持されたのだが、その成功を正しく評価した者は、バーソルド・リュベトキン以外にはおそらくいまい。彼は一九五六年、次のように書いた。

「ソヴィエトの建物の幾つかは（決してすべてとは言わないが）男性用装身具でこまごまと飾り立てられ、見えよがしのマージナリア（余計物）をいっぱいに着込み、モニュメント用石細工のカタログから見当違いのページを羽織っている。だが、今なお堂々として整然とした全体が形造られているのは、レイアウトの構想が雄勁であり、オープン・スペースが壮大であり、規模が息を呑むほど広大であるからだ。こうした全体が与える衝撃は、絵画効果（ピクチャレスク）を狙った断片化や「混在開発」の時代に住む西欧の建築家には容易に忘れられぬものである。」

ファシズム・イタリア　一九三一～四二年

近代性と伝統との間の同様な相克は、イタリア・ファシズム運動の建築イデオロギーを染め上げていた。それは、一九二二年十月のムッソリーニのローマ進撃の時から、一九三一年までのことであった。この年、政府後援を取り付けた「建築家国家同盟」は、新設された「イタリア合理主義建築運動（MIAR）」の支持を撤回し、マルチェロ・ピアチェンティーニの指導の下に、対立集団どうしを仲裁、「イタリア近代建築家集団（ラグルッパメント・アルキテッティ・モデルニ・イタリアーニ）」という単一のイデオロギー形成へと大同団結するべく集結したのである。

戦後のファシズム・イデオロギーの発達は、戦前の未来主義運動の二つの違った面から生じたのである。一つは社会再建という革命的関心であり、他の一つは戦争礼賛、機械崇拝である。このいずれもファシズムの修辞法（レトリック）に効果的に採用、合併される要素をもたらした。しかし、戦争も、その結果も惨事であった。未来派それ自体が壊滅してしまったのである。そして「機械文化」という観念が、突如として懐疑をもって見られるに至った。一般大衆ばかりでなくインテリゲンチャからもである。

実際、未来主義に対する文化的反動は、未来主義が十分に態勢を整える以前からすでに形成されていたのだった。その第一のものは、[14]ベネデット・クローチェが一九〇八年から一七年にかけて書いた『精神の哲学』であり、その中で彼は芸術の専ら形式的領域を力説した。次は、ジョルジョ・デ・キリコの絵画『時間の謎』（一九一二年）で、それは消えゆく光の中の列柱廊（ペリスタイル）のアーチを描いたものであった。その薄気味悪い形而上的イメージはすぐさま、イタリアの「新しき伝統」の形式と雰囲気を予示するかのようであった。

デ・キリコに影響され、さらに「ノヴェチェント」運動の形而上派の画家達にも影響され、つまり、近代性の何たるかを承知しつつも、決してそれに囚われることのなかった人達の感化を受けたジョヴァンニ・ムッツィオ率いるミラノの建築の前衛達は、地中海地域の古典主義的形式を未来派のいう機械礼賛に対する意識的アンチテーゼと再解釈し始めたのである。この動きの最初の作品は、一九二三年、ミラノのモスコヴァ通りに建設されたムッツィオ設計のアパートメント《カ・ブルッタ》である。この建物はイタリア合理主義者の作品の出発点となったばかりではなく、ピアチェンティーニの官吏様式にも影響を及ぼした。この官吏様式は、やがて一九三二年、ピアチェンティーニの指揮の下にローマ大学の建設とともに始まったのである。一九三一年に執筆されたムッツィオの古典主義的伝統擁護論は、彼自身のスタイルのピラネージ風技巧を超克する「新しき伝統」の普遍性を気づかせるものであった。彼は「ノヴェチェント」運動を反未来主義の信念だと書いた。彼は、過去の古典主義の図式（スキーム）は常に適用可能であると論じ、続けて次のような疑問を投げかけている。「たゆたいながらも広がってゆく徴候を見せながら、ヨーロッパ全土にその誕生の切迫したことを告げるような運動は、とても望めないのだろうか？」

近代性と伝統との相克がイタリアにおいて殊のほか微妙な形をとったのは、若き合理主義者達が、古典主義の伝統の再解釈についてムッツィオとピアチェンティーニに関わったからであった。しかしＭＩＡＲのアプローチは極めて知性的であって、彼等の厳しい作品には、容易に人に理解されるような図像（イコノグラフィー）は欠落していた。未来主義がとうてい国家主義イデオロギーを表象できるものでないと知って、ファシズム権力は一九三一年、単純化して容易に還元可能な古典主義様式を選んだ。そしてその理想的形が、あの悪名高き一九四二年のＥＵＲである。永遠の都の境界の外側に新しい首都を遷都したいという希望は、その気宇広大さの点でニューデリーの場合同様、ユートピア的であり、反動的であった。それは記念性（モニュメンタリティー）を前提とするものであった。だがその記念性は社会的現実から全く切り離されていた。デ・キリコの『時間の謎』がそっくりそのまま《イタリア文化宮殿》の中に現実のものとなったのである。六階建て、アーチをふんだんに取り入れた立体が、敷地の主軸の終点に立っている。

第三帝国　一九二九〜四一年

古典主義の伝統を巡って二つの解釈——合理主義的な解釈と歴史主義的なそれ——が相い競う相克はイタリアには存在したが、ドイツにはなかった。ドイツではいわゆる「近代運動（モダン・ムーヴメント）」の合理的流れが一九三三年一月、国家社会主義の権力掌握によって突如ぷつりと断たれてしまうのである。近代建築は、工業生産ならびに工場福祉にとって機能主義的アプローチが効果的だとして要求される場合を除けば、コスモポリタンで堕落したものとして退けられた。ヒトラーの言う「社会革命」に相応しい様式を巡っての問題は、イタリアやロシアでのように、殆どすべての場合に採用されるべき単一の様式を採択して相克にけりをつけるという形では解決されなかった。第三帝国が見せる幾つもの微妙なイデオロギー政策が、両国のような一律解決に赴くことを妨げたのである。

ナチスは、ドイツの命運を見事成就する国家社会主義を表象するべく公的側面で努める一方、心理的安定を与える建築を求める大衆の欲望を満たし、さらに、産業戦争やインフレーションや政情不安などによって足元を切り崩された伝統的な社会を償おうと望んだ。このような最初からの様式上の分

205　デ・キリコ『時間の謎』1912年

204　「1942年ローマ万国博覧会（EUR）」のためのポスター．敷地入口のアーチはリベラによる

206　グエリーニ，ラ・パドゥーラ，ロマーノ「EUR，イタリア文化宮殿」1942年

裂は、「近代運動」にすでに浸透していたイデオロギーの分裂を、歪曲した形で反映するものであった。その分裂とは、一八三〇年代にピュージンが最初に明らかにしたもので、工業生産の功利的、普遍的基準（これは新古典主義の形で具体化された）と、農業中心手工業経済という「地に根ざした」価値観への回帰に見られる、基本的にキリスト教的欲求との対立であった。ナチスは、前者については、ヘーゲルの哲学やシンケルの建築に表現されるような、権威主義的国家の啓蒙的プロイセン文化にひたすらに期待せざるを得なかった。一方、後者については、「民族」というドイツ特有の神話に、すなわち、一八〇六年プロイセンの愛国者F・L・ヤーン[15]が口火を切った、反西欧礼賛へと回帰することができた。

ヤーンの哲学を現代風に仕立てた国家社会主義は、一九二九年、リヒャルト・ヴァルター・ダレ[16]の著書『北方民族生活起源としての農民』と遭遇する。この書は土地への回帰を提唱し、「血と土」の文化を真っ先に展開したのである。ダレはそもそも耕種学の農業技術者として出発した人物であったが、国家社会主義が反都市的、民族中心的イデオロギーを展開するうえで重要な役割を果したのである。彼の所説がナチのエリートによって十分に採用されたわけではなかったが、一九三三年以後、党援助の下に建設された「郷土様式（ハイマート）[17]」あるいは土着的（ヴァナキュラー）な集合住宅の理論的根拠であった。

第三帝国内での競い合う幾つものイデオロギーが、二つの両極端の様式によって十分に表現され得ないとなると、別の様式の導入は避けられないものであった。先の政策をあまり受けていない学校、「オルデンスビュルゲン（修道院都市）」が幾つも擬中世風の城郭の手法で建設されたし、ロベルト・レイ[18]の首唱する「クラフト・ドゥルッヒ・フロイデ（KdF）」すなわち「楽しんで強くなろう」運動のための、さまざまなレジャー施設は現実逃避的環境を求めた。人気のあるロココ紛いの装飾が、劇場や客船のインテリアに、また軽いレクリエーションの建物に見境なく応用された。このような様式のスキゾフレニア（統合失調症）はしばしば、同じ計画の中の部分部分を全く異なった手法で扱うという事態を招いた。例えば、ヘルベルト・リンプル[19]が一九三六年、オラニエンブルクに建てたハインケル工場がそれで、そこには、管理棟の新古典主義風の列柱廊（ペリスタイル）から、労働者のための「郷土様式」の集合住宅、機能主義の工場まで含まれていた。

国家後援の集合住宅の様式が突如、ワイマール共和国の立方体（キューブ）を基本とした陸屋根の形態から、第三帝国の勾配屋根の形態へと転換したことを、建築家パウル・シュルツェ・ナウムブルク[20]は熱狂して支持した。彼は自らの飾り気のない手法を持っていたが、機能主義建築には長年反対し続けていた。シュルツェ・ナウムブルクは漆喰塗り、勾配屋根の「郷土様式」の手法を確立するに際しては、ハインリッヒ・テッセナウの協力者であった。しかし、早くも一九二〇年代中期には、近代の生活の国際主義（インターナショナル）的で、また機械主義的な傾向に抵抗していた。彼の反合理主義的修辞法は、後期アーツ・アンド・クラフツ運動のいう単純で、平凡で、有機的な形態に対する関心から育まれたものであったが、そういう形態はまたテッセナウ、ヘーリング、シャロウンによっても承認されたものでもあった。しかしながら、シュルツェ・ナウムブルクにとって、形態の問題には政治的含意（コノテーション）があった。彼は程なくワイマール共和国の「新即物主義（ノイエ・ザッハリヒカイト）」の建築に反対して、民族的とは言わないが、右翼的姿勢をとることになったが、その姿勢は党の反動的イデオロギーにとっては容易に受け容れられるものであった。[21]一九三〇年、シュルツェ・ナウムブルクは遂にアルフレート・ローゼンベルクの文化戦線、いわゆる「ドイツ文化戦闘同盟」[22]に加盟するが、この時までにダレはすでに近代文化全般に対して攻撃戦線を明白に定め、産業による都市化現象や小農階級の没落を激しく非難した。彼にとって、農業中心の定住方式（セツルメント）こそ愛国思想の砦であり、さらに純北方民族にあるはずの習性だったのである。

シュルツェ・ナウムブルクは、一九三二年に出版した戦闘同盟叢書『芸術の戦い』の中では同様な立場に立った。その中で彼は、故郷という概念を全く喪失している都会の遊牧民を叱責した。別の箇所では、殆どダレの口調で、「根こぎにされた人達」の陸屋根建築と比較しつつ、土中深く根を下ろした勾配屋根のドイツの住宅を賞揚した。彼はこうした見解を早くも一九二六年に発表していたが、その時彼が書いたの

207　ＫｄＦ運動のポスター．フォルクス・ワーゲンはレイの運動に欠かせない一部であった

208　リンプル「ハインケル社労働者住宅と工場」オラニエンブルク，1936年

は、陸屋根は「すぐさま、他の風土や血の衣鉢を継ぐものだということが分かる」ということであった。この論評は、ベドウィン族や駱駝を添えてまるでアラビアの村落のように仕立てられた《ワイゼンホーフ・ジードルング》のモンタージュ写真のことを仄めかしているらしい。シュルツェ・ナウムブルクの民族的偏見は、著書『芸術と民族』（一九二八年）において鮮明になった。彼がその中で立証しようとしたのは、ドイツの文化の「退廃」には生物学的な起源があるということであった。次の理論的著作は『ドイツ住宅の表情』と題され、一九二九年に出版されたが、その中で彼は次のように書いている。ドイツの住宅は「自然の産物のように、土壌の中深く根差した樹木のように、土から生まれ、土と一体となっているという感じを懐かせる。家（ハイマート）とは何であるか、血と土（エルデ）との結合が何であるかを教えてくれるのはまさにこれである。なぜなら、ある種の人間にとってこれこそ彼等の生活の条件であり、実存の意味なのである。」

「血と土」の「郷土様式」が集合住宅にとっていかに適切であっても、それは帝国千年の神話をとうてい表象するものではなかった。そのためには、党はジリー、[23]ラングハンス、シンケルなどの古典主義の遺産を利用した。[24]パウル・ルートヴィッヒ・トロースト[25]とアルベルト・シュペーア（彼はその後、一九三三年から一九四〇年中期にかけてヒトラー直参の建築家となった）は、シンケル派の伝統の縮刷版を国家の表象様式として力強く打ち出した。トローストによる「党の首都」としてのミュンヘン美化計画から、シュペーアによるナチス国家最盛期における巨大な舞台セット、例えば一九三七年のニュルンベルク大会のためのツェッペリン広場のスタジアムや、その翌年完成したベルリンの《総統官邸》などに至るまで、すべてに厳格な古典主義が漲っている。

209　クライス「戦没者記念碑計画案」クツノ，1942年

トローストによるトスカナ柱式（オーダー）の堅苦しい変形（ヴァージョン）が、シュペーアの無装飾あるいは溝彫り（フリューティング）のついた矩形の柱の偏愛へと移っていくに従って、シンケルのプロポーションの繊細さは、わずかずつではあるが千年王国（ミレニアム）の名の下に意識的に消去されていくことになった。狂信的なほどに正確に建てられこそすれ、このようなロマン的古典主義の無味乾燥化が生気を取り

210　1937年パリ万国博覧会．左のシュペーアによる第三帝国の顕示と右のイオファンによるソヴィエト館とは相対して立てられた

戻したのは、わずかに、これらの巨大な舞台セットが大集会に使用される時で、この大催物の様式をシュペーアは、一九三五年のベルリン・テンペルホーフの大会の時、彼のいわゆる「氷の聖堂」において仮設の旗台とサーチライトによって創り出したのである。ゲッペルスの指揮下にあって、こうした集会場はナチ・イデオロギー教化の舞台装置となったが、その教化はその時限りのこともあったし、帝国全体に及ぶ場合もあった。そして、この時初めて[26]「芸術作品としての国家」がラジオや映画というマス・メディアの中に導入されたのである。[27]レニ・リーフェンシュタールが監督した一九三四年のニュルンベルク大会の記録映画『意志の勝利』は、シュペーアの仮設の装置であったにせよ、その中で建築が映像的プロパガンダのために奉仕した初めての例であった。かくしてシュペーアによるニュルンベルクのスタジアムの設計は、建築的基準（クライテリア）もさることながら、カメラ・アングルによっても決定されたのである。こうした建築の映像の利用は、ツェッペリン広場を将来気高い廃墟として保持すべく組積耐力構造を採用すべし、というシュペーアの主張と全く矛盾するものであった。この異常体質ともいうべき「廃墟の法則」では、金属による補強は一切禁じられていた。これは啓蒙主義運動への懐旧的（ノスタルジック）な参照というものだった（シュペーアはピラネージのパエストゥム神殿の銅版画を考えていたのである）。これは、ヴィルヘルム・クライスの言う、新古典主義はドイツ

の地の霊を、そして人々の「郷土」崇拝を表現するという所説でも同様であった。

「新しき伝統」の国家社会主義版は、結局この「大衆出演の空間」を大衆ヒステリーへと転換させる以上のものではなかった。またそれは、真実の繋がりのすべてが映画のイリュージョンへ、あるいは自然崇拝とドイツ民族固有の儀式のために一九三四年以降建設された「ティングプラーツ」と呼ばれる野外集会場での芝居がかった礼拝へと、隷属を余儀なくされたのである。啓蒙主義運動のイメージも信念も剥奪されたロマン的古典主義は、背景画（セノグラフィー）になり下がるしかなかった。一九三六年のヴェルナー・マルヒ[28]設計の《オリンピック・スタジアム》と、同時期のボナッツ設計の「アウトバーン」の橋梁といった優れた例の幾つかを除くと、「新しき伝統」は無意味な誇大妄想狂に堕してしまった。一九四一年以降、それはクライスの《トーテンビュルゲン（死者の都市）》に行き着くこととなった。この計画の構想は見事で、世が世ならば、戦没者の遺体を不滅にすべく、東ヨーロッパ全域に建てられるブレ風の死者の城郭なのであった。

アメリカのモダニズム様式　一九二三〜三二年

「新しき伝統」は無装飾の古典主義様式の形を借りていたが、その様相は一九三〇年代には支配的嗜好となった。ただし、その場合、権力が積極的に自らを顕示しようとしていたことは見逃せない。アルベルト・シュペーアが述べているように、一九三七年のパリ万国博覧会の《ソヴィエト館》には擬似古典主義の統辞法（シンタックス）が採用されていたのであるが、それはまた、その折シュペーアが設計した《ドイツ館》のそれと殆ど同一であった。さらにシュペーアが指摘しているように、こうした新古典主義的な記念性（モニュメンタリティー）への嗜好は全体主義国家にのみ限られたことではなかった。パリにおいてもまた見られたのである。[29] J・C・ドンデル設計の《近代美術館》やオーギュスト・ペレの《公共事業博物館》がその例であって、いずれも一九三七年に完成している。それはまたアメリカ国内においても明らかであった。この国ではそれは「ボザール」の新古典主義から徐々に生まれてきたのであって、一八九三年のコロンビア万国博覧会から第一次世界大戦までにかけての「公認の（オフィシャル）」様式であった。一九一七年のヘンリー・ベーコン[30]の設計による《リンカーン・メモリアル》のようなワシントン市の新古典主義による美化計画から察せられるように、アメリカの連邦政府は保守的であって、その結果、「新しき伝統」の支援者となったのである。大学という大学の建物は程度の差こそあれ、世紀の転換期後は陳腐なゴシック様式に縛られていた。この時期、幾分なりと勇敢な折衷主義を支持することができた唯一の支持者は鉄道関係ではなかろうか。例えば、第一次世界大戦前十年の間に建設されたニューヨークの幾つかの駅舎、すなわち、ウォーレンとウエトモア設計[31]の《グランド・セントラル駅》（一九〇三〜一三年）、マッキム・ミード・アンド・ホワイト[32]の《ペンシルヴェニア駅》に見られる折衷的なローマ崇拝主義から、フェイルハイマーとワグナー[33]が一九二九年に設計した《シンシナティ・ユニオン駅》のようなモダニズムの作品までが、その実例である。

モダニズムの表現に対して支持を与えてくれたもう一つのものは、言うまでもなく高層オフィス・ビルの発達である。いわゆるスカイスクレイパー（摩天楼）と言われるものは、一九一三年のキャス・ギルバートの設計になる《ウールワース・ビル》に始まるが、そのゴシック様式への偏愛こそ「新しき伝統」が見せた顔なのである。こうしたゴシック様式への傾斜は、一九二二年の《シカゴ・トリビューン社》設計競技の結果によって一段と強くなった。繰り返して言うが、国際設計競技の入賞案は支配的スタイルというものを形造るうえで決定的役割を果たしたのではないだろうか。つまり、エリエル・サーリネンの二等入賞案は、フッドとハウエルの一等入賞案もさることながら、当のレイモンド・フッドのその後の作品歴に重大な影響を及ぼしたのである。こうしたことはフッドが一九二四年にニューヨークに設計した、黒色と金色を基調とした《アメリカン・ラジエーター・ビル》を始めとして、一九三〇年に描かれたニューヨークの《ロックフェラー・センター》のための初期スケッチに至るまでの彼の「スカイスクレイパー」の展開の中にも窺うことができる。すでに一九二〇年にジャック・グレーバー[34]が述べたところだが、いわゆる「裸形のゴシック」が建築家に窓をどうするかという難問を克服させたのであって、「そのとりわけ目を引くリブによって垂直性が強調され、その結果、タワーの力強い外観が強調されたのだった」。

アメリカにおいてアール・デコあるいはモダニズム様式が形成されるに当たっては、「近代運動（モダン・ムーヴメント）」の主流に多くのルーツがあったのだが、また同時に、世紀の変わり目の歴史主義にもルーツがあった。とくに、その相似性はドイツ表現主義にあり（ペルツィヒ、ヘーガー等）、その例はマッケンジー[35]、ヴォーヒーズ、グメリン、ウォーカー等によるニューヨークでの作品の進展、すなわち、一九二三年の最初の作品《バークレイ・ヴェシー・ビル》から一九二八年の《ウェスタン・ユニオン・ビル》に至る展開からも察せられよう。しかしながら、どの起源をとってもこのすぐれて人工的（シンセティック）な様式の唯一の根拠とはなり得ないのであって、思うに、こうした様式の必要性は、新世界の民主主義と資本主義の勝利を讃えようという自然発生的な欲求から生じたのであろう。アメリカの立場からすれば、第一次世界大戦は成功裏に終わったのだった。アメリカは債権国となった。一九二〇年代の好況がまさに始まろうとしていた。こうした「進歩」に対する熱狂はどんな様式で表現することができただろうか？　絶対に衰残のヨーロッパ列強の歴史主義様式ではないし、さりとて新しいヨーロッパの前衛の流行を採用することもできかねた。その源泉は、フォレスト・F・ライルが一九三三年シカゴで行われた「進歩の世紀展」の時に述べているように、もっと自由かつ折衷的でなければならなかった。

「一九二五年のパリ博覧会、フランク・ロイド・ライト、立体派、機械の倫理、マヤの形象、プエブロのパターン、デュドック、ウィーン分離派（セセッション）、モダン・インテリア、ゾーニング（地域制限）によるセットバック。こうした関連性の薄い多くの源泉は、アメリカのモダニズムの底辺にあることは容易に認められるが、それらは締りのない、下品な、なんでも取り入れる、緊張感の弱い、どちらかといえば雑多な、したがって民主的なもの、つまり「近代運動」の周辺に付着したものであることを匂わせている。それは、この時代の前衛であるヨーロッパの、非個人的で、還元的で、排他的で、一段と理想主義的で、いっそう道徳的な推進力に相対立するものである。」

このモダニズム様式の意図するところは、ある程度、それがどのように用いられたかによって例示されるかもしれない。個人住宅のインテリアなどを別にすると、この様式はオフィス、都市のアパートメント、ホテル、銀行、デパートメント・ストア、そして新聞、出版、通信等近代のメディアのための建物といった世俗的な領域のためのものであった。この様式はもっぱら都市特有の様式であった。[36] イーライ・ジャック・カーンとか、レイモンド・フッドといったモダニズムの建築家の郊外における作品、すなわち個人住宅とかカントリー・クラブなどは通常、英国の「フリー・スタイル」の変形（ヴァージョン）、それも時折コロニアル様式の柱廊（ポーティコ）などを取り付けたもので作られていた。そこには様式の作法といった感覚が存在していた。これは全体主義国家における「党路線」によって獲得されるそれに比肩するものである。ある様式はオフィスに、別の様式は郊外の別荘に、さらに別の様式は大学の田園的風趣のために、という具合であった。とくに大学の場合はより頻繁で、たまさかラルフ・アダムズ・クラムの中世風の手になることがあった。

しかしながら、このモダニズム様式が当時のイデオロギーや歴史状況にどのように織り込まれていたか、その明確な様子はおそらくニューヨークの《ロックフェラー・センター》の事例が最もよく明らかにしてくれるだろう。《ロックフェラー・センター》はメトロポリタン・オペラ・カンパニーの新しい敷地に新しい劇場を、という希望から大型不動産開発としてスタートしたものだった。センターは大恐慌のさなかに完成したが、それは危険な投機であった。オペラこそなかったが、新たに巣立った意気盛んな通信産業、アメリカ・ラジオ会社とその傘下のNBC、RKOなどを筆頭クライアントとして援助を得たことだけで十分に意義のあることであっ

212　ラインハード・アンド・ホフマイスター，コーベット・ハリソン・アンド・マックマレイ，フッド・アンド・フォーイルー「ロックフェラー・センター」ニューヨーク，1932-39年．センターの中央の最高の建物がＲＣＡビル．その右手下方がラジオ・シティー・ミュージック・ホール．ＲＣＡビルと（手前）フィフス・アヴェニューの間にサンクン・ガーデンとプロメテウスの彫像と２列の低層の建物がある．その建物の屋上は庭園となり泉水がある

211　ヴァン・アレン「クライスラー・ビル」ニューヨーク，1928-30年．左はクロス・アンド・クロスによるＲＣＡビル（現ＧＥビル），右はシュルツェとウィーヴァーによるウォルドルフ・アストリア・ホテルの塔のひとつ

213　フェリス「ビジネス・センター」1927年．著書『明日のメトロポリス』より

た。かくして、ここではB・W・モリスによる一九二八年設計のアール・デコのオペラ・ハウスの正面（ファサード）に面する「シティ・ビューティフル（都市美化運動）」に一役買っている広場に焦点が当てられることはなく、イデオロギー的にも建築的にも、「都市の中の」ラジオ・シティとして解釈されることになったのだった。《ロックフェラー・センター》の経営陣は、不況の真っ只中でのこれほど巨大な開発事業による経済的脅威が、公共の福利に対して疑うべくもない貢献となるに違いないと十分に承知していた。この目的のために、彼等は主だった施主に対して、ヴォードヴィルや映画などを含む雑多な娯楽を提供するための六千二百席の《ラジオ・シティ・ミュージック・ホール》や「センター・シアター」の名で知られるようになる三千五百席の高級映画館を作るに際し、ヴォードヴィルやラジオのタレント、興行師ロクシー（S[37]・L・ローザフェル）に依頼して建築家と共同するようにとたきつけた。ラジオ・シティの大きな人気――危機の真っ最中にイリュージョンと気晴らしのための都市（ロクシーのスローガンは「ラジオ・シティにお越しになれば、田舎にひと月居るのと同じくらい楽しめます」であった）――は一九三六年には一段と高まった。この時期、地下広場（サンクン・プラザ）の店舗が閉店に追い込まれて、それに代わって両側にレストランを設けた戸外スケート場が開設された。

設計は[38]ラインハード・アンド・ホフマイスター事務所、コ[39]ーベット・ハリソン・アンド・マックマレイ事務所、フッ[40]ド・アンド・フーイルー事務所のトロイカであった。しかしセンターの全体の構成とディテールのみならず要求項目（プログラム）そのものの殆どを左右することができたのはフッドであり、それはフッドの永年にわたる信用によるものだった。例えば、屋上庭園の計画を最初に示唆したのはフッドであった。彼の監督下において、センターは、結局八ブロック、十四の建物を擁することとなり、中心コアを持つことになった。それは七十階建てのRCAの建物と広場、それに《ラジオ・シティ・ミュージック・ホール》であるが、十八ヵ月の歳月を費やして完成し、一九三二年の末の開設祝いに間に合うように建てられた。

　ロクシーはロケッツ・フロアショーに映画を加えることを定式としたが、それは文化的観点から言うと、即興的で、過渡的なものであった。同様にこのセンターの芸術に関するプログラムそのものもその場限り、一時的なもので、このセンターの芸術作品は彫刻であれ壁画であれ、その主題となる題材を光、音響、ラジオ、テレヴィジョン、航空機、進歩一般というように次々に取り上げていったのである。そしてその代表となるもの二つが、センターの全体の構成の中の主軸上に置かれることになった。それは[41]ポール・マンシップの手になる金箔のプロメテウス像と、[42]ディエゴ・リベラの壁画である。彫像の方は十二宮（ゾディアック）の動物に取り巻かれたもので、地下広場を見下ろす格好となっている。一方、壁画はRCAビルの入口ホールに置かれたが、この「十字路に立つ人間」と題された作品は非運であった。レーニンの像さえも見える、明らかに革命高揚の図像（イコノグラフィー）を持っていたこの壁画は、最悪の場所にしか置いてもらえなかったし、その場所でもパトロンは撤去することを主張して譲らなかった。このように、共産主義者の芸術家に象徴となる作品を意識的に委託するといったニューディールの矛盾したジェスチャーは、今や半世紀も後になってみると、いかにもはるか昔の、それも作り話じみたことのように思われる。これと同じなのが、一九二九年に出版されたヒュー・フェリス[43]の『明日のメトロポリス』で、その中ではマンハッタンが、スカイスクレイパーのジッグラトが果てしなく続いているところへと変貌しているのであった。このヴィジョンは、当時完成していたか、あるいは工事半ばであったアール・デコ様式のスカイスクレイパーを記録している一方、来るべき《ロックフェラー・センター》を理想化しているのであるが、まさしく塔状都市のSF的ヴィジョンであった。それらはスタイルの点からしても背景画風（セノグラフィック）で、劇場風なこれ見よがしであって、底抜けの楽天症（ユーフォリア）と地価と、それから一九一六年のニューヨーク市地域制限法（ゾーニング・コード）の施行によるセットバックの形と、それらから生み出されたニュー・バビロンであった。

新しい記念性（モニュメンタリティー）　一九四三年

ソヴィエト連邦という例外を除くと、ルーズヴェルトの執ったニューディール政策と第二次世界大戦とは、いわゆる「新しき伝統」という傾向に突如終止符を打つという結果をもたらした。しかし、それ以前にJ・J・P・アウトといった建築家達は、その影響を感じ取っていた（例えば、一九三八年にハーグに建てられたアウト設計の《シェル・ビルディング》を参照されたい）。そして戦後の西欧の一般的イデオロギーの風潮はいかなるものであれ、記念性（モニュメンタリティー）に対して敵意を見せた。国際連盟はもはや信用されなくなっていた。英国はインドの独立を承認した。「新しき伝統」を国是の道具としていた社会体制は非難の対象とされた。加えて、イデオロギー表象に関しての、永続性は低いが廉価な、融通性が高く浸透力のある方法が、問題処理に有利であることが建築の有効性をいっそう高めるうえでも認められた。かつての第三帝国のプロパガンダや、不況下のRCAやハリウッドによる通俗的な大衆向け興行にラジオ放送や映画が積極的かつ見事に用いられたことに見られるように、第二次大戦後の諸政府は、人間によって建設された形態に対してよりも、メディアの内容やインパクトに対していよいよ注意を払うようになった。その結果、ラジオや映画はますます修辞（レトリック）に富んで、強烈になっていくのに、建築の形態はいよいよ抽象的となり、図像的(イコノグラフィック)な内容を欠いたものとなっていった。一九五六年以後に増築された《ロックフェラー・センター》西側の六番街のタイム社、エクソン、マグローヒル等々のビルのひどく抽象性の高い特性は、こうした還元過程をすでに証拠立てるものである。

一九三九年にモダニズムの色濃い「新しき伝統」が消滅した理由は、全くイデオロギーに関係してはいなかった。一つには、[44]ウィリアム・ヴァン・アレンがニューヨークに《クライスラー・ビル》のような見事な建物を実現した当時（一九三〇年）、まだ利用可能だった高度の熟練作業(クラフトマンシップ)が殆ど戦争遂行に吸収されたり、消散したためであった。さらに、その後アメリカの体制は熱狂的にいわゆる「近代運動(モダン・ムーヴメント)」を迎え入れたためであり、とくにヒッチコックとジョンソンが企画した一九三二年の「モダン・アーキテクチャー」展以後はそうであった。そして、一九四五年のニューディール最盛期に至るまでには、建築の機能主義路線は実質的に支配的スタイルとなっていた[45]（レスケーズ、ノイトラ、あるいは[46]バウマン兄弟等々の作品を参照のこと）。

いわゆる「新しき伝統」の譲位と、いわゆる「近代運動」の勝利とが、この運動そのものの中から記念性を求める反動現象とぶつからなければならなかったことは、なんとも皮肉である。わずか五年と経たずに、すなわち一九三八年から三九年にかけて、[47]ギーディオンがハーヴァード大学においてチャールズ・エリオット・ノートン記念講座を受け持って講演し（一九四一年に『空間、時間、建築』と題されて出版された）、その後、一九四三年には[48]ホセ・ルイ・セルトが[49]フェルナン・レジェと共同で「記念性についての九つの要諦」を執筆したのである。この文書の最も重要な箇条は次の通りである。

一．モニュメントは、人間の理想、人間の目標、人間の行為の象徴として作られた人間の史跡である。モニュメントは、作られた時代を超えてさらに存在し続けるように、また、次の世代の遺産を形づくるように意図されている。

二．モニュメントは、人間の最高の文化の必要の表現である。モニュメントは、民衆の集団としての力を象徴へと転換しようとする永遠の要請を満たさなくてはならぬ。最も生気にあふれたモニュメントとは、この集団としての力、すなわち民衆の感情と思想を表現するものである。

四．過去百年、記念性はひたすらその価値を失い続けた。しかし、現在には、このような目的を果たそうと試みる建築の実例、形式上のモニュメントが全く欠如しているということではない。最近のいわゆるモニュメントは、わずかな例外を除けば、空しい形骸に過ぎない。それはいかにしても現代の精神、現代の集団的感情を表象してはいない。

六．新しい一歩は前進にあるのみ。戦後、諸国家の全経済構造に見られる変化は、都市におけるコミュニティーとしての生活の組織化を生じさせるかもしれない。これこそ今日まで久しく無視され続けてきたものである。一九七七、民衆は、社会の、コミュニティーの生活を表象する建物を求める。機能の充足以上のものを求めている。

この問題提起の論文は、その後一九五二年のCIAM（近代建築国際会議）第八回会議の議題となったが、表象の問題に対して、鋭い識別力を持った考え方を系統立てて示すものであった。これはこの論文の執筆当時と同様、今日にとっても有効であろう。まず第一に、ここでは、いわゆる「新しき伝統」の言う記念性も、また、いわゆる「近代運動」の機能性も、そのいずれも民衆の集団としての憧憬を表象することができないという事実が認識されている。第二に、これは明快に断言しているわけではないが、真の集団性は、スイスで言うところの「カントン（州）」や地方自治体のレヴェルでの価値観や歴史的連続性の適切な表現をわずかに実現できるだろうということ、また、集中度の高い、あるいは権威主義国家は、成り立ちからして、民衆の希望や欲望を確かな形で表象することはできないだろうということを含意している。一九四三年以降、建築の意味の基本的問題である表象というテーマは繰り返し現れてくる。しかし、抑圧されるか、否定されるか、さもなければ、現実逃避主義によって、消費経済の中での広告、メディアの、見かけだけで、自然発生的で、またそれ故に俗受けへと後退させられるか、そのいずれかである。建築の実践は、今や「沈黙」におちいった――一九七三年出版のマンフレード・タフーリの著書『進歩とユートピア』を参照のこと――そればかりではない、不評をすら買っている。なぜならば、建築が当然あらわさなければならない主要なテーマの一つ、すなわち、社会の命運が絶えず建築を拒絶しているからである。不幸なことに、この特定な形態を明確に表現し直すことができるような政治的制度は、今日では、建築自身の文化と同様に脆弱なのだ。

第25章　ル・コルビュジエと土着的なものの記念化　一九三〇〜一九六〇年

地方業者の建てたこの建物は、鉄筋コンクリート造の床と、これを支える地元産の石を使った組積造の壁からできている。通常の組積造を採用したが、これまでの住宅作品と同じ発想がこの住宅にも見られる。すなわち、床を支える耐力壁と、空間を埋めるガラスの間仕切壁を完全に区別するということである。

構成は風景によって組み立てられている。この住宅は、ツーロンの後背地の平野を見渡す小さな岬にあり、後ろは素晴らしい山脈の稜線だ。この敷地には広大な見事な風景がある。この予想以上の自然に手を触れないように、眺望のきく側に主要な部屋を壁で封じ込め、そこは扉しか設けず、露台へ開くと、眺望が爆発するかのように突然現れるという仕掛けにした。地上への小さな階段を降りると、リプシッツの大きな彫刻の柱が立っているのが目に入る。その向こうの椰子の葉模様が山脈の上に広がる空にくっきりと浮かび上がっている。

——ル・コルビュジエ『作品集　一九二九〜三四年』一九三五年

ル・コルビュジエとピエール・ジャンヌレ[1]はすでに、一九二〇年代後期に設計した幾つかの住宅が自然環境と強い繋がりを持っていると考えた。しかし、そういう繋がりがこれほど壮大な規模で生まれようとはとても思いもつかなかった。ところが、この一九三一年、エレーヌ・ド・マンドロ夫人のために設計し、ツーロン郊外に建てられた別邸や、遠いチリの敷地に計画された《エラツリス邸》などから、二人は作品を広大な景色いっぱいに広げようと考えるようになった。こうした敷地の地形に対する感受性を最大限に発揮する方向へと人知れず移っていったのとは対照的に、「土着的（ヴァナキュラー）」構造を表現形式として、ごく自然に受け容れるようになった。二人は、[2]耐力壁を以前から使っていたが、粗石造を表現の特徴に利用したことはなかった。

純粋主義（ピューリスム）の教条的美学との絶縁は（すでにル・コルビュジエの一九二六年の絵画の中に予告されていたが）、彼の思想上の問題点とも一致するものだった。当時、彼は、機械時代文明に特有の、「絶対的」恩恵の仕事に対する信念を放棄したところだった。それ以後、彼は産業の実体に幻滅し、他方、フェルナン・レジェの「ブルータリズム」[3]の影響をますます受けて、彼の様式は、同時に全く相反する二つの方向へと向かい始めた。一方において、少なくとも住宅作品において、彼は土着的な言語へと回帰した。他方、例えば一九二九年のポール・ウトレ[4]のための《世界都市（シテ・モンディアル）》計画の場合のように、ボザール風とは言わないが、古典主義風の壮大さを持つ記念性（モニュメンタリティー）を受け入れた。

しかし、この分裂をたんに「建物」と「建築」の表現形式の微差だと考えるのは、当時の実際の作品をあまりに単純化してしまうことになる。なぜならば、「内心の懐疑」にも拘わらず、機械の美学は全く放棄されたわけではなかったばかりか（一九三〇年から一九三三年の間の実際の作品による「カーテン・ウォール」[5]の建物から推定できるように）、《ドゥ・ベイスティギのペントハウス》[6]のような作品に至っては、ル・コルビュジエの想像力のシュルレアリスム的側面をゆくりなくも見せることすらあったからである。この夢想的な想像力の発揮は、一九二六年のアドルフ・ロースによる《トリスタン・ツァラ邸》の室内を想起させるし、ここでの「美的」分裂は単一の水準どころではなく、多数の水準にわたって生じていた。この作品は、物体（オブジェ）の非日常性を住居の規模で強調する一方（日光浴室（ソラリウム）の芝生はまるで居間の絨毯そっくりに見えた！）、日光浴室に据えられた擬似暖炉と、周囲を囲む壁を人工の地平線として、そこから頭をのぞかせた「凱旋門」との異種同形（イソモルフィック）な相似性といった、とうてい考えられないような都会の（地形的な）連想を喚起しているのだった。こうしたシュルレアリスム的な感性（マグリットやピラネージと比較参照のこと）は、一九三一年の《マンドロ邸》から一九五〇年代中期に建てられた《ロンシャン巡礼礼拝堂》に至るル・コルビュジエの土着的なものへの回帰性を見せる全作品に潜在している。

《ロンシャン巡礼礼拝堂》に先立つ「土着的」な試作の殆どすべてにおいては、敷地の遠隔なことが、建物の形態決定の根本的要因となった。この極端な例がボルドー近郊マテの低廉住宅（一九三五年）であった。これは建築家が敷地に足を運ぶこともなく、図面どおりに建てられた。ル・コルビュジエは次のように書いている。

「施工に当たって監理が不可能なこと、村の小さな業者を雇わなければならないこと。こうしたことは、平面（プラン）の構想そのものにも関わってきた。この住宅には、三つの連続した、全く別々の作業段階があった——

（a）ある時期には左官工事。
（b）ある時期には大工工事。
（c）建具は、窓、戸、シャッター、戸棚からなり、すべて規格品で、同じ工事原則に従う。ガラス、合板、アスベスト・セメントなどは別々に集められ、パネル化される。」

限られた手段を用いるに当たっての同じような弁明は、《エラツリス邸》や《マンドロ邸》の場合には当てはまったが、一九三五年、パリ郊外に建てられた《週末住宅》の場合には、とても当てはまらなかった。この住宅では、土着的なものが、純粋主義様式の抽象的、還元的特性を充実させる可能性をもっているとして、また、素材による分節(アーティキュレーション)化ができるとして、意識的に受け入れられたのであった。ル・コルビュジエは次のように書いている。

「この住宅を設計するに当たって、細心の注意が求められた。建設工事の要素が、唯一の構築的手段だったからだ。この建築の主題は、典型的なベイ（柱間）を中心に展開されているが、それは庭の東屋(あずまや)にまで及んでいる。ここで、人が向き合うのは、剥き出しの石壁で、壁は外側を自然のままに、内側は白色に塗装されている。壁と天井は木製。粗い煉瓦造の煙突、床は白い陶器タイル、ネヴァダ製ガラス・ブロックの壁、チポリーノ産大理石のテーブルがあるだけだ。」

つまり、これは、ツーロンやマテの住宅の場合と同様、表

214　ル・コルビュジエとジャンヌレ「週末住宅」パリ，1935年

215　ル・コルビュジエ「ロク・エ・ロブ段状集合住宅」計画案，カプ・マルタン，1949年.「週末住宅」を集合住宅の原型と見立てて設計したもの

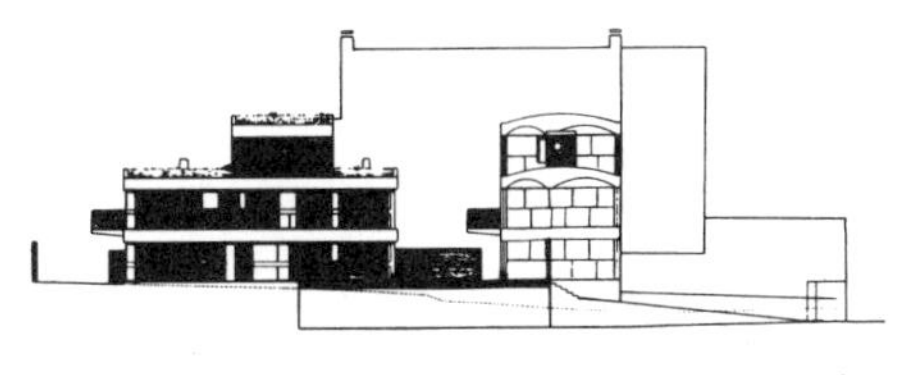

216　ル・コルビュジエ「ジャウル邸」パリ，1955年. 北東立面図

現豊かな「ブリコラージュ（現場仕事）」だったのだ。これ以降、素材を対照させながら並置してゆくのが、ル・コルビュジエの様式の重要な一面となった。並置という手法は、表現の「パレット」としてだけではなく、建物を建てる手段としても考えられたのである。

　このような自然の素材や原始工法への変換は、単なる小手先の技巧や表面的様式の変化以上の結果をもたらした。わけても、これは一九二〇年代後期の幾つかのヴィラを特徴づけていた古典主義的外装の放棄を意味した。耐力壁で支持された片流れ屋根の建物であれ、バレル・ヴォールトによるメガロン型のものであれ、構築的要素を唯一の表現力とした建築を求めたのである。前者の形式は（マテの住宅で予見されていたが）、一九四〇年に提案された難民収容のための《メゾン・ミュロンダン》の土壁、藁葺き差し掛け屋根の中に現れた。また後者は、一九四二年、北アフリカ、シェルシェッルに計画された週末住宅と農場施設の基本的な構造モデュールとなった。ル・コルビュジエが第二次世界大戦後、地中海的なものに熱中して、古典主義的な形態よりも土着的なものを取り上げたという事実は、「シェルシェッル計画」から始まる一連の作品がよく説明してくれる。それらは、一九四九年のカプ・マルタンに計画した《ロク・エ・ロブ段状集合住宅》を経て、アーメダバードの《サラバイ邸》やパリの《ジャウル邸》に至るもので、後の二つは一九五五年に完成した。

　この《ジャウル邸》の設計は、近代建築の神話によって育まれた感性に対して公然と対立するものであるが、それを指摘したのは[7]ジェームズ・スターリングであった。その神話によれば、近代建築は分節の明瞭な構造体の中に仕組まれた、平滑で、機械製の、二次元の平面でなければならない。そのため、この《ジャウル邸》という複合体が「アルジェリアの労務者によって梯子と金槌と釘だけで建てられた」とはとても思えないし、ガラスを除くと人工材料などは使われていないとは、すぐには分からないのである。スターリングにとって、その技術の殆ど中世並みということは、この作品を芸術至上主義だと片付けるのに十分だった。だが彼は、この作品を正しくもいわゆる「近代運動（モダン・ムーヴメント）」の合理主義的伝統に真っ向から反対するものであると見たのだった。しかし、ル・コルビュジエの「非合理性」は、たとい便宜的な点があるにせよ、カタルーニャ・ヴォールトや木製仮枠による打ち放しコンクリート造や煉瓦組積造を、時代錯誤も甚だしく、ただ闇雲（やみくも）に取り上げたわけではなかった。コンクリート製の雨水吐出口、耐力壁の縦長の開口部、横に並んだベイ（これは合板のパネルを嵌め込んでいた）、これらは一体となって、外界に対する明らかさまの敵意を示しているような印象を生んでいる。原型としての窓は、もはや、そこから外を眺める「横長窓」ではなく、むしろ外からの視線を受け止める枠付き、嵌め殺しの挿入口となっていた。「厚塗り（インパスト）」の表面の細部に興味をそそ

218　ル・コルビュジエ「ユニテ・ダビタシオン（住居単位）」マルセイユ，1947-52年．屋上の子供プール

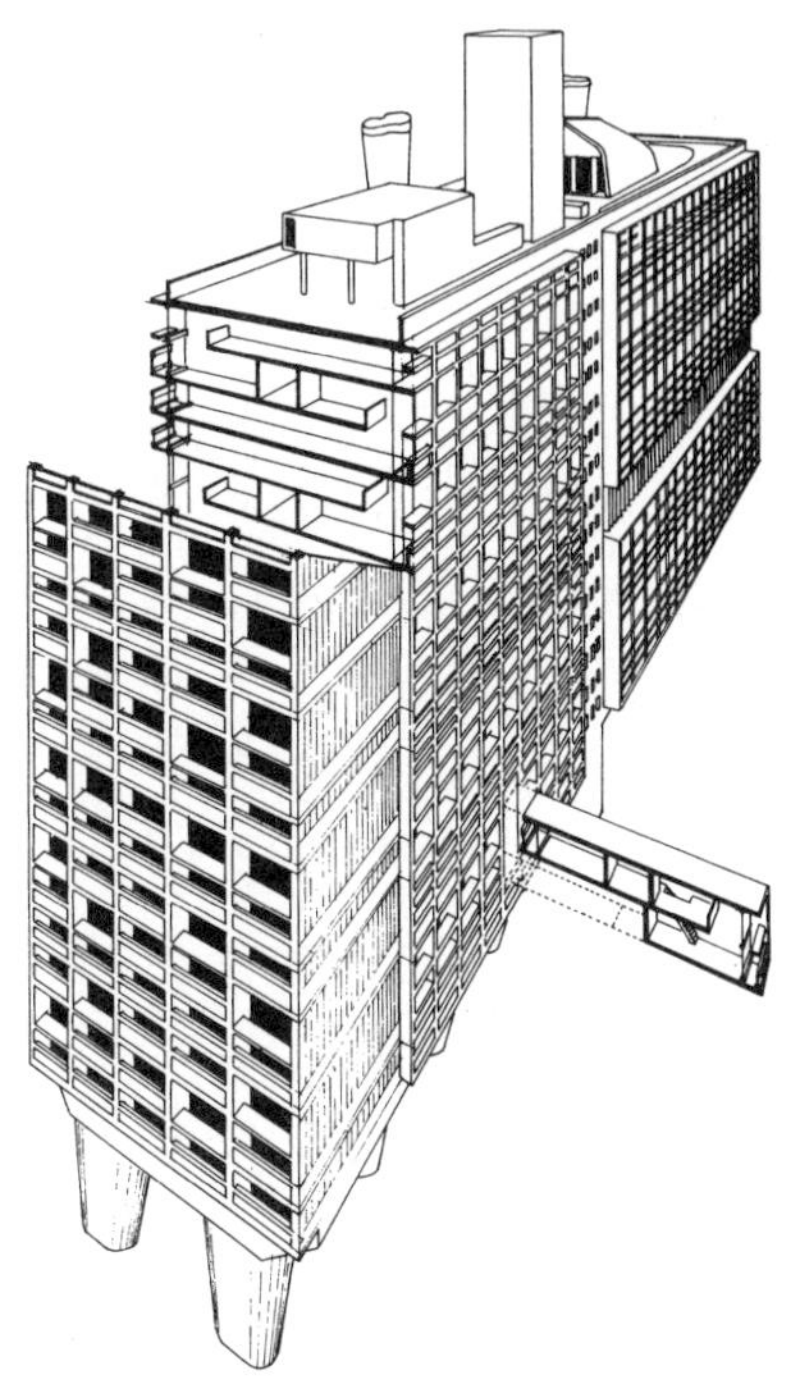

217　ル・コルビュジエ「ユニテ・ダビタシオン（住居単位）」マルセイユ，1947-52年

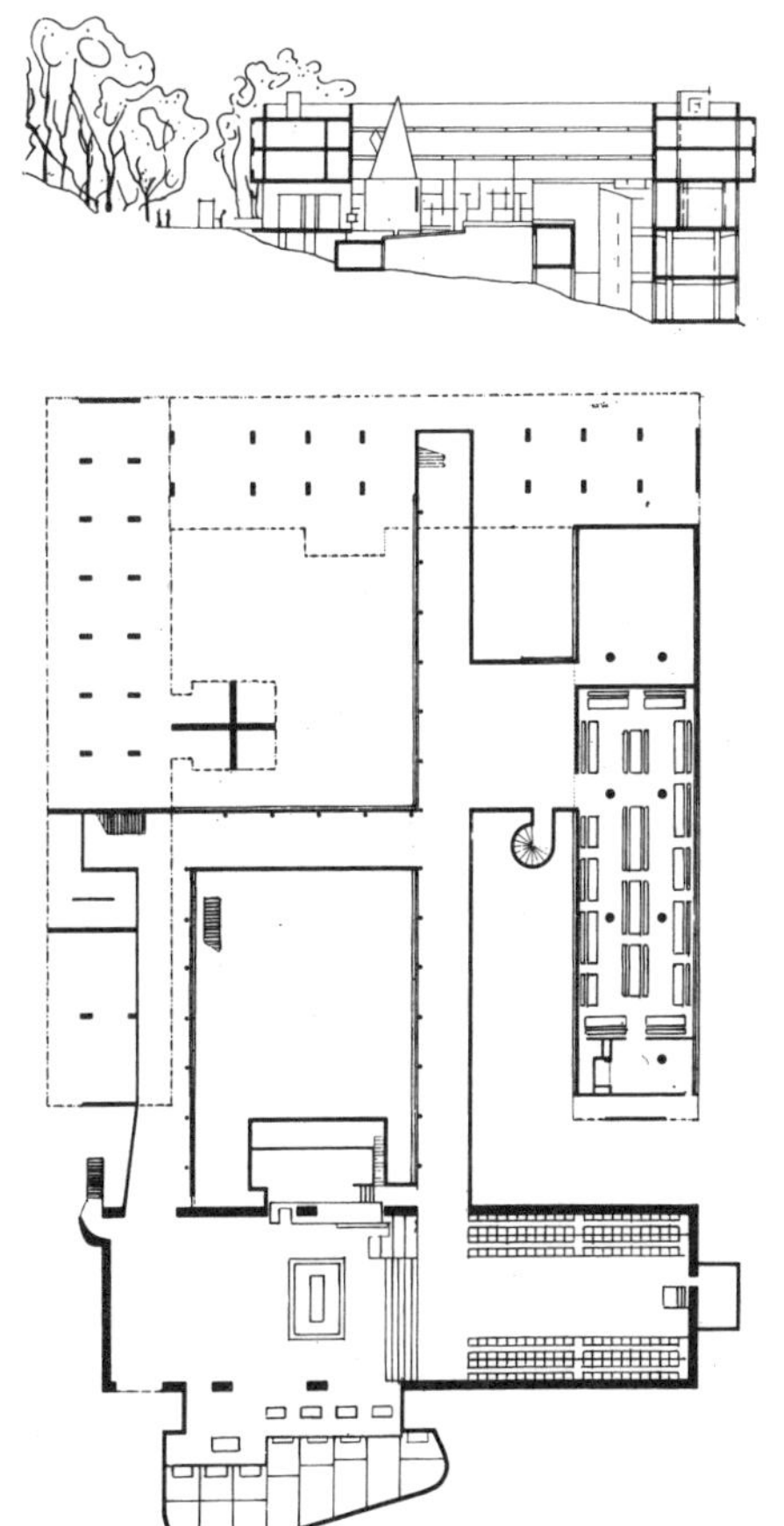

219　ル・コルビュジエ「ラ・トゥーレットのドミニコ会修道院」リヨン近郊，1957-60年．断面図と2階平面図

られた眼には、《ガルシュの家》の場合のように、いくら面の輪郭や形態を検討したところで、硬くて無表情な仕上げからどんな息抜きも見出せるわけはないのだ」とスターリングは書いた。《ジャウル邸》は純粋主義の形態ではなく、一九二〇年代後期のユートピアのヴィジョンから遥かに隔った触覚的な現実を見せているのである。それは、レイナー・バンハムが述べたように、郊外の矛盾と混乱を受け止めるプラグマティズム（頑固さ）というものであった。

《ジャウル邸》の設計は、地中海的土着性の記念碑的（モニュメンタル）な再解釈であった。その印象は、建物の内なる荘重さや建物の規模から生じている。しかし、このシュルレアリスムの統辞法（シンタックス）は、一九四七年から五二年にかけてマルセイユに建てられた十八階建ての《ユニテ・ダビタシオン（住居単位）》にはとうてい用いられそうになかった。それどころか、この《ユニテ》は戦前の軽量機械技術を放棄して、「ブルータリズム」の建設方法への関わりを見せている。それは、荒々しい木製仮枠にコンクリートを打ち込んだ基礎構造を見れば一目瞭然である。これは、ル・コルビュジエが建設の過程を実存主義的姿勢で正当化しているのをまざまざと見せつける。

この「ベトン・ブリュ（打ち放しコンクリート）」による外観は別にしても、《ユニテ》はその組織の点で、戦前の代表的《輝く都市》の集合住宅棟（VR）よりも遥かに入り組んでいた。VRの版状（スラブ）建物は水平に連続する空間で、ガラスによって封じ込められているが、《ユニテ》はその細胞状構造を、建物本体から突き出たコンクリート製日除けの付いたバルコニーや天蓋（キャノピー）を通して窺わせるものだった。両側を壁に挟まれたブリーズ・ソレイユ（日除け）は、二階建てを単位とする空間が、建物いっぱいにわたっていることを強調していた。つまりそれは、瓶棚の中に瓶を押し込むのと全く同じ流儀で、コンクリート造の骨組の中に差し込まれる独立した単位要素としての「メガロン型住居」であった。一階おきにある内部の「街路」は、互いに噛み合った単位への水平方向からの出入口となった。

こうした細胞状形態は、自動的にそのまま、個人住居の集積となっている（《ロク・エ・ロブ計画》と比較、参照のこと）。一方、ショッピング・アーケードや屋上の共有施設は、公的領域を確立し、そこを表象していた。そして、この巨大な全体に風格を与えているのは、細心の注意を払って輪郭を与えられたピロティ（杭）であり、これが地上での建物の下腹部を支えているのである。ル・コルビュジエのいわゆる「モデュロール（黄金尺）」に従って、正確に比例を決められたピロティは、新しい「古典的」な秩序が作り出されたことを暗示していた。三百三十七戸の住居にショッピング・アーケード、ホテル、屋上、ランニング用トラック、水遊び用プール、幼稚園、運動場などを合わせると、《ユニテ》はまさしく一九二〇年代のソヴィエトのコミューンのための建物、

221　ル・コルビュジエ「ロンシャンの巡礼礼拝堂」ベルフォール近傍，1950-55年

220　ル・コルビュジエとジャンヌレ「新時代館」1937年パリ万国博覧会

223　ル・コルビュジエ，ジャンヌレ，ドゥルー，フライ「チャンディガール」1951-65年．連邦州議会議事堂は平面図と木製模型で説明されている．模型では，左から事務局，大会議場，総督官邸，高等法院となっている

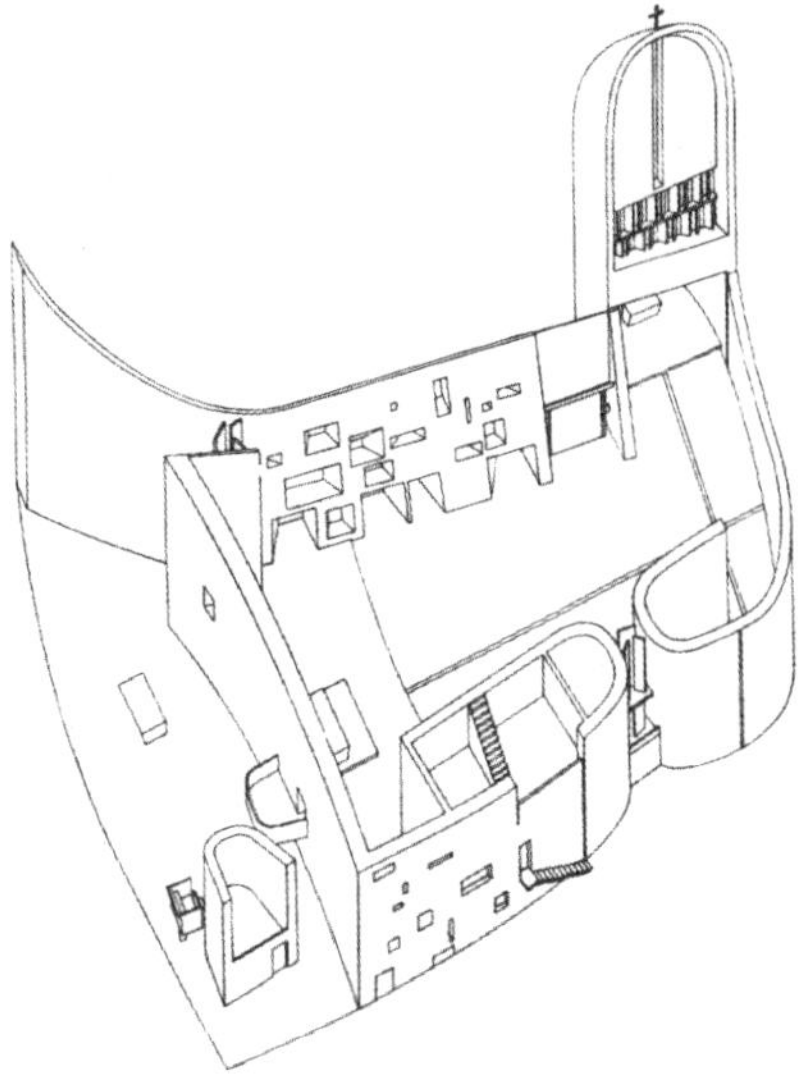

222　ル・コルビュジエ「ロンシャンの巡礼礼拝堂」，アクソノメトリック（軸測投影図）による展開図

「ソーシャル・コンデンサー」であった。こうしたコミュニティーのための施設を全面的に統合したところは、規模ばかりでなく、外界から隔絶している点でも、十九世紀のフーリエによるファランステールのモデルを思い出させる。ただ、ファランステールが由緒正しい一般人だけを対象に意図されたのに対して（フーリエは個人住宅の貧しさを嫌った）、《ユニテ》は、作者によると、最も簡素な個人住宅に、建築としての威厳を取り戻させるものであった。

一九五〇年に最初の計画が行われた《ロンシャンの巡礼礼拝堂》と一九六〇年リヨン郊外イヴォーに建てられた《ラ・トゥーレットのドミニコ会修道院》は、二つの重要な建物の型式を代表している。すなわち、神聖の建物と隠棲の建物である。ル・コルビュジエは一九五〇年代を通じて、これらの型式に拘り続けた。修道院は、実際、二つの型式を効果的に組み合わせたもので、ル・コルビュジエは、一九〇七年、エマのカルトゥジオ会修道院を初めて訪れた時の深い感銘を思い出して、「孤独と交流」という模範（パラダイム）を抽き出した。《ラ・トゥーレット》はこの理念的モデルを再解釈したものであり、計画では「公的」な教会と「私的」な僧院の二つの部分からなるものになった。建物は敷地に対して階段状に設置されるのではなく、地上から高く持ち上げられ、礼拝堂の垂直の空間と、水平な回廊の重なりとが作り出す対照が、急斜面の土地によっていっそう際だった。コーリン・ロウは次のように書いている。

「ラ・トゥーレット（修道院）では、敷地は最重要であり、同時に無意味である。確かに敷地には急な勾配がついているし、むやみに思いがけない落ち込みがある。だが、典型的なドミニコ会の施設がこうもあろうかとの予断を妥当だとするのは、決してその地域の条件などではない。むしろその反対だ。建築と風景という明確に別々の経験は、論争での相手同士のように、その二つは進んでぶつかり合い、互いの意味を明らかにしている。」

だが、《ロンシャン》の建物と敷地の間で打ち立てられた調和となると、これほど遠いものは、まずあるまい。《ロンシャン》では、全体を形造っている甲殻類を思わせる形態——巨大なガーゴイル[8]のついたシェル構造の屋根、礼拝堂、祭壇——がことごとく、波打つ風景の「目に見える音響学」に応えるように、正確に調律されていた。《ロンシャン》はル・コルビュジエを一九三〇年代に連れ戻した。そこには、敷地への合一を目指した《マンドロ邸》ばかりでなく、一九三七年、パリ万国博のために建てられた《新時代館》の基本的形態も含まれる。このワイヤー・ケーブルによる吊り構造は、見かけは違うが、《ロンシャン》の基本的な原型（プロトタイプ）だった。この吊り構造は、著書『建築をめざして』の中に複写が掲載されている荒野のヘブライ教寺院の再建に刺激を受けたものだった。この隠喩をさらに移行すれば、《ロンシャン》の主要部分であるコンクリート・シェルの屋根は、一九三七年の《新時代館》のキャンヴァスとケーブルによる懸垂曲線状の屋根の形状を映しとったものである。この形状は、チャンディガールの会議場をはじめ、後年の作品にしばしば繰り返されるが、ル・コルビュジエは、この形態を、ルネサンスのドームの二十世紀における等価物、すなわち聖なるものの「記号」として確立しようとしたのではあるまいか。

これに加えて、《ロンシャン》は分析を拒絶する――ある箇所ではマルタ島の墳墓、ある箇所ではイスキア地方の土着的様式、円柱を二つに割った格好の小聖堂は、僧達が被る丸い僧帽のような格好で、太陽の軌道に方位を合わせた明かり取りを備え、見る者にかつてこのキリスト教の敷地が太陽崇拝の寺院の場所であったことを思い起こさせる。内側に鉄筋コンクリート造の構造を秘めて建てられているため、この場合は、土着的なものが記念的言語によって再解釈されたというよりは、むしろ土着的なものを擬制しているのである。《ガルシュの家》の場合と同様、粗い組積造の充填材は「ガン吹き」の漆喰だが、仕上げに求められたものは、もはや純粋主義の機械の正確さではなく、地中海地方の土俗建築が見せる点描効果を伴った漆喰のテクスチャーである。

ル・コルビュジエが懐いていた、建物を敷地に彫刻的に共鳴させようという意図は、まず、一九二三年に定式化された。当時、彼はアクロポリスとプロピュライアを次のように描いている。「しっかりと織りあげられた強烈な要素以外、何ひとつ残すものはないし、何ひとつ取り去るものもない。それらは真鍮のトランペットのように、明るくて、悲しげな音を響かせている。」アクロポリスへのこうした熱狂的なイメージは、崩壊の寸前の調和という感覚を伝えるが、そのイメージは、終生、主題として繰り返し現れ、とくに晩年近くなるにつれて、格調高いパトスを伴っている。これこそ《ロンシャン》の「目に見える音響学」と底流する原理であり、また《ユニテ》の屋上に見られる、火山噴火の沈静する様相に似た形態の背景でもあった。

一九五一年に礎石が置かれたインド・パンジャブ州の新し

224　ル・コルビュジエ「チャンディガール」1951年頃．牛，人家などのスケッチと事務局の断面図

い行政首都チャンディガールの設計は、遥かに合理的アプローチによるものであった。その地は平坦であったから、記念性のある建物は比例関係を定めるグリッド（格子）によって、その位置が定められた。ル・コルビュジエはすでに一九二九年の《世界都市》計画や、一九四五年のサン・ディエの中心地区計画などにおいて、こうした「トラセ・レギュラトゥール（規準線）」を都市の規模で使用していた。この首都チャンディガールについての彼自身の説明を読むと、微妙な点といえども、そこに含まれる距離の遠近に拘わりなく、知覚されるものだと確信していたことが分かる。首都の公園の構成は甚だ広漠としているにも拘わらず、全体においてもディテールにおいても、その寸法の殆どがセンチメートルの単位に至るまで調整されているのである。これぞまさしく「比例をとる」ことの目標であり、力強さであり、方法である。エドウィン・ラッチェンズがニューデリーを設計した際に、同じような基準寸法を用いていたことをル・コルビュジエは知らないわけはない。ル・コルビュジエはその新しい首都ニューデリーを讃えて、これこそ「三十年も前にラッチェンズが細心の注意と最大の才能を傾けて建て、偉大な成功を勝ち取ったものだ。批評家どもは勝手にわめけばよい。しかし、こうした事業の成就は尊敬を集めるのだ」と書いたのだった。

　ニューデリーや《世界都市》と違って、チャンディガールは、西欧の古典主義の伝統的語彙を直接に参照することなく、記念性を打ち立てた。三つの記念碑的建物の印象的な輪郭は、なによりも、その風土の苛酷さに対する直接的反応として生まれた。ラッチェンズはムガール建築を副次的要素として利用したに過ぎないが、ル・コルビュジエはファテプール・シクリ宮殿の伝統的な「日傘」という装置を、一つの建物から次の建物へと建物ごとに変化する、記念性の符号として利用したのである。日傘のシェル（貝殻）の形態を前奏曲としたり（会議場入口の天蓋）、通奏音としたり（高等法院のヴォールトの屋根）、あるいは主調音としたり（総督官邸の頂部に置かれた日傘）、こうして、それぞれの施設の性格と格式を示すことができたのである。こうしたシェルの微妙な輪郭は、部分的には、この地方の風景や家畜の姿から派生したのである。これは明らかに、過去の植民地時代と一切繋がりを断った現代インドの独自性を表象しようという意図である。

　同時に、首都の建物の巨大な規模は、「ザ・ハート・オヴ・ザ・シティ（都市の中心）」という公共性を奪うことになった。実はこの問題こそ、一九五二年、ホズドンで行われた「ＣＩＡＭ（近代建築国際会議）」第八回会議において、セルトが「歩行距離と人間の視角」の基礎としたものだった。首都の聖域では、行政庁舎から高等法院まで徒歩で二十分以上もかかるため、人間の存在は、現実的ではなくなり遥かに形而上的なのである（ここで再びデ・キリコが想起されよう）。

225　ル・コルビュジエ，ジャンヌレ，ドゥルー，フライ「チャンディガール連邦州議会議事堂」1951-65年．左から事務局，大会議場

ル・コルビュジエが新古典主義から引き継いだ遺産は、「畏怖の領域（ジャンル・テリブル）」の風景を喚起することとなったのである。「三権」を表象する建物、すなわち高等法院、会議場、行政庁舎は、アクロポリスに見られるような、敷地の形状に関連するのではなく、むしろ抽象的な視線によって結びつけられ、お互いに大きく距離を置いて遠のいている。それは地平線上の山脈を唯一の極限と見立てての短縮遠近法とでもいうべきものであった。

チャンディガールの実現は、その計画が抽象的で無分別なものであるにせよ、[9]（スタニスラス・フォン・ムースが述べているように）独立当時のインドの政治的熱望と切り離すわけにはいかない。なぜならば、チャンディガールはパンジャブ州の州都以上のものであったからである。それは新しいインドの象徴であった。それは、ガンディーの意志とは正反対の方向にインドの将来を描いたネルーのユートピア的な命運、現代産業国家の理想を集約するものであった。チャンディガールは、実はアメリカの都市計画家アルバート・メイヤーによって、ピクチャレスクな「モートピア型」郊外都市として計画されたのだった。その後ほどなくして、ピエール・ジャンヌレ、[10]ジェーン・ドゥルー、[11]マックスウェル・フライ等と共同したル・コルビュジエの手に委ねられて、多少とも直交する道路網へと急遽、合理化されることになったのである。だが、ここチャンディガールには、西欧啓蒙思想の目前に迫った危機、その啓蒙思想の文化育成能力の欠如、それどころか古典主義的形態の存在意義の自信喪失、そして、最適経済成長や継続的技術改新への専念など、そうした現象がことごとく、悲劇となって堆積しているかのようだ。チャンディガール、それは今も大半の者が自転車すらないという田舎に作られた、自動車のための都市なのである。

第26章　ミース・ファン・デル・ローエと技術の記念性（モニュメンタリティー）

一九三三〜一九六七年

建築の分野では、若者ですら擁護にまわろうという人がたった一人いる。それはミース・ファン・デル・ローエである。ミースはいつも政治から身をひいている。いつも機能主義に対して超然とした態度をとっている。誰ひとりとしてミースの住宅が工場のように見えると非難するものはない。次の二つの理由によって、ミースはこれからの新しい建築家だとして受け入れられているのである。まず第一に、ミースは保守的な人達から尊敬されている。「ドイツ文化戦線」のようなものですら彼に反対しない。第二に、ミースは［…］《国立銀行》の新しい建物の設計競技に入賞したばかりだ。この競技の審査員は年老いた建築家達と銀行の代表者達だった。

もしも（この「もしも」はおそらく長い「もしも」になるかもしれないが）ミースがこの建物を建てるようなことになったら、彼の立場は確固としたものになるだろう。すぐれて近代的な《国立銀行》は記念性（モニュメンタリティー）への望みを叶えることになるだろう。とりわけ、それはドイツの知識人や外国に対して、新生ドイツは近年築き上げられたばかりの近代芸術一切を破壊しようなどとしていないことを証することになるだろう。

——フィリップ・ジョンソン：第三帝国の建築『角笛と猟犬』一九三三年[(1)]

ミース・ファン・デル・ローエが一九三三年の《国立銀行》設計競技に提出した応募案こそ、彼の作品が不定形（インフォーマル）な非対称性（アシンメトリー）から対称的な記念性（モニュメンタリティー）へと転換する端緒となった。この記念的なものへのミースの動きはやがて、彼に極めて合理化された建設方法を展開させることとなり、その方法はアメリカの建設産業ならびにその企業の施主達から広く迎え容れられるところとなった。こうして、《国立銀行》の設計は実にさまざまな点で、彼の将来の発展を暗示するものとなった。その設計は対称性への偏愛を打ち出していたばかりでなく、ミースの比較的初期の作品に見られた力動的な空間の演出から逸脱するような、ある種の構築的なものへの偏愛もはっきりと示していたのだった。この時の施主は体制側の公共団体であったが、それはやがてミースがアメリカで実作品を通じて仕えることになるパトロンであった。

ミースの《国立銀行》の設計案は、単にシンケルへの回帰とは言えないものだった。もっとも、一九二〇年代初期の作品を除けば、シンケルは常にミースの作品に潜在的影響を与えていた。むしろこの設計案は、一九二三年、雑誌「G」に初めて発表されたコンクリート造による《オフィス・ビル計画案》で見せた構築性への回帰であった。この二つの計画案では、客観的な建設技術、すなわち、論理的に考えられ、かつ、厳密に実施される建設技術の表現性に力点が置かれていた。一九二六年、ミースは建築を「空間に翻訳された時代の意志」であると語っている。彼は、ヘーゲル流の語調によって、この時代の意志こそ歴史的に決定された技術であり、自明の事実であって、それは時代の精神によって初めて洗練されるのだとしている。彼の後年の作品に見られる内在的な記念性は、こうした洗練の過程を経たものであった。ミースにとっては、科学技術(テクノロジー)とは近代的人間の文化の表現であった。この意味で、彼の《国立銀行》は技術に記念性を与える最初の試みだと言って間違いない。こうした見方に立って初めて、《国立銀行》の倉庫のような外観や、カーテン・ウォールの中性的で抑揚のない扱い方に説明がつく。

一九三三年から一九五〇年代初期にかけて、ミースの作品は非対称性と対称性の中間を、言い換えると、あるがままの技法と、技法を形式として記念化することとの両極を揺れ動くことになる。こうした表現上の変化は、作品活動が推移するにつれて生じたばかりではなく、一つの建物の中においても生じているのである。このようにミースは、技法に最大の文化的重要性を与えたが、一九五〇年にイリノイ工科大学(IIT)での講演で次のように要約している。

「科学技術は過去に根ざしています。それは現在を支配し、未来に至るまで役立つものです。科学技術とは現実の歴史の運動なのです。時代を形造り、時代を表象する重要な運動の一つなのです……。

科学技術に比較できるものといえば、わずかに古代の個人としての人間発見と、ローマ人の権力への意志と中世の宗教運動だけです。

科学技術は、単なる方法だけに留まるものではありません。それは世界そのものなのです。それは、方法として捉えた場合、あらゆる点からして優れたものといえます。けれども、科学技術は、巨大な工学的建物の場合のように、それにすべてが委ねられる時に初めて、真にその特性が発揮されるのです。[…] ところで科学技術は、その本来の目的が達せられ

227　ミース・ファン・デル・ローエ「イリノイ工科大学（IIT)」配置計画図，シカゴ，1939年

228　ミース・ファン・デル・ローエ「鉱物学・金属学研究所」シカゴIIT，1942年

226　ミース・ファン・デル・ローエ「国立銀行」計画案，ベルリン，1933年

た時には、建築へと超越するのです。建築が幻想ではなく事実に依存することは疑いないことですが、建築本来の仕事の場は意義の領域にあるのです。」

一九三〇年中期以降、ミースは二つの相対立するシステムを調停する方向へと発展していった。そのシステムの一つにロマン的古典主義の継承があった。それは、ひとたびスティール構造による骨組の中に移行されると、建築の物質感は払拭されて、構築された形態は、突如、透明な空間に宙吊りにされた平面に変換してしまうのである。それは紛れもなくシュプレマティズムのイメージである。もう一つのシステムとは、古代世界から受け継いだ柱・梁式建築という権威のある先例であって、その決定的な要素は屋根、梁、柱、壁であった。ミースは、この「空間」と「構造」の間に捕らえられて、透明性と有形性を二つながら同時に表現しようとした。こうしたミースの二元性は、ガラスに対する彼の姿勢に格調高く現れている。ミースは、ガラスを表面が光の中で反射性を帯びて見える状態でも、表面が見えなくなり、遂には全くの透明になってしまうような状態でも使っているのである。これは一方において、「ナッシング（無）」の発現を意味するものであり、他方、「サポート（支持）」の絶対的必要を意味するのであった。

以上のような観点から見ると、ミースがアメリカに着いた二年後の一九三九年に立案したシカゴの《イリノイ工科大学》キャンパスの初期計画は、明らかに、《バルセロナ・パヴィリオン》からの部分的要素とシュプレマティズム的感触を合わせ具えていた。《国立銀行》計画の場合と同様に、IITのプランは単一軸による対称性によって配置された。建物は、すべて四階建てで、純粋な角柱状（プリズム）の形態を持ち、表面はグラフ用紙のように薄くて、桝目のあるカーテン・ウォールで仕上げられ、その表面に上空の景色が映し出されて生彩を放っている。こうした壁面は、ところどころ木々の繁みで隠れたり、蔦のはう煉瓦の面が突き出す影で途切れたりしながら、正確な立方体からなる形態特有の鋭い稜線を見せている。新古典主義に従って、建物の隅部を必ず煉瓦造にして視覚的に補強しているが、それを除けば、全体の見た目はイワン・レオニドフのシュプレマティズムの美学、とりわけ一九三〇年の《文化宮殿計画案》に近い。

この点、ミースは柱と壁の一般的な関係性という問題と取り組んでいるように思われる。とくに、壁が殆どガラスで占められている場合の、壁と柱の関係性である。IITの最初の計画案が示唆している解決では（《国立銀行》計画案の時と同様に）、柱をガラス面の背後に配置することにしているが、一九四〇年の最終案を見ると、柱は壁の中に取り込まれて一体となっている。こうした発展の結果がどのようになったかは、キャンパスで最初に完成した建物においてははっきりと窺われる。柱のシステムと嵌め殺しガラスの壁面とによる分節(アーティキュレーション)は、相次いで完成する建物において、ますます洗練されて理想の形式に近づき、さらに記念性を帯びるようになるのである。

こうした理想化への経過が急進的ではなく漸進的であったのは、ミースが一九三〇年代初期に採用していた彼独特の十字形断面の柱が、その後アメリカの規格材であるI型ビームへと取り替えられたためであった。《バルセロナ・パヴィリオン》(一九二九年)やブルーノの《チューゲントハット邸》(一九三〇年)に見られる非対称的な風車型プランでは、特定の方向性を持たない柱の形式が求められた。その形式は、一九三一年の「ベルリン建設博覧会」に出品された住宅で用いられた一点支持方式に類似していた。これとは対照的に《国立銀行》以降、単一軸による対称性へのミースの偏愛から、I型ビームの方向軸によって正面(ファサード)に分節がつけられるようになった。IITのキャンパスにおいてミースは、一九四二年の《鉱物学・金属学研究所》や《図書館》から、一九四五年の《卒業記念会館》へと建て続けたが、この展開は、まさにI型ビームの柱を理想化する方向を目指している。そして、《卒業記念会館》に見られる正方形の断面のコンクリート被覆のスティールの柱に到達するのである。

《図書館》と《卒業記念会館》によってミースは、後年の作品展開の類型学(タイポロジー)と構造の統辞法(シンタックス)を形作った。同時に、彼はこの《図書館》において初めて、規模の大きさによる記念性を具えた建物を設計したのであった。それはガルガンチュアニズム(巨人症)というべき種類のもので、以来、シカゴに建てられる建築はこの症状に取りつかれている(例えば、S②

229　ミース・ファン・デル・ローエ「レイク・ショア・ドライヴ860」アパートメント，シカゴ，1948-51年．配置図と基準階平面図

230　ミース・ファン・デル・ローエ「レイク・ショア・ドライヴ860」アパートメント

OMやC[3]・F・マーフィなどシカゴの指導的設計事務所の最近作を参照のこと)。ミースはこの建物で大胆にもスパン二十メートルの架構を提案した。そこでは五・五×三・七メートルのガラス板が嵌め込まれ、平面は九十一×六十一メートル、平屋ながら三層分の天井高を持ち、その広々とした内部空間を区切るものは、わずかに天井高いっぱいの書庫、中庭、中空に浮かぶ中二階部分だけであった。この《図書館》が後年のミースの単層大スパンの型式を予告するものならば(この型式は一九四六年の《ドライヴ・イン・レストラン》計画案で初めて定式化された)、《卒業記念会館》はもう一つの、もっともよく知られた多層スラブの型式を予告するものであった。この型式の建物ではガラス壁、マリオン(方立)、外壁の構造が一体となって、分節の明瞭な正面が見られるのである。《図書館》は、《ドライヴ・イン・レストラン》を経て、一九五三年の《マンハイム劇場》計画案へと繋がっていく。この劇場計画案は、技術の見事な記念碑であって、百六十二×八十一メートルの巨大な陸屋根が、七本のスティール製トラスによって吊り下げられている。一方の《卒業記念会館》のディテールは、その後間もなくして《レイク・ショア・ドライヴ八六〇》のアパートメントを実現するための建築言語を形づくるものであった。

《レイク・ショア・ドライヴ・アパートメント》は一九四八年から五一年にかけて建てられた。この建物には、ミースが一九二七年の《ワイゼンホーフ・アパートメント》の時に用いた方式、すなわち、厨房、浴室、入口をコアとする方式が採用された。そしてこのコアを、奥行の深い版状(スラブ)建物各階の中央部にある二基のエレヴェーターの周囲に集めたのである。このアパートメントでは、入口を入り、厨房や浴室のあるサーヴィス・ゾーンを抜けて、居間空間に到達するが、この空間はコアの周囲を窓際に沿って流れ、アパートメントの住戸の大きさや型式の違いによって細分割される。《卒業記念会館》から始まった壁と柱を分節する表現は、この場合、さらに精巧になり、抑揚に富んだ正面になっている。それは二棟の建物の配置にも微妙に影響し、二つの建物はシュプレマティズム風な風車型に並置されている。これについてピーター・カーターは次のように書いている。

「構造の骨組と充填材としてのガラスは、建築として融合し、どちらもその特性を部分的には犠牲にしているが、その結果、全く新しい建築の存在が提示されているのである。マリオンは、こうした変化のいわば触媒の役割を果たしている。柱とマリオンの寸法が窓の幅員を決定している。(各構造スパンの)中央の二つの窓は、柱寄りの窓より幅が広くなっているのである。このような変化をつけることによって間隔に拡張、縮小というリズムの変化が視覚的につけられることになる。すなわち、柱、狭い窓間、広い窓間、そして今度は反対に、広い窓間、狭い窓間、柱。そしてこれがまた繰り返さ

231　ミース・ファン・デル・ローエ「エディス・ファーンズワース博士の住宅」イリノイ州プラーノ，フォックス・リヴァー，1946-50年

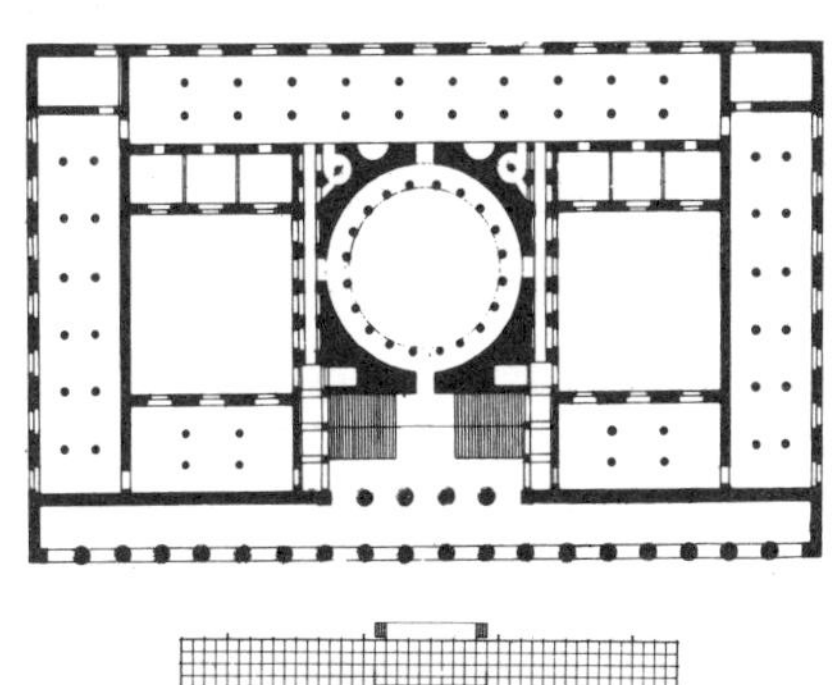

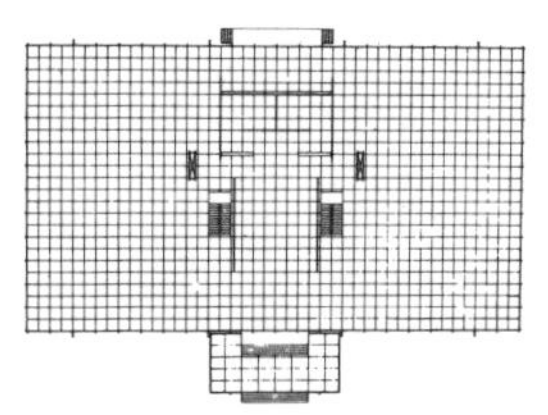

233　シンケルの「古代美術館（アルテス・ムゼウム）」ベルリン，1823-30年とミース・ファン・デル・ローエ「クラウン・ホール」IIT，シカゴ，1952-56年

232　ミース・ファン・デル・ローエ「クラウン・ホール」IIT，シカゴ，1952-56年

れるのである。この視覚的リズムの変化は殊のほか微妙なものである。さらに、スティールの不透明性とガラスの反射性とが交互に見られるため、マリオンは全体として見ると明滅しているかのようである。」

要約すると、ミースの他の作品のどれよりも、このアパートメントの壁面は、ゼンパーの規定に従って言えば、「織物」となっているのである。そこでは、構造体と窓割りが見事に一体となって、耐力組積造と同様に、空間の自由な拡がりを限定する機能を果たしているのである。そして、この限定性こそが、コーリン・ロウが言うように、何ものにも遮られない広いスパンによる単層にして単一の内部空間の創造という、ミースの最大の関心事の実現に役立ったに違いないのである。ミースは《IIT図書館》以降、この型式に専念した。本来この型式は原型的形態の一つであって、公共性に富むものであった。しかし、この型式が必ずしも公共的プログラムに当てられるとは限らなかった。住居の場においてこの型式が採用されたのは、四年後の一九四六年、イリノイ州プラノに建てられた《エディス・ファーンズワース博士の住宅》が最初であった。この住宅では、二十三×九メートルの単一の空間が、床と天井とでいわばサンドウィッチのように挟まれ、その全体が六・七メートル間隔ごとに置かれたI型の柱によって、地上一・五メートルの位置に浮いている。この住宅は、板ガラスの皮膜で囲われた箱であって、ミースの決まり文句「バイナーエ・ニヒツ（殆ど何もない）」の究極的表現であった。

ここに見られる明らかな非対称性は、ある点で、シュプレマティズムに由来するものである。しかし、その非対称性がいわゆる「シンケル派」の伝統である対称性と優雅に平衡しているのである。入口の台座（プラットフォーム）は住宅の基台（ベース）とわずかにずれている。台座の平らな面が六本の柱で支えられているのに対して、角柱状の空間の住宅は、八本の柱で支えられているのである。この非対称性は、明らかに、二つの対称的な要素をオーヴァーラップさせることによって生じたのであった。この住宅は、規模が限られているにも拘わらず、記念建造物の格式まで引き上げられている。基壇（ボディウム）といい、階段、テラス、そして床そのものといい、ことごとくトラヴァーチンで表面を仕上げている。スティールは生地のままだが、溶接箇所はきれいに研ぎ出してから白色の塗料を吹きつけている。窓には生地のままの、オフ・ホワイトのシャンタン・シルクのカーテンを吊るしている。この住宅の莫大な建設費をめぐって、ミースとファーンズワース博士との間にいざこざがあったと知っても誰も怪しむ者はいないだろう。今やこの住宅は、近寄りにくい金満家の週末住宅となって、それに相応しい装いをこらして健在である。しかしながら、殆ど使われることもないという。それは日本の神社のように、手入れはよく行き届いているが、まったく忘れられているのである。

公共性というレヴェルからすると、ミースの単一スパンの空間は、一九五二年から五六年にかけて建てられたIITの《クラウン・ホール》において最も「古典主義」的な作品として実現された。そして一九五三年に計画された《シカゴのコンヴェンション・ホール》では記念性の高い表現を具えていたのである。ミースはこの《クラウン・ホール》によって、初期アメリカ時代（一九三九～五〇年）に見せたシュプレマティズムから脱却したのであり、《シカゴのコンヴェンション・ホール》は、間違いなく、最後のシュプレマティズムの表明だと見なされるに違いない。このホールは遂に実現されなかったが、地上から六メートルのところに、高さ十八メートルの大理石のパネルを貼ったブレース（節交い）を入れたスティールの架構が設置されていた。もしこれが実現していれば、その内部には二百二十メートルの巨大なスパンを持つスペース・フレームによる屋根が掛かる集会場が収められるはずであった。

《クラウン・ホール》は《マンハイム劇場》計画案とほぼ同じ頃に設計されたもので、シンケルの伝統、とりわけミースが常々賞賛してやまなかったベルリンの《古代美術館（アルテス・ムゼウム）》への決定的回帰を示すものであった。この「シンケル派」の典

234　ミース・ファン・デル・ローエとジョンソン「シーグラム・ビル」ニューヨーク，1958年

型的形式が、ミースの一九六〇年代後期の作品、すなわち、メキシコ・シティの《バカルディ社ビル》（一九六三年）から、《シカゴ大学社会福祉学部》（一九六五年）に至るすべてに見られる組織の範例となっているのである。言うまでもないことだが、要求項目がこうした単純な範例の中に過不足なく納まるとは限らない。《社会福祉学部》の場合、背後に集中型の図書館があるが、《古代美術館》の柱廊式玄関や円形広場をまがりなりにも直接に移植することは可能であった。しかし、《クラウン・ホール》の場合は、《古代美術館》の構成要素を辛うじて映し取るに留まった。しかし、要求項目は犠牲にしなければならなかったのである。

　コーリン・ロウによれば、建築において国際様式が完全に進化を遂げることができるかどうかは、求心的空間と遠心的空間との概念的分裂にきわめて深く関わるという。彼によれば、求心的空間はパラディオニズムから生じたものであり、遠心的空間は英国の「フリー・スタイル」の平面をF・L・ライトが拡大して、反・記念性を打ち立てたところから生じたという。さらに彼は、この概念的分裂が《クラウン・ホール》の中に現れていると主張するのである（《クラウン・ホール》がIITの建築学科教室であるのは実に意味深い）。しかし、《クラウン・ホール》の六十七×三十七メートルというガラスの箱からは、集中型の構成を無条件に読み取ることはとても不可能である。ロウは次のように書いている。

　「《クラウン・ホール》は、特徴的なパラディオの構成と同様に、対称的で、しかも数学的に整然とした空間である。しかしそれは、特徴的なパラディオの構成とは違って、階層的秩序の組織ではない。したがって、中心となる主題は、ピラミッド状の屋根やドームといった形式で垂直的に提示されることはない。《クラウン・ホール》には、《ヴィラ・ロトンダ》とは異なって、求心性を具えた場所がなく、この点、一九二〇年代の多くの構成と同じである。その中央の場所に立つと、周囲を眺め回して、隅々まで理解できるのである［…］いったん内部に入ってもクライマックスの空間などはなく、この建物が提示しているのは中心部分の充実感である。この充実感はエネルギーの集中ではない。紛れもなく、そこは独立した中核である。そして、この中核すなわちコアを巡って空間は周囲の窓に沿って横方向へと移動してゆく。屋根の平らな面も外方向への引張力を誘発している。このため、入口を入ってすぐの控えの間が求心的作用をしているにも拘わらず、その空間はきわめて単純な形式の中に、本物のパラディオあるいは古典主義の平面特有の著しく中心性の強い構成ではなくむしろ、一九二〇年代の回転的周縁性を具えた組織を保っているのである。」

　ミースは要求項目で記念性に沿わないものをことごとく抑圧した。こうした彼の一面は《クラウン・ホール》にものの見事に表れている。このホールでは、建築学科が上位でインダストリアル・デザイン学科が下位であることを、文字通りに、かつ象徴的に示すために、インダストリアル・デザイン学科は地下階へ追いやられているのである。しかし、このような「先験的（ア・プリオリ）」観念論を背負っているにも拘わらず、ミースには決して尊大なところがなく、彼の設計する建物は比較的低廉であった。ことにその建物が多層住宅、あるいは多層オフィスなどのように、部屋を細胞状に繰り返さなければならない場合がそうであった。

ミースのアプローチは、大衆性をとくに意識する施主に対して力と威厳の完璧なイメージを与えるものであった。ミースは、一九五一年（ディヴェロッパーのハーバート・グリーンワルドの依頼を受けて建てた）《レイク・ショア・ドライヴ八六〇》を完成させると、ますます不動産会社や公共施設の仕事を手掛けるようになった。その決定的な「成功」は一九五八年に現れた。その年ミースは、[4]フィリス・ランバートの斡旋によってニューヨークに三十九階建ての《シーグラム・ビル》の設計を委嘱された。ミースはこのブロンズと褐色のガラスからなる高層オフィス・ビルにおいて、再度、窓割りと構造をゼンパー風に織り上げて完成させた。しかし今度は、先の《レイク・ショア・ドライヴ》の場合とは違って、ミースは正面性の強い、軸性の明瞭な構成を作り上げたのである。それは大理石貼りの広場に面し、建物は建築線から二十七メートルも後退して建てられ、パーク・アヴェニューの向こう側に立つマッキム・ミード・アンド・ホワイト設計の、一九一七年の《ラケット・クラブ》に敬意を表す形となっている。施主側のこうした譲歩があったおかげで、ミースはマンハッタンで唯一のモニュメントを完成させることができたのである。そして、彼がニューヨークで長年にわたって賞賛してきたたった一つの建造物である《ジョージ・ワシントン橋》と堂々対抗できたのである。

ミースは、一九三九年から一九五九年にかけて、イリノイ工科大学建築学科の科長であった。その間、彼は最も広い意味での建築の「一派（スクール）」を形成する機会に恵まれた。また、「バウクンスト（建築芸術）」と呼ぶに相応しく優雅で、単純で、論理的で、また原理的に工業技術の利用に好都合な建物の文化をつくり出す機会にも恵まれた。だが不幸にも、ミースは彼の第二の天性である「シンケル派」の感性を、それと同様な力をもってしても後世に伝えることができなかった。その結果、ミース一派の強みはその原理の明晰性にあるにも拘わらず、彼の信奉者達は、最近の現象が示しているように、概してミースの繊細な感性を捉えきれていないのである。ミースには物の輪郭に正確なプロポーションを与える感性が具わっていた。だからこそ彼は形態を自由に操ることができたのである。

第27章　ニューディールの陰り：バックミンスター・フラー、フィリップ・ジョンソン、ルイス・カーン

一九三四〜一九六四年

チーム・ワークがいよいよ広く認められようとしている風潮の中で、カーンのように、著しく個人主義を標榜している人達がいる。その人達は消費経済の中で永遠性を求めて建てようとする。その人達は、ある意味で時代の偶然性を超越している。そして、まさしくそれ故に彼等の個性は強固なのだ。カーンという人間の魅力は、正反対の要素を見事な手練によって溶接してしまうところにある。カーンの形態の安定感や対称性は紛れもなくカーンが古典主義者であることを物語っている。だが、彼が中世に郷愁を抱いていることからすると、カーンはロマン主義者である。彼は熱心に最先端の技術を応用するが、だからと言って、彼はアドラー邸に石の支柱を使わないわけではない。カーンは、自ら分類するところでは機能主義による計画などを超克しているのだ、多くの実例から分かるように、彼は機能主義による美しさを利用している。カーンは、立方体的形態に対して合理主義者らしい崇拝の念を抱いている。しかし、彼の建物の肉薄の窓枠や全き透明性といったものは、そうしたものを真っ向から否定する。カーンは、有機的なもの特有の生命力のある概念を十分に知り尽くしている。だが、その煩わしい形態に与ることはない。

——エンツォ・フラテッリ「ゾディアック」誌第八号　一九六〇年

一九三〇年代、ヨーロッパが遭遇した経済的、政治的危機およびルーズヴェルトによるニューディール政策という措置のおかげで、アメリカには知的亡命者が流入し、同時にまた社会福祉、社会改革のための大がかりな計画が立てられた。ニューヨーク近代美術館やハーヴァード大学は、こうした集団移動による文化の受容と同化に重要な役割を果たすことになった。一方、連邦政府は、一九三四年のルーズヴェルトの住宅条令から第二次世界大戦終結にかけて実施されることに

なる数々の福祉事業のための基盤を準備したのである。ニューディール政策による最も名高い計画あるいは集落計画は、TVA（テネシー渓谷開発公社）とクラレンス・スタイン[1]による緑地帯のあるニュータウンである。このニュータウンは、連邦再定住促進局（フェデラル・リセトルメント・アドミニストレーション）の援助によって、一九三六年から実現されたものである。テネシー渓谷には数々のダム、移動起重機、荷揚斜面などが見事に立ち並んだが、スタインによる緑地帯の集落は、その建築的特徴によって彩りを添えるものではなかった。建築的観点からみて好結果が得られたのは、同じ時期に農場安全局（ファーム・セキュリティ・アドミニストレーション）の財政援助によって建設された労働者村落であった。その典型例として挙げられるのが、一九三七年、ヴァーノン・デ・マース[2]の設計によってアリゾナ州チャンドラーに建設された日干煉瓦（アドウビ）による農業共同体である。同様に、優雅な形態で効率もよい集合住宅の水準が他の集落においても達せられるようになった。それらはいずれも政府の肝入りによるもので、一九四〇年のワルター・グロピウスとマルセル・ブロイヤー[3]の設計によるペンシルヴェニアの《ニュー・ケンジントン・ヴィレッジ》、一九四三年のリチャード・ノイトラ[4]の設計によるロサンゼルス、サン・ペドロの《チャンネル・ハイツ》がその例である。同様に政府援助によって建設されたもので、ひどく不格好なものもあった。それは一九四四年、ジョージ・ハウ[5]、オスカー・ストロノフ[6]、ルイス・カーン[7]の設計によって建てられたペンシルヴェニア、コーツヴィルの《カーヴァー・コート団地》である。カーンは、一九三五年から一九三七年にかけて、アルフレッド・カストナー[8]の下でニュージャージー、ハイツタウンの《ジャージー自作農家（ホームステッド）》建設の仕事をしていた時から、すでにその才能を発揮していた。それを考え合わせると、この作品には意外の感を懐かせられる。

こうした建築家達の作品それぞれの長所とは別に、そのすべての作品が、アメリカにも「新しい客観性」が存在することを証拠立てていたのである。しかしこの「（新即物主義）運動」も、アメリカにおいてはヨーロッパの場合のように建築家によって意識化されず、また論議も呼ばなかった。それはアメリカにはヨーロッパに匹敵するだけのイデオロギーの基盤が存在していなかったからである。何にせよ、アメリカでの運動はまず大衆の支持を取りつけることに敏感でなければならなかったのである。そのため、反・記念性（アンティ・モニュメンタリティー）というこの「運動」の特徴も土着の素材を使用し、地勢や気候の特異性に応ずるところから当然のこととして生じたのであった。

ニューディール時代のアメリカでの前衛建築家の中で、ひときわ目立って話題をさらった人物にバックミンスター・フラーがいた。彼は一九二七年頃から、明らかに「客観的な」姿勢をとるようになった。むろん、それは構成主義というものではなかったが、一九二七年、彼は《ダイマクション・ハウス》という名の独立住宅第一号を設計した。この名称は

「ダイナミズム（力動性）＋効率性」を意味する彼の新造語であった。フラーは、スイスの「ABC」グループの極左分子達のように、前提となる特異な与条件には全く関心を払わず、自分の設計した住宅こそが連続生産の原型になると考えた。この住宅は平面(プラン)が六角形で、二枚の中空デッキに挟まれ、中心に立った帆柱から吊り下げられて、（ワイヤーによる車輪の原理に従って）三角形を基本とする形態をしていた。この形態は、フラーがその後一九三三年に設計したダイマクション自動車の特異例の場合と同様に、唯一にして必然の結果であったのである。フラーは、一九三二年五月、この軽量金属住宅について自ら発刊した雑誌「シェルター」の中で、修辞法(レトリック)などにはいっこう頓着せずに、これこそアメリカのスカイスクレイパー（摩天楼）と東洋のパゴダ（仏塔）の総合建築だと書いた。この住宅では、中心の六角形をした中空の帆柱の内部に必要な設備が巧みに仕込まれていた。この住宅を出発点として、次々にこうした集中型の建物が展開されていくことになったが、その頂点に立つのが、フラーのいわゆる《ジオデシック・ドーム》で、これは非常に単純な形態をしていた。このドームは一九五九年、イリノイ州カーボンデールにおいてフラー自身の住宅に初めて応用された。この開拓精神に富んだ個人主義者の飾り気のない還元主義的倫理精神は、フラーが一九五〇年代中期のイェール大学客員教授時代

235　テネシー渓谷開発公社建築技術部「ノリス・ダム」1933-37年

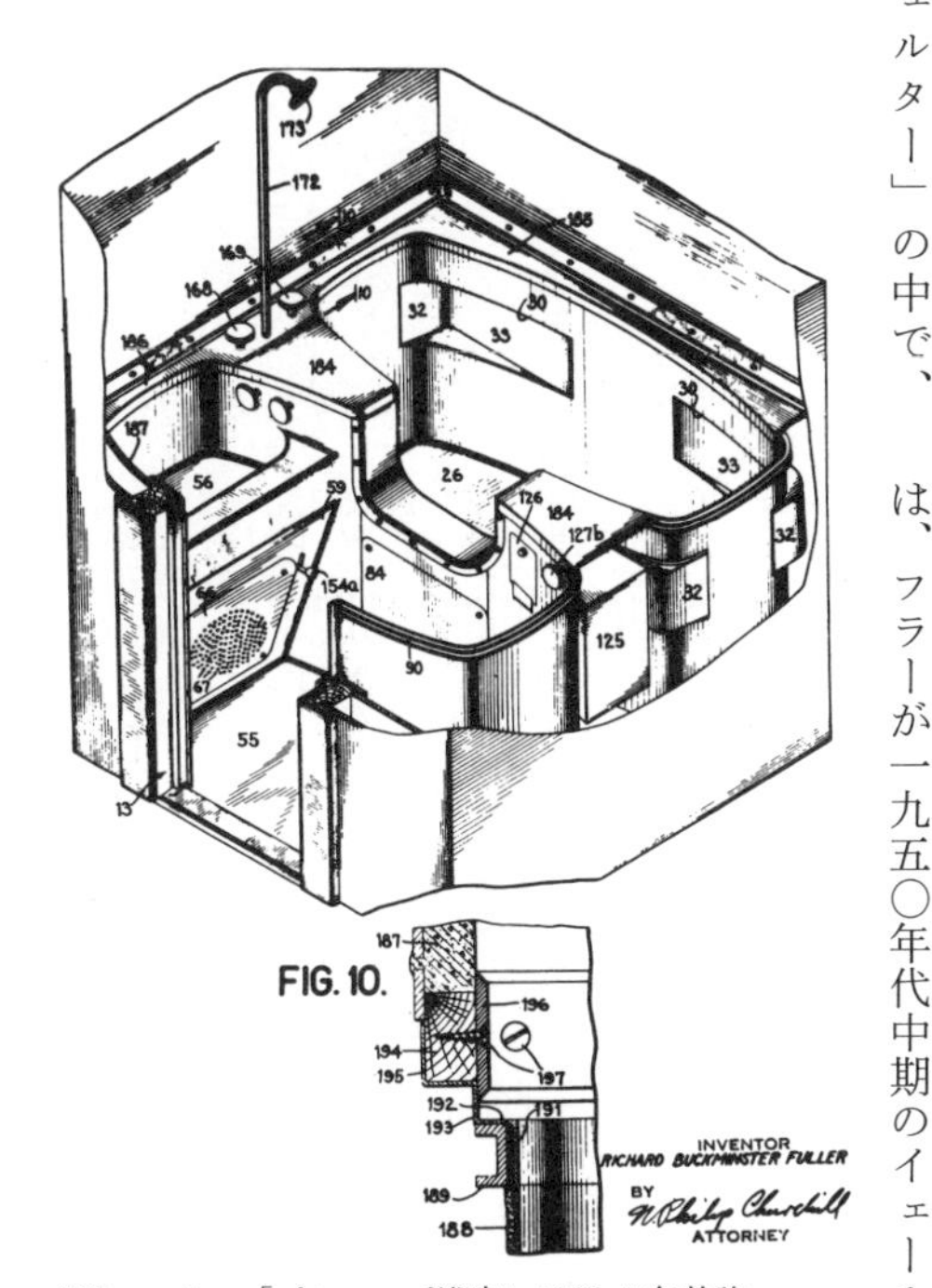

236　フラー「プレファブ浴室」1938-40年特許

に作曲した「峠のすまい」の旋律に合わせて歌われる稚拙なコーラスの歌詞の中にも明らかに表れている。

「ドームを求めてホームを歩く(ローム)
むかしここにジョージアンやゴシックがあった
今はケミカル・ボンドだけがわれらのブロンド女性を守ってくれる
鉛管工事さえきれいなものだ。」

ここに見られる実利的で、しかも自己満足的態度とは全く別に、フラーは一九三二年には至極真面目な提案をしていた。それは（大恐慌によって空屋になった）オフィスのスカイスクレイパーを緊急住宅に改造する計画である。当時フラーは、都市になお人々が住み続けるなら、その九十パーセントがその年の末までには税金を滞納するか、食物購入が不可能になるだろうと警告した。こうした発言はなによりも、当時のヨーロッパの「新即物主義(ノイエ・ザッハリヒカイト)」運動の関心と構造研究所グループ、すなわちサイモン・ブレイネス[9]、ヘンリー・チャーチル、セオドア・ラーセン[10]、クヌト・レンバーグ・ホーム[11]といった人達の関心とが、偶然の一致を見せたことを証すものである。因みに、ここに挙げた人々は、一九三二年当時、フラーが雑誌「シェルター」の編集に一時従事していた時の同僚達であった。

一九四五年を境として、ニューディール政策の社会参加の風潮と記念性(モニュメンタリティー)への兆しとなる衝動とが明瞭に分かれ始める。記念性への刺激は、一部には世界的強大国としてアメリカの地位を要求するためであり、また一部には第二次世界大戦終結に伴う、文化への熱望から生じたものと思われる。一九四五年に二つの論文が発表されたが、それらはこの時期の文化的状況をかなり正確に説明するものである。一つはエリザベス・モックが編集した著書『ビルト・イン・USA・一九三二年から四五年まで』であり、これはニューヨークの近代美術館での同名の展覧会の際に刊行された。因みに、同書の挿図の半分以上がニューディールの作品の紹介に当てられていた。そして、もう一つはポール・ツッカーの編集した「新しい建築と都市計画」で、これは同年行われたあるシンポジウムの議事録であった。このシンポジウムは記念性の表現に対する要求の高まる現象について行われたものであった。そしてこの主題こそ、その前年一九四四年に、ジークフリート・ギーディオンが「新しい記念性を求めて」と題する論文の中で、きわめて慎重に定着させた主題だったのである。ルイス・カーンはちょうどその折に次のように論じている。

「記念性とは不可解なものである。意図して創り出せるものではない。どんなに見事な素材も、どんなに先端的科学技術も、記念性を具えた作品とは関わりないのだ。『マグナ・カルタ』を書くために最上等のインクが必要だったろうか？これと同じわけである。」

この問題は一九五〇年、雑誌「パースペクタ」創刊号で再

237　ジョンソン「ガラスの家」コネティカット州ニューケーナン，1949年

238　ジョンソン「ガラスの家」平面図

び登場してくる。この雑誌はジョージ・ハウの創刊によるものので、イェール大学の建築雑誌であった。その中で、ヘンリー・ホープ・リードは、ニューディールが豊かさの文化に対して痛烈な打撃を与えたこと、また、そのため大恐慌から生じたいろいろな措置が、記念的なものを求める可能性を抑圧するようになったこと、などを次のように論じている。[12]

「確かに、ニューディール政策は、その施行の十年間、芸術の偉大な後援者だった。しかし、この政策は誇示やセレモニーをしようというわけではなかったし、国家の威信や民主主義の威光を示そうとするものでもなかった。そうではなく、政府は寛大で慈善的な援助の手を飢えた芸術家達に差しのべた。だが、それは格調の高い、金のかかる後援の手ではなかった。当時の建築家や都市計画家達が、海の向こうの新しい様式の情報を受け入れられるくらいに成熟していたことは、なにも驚くことではない。その新しい様式は、「浪費」を戒め、機能的なものだけを認め、住宅は住むための機械であるという、技術官僚時代の文句に相応しいものだった。」

こうしてリードは、モニュメントを創造する手段が失われたと結論を下したのであった。しかしこれが誤りであることは間もなく明らかになる。なぜなら、アメリカは未曾有のモニュメント建設の奔流へとまっしぐらに突入していくことになったからである。一九四四年、ツッカーが催したシンポジウムではこうした現象の到来が仄めかされていたが、その後数年を経た一九四九年には、それが確証されるに至ったのである。すなわちこの年、フィリップ・ジョンソンはコネティカット州ニューケーナンに、小規模だが記念的性格の《ガラスの家》を建てた。この作品は、ミース・ファン・デル・ローエが一九四五年に描いた《ファーンズワース邸》のスケッチから誘発されているが、ミースが抱いていた構造論理の表現という最大の関心が意図的に回避されていた。この《ガラスの家》が設計者ジョンソンのその後の行き方を予告していたことは、彼が一九五〇年に書いた《ガラスの家》についての記述にはっきりと読みとれるのである。それはミースの統辞法（シンタックス）を装飾的目的に適用することである。

「この住宅の多くのディテール、とりわけ建物の隅部の扱いや柱と窓枠の関係などは、ミースの作品から採用したものである。標準的なスティール材を使っているが、それがミースのシカゴでの作品と同様に、この住宅の正面（ファサード）を強烈かつ装飾的な仕上がりにしているのだ。今日、われわれの建築の中に「装飾」があるとしたら、それはこうした標準的構造要素を扱うことによるのであろう。（次の時代はマニエリスムではなかろうか？）」

ジョンソンは、このように構造を表層の処理によって不可視にする方向を打ち出したが、これがその後十年の彼の作品を特徴づけることとなった。そうしたアプローチは、ジョンソンが一九五四年にニューヨークに建てた《ポート・チェス

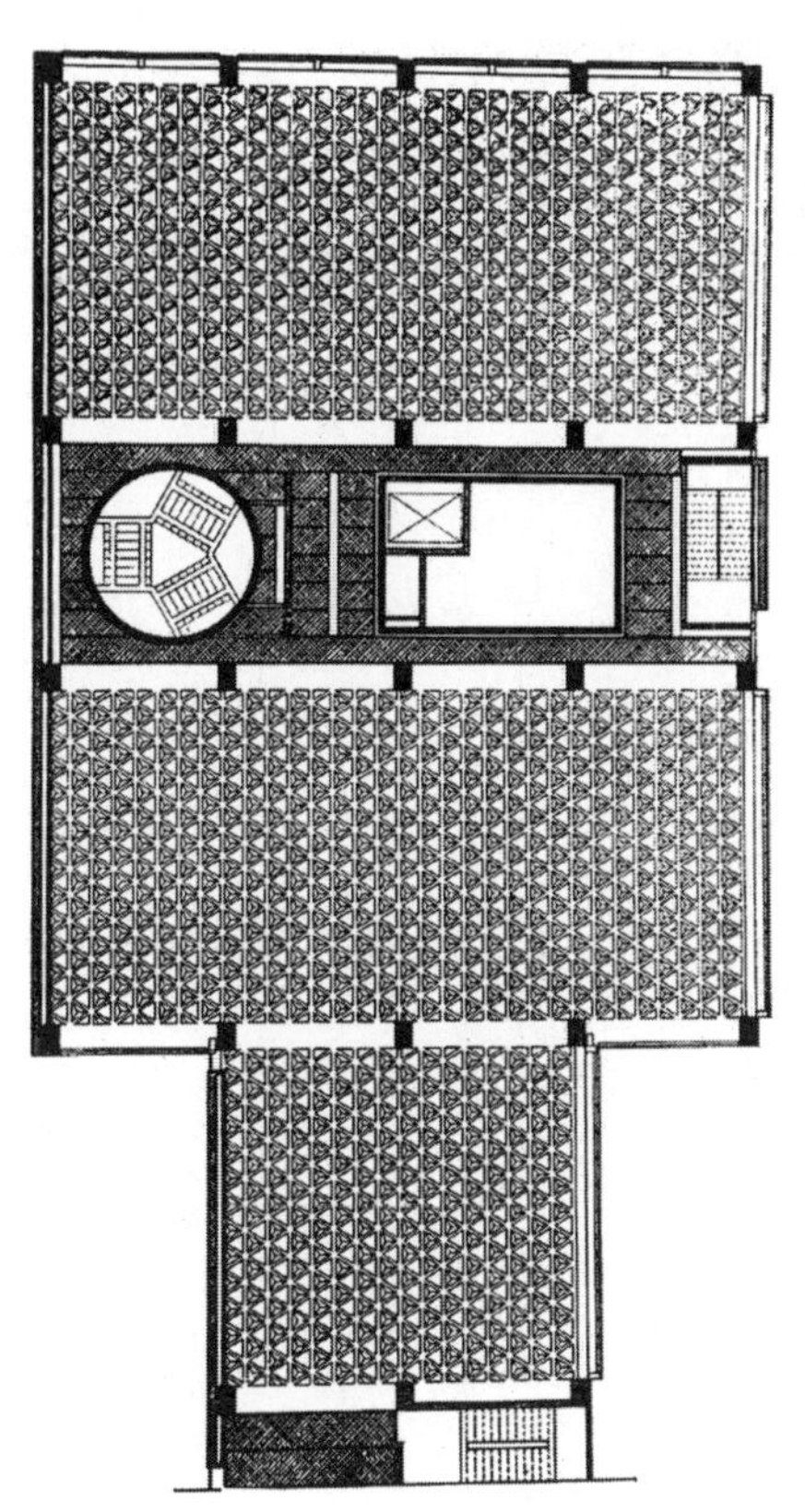

240　カーン「イェール大学アート・ギャラリー」，床平面に天井のダイアグリッドを映したもの

239　カーン「イェール大学アート・ギャラリー」コネティカット州ニューヘヴン，1950-54年

241　カーンとティン「フィラデルフィア市庁舎」計画案，1952-57年

ター・ユダヤ教教会》で初めて記念的な語法として現れ、やがて、ニューヨークのリンカーン・センター内の《ニューヨーク州立劇場》やニューヘヴンの《イェール大学クライン実験所》の高層ビルなどによって成熟することになった。この二つの建物は、いずれも一九六三年の竣工であった。

ハーヴァード大学デザイン学部大学院は（一九六三年以降グロピウスの指揮下にあって）、ニューディール政策の反歴史主義的、「客観的」機能主義的アプローチを強固にするうえで大役を果たした。一方、一九五〇年以降ジョージ・ハウの指揮の下にあったイェール大学建築学科は、戦後のアメリカにおける記念性志向の発達に主導的役割を果たしている。ハウ自身の建築家としての経歴も、グロピウス同様、実に変化に富んでいた。その作風は、フィラデルフィアに建てたカントリー・ハウスに見られる極端な保守性から、一九二九年、ウィリアム・レスケーズとの短い共同関係による前衛的機能主義に至るまで幅広いものであった。ハウは記念性の大義を断固擁護した。そのことは彼が雑誌「パースペクタ」を創刊したこと、それのみならず、一九五〇年代初期から着手されたイェール大学拡張計画の建築家選定に及ぼした彼の影響からも察せられる。事実、リードが前述の論文を一九五〇年「パースペクタ」誌上に発表した時、ルイス・カーンは《イェール大学アート・ギャラリー》を設計するように選ばれたのである。

カーンは一九五四年にこの《アート・ギャラリー》を完成させることで、戦後アメリカの記念性を文化の力として作品に定着したのだった。彼は、一九五〇年代のアメリカの公共建築に広く認められる卑俗な修辞法（レトリック）などのとうてい及ばない建物を作り上げたのである。この時期の代表的な「帝国主義的」モニュメントといえば、間違いなく一九五七年にニューデリーに建てられた[13]エドワード・ストーン設計の《アメリカ大使館》である。この建物の、丹精というよりも装飾的というべき記念性は、その後一九六〇年に[14]エーロ・サーリネンによるロンドンの《アメリカ大使館》が完成するまで、その権威主義的格調は凌駕されることがなかったのである。

カーンの《イェール大学アート・ギャラリー》の建物は、ジョンソンの《ガラスの家》と同様に、晩年のミースの美学を微妙に置換（トランスポジション）して作られている。けれども、ミースが常に構造の骨組を直接表現することに最大の重点を置いていたのに対して、カーンもジョンソンもその骨組を、少なくとも外部から隠蔽し、壁、床、天井といった「二次的」とされる構成要素の記念化に殊のほか力点を置いている。同じ理由から、ミースが常に構成の有軸性を強調したのに対して、カーンとジョンソンは、骨組を隠すことによって、作品に潜在する対称性という秩序を隠蔽している。この目的のため、カーンは煉瓦の触覚的な不透明性を利用し、一方、ジョンソンはガラスの反射性に依存した。彼は、ガラスという素材が表層に一様に張り込まれると、継ぎ目のない皮膜のように見えるという特性を利用した。実際、ガラスはそれを支持する金属製骨組と同様に、まるで金属を貼ったかのような硬質なものとして映り、形態としての秩序に与っているように見える。しかし、この二つの発展の萌芽を秘めた作品には、表層に対する二人の建築家の「密閉志向型」の姿勢以上に共通するところがあった。それは、どちらの場合も、基本になる直方体の空間が重要な設備機能の要素を納めた円筒状の形態の存在によって活性化されているという点である。《アート・ギャラリー》の場合、それは主要階段室であり、《ガラスの家》の場合、そこには暖炉と浴室が収められている。さらに、《ガラスの家》の矩形の中の円という図式は、カーンの《アート・ギャラリー》の基本構想に通じている。しかし、この円筒形を「サーヴィスをするもの」、矩形を「サーヴィスをされるもの」と見立てる概念装置をさらに仕上げて一般的な建築理論の弁証法にまで完成させたのは、ジョンソンではなくて、カーンのほうであった。

ジョンソンとカーンのこうした初期の作品は、ポスト・ミース空間とも言うべき空間を作り上げていた。それは、ミースの言う「殆ど何もない」という特性を具えながら、非対称性の建築であった。ただ、その特性ももはや骨組としての構造を明示することによるものではなく、むしろ、光や空間や支持機構を露呈する究極的な媒体としての表層を操作することによったのである。したがって、カーンの《アート・ギャラリー》の空間は、床版を形作っているコンクリート造の正四面体によるスペース・フレームによって決定されている。と同時に、内部の空間を四つの基本部分に分けているのは、矩形断面の柱による整然としたグリッド（格子）なのである。レイナー・バンハムは次のように述べている。

「この平面に見られる正確に等間隔な分割は、建物の機能の組織にいささかも裨益するところがない。また、訪問者の視覚体験にも何ら役立っていない。換言すれば、この構造のグリッドのリズムからは、意味のある「プロムナード・アルシテクチュール（建築的周遊性）」は生じていないし、ギャラリーの間仕切りを時折変えたり、反対に、常時変えたりしても影響されることはないのである。」

一九五〇年代も初期を過ぎると、まずジョンソンが、次いでカーンが過去の形態のシステムを再生させることにますます深入りし始めた。ジョンソンの「歴史主義」は、すでに《ガラスの家》の新古典主義的な特徴からも明らかなように、直接的にはミース後期の作品を彼なりに解釈したところから来たものであり、また、ミースに倣ってシンケルのロマン的古典主義風なところにも由来していた。一方、カーンが過去の遺産と関わり始めた時期を確定するのはかなり難しい。カーンは、フィラデルフィアのペンシルヴェニア大学においてポール・クレ[15]からボザール流の教育を受け、一九三〇年代、一九四〇年代にはバックミンスター・フラーやフレデリック・キースラー[16]といった人達の急進的傾向とも接触し、やがてニューディール以後は、遥か昔の歴史的伝統へと回帰し始めたのである。しかし、そこに至るまでに、カーンは重厚な構造形態によって階層構造の明瞭な秩序を打ち立てることに固執した。確かにカーンのアプローチは、一九五四年のトレントンの《ユダヤ共同体センター》計画の時に大きく変化している。なお、この計画は、カーンがローマのアメリカン・アカデミーでの特別休暇から帰って二年ほど経って作られたものであった。

一九五〇年代も半ばまでには、二人の建築上の参照範囲は、いよいよ複雑な様相を見せるようになった。ジョンソンの関心はシンケルからソーンへと移った。しかし、同時に彼の目は、当時オスカー・ニーマイヤー[17]によってブラジリアで行われていた全く気儘なバロックの侵略にも注がれていた。一方、カーンは建築の全体性という概念にとりつかれ始めた。そして、その歴史上の参照が、究極的には西欧的なものよりもイスラム的なものであることが、やがて分かるのである。

カーンの経歴を閲する時、この点で、バックミンスター・フラーの影響と作品に内在する中心的な逆説の一つに遭遇することになる。というのは、フラーの貢献はその時代の唯一正しい機能主義的アプローチであったとして、フラー自身によっても彼の追従者達によっても認められているものの、やがて明らかになるように、フラーのジオデシック（測地線的）構造方式は、その普遍的な幾何学を通じて、形態や生命が基本的には神秘であるという見解を喚起しているに違いないからである。フラーの思想のこうした側面がカーンの発展に甚大な影響を与えたのは、カーンのその後の経歴を見れば明らかであり、その時期はまさしくカーンがアン・ティン[18]と共同していた時期であった。何にしろアン・ティンはフラーの思想の熱烈な崇拝者であった。カーンが一九五二年から一九五七年にかけて、ティンと共同して設計した多層三角状の《フィラデルフィア市庁舎》には種々様々の改訂版（ヴァージョン）があるが、カーンがフラーの影響をまともに受けた時代をくっきりと浮かび上がらせている。ジオデシック・スカイスクレイパーとでも言うべきこの建物は、コンクリート造の正四面体を連結した床版によって安定を図る、いわば「風に抵抗する垂直トラス」であった。そして、その基本概念は建築の意図性への回帰であった。それはヴィオレ・ル・デュクによって歓迎されそうなことであった。カーンがそうしたものへ回帰していったことは、以下の極めて明快な表明の中にはっきりと見てとれる。これはカーンの書いたものの中でも一番明瞭である。

「ゴシックの時代、建築家は密実（ソリッド）な石によって建物を建てた。今やわれわれは中空（ホロー）な石によって建てる。構造体の部材が規定する空間はその部材ともども重要である。その空間に

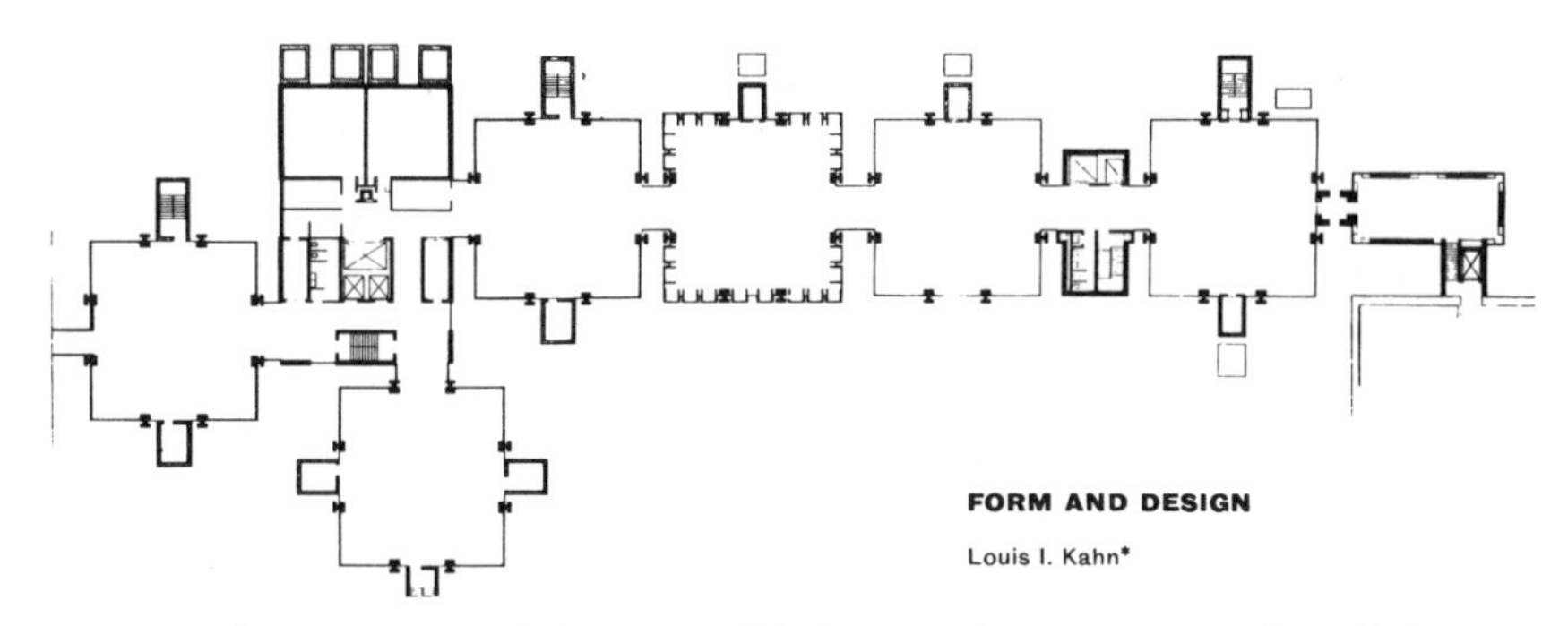

242　カーン「ペンシルヴェニア大学リチャーズ研究所」フィラデルフィア，1957-61年．3階平面図

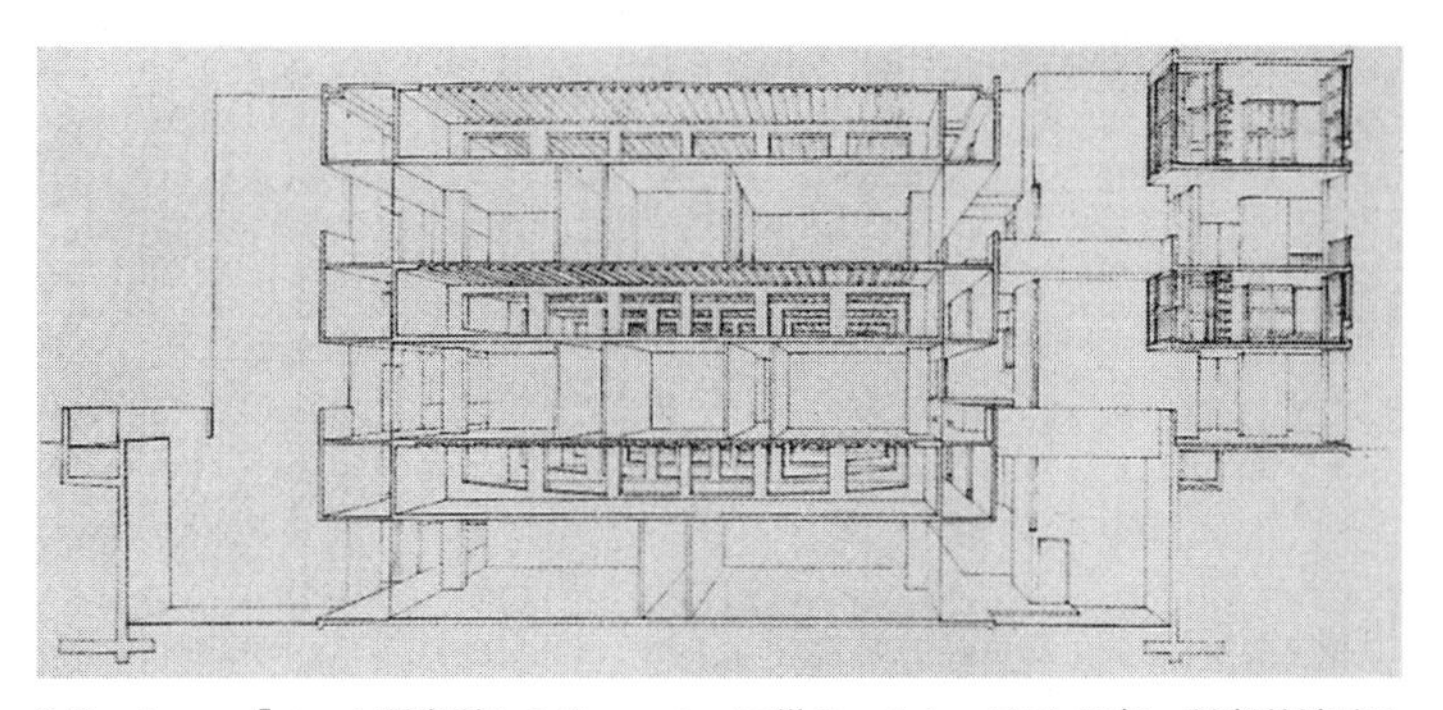

243　カーン「ソーク研究所」カリフォルニア州ラ・ホヤ，1959-65年．研究所断面図

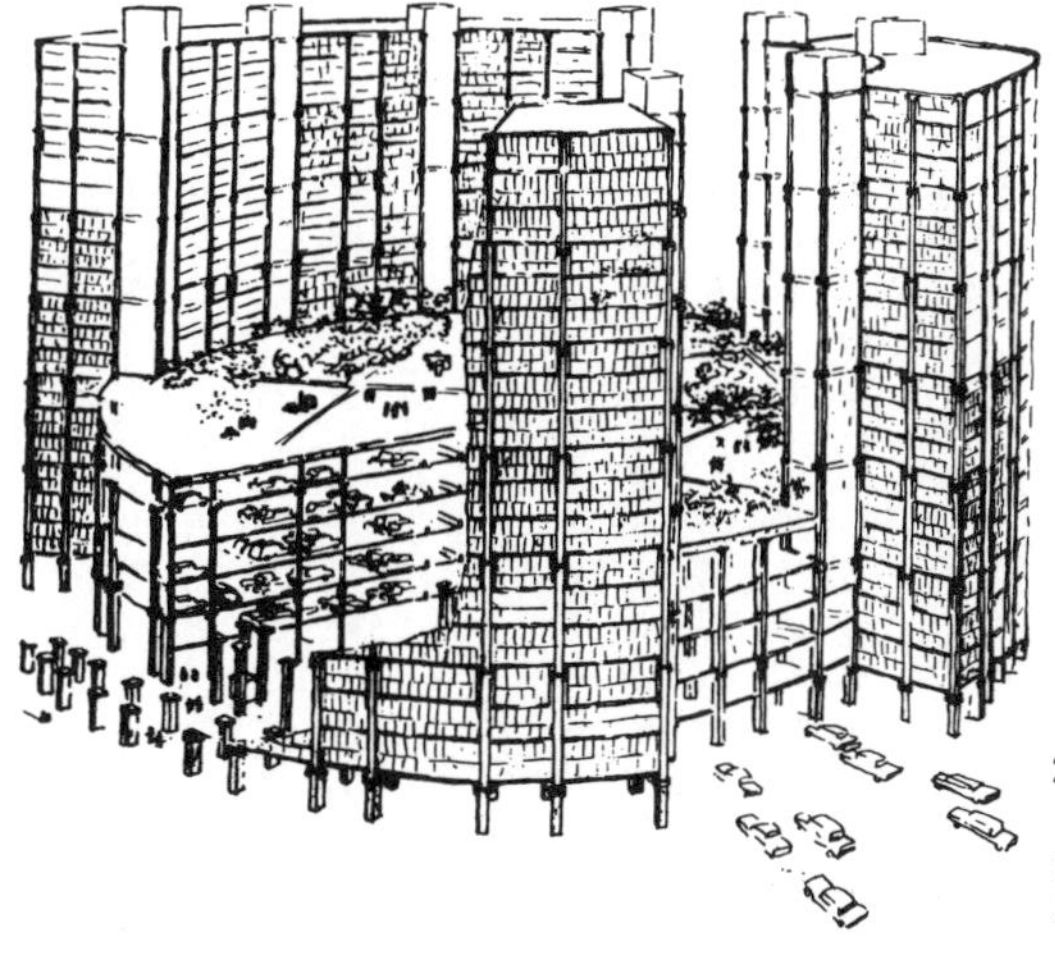

244　カーン「フィラデルフィア・ミッドタウン（ドック）」計画，1956年．高層オフィス建築とアパートメントが重層する駐車場を囲んでいる

はさまざまな規模があり、小さいものは断熱板に含まれる空隙部分（ヴォイド）、空気や照明や熱を循環させるための隙間であり、大きなものは人が歩き回り生活できるものまで、さまざまである。このようないろいろの空隙部分を構造体の設計において意図的に表現していこうという試みは、スペース・フレームの発達に対する関心の高まりや、その作品にはっきりと窺えよう。その場合に試みられる形態は、自然についてのより詳しい知識から生まれるのであり、飽くことなき秩序追求の結果である。このような内在的秩序にとっては、構造を隠蔽しようとする習慣的設計は許されない。そうした惰性は芸術の発達を遅らせる。私は、建築において、いやすべての芸術において、芸術家は物がどのように作られたかを明らかにすることを本能的に心がけているものだと信じている。今日、建築は飾り立て（インベリッシメント）を必要とするという心情がある。そういう心情はある意味で、部分がどのように組み合わされるかを隠そうとする心の傾斜、接合部を視覚から隠してきれいに見せようとするわれわれの傾斜から生じたものだ。各部屋や空間に必要な機械設備を内部に備えられるような構造を考えなくてはならない。[…]もしもわれわれが建物を建てる順序に従って、つまり基礎から始まって上階へと上ってゆく順序に従って図面を描いていて、鉛筆を休めてコンクリートや木造の接合部に注意を払うように躾られていたならば、装飾は接合の仕方を表現したいというわれわれの気持ちから自ずと生ずるだろう。そうなれば、一面に照明を取り付けたり、吸音材を貼り付けたりして、人目に曝したくないダクト、導線、パイプの類を無理矢理に埋めてしまうようなことは許されなくなるだろう。建物がどのように作られているかを表現しようという意欲は、建物の全体組織を通して建築家に、技術者に、施工者に、ドラフトマンに浸透するだろう。」

この注目すべき一節には、カーンのそれ以後の建築家としての経歴にとって主要テーマとなった幾つかが集約されているのである。ここには、密実と中空の概念の置換から始まって——中空な石という概念を参照せよ——機械設備方式と構造体との統一という着想、そして普遍的秩序の原理（つまりカーンの言う「建物がなろうとしているところのもの」）は、建設の過程を露呈することによって初めて明らかにされるという重要な推論に至るまで、実に多くの問題点を含んでいるのである。

こうしたさまざまな原理を統一して発展させた成果、つまり《イェール大学アート・ギャラリー》から始まって、一九五七年から一九六四年にかけてペンシルヴェニア大学に建設した《リチャーズ研究所》に至る作品の数々が、カーンの遅い成熟の第一期を形造ったのである。そしてこの二つの作品においてカーンは、計画内容について経験からくるディテールが建物全体の形態に殆ど、あるいは全く影響を及ぼすことのない表現の様式や方法を採用したのだった。それは、過去の例に見られるように、機能が形態に適合されなければならないのであって、そのためには、形態自体が、建物全体の課題を徹底的に理解したところから作り出されることが条件であった。《リチャーズ研究所》の場合、カーンの採った方法に含まれる問題意識はまさしくそこにあった。つまり、全体の形態は類型学の観点から正しいかどうかということであった。しかし、この建物が実際に使われるようになって直面したいろいろな難題からすると、そうではなかったようである。しかし、ここであらためて直面せざるを得ないのは、仕事の場を理想化しようとするアメリカの伝統的な衝動である。それは作業の空間に記念性を与えることだと言ってもよい。こうした意図は《リチャーズ研究所》や、同様にフィリップ・ジョンソンの《クライン実験所》においても明瞭に認められるのである。このような建物の前例がフランク・ロイド・ライトであると言っても驚くにはあたるまい。まず第一は、一九〇四年バッファローに建てられた《ラーキン・ビル》であり、次いで一九三六年から三九年にかけてウィスコンシンのラシーンに建てられた《ジョンソン・ワックス社》の複合施設である。しかし、カーンとジョンソンが、このラシーンの建築群にライトが付け加えた建物、すなわち、一九四六年建設の《実験棟》をめぐって、その当否を雑誌「パースペクタ」第二号（一九五三年）で激論を闘わすことになろうとは、まさに皮肉でなくてなんであろう。カーンはこの《実験棟》が会社全体に関連した計画内容によって決定されてよいのに、《実験棟》の格式に対する甚だしい無関心ぶりについて次のように語った。

「この問題は、建築を心理的意味で機能させることの難しさに関係している。建築が機能するのは、建築が激しく求められているからなのだ。建築は欲望と必要を満たすのだ。だから、心理的満足があれば、この実験棟も機能するはずなのだ。」

一方ジョンソンは、カーンよりも遥かに美的方向性を示し、遥かに華麗さに寄り添って、機能に対しての無関心ぶりを発揮している。

「これは美しい建物を求めている者にとって恐ろしい問題だった。何はともあれ、彼が建てなくてはならないのは実験室なのだ。ライトは実験室を塔の中に押し込んだ。これでは実験室は機能しない。機能するわけがない。ライトはどんな結果になるかを考える以前からあの格好を思い付いていたのだ。私は、あれこそ建築が何処から始まるか、概念（コンセプト）から始まると言っていると思う。」

カーンにとって、たとい緊急な要求項目によって最初の「形態（フォーム）」（カーンにとって、この言葉は「型式（タイプ）」に代わるものだった）を柔軟に調整しなければならなくなったとしても、この「概念」こそ常に建築が始まるところであった。こうした点こそカーンの影響が今日まで及んでいる理由であり、またカーンの偉業を測る尺度である。カーンにとって、建物を建てることは最後まで精神の行為であった。したがって、彼の最高傑作が宗教関係すなわち崇拝の対象となる建物に限られるのは偶然ではない。彼はその後の設計委嘱において、そのすぐれて精神的な含意（コノテーション）を計画内容そのものに帰しているが、それが一番よく理解できるのは、一九五九年から一九六五年にかけてカリフォルニアのラ・ホヤにヨナス・ソーク博士の依頼によって設計した研究所である。ここでは、複合施設全体が「仕事の場、集合の場、生活の場」の三つの領域に分けられたが、そうすることによって、カーンは実験室の空間を理想の形態に還元しなければならないという強制的な要求から逃れることができたものと思われる。その結果、《ソーク研究所》の最終案では、ミース・ファン・デル・ローエのオフィス・ビルのいずれにも見られるように、サーヴィス部分を「抑圧する」か、あるいは隠蔽してしまうかの方法を受け入れることになった。カーンは各実験室の下に十分な高さのサーヴィス階を設けたが、これは今日でも十分に利用されていて、フィラデルフィアで得られたよりも遥かに自由度の高い空間を作っている。ソークでの集会のための複合施設は結局実現しなかったが、これは「建物の中に建物」を建てるというカーンの控えめな概念が展開された最初の機会であった。もっともこの概念は、一九五九年アンゴラ、ルアンダの《アメリカ領事館》のためのスケッチで最初に考えついたものであった。この着想はラ・ホヤでも実現されずに終わったが、一九六五年から一九七四年にかけて工事が行われた東パキスタン（現バングラデシュ）のダッカにおける見事な《国会会議場》の主要テーマとなるのである。

カーンは、たとい社会的に拘束されるにせよ、愚直な機能主義は拒否して、効率性を超越する建築を求めた。その結果、彼はそれに対応する都市の形態へのアプローチを措定することになった。こうした推移は、実はカーン自身の展開を反映するものであった。一九三九年から四八年のカーンのいわゆる「合理的都市」の研究に見られるように、彼はフィラデルフィアの中心部に「輝く都市（ヴィル・ラディユーズ）」を投影することから、「高架橋」としての建築と人間的尺度による建物との決定的な相違を明白にすることとの必要性を前提とする方向へと、年とともに歩んできたのである。このことを一番劇的に示してくれるのは、一九五六年の《フィラデルフィア・ミッドタウン》の計画以外にはおそらくあるまい。その計画においてカーンは、一七六二年にピラネージが描いたローマの形態を、近代都市の施設に型押し（プレス）したのである。この提案には理性的な詩性も見られるし、さらに独創的で、巧みに再構成された交通パターンも提案されている（例えば、カーンは「河」のような高速道路と、「運河」のような交通信号で制御されている街路とを区別している）。にも拘わらず、カーンの《ミッドタウン》の計画案は、歩行者と自動車との間の関係がいかにあるべきか考えると、皮肉なことに無効と言わざるを得なかった。カーンは、自動車と都市とが不倶戴天の敵同士であるのは百も承知していたし、消費と郊外のショッピング・センターと都心部の凋落とが宿命的に繋がっていることもよく知っていた（この繋がりは、第二次世界大戦後の連邦政府による高速道路建設助成金と、政府発行の手形による譲渡抵当権設定とが複合して効果を上げたところから生じたものだった）。にも拘わらず、彼にも他の建築家以上に、人間的尺度と車の尺度との間の満足すべき関係は考えつかなかったのである。カーンのピラネージ風の「ドック」計画案は一九五六年に発表された。これは千五百台の車を収容する円筒状の六階建てのサイロで、それを巡って十八階建ての棟が立ち並ぶ。しかし、その当時の巨大構築物と同じように、基礎部分を人間的尺度によって立ち上げるのに必要な要素を全く欠いていた。カーンの読みの深い歴史主義の限界が痛烈なのは、《フィラデルフィア・ミッドタウン》の計画をフランスのカルカソンヌ城に擬えたところ以上にはなかった。都市の中での動きを秩序づければ、必ずや自動車による破壊に対する防御となるという彼の論議は、かつての論議の蒸し返しであって、全く無益なユートピア風の望みに過ぎなかったのである。

第Ⅲ部　批判的評価と現在までの延長 1925-1991

245 （前扉頁） フォスター・アソシエイツ「ウィリス・フェイバー・アンド・ダマス・ビル」イプスウィッチ，1974年

第1章　国際様式（インターナショナル・スタイル）：主題と変奏

一九二五～一九六五年

これまでの建築の主たる特性は、質量（マッス）による効果あるいはその静的安定感にあった。それが今や失われようとしている。それに代わって、容積（ヴォリューム）による効果が、建築の特性になろうとしている。さらに正確に言えば、それは容積を形造る平ら（プレイン）な面の効果である。象徴としての建築に欠かせないものは、もはや分厚い煉瓦などではないのだ。開かれた箱そのものなのだ。事実、殆どの建物は平らな面からなり、その平らな面が内部空間（ヴォリューム）を形造っている。実際にはそうでなくても、そういうふうに見えるのだ。建築家は、質量による伝統的設計にしたがって故意に反対の効果を求めなければ、骨組構造に保護用のスクリーンを張り巡らすだけで、なんなく表層による効果、つまりヴォリュームを獲得することになるのである。

——ヘンリー・ラッセル・ヒッチコック、フィリップ・ジョンソン『国際様式』一九三二年

多くの意味からして、第二次世界大戦勃発以前の先進諸国に広まった立体主義の建築の形式を説明するのに、「国際様式（インターナショナル・スタイル）」ほど便利な言葉はない。とはいえ、その無装飾の平ら（プレイン）な面からなる形態も、それぞれの国の気候や文化の相違に対応して、微妙に変化していたから、「国際様式」は場所に関わりなく同質であるという主張は正しくなかった。「国際様式」は、十八世紀後期の西欧世界に君臨した新古典主義のようには普遍的なものではなかったのである。しかし、なおそこには考え方の共通項があった。それは一般に、生産と建設を促進することを目的とした軽量化の技術、合成材料、規格標準部材などである。また、それは共通の規則として、自由な平面（フリー・プラン）による仮想的な融通性を志向していた。このため、組積構造よりも骨組構造が選択された。こうした傾向は、気候、文化、経済などの特殊条件によって先端的軽量

化の科学技術が応用されない場合には、形式主義化への度合いを強めた。一九二〇年代後期のル・コルビュジエの一連の理想的ヴィラは、こうした形式主義を予見させるものであった。これらのヴィラは、いずれも白くて、均質で、機械によって造られたかのような形態をしていた。しかし実際は、鉄筋コンクリート造の骨組に現場生産のコンクリート・ブロックを充填して漆喰を塗ったものであった。

一九二七年、オーストリア生まれの建築家リチャード・ノイトラは、ロサンゼルスにフィリップ・レーヴェル博士のための《健康住宅（ヘルス・ハウス）》を設計した。これはまさに「国際様式」の理想像とも言うべきものであった。この住宅の建築としての表現性は、軽量の合成被膜を纏ったスティール構造の骨組に直接、由来するものである。建物は、野性味を留めているロマンティックな公園を見渡す断崖に設置され、その劇的な吊り構造による非対称的（アシンメトリカル）な構成は、一九二〇年代のフランク・ロイド・ライトによる西海岸地方のブロック造の住宅を思い起こさせる。この形態上の相似性は早くも「国際様式」の同質性と言われるものが最初に派生してきた共通する起源を示唆しているのである。

ついでながら、この住宅の開放的な平面は、レーヴェル博士の率直な性格をよく映しており、美容体操を取り入れた彼の生活様式をよく描き出していた。歴史家[1]デーヴィッド・ゲバードが、ノイトラと同国人で共同者でもあった[2]ルドルフ・シンドラーについて書いた著書の中で述べているように、レーヴェル博士は、その人間性の中に「国際様式」と同じように力強くて、進歩的な性質を備えていたのではないかと考えられる。因みに、シンドラーは、ノイトラの住宅より一年前に、ニューポート・ビーチにレーヴェル博士のために住宅を建てていたのである。

「レーヴェル博士は典型的南カリフォルニア人であった。彼が別の土地に行って同じような生活を、果たして、できたかどうかは疑わしい。彼が「ロサンゼルス・タイムズ」紙に寄稿したコラム記事「身体に御用心」あるいは「レーヴェル博士の身体文化センター」などを読むと、彼の影響範囲が身体の問題を遥かに越えていたことが分かる。彼は身体訓練（フィジカル・カルチャー）においても、自由教育においても、また建築においても進歩的であったし、人から進歩的だと思われることを望んでいたのである。」

レーヴェル博士のイデオロギーと《健康住宅》に見られる率直な表現は、ノイトラの後半生に決定的影響を及ぼすこととなった。彼の代表作はこれ以後の作品に含まれているが、それらの作品では、居住者の心理的・生理的満足を直接満たすように計画内容が組み換えられているのである。ノイトラの作品と著作の中心的主題は、行き届いた設計による環境こそ人間の神経組織に良い影響を与える、というものであった。彼のいわゆる「生態的現実主義（ビオ・リアリズム）」は、建築の形態はすべて健康に結びつくという、とうてい立証不可能な主張だが、彼の考え方に色濃く現れている異常なほどの感受性と超機能主義的姿勢を疑うわけにはいかない。ノイトラの著書『デザインによって生き残ろう』（一九五四年）の中に見られる生物学的関心ほど、ヒッチコックとジョンソンの言う「国際様式」のもっぱら形態中心的なモティヴェーションから遠く離れているものはあるまい。ノイトラはこの著書の中で次のように書いている。

「物理的環境を設計する際に、広い意味での生き残りという基本問題を意識的に提起することは、もはや避けられなくなってきた。人間に本来具わったものを損なったり、これに過度な緊張を与えるような設計は絶対に慎むべきであり、設計をわれわれの神経の要求に合うように修正しなければならない。それは、われわれ人間の生理機能すべてに合致するものでなければならない。」

シンドラーもノイトラもともに、ライトの下でアメリカ的な修業を積んだため、二人の最大の関心は抽象的形態ではなく、むしろ太陽と光の調節であり、建物とそれを含む文脈との間に植物というスクリーンを介在させて、微妙な変化をつけることであった。これは雰囲気を重視する快楽主義というものであって、一九二九年、シンドラーの設計によってロサンゼルスに建てられた《サックス・アパートメント》や、一

246　ノイトラ，レーヴェル博士のための「健康住宅」ロサンゼルス・グリフィス・パーク，1927年

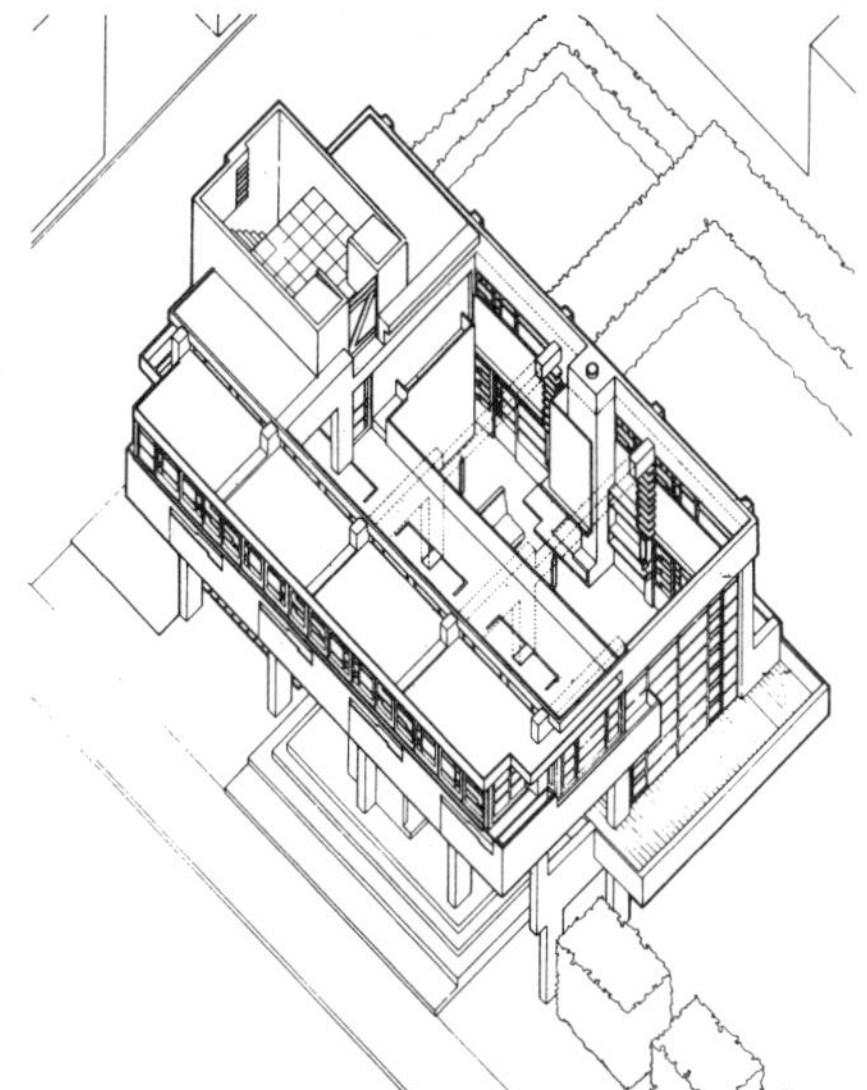

247　シンドラー，レーヴェル博士のための「海浜住宅」カリフォルニア州ニューポート・ビーチ，1925-26年．アクソノメトリック（軸測投影図）による展開図

九四六年から四七年にかけてカリフォルニア、パーム・スプリングスに建てられた、ノイトラ第二の傑作、カウフマンのための《砂漠の家》などは、この快楽主義をこれ以上ないほどに、絶妙に表現していた。

一方、一九三〇年代、終始チューリッヒにあって設計活動に従事していた[3]アルフレッド・ロートにとって「国際様式」の規準とは、建築の形態を作り上げるための情感豊かでかつ厳密に理論的なアプローチであった。一九四〇年、彼は著書『新しい建築』を刊行したが、これは当時の建築の見事な名作集であった。彼は同書において、「新即物主義(ノイエ・ザッハリヒカイト)」は、先端技術や自由な平面がそれ自体、目的とされなくなった時に初めて実現されることを実例をもって示そうとしたのである。ロートは、空間的あるいは技術的に見事に解決された成果よりも、整然と系統立てられた計画内容や、周囲に与える影響を配慮したディテールの処理などを高く評価しているようである。そのためロートは、組積造といった伝統的技術に対しても、木造やスティール構造の骨組構造による先端的方式と同じ頁数を割いている。後者の例には一九三四年、ノイトラの設計によってロサンゼルスに建てられた極めて簡潔で、しかも見事なディテールを備えた《野外学校》があり、前者の例としては一九三九年、ニューメキシコに建てられたヴァーノン・デ・マースの設計による日干煉瓦造の二階建て階段状住居や、一九三二年、チューリッヒにロートの同国人[4]マックス・ハーフェリ、[5]カール・フバッハー、[6]ルドルフ・シュタイガー、[7]ヴェルナー・モーザー、パウル・アルタリア、ハンス・シュミット達の設計で建てられた《ノイビュール・ジードルング》があった。《ノイビュール団地》は、大半が「ABC」グループの建築家達によって設計されたが、同グループの主張する反修辞的(ノン・レトリカル)(反・記念的な(アンティ・モニュメンタル))、社会的、技術的な評価基準に準じながらも、敷地の傾斜面全体にわたって住居を階段状に変化をつけて配置し、さらに敷地の造園計画にも細かい心配りを払って、その結果、「新即物主義」による堅苦しい町屋型(ツァイレンバウ)のアプローチに人間味を添えることができたのである。

その他、この『新しい建築』には、控え目で上品な作品、例えば一九三五年のヴェルナー・モーザーの設計によるチューリッヒのバード・アレンモースの水泳施設、あるいは、一九三六年、チューリッヒにロート自身がマルセル・ブロイヤーや従兄弟の[8]エミール・ロート達と共同設計した、歴史家ジークフリート・ギーディオンのための《ドルダータールのアパートメント》などが掲載されており、スイスの「近代運動(モダン・ムーヴメント)」の成熟したことが高らかに表明されていた。ロートの著書は、こうしたCIAM(近代建築国際会議)のメンバーの作品に対するあからさまな偏向にも拘わらず、ヒッチコックとジョンソンの『国際様式』と同じように、きわめて世界主義的(コスモポリタン)であった。そこにはチェコスロヴァキア、英国、

248　右からルドルフ・シンドラー，リチャードならびにディオーヌ・ノイトラとその子息，1928年．ロサンゼルス・キング・ロードのシンドラー自邸，1921-22年

249　ノイトラ，カウフマンのための「砂漠の家」カリフォルニア州パーム・スプリングス，1946-47年

フィンランド、フランス、オランダ、イタリア、スウェーデンといった国々の作品が掲載されており、それによって一九三〇年代後期までにこれら各国において（ロートが言うところの）「新しい建築」が確立されたことを承認しようという意図があった。フランスからは二つの作品が選ばれていた。ボードゥアンとロッズ[9]の設計によってパリ郊外シュレヌに建てられたペレ風の野外学校と、一九三五年、ル・コルビュジエの設計によってマテに建設されたブルータリズムを予告するような野石積、木造屋根の住宅である。オランダからは「オプバウ」グループの作品が選ばれたが、因みに、このグループはCIAMのオランダ派であって、とりわけブリンクマンとファン・デル・フルーフトの作品やファン・タイエンとマースカント[12]の作品などが傑出していた。英国の実例を説明するに際しては、構造技術者オーウェン・ウィリアムズ[13]の類稀な傑作の一つが選ばれている。それは、一九三二年、ビーストンに建設された名高い《ブーツ製薬工場》である。ウィリアムズは建築家でもなければ、CIAMのメンバーでもなかったから、この名作集の中では、いわば部外者であった。しかし、その鉄筋コンクリート造ガラス張りの工場は、一九二九年、ブリンクマンとファン・デル・フルーフトの設計によってロッテルダム郊外に建てられた《ファン・ネレ包装工場》の見事さに匹敵するものであった。ウィリアムズは、巨

大な無梁版構造の柱を大胆に採用して、九・七五×十一メートルのベイを支え、さらに周囲に張り巡らされたカーテン・ウォールの隅部を四十五度で切り落とすという独創性を発揮して、この四階建ての産業用建造物に、目を見張らせるような精緻さと力強さに満ちた彫刻的形態を与えたのである。

「国際様式」の解説でいつも充分に説明されていないのがチェコスロヴァキアである。この国の機能主義運動についての詳しい歴史は、今後に待たなければならない。ロートによる名作集には、J[14]・ハヴリチェックとK[15]・ホンツィックの設計によって、一九三四年、プラハに建てられた《保健会社ビル》が掲載されており、一方『国際様式』にはオ[16]ットー・アイスラーの設計によって一九二六年に建てられた「二軒長屋（ダブル・ハウス）」と、ボ[17]フスラフ・フックスの設計による一九二九年の「形式主義」に影響された展覧会パヴィリオンが取り上げられている。このどちらもブルーノに建設されたものである。ところで、両書で取り上げられているものに、ル[18]ートヴィック・キセラの設計になるプラハの《バータ靴店》があるが、これは八階建て、全面総ガラス張りの建物で、一九二九年に建設された。しかしながら、ヒッチコックとジョンソンは彼等の著書において、ジ[19]ャロミール・クレイカールといった優れた人物を扱っていない。もっとも、彼のとりわけ目覚ましい作品である一九三七年パリ万国博の《チェコスロヴァキア館》は、当時まだ完成していなかったのである。しかし、なによりも由々しいのは両書とも批評家カレル・タイゲが果たした触媒の役割について一言半句もしていないことである。言うまでもなく、タイゲの率いる「デ[20]ヴェツィル」グループは当時、チェコスロヴァキアの機能主義運動左派の推進力であった。

「国際様式」は、アメリカにおいては、ウィーンやスイスからの移住者によって端緒が開かれたが、英国においても部外者による作品がその起源となった。その最たるものが一九二六年、ペーター・ベーレンスの設計によってノーサンプトンに建てられたW・J・バセット・ロークのための住宅《ニュー・ウェイズ》である。その後、エ[21]イミアス・コーネルの設計によって一九三〇年、アマシャムに考古学者バーナード・アシュモールのための住宅《ハイ・アンド・オーヴァー》

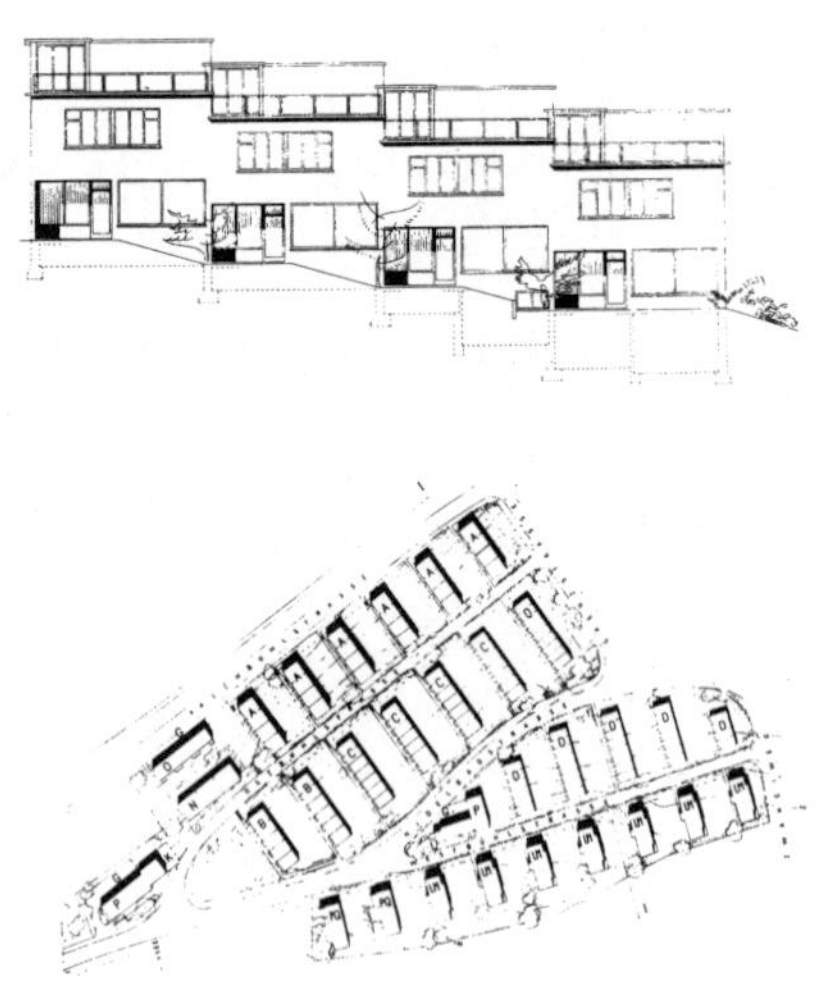

250　ハーフェリ，フバッハー，シュタイガー，モーザー，アルタリア，シュミット「ノイビュール・ジードルング」チューリッヒ，1932年．敷地配置図（上手から下手にかけて傾斜している）．立面は階段状になっている

251　ウィリアムズ「ブーツ製薬工場」ノッティンガムシャー・ビーストン，1932年

252　キセラ「バータ靴店」プラハ，1929年

が建設された。設計者コーネルは、一九二〇年代後期にニュージーランドから移住して間もなく、ロンドンにコーネル・ワード・アンド・ルーカス事務所を設立している。しかしこの時点で、英国への移住者の中で最も影響力のあった人物は、ロシアの建築家[22]バーソルド・リュベトキンであった。その彼が英国の近代建築の発展に与えた影響については、これまで充分に評価されていない。リュベトキンは、ロンドンへ来る以前、すでにパリで地味だが輝かしい業績を挙げていた。一九三二年、ロンドンで[23]「テクトン」事務所を設立し、それまでの英国建築には例を見ないような論理的組織能力を発揮したのである。彼の設計によって一九三五年に建てられたロンドン・ハイゲイトのアパートメント《ハイポイント－1》は、今日の基準からしても傑作の名に恥じないものである。厄介な敷地での建物の配置や内部空間の設計などは、今なお形態的、機能的秩序の模範となっている。その後のロンドンやウィップスネードの動物園の設計の成功にも拘わらず、リュベトキンと「テクトン」グループすなわちチッティ、ドレイク、ダグデール、ハーディング、[24]ラズダン達はもはや二度とかつての質の高さを取り戻すことはなかったのである。一九三八年に《ハイポイント－2》が建てられたが、ここには早くも明らかにマンネリズムの反動が現れている。リュベトキンは無政府主義的社会主義を信条としていたから、彼がどの程度

までソヴィエトの社会的リアリズムに敏感に反応したのかは、今となっては憶測の域をでない。なぜなら、一九五〇年代になって彼が書いたソヴィエト建築についての論文には、この方向に対しての共感が示されているからである。《ハイポイント－1》から《ハイポイント－2》への表現上の変化は、その当時でも話題になった。その結果生じた議論は、一九五〇年代のイデオロギー闘争の基本原則となった。その争点は、建築形態の基本概念が優位を占めるのか、それとも結果としての形態に最大の意味があるのか、という点であった。一九三八年、アンソニー・コックス[25]が《ハイポイント－2》について書いた時、この点について次のように述べている。

「《ハイポイント－1》は爪先立って、羽を広げている。それに対して、《ハイポイント－2》は仏陀のようにあぐらをかいている。こうした違いは意図されたものだということをテクトン自身、誰より先に認めるだろう。誰もが感ずることは、「形式」がどの部屋にも押しつけられているということだ（これは「どの部屋」にも形式が与えられているということとはまったく違うのだ）。それはまるで、二つの建物を分けた三年という歳月の間に、建築にとって形態的に必要なのは何かについて、厳密な結論が下されたと言わんばかりである。重要な点は、こうした形態上の結論を、個人として好ましいと思うかどうかではなく、こうしたいかなる厳密な結論も得策であると考えるかどうかである。［…］われわれが近代建築として認識するものを生みだした知的考え方とは、基本的に、機能主義的アプローチである。これは議論の必要すらない自明のことだと私は思う。機能主義は、形式主義のアンチテーゼとしては弱い名称である。なぜなら、機能主義には誰もが擁護したがらない人間性剥奪という思想が含まれているからである。だが広い意味に解釈した場合、この言葉にはこの運動に底流する作業方法の意味があると私は思う。［…］私が言いたいのは、テクトンの最近作はこうしたアプローチを逸脱しているということだ。逸脱しているのは、建物の外観どころではない。目的の逸脱すら窺えるのだ。それは正当な許容範囲を大きく超えている。使用価値をはるかに上回る形態価値を提起しようとしている。さらに、「観念」を主動力として再び出現させようとしている。」

「テクトン」は、広く親しまれる近代建築を造ろうと腐心してきたが、一九三八年以降、バロック建築の修辞的（レトリカル）な伝統を立体主義の厳格な統辞法（シンタックス）の中に吸収同化させようと意識的に方向転換したように思われる。「テクトン」のマニエリスム風なネオ・コルビュジエ・スタイルの作風は、一九三八年、ロンドンに建てられた《フィンズベリー・ヘルス・センター》にはっきりと現れているが、それが好意的に受け入れられたため、戦後間もない英国建築界において、リュベトキンは重要な位置を占めることになった。そして、一九四五年以降の十年間というもの、英国建築は、リュベトキンと彼の仲間達

253　リュベトキンとテクトン「ハイポイント-1」ロンドン・ハイゲイト，1935年

254　セルト「スペイン館」1937年パリ万国博覧会．ピカソの『ゲルニカ』を展示していた

が過去十年にわたって造り上げた建築言語に大きく左右されたのである。その最も顕著な例の一つとして、一九五〇年に設計された《ロイヤル・フェスティヴァル・ホール》が挙げられる。これは[26]レスリー・マーチン、[27]ロバート・マシュー、ピーター・モロなどのチームによる設計で、すみずみに至るまでリュベトキンに負うところ大であった。リンゼイ・ドレイク、デニス・ラズダンといった二人の若い元「テクトン」所員の建築家の作品もまた同様であった。しかし、一九五三年、彼らの設計によるロンドン・パディントンの《ビショップス・ブリッジ集合住宅》では、リュベトキンの正面好み（ファサディズム）が拡大されて、省略化した雷文模様や貼付け柱などによって、実体を隠蔽するのに憂き身をやつしている。

「近代建築研究グループ（MARS）」はCIAMの英国派であって、[28]ウエルズ・コーツ主導の下に、一九三二年、創立された。コーツはカナダからの移住者で、一九三三年のCIAMの「機能的都市」の会議に、MARS代表として出席した。MARSは、初期のうちは意気盛んで、英国建築家の前衛グループを会員に擁していた。その中にはコーネル、[29]ワード、[30]ルーカスを始め、リュベトキン、E・マックスウェル・フライ、それに歴史家で批評家の[31]P・モートン・シャンドも含まれていた。MARSは、一九三八年、ロンドンのバーリントン・ギャラリーで独自の「新しい建築」展を開いたが、

業績らしい業績といえば、《ロンドン計画》であろう。これは一九四〇年代前期に、ドイツの建築家アルトゥール・コルン、ウィーン出身の技術者[32]フェリックス・サムエリーの指導の下に計画されたもので、極めてユートピア的であるが、目覚ましい出来栄えであった。MARSは、未来に対してごく素直に希望を託していた。コーツの言葉によれば、「過去は繕わなければならないが、それよりも未来をまず計画しなくてはならない」のだった。しかしMARSは、「テクトン」と違って、この未来の組織化に必要な進歩的方法論を定式化することができなかった。リュベトキンは、こうした方向性の欠如を逸早く感じ取っていたようである。だから彼は、一九三六年の末にはMARSを離れて、左派の「[33]建築家・技術者組織（ATO）」に加盟するに至った。この組織は、一九五〇年代初期まで、専ら労働者階級の集合住宅の問題に関わっていた。

　スペインでは一九三〇年以降、同じような論争・運動が社会主義的建築家ホセ・ルイス・セルトと[34]ガルシア・メルカダルの指揮の下に展開されていた。通称「[35]GATEPAC」（現代建築の進歩のためのスペイン建築家・技術者集団）は、CIAMのスペイン派として、国内の基盤の上に組織されたものであるが、そもそも、一九二九年にカタルーニャ文化運動として創設、発足したのだった。そのメンバーにはシクスト・イレスカス、ゲルマ・ロドリゲス・アリアス、[36]トレス・クラヴェといった錚々たる建築家達が参加した。こうしたメンバーは、スペイン内戦以前のほぼ八年間に、三つの重要な理論的研究を行っている。そのうちの一つは、一九三三年のル・コルビュジエとの共同による《マキア・バルセロナ計画》である。この低層住居計画は、ヘクタール当たり一千人（エーカー当たり四百人）という超低密度の計画で、建物は二階以上のものはないが、素晴らしい提案であった。GATEPACが実現したもののうち最も重要なものは《カサ・ブロック》と呼ばれる七階建ての公共住宅であった。そこにはメゾネット式住宅、図書館、保育園（クレシェ）、幼稚園、水泳プールなどが取り入れられていた。しかし、こうした型式の採用は、明らかにル・コルビュジエの《現代都市（ヴィル・コンタンポレヌ）》の入隅型原型を発展させたものであった。

　スペインの「近代運動」の最後を飾るのは、命運まさに尽きようとしていた第二共和国の庇護の下に行われた一九三七年のパリ万国博への参加である。この時の《スペイン館》を設計したのがセルトである。そして、この展示館こそ、同年初めにバスク地方の小都市ゲルニカに対する爆撃を記憶するためにピカソが描いた絵画『ゲルニカ』を初めて公開する場となったのである。この作品は、ゲルニカの死者に対する追悼の記念として共和国政府が依頼したものであったが、同時に共和制の大義に対する国際的裏切りへの痛烈な非難が込められていたのである。

一九三二年のニューヨークの近代美術館でのヒッチコックとジョンソンによる展覧会以後、「国際様式」はヨーロッパや北アメリカを越えて南アフリカ、南アメリカ、さらに日本のように遠く離れた地域にまで広まり始めた。南アフリカでの、一九二九年から一九四二年まで続いた先駆者としての運動は特例といっていいだろう。なにしろ、ル・コルビュジエ自身がその運動に加わり、彼の最初の『作品集』の第二版をこの運動の指導者[37]レックス・マルティエンセンと「トランスヴァール・グループ」に献呈しているのである。一九三六年に書かれたル・コルビュジエの献呈の辞は次の言葉で始まっている。

「あなたがたの雑誌「南アフリカ建築情報」の頁を繰るのは、なんとも感動的です。誰しも、アフリカという遠い遠い赤道の森林の彼方に広がる地に、これほどまでに生気に溢れたものを見出したら、驚嘆しないわけにはいかないではありませんか。けれど、さらに感動的なのは、そこに若者らしい信念の満ち満ちているのが見られるからです。建築に対する切なる願い、広大無辺な哲学を求める激しい意欲が見出せるからです。」

ル・コルビュジエと「トランスヴァール・グループ」は、それ以前から親密な信頼関係を保っていて、ル・コルビュジエは「南アフリカ建築情報」に特別記事を寄稿していた。一方、マルティエンセンやノーマン・ハンセンといった人達は、ル・コルビュジエを脱却して非常に洗練された住宅を、ヨハネスブルグに幾つか建てている。しかし、一九四二年、マルティエンセンが、グループをＣＩＡＭの南アフリカ派にする直前になって死亡してしまった。またハンセンは、それ以前からル・コルビュジエの計画の社会‐経済的妥当性について疑義を申し立てており、その単純化された都市計画の非現実的な抽象性に対して反対論を唱えていたのであった。

ブラジルにおける近代建築は、一九二〇年代半ばにルシオ・コスタと[38]グレゴリー・ワルシャヴシクが共同体制を作った時に始まった。ワルシャヴシクはロシア生まれで、ローマ留学中、未来派の影響を受けたが、ブラジルで最初に立体主義の住宅を設計している。一九三〇年に[39]ゲトゥリオ・ヴァルガスの指揮した革命と、コスタの美術学校長就任とのお蔭で、ブラジルでは近代建築は国策に添うものとして歓迎されたのであった。一九三六年、リオデジャネイロに《教育省》の建物を新築するに当たって、ル・コルビュジエが設計顧問として招かれた。ル・コルビュジエのブラジル訪問は、南アメリカに直接的な衝撃を与えずにはおかなかった。彼は、ルシオ・コスタとコスタの率いるグループと共同作業を行った後で、結局、自分の最初の構想とはおよそ掛け離れた十六階建ての版状（スラブ）建物の計画案に署名したものと思われる。とはいえ、最終案はピロティ（杭）による列柱廊（ペリスタイル）によって建物全体が持ち上げられ、その意味では「屋上庭園」、「ブリーズ・ソレイユ（日除け）」、「パン・ヴェール（ガラス面）」といったル・コルビュジエ特有の要素をふんだんに散りばめた記念性(モニュメンタリティー)のあるものとして実現された。若いブラジルのル・コルビュジエ信奉者達は、こうした純粋主義(ピューリスム)の構成要素を直ちに変形して、十八世紀ブラジル・バロックの豊饒な造形を思わせる、極めて感覚的で、土着的表現を作り上げたのである。そうした修辞的手法の最も見事な建築家がオスカー・ニーマイヤーであった。彼は《教育省》の設計の際、コスタ、アフォンソ・レイディ、ホルヘ・モレイラ達と共同した。(40) 一九三九年のニューヨーク万国博の時、ニーマイヤーがコスタやポール・レスター・ウィーナーと一緒に設計した《ブラジル館》(41)は、自由な平面(フリー・プラン)の原理に則っている。この建物によって、ニーマイヤーは世界中にブラジルの動向を認識させ、そしてその並々ならぬ才能によって衆目を集めたのである。ニーマイヤーは、ル・コルビュジエの言う自由な平面の概念を、流動性と相互貫入性という新しいレヴェルへと引き上げたのである。この建物のコンセプトは豊かな造形性に富んだもので、ブラジルの植物、動物を展示する異国情緒の中庭を中心に計画され、蘭と蛇とが絡んだアマゾンの風景を凝縮して見せる一方、リオの熱帯特有の崖道を想い起こさせるものであった。その庭園の配置計画は、画家ロベルト・ブーレ・マルクスの手になるものであった。(42) 実は彼のランドスケープ・デザインは、一九三六年以降、ブラジルにおける運動の原動力となっていたのである。ブーレ・マルクスは、「等高線の結婚」と名づけた純粋主義風の概念を案出し、自らジャングルに入って採取し、栽培した植物を取り入れて、表現豊かで肌理(きめ)細やかな「天国の園」を幾つも組み立てた。ブーレ・マルクスによるランドスケープによって、ブラジル固有の植生をふんだんに取り入れた、新しい国家様式が生まれたのである。

　ニーマイヤーの天才が花開いたのは、一九四二年、彼が三十五歳でパンプーラに最初の傑作、《カジノ》を完成させた時である。この建物でニーマイヤーは、ル・コルビュジエの「建築的周遊性(プロムナード・アルシテクチュール)」という概念を解釈し直して、釣り合いのよく取れた、華やかな空間の構成の中に生かしている。気持の良い二階分の高さを持つ出入口の広間といい、遊戯室(ゲーム・フロア)へ誘う浮き立つような斜路(ランプ)といい、あるいは、レストランへと導いていく楕円状の廊下にせよ、舞踏場と舞台裏との巧妙な繋がりにせよ、あらゆる観点からして、この建物には豊かな物語性(ナラティヴ)がある。つまりここでは「周遊性」という概念が顕在化され、それが空間を賭博場での手の込んだゲームさながらに分節(アーティキュレート)し、ゲームのほうもそれを楽しみとするこの社会の習慣さながらに入り組んでいる。レストランには複雑な出入口があり、それが迷路の岐路のように絡み合い、単なる通路として機能するだけでなく、得意客、芸能人、接客要員といったさまざまな「演技者達」の階級別の役どころを設定しているのである。建物全体の表現には強烈かつ快楽主義的な

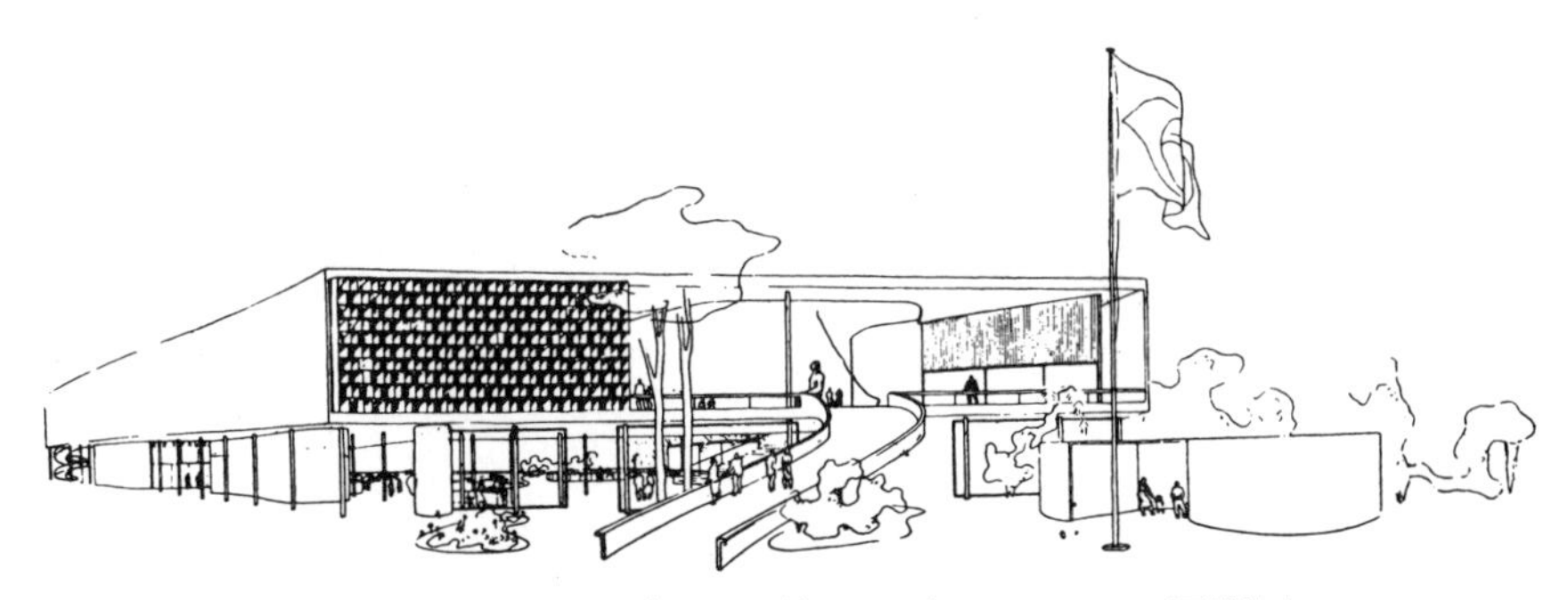

255　ニーマイヤーとコスタとウィーナー「ブラジル館」，1939年ニューヨーク万国博覧会

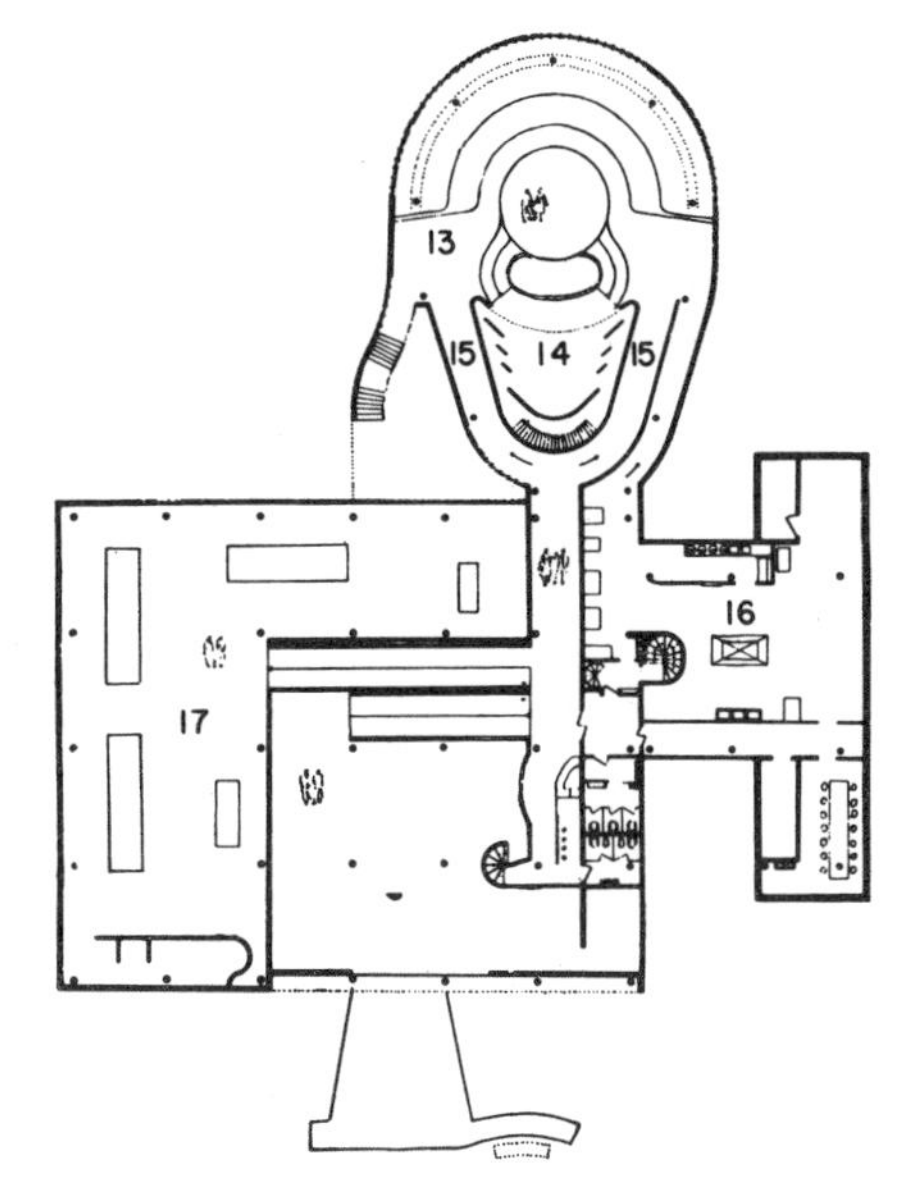

256　ニーマイヤー，パンプーラの「カジノ」ブラジル，ミナス・ジェライス，1942年．２階平面図

257　ニーマイヤーとコスタ「ブラジリア」，1956-63年．三権広場を通る南北軸の左右に内閣府の建物がある．その右手にあるのはカテドラル

ところがあり、その雰囲気には厳しいながらも些かわざとらしさもあって、例えば、正面にはトラバーチンとユパラナ石が使用されているのに対して、室内にはピンク色のガラスにサテン、さては色鮮やかな伝統のポルトガル・タイルのパネルといった異国趣味を発揮して、外部と内部の雰囲気に対照が見られるのである。やがて賭博禁止令の公布によって、賭博場は閉鎖に追い込まれたが、今では美術館として蘇っている。ニーマイヤーが一九五〇年当時書いた文章を読むと、彼がブラジルのような発展途上の社会での仕事には限界があることを、はっきり承知していたのだと知らされる。

「建築は、ある時代に優勢な技術的力と社会的力の双方の精髄を表現しなければならない。しかし、こうした二つの力が均衡を欠いている時には、その拮抗が作品の内容や作品全体にとって不利益を与える。こうしたことを考慮に入れてこそ初めて、この作品集に掲載された平面図や図面の意味が分かるのである。私は今にして、もっと現実に根ざした成果を挙げることができたら、と痛切に思う。そうなれば精緻を極め、快適さを維持するだけでなく、建築家と社会全体との積極的協力関係が反映している作品となったであろう。」

改革派のジュセリーノ・クビチェック大統領は、こうした協力関係を熱心に望んでいたし、ニーマイヤーも一九四二年以来、彼のために協力してきたが、両者の均衡が保たれたとは言い難かった。ただ一つの成功例は、レイディの設計した《ペドレグーリョ団地》である。これは一九四八年から一九五四年にかけて、リオの郊外に建設されたもので、アパートメント、小学校、体育館、プールなどからなり、全体が一つの近隣住区単位を形成していた。しかし、一九五五年以降、クビチェックが政権から退くまでの間に全体社会という名目によって実現した建築は意外に少ないのである。

ブラジリアは、一九五〇年代中期にコスタによって計画が立てられたものだが、それがブラジル建築の積極的発展に危機を招いたのだった。この危機は、個々の建物の水準だけでなく、全体計画の規模にまで及び、ひいては「近代運動」の規範そのものに対する世界的規模の反発すら引き起こすまでになったのである。そもそもの分裂は、一九五一年、チャンディガールに始まった。すなわち、ル・コルビュジエはその行政庁舎の建物に、周囲を無視した記念性（モニュメンタリティー）を与え、建物と都市との間に分裂を作った。その分裂がブラジリアでも再び繰り返されたのである。悪いことに、チャンディガールに比べてブラジリアでは、全体計画が基本構想の段階から些か系統的ではなかった。最近の分析によると、チャンディガールでは、植民地によく見られた古くからのグリッドの原理に対して一応の配慮が払われていたのである。しかし、ブラジリアになると「大きな四角形」状の直交するパターンが採用されているにも拘わらず、基本的には十字形をしている。まるでヨーロッパのヒューマニズムという神話的な原理が、ル・

コルビュジエの晩年の作品を介して解釈されて、ブラジリアの構造を決定したかのような観があるが、残念ながら都市への近づき易さ（アクセサビリティー）から見た場合、これは良い結果だったとは言えない。さらに、ブラジリアでは建物ができ上がると、二つの都市になってしまった。政府と大企業のための記念性を具えた都市と、「ファヴェラ」と呼ばれる「バラック都市」である。高級官僚達はリオから空路で通勤したが、「バラック都市」の住民達は上流都市の引き立て役を果たしたのだった。ブラジリアは、ちょうど一九三三年のル・コルビュジエによる《輝く都市（ヴィル・ラディユーズ）》と同じように、都市内部ですら階級構造に合わせて区域を分けた分裂都市なのである。こうした地域の配列によってブラジリアでは社会的不平等が著しく助長されたが、都市としての表現形態においても、形式主義的そして抑圧的な結果を生み出したのだった。この点、ル・コルビュジエのチャンディガールでの最初の計画は、ニーマイヤーの計画の危機を予告するものだと言えよう。実際、チャンディガールの最初のスケッチが公表されてからというもの、ニーマイヤーの作品はいよいよ単純化されて、記念性を帯びるようになったのである。

その後のニーマイヤーの作品は、かつてのパンプーラの《カジノ》に見られたような、優美な形態を再び取り戻すことはなかった。とはいえ、一九四二年のパンプーラのレストランから、一九五三年から五四年にかけてリオを望むガヴェアに建てられた極端に「有機的な」《自邸》に至るまでの作品を見ると、その自由な形態を操る力量は、さらに抒情性の発揮においても磨きが掛かった。その成果の一端はブーレ・マルクスとの長年にわたる共同関係にあることは確かである。しかしながら、この時点でニーマイヤーはかつての流動的な平面の拠り所であった不定形な機能主義とは訣別して、純粋な形態の創出に専念するようになった。言うなれば、新古典主義の伝統にいっそう近づいていったのである。その転機となったのは、一九五五年のカラカスの《近代美術館》計画だとされているが、この計画案で、彼は、大胆にも逆ピラミッド形を採用し、断崖に臨んだ突端にこれを建てている。正立であれ倒立であれ、こうしたピラミッド形の採用そのものが、実は古典主義の絶対性への回帰を意味しているように思われる。同様なことがブラジリアについても言えるのではないだろうか。この都市には、コスタの立案したグリッドを含めて、「恐怖の領域（ジャンル・テリブル）」の雰囲気が喚起されている。それは仮借ない自然に対して、情け容赦なく形態を押しつけているということである。因みに、人工湖に囲まれたブラジリアの首都の範囲を越えると、そこからは熱帯林が果てしもなく続いているのである。ブラジリアの「三権広場」は南北軸の頂点に位置しており、チャンディガールを引き写したものである。そこには行政、司法、立法の三権を司る建築を配置して、形態はともかく、内容においてチャンディガールの《行政庁舎》《高等法院》《会議場》の三つの建物に対抗しているのである。ブラジリアにせよチャンディガールにせよ、《国会議事堂》は、ル・コルビュジエが《輝く都市》計画の中で提案した管理機能地域の、まさしく頂点の位置に置かれている。そしてブラジリアでの「頂点」は、ニーマイヤーの設計による二棟の版状(スラブ)の事務局の建物がそれに当たるが、それは同時に上院の凸面を描く丸屋根と下院の凹面を描く椀状の建物との間を走る軸からの「標的」のような役割を果たしている。

ブラジリアの建物のカーテン・ウォールには、熱線吸収ガラスが填め込まれているが、太陽光線に対しては一切遮蔽せず、この点、十数年前にル・コルビュジエがサンパウロで《教育省》の北面を調節可能なブリーズ・ソレイユで覆った賢明な処置とは対照的である。だが、こうした気候条件に対する大胆な無関心さは、政府の建築をあくまで理想的な形態によって表現したいという切なる願望から出たのであろう。そうした形態の純粋性と、各省庁を収めたガラス張りの建物の反復性とは、著しい対照をなすものである。このようにブラジルの近代建築に初めて出現した豊饒さの中には、早くも退廃的形式主義の萌芽が紛れ込んでいたのである。[43] マックス・ビルが、一九五四年に完成したニーマイヤーによるサンパウロの《産業パレス》の建物を非難した時、彼はこの事実を極めてはっきりと見抜いていたのであった。ビルは次のように明言している。

「サンパウロの街角で私は建設中の建物を見た。そのピロティは、とうてい考えられないようなとんでもないものだった。サンパウロでは、実に驚くような物に何度も出くわした。それは他でもない、まったく最近の近代建築であった。それは反社会的な浪費・乱費にしか過ぎないのである。そこには建物の使用者や訪問者に対しての些かの責任感といったものも感じられない。[…] 太いピロティ、細いピロティ、奇妙な恰好のピロティ。いずれも構造上の韻律もなく、理由もなく、ただ、いっぱいに立ち並んでいるだけだ。[…] CIAMの支部もあり、近代建築の国際会議も開催され、「ハビタット(居住環境)」といった建築雑誌も刊行され、建築のビエンナーレ展も行われるというこの国で、こんな野蛮で、粗暴な所業はなんとも納得がいかない。こうした建物は、品位とか人間的要求に対する責任感のまったくない精神の所産にしか過ぎない。これらの建物を作り出した精神とは、虚飾の精神だ。建築を鼓舞する精神とは真っ向から対立するものだ。なぜなら、建築とは物を作り出す芸術であり、他の芸術にもまして社会的芸術だからである。」

日本の場合、五十年以上にわたって西欧の影響を受け続けてきたため、「国際様式」の受容・消化はいとも容易であった。[44] それは一九二三年、アントニン・レイモンドが東京に最初の鉄筋コンクリート造の《自邸》を建てた時に始まったといえよう。しかしここでも、「国際様式」は、外国からの移住者(エミグレ)によって導入された様式の問題であった。レイモンドはチェコスロヴァキア生まれのアメリカ人で、各国を渡り歩き、一九一九年暮れ、フランク・ロイド・ライトの《帝国ホテル》の現場常駐建築家として東京にやって来た。シンドラーやノイトラの時とまったく同様に、日本でもこの様式は、ヨーロッパで正式な建築教育を受け、その後ライトの薫陶を受けた中部ヨーロッパ人の手になるものであった。ここで興味あることは、ノイトラ、シンドラー、レイモンドの三人とも、ライトの下を去ると数年してライトの様式上の影響という頸木(くびき)から逃れたという事実である。

　レイモンドの《自邸》は、さまざまな意味からして注目に値する建物である。まず、この作品は、コンクリートの仮枠が日本の伝統的木造建築を想起させるほど、精妙に造られた最初の例であった。やがてこの手法は、第二次世界大戦後、日本建築の建築構造の規準とされることになる。その室内も、「国際様式」の基準からして遥かに時代を抜きんでていた。レイモンドは、マルト・シュタムやマルセル・ブロイヤーの先駆的椅子よりも早く、スティールのチューブによる片持(カンティレヴァー)梁式の家具の設計に手を染めていたのである。住宅自体のディテールにも工夫が凝らされ、窓には金属が、格子にはスティールのチューブが用いられていた。さらに、レイモンドは西欧の伝統的雨樋に代えて綱によって雨水を処理する

258　レイモンド「自邸」東京・麻布，1923年

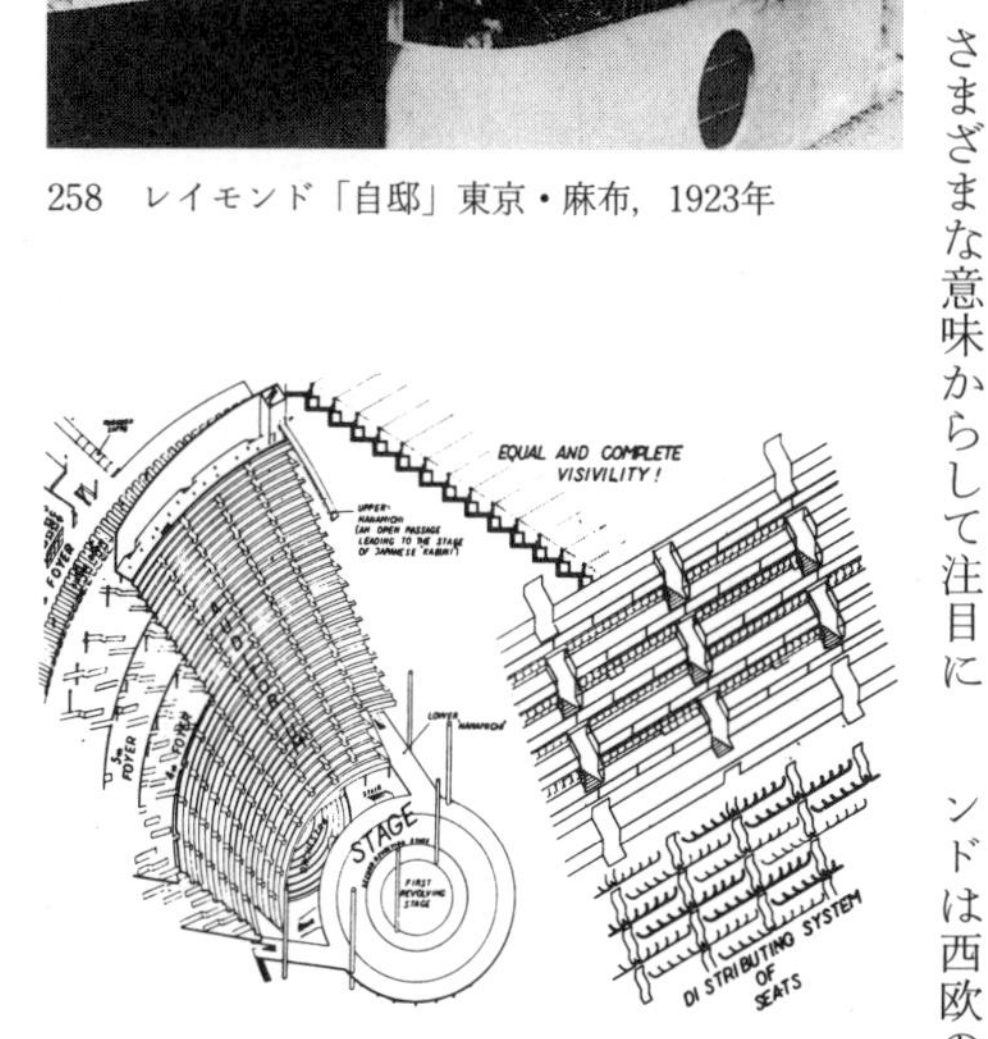

259　川喜田煉七郎「ハリコフ劇場」国際設計競技応募案，1931年

など、土着的(ヴァナキュラー)な手法から直接採った要素を形態に組み込もうとしている。そうした試みがなかったなら、この住宅は、例えば窓庇の形などからして、ライトが一九〇五年に設計した《ユニティー教会》と変わらなかったであろう。

ライトは、すでに本国で日本文化の「焼き直し」を見事にやってのけていたが、東京の《帝国ホテル》の建物では、ポール・ミューラーの巧妙な鉄筋コンクリート造の技術にも拘わらず、日本の軽量構造に対する深い理解と解釈の甲斐もなく、その建築のスタイルはいかにも重苦しいものとなってしまった。強いてこのスタイルに近似性のある日本建築を求めるとすれば、平安時代の貴族的神道建築ではなく、十六世紀あるいは十七世紀の孤立した城郭建築のほうであろう。一九二四年にルイス・サリヴァンが述べた意見に反して、《帝国ホテル》の建築は、日本という国の土着文化の建築の主流から遥かにかけ離れたところにあったのである。しかし、一九二三年の関東大震災に《帝国ホテル》が見事堪えたということは、事後にもせよ、この国において耐震構造に、とりわけ公共建築の耐震構造に対する出費を正当化する契機となった。こうした鉄筋コンクリート造による一体式構造の有利性の「証明」を得て、レイモンドは、一九二〇年代後期、彼の代表作品にコンクリート造の最新の技術を大いに利用したのである。一九二六年の《ライジング・サン石油会社》や、一九三〇年、東京郊外に建てられた《東京ゴルフ・クラブ》の建物がその好例で、とくに後者は手練の作品である。この頃レイモンドは、彼のスタイル上の師としてオーギュスト・ペレを仰ぐようになっていた。フランク・ロイド・ライトの建築は、打ち放し鉄筋コンクリート造の統辞法に相応しくないとはっきり感じていたのであろう。

一九三三年から一九三五年にかけて完成した《赤星邸》や《福井邸》などは、いずれも当時の富裕な企業家階級のために建てられた住宅だが、レイモンドと妻ノエミ・ペルネッシンの初期を飾る最高傑作となっている。二人は、一緒に建物から家具調度、織物に至るまで一切を設計した。この時期、レイモンド夫妻は赤星家のために一連の住宅を設計した。それらは同家の親族のためのものであったが、そこでは日本の障子の何物にも代え難い表情や、伝統的畳の床の冷たい厳しさと、彼ら独特の風趣を備えた家具とを一致させようとしている。こうしたユーラシア的ともいうべき独自のスタイルは、レイモンド夫妻が一九三五年、熱海に設計した《福井邸》の建物と浴室において極致に達している。彼らは伝統的なさまざまな形態を解釈し直して、その結果、ライトやペレからも自由な境地に到達しているのである。

一九二六年、「日本分離派」を中心にかなり自由な運動が生じ始めた。分離派の初期のメンバーには山田守、[45] 吉田鉄郎[46]などがおり、山田は一九二六年に《中央電話局》、吉田は一九三一年に《東京中央郵便局》をそれぞれ設計している。折しも前川國男[47]や吉村順三[48]等、若い世代は、あるいはレイモンド事務所に働き始め、あるいは海外留学の途についたのである。前川國男や坂倉準三[49]は一九三〇年代、ル・コルビュジエの下で働いていたが、一九二〇年代後期には何人かの日本人が「バウハウス」に学んでいた。坂倉は、そのヨーロッパでの経験を生かして国際的にも重要な作品を作り出すことができた。すなわち、一九三七年のパリ万国博の《日本館》である。そこでは日本の伝統的茶室の構築的な秩序が、ル・コルビュジエ風などではなく現代的語法によって再解釈されている。坂倉がみせた開放的空間を重視した平面計画は、構造に明快な表現を与え、内部空間と外部空間の相互連絡のために斜路を導入し、日本の伝統的空間の秩序とは僅かながらの類似性を保っているに過ぎない。

　伝統を解釈するに当たって、よりいっそうの抑制を利かせたのが吉田五十八[50]の住宅作品である。しかし、こうした保守性に対して、大胆な発想を持った建築家もいた。川喜田煉七郎[51]である。一九三一年、ソヴィエトの《ハリコフ劇場》国際設計競技に提出した彼の応募案は、当時の尋常な近代主義から遥かにかけ離れたものであった。それは、日本の伝統からも、月並みな構成主義のモティーフからも遠いものであった。その発想は、まず何よりも機械装置の動きそのものに対する熱狂的な関心と、大規模な構造物を創造する修辞法に対する

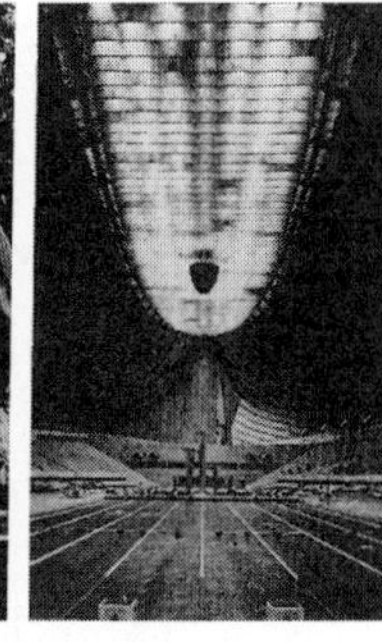

260　丹下健三「代々木国立競技場」東京，1964年

261　丹下健三「香川県庁舎」高松，1955-58年．立面図と配置・平面図

異常なほどの興味から生じている。そう言えば、この応募案は、戦後の丹下[52]健三の作品展開に見られるまことに驚異的な大胆さを予告するものであった。例えば、一九六四年の東京オリンピックの際に建てられた丹下の二つの《スタジアム》はその頂点にあると言えよう。もっとも丹下は、機械装置の動きには関心がなかったから、二つの《スタジアム》の楕円状の内部空間と円状の内部空間とは、どちらも懸垂線を描くスティール構造の屋根で覆われている。その屋根は、楕円状のコンクリート造のリングを囲む梁から船首のように突き出した「角(つの)」によって吊り下げられている。そして、梁は傾斜した観客席の上部を支えている。

丹下はかつて前川の下にいたが、一九五五年、広島の世界最初の核爆弾の爆心地を示す地点に、今や有名となった《広島平和記念公園の建物》を設計した。しかし彼はそれに先だって、一連の公共建築の設計で建築家として出発したのであった。《清水市庁舎》、《(旧)東京都庁舎》(一九五二～五八年、いずれも取り壊された)等かなり図式的傾向の濃厚な作品から出発して、《香川県庁舎》(一九五五～五八年)や《倉敷市庁舎》(一九五七～六〇年)に至ってようやく成熟の域に達した。《(旧)東京都庁舎》は縄文時代の木造技術のコンクリート造によるパロディーだが、そこには用意周到さと同時に不自然さが感じられる。しかし《香川県庁舎》は、もはや古典的ともいうべき完成の域に達している。そこでは、平安時代から引き出された基本概念が、目の覚めるくらいに明晰な空間組織によって、「国際様式」の常套的語彙から慎重に選りすぐった要素と溶け合い、一体となっているのである。そこに見られる歴史主義、あるいは、仏教建築や神道建築の根底に潜む原型(プロトタイプ)への参照などにも拘わらず、丹下はこの作品によって、第二次世界大戦以後の日本を代表する建築家として登場したのである。丹下の《香川県庁舎》もニーマイヤーのブラジリアの《三権広場》も、一九五〇年代後期の作品であり、ともにル・コルビュジエの作品に根ざしながら、これほど互いにかけ離れたものもあるまい。前者は驚異的なほどに折目、節目(アーティキュレーション)を持ったディテールを備え、後者は単純化された古典主義を信奉している。丹下は、日本が産業を飛躍的に発展させたことによって可能となったエネルギーを鋭敏に意識していた。また、こうした社会の「解放的」力に対して伝統が演ずることになる両義的な役割も承知していた。こうしたことは、《香川県庁舎》が完成した時に彼が書いた、楽天的だが、洞察に富む分析がなによりの証拠である。

「ごく最近まで、日本は常に絶対的国家の支配下にあった。そして、国民全体の文化的エネルギーは——新たなる形態の創造を可能にしたであろうエネルギーは——限定され、抑圧されていた。このことは徳川時代においてとくに著しかった。当時の幕府は、社会変化を阻止するため極めて過酷であった。われわれの時代になってようやく、今述べたエネルギーは解放され始めたのである。しかし、それはなお混沌とした媒体の中にあって、活動している状態である。真実の秩序が達成されるまでには、まだかなりの時間を要するであろう。しかし、このエネルギーこそ、必ずや日本の伝統を新しくまた創造的なものに変えてゆくうえで大きな貢献を果たすことになるであろう。」

世紀の転換期に生まれた人々、例えば前川や坂倉は、丹下ほどに華々しくはないが、有意義な貢献を続けていた。とくに前川の書き残したものを読むと、彼が二十世紀の建築の方向性や、あるいはそれが西欧の道具性という観念に宿命的に結びついていることに対して異議申し立てをしていることが分かる。坂倉の《鎌倉近代美術館》（一九五一年）も前川による東京の《晴海のアパートメント》（一九五七年）もどちらも混成的（ハイブリッド）であり、ある種の文化的依存性を見せている。すなわち、前者はクロス・カルチャー（通文化性）の意味で間違いなく新古典主義であるし、後者はル・コルビュジエのマルセイユの《ユニテ・ダビタシオン（住居単位）》から派生している。しかし、丹下が一九五〇年代後期に提出した幾つかの計画案、例えば一九五九年の《ボストン・ベイ計画》や、一九六一年の《東京計画》などにおいて膨大な数の住居からなる巨大構造物を提案して、いつしか人間的尺度を喪失していったのとは対照的に、前川は、大きな耐震構造による多層階の建物の中に、半ば西欧風、半ば日本風といった生活様式を取り入れるという大胆な試みをしたのである。《晴見のアパートメント》が、そこで営まれる混合生活様式のように、せいぜい条件つきの成功に過ぎないことは前川自身がよく心得ていたようである。一九六五年に書かれた「建築における文明の考察」と題する試論で、彼は次のような厳しい結論を出している。

262　前川國男「晴海のアパートメント」東京，1957年

「近代建築なるものには科学、技術、また工業の成果が大筋の背骨として通っているし、また通っていなくてはならない。ところで、われわれはそのような近代建築が、なぜ非人間的なものになるかという問題をつねに考えさせられる。これには原因がいろいろあると思うのであるが、第一に考えられることは、近代建築というものが人間的な要求、人間的な

自発性というものを心棒にして創られないで、別の心棒、例えば資本の利潤とか利害とかを中心にして創られているということである。あるいは、近代国家のもつ強大な官僚機構の機械的な作業によって作られる、「人間」とはおよそ無関係な予算の枠といったものに、辻褄を合わせようとするからである。次にもう一つは、科学、また技術やあるいは工業そのものの中に、そういう要素が内在しているのではないかということである。人間があるものを理解するために、科学はこれをできるだけ単純な要素に分解して理解するわけで、例えば構造工学が、構造物を理解する時に取る手立て、すなわち単純化とか抽象化とかの作業によって、人間的な現実から遠ざかるということが起こるのではないかと思われる。[…]近代建築は人間の建築としての「初心」を思い出さねばならない。科学といい、工業といい、人間の頭脳で考えられたものであるのに、それによってつくられる近代建築や近代都市が、何故に非人間的なのであるか。近代建築の「初心」を曇らし、使命感をゆがめるのは、今日の人間の行動を規制する倫理であろうし、その背後に潜む近代的な価値判断の体系である。その同じ倫理と価値の基準が、近代文明を動かして人間の尊厳を抹殺し、「人間宣言」を空文としているのではないだろうか。[…]悲劇の終焉は、それほど簡単ではないはずである。[…]われわれは西欧文明の源流に遡って、これをきわめる必要がある。もしそうした新しい力が西欧文明の源流にも見当たらなかったら、われわれはこれをトインビーとともに東洋に求めるのか、それとも日本に求めるのかしなければならない。」

日本の伝統的文化は、なおも西欧の技術官僚制（テクノクラシー）の行き過ぎを救済する力として存続しうるのではないか。こうした前川の逆説的問題提起を受け入れる時、「国際様式」の時代は、日本のみならず世界のすみずみにおいても、決定的に終息したことが分かるのである。

第2章　ニュー・ブルータリズムと福祉国家の建築：英国

一九四九〜一九五九年

一九五〇年一月、私は日頃尊敬する同僚ベンクト・エドマン、レンナート・ホームと事務所を持った。当時、彼らはウプサラで住宅を設計していた。その図面を見て私はいくぶん皮肉に「ニュー・ブルータリストだ」と呼んだ。翌年の夏、英国人の友人達、マイケル・ヴェントゥリス、オリヴァー・コックス、グレーム・シャンクランドと大騒ぎをしたが、その時この言葉がまた冗談半分に話題になった。昨年のこと、私はロンドンを訪れ、友人達と再会したが、その時彼らはこの言葉を英国に持ちかえって、それがたちまち広まってしまったのだと聞かされた。しかも、これには些かびっくりしたのだが、その言葉が若い英国建築家のある一派に与えられたことである。

——ハンス・アスプルンド「エリック・ド・マレへの手紙」
「アーキテクチュラル・レヴュー」誌　一九五六年八月

第二次世界大戦後、英国は物質的資源もなければ、モニュメンタルな表現を少しでも必要とするような文化的自負心も喪失していた。たとえあったにせよ、戦後の情勢はそれとは反対の方向にあった。英国は、建築の領域でもその他の領域でも、大英帝国の威信を放棄する瀬戸際にきていたのである。大英帝国の崩壊は、一九四五年のインド独立に端を発しているが、大恐慌当時、国じゅうを無残にも分断してしまった階級闘争は、アトリー労働党内閣の福祉条令によって、幾分なりと緩和されるに至った。戦後の社会再建は二つの国会法からその第一歩が踏み出された。卒業年齢を十五歳に引き上げた一九四四年の教育法と、一九四六年の新都市法（ニュー・タウン・アクト）である。この立法は、政府による広範囲な建設計画を助ける有効な手段となった。その結果、次の十年間に約二千五百の学校が建設され、十のニュー・タウンがレッチワースの田園都市を手本として、二千人から六万九千人の人口規模で建設されることになった。

ハートフォードシャー州議会は、[1]C・H・アスリンの指導によって、大規模なプレファブ学校建設の先鞭をつけようとしていた。こうした先走りの公共機関を別にすると、大方の建物は、地方自治体の平均的建築家の「簡略型」ネオ・ジョージ朝様式の手法によって作られた。あるいは、いわゆる「現代様式（コンテンポラリー・スタイル）」によるものであった。それは長い伝統を持った福祉国家スウェーデンの公共建築を大いに手本としていた。その様式は、英国の社会改革の実現にとって充分に「人気のある」ものと考えられたのであった。しかし、その統辞法（シンタックス）は、低い傾斜屋根、煉瓦壁、縦羽目、四角い木製窓枠の飾り窓という建築で、窓枠は白木のままか、白ペンキ塗りだった。このいわゆる「[2]ピープルズ・ディテール」は地方地方によって手が加えられたが、[3]ロンドン州議会建築部の左翼建築家達のお気に入りの建築言語となった。その大受けの人気には、雑誌「アーキテクチュラル・レヴュー」の二人の編集者の影響があった。[4]J・M・リチャーズと[5]ニコラス・ペヴスナーは、最初は厳格な近代主義擁護論を展開していたが、一九五〇年代初期から建て込んだ形態の創造に対してそれほど厳しくない考え方をとるようになった。ペヴスナーが一九五五年に行ったレイス記念連続講演「英国芸術の英国性」は、絵画的（ピクチャレスク）[6]で形式ばらないことが英国文化の本質だとはっきり言い切っている。こうした「近代運動（モダン・ムーヴメント）」の人間的な説明（ヴァージョン）は、雑誌「アーキテクチュラル・レヴュー」の社説の中で「ニュー・ヒューマニズム」と名付けられ広く普及されるようになった。

一九五一年に開催された「英国祭」は、ソヴィエトの構成主義による英雄的な図像性をもじって、穏便な文化政策に進歩的かつ近代的な次元を付け加えることになった。[7]フィリップ・パウエルと[8]ジョン・ハイダルゴ・モヤ設計の《スカイロン》、ラルフ・タブス設計の《発見ドーム》はその最も力強い象徴であった。この二つの建物は、やがてくる「食物（パン）」の満たされる生活にとっての「娯楽（サーカス）」に過ぎず、構造の修辞法（レトリック）によってさらに重要になる結果を何一つとして表現してはいなかった。決して展覧会が内容のないものだというのではないが、ただ、その内容がいかにも報われないような展示ぶりだったのである。

エドマンとホームの作品は「ニュー・ブルータリズム」という呼び名を引き出すのに相応しかったかもしれないが、その言葉が引き起こす過激な反応が最初に現れたのはスウェーデンではなく英国だった。[9]アリソン・スミッソン、ピーター・スミッソン夫妻は「英国祭」の大人気に、はっきりと反対だった。彼らこそブルータリズムの精神の最初の擁護者であって、二人の賛成者や同調者の中には、戦後すぐの世代も大勢いたのである。[10]アラン・コフーン、ウィリアム・ハウエル、コーリン・スィン・ジョン・ウィルスン、ピーター・カーターなど全員が、[11]一九五〇年代初期には、ロンドン州議会建築部で「スウェーデン路線」とは関係なく仕事をしていた。こうした状況についてレイナー・バンハムは次のように書いている。

「若い世代の否定的見解は、ジェームズ・スターリングのいきりたった声明が最もよく伝えている。「現実から目を背けるな。ウィリアム・モリスはスウェーデン人だった！」この声明が実際に正しいかどうかで迷うことはない。重要なのは、それが福祉型建築のどんな形のスタイルも一切合切を拒絶してしまおうという興奮した真実であることだ。ウィリアム・モリス復活、「ピープルズ・ディテール」、言葉はなんであれ、小さな肩つきアーチの窓と揃いの十九世紀煉瓦造技術を復活させようという試みを風刺しようとするものに対して、たまたま「ニュー・ヒューマニズム」という大袈裟な名称が与えられてしまったのだ。これはスウェーデンの近代建築からの後退に対して、雑誌「アーキテクチュラル・レヴュー」がつけた名称「新経験主義」の焼き直しに過ぎなかった。」

263　アリソン・アンド・ピーター・スミッソン「中学校」ノーフォーク・ハンスタントン，1949-54年

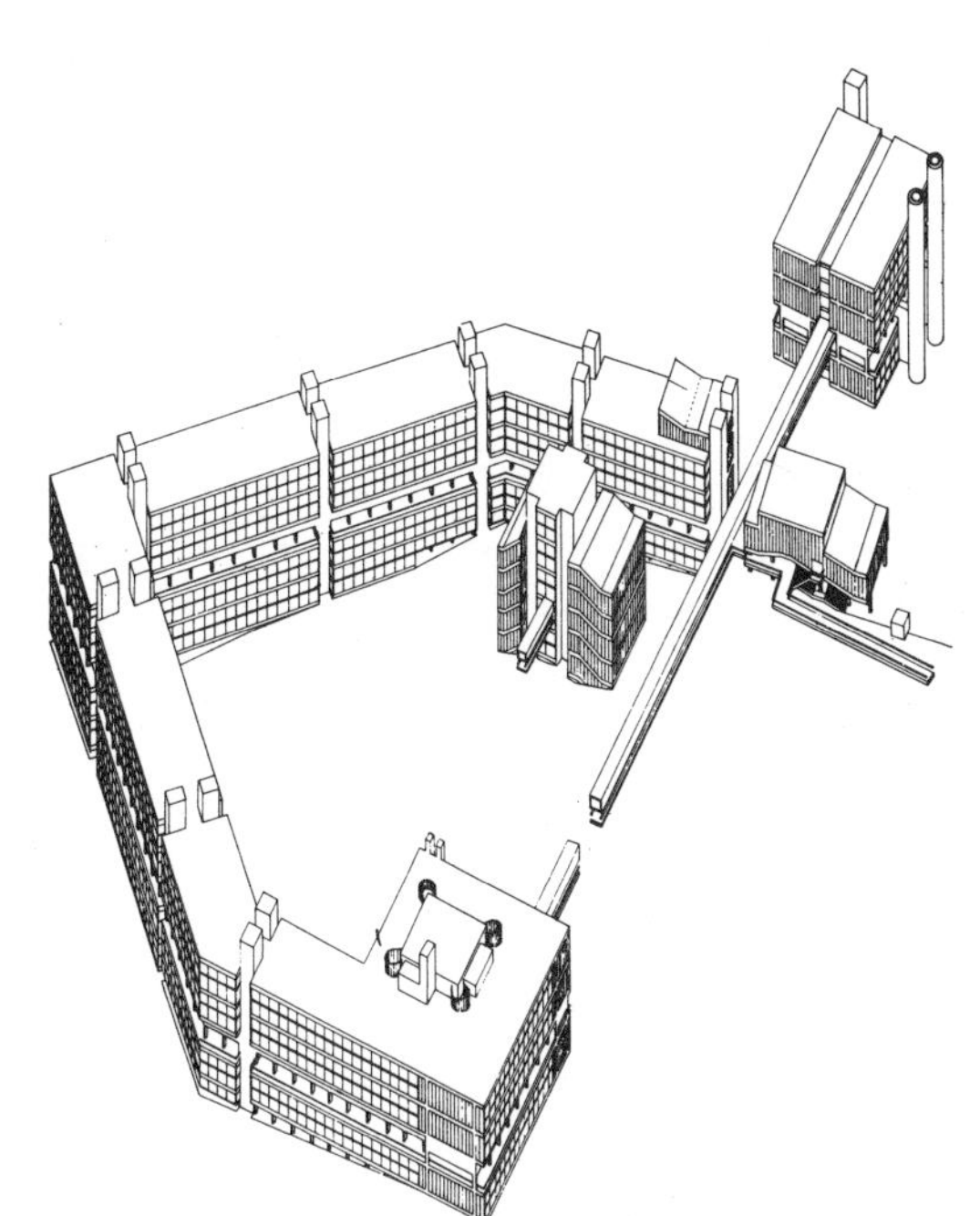

264　アリソン・アンド・ピーター・スミッソン「シェフィールド大学増築計画」，1953年

ブルータリズムには紛れもなくパラディオへの傾斜が含まれていたから、雑誌「アーキテクチュラル・レヴュー」の言う「ニュー・ヒューマニズム」に対するブルータリスト達の反応は、戦前の「近代運動」に常に潜在していた「オールド・ヒューマニズム」を擁護することだった。一九四九年に出版された[12]ルドルフ・ウィットコーワーの著書『ヒューマニズム時代の建築原理』は、当時の新進気鋭の世代に、パラディオの方法論や目標に対して興味を抱かせるという予期しない結果を招いた。もう一つ別のレヴェルからすると、ブルータリスト達は、スウェーデンの経験主義のプチ・ブルジョワ的上品さをきっぱりと拒否する一方、大衆文化の社会人類学的根源を直接参照することによって、「ピープルズ・ディテール」の挑戦に応えたのだった。この人類学的審美眼は（当時の風潮として画家[13]ジャン・デュビュッフェの反芸術的（アンティ・アート）「アール・ブリュット（生の芸術）」礼讃と密接に結びついていたが）、一九五〇年代初期、スミッソン夫妻と写真家[14]ナイジェル・ヘンダスン、彫刻家[15]エドゥアルド・パオロッツィといった優れた人物とを近づけたのであった。ブルータリズムはこの二人の人物からその実存主義的特徴を受け継いだのである。

一九五一年から五四年に至る数年は、ブルータリズムの建築が形成されるうえで、決定的な年月であった。スミッソン夫妻はすでに一九四九年、ノーフォーク・ハンスタントンに「パラディオ＋ミース」的な中学校を計画、約五年後に完成させた。こうした初期の成功に続いて、夫妻はさまざまな設計競技にきわめて独創的な応募案を提出した。それらの計画案は、バンハムが述べているように、これまでのものとはまったく「別の」種類の建築を作る試みだったと見ることができよう。実際、この時期の二人の計画案に些かもパラディオ的なところが見られなくなったということは、次の二つの作品の断絶を決定的にしているのである。一つは一九五一年の《コヴェントリー大聖堂計画》であり、もう一つは一九五二年のロンドン、《ゴールデン・レイン集合住宅計画》あるいはその翌年の注目すべき《シェフィールド大学増築計画》である。これらの計画に見られる構造を抑制した修辞法は、顧みれば、ロシアへの思い入れよりもむしろ日本的なものへの傾斜だったと思われるが、何はともあれ、類似性から言えば「構成主義的」である。これらの設計はいずれも流産してしまったが、それが英国建築文化にとって損失だったことは、その後そこに建てられた建物のまったくの陳腐さからすればもっともであろう。

そもそもブルータリズムの感性に底流する精神（エトス）は、そのパラディオ的特徴以上に謎めいたものであるが、それが初めて大衆の注目を集めたのは、一九五三年、ロンドンの「現代芸術研究所（ＩＣＡ）」での展覧会「芸術と生活の平行」の時であった。この展覧会は、一種の写真展で、ヘンダスン、パオロッツィ、スミッソン夫妻が編集して解説をしたものであった。写真はニュース写真、考古学、人類学、動物学などの珍しい資料から取ったもので、その殆どが「暴力行為の場面や、人間の歪曲した、反芸術的とも言うべき情景を写したものである。さらにそれらの写真は、いずれも粗い粒子の肌理（きめ）によって仕上げられ、これが明らかに彼らの特徴の一つだと見なされていた」のである。展覧会には、間違いなく実存主義的なものがあった。それは、世界を戦争や瓦解や病気などによって荒廃した風景として捉えようとした眼差しであった。そして幾層もの灰の下には、たとい微弱にせよ、生命の痕跡が、廃墟の中ですら脈打っているのだと訴えていた。ヘンダスンは、その頃の作品について次のように述べている。「私は、日常生活から何気なく打ち捨てられてしまったもの、放り出されてしまったもの、とはいえ、まだ生命が煮えたぎっているもの、そういうものの中に囲まれている時がいちばん幸せだ。そこには皮肉（アイロニー）があるし、少なくともそれが芸術家の創作活動にとっての象徴の一端を形作っているのである。」

これこそ一九五〇年代のブルータリズムの底流にある制作のモティヴェーションであったという認識は、一九五六年に開かれた展覧会「これこそ明日だ（ジス・イズ・トゥモロー）」の観客に失われずに引き継がれた。この展覧会は「現代芸術研究所」の「インディペンデント・グループ」[16]がローレンス・アロウェイの指導の下[17]にホワイトチャペル画廊で開催したものであり、スミッソン夫妻は、この時も再びヘンダスンとパオロッツィと協力して、きわめて象徴的な聖域（テメノス）とも言うべきものを設計したのである。それは隠喩（メタファー）としての裏庭に建てられた小屋であるが、この設計の意味するところは、一七五三年にロージエが発表した原始小屋を、ベスナル・グリーンというロンドン・イーストエンドの場所柄に合わせて皮肉たっぷりに解釈し直したことにあった。それについてバンハムは次のように書いている。

「赤錆の自転車だとか、壊れたトランペットだとか、その他、がらくたでいっぱいのこの一風変わった庭園用物置小屋を見たら、誰だって、それが原爆の大虐殺の後に発掘されたものか、あるいは古代ギリシアを遥かに遡るヨーロッパ伝統の敷地計画の一部だと思ってしまうだろう。」

しかしこうした言い方は決して回顧的ではなかったのだ。この小屋の、難解だがきわめて日常的な隠喩には、遠い過去と近い未来が一つに溶け合っていた。展示場の中庭には、古い車輪や玩具の飛行機ばかりでなく、テレビ・セットも一緒に並べられていた。つまり、瓦解し荒廃した（すなわち爆撃された）都市組織では、ようやく「豊かで」流動的な消費生活が始まりつつあり、さらに新しい産業固有言語（インダストリアル・ヴァナキュラー）による生活必需品を歓迎していることを示唆しているのであった。この展覧会には、[18]リチャード・ハミルトンによる皮肉たっぷりのコラージュ作品「これこそ、現代住宅を見違えるようにし、魅力たっぷりにするもの」が展示されたが、このコラージュこそ大衆文化（ポップ・カルチャー）のはしりとなっただけでなく、ブルータリズムの感性による日常的イメージを具体的に示すものであった。スミッソン夫妻が一九五六年の「デイリー・メイル理想住宅展」に展示した「未来の住宅」は、明らかに、ハミルトンが描いた筋肉隆々としてずんぐりした野性男と曲線美たっぷりな女性のための住宅であった。

その後スミッソン夫妻は、古風な労働階級の連帯性への同情と消費生活の有望性への同情とに引き裂かれ、そのため、見せ掛けの大衆性という真性の両義性（アンビヴァレンス）に絡め取られてしまった。一九五〇年代の後半期、彼等はプロレタリアの生活様式に対する当初の同調的姿勢から離反して、中産階級の理想に接近した。彼等はその理想を主張するのに、誇示(19)のための消費と、大衆による自動車の所有を当てにした。しかし同時に、彼等は、この新興の「可動性」が確実に旧来の都市の構造や密度を破壊する可能性を秘めていることにも呑気ではいられなかった。一九五六年の彼等による「ロンドン道路研究」では、このディレンマを高架高速道路を新たな都市の装置として提案することによって解決しようとした。一方、日常的規模ではクローム製消費財を、ぼろぼろに老朽化したアパートメントやごてごてと飾り立てた室内での宥和的スタイルによる究極の解放のイコンであると見ていた。

一九五〇年代半ばに至るまでは、素材に対する忠実さがブルータリズム建築の重要な規則であった。例えば、スミッソン夫妻の《ハンスタントンの中学校》に見られるように、設備の要素や構造の要素などの表現豊かな分節（アーティキュレーション）に対する強い執着は、もとよりその現れであり、一九五二年にスミッソン夫妻が計画した《ソーホーの小住宅》に見られる規則性の一段と強い、それでいて反美学的な手法も、素材に対する忠実さを再確認させるものであった。この住宅は四階建てで、煉瓦造に打ち放しコンクリートの梁を架け、室内も漆喰仕上げをしていない箱状の建物だが、英国十九世紀後期の倉庫建築の慣例を多数参照していた。その点、この計画案は、その後一年して発表されたル・コルビュジエによるパリの《ジャウル邸》の野性的な（ブルータル）雛形（アヴァン・プロジェ）であり、また、一九五三年のCIAM（近代建築国際会議）のエクス・アン・プロヴァンス会議に展示されたジェームズ・スターリング、ウィリアム・ハウエル、そしてスミッソン夫妻による《村落集合住宅計画案》を先取りするものであった。

一九五〇年代も中頃になると、ブルータリズムの裾野は広がりを見せ、スミッソン夫妻、ヘンダスン、パオロッツィ達の密室的先入観をはみ出していった。一九五五年に至るまでには、ハウエルもスターリングもブルータリズム編隊の重要メンバーとなった。もっとも、スターリングは一度たりともブルータリストだったことはないと言っている。スターリングの一九五三年の《シェフィールド大学》設計競技応募案は、いかにも「テクトン風（テクトネスク）」であるが、同じ年の《住宅計画案》

では、十九世紀の実用主義的な煉瓦の美学に回帰している。しかし、この計画案は正方形を組み合わせるという新造形主義風の構成を採用して、スミッソン夫妻による《ソーホーの住宅》の野性的で反芸術的な雰囲気からの脱出を見せていた。やがて、ロンドン州議会建築部内部でもコフーン、カーター、ハウエル、それにジョン・キリックといった建築家達が、ル・コルビュジエ風な集合住宅の計画を幾つも実現し始めた。その代表作が一九五八年、ローハンプトンに建てられた《オルトン・イースト団地》である。これは《輝く都市》のパロディーであった。

スミッソン夫妻の最初の作品の形成に、ミースのＩＩＴ（イリノイ工科大学）のキャンパス計画が、決定的影響を与えたことは疑いようもない事実だが、その後のブルータリズムの様式の発展は、ル・コルビュジエの後期の作品の語彙（ヴォキャブラリー）に負うところが大きい。ル・コルビュジエ自身による地中海地方の土着性（ヴァナキュラー）に対する自覚とその活性化は、一九四八年の《ロク・エ・ロブ計画》の中に歴然と現れているが、それがブルータリズムの感性の形成の母体となったのである。スミッソン夫妻は、ミースへの熱狂ぶりを見せながらも、ル・コルビュジエの打ち放しコンクリート手法による巧妙な焼き直し作品を作っている。一九五九年、彼等は次のように言うまでになった。「ミースは偉大だ。コルブとは意思が通じあう。」同

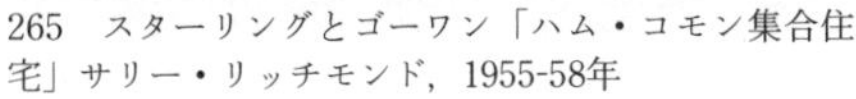

265　スターリングとゴーワン「ハム・コモン集合住宅」サリー・リッチモンド，1955-58年

266　スターリングとゴーワン「セルウィン・カレッジ寄宿舎」計画案，ケンブリッジ，1959年

様に、一九五五年、スターリングは《ジャウル邸》を訪れて衝撃を受ける。それは熱狂以上のもので、以後、彼はこれを手本とするようになる。《ジャウル邸》の統辞法と一九五五年のスターリングによる《ハム・コモン集合住宅》の様式との間に緊密な照応関係があることは論ずるまでもない。両作品には耐力クロス・ウォールが採用されているが、建築としての目的はまったく異なっているのである。

英国のブルータリズム美学の究極は、「形式主義」と「大衆性」という矛盾し合う二つの要素を、十九世紀の産業建築のガラスと煉瓦の固有言語（ヴァナキュラー）の中に融合することであった。その究極的統合が実現したのは、一九五九年のスターリングとジェームズ・ゴーワン[20]による二つの作品であった。すなわち、ケンブリッジ大学の《セルウィン・カレッジ寄宿舎》計画案と《レスター大学工学部棟》である。ここで早世したエドワード・レイノルズの作品について触れておかねばならない。それは、彼がまだ学生時代に設計したもので、その構造的表現性豊かな設計は（決して表現主義ではなく）、ブルータリズムの発展に決定的影響を与えたのであった。とりわけ、一九五八年のハウエルとキリックによる《ケンブリッジ大学チャーチル・カレッジ》、その翌年のスターリングのレスター大学での計画への影響は見逃せない。

スターリングとゴーワンによる《セルウィン・カレッジ寄宿舎》計画案は、彼らのスタイルに結晶質の造形性を導入した最初のものであり、そればかりか、その後の彼らの特徴的な組織となる「表」と「裏」という二項対立の主題が最初に提示されたものでもある。むろん、この主題は、ル・コルビュジエの《輝く都市》の中の版状（スラブ）建築に見られる固体（ソリッド）とガラスの対立という表現に由来するものである。ここで再び繰り返すが、《レスター大学工学部棟》の形態に重要な影響を及ぼしたと思われるのは、レイノルズによる一九五八年の《倉庫計画》である。だが、この《レスター大学工学部棟》の建物によって、スターリングとゴーワンは独自の表現に到達したことは言うまでもない。この作品においては、ル・コルビュジエの《スイス館》で版状（スラブ）であった箇所が（レイノルズの《倉庫計画》を触媒として）、透明な屋根を頂いた実験棟の水平な形態へと変貌している。一方、ル・コルビュジエの《スイス館》で、垂直な独立した出入口塔（アクセス・タワー）は、ここでは天井の低い実験室、大講義室、事務室などを収めた垂直棟となっている。《レスター大学工学部棟》の建物には、「近代運動」の正統な形態と、スターリングの故郷リヴァプール[21]土着の産業固有言語や商業固有言語（コマーシャル・ヴァナキュラー）が混在して（例えば、ピーター・エリスの先駆的作品を見るがよい）、初期ブルータリズムの根本的矛盾が吸収されている。一九二〇年代後期の純粋主義の模範例（パラダイム）で、この建物に残存しているのは船舶のディテールだけである。甲板の手摺、昇降口梯子、通風筒などいずれもル・コルビュジエの著書『建築をめざして』の中にポレミカ

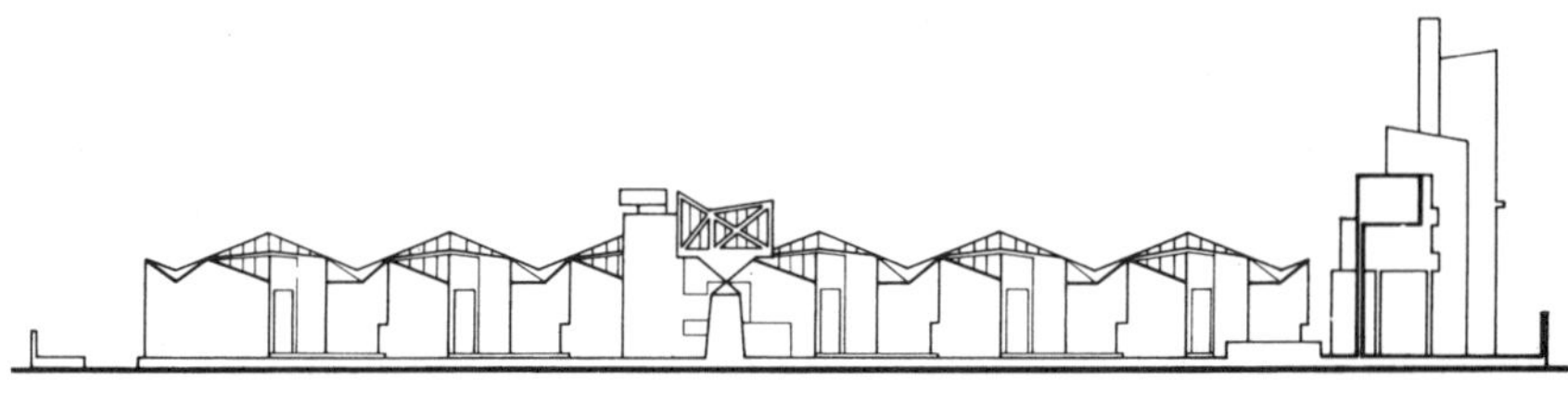

267　レイノルズ「倉庫計画案」ブリストル，1958年

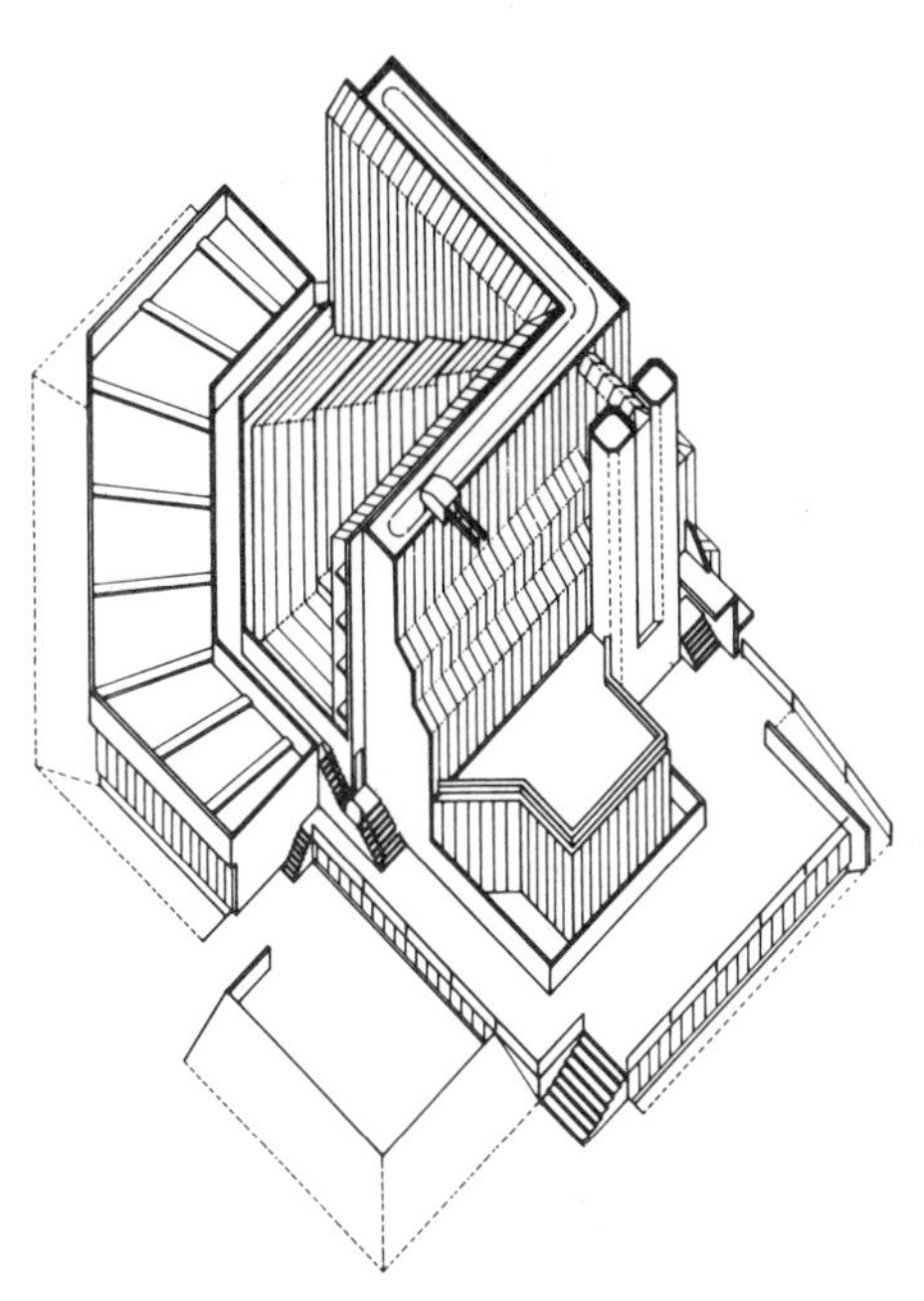

269　スターリング「ケンブリッジ大学歴史学部棟」1964年

268　スターリングとゴーワン「レスター大学工学部棟」1959年

ルな挿図として挿入されたものである。それはさておき、《レスター大学工学部棟》は、間違いなく折衷的な力作である。さまざまな要素をものの見事に並置させた手腕は、テルフォードやブルネルの作品のみならず、一八四九年に建てられたロンドン・マーガレット街の《オール・セインツ教会》に明らかなウィリアム・バターフィールドの作品すら想起させるのである。ゴシック・リヴァイヴァル様式以外のいかなる戦法によって、純粋主義の形態的要素と一九三六年から三九年にかけて建設されたライトの《ジョンソン・ワックス社》施設のロマンティックなイメージとが結びつけられたと言うのだろうか？　同時に、一九五八年のカーンによる《リチャーズ研究所》から引用した、角錐状（ダイア）グリッドを露出させた床版のようなブルータルな構造要素をどうして纏められたのだろうか？

《レスター大学工学部棟》は、いわば、直交する幾何学に四十五度のグリッドを重ね合わせていた。しかし一九六四年の、同じくスターリングによる《ケンブリッジ大学歴史学部棟》では、対角線が主軸となって平面（プラン）が構成されている。また、この《歴史学部棟》では、《セルウィン計画》や《レスター大学》での煉瓦とガラスの統辞法が拡大され、ついには、ガラスの透明な形態が主要な煉瓦造の防御部分を圧倒するまでになっている。それにも拘わらず、その煉瓦造の部分は二本の昇降機と階段の塔であり、カーンの言う「サーヴァント」部分（《リチャーズ研究所》参照）に相当する出入口を分節している。そればかりか、スターリングの住宅のスタイルを示す類型学（タイポロジー）の装置となっている。この装置は、一九六六年、スターリングの設計によるガラスと煉瓦による連作の最後として、オクスフォード大学クィーンズ・カレッジの《フローリー学生寮》の中で繰り返されたが、成功しているとは言えない。こうした主要作品の連作は、《セルウィン》、《レスター》、《ケンブリッジ》、《オクスフォード》等いずれも現代の大学施設の建物型式別のカタログとなるものである。こうした類型学を目指す方向性が、建築の要素を個々別々に分解し再結合する傾向と相俟って、一つには経験的な要求に応え、一つには「近代運動」で受け入れられた形態を「脱構築（ディコンストラクト）」しようとして、場所性に対する関心などを遥かに上回ったブルータリズムの最後の「モニュメント」を次々に作り出すことになったのである。

計画内容の要請に何一つ手抜かりなく応えているが、これまでのスターリングの建築の重要性は、そのスタイルの魅力にあるとされている。つまり、生活の質を間違いなく決定する「場所性」を絶えず洗練するのではなく、形態を決定する見事な構築性（アーキテクトニック）にあるのである。スターリングはアアルトを尊敬している。しかし、スターリングの成し得たことと言えば、アアルトの《セイナツァロ町役場》に見られる、人を包容するような雰囲気や控え目な感性とは、およそほど遠いものである。スターリングも一九五〇年代半ばに《村落集合住宅計画》で一度は見せた批判的な「場所を作る」（クリティカル・プレイス・クリエイティング）という可能性も、その後はもっぱら形態操作のうえで統辞論的想像力を発揮したため、ついには放棄してしまったかのようである。スターリングのその後の作品について、マンフレッド・タフーリは次のように書いている。

「（スターリングの）建物を使用しなければならない大衆は、形態の空虚さと「機能の言説」との狭間をどちらともなく揺れ動く空間の中に宙吊りにされる――それは自律的機械としての建築である。それはケンブリッジ大学の歴史学部の建物の中に読み取ることができるし、ジーメンスＡＧの計画案に明示されている――スターリングは、近代の伝統である意味論的宇宙が封じ込まれている聖なる領域を放棄することによって、最も冷酷な行為を実践している。観察者は、スターリングによる形態としての機械の独自な分節表現に魅せられるでもなく、はねつけられるでもなく、振動の行程へと無理矢理に連れ込まれる。その行程は、建築家独自の言語要素による強情な遊戯に合わせて、行きつ戻りつしているのである。」

第3章　イデオロギーの変遷：CIAMとチームX（テン）、批判と反批判

一九二八〜一九六八年

一．近代建築の概念は建築の現象と経済一般の現象との相関関係を内包する。

二．経済効率の概念は最大利潤のための生産を意味するのではなく、最小労働の生産を意味する。

三．経済効率増大の要求は一般経済の貧困状態の必然的結果である。

四．最大効率の生産方式は合理化と標準化から生まれる。合理化と標準化は近代建築（発想）と建設産業（実現）の作業方法に直結する。

五．合理化と標準化の反応は次の三重構造を持つ。
（a）これによって建築の概念は現場、工場を問わず作業方法の単純化を推進する。
（b）これによって建築事務所は熟練労働が不用となる。高度な熟練技術者の監督下での特殊労働の軽減が推進される。
（c）これによって消費者（すなわち生活のための住宅を依頼する顧客）からの新しい社会生活に準ずる再修正の方向性が期待できる。その修正とは正当な理由もないままの個人的要求の軽減となるだろう。こうした軽減のもたらすものは最大多数の要求に対する最大多数の充足となるだろう。そしてこれこそ現在欠けているものである。

——ラ・サラ宣言「近代建築国際会議」一九二八年

一九二八年のCIAM（近代建築国際会議）宣言には二十四名の建築家が署名した。その内訳はフランス人建築家六名、以下、スイス人六名、ドイツ人三名、オランダ人三名、イタリア人二名、スペイン人二名、オーストリア人一名、ベルギー人一名であった。その宣言では、「進化と人間生活の発達に密接に結びついた基本的人間活動である」として「建てる

こと、すなわち建物」が建築よりも強調された。ＣＩＡＭの主張するところは、建築が好むと好まざるとに拘わらず、政治および経済の幅広い問題を条件とするということ、さらに、建築が産業社会の現実から遊離することなく、その質的水準は、今後、熟練に依存するのではなく合理的生産方式の広範な採用に左右される、というものであった。この宣言の四年後には、ヒッチコックとジョンソンが技術（テクニック）によって決定される様式の出現を論ずることになるのだが、ＣＩＡＭはまず計画経済と工業化の必要性を強調し、反対に、最大利潤のための効率性を糾弾した。それに代わってＣＩＡＭが唱道したのは、規範的寸法と効率的生産方式の導入であった。これは建設産業の合理化の第一歩であった。つまり、かつては美的観点から形態を優先に論ぜられていた規則性という観念も、ＣＩＡＭの観点からすると、住宅生産を増進させ、手工業時代の方式を変える必要条件だったのである。「ラ・サラ」の文書には、同様に都市計画についても急進的な姿勢が見られる。

「都市化推進は、既往の美学のよく調節するところではない。都市化の本質は機能的秩序を作ることにある［…］土地売買、土地投機、土地相続による支離滅裂な分割は、集団的かつ方法的な土地政策によってただちに全廃されなければならない。都市計画のためには土地の再配分が必要かつ基本条件である。この再配分には土地所有者と連帯利益による不労増収をうる共同体とのあいだに適切な仕切りが含まれなければならない。」

ＣＩＡＭは一九二八年、「ラ・サラ宣言」によって発足し、一九五六年、ドゥブロヴニクでの会議を最後として終息した。その発展段階は次の三段階に分けられる。第一期は一九二八年から一九三三年までで、その間、一九二九年にフランクフルト、一九三〇年にブリュッセルと二つの会議が開催されたが、この段階ではもっぱら理論中心的であった。二つの会議では、ドイツ語圏の「新即物主義（ノイエ・ザッハリヒカイト）」の建築家達が主導権を握ったが、彼らは殆ど全員社会主義の信奉者であった。まず、フランクフルト会議（ＣＩＡＭ第二回会議）では「生活最小限住宅」を議題として、最小限生活の基準設定を問題とした。次のブリュッセル会議（ＣＩＡＭ第三回会議）では、「合理的建設方法」を議題として、土地ならびに材料の有効利用のための建物の最適高や住棟間距離などの問題を論議した。ＣＩＡＭ第二回会議では、フランクフルト市の建築監督官エルンスト・マイが主導権を取ったが、この時、作業部会が結成された。[1]「ＣＩＲＰＡＣ（現代建築問題解決国際委員会）」と名付けられたこの作業部会の主たる課題は、今後の議題を準備することであった。

ＣＩＡＭの第二段階は、一九三三年から一九四七年までの期間で、この間はル・コルビュジエの個性が発揮された。彼は、力点を意識的に都市計画へと移した。ＣＩＡＭ第四回会議は一九三三年に開かれたが、その時、三十四のヨーロッパの都市の比較分析が行われた。その意味では、都市計画の見地から開催された最も総合的な会議であった。その結果がいわゆる「アテネ憲章」である。しかし、どういうわけかこの憲章は、十年間というもの公表されなかったのである。レイナー・バンハムは、一九六三年になってこの会議の成果についてその特徴を述べ、かなり批判的に次のように書いている。

「CIAM第四回会議は「機能的都市」を議題として、一九三三年の七月から八月にかけて、アテネを出港し、マルセイユに着港したS・S・パトリス号船上で行われた。こんなロマンチックな会議は初めてであった。会議は、産業化されたヨーロッパの現実ではなく風光明媚な景色を背景に行われたのである。そしてまた、この会議は、頑固なドイツの現実主義者が後退して、ル・コルビュジエとフランス系建築家が牛耳をとった最初の会議であった。この地中海巡航の会議は、険悪になりつつあったヨーロッパ情勢にとっては、確かに、結構な気晴らしであった。そして、この一時的現実逃避によって、各国の代表者は、オリンピアの神々のように時流から超然として、修辞（レトリック）に富んだ、そのため破壊につながる記録をCIAMとして発行することになったのである。すなわち「アテネ憲章」である。この憲章は、百十一のテーマからなり、都市の現況についての記述とその修正についての提案の二つに分かれ、さらに住居、休養、労働、交通、歴史的建物の五つの章に分かれていた。

憲章は、教条的色調を帯びているが、フランクフルト会議やブリュッセル会議の報告書に比べて、当面の緊急課題に直ちに結びつくものではなく、一般論を展開している。そこでは、これまでよりいっそう将来的見通しの範囲が広まり、都市はその周辺地域との関連において初めて考察可能になると主張するなど、幾つかの聞くべき点を備えていた。確かに「アテネ憲章」は、その説得力ある一般論によって、普遍的適応性があるかのように見えながら、建築および都市に関してじつに狭隘なる概念を隠しているのである。その結果、CIAMが次の二点を引きずるに至ったのは歴然としている。（a）都市の平面（プラン）は厳格に機能にしたがって地域別にされ、機能別の地域間には緑地帯が設置される。（b）都市の集合住宅は単一の型式であって、憲章はこれを次のように述べている。「高密度人口を収容する必要があるところには住棟間距離を広くとった高層アパートメントを置く。」三十年の歳月を隔てて見ると、それが美的選択の表現でしかないことが認識されるが、当時にあっては、これがモーゼの戒律のような力を発揮して、この他の住居形態を研究することなどとうていなし得なかったのであった。」

「アテネ憲章」が直ちに全員一致で承認されたために、その他の集合住宅の模範（モデル）を検討する可能性が刈り取られてしまったと言えるかもしれないが、そこには時代風潮の顕著な変化があったことも事実である。それは運動の初期に見られた急進的な政治色が薄れてきたことである。そして、機能主義はなお広く信条として受け入れられてはいたものの、憲章の幾つかのテーマは、新資本主義（ネオ・キャピタリズム）のための教理集と見なすことができるのである。そこに書かれた勅令は、殆どが実現不可能であり、それがために、かえって理念的に「合理主義的」であった。この観念的傾向は、第五回会議において体裁を整えることになった。それは戦争直前の一九三七年にパリで開催されたもので、議題は住居と余暇であった。この時以来、CIAMは歴史的構造物の影響ばかりでなく都市が発生した地域の影響も考慮するようになった。

CIAMが三期目の最終段階に達すると、初期段階の時に見られた唯物論的思想はまったく払拭されて、自由主義的な観念論が大勢を決することになった。CIAM第六回会議は、英国のブリッジウォーターで一九四七年に開かれた。その際、CIAMの「目的とするところは、人間の情緒的かつ物質的要求を充たす物理的環境の創造である」と確認され、「機能的都市」論の抽象的不毛性の超克が試みられた。この議題は英国のMARS（近代建築研究グループ）の協力を得てさらに深化されることになり、同グループは、一九五一年英国のホズドンで開催されたCIAM第八回会議に「ザ・コア（核）」を論題として提起しようとした。結局「都市の中心（ザ・ハート・オヴ・ザ・シティ）」[2]が議題として採択されたが、その際MARSは一九四三年当時、ジークフリート・ギーディオンやホセ・ルイス・セルトやフェルナン・レジェ等が提出した宣言文の中で提示した論題を会議に突きつけたのである。この三人は宣言文の中で次のように書いていた。「人々の望んでいる建物とは、彼等の社会的生活ならびに共同体の中での生活を表象するものであり、機能の充足をいっそうもたらすものである。彼等が求めているのは記念性（モニュメンタリティー）、喜び、誇り、そして興奮などに対する憧憬が満たされることなのだ。」

ギーディオンは、カミロ・ジッテと同様に、「衆人環視の空間（スペース・オヴ・パブリック・アピアランス）」は必然的にそれを取り囲む公共施設と対をなすモニュメンタルな対立物であり、逆に「衆人環視の空間」のモニュメンタルな対立物が周囲の公共施設であると見ていた。こうした場所の具体的特性に対する関心が高まってきたにも拘わらず、CIAMのメンバーのうちの後衛達は、戦後の都市状況の複雑系を現実的に評価してゆこうという意思表示を見せなかったのである。その結果、これに幻滅し、飽き足りない若い世代による新たな支部が結成されたのである。

その決定的分裂は一九五三年、フランスのエクス・アン・プロヴァンスで開かれたCIAM第九回会議の時であった。この時、若い世代はアリス・スミッソン、ピーター・スミッソン、アルド・ヴァン・アイクに率いられ、「アテネ憲章」の四つの機能主義的分類、すなわち住居、労働、休養、交通に対して異義申し立てを行ったのである。[3]その顔ぶれは、スミッソン夫妻、ヴァン・アイク、ヤコブ・バケマ、[4]ジョルジュ・カンディリス、[5]サドラッチ・ウッズ、[6]ジョン・ヴェルカー、ウィリアム・ハウエル、ジル・ハウエル達で、彼等は、抽象的概念による代替案を提出するのではなく、都市の成長に関する構造の原理や、家族という細胞の上位に来る有効な構成単位などを探究したのである。彼等は後衛達の修正機能主義、すなわちル・コルビュジエ、ファン・エーステレン、セルト、エルネスト・ロジャース、アルフレッド・ロート、前川國男、グロピウス達の「理想主義」には不満だった。その不満は、CIAM第八回会議報告書に対する彼等の批判的反応の中に窺われる。彼等は、その報告書の中のきわめて単純化された都市のコアのモデルに反発した。彼等は、もっと複合化した図式を措定して、それが独自性（アイデンティティ）の必要にはいっそう応えると考えたのである。彼等はそのことを次のように書いている。

「人間は自らをその炉（ハース）によって容易に確認（アイデンティファイ）することができる。しかし、その家庭が置かれている都市によって確認するのは容易ではない。「帰属性」は必要欠くべからざる基本的な感情である。その連帯こそ最も素朴な秩序となる。帰属性から、すなわち独自性から、充実した近隣感情が生ずるのである。広大な再開発計画がしばしば失敗したところには、スラムの狭くて短い街路が存続している。」

これほど見事に犀利な一節を見ても、彼等が後衛達のカミ

270　アリソン・アンド・ピーター・スミッソン「ゴールデン・レイン集合住宅方式」をコヴェントリーに当てはめた計画．左手に教会と大聖堂の廃墟がある

271　リン・アンド・スミス「パーク・ヒル」シェフィールド，1961年

ロ・ジッテ張りの感傷性のみならず、「機能的都市」の合理主義をも拒絶していることが分かる。その結果、物理的形態と社会・心理的必要との間の正確な関係を批判的に探究することが、一九五六年、ドゥブロヴニクでのCIAM第十回会議の議題となった。この会議は、事実上CIAMの最終会議となったが、この若手グループが会議の進行を司った。以後、彼等は「チームX(テン)」[7]と呼ばれることになった。CIAMの後退と「チームX」による継承が正式に確認されたのは、一九五九年にオランダ・オッテルローで行われた会議においてであった。老巨匠達も揃ったこの会議の会場は、CIAMの挽歌を告げるに相応しくヴァン・ド・ヴェルドの設計したクレーラー・ミューラー美術館であった。しかし、CIAMの墓碑銘は、すでにル・コルビュジエによって書かれていたのである。彼はドゥブロヴニク会議に宛てた書簡の中で次のように書いていた。

「戦争と革命の最中の一九一六年前後に生まれて、今や四十歳に達した世代、あるいはそれよりも若年で、世界が新たな戦争を準備しつつある頃、深刻な経済、社会、政治危機に曝されていた一九三〇年前後に生まれて、今や二十五歳に達した世代、こうした若者達が現代の中心にいるのだ。この世代にして初めて、現実の問題を人間として深いところで受けとめることができるのだ。目指すべき目標、それに至る手段、現在の悲劇的状況を感じとれるのは彼等をおいてはいないのだ。彼等は実情を捉えている。彼等の先輩達は、もはやこの場には相応しくない。部外者なのだ。もはや状況の衝撃をまともに受けとめられないのだ。」

一九五〇年代中頃のロンドンの文化的状況は、パリの実存主義思想の影響を受けて、独特なものであった。こうした状況が、英国のブルータリズム運動の背景に決定的な影響を与えた。それればかりではない。ブルータリズムと密接に繋がっていた「チームX」の論争を引き起こしたのである。この点についての功績は写真家のナイジェル・ヘンダスンにある。彼の撮影したロンドンの街頭生活の写真は、スミッソン夫妻によってエクス・アン・プロヴァンスの会議の折に展示された。また、ヘンダスンの直観力と生活様式は、スミッソン夫妻の感性の形成に決定的役割を果たしている。そして、この夫妻の感性が、遂には、一九五二年になってやっと普及しつつあったル・コルビュジエによる「CIAMグリッド」[8]への無条件(タブラ・ラサ)な連座と真っ向からぶつかることになったのである。それが少なからずヘンダスンによるロンドン・イースト・エンドの共同体や境遇の記録、つまりベスナル・グリーン地区の生活写真に起因していることは間違いない。一九五〇年頃からスミッソン夫妻は、ベスナル・グリーンのヘンダスンの家を定期的に訪れるようになった。夫妻が、「同定性(アイデンティティ)」とか「共同性(アソシエーション)」といった概念を誰よりも早く引き出したのは、二人がこの地域で街頭生活を直接体験したからであった（しかし今や、この地域も福祉政策による高層集合住宅群によって一新されてしまった）。かくして、この条令施行街区（バイ・ロー・ストリート）は、その合理化によって歪められたものの、一九五二年の夫妻による《ゴールデン・レイン集合住宅計画》の概念上の「防御装置」となったのである。

《ゴールデン・レイン計画》は、ル・コルビュジエが一九三七年に発表した《イロ・アンサリュブル（不衛生島）計画》に類似しているが、明らかに《輝く都市》や住居、労働、休養、交通の四機能による都市の地域別に対する批判を意図していた。スミッソン夫妻はこうした機能分けに異を唱えて、住宅、街路、地域、都市という現象学的色彩の濃い分類を提起した。しかし、これらの分類はその尺度が大きくなるにしたがって、その意味が不分明になる欠点がないではなかった。《ゴールデン・レイン計画》の中の住宅は、紛れもなく家族単位であった。また、街路といえば片側廊下方式で、幅員は広く、空中高く持ち上げられたものであった。そして、地域や都市となると、知覚的にも現実的にも、具体的な規定には当てはまらない領域とされていたのである。

スミッソン夫妻は、《ゴールデン・レイン計画》において戦前の「機能的都市」の決定論に反対の立場をとっているが、それでも依然として、CIAMの決定論に匹敵するほどの合理化促進の思想に捉われていた。《ゴールデン・レイン計画》には、「庭地（ヤード）」は街路に接する区域とされているが、「空中高く位置している住宅」が条令施行街区の裏庭と同類の庭地を保てないことは明らかだった。また、今や地上から引き離された街路がもはや共同体生活を享受できないのも明らかだった。とりわけ片側でしか見られない自然は、場所の感覚を生むどころか、せいぜい通路の直線的連続性を強調するだけであった。条令施行街区では、道路の両側に生活感が溢れていて、明らかに社会生活に活気を与えていたのである（スミッソン夫妻の初期のスケッチを見るとそのことが分かる）。しかし、狭い敷地の中での高密度住居という《ゴールデン・レイン計画》での自然からは、スミッソン夫妻が機能主義の規範を受け入れていることもあって、生活感に溢れた生活を維持できる解決など、とても望めなかったのである。

スミッソン夫妻は、こうした集合住宅のパターンを、以後の設計の原型として提出したためこのような矛盾にはおよそ気づかなかった、と決めつけられるに違いない。確かに夫妻は、これこそル・コルビュジエの《輝く都市》に替わる批判的な代替案として《ゴールデン・レイン計画》を都市の中心地区に無限に繰り返し、押し進めようとした。そのため、不揃いで「小枝のように広がった」住棟配置は大規模な取り壊し工事を阻止するための反論であるとか、断片的な開発計画を支持するための論拠となる、と受け取られたのは当然である。そして一方、コヴェントリーの荒廃地に建てようとして、《ゴールデン・レイン計画》の原案を敷地の航空写真にコラージュした非現実的なアクソノメトリック（軸測投影図）を見ると、この発案者がCIAMの重大な矛盾に逆戻りしていることが分かる。この場合、《ゴールデン・レイン計画》は、爆撃で破壊されたコヴェントリーに当てはめられたが、既存の都市との連続性を絶ち切ってしまったようで、一九二五年にル・コルビュジエが提出したオースマン風の《ヴォワザン計画案》を思わせる。その計画案のアクソノメトリックを見ると、古い町並みのパターンと新しい建物との「境界状況」が描かれ、不調和の連続は不可避だと説明されている。一九六一年、シェフィールドのパーク・ヒルに《ゴールデン・レイン計画》を基本概念として、ジャック・リンとアイヴァ・スミスの設計による建物が完成した。[9]この時になって初めて分かったのは、上層の階と地上の街路との連続感は、街路に近い住棟形式を除くと、殆ど不可能だという事実であった。そして、このことはすでに一九一九年、ブリンクマンがロッテルダムのスパンゲンにおいて実際に経験していたことであり、さらにスミッソン夫妻もこの計画をよく知っていたのである。

そもそも多層都市という着想は、一九一〇年のエナールによるヴィジョンが、ル・コルビュジエを経て、「チームX」に受け継がれたものであった。しかし、スミッソン夫妻のおかげで、チームの仲間達はこの発想の限界を常々意識していた。その結果、「チームX」の活動の初期においてすら、きわめて批判的なスケッチをわずか一枚残すことになったのである。その図面を見ると、六階以上では人が地上とまったく切り離されてしまうのである。スミッソン夫妻は、このスケッチを巨大構造物を構想するための正当化に利用した。しかし夫妻は、経験から樹木の高さを限度として認めていたことが、一九六〇年代に大きくものをいっていたようである。そのため、家族単位の住居開発計画には「低層高密度」が好ましい方針として広く採用されたのである。こうした批判的な意識は、当時のスミッソンの計画案の中でも取り上げられていた。すなわち、一九五〇年代中期の《村落住宅計画》がそれで、そこには「閉鎖」して「屈曲」する住宅が見られる。また、彼等はその後、一九五四年には「ドーン宣言」[10]を発表して「生態学的」議論を展開し、「住居は風景の中の孤立した物体ではなく、風景の中に組み込まれなければならない」と主張した。

オランダのバケマは、一九四〇年代初期には反機能主義を表明しているが、ベスナル・グリーン地区の社会・文化的異義申し立ての影響を殆ど受けていない。彼は「チームX」のメンバーの一人であり、その作品は「新即物主義」の敷地計画の原理から殆ど逸脱することはなかった。つまり、同一の高さを持つ増築可能な連続住宅を、適切な間隔をおいて配置していくのを原理としていたのである。バケマが絶えず参照するのは、一九三四年の《アムステルダム・サウス計画》と戦前のメルケルバッハ[11]、カルステン[12]、スタムなどオランダ機能主義者達の作品である。しかし、「オプバウ」グループによる《ペンドレヒト計画》（一九四九〜五一年）や《アレクサンダー・ポールダー計画》（一九五三〜五六年）など、バケマが参画したものすべてには、単一方位と単一階高による建物群という硬直した原理からの脱出が見られる。そこでは、もっと変化を取り入れて、卍型を描く公共施設、プール、学校などの集中する地区を中心に「近隣地区」が集合している配置を目指しているのである。

　バケマは、J・M・ストクラと協力して、《ケナーメルランド計画》を設計した。その後、一九五九年のオッテルロー会議の折に、この計画を提出、丹下健三から計画の発端について説明を求められて、それが一連の研究の一環であると認めているが、まさしくこの計画はその頂点にあるものであった。しかし、丹下もバケマも、ル・コルビュジエ風の合理主義を出発点としたのは止むを得なかったとするのは、いかにもその当時の混乱を重く見過ぎるものである。なぜなら、明らかに《ケナーメルランド計画》は、エルンスト・マイやアルトゥール・コルンといったドイツの都市計画家達が最初に開発した抽象的な「近隣住居単位」から生じたものだったからである。一九六〇年代初期になっても、バケマはなお、近隣住区を主体とする計画のきわめて階層的な形態を提案し続けていたが、その最初の例は、すでに一九四二年のコルン主導のMARSによる《ロンドン計画》に初めて登場したものであった。

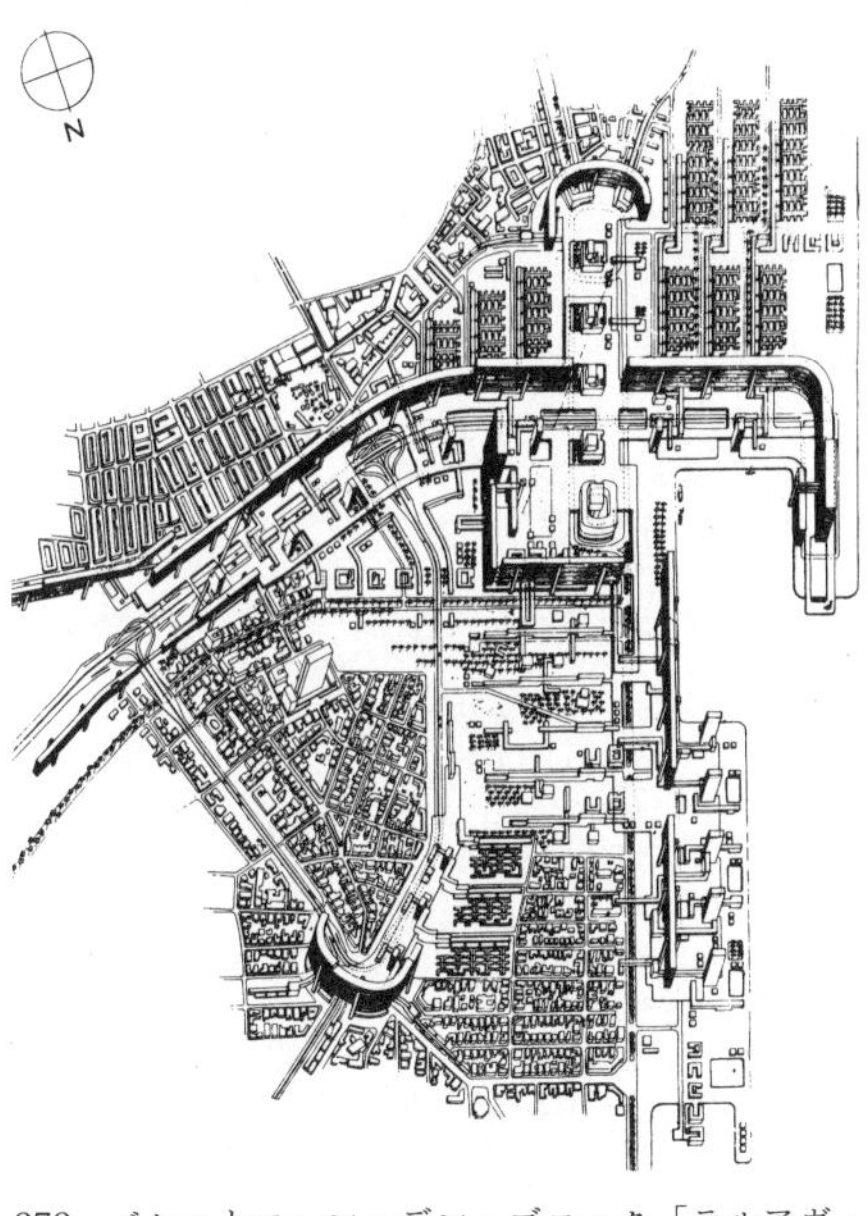

272　バケマとファン・デン・ブローク「テルアヴィヴ計画」テルアヴィヴ，1963年

　しかし、バケマが本当にル・コルビュジエの影響を受けたと言えるのは、一九六三年の《テルアヴィヴ計画》からである。この時バケマは、一九三一年にル・コルビュジエがアルジェリアに計画した長大な構造物である《オビュ計画》の建物を利用して、テルアヴィヴ市の拡散した都市形態に秩序を与えようとした。しかし、この長々と続く長大建築群の計画案は、皮肉なことに、バケマをいよいよ決定論的傾向に固執させることになってしまった。つまり、近隣住区単位という擬制には重要性が与えられずに、巨大な形態（メガフォーム）が近隣住区単位

を組織する機能に取って換わって、例えば、一九六二年の《ボッフム大学設計競技応募案》のように地形を横断するか、あるいは、それとは対照的に《テルアヴィヴ計画》のように市を貫通する大動脈である高速道路の軌跡に較べられるほどになっているのである。

　スミッソン夫妻が、こうした構造物実現の可能性に疑念を抱き始めたという時に、バケマが巨大都市（メガロポリス）的ランドスケープに対して、心理的「位置づけ」としての巨大建築物（メガビルディング）を提案したのは「チームX」の逆説の一つである。スミッソン夫妻の「開放系都市（オープン・シティ）」というテーマは、むろんルイス・カーンの都市計画の基本概念に影響されたものであって、彼等が一九五八年に初めて渡米して以来、言及されるようになったのである。そしてこの年、夫妻は（ペーター・ジグモントと一緒に）、《ベルリン・ハウプトシュタット地区計画》の設計競技に応募した。この計画案は（奇妙なことにハンス・シャロウンの応募案に類以していたが）、いつまで経っても「荒廃したままの」都市という概念を提案した。そこで言われる「荒廃（ルイン）」とは、二十世紀の加速度化された運動や変化は、とうてい既存の都市組織のパターンに結びつくことはあり得ないという意味である。

　バケマにせよ、スミッソン夫妻にせよ、彼等は「都市の中の位置づけ（アーバン・フィックス）」という概念に拘った。それは「モ[13]ートピア（自動車都市）」の「無限定な空間」の中に、建築によって場所の感覚を作り出すという意味である。しかし、スミッソン夫妻は巨大構造物を唱道し続けることはせず、むしろ地域に分散して通過交通に煩わされない「飛び地（エンクレーヴ）」を作ることを推奨した。それは、《ベルリン・ハウプトシュタット計画》のように高架式の基壇（ポディウム）になる場合もあれば、一九六二年の《メーリングプラッツ計画》の場合のように、シンケル風の「観兵式場（パラーデプラッツェン）」のようになることもあった。どちらを取るにせよ、スミッソン夫妻もバケマも、その頃になると、集団移動の約束を叶えることに捉われるようになった。そして彼等は、集団移動の成果を、それに相応する形態の建築によって儀式化しようとしたのである。

　このような現象に対処するために幾つもの戦略が準備されたが、スミッソン夫妻の立てたものは、とりわけ現実的であった。そして、《ハウプトシュタット計画》、《メーリングプラッツ計画》の原型が、部分的ながら実現されている。前者の原型は、一九六五年の《エコノミスト社計画》であり、後者の原型は一九六九年の《ロンドン・ロビン・フッド・ガーデンズ集合住宅計画》である。しかし、《ロビン・フッド・ガーデンズ計画》の場合は、一般的な「機能的都市」の塔状建物のように、都市の文脈から孤立してしまった。このように多くの開発計画から不毛な状態しか生み出せなかったということは、スミッソン夫妻といえども、当時においてはまだ、彼等の「自国の城（ランドキャッスル）」へのアプローチも都市の状況と妥協せざ

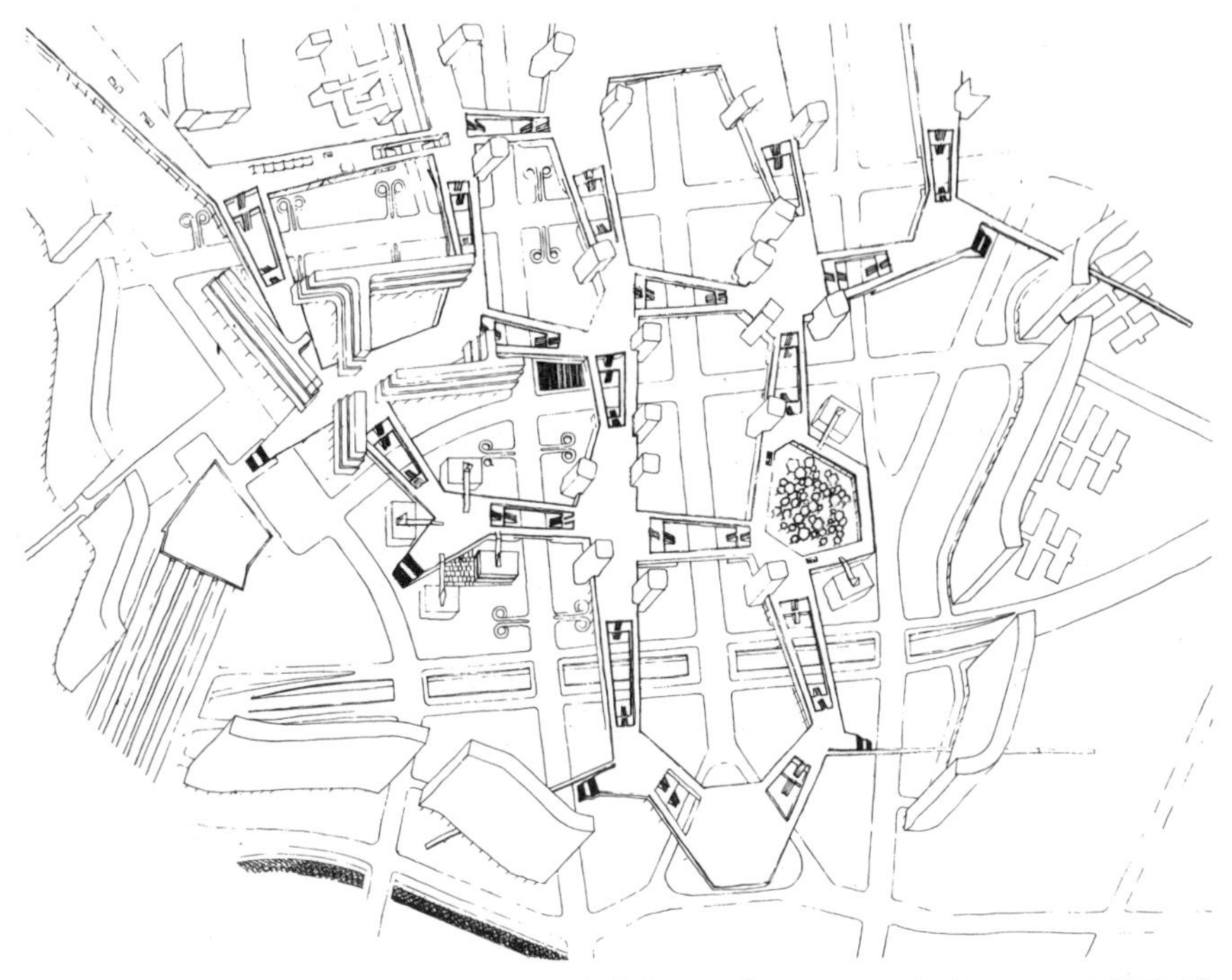

273　アリソン・アンド・ピーター・スミッソンとジグモント「ベルリン・ハウプトシュタット計画（首都)」，1958年．旧市街の格子の上の歩行者道路が網目状に張り巡らされる

274　「ベルリン・ハウプトシュタット計画」，エスカレーターが商業階や屋上階を繋いでいる

るを得なかったということである。

「チームX」は、本質的に多元論的であって、そのことはアルド・ヴァン・アイクの著しく風変わりなアプローチの中にはっきりと映し出されている。彼は、これまで「場所の形態（プレイス・フォーム）」という概念を発展させることに携わってきたが、この概念こそ、正しく二十世紀後半に相応しいものであった。アルド・ヴァン・アイクは、そもそも出発点からして、「チームX」の大多数のメンバーが定式化するのをとかく避けて通ろうとしてきた問題を取り上げた。「チームX」がその素朴な楽天性によって、当初の浮き浮きした気分を保っていたのに対して、ヴァン・アイクのほうは悲観主義的思想に近いくらいの批判性を原動力としていたのであった。「チームX」の仲間は誰一人として、近代建築の根底にある人間疎外という抽象性を攻撃しようとは思ってもみなかった。おそらく彼等は誰一人として、ヴァン・アイクの「人類学的」体験という恩恵を受けていなかったのであろう。彼は一九四〇年代の初期から、「原始」文化や、そうした文化が必ず現れている建て込んだ形態の中の超時間的（タイムレス）な側面にとりわけ関心を抱いていた。そして、彼が「チームX」に参加した時には、すでに独自の見解をもっていたのである。一九五九年のオッテルロー会議の際に、ヴァン・アイクは声明文を発表したが、その中で、人間の超時間性（タイムレスネス）に対する関心を表明している。彼の思想は、「チームX」の主流の思想とはおよそ無縁であり、CIAMのイデオロギーからも異質であった。

「人間は、常に何処においても、本質的には同じである。人間は、同じ精神装置を備えている。それを異なって使うのは、それを使う人間の文化的あるいは社会的背景のせいであり、その人間が一部となって構成している生活様式の特殊性のためである。近代建築家達は絶えず、この時代においては何が違うのかを喋り続けている。だが、それとても、せいぜい違うはずのないものとの縁を切ったとか、本質的に常に同一であり続けるものとの縁を絶ったということなのだ。」

ヴァン・アイクは、転移（トランジション）に関心を寄せ、「内側と外側」「住居と都市」といった、どこにでも見られる一対の現象を象徴的に媒介する「境界（スレショールド）」を拡大させることに関心をもっている。彼のそうした関心は、一九五〇年代後期の作品の中に明瞭に現れることとなった。当時、完成間近にあったアムステルダムの《子供の家》がそれである。この学校においてヴァン・アイクは、「家族」と呼ばれる丸屋根のついた単位空間を相互に連結し、さらにその全体に連続する屋根を架けて一体として、彼の言う「迷路のような明晰性」という概念を明示したのであった。

しかし一九六六年になると、これまで彼を熱狂させていた原因が、今度は絶望の原因になってしまった。ヴァン・アイクは五年間の集中的な都市開発に携わったのち、建築という職能が、たとえ西欧の人間全体にとってではないにせよ、大衆社会の都市現実に対処するための戦略あるいは美学をなんら展開できないことを思い知らされたのである。「われわれは多様性というものが茫漠としていることを少しも分かっていない。だから建築家として、あるいは都市計画家として、それどころか誰ひとりとして、これと取り組むことはできないのだ」とヴァン・アイクは述べている。また、ヴァン・アイクはこうした状況を、土着性（ヴァナキュラー）の喪失による「文化の空白」だと説明している。この当時、彼はさまざまな論文を書き、その中で、近代建築が「様式」と同時に「場所」の抹殺にも手を貸したことを指摘している。彼はオランダの戦後の都市計画を論じ、それが「機能的都市」という組織的に居住不能に陥れられた不在（ノーホエア）の場所以外の何ものでもないと指摘している。彼はまた、建築という職能が土着的なものに対して充分に配慮を払わないかぎり、社会の多様な要求には応えられないとして、大衆社会そのものの正当性すら疑問視している。一九六六年、彼は自問する――「もしも社会が形態を具えていないとしたら、建築家はどのようにして、それと対になる（カウンター）形態（フォーム）を建てられるだろうか？」

「チームX」は、一九六三年の時点においてすでに、実りある意見交換や協力関係の段階を通り越していた。そうした変貌について、スミッソン夫妻は、一九六二年に出版した著書『チームX』の中で、直観的ではあるが認めている。以後、

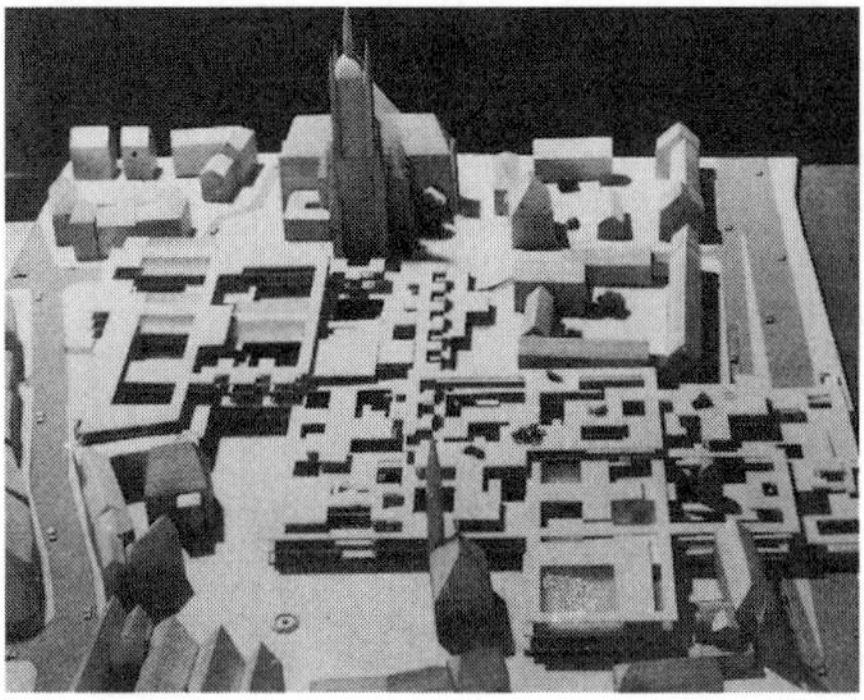

275　カンディリス，ジョシック，ウッズ，シュイートヘルム「フランクフルト-レーマーベルク計画案」1963年．模型

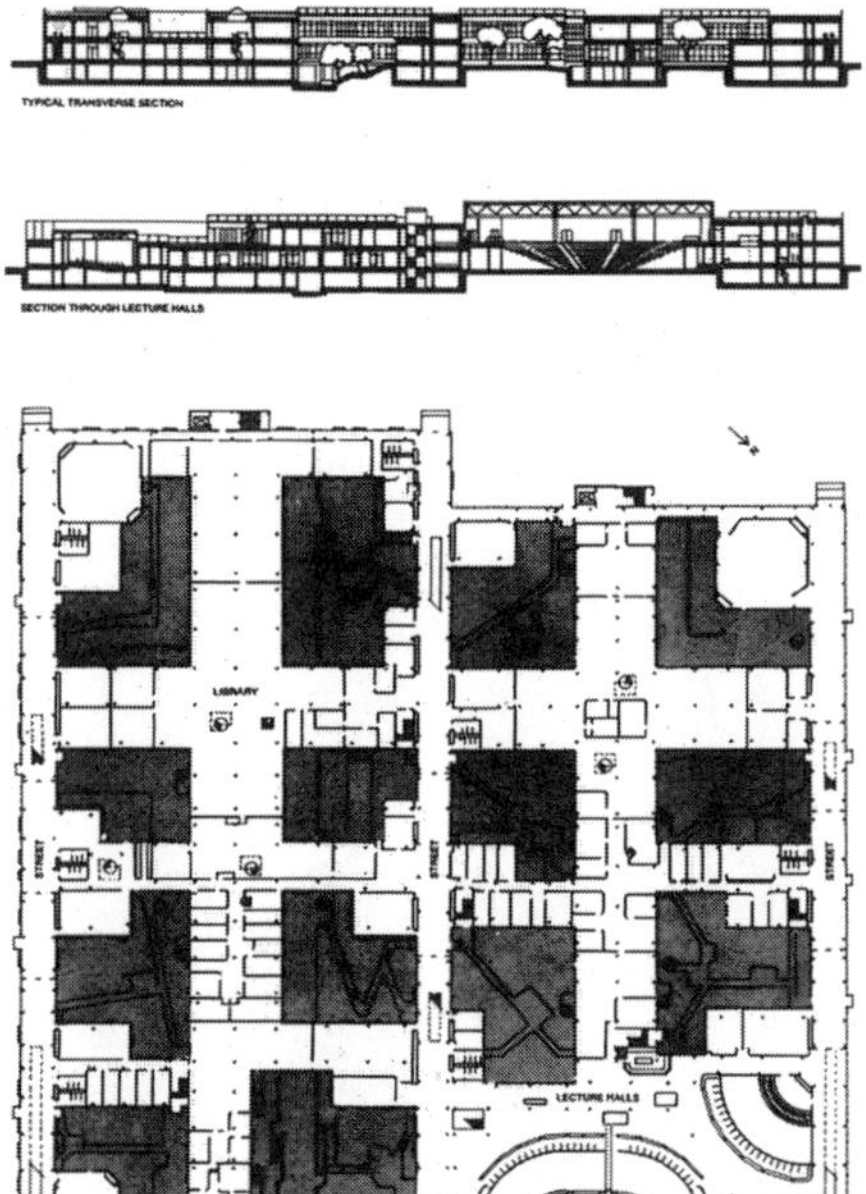

276　ウッズとシュイートヘルム「ベルリン自由大学」ベルリン・ダーレム，1963-73年．第1期の断面図と1階平面図

「チームX」は、名称だけの運動として存続することになる。つまり、CIAMへの創造的な批判活動によって到達されるはずだったものは、この時点ですでに達成されてしまっていたのである。批判的な再解釈によって成就できることなどは、もう多くはなかったのである。わずかに例外と言えるのは、これまでやや偏っているとされていたアメリカ人サドラッチ・ウッズ、イタリア人(14)ジャンカルロ・デ・カルロの作品ぐらいであった。

そのウッズが、一九六三年、フランクフルト‐レーマーベルク設計競技に提出した応募案は、新たなる出発点となるものであった。それは、ヴァン・アイクの言う「迷路のような明晰性」の要請にまっすぐに応えたものであった。この《フランクフルト計画案》で提示されたものは、「縮図都市（シティ・イン・ミニアチュア）」という概念であった。第二次世界大戦によって破壊されたこの中世都市に対して、ウッズはマンフレッド・シュイートヘルムと協力して、商店、公共広場、オフィス・ビル、住居からなる、しかも、それら全体が二層の駐車場や公共施設を収めた地下構造で繋がっている、迷路のように錯綜した配置構成を提案したのである。もしもフランクフルトが都市の「出来事（イヴェント）」だとしたならば、ウッズの計画は確かにスミッソン夫妻やバケマとは異なった用語で構想されていた。そこではフランクフルトという都市の中世的な「形態（フォーム）」に対して、直交組織の「対形態（カウンターフォーム）」が提起されていた。同時に、エスカレーターを利用した三次元の「ロフト（上階）」方式が織り込まれ、さらに、その隙間の領域を必要に応じて利用するようになっていた。こうした基本概念は、一九五八年にヨナ・フリードマンが発表した「可動建築論」で先鞭をつけたインフラストラクチャー（基幹構造体）だが、だからといってウッズの業績の大きさが損なわれるものでは決してない。

この計画案はついに日の目を見なかったが、ウッズの生涯の業績で最高のものであることには間違いはない。また、「チームX」による最も重要な原型の一つでもあろう。すなわち、既存の都市の文脈と関係を保ちつつ、また「機能的都市」あるいは「開放系都市」といったモデル都市の現実逃避傾向に陥ることもなく、場所に応じて、自動車を取り入れながらも、都市の文化の伝統を存続させようとしているのである。

この《フランクフルト計画案》は、一九七三年のウッズとシュイートヘルムによる《ベルリン自由大学》の実現に際しても生かされたが、もとの発想にあった説得力の大半が失われてしまった。それはここには都市の文脈というものが存在しなかったためである。大学のあるベルリン・ダーレムというところでは、基本概念が立てられる都市文化が欠落していたし、フランクフルトに実現されていたならば当然応えていたはずの都市文化が剥奪されていたのである。したがって、たとい大学が小宇宙としての都市の働きをするとはいえ、こ

277　ウッズとシュイートヘルム「ベルリン自由大学」ベルリン・ダーレム，1963-73年．コルテン鋼による外部仕上げの詳細はプルーヴェによる

こには都市固有の活気に溢れた多様性を生みだすことができないのである。そのほかにも、フランクフルトの場合に見られた空間による融通性が、ベルリンの場合には技術による融通性を理想化することにすり替わっていた。つまり、ジャン・プルーヴェによるコルテン鋼を用いたクリップ・オン方式の規格型正面（ファサード）のディテールは「詩的」ではあるが些か使い勝手が悪いものだったのである。

ウッズの《フランクフルト計画》に盛り込まれたイデオロギーは、一九六四年のデ・カルロの《ウルビノの計画案》の中に全面的に生かされることになった。この計画案は、地形についての徹底的調査を踏まえて、新しい開発施設のためよりも、保存と再利用の戦略に見合った空間を目指していた。デ・カルロの《ウルビノ計画》によって、「チームX」はついに、《輝く都市》の合理的（カルテジアン）計画に対して、完全なアンチテーゼを提起することになったのである。デ・カルロは、できるかぎり手持ちの蓄積を再利用しようと腐心した。こうした彼の関心は、最近の集合住宅についての研究によって、今では一つのポリシーとして確認されているものである。その調査の結論によれば、たとい従来のような高密度であっても、新設された集合住宅が、解体や建設に費やされる時間によって蒙った統計的な「住宅喪失」を取り戻すには、五十年という長い歳月を必要とするのである。

こうした点を考慮に入れた結果、ＣＩＡＭは、これまで常に極力避けてきた領域、すなわち政治に巻き込まれる羽目になってしまった。こうした意識の転換は、一九六八年の「ミラノ・トリエンナーレ展」において、ひときわ鮮やかに現れたのである。その時、ウッズは急進的学生達に同調して、展覧会場からの自作の撤去作業の手助けをしたのである。そのちょうど一年前、彼は次のように書いていた。

「われわれは何を待っているのか？　秘密兵器による新たな攻撃に関するニュースを聞くことか？　ますます荒廃していくわれわれの住居の奥深くに潜んでいる素晴らしい小型機械が捕らえるニュースを聞くことか？　われわれの兵器はいよいよ精巧になっている。われわれの住居はいよいよ粗野になっていく。こうしたことが有史以来の最も豊かな文明の貸借対照表（バランスシート）なのか？」

同じテーマは、一九六八年、デ・カルロによって取り上げられた。その時、彼は「建築の合法化」と題する論文を書いて、近代建築のイデオロギーの展開を同じ観点から分析している。その中で彼は、一九二八年の「ＣＩＡＭ宣言」の成り行きを次のように批評している。

「この会議から四十年たった今日、われわれはその当時の計画案が住宅になり、近隣住区になり、郊外になり、そして都市になったことを目の当たりにしている。だがそれは、まず貧困な人々に対して、次に中流の人々に対して仕組まれた虐待行為の明々白々な表明である。これは最も貪欲なる経済投機や、最も鈍感なる政治的無能力などを隠蔽する文化的不在証明に過ぎないのだ。そして今なお、フランクフルトの会議の時にあっさりと片付けられてしまったたくさんの「なぜ？」という問題が表面化される懸念があるのだ。同時に、われわれは当然「なぜ」集合住宅ができるだけ廉価でなければならないのか、「なぜ」高価であってはいけないのかを問わなければならない。集合住宅が、材料の点でも、壁の厚みの点でも、外観の点でも、最低限に切り詰める努力をするのではなくて、広々として、保護保全が充分で、互いに隔離されて、居心地がよくて、設備が整っていて、個人の自由な生活や相互交流や交際や個人的創造の機会に富んでいては「なぜ」いけないのかと問い糺す権利があるのだ。しかし、現在、戦争にいくら支払われているのか、ミサイル建設に、対空ミサイル戦略に、月面着陸計画に、パルチザンの隠れる森林の伐採研究に、ゲットーのデモ参加者の活動麻痺に、秘密の説得に、いかがわしい日用品の発明にいくらの金銭がかけられているのかを誰もが知ったならば、利用資源不足の訴えに対する返答には誰一人として満足できないのだ。」

デ・カルロにとって、一九六八年の学生運動は、建築教育の危機にとっての避けられない頂点であった。そればかりではなく、建築の実践と理論の機能不全という、深刻にして重大な現実を反映するものであった。とくに建築の理論は、社会全体に浸透しつつある権力と搾取の実際のネットワークを惑わすのにしばしば与っているのである。そうした実例として、デ・カルロは、CIAM第八回会議の議事録を挙げている。この会議で行われた「都市の中心」についての感傷的討議は、結果的に、伝統的都市の中心部を強奪(レイプ)することになるイデオロギーを支持していたのである（事態の進行に一段と拍車がかかったのはその十年後であったと聞くと、冷笑どころか皮肉と言わなければならない）。すでにデ・カルロが論じているところだが、こうした思惑についてまわる[15]「ニュースピーク風（故意に曖昧な）」響きは、西欧社会の批評家達にとって、まったく無益だったというわけではなかった。彼等は、都市再生の過程とは、貧困な人々の住み替えを婉曲に表現したものくらいに考えるようになったのである。

一九六〇年代中頃においても、この問題はなおチームXのほとんどの仲間達の関心外にあった。ヴァン・アイク、ウッズ、デ・カルロといった例外を除けば、大多数のチームXの人々は、都市の遺産の破壊を、投機の名のもとに無視しようとしていた。この時点において、「チームX」がかつて持っていた採決機関としての能力は、麻痺状態に陥った。その創造的エネルギーは、悪条件を前にして枯渇した。逆説的に言うならば、彼等の作品で、今後なお存続するものと言えば、彼等の建築的映像などではなく、むしろ彼等の文化的批評を示唆する力なのである。

第4章　場所、生産そして背景画：一九六二年以降の世界の理論と実践

空間という言葉に相当するRaumあるいはRumにはこの言葉の古い意味が込められている。Raumとは定住や宿泊の障害あるいは束縛を排除した場所を意味している。したがって、空間とはギリシア語で言うperasすなわち一定の境界内でなんらかのために空けられている所であり、障害や束縛のない所である。一方、境界ではそこで何かが停止するというのではない。境界とはギリシア人がすでに認識していたように、そこから何かが「存在を始める」のである。その基本概念がhorismosすなわち地平線、境界と同じであるというのはこうした理由からである。空間とは本質的には部屋が作られることである。あるいは、その境界内に満たされるものである。部屋を作る対象となるものは至る所にある。それ故に、それは位置関係によって、例えば橋などによって、結合し、集合している。したがって、いろいろな空間は位置関係からそれぞれの存在を認められるのであって、空間そのものからではない。

――マルチン・ハイデッガー『建てること　住むこと　考えること』一九五四年

最近の建築の展開を説明するに当たって、建築という職能が一九六〇年代中期以降果たしてきた両義的な役割について触れないわけにはいかない。両義的なのは、この職能が公共の利益に役立つことを事としながら、しばしば最大効果を求める科学技術の領域拡大に無批判に手を貸しているという意味からである。そればかりではない。建築家の中でも知的水準の比較的高い人々の多くが、従来の実践を放棄して、直接社会行動に訴えるか、あるいは、芸術形式としての建築の計画に耽溺しているという意味からでもある。このうちあとの場合は、抑圧された創造力の再来とでも言うべきであろうか、あるいは、ユートピアの内部破裂とでも言うべきだろうか。むろん、こうした実現不可能な計画に熱中した建築家は過去

にもあった。しかし、ピラネージとか、ごく最近ではブルーノ・タウトの「ガラスの鎖」による幻想（ファンタスマゴリア）など、著名なものを例外として、こうした建築家達は途方もないイメージを提起したわけではない。第一次世界大戦という心的外傷（トラウマ）の前後では、啓蒙主義思想の肯定的側面は、なお説得力を持つほどに有力であった。したがってそれ以前、すなわち十九世紀の境目においては、ブレの描いたきわめて壮大な幻想（ヴィジョン）ですら、充分な財源が調達できたならば実現可能だとされたのであった。実際、ルドゥー等は幻想建築家であるとともに実践建築家（ビルダー）でもあった。ルドゥーについて述べたことは、ル・コルビュジエについても少なからず当てはまった。彼の膨大な都市計画案は、もし彼に充分な権力が委ねられたならば、間違いなくすべて実現されたはずである。一九七二年、ニューヨークに[1]ミノル・ヤマサキの設計によって四百十二メートルの《世界貿易センター》が完成した。それは骨組式筒型構造（フレイムド・チューブ）によるツインタワーであった。また一九七一年には、シカゴにSOM[2]のブルース・グラム[3]とファズラー・カーンの設計によって、さらに三十メートル高い《シアーズ・タワー》が完成していた。この二つの塔の完成は、フランク・ロイド・ライトが一九五六年に発表した一千六百メートルのスカイスクレイパー（摩天楼）でさえ、必ずしも実現不可能ではないことを立証してみせたのである。だが、こうした巨大建築（メガ・ビルディング）はあまりにも例外的であって、とうてい通常の実践行為の手本としては役に立たない。いずれにしても、マンフレッド・タフーリが述べているように、現代の前衛達の目指すところは、伝達媒体を通じて前衛であることを立証するか、あるいは、それとは対照的に、創造の悪魔祓いの儀式を秘密裏に執り行うことによって前衛の責任を償おうとするか、いずれかなのである。後者の場合、それがどの程度まで破壊活動の作戦として有効なのか（「アーキグラム」はこれを「体制（システム）への騒音（ノイズ）の注入」と言う）、あるいは批判の意味を込めた巧妙な隠喩として役立つのかは、その時の観念の複雑さの度合いや計画全体に底流する意図に関係することは言うまでもない。

英国の「アーキグラム」[4]グループの場合、初め、新未来主義のイメージを提案していたが、一九六一年、雑誌「アーキグラム」を創刊した。それを見ると、彼等の姿勢がアメリカのデザイナー、バックミンスター・フラーの技術官僚的イデオロギーや、英国でのフラーの代弁者ジョン[5]・マッケイルやレイナー・バンハムの思想に強く結びついていることが分かる。実は、バンハムはマッケイルの示唆を受けて、一九六〇年以前からフラーに注目しており、その著書『第一次機械時代の理論とデザイン』の最終章では、フラーを未来の救済運動の闘士（ホワイト・ナイト）としている。「アーキグラム」のほうは、その後「ハイ・テク」、軽量化、インフラストラクチャーといったアプローチを取り入れるようになった（こうしたアプローチはフラーの仕事においては潜在的で明確なものではなかったが、ヨナ・フリードマンが一九五八年に発表した『可動建築論』ではかなり明瞭になっている)。やがて「アーキグラム」は、まったく未確定な解決案を提出したりもせず、さりとて実現やその目安を社会に一任するような解決策を提出したりもせず、甚だ逆説的なことではあるが、皮肉(アイロニー)に充ちたサイエンス・フィクションに沈潜していった。そして、何よりもこの点こそ、「アーキグラム」が英国におけるもう一人のフラーの弟子である[6]セドリック・プライスと区別されるところである。プライスの一九六一年の《ファン・パレス計画》や、一九六四年の《ポタリイズ・シンクベルト計画》は、まぎれもなく実現可能であったし、理論としては曖昧ながらも、ともかく前者は大衆娯楽という明らかな要求に対して、そして後者は直ちに着手可能な高等教育システムに対して、それぞれ対応することができたのであった。

「アーキグラム」が何より関心を抱いたのは、ある種の破壊的エロティシズムもそうだが(例えば、一九六二年のマイ[7]ケル・ウェッブの《シィン・センター》に見られる生物学的機能主義のパロディーがその例である)、当時の人々を魅了した宇宙時代のイメージであった。そして、彼等はフラーに倣って、生産方法など焦眉の急に応える巧妙な技術(テクニック)に今日性を見出すよりも、生き残りのための科学技術(テクノロジー)にハルマゲドン(総力戦)的意味を与えることに興味を持ったのである。[8]ロン・ヘロンが一九六四年に描いた《ウォーキング・シティ》は、一見、皮肉を感じさせはするが、明らかに核戦争の廃虚となった世界を闊歩して歩くものとして計画されていた。それは[9]ハワード・ヒューズの[10]「グロマー・イクスプロラー」さながら、大惨事の後の人間や家財を救出するといった悪夢のような光景を髣髴とさせる。このリヴァイアサンを思わせる巨大な怪物は、一九六八年のフラーによる計画に匹敵するかもしれない。その計画は、ミッド・マンハッタン全体を覆うくらいの巨大なドームを建てるものであって、都市ほどもあるこの大きな鉄の肺は、本来、スモッグ防災用ジオデシック型シェルターとして計画されたが、もちろん、核のニア・ミスという不慮の事態の際の放射性降下物シェルターとして役立つ装置でもあった。「アーキグラム」も、フラーの場合にも指摘された呑気な無頓着さから、彼らの巨大構造物(メガストラクチャー)によるさまざまな計画案が当然生み出す社会的および生態学的結果に対して、関心を払うことなど思ってもみなかったのである。一九六四年のピーター・クック[11]による《プラグ・イン・シティ》は、そうした典型的な例であった。[12]デニス・クロンプトン、マイケル・ウェッブ、[13]ウォーレン・チョーク、[14]デーヴィッド・グリーン達も、同様に、宇宙時代の吊り構造によるカプセルに取り憑かれていたから、何故に人間がこれほどまでに高価で手の込んだハードウェアという残酷にして過酷な条件の中に住むことになるかの理由など、説明する必要はないと思っていた。ハイ・フィデリティのオーディオ装置や、その他、便利と思われる一切の機器を備えた一人用の大きなバブル（気泡）の中で、[15]ヴィシュヌ神よろしく満ち足りた表情を見せているレイナー・バンハムと同じように（このイメージは、フラーが作曲した皮肉な調子の歌「ローム・ホーム・トゥ・ア・ドーム（ドームを求めてホームを歩く）」の実利主義的精神の賞賛であろう）、「アーキグラム」の仲間は、こぞって空間の基準案を提案したが、それらは彼等なら軽蔑したであろう戦前の機能主義者達による「生活最小限住宅」を遥かに下回るものであった。

一九五六年にバーソルド・リュベトキンがソヴィエトの構成主義建築家達を攻撃した時の言い草を借りると（この時のリュベトキンの攻撃目標はギンズブルグの率いる「オサ」グループだった）、もしも建築が「ある種の昆虫や哺乳動物の行動の水準」まで引き下げられるとしたら、その時の建築こそまさしく、「アーキグラム」の計画する住居細胞であった。これらの単位住宅は、一九二七年にフラーが計画した《ダイマクション・ハウス》、あるいはその十年後の《ダイマクション・バスルーム》を手本としたものであり、しかもその単位住宅が、主として個人あるいは夫婦を対象に設計されたということからして、それらは「独立した（オートノマス）パッケージ」を目標としていたのである。このような子供のいない単位家族に固執したのは、ブルジョワ家族に対する暗黙の批判だと言えるかもしれないが、「アーキグラム」の根本的姿勢が批判的だったなどとはとても言えなかった。そのことは、ピーター・クックが一九六七年に出版した著書『建築、行動と計画』の次の一節からも明らかである。

「敷地の可能性を徹底的に研究すること、別の言葉で言えば、一片の土地から最大の利益を抽出するための便利な建築の基本概念を利用すること、これが、今後しばしば建築家に求められるものの一つになるだろう。過去においては、それは芸術家の才能を反道徳的に利用するものだと思われたことだろう。だが今日では、資金（フィナンス）の調達は設計の創造的要素となり得るのであり、したがってそれは環境全体の建設の過程を円滑化させる一翼を担っているのである。」[16]

「アーキグラム」の作品は、驚くほど日本のメタボリスト達の作品に近いものだった。このメタボリスト・グループは一九五〇年代後期に形成されたもので、日本の人口過剰という圧力に応えて、絶えず成長し適応していく「プラグ・イン（差し込み）」方式の巨大構造物を提案した。[17]黒川紀章の作品に見られるように、こうした巨大構造物に含まれる生活用細胞は、途方もなく巨大な螺旋状スカイスクレイパーに留められるように、プレファブ方式による繭玉状（ポッド）に単純化されている。これに対して、[18]菊竹清訓の計画案に見られるように、生活用細胞が、海上あるいは海中に浮かぶ壮大なシリンダーの外側または内側の表面に、巻貝のように付着しているのである。菊竹の《海上都市（マリーン・シティ）》は、メタボリズム運動の生み出した

279　ヘロン「ウォーキング・シティ計画」，1964年

280　フラー「マンハッタン・ミッドタウンを覆うジオデシック・ドーム計画案」，1962年．22丁目から64丁目，イースト・リヴァーからハドソン河までの範囲が包まれる

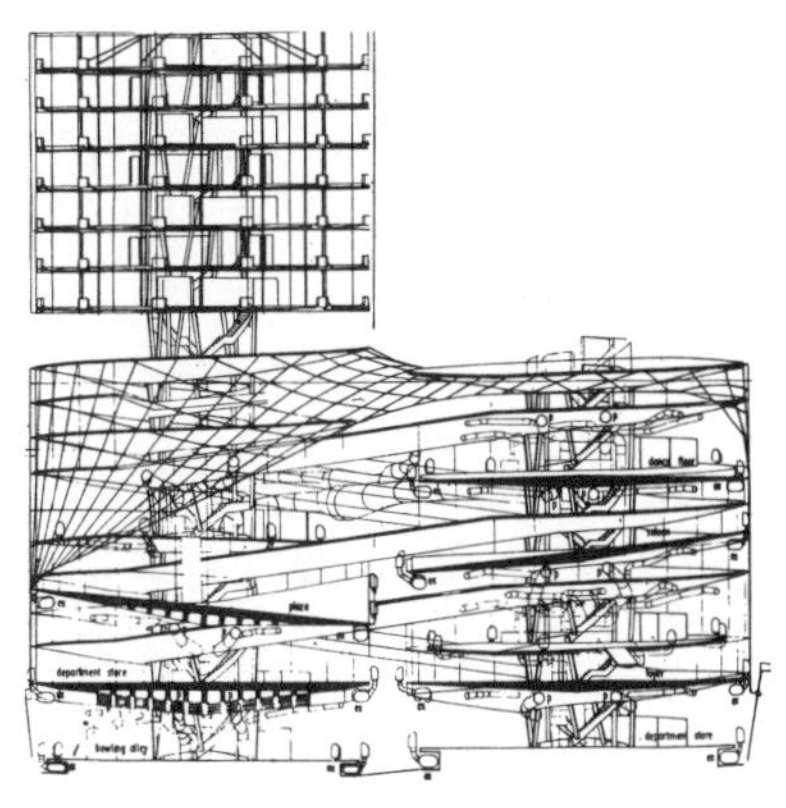

278　ウェッブ「シィン・センター計画案」，1962年

想像力の中で最も詩的なものであった。しかし、菊竹の《海上都市》は、エネルギー確保に不可欠な沖合油井掘削装置をいくら増やしたところで、「アーキグラム」の巨大構造物に比べたら、日常生活への応用には遥かに縁遠いもののようである。メタボリズムの建築家達の多くが、どちらかというと、通常の実践を継続、維持できたということは、この前衛運動そのものが修辞法的(レトリック)であったことを証している。一九五八年の菊竹の《スカイ・ハウス》、そして一九七一年、東京・銀座に建てられた黒川の《中銀単身者用カプセル・タワー》（一九六二年の黒川の《カプセル・アパートメント》参照）などを別にすれば、メタボリズムの基本概念は殆ど実現されなかった。むろん、こうした熱狂的な未来志向派と、槇文彦[19]および大高正人[20]など穏健派の推進した集積的都市形態についての知的な計画とは、区別されなければならない。だが、一九六六年、ギュンター・ニチケ[21]がメタボリズム運動について評価を下した時、この点を次のように書くことになったのである。

「現実の建物がいよいよ重量を増し、堅牢さを高め、規模を巨大化していくかぎり、また、たとい権力そのものであれ、あるいは支配者層に仕えることを潔しとしない大衆的機関の力であれ、建築がそうした力の表現の手段として利用されるかぎり、より高い融通性とか変化を受け入れる構造とかについて語ることは無意味に過ぎない。この構造物（一九六六年の渋谷章による《メタボリズム都市》と日本の伝統的構造物の一つ、あるいはワックスマン、フラーないしは栄久庵憲司などが示唆する現代的方法とを比較したら、この計画は全く時代錯誤であり、千年も古いと言わざるを得ない。控え目に言っても、理論ならびに実践において、とうてい近代建築の前進などとは言えない。」

日本におけるメタボリスト達の想像力の凋落は、一九七〇年の大阪万博での明白なるイデオロギー喪失と軌を一にしていた。それ以後、日本建築における決定的指導性は、旧世代のメタボリスト達から、いわゆる日本の「ニュー・ウェイヴ」と呼ばれる世代のメンバーへと移っていった。彼等ニュー・ウェイヴの作品は、篠原一男[22]、磯崎新[23]という二人の中間世代の建築家の支援を受けて、広く知られるようになったのである。ところで、篠原の作品はもっぱら住宅に限られるが、磯崎の幅の広さは、批判的知識人としての知名度と公共的建築の設計者としての名声という両面に負うている。独立した建築家としての彼の経歴は、一九六六年、九州の大分市に建てられた《福岡相互銀行大分支店》から始まった。この建物の成功を手始めに、彼は次々と重要な公共建築物を設計、その中には一九七四年の高崎の《群馬県立近代美術館》も含まれる。

磯崎は、一九六八年、ミラノ第十四回トリエンナーレ展に「エレクトリック・ラビリンス」と題した批判的展示計画を、出展、国際舞台に登場した。これは広島の悲劇の黙示録的意義をマルティ・メディアを駆使して提示しようという構想で、まさに力作の名に相応しかった。無作為に操作される回転スクリーンと映写幕の背面から写し出されるイメージとを組み合わせたこの展示によって、磯崎の名は一躍ヨーロッパの前衛達の間に知られるようになった。このミラノ・トリエンナーレ展を介して、彼は「アーキグラム」やハンス・ホライン等と接触を持つようになり、それ以後の作品には、彼のこうした交流による影響の幾つかの面が見られるようになった。一九七〇年の大阪万博では、丹下健三による《お祭り広場》のために磯崎が設計したロボットの見事な「ハイ・テク」ぶりは、「アーキグラム」からの引用によるものだった。高度な手工芸(クラフト)の精度を持った物体を素材として活かしたり、皮肉(アイロニー)を漂わした芸術性の高いイメージを追求するところはホラインからの影響だった。北九州市の《福岡相互銀行本店》(一九六八〜七一年)はこのイメージが最初に現れた例である。磯崎には室内空間を入念に仕上げる傾向があるが、それとは別に、彼はルイス・カーンと同様、ルドゥーの言う「物語る建築(アルシテクチュール・パルランテ)」の概念に刺激を受けていた。磯崎は、ルドゥーの象徴的なネオ・プラトン主義的幾何学から出発して、グリッド(格子)状のハイ・テク建築を追求した。それが一九七〇年代初期の一連の支店銀行の設計であり、その頂点にあるのが《群馬県立近代美術館》の傑作である。燦然と輝く類い稀なこの建築によって磯崎が意図したことは、日本の伝統的な

281　菊竹清訓「海上都市」計画，1958年

282　黒川紀章「中銀単身者用カプセル・タワー」東京，1971年

283　磯崎新「群馬県立近代美術館」高崎，1974年

「闇の空間」の喪失を償うことであった。「闇の空間」とは、谷崎潤一郎が『陰影礼讃』（一九三三年）の中でいとおしんでいる、あの仄かに明りのある奥まった室内のことである。磯崎は、伝統的日本建築の仄暗い室内に寄せる谷崎の評価に共感しつつも、谷崎の文化的郷愁に含まれる反動的含意に対しては容認を与えることなく、伝統的まぼろしの空間に代わる、相似的空間を現在の時点に展開しようとしたのであった。この試みは一九七一年の《長島ホーム・バンク》において頂点に達した。この建物について彼は次のように書いている。

「この建物には形というものが殆どない。それは薄明の広がりに過ぎない。幾層にも重なる格子が視線を導いてくれる。しかし、何処といって特定のものに焦点を定めているわけではない。初めてここに来た者には、この曖昧で、仄明るい広がりが何のことなのか理解できないし、まったく奇妙に思えるだろう。幾重にも重なった格子が、この空間の光景を拡散しているのである。そして中央の映写機からはさまざまな映像が部屋いっぱいに投影されている。それが個々の空間をことごとく呑み込んでしまって絶対的秩序となるのである。それが個々の空間をことごとく隠蔽してしまう。そして、隅々に至るまで呑み込まれてしまっても、なおそこに残るものがあるとすれば、それはただ薄明の広がりだけである。」

一九七〇年の初期以来、磯崎の作品は絶えず二つの極の間を振動している。一方の極は非構築的（アテクトニック）なもので、格子の集合（薄明の広がり）であり、これは立方体を重ね合わせることによって操作される。もう一方の極は構築的（テクトニック）なもので、バレル・ヴォールトを連結させる構造である。前者の例としては、《群馬県立近代美術館》や福岡市の《秀巧社ビル》（一九七四〜七五年）があり、後者の例には大分近傍の《富士見カントリー・クラブ》（一九七二〜七四年）や《北九州市中央図書館》（一九七二〜七五年）がある。構築性の範例（パラダイム）による最近作品としては、ロサンゼルスの《現代美術館》があり、おそらく、これは彼の最も見事な代表的最近作となるであろう。

磯崎にせよ、篠原にせよ、あるいは日本のニュー・ウェイヴの建築家達にせよ、彼等は、今日の状況では、単体の建物と都市の組織全体との間に何らかの意味性という関係を成立させることなど、とうていできないという認識に立っていた。この点こそ、彼等がメタボリスト達と違うところであった。こうした批判的な姿勢は安藤忠雄[25]（彼については後章において論ずる）、藤井博巳[26]、原広司[27]、長谷川逸子[28]、伊東豊雄達[29]の設計した一連のきわめて形式的かつ内向的な住宅に現れている。磯崎や篠原の同じように内向的作品については言うまでもない。

伊東は、磯崎と篠原の双方から同程度の影響を受けているが、それは日本のニュー・ウェイヴ達全員についても言えることである。すなわち、伊東の作品は、美的観点からしても、イデオロギー的観点からしても、きわめて批判的であるということである。彼は、磯崎や篠原と同様にメガロポリスの存在に対して諦観的姿勢をとっており、メガロポリスを環境全体の感覚喪失、精神錯乱の現れと見ている。彼は、支離滅裂な無秩序に拮抗して「場所性を消却した都市領域」という閉鎖的で詩的な領域をつくり出すことこそ、文化としての意義に値する唯一の可能性であるとしている。彼がこれまでに都市の中に建てた最大の建物は、一九七八年の名古屋の《ＰＭＴビル》である。それは「紙のように薄い」皮膜の構造体で、トップライトを備えたその閉鎖的形態は、きりりとした、克己的な美しさを湛えている。そこに見られるのは、迎合的な大衆性の仮面（例えばヴェンチューリ）などではなく、むしろ貴族的な反大衆性（例えば磯崎）である。下記に引用する伊東の一九七八年の試論「建築におけるコラージュと表層性」には、この点が非常にはっきりと窺える。

「日本の都市に見られる表層の豊かさは、多くの建物の歴史的な集積によるのではない。むしろそれは、今では現在の皮相的図像と見分けられないくらい混淆してしまった過去の建築に対する郷愁から生じるのだ。郷愁を求めて止まることを知らない欲望の背後には、実体のない空しさが口を開けている。私が建築に求めるものは、それとは別の郷愁の物体ではない。そうではなく、隠蔽された空しさがどんなものかを明かすための表層そのものなのである。」

これまで述べてきたところから分かるように、バックミンスター・フラーの与えた影響の最も大きかった国は日本と、わけても英国であった。アメリカ西部地域に見られるドロップ・アウト達が利用したジオデシック型ドームは別として、英国では、フラーの「ダイマクション」思想が連綿として発展し続けてきたと言うことができる。すなわち、セドリック・プライスやピーター・クックのスペース・フレームとドームによる計画案を最初として、ごく最近のノーマン・フォスターによる作品がその証左である。

こうした動向の典型例は、一九七七年に建てられたパリの《ポンピドー・センター》である。設計は、英国とイタリアで共同体制（パートナーシップ）を組んだ[30]リチャード・ロジャースと[31]レンゾ・ピアノである。しかし、この共同体制は間もなく解消されてしまった。この《ポンピドー・センター》は、明らかに「アーキグラム」の科学技術とインフラストラクチャーの修辞法を実現したものである。このアプローチの成否は、この建物の日々の使用を通じて明らかになりつつあるが、同時に思いがけない逆説的結果が生じたことも否定できない。それは、なにはともあれ、まずはこの建物の圧倒的人気である。これは、建物そのものがとりわけ大評判を巻き起こすものだからである。次に、これは先端技術による輝かしい力作であり、見たところ、紛れもなく石油精製装置のようだが、これこそこの建物が見習おうとした科学技術であった。しかしこの建物は、所期の芸術と図書を収納するという計画内容（プログラム）の特殊性を極力少なく抑えることによって実現したように思われる。不確定性と適度の融通性という設計のアプローチは、極限まで、建物に貫徹している。これまでのところ、美術展覧会の場合は必要な壁面や囲いを作るために、建物の内部構造にもう一つ別の「建物」を建てなければならなかった。そればかりか、適度の融通性を確保するために、建物全館にわたって架けられている五十メートルの格子状トラスは、どうやら過剰気味らしい。不確定性について言えば、壁面が不足状態であり、融通性について言えば、過剰状態である。その他、建物の規模が都市の文脈に全く無関係であること、また、この建物は教育施設としての風格を表現することができないことなど、こうした事実は、この建物が基づくイデオロギーの立場から来ているのである。実際、英国の「ダイマクション」派は、文脈とか風格とかに対して常に無関心だったのである。この作品には、予想もしなかった皮肉が一つある。それは、建物の西側に取り付けられたガラス張りのエスカレーターのチューブから眺めるパリの街の素晴らしい眺望である。このエスカレーターによる建物への出入りは、一日平均二万人以上の入場者を捌くのがやっとというところだが、その殆どがそこで行われる文化的催し物のために来るのではなく、建物そのものと、そこからの眺望のために訪れて来るのである。

同様の不確定性志向のアプローチは、一九七二年、英国のニュータウン《ミルトン・キーンズ》の設計にも採用された。この都市は、やや不規則な街路パターンを持っているが、明らかにバッキンガムシャーの農業地帯にインスタント版ロサンゼルスとでもいうものを設置しようという構想であった。地勢に合わせて作られてはいるものの、内容を伴わない不規則な網目状組織は、不確定性というアプローチを不条理なまでに追求したもう一つの例であった。ショッピング・センターは、ミース風の新古典主義の設計であるが、それでもニュータウンの都市としてのアイデンティティーを表現するまでにはとてもなっていない。ここにやって来ても、法的に定めた境界線の標示がなければ、まるで町に着いたことさえ分からない。通りすがりの訪問者には、《ミルトン・キーンズ》は、ほどほどに手際良く設計された集合住宅をいい加減に集合させた所以外の何ものでもないだろう。あるいは、隅々に至るまで直角で納めている正確さと対照的なところから、ライトの《ブロードエイカー都市》を想起するが、《ブロードエイカー都市》では、都市の組織が情け容赦なく拡散しているものの、その直角による境界の割り付けのおかげで、それぞれの場所に明快な区画が定められているのである。だが《ミルトン・キーンズ》では、言うまでもないが、いかなる境界があるにせよ、それが認識できるような秩序と対応していない状態なのである。したがって、この都市の構造がメルヴィン・ウェーバーの計画理論から影響を受けているとしても、少しも驚くには当たらない。なにしろ、ウェーバーの掲[32]

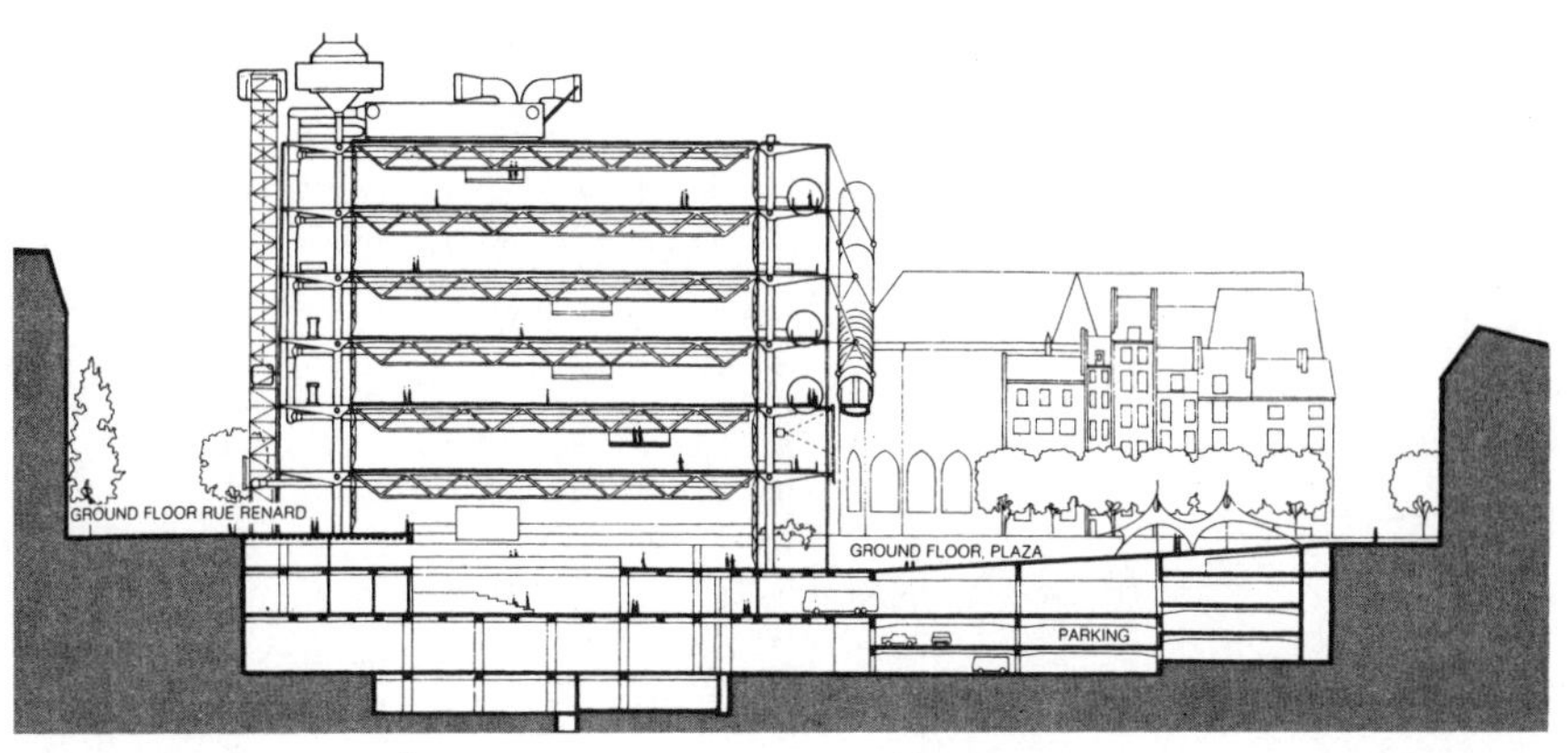

285　ピアノとロジャース「ポンピドー・センター」パリ，断面図

286　レウェリン・デイヴィス／ウィークス／フォレスティエ・ウォーカー＆ボー「ニュー・タウン・ミルトン・キーンズ戦略計画」バックス，1972年．図式的な道路のネットワークが敷地の風景全体に重ね合わされる．住居地域（薄色の部分）と就業地域（暗色の部分）とは不規則に混じり合っている

284　ピアノとロジャース「ポンピドー・センター」パリ，1972年-77年

げる標語とは「場所性を消却した都市領域」であり、それが、《ミルトン・キーンズ》計画の公認建築家であるレウェリン・デイヴィス[33]/ウィークス/フォレスティエ・ウォーカーとボー達によって、設計の信条として取り上げられたらしいからなのである。この標語は、ウェーバーがクリスタラー・ロッシュのいわゆる「中心地区設置論」に関わることによって作られたという事実を、この建築家達も、都市公社（シティ・コーポレイション）も見逃すはずはないからである。それにしても、このクリスタラー・ロッシュの理論が、最適な市場形成の条件を作り出す最もダイナミックなモデルであることは当時も今も変わらない。ともあれ、この場合、消費社会の仮想利益に見合った開放系の計画モデルを選択したことは、確かに意識的であったのだ。

ドイツの《ウルム造形大学[34]（HfG）》は、「バウハウス」の教育理念の後継者であるスイスの建築家マックス・ビルによって、一九五一年に構想されたものである。同大学のデザインならびに技術に関する厳格なアプローチは、十年のうちに、消費社会のためのデザインが根底的矛盾を孕んでいる事実と直面することになった。一九五六年、ビルが学長の地位を退くと、HfGは「オペレーションズ・リサーチ（作戦計算）」方式を採用した。それによって、デザインの発見的教授法（ヒューリスティック）を展開しようと意図したのであった。この方法によれば、物体の形態は、その生産ならびに使用に関する精密な解析の方法にしたがって決定されるというのである。だが不幸にして、この方法はたちまち方法盲従主義に堕落してしまった。そのため、方法論にかけては「純粋主義者」である彼等は、人間工学（エルゴノミックス）の観点から決定されるデザインに到達するよりも、むしろ解決方法を先行させることを心掛けるようになってしまったのである。その結果、ヘルベルト・オール[35]の指導した工業化建築科では、特定の建物という課題を総合的に分析することを排除して、工業化のための構成要素（コンポーネント）のデザインを強調するようになった。現実的要求はしばしば蔑ろにされ、比較的小さいものでも、人間が作る形態（ビルト・フォーム）を合理的に生産するための原型となる構成要素を徹底的に精錬し、制作することに励んだのである。一九六〇年代中期になると、トーマス・マルドナド[36]、クロード・シュナイト[37]、グイ・ボンジィエペ[38]といった批判的な教師達が一致して、このプロダクト・デザインの理想化は行き詰まりであり、科学的方法とか機能的美学の名の下に、新資本主義社会に内在する根本的矛盾を都合よく見過ごすものであると見破ったのである。建築に関するかぎり、シュナイトほど、この事実を説得力をもって述べた者はいなかった。「建築と政治的関与」と題した一九六七年の試論の中で、彼は次のように述べている。

「近代建築の先駆者達がまだ若かった頃、彼等はウィリアム・モリスと同様にこう考えた。建築は「人々のための、人々の芸術」でなければならない、と。彼等は、少数の特権階級の嗜好に媚を売るのではなく、共同体の必要を満足させることを望んだ。彼等は人間の要求に合致した住居を建てようとした。「輝く都市」を建設しようとした。だが、彼等はブルジョワどもの商業に対する本能を計算に入れていなかった。ブルジョワどもは、時を移さずして彼等の理論を我が物とし、利潤追求の野望のために彼等にお供を強制した。功利性は瞬時にして利潤性と同義語になった。反アカデミズムの形式は、支配階級の新しい装飾になりさがった。合理的住居は最小限住居に変貌させられた。「輝く都市」は複合企業（コングロマリット）の都市に変貌した。厳格な直線は、貧困な形態にすり替えられた。労働組合の建築家達、共同組合の建築家達、社会主義政権の自治体の建築家達は、醸造業者や洗剤業者や銀行家やさらにヴァチカンに奉仕するべく強制された。かつては、生活のために新たなる環境を創造することによって人類の解放に一臂の力を貸した近代建築も、人間の生活の退化を図る巨大な企業へと変貌させられたのである。」

さらにシュナイトは、この論文の後半部において、一九六〇年代の「新世代」の前衛達の成果を次のように批判した。

「彼等の哲学とはこうだ。建築や都市計画の大胆極まる着想といえども、現代技術の助けさえあれば何でも実現可能である。こうした哲学が背後にあればこそ、彼らは宇宙船や梱包用木枠やファイリング・システムや石油精製装置や人工島

287　ビル「ウルム造形大学（HfG）」，1953-55年．左から工房，図書館，管理棟，学生寮が並んでいる．遠方にウルム大聖堂が見える

288　スーパースタジオ「A地点からB地点への旅」，1969年．「もはや，道路とか広場といった特別な理由などありはしないだろう」

に酷似したものを望むのだ。(中略)これら未来主義の建築家達は、おそらく科学技術から論理的結論を引き出すくらいの取り柄はあるだろうが、たいてい彼等は技術崇拝になるのが落ちである。石油精製装置や宇宙カプセルは科学技術の完全さ、あるいは、形態上の完璧さの手本にはなるだろう。しかし、それが崇拝の対象になったならば、われわれが学ぶべき教訓としてのそれらの特徴は、ことごとく払拭されてしまうだろう。科学技術の可能性に対するこうした歯止めのない信頼は、人間の未来に対する驚くほどの不誠実さと手を取り合っているのだ。[…]こうした幻影は、多くの建築家にとっては慰めになっている。多くの科学技術に支えられて、また、未来に対するこうした信頼に支えられて、建築家達は自らの社会的責任および政治的責任の放棄に安んじており、身の証が立てられたと思っているのだ。」

実際にどの程度までかは異論の生ずるところだが、一九六〇年代の建築の前衛達は、全部が全部、社会的責任を放棄したわけではなかった。そこには多くの分派が存在したし、彼等分派の傾向は、明らかに政治的であった。また、彼等の先端技術に対する姿勢は決して無批判ではなかった。ここでぜひ触れておかなければならないのは、イタリアの「スーパースタジオ」[39]グループであるが、彼等はわけても詩的グループ[40]であった。「スーパースタジオ」は、一九六六年、アドルフォ・ナタリーニの指導の下に発足したグループであって、「国際的状況主義(インターナショナル・シチュエーショニズム)」を標榜したコンスタント・ニューウエンホイス[41]の唱える「中央集権都市計画」の基本概念から影響を受けていた。ところで、ニューウェンホイスは、一九六〇年に発表した《ニュー・バビロン》の中で、絶えず変化する都市の組織を提案し、それが人間の「遊戯」性に応えるものだとしている。一方、「スーパースタジオ」の作品活動は、大まかに二つの傾向に分けられる。すなわち、都市の沈黙した記号としての「連続するモニュメント」の形式を表現するものと、消費財をことごとく排除してしまった世界を描く一連の挿し絵(ヴィネット)を制作するものとである。彼等の作品は、ミラー・ガラスを張ったところに不可解な有史以前の巨石の突出物がある計画から、恩恵にみちみちた自然を盛り込んだSF的光景の描写に至るまで、さまざまであった。それらは一言でいえば、典型的な反建築(アンチ・アーキテクチャー)のユートピアであった。一九六六年、彼等は次のように書いた。

「痙攣のような生産過剰が収まると、平穏無事な状態になるだろう。そういう事態になれば、生産物も廃棄物もない、そういった世界が現出するだろう。そうして、一つの地帯が生まれるだろう。その地帯では、精神がエネルギーであり、まだ加工していない素材であり、そして同時に究極的生産物になるだろう。どうにも消費などされない唯一の物体だろう。」

一九七二年にはさらに次のように書いた。

「われわれが今後も必要とする物体（オブジェ）は旗、あるいは護符、または生活を続けるための信号、あるいは簡単な作業のための簡単な道具だけだろう。そういうわけで、今後も道具は存続することになるだろうが、［…］一方、記念碑、徽章、象徴としての物体なども存続することだろう［…］こうした物体は、もしもわれわれが遊牧民にならなければならないとしたら、持ち運びに便利なものになるだろうし、あるいは、もしもわれわれが一箇所に定住するとしたら、重くて動かせないようなものになるだろう。」

哲学者ヘルベルト・マルクーゼは、仕事（パフォーマンス）の原理は生活を道具や消費財によって規定すると書いたが、「スーパースタジオ」の提案しているのは、この仕事の原理の規則を超えて、沈黙の支配する、反未来主義的な、ただし科学技術的に楽天的なユートピアであった。マルクーゼの『エロスと文明』（一九六二年）の言葉を借りれば、そのユートピアは、つぎのようなものである。[42]

「生活の水準は、これまでとは別の価値基準によって測られるようになるだろう。その基準とは、人間の基本的要求が普遍的に満足されているかどうかであり、また、罪悪感や恐怖感から免れているかどうかである——内面的で同時に外面的で、本能的であり同時に理性的である。［…］しかしこの場合、必要な労働に割かれる本能的エネルギーの量は［…］ごく少ないだろうから、外力によって維持されないかぎり抑圧、強制、変化はやがて崩壊するだろう。」

「スーパースタジオ」が、こうした非抑圧的世界を建築の言語によって表現しようとしたことは誠に意味深い。そうした建築は、現実には不可視的であり、たとい可視的であったとしても、まったく無用のものであるか、自己破壊的にデザインされている（例えば、彼等のナイヤガラの滝に架けたミラー・ガラスによる自己崩壊的ダムを想起されたい）。彼等は、「連続するモニュメント」にブレを思わせる堅固な重量感を与えるという矛盾を犯したが、それはなんといっても形而上的イメージであって、きわめて一過的かつ秘儀的であった。これに較べられるのはマレーヴィチのシュプレマティズムのモニュメントか、あるいはクリストの「梱包された建物」であろう。クリストは一九六八年、スイス・ベルンの美術館を梱包し、それ以後も梱包を続けているが、それは西欧世界の制度化されたモニュメントの大半を「沈黙」させることなのである。[43]

一九六〇年代の初期には、次のような意識が次第に生じてきた。建築の実践には、建築家の価値観と使用者の要求や風習との間の根本的な対応関係に欠如が見られるという意識である。その結果、デザイナーの日常社会からの遊離を克服しようという改良主義的動向が生まれた。それにはいろいろの分派があったが、いずれも反ユートピア的であった。そして、これらの各分派はともに、現代建築の抽象的統辞法（シンタックス）が問題の解決には不適切であるとの異議申し立てを行った。それのみか、建築という職能とはおよそ無縁な社会の貧困層のために建築家を役立てる道筋を築こうとした。N・J・ハブラーケンは、著書『サポート：大量集合住宅への代替案』（一九七二年）の中で、初めて使用者の要求の変化に応えられる住宅の蓄積を建設する問題に取り組んでいる。また、ジョン・ターナー[44]とウィリアム・マンギンは、当時、南米の大都市周辺に自然発生的に出現したいわゆる「不法占拠（スクワッター）」都市のコンサルタントとしての経験を、一九六三年から詳しく書き始めた。その当時、マンギンが記述した下記の一節は、ヨーロッパ大陸の多くの都市にも当てはまるのではなかろうか。

「ペルーの猛烈な人口増加は、首都リマへの社会的、政治的、経済的、文化的利益の集中と相まって、地方からリマへの人口大移動を招いている。リマの人口二百万のうち、少なくとも百万は、この都市以外で生まれたと言っても過言ではない。都市への流入人口の増加、その結果として、彼等の多くが「孤立無援の自力救済（セルフ・ヘルプ）」の「不法占拠集落（バリアダス）」に、折り重なって定住するという劇的様相が生じたのである。それは、国の内外で多くの関心を集め、ペルーの人達も事の重大さに初めて気づいた。この都市は、過去においても殆ど同様な流儀で発達してきたものであろう。しかし、最近の人口流入の目を見張らせる増大ぶりは、それが新しい現象であるかのように思わせるのである。移住者達は、この国のあらゆる地域から、あらゆる階層から、またさまざまな種族の集団からやってくるのである。」

むろん、こうした膨大な量の問題となると、これは建築という自律的領域を遥かにはみ出してしまい、さらに、通常考えられるような、定住段階から建設段階へという過程を踏んで行くことすら当てはまらない。それでもこの問題に含まれる規模の大きさ、目の前に立ちはだかっていること、そして不法占拠者達にもっとましなもの（殆どが上・下水道のインフラストラクチャーを設置することである）を建てさせたいという切実な必要から、次のような機運が生まれてきたのである。それは四十年以前に立てられて、せいぜい大量集合住宅再建設に導入されるしかなかった「新即物主義（ノイエ・ザッハリヒカイト）」のスラム・クリアランスの公式を、初めて根底的に再検討することであった。ハブラーケンは、考えられるあらゆる解決方法を、ただ単に第三世界の観点だけからでなく、先進国の産業経済の中での使用者の不満の増加という観点からも再検討する必要があると論じたのである。

先進国、発展途上国のいずれを問わず、こうした状況に対応できる代替案としての実践を打ち立てること自体が逃げ口上でしかない。「住民参加」という万能薬も、この問題の難しさをあらためて認識させたに過ぎなかった。そして、この問題は、それぞれの状況に適宜に応えることによって断片的（ピースミール）

に解決していくしかないということを強く認識させたのである。(「住民参加」くらい的確に概念規定しにくいものはないし、またこれほど成功しにくいものはない。)それにも拘わらず、いわゆるアドヴォカシー・プランニング(市民参加の都市計画)は、今なお一九六〇年代の急進的な思想の遺産なのである。しかし、それが実施された例をみると、同じものは一つとしてない。社会の底辺にある人達を政治的に操作した場合もあるし、最近、ローマの北方テルニに、ジャンカルロ・デ・カルロが設計した低層集合住宅のように、地方の労働組合と徹底的に論議をつくした結果を計画内容に盛り込んだような場合もあるし、かなり変化に富んでいる。こうした計画は、いずれも優れた品質と変化に富んだ集合住宅を生みだしたが、住民の希望が最終的にどのように解釈されて計画されるに至ったかについては、なお論議の余地がある。

289　デ・カルロ「マテオッティ・ヴィレッジ」テルニ，1974-77年

先ほど触れた「新即物主義」の公式をどのように変化させるかということに関して言えば、ハブラーケンがオランダ・エイントホーヴェンの「建築研究所(SAR)」[45]と共同して行った研究が、技術官僚的とはいえ、最良の例であった。それはヨナ・フリードマンの言う「動く建築」の「開放インフラストラクチャー」という方法を論理的に進めていった結論であった。その結果、彼等は低層だが多重階の支持構造体を提案した。この構造体の平面は、出入口、厨房、浴室といった固定部分を除いて、すべてを未決定のままにしてある。これら固定部分以外は、入居者が割り当ての内部空間の平面(プラン)を、思いのままに配置できることになっていた。惜しむべきことに、ハブラーケンはこの空間のマトリックス(基盤)を、自動車生産の流れ作業のように生産される規格工業製品の構成要素(コンポーネント)によって仕上げようと意図していた。彼は、ソヴィエトの全面プレファブ方式の建設計画の場合でさえ達成しえなかったほどの技術的洗練度と構造的許容度を想定していたのであった。そのうえ、彼は、フリードマンのように、ある事実を見過ごしていた。それは、システムに内在する自由など、そのシステムが独占資本の影響を受けることになれば、自動的に消滅してしまうという事実である。集合住宅も、結

局は消費財とならざるをえないのである。幸いなことに、SARの基本概念は技術だけで決着のつくものではない。ハブラーケンの切り開いた研究は、まだ充分に進められたわけではない。一九七一年、ミュンヘンのゲンターシュトラッセに、ハブラーケンの思想の影響を明らかに受けた作品が完成した。それは「増築可能な」[46]テラス・ハウスで、オットー・シュタイドレ、ドリス・トゥート、ラルフ・トゥートの設計によるものであった。

大衆主義

一九六〇年の中期、建築家達は、現代建築の単純化された記号（コード）が都市環境の貧困化を招くことに気づき始めた。そして、都市化現象が始まると文化的アイデンティティーは喪失する、というアドルフ・ロースの認識がふたたび激しく蘇った。この貧困化が、実際にどのようにして生じたのかは簡単には説明できない難問であって、まだ正しい解答には到達していない。しかし、その貧困化がどれほどの広がりを持つかは、デカルト流の合理性の中に存在している抽象的傾向と、あるいは、冷酷なばかりの経済性の追求によって説明されるだろう。わけても「近代運動（モダン・ムーヴメント）」の無条件な還元主義（タブラ・ラサ）が、都市文化の無差別破壊に大きな役割を果たしたことは、いまさら否定するわけにはいかない。この点、ポスト・モダニズムが既存の都市の文脈を尊重せよという批判は、あながち非難されるべきものではない。しかし、こうした反ユートピア的な「文脈主義（コンテクスチュアリズム）」による批判は、すでに十年以前から存在していたのである。まず、コーリン・ロウの都市形態へのネオ・ジッテ風アプローチがそれであり（彼はそれをコーネル大学で教え、その後、一九七九年に著書『コラージュ・シティ』[47]において展開した）、また、ロバート・ヴェンチューリの一九六六年の著書『建築の複合と対立』もまたそれである。ヴェンチューリは次のように書いている。

「建築の秩序の中にはホンキー・トンク（安酒場）的な要素があっていい。その理由はホンキー・トンクが紛れもなく存在しているからだ。ホンキー・トンクとは、ぼくらが所有しているものなのだ。建築家は、そういうものを嘆き悲しみ、無視しようとし、絶滅しようとさえする。だがホンキー・トンク的なものは決してなくならない。いや、当分はなくならない。なぜなら、建築家にはそれを取り替える能力がないからだ（それを何と取り替えたらいいか分からないからだ）。さらに言えば、こうした平凡陳腐な要素は、変化とコミュニケーションには欠かせないからだ。平凡と混沌の両方を含んだ古い常套句（クリシェ）は、今後もぼくらの新しい建築の文脈になるだろう。ぼくらの新しい建築は、充分に古い常套句（クリシェ）の文脈になるだろう。ぼくは自分の見解が狭いことを認める。建築家は狭い見解を軽蔑してきたが、狭い見解は、これまでに建築家が美化してきたが一度も達成できなかった幻想的な見解と同じくらいに重要なのだ。短期の計画は長期の計画を伴わなければならない。短期の計画は、古いものと新しいものを一時的にせよ結合しているからだ。建築は革命的であると同時に進化的なのだ。建築は、芸術として、あるところのもの即ち現在と、あらねばならないところのもの即ち未来とを認めることになろう。別の言葉で言えば、即効性と遅効性を認めることになろう。」

ヴェンチューリは一九七二年、[48]デニス・スコット・ブラウンとスティーヴ・イゼナワーとの共著『ラス・ヴェガスから学ぶこと』を出版した。それによってヴェンチューリは、日常の実践と対立する文化的実在に対して抱いていた繊細にして思慮深い評価を――つまり、無秩序に対して秩序を設定したり、あるいは、その逆の必要性を――転換することになった。そして、ホンキー・トンクを容認するどころか、賞賛するに至ったのである。[49]「メイン・ストリート」を「殆ど正しい(オールモスト・オール・ライト)」とする控えめな評価から、砂漠の真ん中にSFが移転してきたような広告の立ち並ぶ街路を、「啓蒙思想」の姿を変えたユートピアだとする解釈へと転換したのである。

この修辞法(レトリック)によって、[50]A&Pの駐車場はヴェルサイユ宮殿の「緑の絨毯(タピ・ヴェール)」になり、ラス・ヴェガスの「シーザーズ・パレス」はハドリアヌス帝のヴィラの現代版となるのである。こうした意味で、この修辞法は最も純粋な形のイデオロギーなのである。このイデオロギーによって、現在の環境の非情さを隠蔽するための模範的仮面としてラス・ヴェガスの無残なまがい物(キッチュ)を大目に見るようにさせたヴェンチューリとスコット・ブラウンの両刀遣い(アンビヴァレント)の手際を見ると、彼等の主題が美化を意図したものであることが証されるのである。そして、批判的な距離をとることによって、典型的カジノを誘惑と抑制の渦巻く非情な風景として描く満足が充たされる一方――彼等は合わせ鏡や、どこまでも続く、暗く、迷走する室内感覚を強調する――彼等は注意深くそうしたものの価値や意味に染まらないように用心している。だからといって、彼等はそうしたものを都市形態の再構築のためのモデルとしていないわけではないのである。

「都市を出はずれると、表通り(ストリップ)とモハーヴェ砂漠との間の中間は、錆びたビールの罐が一面に散らばる地帯だ。都市の中で、この中間地帯が情け容赦なく突如として現れる。カジノの正面は高速道路に面して念入りに作られているのに、裏にまわって見ると、場末の舞台に面したところはひどい荒れようだ。機械設備やサーヴィス・エリアのはみ出した物や部屋がむき出しになっている。」

ラッチェンスやヴェンチューリのような皮肉(アイロニー)を心得た建築家は、どんなに拮抗し合うような状況下の設計を依頼されても、そうした状況を機知によって超越しようとするものである。しかしこの場合は、皮肉もまったく単なる黙認になりさがってしまっているようだ。「醜悪なものと陳腐なもの」とヴェンチューリは言う。だが、そういうものを礼讃することは、市場経済の作りだす環境とは不可分なのである。書き進むうちに、ヴェンチューリとスコット・ブラウン達は、非情な経済追求にもっぱら突き動かされている社会では、建築の設計が余計なものだと認めるようになっていく。そういう社会には、象徴に値するような重要なものは一つとしてなく、あるのはどこにでも見られる表通りの巨大なネオン・サインだけである。分析の結論として、著者達は、モニュメントの喪失とは不在感なのだと認めるまでになる。そして、その不在感は、彼等の言う「装飾のある小屋」といった詭弁などではとうてい購え切れないのである。

「ラス・ヴェガスのカジノは押しつぶされた大きな空間だ。だが、これは予算制限やら空調やらの理由で、天井高を低くするすべての公共的な室内空間の原型ではないか。今日、スパンはどんな大きさでも難しくない。内部空間は設備によって、あるいは財源からくる高さ制限によって左右されている。だが、たった十フィートの高さしかないショッピング・アーケードとかレストラン、鉄道駅の建物は、われわれの記念性(モニュメンタリティー)に対する姿勢の変化を反映しているのだ。[…]われわれはペンシルヴェニア・ステーションの堂々とした空間を地上の地下鉄のようにしてしまった。グランド・セントラル・ステーションのモニュメンタルな空間が今なお存続しているのは、そこを見事に広告媒体に変身させたからである。」

ヴェンチューリは、ラス・ヴェガスこそ大衆的空想の正真正銘な爆発だと公言して憚らない。しかし、マルドナドが一九七〇年に出版した著書『設計、自然、革命』の中で論じているように、現実はそれとはまったく正反対なのだ。ラス・ヴェガスは「一見、自由で陽気な都市環境を作ろうと、仮面を被って、言葉巧みな暴力が半世紀以上にわたって支配し続けてきた擬似意思伝達の頂点であって、その実、そういう環境での男達は、改革の意欲などまったく抜き取られてしまっている。」

それにも拘わらず、ヴェンチューリ派は大衆主義(ポピュリズム)の立場を四面楚歌に陥れることはなかった。それどころか、間もなくして、おなじ建築の専門家からも学者からも、続々と同調者が現れた。[51]ヴィンセント・スカリーもその一人である。歴史家で批評家の彼は、ヴェンチューリの著書『建築の複合と対立』に賛辞を連ねた序文を寄せて、最初からヴェンチューリ派の主張に与していた。その後、スカリーは議論を呼んだ著書『シングル・スタイル再訪』(一九七四年)を書いて、ヴェンチューリ支援の続行を表明した。建築家側からは、[52]チャールズ・ムーアと[53]ロバート・スターンが馳せ参じた。彼等は、形態操作に当たっては場当たり的(アド・ホック)姿勢をとり、アメリカの間柱構造(バルーン・フレイム)の、本質的には非構築的な特徴を追求し続けた。

その結果、少なくともアングロ・サクソン圏においては、建築の近代主義的表現形式のすべてに対して、かなり無差別な反動が全面的に引き起こされることになった。これが、批評家チャールズ・ジェンクスが、「ポスト・モダン」という名称によって認定しようとしている状況である。彼は著書『ポスト・モダン建築の言語』（一九七七年）の中で、ポスト・モダニズムを、直接伝達可能な大衆主義＋多元主義の芸術だと、鮮やかに特色づけた。同書の初版の末尾において、彼は、ガウディの「プレ・モダン」の作品《カサ・バトリョ》（一九〇六年）を、「ポスト・モダン」の模範例として賞揚した。確かにこの建物は、多くの人々がそこに込められているカタルーニャ分離運動の図像（イコノグラフィー）を読み解き、それを認定するならば、近づき易いだろう（ジェンクスは、その槍のような塔と竜の背中のような屋根をカタルーニャの英雄、聖ジョージがマドリッドの「竜」に打ち勝った様子を描いたものとしている）。しかし、国家の神話は一夜にして作られるわけはない。落ち着いて考えてみると、多くのいわゆる大衆主義の作品は、楽しい温もりとか、その偏狭なキッチュの馬鹿馬鹿しさについての皮肉なコメント以外に伝えるべきものを何一つとして持ち合わせていないのである。たいていの場合、ポスト・モダニズムの建築家は、個人住宅を奇矯ともいえる強迫観念を弄ぶ絶好の機会としている。そのよい例が、一九七〇年代中期のスタンリー・タイガーマンの設計になる《ホットドッグ・ハウス》や《デイジー・ハウス》などに見られる無意味さである。

年を追うごとに、アメリカの大衆主義はいよいよ広がり、

290　スターン「エーマン邸」ニューヨーク州アーモンク，1975年

291　ヤーン「サウス・ウエスト銀行」ヒューストン，1982年

その折衷的なパロディーは、コネティカット州グリニッジのヴェンチューリによる《ブラント邸》（一九七一年）やニューヨーク州アーモンクのスターンによる、よく似た《エーマン邸》（一九七五年）などに見られるアール・デコ風な思いつきを始め、[54]ヘルムート・ヤーンによる巨大なヴュルリッツァー・オルガンそっくりなカーテン・ウォールの結晶状のスカイスクレイパー（摩天楼）に見られる、ヤーン自称の「大衆（ポピュラー）・機械主義（マシニズム）」（実はネオ・アール・デコ）に至るまで種種雑多である。こうした大衆主義の逸脱のために、（ヴェンチューリの言う）「無口で陳腐な」ものに具わっていた浄化力のある単純性が、いまや、背後に追いやられてしまった。その中には、ヴェンチューリが一九七〇年にケープ・コッドに建てた、優雅なところをわずかにのぞかせた《トゥルベック邸》や《ウィスロッキイ邸》なども含まれていた。

大衆主義は古典的なものや土着的（ヴァナキュラー）なものの輪郭を背景画のように扱って、その結果、建設そのものの構築的（アーキテクトニック）な側面をまったくパロディー化してしまい、社会は建て込んだ形態の文化的意味を受け継ぐ能力を失なっているのである。こうした影響が建築の全領域に及ぼした結果が、「飽くなき情念」と言ったものへの誘惑的にして決定的な漂流なのである。それは一九七四年、カリフォルニア大学サンタ・クルス分校の《クレスギー・カレッジ》の設計で、ムーアと[55]ターンブルが見せた劇場的な効果を、ジェンクスが言葉巧みに、しかも両義的な言い方で評価した時に端を発したと言ってよい。以来、ムーアは明らかにこうした背景画的操作を刺激するような冷笑（シニシズム）を公然と認めたのであった。とりわけ《イタリア広場》（一九七九年）の設計過程を説明した文章には、それがはっきりと記されていた。一九八一年、彼は次のように書いた。

「建築の柱式（オーダー）はイタリアのもので、ギリシアのものは殆ど使わなかった。そこで、泉のまわりにはトスカナ式、ドリス式、イオニア式、コリント式の柱型を置こうと考えた。しかし、そうした柱型は泉に影を作り過ぎて、イタリアの形が分からなくなってしまう。そこで、代わりに「デリカテッセン式」柱型を加えることにした。これは店の飾り窓にぶら下がっているソーセージに似せたもので、こうすれば、ここがアルプスの向こう側にあることがよく分かる。しかし、いま思うとイタリア・レストランがそこにあってよかった。ソーセージなんかではなく［…］残された予算はわずかしかなかった。そこで寺院の外と内を逆転させよう、そしてわれわれの広場がその後ろにあるのを見せようと思った。寺院の脇に鐘楼を建てるだけのお金はあった。それはわれわれの存在を知らせるものだった。後ろのスカイスクレイパーを縦の縞模様に塗るためのお金もあった。そのうちいつか、泉のまわりにサンフランシスコのジラデリー・スクエアのように店が何軒も建つだろう。しかし、今のところは、ここにはこの泉しかない。だからちょっと寂しい。」

ムーアは、カリフォルニア州ソノマ郡の《シー・ランチ住居群》（一九六四～六六年）を完成すると間もなく、その構造的な純粋性を放棄してしまった。ムーアの軟弱な折衷主義とは対照的に、フランク・ゲーリーの住宅作品、とりわけ一九七九年にサンタ・モニカに建てた自邸は脱構築的な「反‐住宅」[56]（マルセル・デュシャンの「反‐絵画」を参照のこと）であり、それはアメリカの大衆主義の建築の自己満足的な退廃性を根底から転覆させる要素を導入していたのである。しかし、こうした創造的抵抗はアメリカの大衆主義が無批判にヨーロッパの主流に吸収されることによって相殺されるはずもない。一九八〇年、ヴェネチア・ビエンナーレ展において[57]パオロ・ポルトゲージが担当した建築部門において実行された文化的転移がそれであり、この展覧会には、「過去の現前」と「禁制の終焉」という魅力的な二重の題名がつけられていた。ここで重要なのは、通称「兵器庫」と呼ばれる建物の中に、ポルトゲージが企画した「ストラーダ・ノヴィシマ（新しい道）」と題する展覧会の実物大の正面（ファサード）が、イタリア映画会社の舞台製作業者の手によって実現されたことである。その時の唯一の例外は、[58]レオン・クリエのデザインであった。彼は敬愛するハインリッヒ・テッセナウに「道徳的」な敬意を表するために（テッセナウの著書『手工業と小都市』を参照のこと）その正面を実際の材料で作ることを主張したので

292　ムーア「イタリア広場」ニュー・オーリンズ，1975-79年

293　ゲーリー「自邸」カリフォルニア州サンタ・モニカ，1979年

ある。

合理主義

イタリアの新合理主義運動くらい、その起源において大衆主義（ポピュリズム）の綱領から遠く離れたものはあるまい。それは「傾向派（テンデンツァ）」と呼ばれたが、明らかに建築と都市を巨大都市（メガロポリス）の圧倒的消費主義の氾濫から守ろうという意図を持っていた。

建築の「極限」へのこうした回帰は、二冊のすぐれて発展性を秘めたテキストの出版によって始まった。すなわち、[59]アルド・ロッシの『都市の建築』（一九六六年）と[60]ジョルジョ・グラッシの『建築の構造論理』（一九六七年）である。第一のテキストは、都市の形態が発展する過程で、その形態学的構造の決定に既存の建物の型式が果たす役割を強調した。第二のテキストは、建築にとって欠かせない構成ないし組み合わせの規則を公式化しようと意図していた。その規則とは内在的論理であって、それによって、グラッシはきわめて抑制のきいた表現に到達していた。両人とも、日常的要求は満たされなければならないと主張しながらも、形態は機能に従属するという原理、すなわち人間工学（エルゴノミックス）を拒絶した。それに替わって、建築の秩序の「相対的」な自律性を強調した。ロッシは、不純な合理的傾向が意味ありげな文化的ジェスチャーをことごとく吸収し、変形してしまうことをよく承知していたから、自らの作品を、歴史的な構築（アーキテクトニック）的要素によって構造化した。そして、それら構築的要素は、啓蒙時代からの恣意的な範例（パラダイム）であったにせよ、合理的なものを想起させ、しかもそれを超克するものであった。それらは、十八世紀の後半にピラネージ、ルドゥー、ブレ、ルクー達によって措定された純粋な形態であった。ロッシの思想は決して密室的ではないが、ただ不可解なのは、彼が円形刑務所（パノプティコン）（[61]ミッシェル・フーコー著『監獄の誕生』（一九七五年）に熱中していることである。彼は、こうしたことを決して表明しているわけではないが、彼ならば、この円形刑務所という分類の中に、一八四三年のピュージンの著書『コントラスツ』に倣って、学校、病院、監獄などを必ずや収めるはずである。ロッシは、取り憑かれたように、こうした矯正的、準懲罰的な施設に回帰しているように見える。彼にとってこうした施設は、モニュメントや墓地とともに、建築「それ自身」の価値を具体的に表現する唯一の計画内容（プログラム）を制定しているからである。ロッシは、アドルフ・ロースが一九一〇年に書いた論文「建築」の中で最初に提示した命題に倣って、最も近代的な計画内容は、建築には甚だ不相応な媒介であると認めている。ということは、彼はいわゆる「類推的建築（アナロジカル・アーキテクチャー）」と言われるものに依拠しようというのである。そして「類推的建築」の参照の対象ならびに要素は、最も広い意味において、土着的（ヴァナキュラー）なものから抽出されなければならないのである。一九七三年、ミラノ郊外に建設された[62]カルロ・アイモニーノによる集合住宅の一部として、ロッシの設計した《ガララテーゼのアパートメント》は、その意味からして、ミラノの伝統的貸家の建築を髣髴とさせるものであった。同様に、一九七三年、監獄の形態をとって設計された《トリエステの市庁舎》は、十九世紀の同地の建築的伝統への讃歌であり、同時に、現代の官僚制の根源に対する冷笑であった。以前から同じ行き方をしてきたレオン・クリエと同様に、ロッシは、十九世紀後半の建物の類型学と構造的形態に回帰することによって、近代性という双頭の怪獣キマイラ、つまり「実証主義の論理」と「進歩の妄信」から逃れようとしている。ガララテーゼの集合住宅複合体の分担について、ロッシは次のように書いている。

「ミラノのガララテーゼ地区の集合住宅（一九六九〜七三年）の設計には、幾つかの工学技術的装置との類推的関係が存在している。その装置には、廊下の類型学と、私が日頃接しているミラノの伝統的貸家の建物で経験する親しみの感情とが渾然と混じり合っている。そういう貸家では、廊下は日常の出来事や、家庭どうしの親密さや、さまざまな個人的関係にまみれた生活様式を意味している。しかし、この設計にはもう一つの側面がある。それはファビオ・ラインハルトが私に教えてくれたものである。いつものように、ティチーノの渓谷からチューリッヒへ向かう途中、サン・ベルナルディーノの峠を車で走行している時のことであった。ラインハルトは、

294　ロッシ「ガララテーゼのアパートメント」ミラノ郊外，1969-73年

295　ロッシ「モデナの墓地」計画案，1971年．空気遠近法

片側に開口部の付いたトンネルでは反復的要素があり、独特のパターンがあると告げた。［…］私はそういう特殊な構造に気をつけなければならないのだと思った。［…］そういうものを建築の作品の中に表現するかどうかは別として。」

こうした類推的アプローチを、ロッシ自身、「在庫と記憶」の中間の宙吊り状態だと言っているが、こうした宙吊り状態は、一九六二年のクネオの掩蔽壕（バンカー）のような《レジスタンス記念碑》計画から、一九七一年の《モデナの墓地》計画に至るまでの全作品に見られるのである。この類推的アプローチが参考にしているのは、伝統的な墓地の納骨堂だけではない。連想作用によっては、ロンバルディア地方の工場や伝統的農場にも繋がっているのである。

この「傾向派」に重要な貢献を果たしたイタリアの建築家には、他にヴィットリオ・グレゴッティと[63]エツィオ・ボンファンティがいる。グレゴッティの著書『建築の領域』（一九六六年）は、当時、大きな影響を与えた。また、ボンファンティは[64]マッシモ・スコラーリと共同して、一九六〇年代の後半、新合理主義の雑誌「コントロスパツィオ（反空間）」を編集した。しかし、最終的には貢献の栄誉はマンフレッド・タフーリに与えられなければならない。彼の書いた幾つもの論文は、この運動に大きな影響を及ぼしているからである。さらに[65]フランコ・プリーニと[66]ラウラ・テルメにも栄誉を与えるべきである。彼らの理論的計画案は、新合理主義の統辞法（シンタックス）の可能性を大きく広げたからである。逆説的なことには、「傾向派」の作品はイタリアでは殆ど実現されなかった。しかし、イタリアの都市計画や都市中心地区保存などに影響を与え、その代表例がチェルヴェラッティとスカナリーニによるボローニャの分析的研究である。この研究は一九七〇年代を通じて同市の発展に大きな貢献をしている。

296　ライヒリンとラインハルト「トニーニ邸」スイス・トリチェッラ，1974年

「傾向派」が、イタリア以外で最も広く実現したところは、紛れもなくスイスのティチーノ地方であった。この地方では、すでに一九六〇年代から「合理主義」派が相当な勢力を振るっていた。[67]ブルーノ・ライヒリンや[68]ファビオ・ラインハルトは、親しくロッシに追従していたが（一九七四年の彼等のト

リチェッラの《トニーニ邸》を参照のこと)、ティチーノ派に含まれる建築家達の作品は、遥かに広い意味で、合理主義の影響下で実現している。この点に関して代表的なのは、ア[69]ウレリオ・ガルフェッティがベリンツォーナに建てたネオ・コルビュジエ風の《ロタリンティ邸》(一九六一年)である。これは「傾向派」の影響が現れるおよそ十年以前の作品である。さらに指摘しておきたいことは、ティチーノの建築家達が、戦前のイタリア合理主義運動と、とりわけアル[70]ベルト・サルトリスやリ[71]ノ・タミと、特別な繋がりを持っていたことである(後出、五五四ページ参照)。

一九六〇年代後期になると、ヨーロッパ大陸全域にわたって新合理主義の信奉者がぞくぞくと現れた。フランスでは、その影響は、パリ郊外マルヌ・ラ・ヴァレに建てられたアン[72]リ・E・シリアニの《ノワジイ2》のアパートメント(一九八〇年)に顕著に見られる。ドイツでは、新合理主義は主として、マ[73]ティアス・ウンガース、ユルゲン・サワーデ、ヨゼ[74]フ・P・クライフースの作品の中に現れている。その重要な最近作品としては、ウンガースによる《メッセハレ(見本市展示館)》増築(一九八三年)と《建築博物館》(一九八四年)で、ともにフランクフルトにある。ベルリンでの合理主義の作品を挙げるならば、クライフースのヴェディングにある《ヴィネタ広場を取り巻く集合住宅》(一九七八年)と、長大

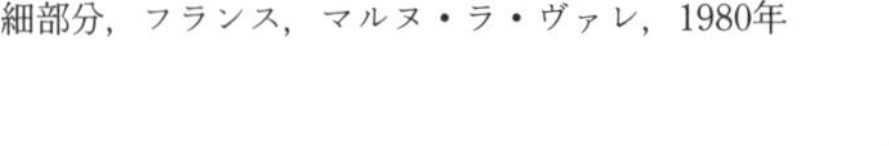

297　シリアニ「ノワジイ2」のアパートメントの詳細部分，フランス，マルヌ・ラ・ヴァレ，1980年

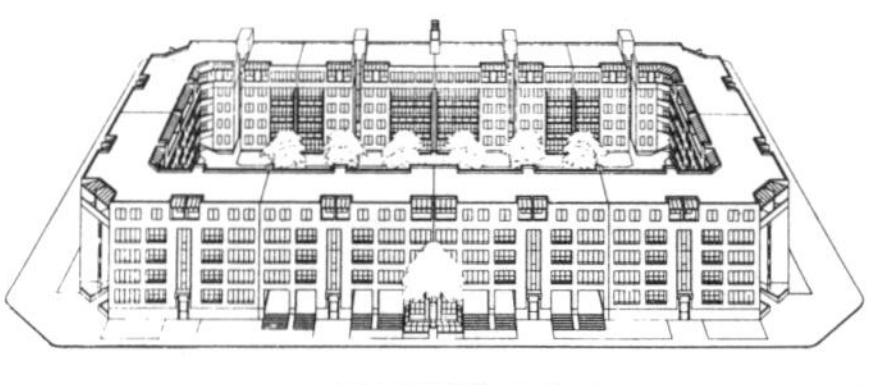

298　クライフース「周縁型集合住宅」ベルリン・ヴェディング，1978年．この住居型式は中庭と街路を形成することができる

な《ノイケルンの病院》（一九八四年）が間違いなく入るだろう。

ドイツでの展開を見る時とりわけ重要なのは、ウンガースが一九七五年、アメリカから帰国して、修正新合理主義のアプローチを都市の形態に採択したことであった。将来、われわれは大都市の膨張とか再生よりも、大都市の計画的縮小という問題と頻繁に直面することになるだろう——これが当時のウンガースの命題であったが、そのため彼のアプローチにはいっそうの緊迫感が感じられた。彼は、都市を断片的に分断する戦略を推奨した。それは、特定の文脈における独自の課題を地勢的、制度的な制約に合うように限定して発展させた諸形態から成り立っているのである。この戦略は、彼が一九七六年に立てた《ホテル・ベルリン計画案》や、一九七八年の《ヒルデスハイム中心地区の多目的建築計画》などに窺われる。《ホテル・ベルリン計画案》では、それが由緒あるリュッツォー広場の荒廃した都市景観に近いことからして、周囲と断絶している「小型都市（ミニチュア）」という案が採用された。それに対して、ヒルデスハイムの場合、彼が意図したことは、そこの中世の市場（マーケット・ホール）の形式を合理化し、再解釈することであった。現在までに彼が実現した唯一、文脈に従った作品は、一九八二年のベルリンのシラー通りの建築群である。

ウンガースは、新合理主義の重要な理論家であり、また教育者であった。彼は最初、ベルリンの工科大学で教え、次にコーネル大学で八年間（一九六七〜七四年）、建築学科々長の席にあった。彼は類型学による変形（トランスフォーメーション）の原理を、授業でも実践でも、終始一貫して適用したが、それは彼の授業に強い説得力を与えた。一九八二年、彼はこの変形の骨子を次のように詳しく説明している。

「建築は、定立（テーゼ）と反定立（アンチ・テーゼ）が弁証法的に統合される連続的プロセスと見ることができる。また、歴史が歴史の予想と同じように内部に深く組み込まれているプロセスと見ることもできる。その時、過去は未来に対する前向きの姿勢と同じ重要さを持つことになる。以上のことを前提とした時、変形のプロセスは、設計の手段であるばかりか、設計の目的そのものとなる。同時に、建築が建てられる個々の敷地独自の現実に、

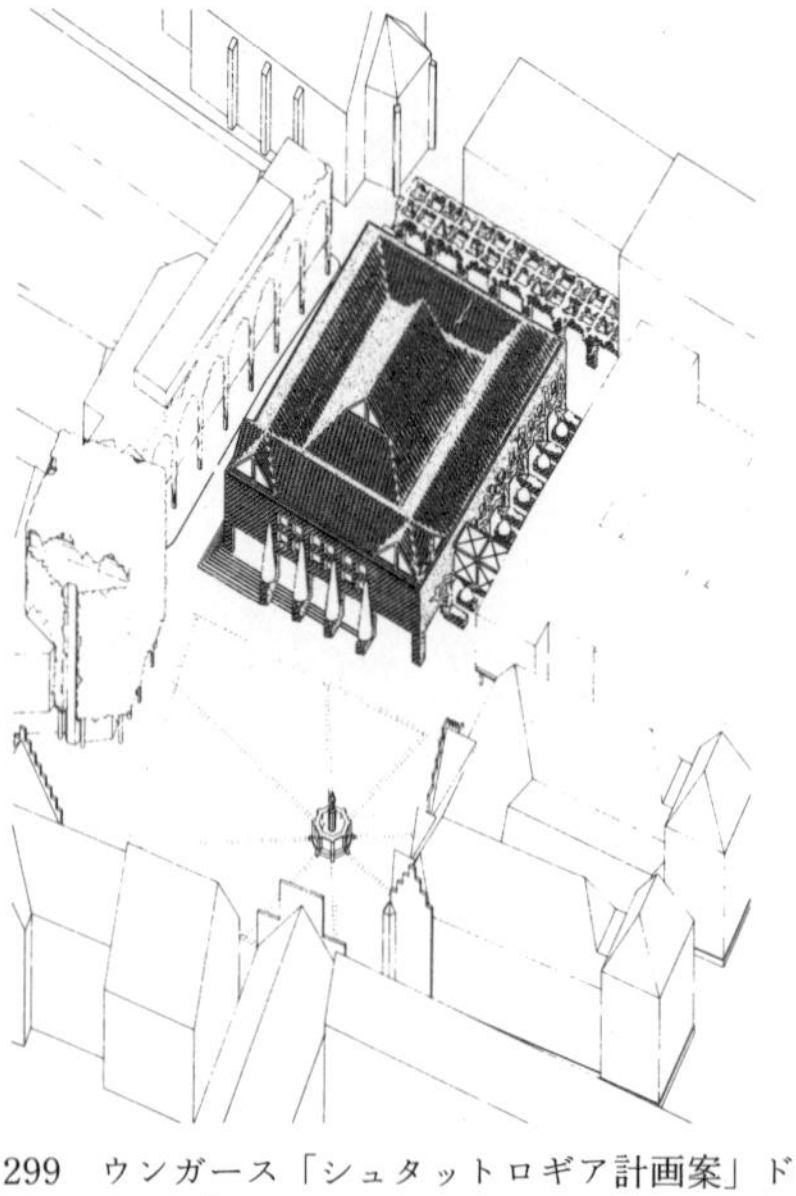

299　ウンガース「シュタットロギア計画案」ドイツ・ヒルデスハイム，1980年

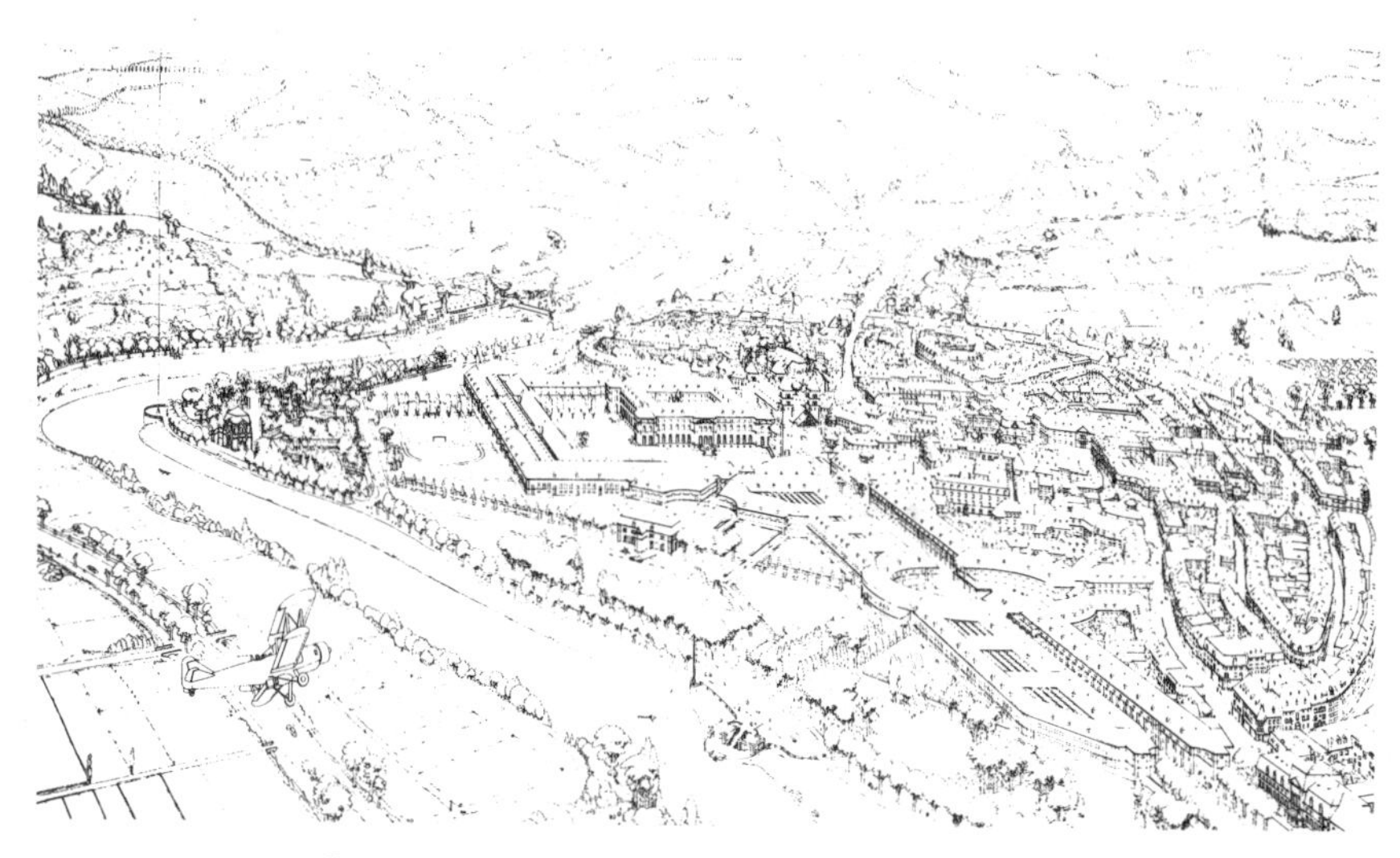

300　レオン・クリエ「エヒタナハ計画案」ルクセンブルク，1970年．勾配屋根の家屋が続いて，そこには商店，アパートメント，学校がある

つまりそのゲニウス・ロキ（土地の特徴）への参照が可能になる。その場所の詩的特性を発見して、それに表現を与えることが可能になる。このようにして、敷地は最大限に活用される。

　変形の原理は、自然、生活、芸術、あらゆる領域において働いている。それは、ばらばらに異なる要素を、計画された全体の中に組み込んでゆく形成の原理（ゲシュタルトゥングスプリンツィプ）である。この変形の原理は、例えば、トリーアの都市計画の歴史的変遷を見れば容易に理解できるように、与えられた安定している組織を混沌状態（ケイオス）へと変換し、偶然の法則に従って、最終的に新しい秩序へと変換する。微差をつけて計画された組織は、偶然性と自発性によって、時間の経過とともに埋没していく。その結果、そこに産み出されるのは、以前のものとはまったく異なった、むしろ対照的な組織である。それは即時性と実践的必要性による組織である。」

　建築の基礎付けを類型学的変形の弁証法に求めるこうした操作は、ルクセンブルクの建築家[75]ロベール・クリエに大きな影響を与えた。彼は、ケルンのウンガースの事務所で永いこと助手を勤めた。しかし、ウンガースが型式と技術、とくに産業に関する技術を自由に交換したり、作りだすのに開放的であるのに対して、ロベール・クリエと弟のレオンは、そしてとくに弟のレオンは、いっそう徹底して構築的で都市的な形態の産出に対して、手作業的アプローチを適用している。

レオン・クリエは、一九七六年に次のように書いている。

「私と兄のロベールの二人がこの計画案で提起したい議論は、都市計画家のいう地域制(ゾーニング)に対して都市の形態学(モーフォロジー)を提起することだ。地域制によってつくり出された荒地に対して、都市空間のきっちりとした形態を回復させることだ。都市空間の設計とは、車両交通であれ歩行交通であれ、また、直線的であれ求心的であれ、融通と変化を充分に認めるおおまかな方法である。しかし一方、それは都市の内部に、空間的で建築的な連続性をつくり出す精密な方法である。[…]この計画案では、建物と公共的領域、虚と実、作られた有機体とその周囲に必然的に生ずる空間、こうした二つのものの間に弁証法を再建しようとした。[…]かなり大きな都市部に用いられる建築言語は単純だが、両義的である。《エヒタナハ計画》(一九七〇年)では、戦後、この街や大修道院や付属建物を再建したのと同じ手作業を採用した。」

構造主義

「機能は形態に従う」。これがクリエ兄弟の信条である。こうした彼らの反技術官僚的姿勢といい、場所の持つ文化的重要性に対する執着といい、そのいずれもがオランダの建築家ヘルマン・ヘルツベルハー[76]の作品と思想に共通している。ヘルツベルハーは、その他あらゆる点で「傾向派(テンデンツァ)」の精神から遠く隔たるものではない。ヘルツベルハーの思想と実践に決定的影響を与えたのは、むろんアルド・ヴァン・アイクである。ヴァン・アイクは、啓蒙思想と不可分の関係にある近代建築を終始一貫して鋭く批判しつづけている。一九六二年、彼はヨーロッパ中心主義と帝国主義的文化の破産について極めて痛烈な攻撃を表明した。

「西洋文明は、習慣的に、これこそ文明だと規定してかかる。しかし、それは勿体ぶった前提に基づいている。その前提によれば、西洋文明に似ていないものは逸脱だ、進歩から取り残されている、原始的だ、せいぜいよくて、安全な距離を置いてから異国的で面白いではないか、ということになる。」

その五年後、ヴァン・アイクは自分の雑誌「フォーラム」の中で、クリエ兄弟がその後発展させることになる幾つかの論点を発表している。その中には進歩の概念についての疑念が含まれている。

「過去、現在、未来は、われわれの精神の内部において、連続したものとして働かなければならない、と私は思う。もしそうでないならば、われわれが作る物は、時間の深さとか、連想による洞察などを欠くことになるだろう。[…]人間は、なんといっても、実際に数千年にわたってこの世界に順応してきたのである。自然から与えられた人間の特質は、その間に、増えもしなければ減りもしていない。過去を手元に引き寄せない限り、この環境のあらゆる領域にわたる膨大な経験を組み合わせることなど、とうていできるものではない。［…］建築家は今日、病的なほど変化に熱中している。彼等は変化を阻むか、逃れるか、あるいはせいぜい同調するしかないものと思っている。だから、彼等はどうしても過去を未来から切り離してしまうのだ。その結果、現在は情緒的に近づき難いものとなるのである。しかも、時間の次元を欠いたままである。私は過去に対して感傷的な好古家的態度をとりたくない。また同様に、未来に対して感傷的な技術官僚的態度をとりたくない。そのどちらも静的で、規則的な時間の観念に基づいている（これこそ好古家と技術官僚の共通点である）。さあ、変化を求めて過去から出発しよう。そして、人間の不変の条件を発見しよう。」[77]

オランダ構造主義が、機能主義に含まれる還元的側面を克服しようと提示した統一的概念を、ヴァン・アイクは「迷路のような明晰性」と呼んで説明した。この概念は、後に彼の弟子達によって充分に磨き上げられることになった。すなわち、ヘルツベルハーは一九六三年に「多価値空間」という共通した概念について次のように書いている。

「われわれが探求しなければならないのは、個人的生活パターンを集合的に解釈する原型（プロトタイプ）ではなくて、集合的生活パターンを個人的に解釈できるような原型である。別の言葉で言えば、われわれは住宅をある意味では同じように、誰もが集合的生活パターンの個人的解釈が生み出せるように作らなければならない。［…］それぞれにぴったりと合った、個人の環境を作ることなど不可能なのだから（これまであった例はない）、われわれとしては、説明ができるように物を作ることで、個人的解釈の可能性を生み出さなくてはならないのである。」

この規範がヘルツベルハーの出発点であった。以後、彼は、これに基づいて作品を展開し、一九七四年にはアペルドールンで《セントラル・ベヒーア保険会社》の本社を建てることになった。この建物は、「都市の中の都市」という形式で設計されている。鉄筋コンクリート造の骨組にコンクリート・ブロックを充填した構造体は、床、柱、採光口、設備用ダクトなどを配置している規則的な直交タータン・グリッド内部に設けられた執務用プラットフォームの不規則な集合を取り巻いている。トップライトのあるギャラリーの空間は天井の高さがまちまちで、一辺七・五メートルの正方形のプラットフォームはそれぞれ切り離され、自然光は最下階の共通の広場まで降りそそいでいる。宙吊りにされたプラットフォームは、活動空間のネットワークを生み、それは机、椅子、照明器具、戸棚、休息室、エスプレッソ・マシーンといった基準となる要素を配置替えすることによって、個人また集団のワーク・ステーション（作業基地）に充てられることになる。この掩蔽壕（バンカー）のような迷路は、一九〇四年のライトによる《ラーキン・ビル》の内向的性格を思い出させるが、ヘルツベルハーによると、意図的に仕上げをしていない。それは、使用者が直接その空間を装飾したり、「自発的に」私有化するように仕向けるためである。ヘルツベルハーは、ハブラーケンやフリードマン達による完成度の高いインフラストラクチャーに見られる機械仕掛けの融通性に対して反感を抱いているようだが、その作業空間が、自発的かつ容易に他人へ受け渡されたり、手が加えられたりしているのを見ると、その反感ももっともものようだ。ヘルツベルハーが、《セントラル・ベヒーア》での空間の私有化を、ソシュールが[78]「パロール（私的言語）」と「ラング（集団的言語）」を言語学的に区別したことと修辞的（レトリカル）に比較したのを、不謹慎だと言う人もあるだろう。しかし、彼のアプローチが、管理化された時代（テイラーライズド・エイジ）において、建築的言説に対する慢性的な近づき難さを克服するために、何ほどかの貢献をしたことだけは確かである。

　ヘルツベルハーは、住居単位を居間、食堂、厨房、洗濯室、寝室などに厳密に細分割する機能主義的組織化がそもそも圧政だと言うが、これには「傾向派」の建築家達も間違いなく同意するだろう。彼はまた、工業化以前の時代の、部屋が融合する形式に復帰すべきだと言い、そうすれば室内空間と人間活動とがまったく緩やかに合致するようになるだろうと言うのである（一九七一年、デルフトに建てられたヘルツベルハーの《ディアグーン実験住宅》を参照のこと）。他方、「傾向派」の建築家達はもちろん、ヘルツベルハーの「カスバ（城）」という基本概念、とりわけ《セントラル・ベヒーア》に見られるようなカスバをきっぱりと拒絶するはずである。彼等は、こうした内向的な型式では、都市的規模の代表的公共空間を提示することはできないと見ているからである。実際《セントラル・ベヒーア》は、都市の文脈には無関係である。こうしたイスラム世界に起源を持つ「バザール（市場）」とか「パティオ（中庭）」という建物の型式は、本来、入口という階層的位置づけを表現する建築要素を持っていないのである。この事実は、《セントラル・ベヒーア》の建物においても確認できる。そこでは、保険会社として、訪問者を入口に向かわせる記号（サイン）をどうしても掲げる必要が生じているの

301　ヘルツベルハー「セントラル・ベヒーア保険会社」オランダ・アペルドールン，1974年

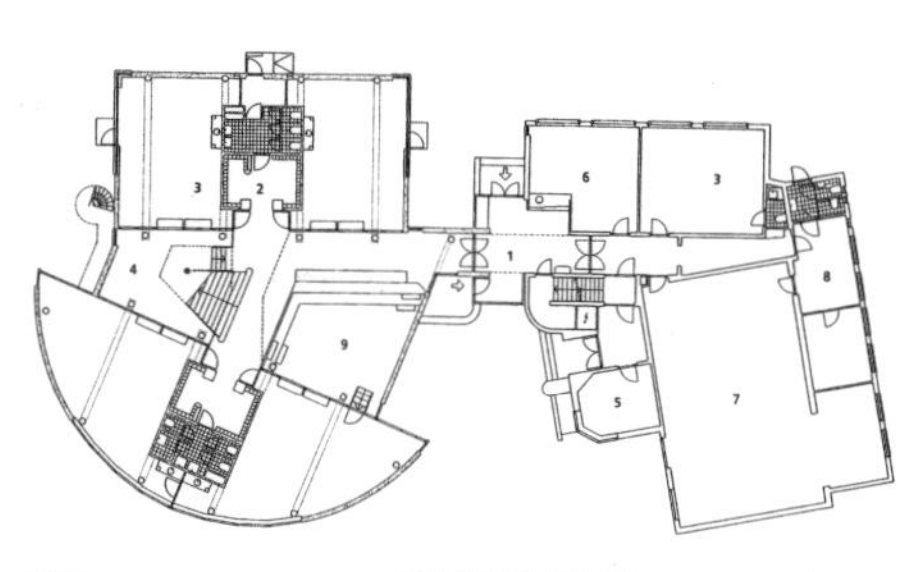
303　ヘルツベルハー「学校増築計画」アールデンホウト，1989年．平面図

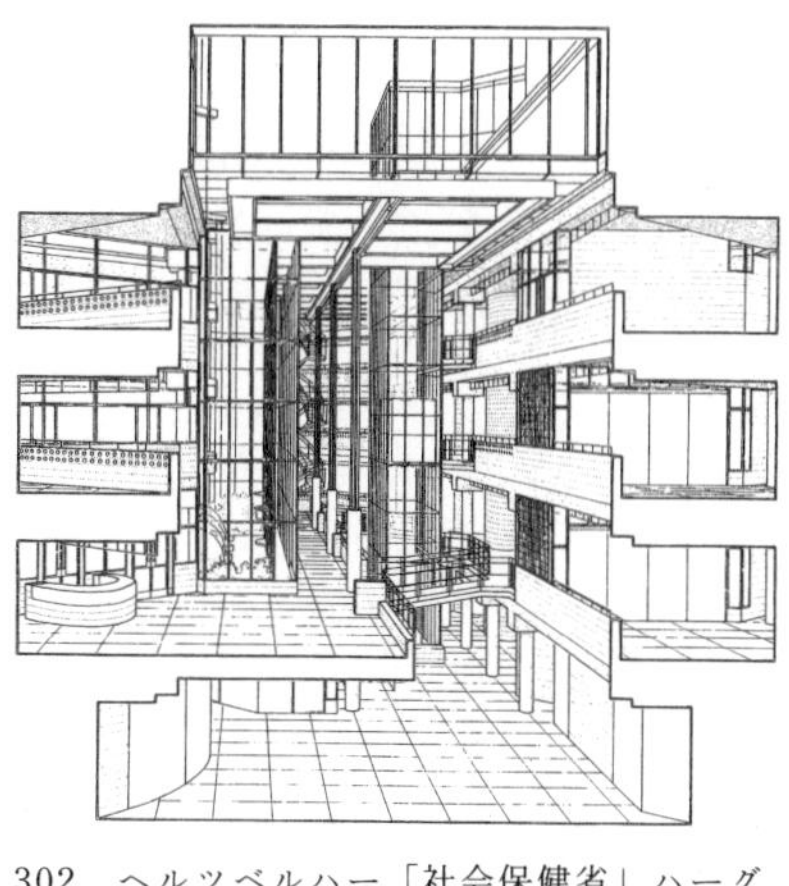
302　ヘルツベルハー「社会保健省」ハーグ，1990年．横断面図

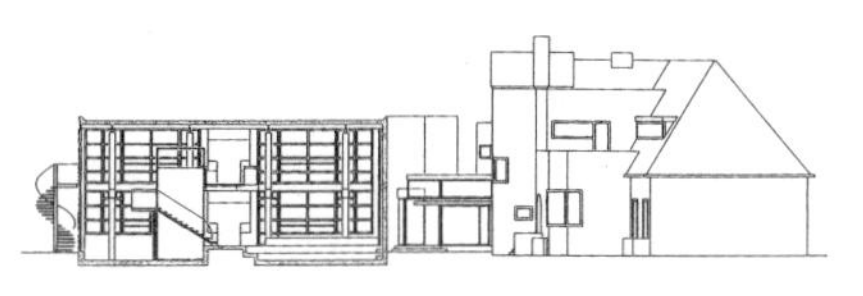
304　ヘルツベルハー「学校増築計画」断面図

である。
　一九七〇年代の中期以降、ヘルツベルハーは、構造主義的アプローチに、次の二つの観点から修正を加えている。一つは、迷路のような内向性であり、これは一九九〇年、ハーグに完成した《社会保健省》に見られるように、複合的で、同時に空間的な余裕のある作品となって現れた。もう一つは、集合体(マッス)としての形態であり、ベルリンに計画、建設された最近作に窺われる。そのうち実現しなかった作品にエスプラナーデ広場の《フィルム・センター》(一九八四年)があり、実現した作品に《リンデン街の集合住宅》(一九八六年)があるが、これら二つの作品は、いずれも円形あるいは半円形の形式によって統一されていた。同様に、一九八〇年、ヘルツベルハーの学校建築の原型となったアムステルダムの《アポロ学校》のために開発された四つの正方形からなる内向的な型式が、同様にアムステルダムに完成した《アンボンプレーン学校》(一九八六年)では、外周に円形を重ね合わせる形で展開された。さらに、一九八九年にアールデンホウトに完成した学校の増築では、この原型が比較的自由に適用されて、教室棟は曲線で囲まれ、広げられた。この学校は、ドゥイカーの作品と遠く響き合うところがあるが、ジョゼフ・バックは、次のように書いている。
　「ガラスがいっそう多く使われているので、各教室から中央の混合(ミキシング)した空間がすっかり見えるようになっている。石造の重たい階段ではなく、コンクリート製の座席階段と屋上への軽量金属製の露出した階段が混在している。アムステルダムにある学校の外側の階段と同様に、この学校の階段は、ベルラーへの「鍛鉄(たんてつ)細工」に見られるように、屋根のある溶接された彫刻に注意深く組み込まれている。ディテールの扱いにはモデルがあるが、ヘルツベルハーの金属製階段は、船舶のディテールと直接繋がっている。なにやかや言っても、近代主義者達が外洋客船に寄せた熱狂ぶりは、その機能性ばかりでなく、船内の配置に見られる、豊かで複雑な空間の処理に対しても盛んだった。そして、この学校はこれほど小規模にも拘わらず、極めて豊かで、複雑な空間体験を与えてくれるのである。ヘルツベルハーの最近の作品は、構造主義の健全な基盤に、物語性(ナラティヴ)の感覚がますます加わって、完全なものなっているのである。」

生産主義

一九七四年、フォスター・アソシエイツの設計によってイプスウィッチに建てられた《ウィリス・フェイバー・アンド・ダマス保険会社》は、三階建て、総ガラス張りの建物である。この建物くらいヘルマン・ヘルツベルハーの《セントラル・ベヒーア》の建物と対照的なものはあるまい。なぜなら、その建物では、その生産(プロダクション)そのものの優雅さが強調されているからである。すなわち、かつてマックス・ビルが「生産的形態」と規定したもの[79]を、現実化しているのである。さらに興味深いことには、ノーマン・フォスターは次のような「生産的形態」を、自分の作品の先例として挙げているのである。それらは、パクストンの《クリスタル・パレス》[80]、チャールズとレイ・イームズ夫妻が一九四九年、カリフォルニア、サンタ・モニカに規格部材で建てた自邸、スキッドモア・オーイングス・アンド・メリル（SOM）の設計によるイリノイ州グレイト・レイクの《海軍砲術学校》（一九五四年）、そしてマックス・ビルの《ローザンヌ博覧会のパヴィリオン》（一九六三年）である。《ウィリス・フェイバー》の建物は、こうした一連の作品の延長線上にあり、およそロバート・ヴェンチューリの大衆主義(ポピュリズム)とは正反対の、無装飾な小屋そのものである。ガラス面を流れるようにうねらせた壁面は人目をひく特徴だが、一階にある水泳プールと屋上庭園のレストランが、形態に微妙な変化を与えている。

《セントラル・ベヒーア》がハイブリッド建築だとしたら――すなわち、一部を十九世紀のアーケード、例えば一八九三年、モスクワに建てられたポメランツェフ設計の《新交易センター》と、一部を中近東のカスバからなるハイブリッド建築だとしたら、《ウィリス・フェイバー》は、その中央のエスカレーターによる出入りからいって、さしずめ二十世紀のオフィス・タワーと十九世紀のデパートメントストアの中間である。ここではG[81]・C・アルガンが提起したように、次のような議論が成立する。建物の型式は、特定の価値を具体的に示すものであり、その価値は当初から内在的であって、その後の変化には影響されるものではない。この場合、どちらの建物も、情報交換を扱う第三次産業が、部分的にせよ、カスバやデパートメントストアという、かつては消費の場であった空間に組み込まれているのである。これは、二つの建物の文化的価値からして、きわめて当然である。こうしたことからすると、《セントラル・ベヒーア》は、迷路のようなオフィス・ランドスケープを「人類学的」に占有、使用することによって、官僚主義的な労働の分業を克服しようという試みであると見ることもできる。伝統的カスバと同様に、ヘルツベルハーの分割化した(82)「ビューローラントシャフト（オフィス・ランドスケープ）」は、仕事の時間と休息の時間の間の絶えず行き交う行動のパターンを促進するものである。他方、《ウィリス・フェイバー》では、一七九一年の(83)ジェレミー・ベンサムによる円形刑務所（パノプティコン）をそっくり受け継いだ「ビューローラントシャフト」が見られる。この建物は、開放的平面（オープン・プラン）を採用し、四六時中そこに展開する規律と管理の連続的光景は、おそらく水泳プールや社員レストランなど集中的保養施設を設置することによって、償われるのかもしれない。しかし、こうした施設は、いずれも会社側の管理下に置かれるだろうから、円形刑務所のように全体が一目で見渡せるような領域になってしまうだろう。

この二つの建物の対照は、またそれぞれのディテールの処理による雰囲気にも及んでいる。《セントラル・ベヒーア》では、全体にわたって、仕上げのないコンクリート・ブロックによる間仕切りがある。これは「無政府的」な空間の占有を誘発しているようである。それに対して、《ウィリス・フェイバー》は、清潔そのものの皮膜と室内によって、一見平等主義的で豊かな社会といった企業のイメージを提出している。また、《ウィリス・フェイバー》のうねった壁面は、一九二〇年のミースによる《ガラスのスカイスクレイパー》計画を思い起こさせる。しかし、実際には窓枠のないガラス板がネックレスのように屋根から吊り下げられ、防水加工した(84)ネオプレーンのジョイントによって密着しているのである。こうした手法をアメリカの(85)ミニマリズムの建築家達の作品と比較してみると面白い。彼等は、エーロ・サーリネンの薫陶を受け、一九七〇年代に注目されるようになった。(86)ケヴィン・ローチは一九六八年、ニューヨークに《フォード財団ビル》、一九七三年に《UNプラザ・ホテル》を建てた。(87)グナー・バーカーツは一九六七年、ミネアポリスに《連邦準備銀行》を建て、(88)シーザー・ペリは一九七一年、ロサンゼルスに《パシフィック・デザイン・センター》を、一九七二年には《サン・バーナーディノ市庁舎》を建てた。(89)アンソニー・ラムスデンはあまり知られていないが才能ある建築家で、その最もすぐれた計画は殆どが実現されていない。例えば、一九

▲310　フォスター・アソシエイツ「スタンステッド・ロンドン第三空港」, 1991年. 向かって左側に出入口, 右側に滑走路

▲307　ペリ「パシフィック・デザイン・センター」ロサンゼルス, 1971年

▶305　フォスター・アソシエイツ「ウィリス・フェイバー・アンド・ダマス保険会社」イプスウィッチ, 1974年

▶306　スキッドモア・オーイングス・アンド・メリル「海軍砲術学校」イリノイ州グレート・レイクス, 1954年

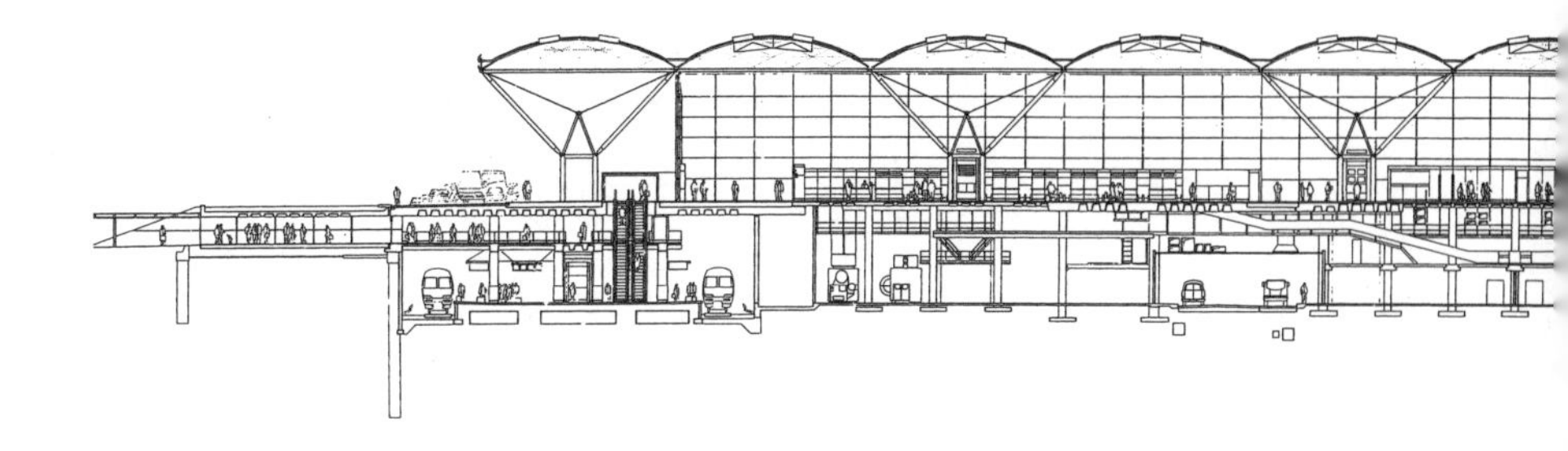

▲308　オットー，モントリオール万国博「ドイツ展示館」モントリオール，1967年

◀309　フォスター・アソシエイツ「香港・上海銀行」（模型）香港，1979-84年

七三年、ロサンゼルスに計画された《ビヴァリー・ウィルシャー・ホテル》がそれである。

《ウィリス・フェイバー》の建物は、ミース・ファン・デル・ローエの言うような「殆ど何もない」ものである。しかも、ミースの場合に見られた古典主義はきれいに削り落とされている。また、ミラー・ガラスの採用によって、既存の都市環境の規模や肌合い(テクスチャー)に関連させるという文脈的な要求に応えている。この場合には周囲を建物の表面に映しているのである。またさらに、近代主義の深刻な欠点とされる、近づき易く、受け入れ易い「標準」言語の全面的喪失という問題にも応えている。すなわち、《ウィリス・フェイバー》は、絶えず変化し、動いている感覚を絶えず提供して、曇りの時には不透明な蛍光体となり、晴れた時には反射体となり、夜間には透明体となるのである。しかし、逆説的なことだが、この建物はオランダのカウンターパートと共通するところを持っている。それは自然な「めりはり」による統辞法(シンタックス)をまったく欠落していることである。その結果、《セントラル・ベヒーア》の入口もそうだが、この建物への通路もなかなか分かり難いのである。

生産主義は、最も純粋な意味からすると、いわゆる「近代主義」の立場と区別しがたい。そういう風に見れば、正統的な近代建築は、優雅な工学技術そのもの、間違いなく規模を引き延ばしたインダストリアル・デザインそのものになるし、実際、そうならなければならないのである。しかし、これまで筆者が述べてきたように、こうした見方は、「近代運動(モダン・ムーヴメント)」の歴史の中の多くの前例に支えられているのである。なかでも重要なのは、フランスの職人的技術者ジャン・プルーヴェ[90]の先駆的作品で、それは一九三〇年代に遡る。彼が、一九三五年、パリの《ロラン・ギャロス飛行クラブ》の建物で見せたカーテン・ウォールのディテール、あるいは一九三九年、パリのクリシーに技術者ウラジミール・ボディアンスキー[91]、建築家マルセル・ロッズ、ウジェーヌ・ボードワン達と協同して設計した、変更自由な《人民の家》のカーテン・ウォールのディテールなどがそれである。

ミースの言葉を字義通りに受け入れて(つまり「殆ど何もない(オールモスト・ナッシング)」を礼讃して)、生産主義の一翼には、空気膜構造に執着したり、あるいはケーブルによる吊り構造のテントに熱中する建築家がいる。前者の好例として、一九七〇年、大阪万博の時に建てられた村田豊[92]設計の《フジ・パヴィリオン》がある。後者の指導的唱道者は、ドイツの技術者で建築家のフライ・オットー[93]である。彼の最初のテント構造は、一九五〇年代に遡るが、注目を集めるようになったのは一九六三年、彼の設計によってハンブルクに建てられた国際園芸博覧会の大きなテントであり、また一九六七年、モントリオール万国博の《ドイツ展示館》である。もっとも、こうした手法が採用されるのは、殆ど仮設構造物に限られる。その最大のものは、一九七二年のミュンヘン・オリンピックの競技場を覆う、オットーの設計による大屋根であった。

生産主義の基本的な規範とは、おおよそ次のようなものである。まず第一に、建物に求められる「課題」は、可能なかぎり無装飾な小屋（シェッド）、あるいは格納庫（ハンガー）によって充たされなければならない。こうした倉庫（ロフト）のような構造物は、第二次世界大戦後の「ビューローラントシャフト」の理念をモデルとして、できるかぎり広々として、融通のよく利くものでなければならない。第二に、こうした構造物の内部空間の融通性は、電力、照明、熱、換気などが均一かつ統合的な方法によって供給、維持されなければならない（セドリック・プライスの言う「サーヴィスの行き届いた無名性」の概念を参照）。第三の規範は、構造と設備を明確に分けて、それを表現することである。これに関しては、ルイス・カーンの有名な「サーヴィスされる空間」と「サーヴィスする空間」の分離に従うことになる。この規範は、リチャード・ロジャースの大規模な作品に鮮やかに現れている。《ポンピドー・センター》がそれであり、一九七六年に設計が始まって、約八年後、完成した《ロイズ・オヴ・ロンドン本部ビル》がそれである。同じ着想で、フォスターは一九七八年、ノーリッジ郊外のイースト・アングリア大学に完成した《セインズベリー視覚芸術センター》において、いっそう用意周到な（そのため、いっそうサーヴィスがよくなった）表現を与えている。ここではサーヴィスをする空間は、スパン三十三メートルのスティール・チューブによるトラスの骨組の中にすっぽりと収まっている（一九六五年のカーンによるラ・ホヤの《ソーク研究所》を参照のこと）。生産主義の第四の、そしてきわめて重要な規範とは、言うまでもなく生産そのものの「あけすけな」表明である。すべての構成要素（コンポーネント）を「生産的形態」として表現することである。――これは難しい作業であるから、アメリカのミニマリスト建築家達の建物では滅多に実行されることはない（彼等は骨組を露出する構法には関心がないのだ）。むしろ、アメリカや英国の生産主義者達は、全体を滑らかにすっぽりと包み込む「消費主義的」皮膜を目指している。アンドリュー・ペッカムは《セインズベリー・センター》について次のように言っている。「（フォスターの）説得力は建築の伝統的言語によるのではない。それは、むしろ、近代の物質世界の言語に懸かっている。工業生産と消費的な仕上げに懸かっているのだ。」

生産主義のアプローチには幾つかの基本的な変数値がある。その一つが、皮膜や骨組はどこまで表現上の主要な形態になりうるかということである。最近まで、この変数値の差異によって、フォスターとロジャースの実際の仕事の修辞的姿勢の区別がつけられた。フォスターは、なんと言っても皮膜が得意であり、ロジャースは構造体に表現の主調をおいていた。しかし、以来、フォスター事務所は作業方法を変えた。

最近の作品では、彼等はますます構造を外部に表現しようと方向転換している。その顕著な例が一九八三年に完成したウィルトシャー・スウィンドンの《ルノー配送センター》であり、一九七九年に設計が始まって、八六年に完成した《香港・上海銀行》である。これは、三重に重なったスカイスクレイパーで、十六・二メートルの奥行きを持ち、高さがそれぞれ二十八メートル、三十五メートル、四十一メートルの三つの版状(スラブ)建築から構成されている。それは、「アーキグラム」やバックミンスター・フラー達が描いた空想的構造物のどれよりも、遥かに風変わりな建物である。これとケープ・カナヴェラルのロケット発射台を比較したら面白いだろう。興味があるのは、大きさなどではなく、その部分部分が明瞭に分節(アーティキュレート)されている構成要素の巨大な規模である。とりわけ、スパン三十八・四メートルの二層分の高さのある巨大な露出したスティール・チューブのトラスが構造体の上に乗り、そこから、床版が吊り下げられていることである。床版は、最下階では七階分が、次は六階分が、次は五階分が、最上階では四階分がまとめて吊り下げられているのである。フォスター自身の次の言葉は、現実と技術的(テクノ)ロマン主義との奇妙な混交を語って雄弁であるが、建物の形態を見事に説明している。

「狭い敷地に迅速かつ静粛に建てるのは、難しいことである。この難問はさまざまな科学技術を組み合わせることによって解決された。ここには土着の手作業に基づいた家族という単位から宇宙工学など先端産業の副産物までが含まれている。例えば、潜函(ケーソン)を設置するのに最も速い方法は手掘りである。これは当地に即した技術であり、かつ騒音も生じない。同様に、この植民地(コロニー)で見かける最も優雅で効率のよい構造物は、竹を蜘蛛の巣のように張り巡らした足場である。実際、これが建設現場の目印になる。しかし、建物を組み立てる金属製装置が大量に輸入され、重量と性能とのきわめて現実的関係が意識されるにつれて、設計は伝統的建設産業以外のものに大きく影響されることになった。それにはコンコルドの設計チームをはじめ、戦車搭載用の可動式橋梁といった軍事施設や、とくにアメリカの航空機製作の協力業者(サブ・コントラクター)の世界までが含まれている。」

フォスターのアプローチが最も成熟したのは最近である。反復される構造単位と建物全体のイメージとが相互に補い合って、その結果、構造的に明瞭で、しかも完結した形態が生まれてくるのである。すでに《ルノー・センター》がそうした成熟の兆しであり、一九八六年にフランクフルトに計画されたスタジアムが好例である。その屋根には、スパン七十メートルの浅いアーチがスティール・チューブによって格子状に架け渡されている。二層になった屋根の構造体にできる六角形の中空の隙間は、日中の光を濾過したり、換気や照明の装置を収納するのに充分なスペースであり、適当な表面積を持っている。この金属構造の屋根に働く水平力は、現場打ちコンクリート造のリブの列の上に乗っているヒンジのジョイントに伝えられる。そして、このリブは傾斜した擁壁（アースワーク）と一体にコンクリートを打ち込まれ、傾斜面がスタジアムの観客席の踏み段に利用されるのである。

《スタンステッド・ロンドン第三空港》は、一九九一年に完成した。この建物でも同様に、屋根の構造と擁壁の構造の平行というテーマが明瞭に表現されている。空港の建物は、大きな一つの内部空間を包摂し、丸天井（アンダークロフト）が架かり、その下には手荷物関係や主要鉄道路線など、すべてが含まれている。建物の平面（プラン）は正方形で、周囲はガラスで囲われ、二十二の浅いドームを巧妙に繋いで屋根を架け、内部空間は背の低い間仕切りで出発コンコースと到着コンコースとに分けられ、二つのコンコースは建物の軸に沿って並んで走っている。十九世紀の鉄道駅をモデルとして、乗降客は自由に動けるように、また交通手段は見ながら近づけるように——この場合には航空機の発着がよく見えるように、最大の努力が払われたのである。空港を横方向に増築していくだけの充分な余地はあるが、道路と滑走路に面した側面は固定されている。そのため、増築は可能であるが、建物の基本的イメージも空港へのアプローチも安定条件として固定されている。この作品でも、他のハイテク作品でも、フォスター事務所はこのところオヴ・アロプ・アンド・パートナーズの見事な工学技術の補佐を受けている。

ポスト・モダニズム

一九八〇年のヴェネチア・ビエンナーレ展の建築部門は「過去の現前」と題されていた。それはポスト・モダニズムの地球的な規模での出現をさまざまなかたちで告げるものであった。ポスト・モダニズムを様式やイデオロギーの特徴として規定することはできないが、それがもっぱら形態的観点から、その正当性を表明しているのは事実である。それを指して皮相的と言うつもりはない。しかし、そこには構築的、組織的、あるいは「チームX（テン）」の修正主義にとっては今なお中心的課題である社会・文化的な観点が欠落している。そのため、ポスト・モダニズムは設計作法として、二十世紀の後四半世紀の建築生産から、言わずもがな、切り離されているのである。ポルトゲージが立てたビエンナーレの命題には関係なく、過去はすでにこの時期の主要作品の中に現前していたのである。

言うまでもなく過去数十年にわたって、アメリカの最も傑出した建築家はミース・ファン・デル・ローエとルイス・カーンであった。彼等は、この歴史という遺産を解体すること、ならびに、その規範と構成要素（コンポーネント）を時代の技術的能力に合わせて再集成することに拘り続けた。彼等の作品は、たといその中の構築的要素や構成手法のモデルが歴史的先例によって決定されていることが明白であっても、またそうしたことが取り沙汰されたとしても、あくまでもその時代を表現するものであった。ミース・ファン・デル・ローエのベルリンの《国立美術館》（一九六一年設計依頼、一九六五〜六八年建設）とルイス・カーンのテキサス州フォートワースの《キンベル美術館》（一九六七〜七二年）はその好例である。前者は、シンケルと十九世紀の鉄とガラスの工学技術に結びついている。後者は、地中海風なヴォールト構造と鉄筋コンクリートの構築性に結びついている。二人の後期の作品からは千年王国志向のユートピア主義が払拭されている。それらの作品の焦点は、構築的な構造に特有な還元不可能性であり、光と建物との崇高なまでの相互作用である。これこそ建築を超歴史的にする条件である。さらにカーンの場合には、宇宙論的なカバラ風神秘主義の形態にも関心が向けられている。ミースにしてもカーンにしても、ポスト・モダニズムの出現を文化的退廃と見なしたはずである。事実、カーンはヴェンチューリのフィラデルフィア二百年祭のストリップ計画を見て、「色彩は建築ではない」という意味の警句で叱責したという。

　この点に関して、歴史に名を残す「巨匠」と言われる建築家で、ミースとカーンくらい直弟子や後継者達から誤解された者は他にはいなかろう。ミースが有り難がられたのは、彼が一九五〇年から一九七五年にかけて、アメリカ企業の建築の標準的形態を見事に公式化したからである。ミースの定めた公式は、戦後の世界における企業のための建築の発展の出発点となったのである[94]（アーサー・ドレクスラー企画の「企業と政府の建物」展、MoMA、一九五九年、参照）。しかし、ミースもカーンも、彼等の作品に内在する特質は、アメリカよりもヨーロッパにおいてよりよく理解されることを承知していたようである。かくしてスキッドモア・オーイングス・アンド・メリル事務所が、ミース亡きあとの「シカゴ派」を、大胆さと気迫で動かしたのである。それに引き換えて、[95]マイロン・ゴールドスミス（一九六二年、イリノイ州デス・プレーンズの《ユナイテッド航空》の設計者）、[96]ジーン・サマーズ（一九七一年、シカゴの《マッコーミック・プレイス》の設計者）、[97]アーサー・タケウチ（一九七三年、シカゴの《ウェンデル・スミス小学校》の設計者）といった建築家達は、一人として新たな出発点に到達できなかった。おそらく彼等は、ミースの作品の背後に潜んでいるロマン的古典主義やシュプレマティズムの側面を充分に理解できなかったためであろう。同じようにカーンも、「フィラデルフィア派」と呼ばれる弟子達がいたのだが（ムーア、ヴェンチューリ、[98]ヴリーランド、[99]ジョゴラ）、むしろイタリアの新合理主義やオランダの構造主義の中に、遥かに感受性に富んだ後継者を見出すことになった。

　こうしたアメリカにおける後期モダニズムの凋落は、[100]ユルゲン・ハバーマスが「近代－未完のプロジェクト」と呼んだものを「一致して」拒絶したことも含めて、最近のフランク・ロイド・ライトへの拒絶反応という現象に明白に現れているのである。ただし、「近代−未完のプロジェクト」は、過去一世紀にわたって、アメリカの発展の神話と現実に熱狂的に統合されたものだったのだ。そしてさらに、フランク・ロイド・ライトこそ今世紀の最も多産な建築家であったことは議論の余地のないことだったのだ。ライトが、一部の古美術商の業界を除くと、アメリカのポスト・モダニズムの擁護者達から今なお無視され続けているということは由々しいことである。[101] チャールズ・ジェンクスは、最近の著書『限りなき空間の王者達』（一九八三年）の中で、ライトを通してマイケル・グレイヴスを評価しようとしているではないか。[102] ポスト・モダニスト達の、ライトに対するこうした健忘症ぶりは納得がゆかない。ライトは、その作品を還元的であるとか、あるいは近づき難いものだという理由で排除できない近代建築家に数えられなければならないからである（アアルトもそういう建築家の一人になるだろう）。むろん、ライトが生前建てた二百に上る「ユーソニア住宅」をその反証として提出することもできないわけではないし、そうした住宅群を、一般的郊外を洗練された領域にしてゆく試みだったと考えることもできないわけではない。

ポスト・モダン現象の根源的特質に到達することは難しい。こうした現象は建築ばかりでなく、殆どあらゆる領域に

311　1980年ヴェネチア・ビエンナーレ展の「ストラーダ・ノヴィシマ（新しい街路）」風景．右よりホライン，クライフース，レオン・クリエ，ヴェンチューリ，ローチ，スコット・ブラウンによるファサード

312　グレイヴス「ポートランド・ビル」オレゴン州ポートランド，1979-82年

生じているからである。一つの見方からすると、この現象は、社会全体の近代化という圧力に対する必然的な反動であるとされる。つまり、科学的、産業的複合体制の価値観に全面的に支配されている現代生活の趨勢からの脱出だというのである。なるほど、啓蒙思想のユートピアを目指した解放という目的は、今や、現実主義という有効で、確信を抱かせる形態の名の下に、放棄されなくてはならないのかもしれない。だが、現代社会が近代化による基本的な「恩恵」を破棄できるという証拠、あるいは、究極的に破棄したくなるという証拠はあり得ないのである。さらにハバーマスは、一九八〇年、テオドール・アドルノ賞受賞に際しての講演の中で、次のような趣旨のことを言っている。近代の発展に対する失望や妨害が生じたのは、前衛文化の所為というよりも、そうした発展の無謀さや速さの所為である。新しいものに対する大衆の公然とした拒絶反応もそのためである。結局、いかに強硬な新保守主義といえども、近代化の非情ともいえる進歩に、現実の問題として、抵抗する機会などないことを認めるだろう――。

かりにポスト・モダンの建築の特徴を説明する一般原理と言えるものがあったとしよう。それは様式の意識的な荒廃である。そして、建築形態の共食現象である。伝統的であると否とを問わず、いかなる価値観も、生産と消費という循環に長期に持ちこたえられないかのようである。その結果、あらゆる市民的制度はある種の消費主義に縮小してしまうのである。そして、すべての伝統的特質は損なわれてしまうのである。今日における労働の分業と「独占」経済の強制力は、建築の実践を巨大な規模の梱包作業と化してしまおうとしている。少なくともポスト・モダンの建築家の一人であるヘルムート・ヤーンは、正直に、それが自分の役割に対する現実的見方だと認めているのである。ポスト・モダニズムは、最初の前提として、建築を、施工業者と開発業者が設定する「包装作業（パッケージ・ディール）」によって、作品の骨格や実体が決定されてしまうような状態へと矮小化するのである。その場合、建築家は、それに相応しい魅力ある仮面を取りつけるだけになってしまうのである。これが、現在、アメリカの都市の中心部で行われている開発の状況である。そこでは、高層建築は、全面ガラスを張り巡らした反射性の被覆によって「沈黙」を強いられるか、さもなければ何種類かの安っぽい歴史的な装飾を纏っている。ヤーンの言う「大衆的機械主義（ポピュラー・マシニズム）」は、この両方の戦略を結びつける試みだと見て間違いない。例えば、ニューヨークにフィリップ・ジョンソンが設計した《AT&Tビル》(現《ソニー・ビル》、一九七八～八四年)のように、素材感を喪失した歴史主義が、実際の石材で形作られ、重々しい鉄筋鉄骨構造から吊り下げられていようとも、あるいは、それほど極端にはならずに、スティール構造とは無関係な装飾的ガラスの壁面であろうとも、また、マイケル・グレイヴスがオレゴン州ポートランドに建てた《ポートランド・ビル》（一九七九〜八二年）のように、「荒廃した」理想的な庭園の「阿房宮（フォリー）」のイメージを、特大の規模に引き延ばしたようなペンキ塗りのコンクリート製の広告塔であっても、結果はすべて同じなのである。それは、すなわちヴェンチューリの言う「装飾付き小屋」の大衆主義版なのである。いずれにしても、これら三つの事例では、その衝撃は背景画（セノグラフィック）であって、構築的なものではない。その結果、そこでは内部の本質と外部の形態との間には完全な断絶が生じている。そればかりか、その形態自体が構造的基礎づけを拒否しているか、あるいは、可触性を振り払っている。ポスト・モダンの建築では、古典からの「引用」も、土着的（ヴァナキュラー）なものからの「引用」も、入り乱れて相互貫入する傾向を見せている。それらのイメージには常に中心がなく、拡散しているから、容易に解体して、より抽象的な立体主義的な形態と混じり合う。この場合、建築家はきわめて恣意的な歴史の引喩にしか関心を持てなくなってしまう。

　こうした展開全体を最も代表する人物がマイケル・グレイヴスである。彼のポスト立体主義的コラージュは、建築にも絵画にも見られるが、その方法も内容も一九七五年頃から急激に変化した。当時、彼はレオン・クリエの新古典主義的「思惑」の影響下にあったが、クリエ自身は、その作品から近代主義の統辞法（シンタックス）をことごとく払拭してしまう方向へと向かった（クリエによる一九七四年の《ロイヤル・ミント・スクエア》計画と一九七八年の小さな《サン・カンタン・アン・イヴリーヌの学校》計画とを比較してみるといい。後者では、その猥褻性の排除を論理的な極限まで押し進めている）。同じように、グレイヴスもまだ「近代主義的」な《クルックス邸》計画（一九七五年）を通過して、やがて一九七七年、ミネソタとノース・ダコタの国境線に跨った双子都市のために計画した《ファーゴ・ムーアヘッド文化センター》計画では、新古典主義の「阿房宮」に到達するのである。これ以後、彼の作品にはルドゥーを「転倒」させたモティーフが支配的になる。さらにそこには、クリエ、ホフマン、ジリー、シンケル、立体主義、アール・デコなどから引用された断片が挿話風に混交しているのである。

　現在までのところ、グレイヴスの最大の建物は《ポートランド・ビル》である。この建物によって、グレイヴスはポスト・モダン旋風の中心に立った。この時、公共建築にしては恣意的な色彩の豊かな正面（ファサード）の構成が激しい議論の的となった。最初から施主達は、正方形の穴を穿ったような窓の小さいことに猛烈に反対した。オレゴンでは空はいつも曇っているというのがその言い分である。この結果、窓はいくらか大きくなった。やがて建物が完成すると、今度は構築的な理由から批判された。一見、大きい窓はまったく見せ掛けだと言うのである。殆どの窓には、濃い色調の板ガラスが填め込まれているが、分厚いコンクリートの壁の内側へ気がつかないように引き込んでいるのである。この建物に対する、決定的で最も深刻な異議申し立ては、建物の敷地に対する驚くべき無神経さであった。敷地の両側にはボザール様式の市庁舎と州裁判所があるが、この建物は（搬入用入口は別として）、南側の公園という公共施設にいささかの考慮も払っていない。それに地上階にはアーケードを巡らしているにも拘わらず、周囲の街並みに対して不可解で、無愛想な正面を向けているのである。

爾来、グレイヴスには引きも切らずに設計依頼がある。しかもそのいずれもが、彼のイメージ中心的アプローチに一段と相応しいものばかりである。例えば、カリフォルニアの《サン・フアン・カピストラーノの公共図書館》（一九八三年）は小振りな規模の建物で、その地方独自の形をしたスパニッシュ・コロニアル様式の屋根が載っている。こうした作品を見ても、彼はオルブリッヒのように建築家としてよりも「小振りな芸術品（オブジェ・ダール）」のデザイナーとしての才能があるのではないかと思われる。彼の驚嘆すべき才能は、ライトよりもオルブリッヒの方に、いっそうはっきりと比較されるのではないだろうか。その後のグレイヴスについて、ピーター・アイゼンマン[103]は次のように言っている。「例えば、住宅は、もはや住宅として構想されたものではない（社会的あるいはイデオロギー的実体ではない）。さらに物体（それ自体）ですらない。むしろ物体の絵画なのだ。」

これまで後期モダニズムの立場をとっていた多くの人達も、グレイヴスと同様、ごく最近になってポスト・モダニズムの立場へと転向した。ジェームズ・スターリング、フィリップ・ジョンソン、ハンス・ホラインばかりではなく、ロマルド・ジョゴラ、モシェ・サフディ[104]、ケヴィン・ローチといった人達も転向したのである。それぞれの作品には、程度の違いはあるにせよ、「素材感を喪失した」歴史主義という言説が、意識的に内包されており、事実、近代主義の断片が無作為に混在している。しかし大抵の場合、その結果は要領を得ないものであり、見たところ、建築家は素材に対する支配権を失って、効果のない「不協和音」に過ぎないのである。現在見られるこうした「著者の消滅」という現象は、スターリングの最新作、とくに《シュトゥットガルト国立美術館》の中に明瞭に見てとれる。この作品は、スターリングの後期の作品活動のうちでは傑出した公共建築である。一九七〇年代の後半に、彼はドイツで新古典主義の美術館を続けて三つ設計したが、これはその中でも突出している。しかし、これはまた奇妙な混交と葛藤のデザインである。建物は鉄筋コンクリート構造で、そのディテールは周到に収められ、仕上げは見事な切石積みである。この《国立美術館》は、およそ背景画的手法とは無縁だが、全体の表現は非構築的である。つまり、この建物はホフマンやアスプルンドに近い。とりわけ、

313　スターリング「国立美術館」シュトゥットガルト，1980-83年

アスプルンドの一九三九年のストックホルム《ウッドランド墓地の火葬場》に近いのである。スターリングの初期の作品に精神的刺激を与えた前衛的構成主義の規範からは遠いのである。むろんスターリングとアスプルンドの違いもまた同様に見逃せない。とくにここでは、アスプルンドの自由都市的感覚、言い換えると、彼の平等主義的な市民のアイデンティティーへの思いが、スターリングの「古典主義的大衆主義」に置き換わっているのである。私は、ここでとくに、スターリングの信念について触れたい。彼は、今日の美術館は教化のための施設であるばかりでなく、休息と娯楽の場所でもあると確信している。そして彼のこの確信が現代の美術館経営に由来していることは間違いない。こうして、この《国立美術館》全体が記念性（モニュメンタリティー）を媒介していることが、構成主義に影響されたある種の挿話（エピソード）や劇的なうねりを見せるガラスの壁面、特大のパイプの手摺や軽量スティール・チューブの象徴的小神殿などによって説明されるのである。実際、明るい色彩で、玩具のような要素はすべて多血質症候群だが、街行く人々に向けて設計されている。

　同じような手法は、スターリングの最新の美術館にもはっきりと現れている。一つは、《ハーヴァード大学フォッグ美術館》の増築であり、もう一つは、ロンドンの《テート・ギャラリー》の増築である。《テート・ギャラリー》について言えば、まるで構築的文化の伝統が、最近の建築完成図技法の再評価という風潮によって、瞬く間に消費されてしまいそうである。

「消滅」にはもう一つの形式がある。それは建物全体を消してしまうことである。建物を地中に埋設してしまうのである。その結果、建物は都市の美点の証ではなく、むしろ内部に向かって作られた室内となる。こうした手法の最近の例として、ホラインの《メンヒェングラドバッハ美術館》（一九八三年）とジョゴラの《オーストラリア国会議事堂》がある。後者は一九八八年、キャンベラに完成した。

ホラインは、ポスト・モダニズムの建築家の中でも、明らかに批判的距離と、手工芸（クラフト）的美学への耽溺とを組み合わせられる唯一の建築家だろう。こうした二元的な才能の輝きは、一九八〇年、ヴェネチア・ビエンナーレ展で見せた「反・正面（アンティ・ファサード）」において遺憾なく発揮された。ここで彼は、原型となる柱の主題をめぐって、「現実」から「幻想」へ、あるいは「芸術」から「自然」へと変化していく様相を、柱を輪切りにすることによって見せたのである。この展覧会より三年ほど以前、ホラインは、早くも、仕上げの見事さと機知の鋭さをさらに大きな形で提示している。それは《テヘラン美術館》の精巧な陶器展示（一九七七年）である。この仕事は、いろいろの意味から言って、ホラインのきわめて芸術的な隠喩のスタイルを完成させたものである。その後、一九七六年から一九七八年にかけて、ウィーンに実現されたイスラエルとオーストリアの《旅行代理店》の連作にも、こうしたスタイルが見られる。ホラインが室内の設計に特に優れているのは偶然ではない。それについて[105]フリートリッヒ・アヒライトナーは「ウィーンの立場」と題する論文の中で述べている。その中で、アヒライトナーはホラインとウィーンの文化との関係を見事に分析している。長くなるがここに引用しよう。

「ホラインを充分に理解するには、ウィーンという実体そのものを無視しては不可能である。ウィーンには建築を反・実体あるいは現実の代替物とするあまりにも古い伝統があり、あまりにも洗練された感受性がある。バロック時代、いや、もっと古い時代に遡ってみると、音楽と建築という媒体の境界を曖昧にすることが（それはハプスブルク家の文学弾圧から生じた）、明白な現実を再現すること以上に、当時の嗜好に投じたのである。集団的また個人的精神の状態を映し出したのである。ハプスブルク家の葬儀や行列は、第一次世界大戦前に声望を極めた上流貴族階級の消滅を演出する先駆けとなるものであった。そうしたブルジョワ世界は、ウィーン分離派（セセッション）の美的水準の高さに反映していた。ウィーンには、現実を美的に高揚させるという伝統がある。それは人工的な冷たさを作りだすための長い習練となった。モンタージュ、コラージュ、異化、見事な隠喩、うっとりするような引用。こうした技巧（テクニック）は言語の領域だけに限らず養われたのである。

思うに、ハンス・ホラインはこうした伝統に結びついているだけではない。彼の作品を長大なパースペクティヴの中に置いてみると、ウィーンの人間には状況など些かも変わっていないことが、不本意ながら、納得されるのである。状況の舞台裏が改めて見えるようになるのである。彼はそういう舞台裏を目立たせる道具立てを所持している。言い換えると、この《旅行代理店》は、インフォメーションの提供とかチケットの発行といったそれ自体単純な必要の充足を視覚的に処理することとは無関係ではないのか？　だが、ここでは多くの人が面食らうのは、問題が美的観点から処理されても中身が簡潔な仕方で説明されていないことだ。むしろ、問題そのものがあらゆる面に顔を覗かせているのである。ここで問題とされているのはインフォメーションやドキュメントではない。幻想や欲望や夢や、そして旅の目的についての決まり文句すらが問題なのだ。ここでは、客は参照と幻想の世界に入るのである。どんな物体も単なる物体そのものではなくなる。ロビー自体も旅行代理店の待ち合わせ場所ではなくなり、鉄道駅の待合い室となるのである。少なくとも、そういう連想が生まれるのだ。隠喩には、さまざまの段階の指示性がある。例えば、航空会社アドラーの窓口や船舶会社レリンクの窓口は誰にもすぐ分かる。しかし、観劇の予約の窓口（舞台の場面だから、学生は自分で理由を考えなくてはならない）や、

314　ホライン「旅行代理店」ウィーン・オペルンリング，1976-78年

315　ボッフィルとタジェール・ド・アルキテクトゥーラ「ル・パラシオ，レ・ゼスパス・ダブラクサス」マルヌ・ラ・ヴァレ，1979-83年

最も微妙なエジプトやギリシアやインドへの参照となるとすぐには分からないのである。お金はロールス・ロイスのラジエーター・グリルを通してやりとりされて、客への愛嬌も忘れない。このようにここでは、幻想とオリエンテーション、インフォメーションと学習が渾然一体となっているのだ。」

ところで、タジェール・ド・アルキテクトゥーラがプレファブ式鉄筋コンクリート造によって実施した、新社会的リアリズムの巨大古典主義（メガ・クラシシズム）ほど、現実のさまざまなレヴェルでの抵抗劇から遠く離れているものはあるまい。[106] リカルド・ボッフィルは、フランスのあちこちの新都市で大規模な公共集合住宅の計画を実現させている——例えば、サン・カンタナン・イヴリーヌの《レ・ザルカード・デュ・ラック（湖水のアーケード）》の名で知られた都市内住居地域（一九七四〜八〇年）とか、マルヌ・ラ・ヴァレの大仰な効果たっぷりの周縁型集合住宅《アブラクサス》（一九七九〜八三年）などである。こうした作品を見ると、彼くらい国家権力との密着を楽しんでいる西欧の現代建築家が他にいるとは考えられない。彼は、このレヴェルにおいて、まったく権力と同化しているのである。もちろん、こうした癒着には、当然のこととして世俗的な成功が付随している。しかし、だからといって、その癒着によって集団的住居単位が欺瞞的な古典主義の骨格の中に「監禁」されてよいという理由にはならない。こうして技巧的には完成して、ヘルムート・ヤーンの言う「大衆的機械主義（ポピュラー・マシニズム）」に匹敵するほどになっても、彼の作品は当然のことだが、「傾向派（テンデンツァ）」の建築家達がモニュメントに付与した価値観を全面的に否定しているのである。大衆のための集合住宅にモニュメンタルな形態が採択されたのは、なにもこれが初めてではない（一九二七年、ウィーンに建てられた[107]カール・エーンの《カール・マルクス・ホーフ》や、一九五二年、マルセイユに建てられたル・コルビュジエの《ユニテ・ダビタシオン（住居単位）》を参照）。だが、リングシュトラーセの時代以来、住居単位の集合が背景画風に表現されたことはないのである。ボッフィルの作品には、保育園、集会所、洗濯室、水泳プールなど、公共集合住宅ならば当然備えなければならない「社会的コンデンサー」が欠如しているか、あるいはそれらが表現されていないのである。ということは、社会的見地からも、建築的見地からも、彼の作品が現代の反動的時期を露呈していることは確かである。こうした公共施設の欠落だけが反動的なのではない。虚偽のアーキトレーヴ（軒縁）や空洞の柱型の中に、標準的アパートメントを強引に押し込もうという粗暴さがまた反動的なのである。テラスなどは、こうした見せ掛けの統辞法に合うわけもないからもぎ取られてしまい、上層階へ行けば行くほど、住民は宮殿に住んでいる芝居気分で我慢しなければならないのである。

新前衛主義

アメリカにはアルド・ロッシの追随者達が大勢いたが、新合理主義はこの国の建築の進化には大した影響は与えなかった。それは、アメリカの都市が新合理主義に対して適性が欠如していたからかもしれない。なにしろ、この国の都市は、伝統的なヨーロッパ都市と同じような類型学(タイポロジー)や形態学(モーフォロジー)による複雑系(コンプレキシティー)ではないからである。「傾向派(テンデンツァ)」の言う「モニュメントの連続性」という命題は、都市の文脈自体が安定していない社会では、とうてい信じられるはずはなかった。それにも拘わらず、一九六〇年代後半期、アメリカでは、第二次世界大戦前のヨーロッパの前衛達のように、理論的で芸術的な生産活動を、徹底かつ厳密に進めていこうという試みが生まれたのである。それがピーター・アイゼンマンを指導者として、彼の周囲に集まったニューヨークの建築家達、いわゆる「五人組(ファイヴ・アーキテクツ)」の作品に結晶したのであった。このグループのうちの二人、アイゼンマンとジョン・ヘイダック[108]は、彼等の作品活動の基盤を戦前のヨーロッパの前衛達の芸術的活動に求めていた。すなわち、二人はそれぞれジュゼッペ・テラーニとテオ・ファン・ドゥースブルフをモデルとしたのである。残る三人、マイケル・グレイヴス、[109]チャールズ・グワスメイ、[110]リチャード・マイヤーは純粋主義(ピューリスム)時代のル・コルビュジエを出発点とした。「ニューヨーク五人組(ファイヴ)」は、自律的建

316　マイヤー「ハイ・ミュージアム」アトランタ，1980-83年

317　コールハース（OMA）「フェリー・ターミナル」ベルギー，ゼーブルッヘ，1990年．模型

築という理念に傾倒して、「新即物主義（ノイエ・ザッハリヒカイト）」による還元的機能主義と見なされるものはことごとく退けた。そうした結果が無条件に表現されているのが、一九七二年、アイゼンマンによるコネティカット州ウエスト・コーンウォールに建てられた《フランク邸、ハウスⅥ》であり、ヘイダックの挑発的な計画案《ダイアモンド・ハウス》のシリーズ（一九六三〜六七年）であり、わけても《ウォール・ハウス》（一九七〇年）であった。その後、ヘイダックは初期の形式主義を放棄して、全精力を一連の神秘的な装置の創作に傾倒した。それは、一九八一年の《ベルリン・マスク》などに代表されるだろう。一方グレイヴスは、初期の新純粋主義（ネオ・ピューリスム）から脱却して、一段と装飾的なポスト・モダニズムの手法をとるようになった。一九九一年のフロリダ州オーランドの《ディズニー・ホテル》がその好例である。また、グワスメイとマイヤーは終始、純粋主義の出発点に立ち戻っている。なかでも、マイヤーのジョージア州アトランタの《ハイ・ミュージアム》（一九八〇〜八三年）やフランクフルトの《装飾美術館》（一九七九〜八四年）は、彼を同世代の中で最も市民精神に富んだ建築家としての声望を高からしめた作品であった。爾来、マイヤーはロサンゼルス、パリ、バルセロナといった世界のさまざまな都市において公共施設を手掛け、一九九〇年代には多くの建設途上にある公共建築の最も多い建築家として知られたのである。

二十世紀の前衛達が打ち立てた芸術的、そしてイデオロギー的前提条件を自らの作品の基盤とした建築家は、なにも一九六〇年代後期の「ニューヨーク五人組」ばかりではなかった。彼等がニューヨークで果たした役割を、ロンドンで受け止めて反響させたのが「[111]オマ（OMA）」の作品であった。OMAは[112]レム・コールハース、[113]エリアとゾエ・ゼンゲリス夫妻（当時）、マデロン・フリーセンドルプをメンバーとしていた。ジョン・ヘイダックの初期の作品には、新造形主義（ネオ・プラスティシズム）や後期のミースからの精神的刺激が等しく折衷的に影響しているが、OMAのコールハースとゼンゲリスは、彼等の都市計画が、イワン・レオニドフのシュプレマティズム建築に基づいていることを断言している。同時に、[114]ロラン・バルトのいわゆる「差異の繰り返し（レペティシオン・ディフェラント）」を達成するために、彼等はシュルレアリスム的な実践へと転換しているのである。

一方、OMAは後年のネオ・シュプレマティズムと言われる世代を育て上げている。なかでも「アルキテクトニカ」の[115]ローリンダ・スピアは、マイアミに《スピア邸》（一九七九年）を建て、[116]ザハ・ハディッドは《香港ピーク》（一九八三年）の国際設計競技に入賞した。他方、OMAは、一九八〇年代初期に、大がかりな都市計画を設計している。例えば、ギリシアのアンディパロス島のヴィラやベルリンのコッホシュトラッセの団地などである。

この頃までに、アイゼンマンは、ヴェネチアの《カナレッジオ計画》（一九七八年）を発表して、その急進的な設計が紛糾を招いた。その計画案でアイゼンマンは、既存の都市の組織に依拠するのではなく、都市に任意のグリッド（格子）を重ね合わせることを提案したのである。しかもそのグリッドは、一九六四年にル・コルビュジエが提案して実現しなかった病院計画から、かなり強引に抽出したものであった。このグリッドとカナレッジオ地区にある幾つかの既存の広場がうまく重なる地点には、アイゼンマンが前年の一九七七年に設計した《ハウスXIa》が、尺度（スケール）を変えて組み込まれることになっていた。こうした尺度を変えるという「反・人間主義」の演出を、後年、アイゼンマンは「スケーリング」という新造語で呼ぶようになるのだが、それはもっぱら人間中心的な尺度とか都市の次元（ディメンション）といった通念を覆すものであった。こうした奇妙に終末論的な作品によって、アイゼンマンは以前から取り憑かれている擬似ダダイスムの「方法論（モーダス・オペランディ）」を導入したのである。すなわち、実際の文脈といかなる関連性を持つようになるかどうかに関わりなく、別々のグリッドや軸線や尺度や等高線を、多少なりと、任意に重ね合わせることによって形態を派生させるのである。この例としては、ベルリンに《フリートリッヒシュトラッセ集合住宅》（一九八一〜八六年）、オハイオ州コロンバスに《ウェクスナー視覚芸術センター》（一九八三〜八九年）がある。

318　アイゼンマン「ウェクスナー視覚芸術センター」オハイオ州コロンバス，1983-89年．既存の大学構内に新設の建物を挿入している

319　チュミ「ヴィレット公園」パリ，1984年

一九八三年は、新前衛主義にとって忘れがたい年であった。レム・コールハースとアメリカで活躍するスイス人建築家[117]バーナード・チュミは、この年、二十一世紀の都市公園の原型として、パリの《ヴィレット公園》を実現させる設計を巡って鎬(しのぎ)を削ったのである。一九八四年、チュミが一等賞をとった設計案は、やがて建築における「脱構築主義(ディコンストラクティヴィズム)」の出現をもたらしたとして高く評価されるのだが、その中心的な構想(パルティ)は三つの基本的範例(パラダイム)から引き出されたものであった。まず第一は、アイゼンマンの《カナレッジオ計画》である。第二は『バウハウス叢書』第九巻で提起されているワシリー・カンディンスキーの「点、線、面」による教育プログラムである。そして最後は、ソヴィエトの前衛的映画監督[118]クレショフが先鞭をつけた、映画の断続的カッティングの技術による離接的(ディスジャンクティヴ)空間の物語性(ナラティヴ)というアプローチである。チュミは、このようにロシア構成主義から、ロベルト・ブーレ・マルクスやオスカー・ニーマイヤーの初期のランドスケープ・デザインに見られる「等高線の結婚」にまで至る、さまざまな先例に基づきながら、反古典主義の建築を熱望したのであった。《ヴィレット公園》では、赤く塗られた構成主義風の「阿房宮(フォリー)」が、幾つも等間隔に並んで句読点の役目を果たし、それによって思いがけない形象(コンフィギュレーション)や使われ方が生まれているのである。一つの阿房宮と隣の阿房宮とに差異を設けるため、チュミは、角柱、円柱、斜路、階段、庇(キャノピー)など、形態に変化を設け、それによって構造体の内容の差異がある程度まで分かるようにしたのである。このように計画内容と形態とが、時に調和し、時に対立するという関係は、その後、一九九〇年の《フランス国立図書館》設計競技へのチュミの応募案に再び現れ、その中心となる内部空間に競走路が無理矢理にねじ込まれている。

一九八〇年代になると、他の建築家達も、チュミと同様ではあるが、必ずしも「脱構築主義」[119]とは言えない戦略を採り上げるようになった。一九七八年、フランク・ゲーリーがロサンゼルスで自宅を改造したのを皮切りに、八〇年代後期には、そうした作品が陸続として生まれてきた。その中には、アイゼンマンによるフランクフルトの《バイオ・センター計画案》、OMAによるベルリンのチェックポイント・チャーリーに建てられたアパートメント、[120]ダニエル・リベスキンドによるベルリン市のための黙示録的な《シティ・エッジ計画案》、そして一九八七年にハーグに完成したコールハースの《ダンス・シアター》などがある。一九八八年、ニューヨークの近代美術館で開催された展覧会「脱構築主義建築」のカタログに寄せた論文で、[121]マーク・ウィグリーは次のように書いている。

「形態が形態を歪めている。しかし、その内的な歪みが形態を破壊するようなことはない。奇妙なことだが、形態はなにも損なわれてはいない。これこそがディスラプション（分裂）、ディスロケーション（転位）、ディフレクション（屈折）、ディヴィエーション（偏向）、ディストーション（歪曲）の建築なのである。それはデモリション（破壊）ではなく、ディスマントリング（解体）でもなく、ディケイ（腐食）でもなく、ディコンポジション（分解）でもなく、ディスインテグレーション（崩壊）でもない。形態を破壊するのではなく、構造をディスプレース（置換）しているのである。

ここで、形態が歪曲の力によって損なわれることがないばかりか、そのために一段と力強く見えるということが、まさしく不安定の原因なのである。おそらくこれらの形態は歪曲によっても作られるのであろう。最初に生ずるのが、形態なのか、それとも歪曲なのか、ホスト（宿主）なのかパラサイト（寄生者）なのかは分からない。［…］外科手術の技巧では形態は解放されない。一刀両断の切開なんぞはあり得ない。パラサイトを除去したなら、ホストも死んでしまう。ホストもパラサイトも一つの共生体なのである。」

この種の作品をめぐっての理論的言説は、批評としての鋭さを持っているにも拘わらず、エリート主義的であり、超越的であり、大義を喪失した前衛の自己疎外を証明するばかりである。オランダの批評家(122)アリエ・グラーフランドが述べているように、構成主義は総合を意図した。新しい社会のための新しい建築の創造を試みた。それに対して、その反・定立（アンチ・テーゼ）である脱構築主義は、少なくとも部分的には、地球規模的な近代化が理性の限界を超えて、いわゆる技術官僚制の秩序を押し進めているという認識に立っている。(123)こうした状況は、脱構築主義思想の生みの親である哲学者ジャック・デリダの思想にその反映を見ることができる。彼は哲学者ながら、《ヴィレット公園》の中の小公園の計画で、アイゼンマンやチュミと共同したことがあった。デリダは、啓蒙思想の理想主義的遺産の迷妄には囚われず、建築が実践的理性と詩的理性の相克する要求に絡め取られていると思い込み、懐疑論的な中間地帯を目指しているようである。その中間地帯とは、ハイデッガーの言う実存主義的批評と、言語に宿る還元不可能な両義性の結びつく、社会的実践主義との間の何処かにあるのだろう。

第5章　批判的地域主義（クリティカル・リージョナリズム）：現代建築と文化のアイデンティティー

普遍化という現象は、一方では人類の進歩であり、他方では容易には気づかれない破壊を行っている。それは伝統文化を破壊するばかりではない。これは取り返しのつかないことになるかもしれない。それだけではない、私がこのところ偉大な文化や偉大な文明の創造的な核と呼んでいるところのものを破壊してしまうのである。その核とは、われわれが生命を解明するための基盤になる核であり、私が人類の倫理的そして神話的な基盤と呼ぶところのものである。紛糾が生ずるのはまさしくここである。現在、われわれが感じているのは、この単一化された世界文明が、過去の偉大な文明を作り出した文化的資産を犠牲にして、消耗ないしは摩耗という影響を発揮していることである。これが脅威でなくてなんだろう。その脅威は、数ある不安の中でも、われわれの眼前に私がかつて基本的文明と呼ぼうとしたものとは正反対の、不合理で凡庸な文明を繰り広げることによって現れてくるのである。世界中のどこに行っても、同じ俗悪極まる映画が見られる。同じ自動販売機がある。プラスティックやアルミニュウムの無趣味な製品が氾濫している。そして、宣伝によって同じような言葉の歪曲がある。まるで人類がそろって消費文化に近づいて、そろってサブカルチャーの水準に止まってしまったかのようである。われわれが直面している重大な問題は、低開発の状態から上昇しつつある国家が直面している問題と同じだ。近代化の路線に乗るには、国家の「存在理由」である古い過去の文化を放棄しなければならないのだろうか？［…］これは逆説である。確かに一方において、国家は過去という土壌に根ざしていなければならない。そして、国民精神を養成しなければならない。さらに、植民地主義者に対して、国家の精神的また文化的な権利回復の要求を掲げなければならない。だが他方、近代文明を取り入れるためには、科学的、技術的、政治的な合理性を同時に取り入れなければならないのである。それはしばしば過去の文化全体をことごとく放棄することである。事実、どんな文化といえども、以前のままに持続することはできないし、近代文明の衝撃を吸収している。ここに逆説がある。いかにして近代的になるのか、そして、いかにして起源へと回帰するか。いかにして古い潜在的文明を活性化するのか、そして、いかにして普遍文明を取り入れていくのか［…］

　われわれの文明が異文明に遭遇して、征服もせず、支配も受けずにいたら、どういうことになるのだろうか。この問いには誰も答えられまい。しかし、はっきり言って、こうした遭遇はただの一度も起こらなかったのである。相互の文明が対等の対話を交わしたことなど一度もなかったのである。だからこそ、われわれは停滞あるいは空白の状態に陥っているのである。そういう状態では、たった一つの真理しか認めないという独断主義を実践することはとてもできない。その状態では、これまでに踏み込んでしまった懐疑主義を克服するわけにはいかない。われわれは今、坑道の暗黒の中にいる。そして、独断主義はまさに日没を迎え、真の対話は夜明けを迎えようとしている。

――ポール・リクール[1]「普遍的文明と国民的文化」一九六一年

「批判的地域主義（クリティカル・リージョナリズム）」という用語は、気候や文化や神話や手仕事などが相互に組み合わされて、自然発生的に生まれた、土着的（ヴァナキュラー）なものを指すのではなく、限られた支持者達に応え、彼等に仕えることを最大の目標とした、最近の地域的「諸派」を認定しているのである。こうした状態の地域主義が現れるのに貢献している要因には、確かに経済的繁栄のみならず、ある種の反・中心主義に対する合意がある。――その合意とは、少なくとも文化的、経済的、政治的独立に対する熱望である。

　地方的ないしは国民的文化という概念は、逆説的な命題である。なぜなら、土着的文化と普遍的文明とのあいだには、現在、顕著な対立があるからである。それればかりではない。あらゆる文化は、古代と現代とを問わず、その固有の発展のためには、異文化との交雑が必要であると思われるからである。冒頭に引用した一節でリクールが意味しているように、今日、地域的ないしは国民的文化は以前にもまして、「世界文化」が地方の特性に合わせて変化した結果の表明でなければならない。このような逆説的命題が、地球規模で拡大していく近代化が以前にも増した力をもって、伝統的な農業に基盤を置く土着文化のあらゆる形式を覆し続けている、まさにこの時点に現れたのは、決して偶然ではない。フランクフルト学派の批判的理論からすると（序文参照）、われわれは、地域的文化を所与の、しかも比較的変化を受けないものと見るべきではなく、むしろ、今日においては意識的に洗練されるべきものと見なさなければならない。さらにリクールは、将来にわたって、いかなる正当な文化を維持できるかどうかは、われわれが地域的文化から生き生きとした形態を作り出せるかどうかの能力に掛かっており、外来の影響を文化と文明の水準において吸収しなければならない、と示唆しているのである。

こうした同化と再解釈という過程がはっきりと見られるのが、デンマークの巨匠[2]ヨーン・ウッツォンの作品であろう。とりわけ一九七六年、コペンハーゲン郊外に完成した《バグスヴェルド教会》がそれである。この作品では、規格寸法によるプレキャスト・コンクリート製の充填材が、極めて分節（アーティキュレート）的な手法によって、内部の公的空間を覆う現場打ち鉄筋コンクリート造のシェル・ヴォールトと組み合わされているのである。そしてこの規格集成材と現場打ちコンクリートとの組み合わせは、一見すると、現時点で利用できるコンクリート技術のあらゆる可能性を適切に纏めたものとしか思えないかもしれない。しかし、こうした技術を組み合わせる方法が、対話（ダイアローグ）を交わすように対立している価値観を数多く示唆しているというのが事実であろう。

ある一面からすると、次のように言うことができるだろう。すなわち、プレファブの規格集成材は、普遍的文明の価値観に一致するばかりでなく、標準的応用に利く可能性があることを「表現して」いるのである。それに対して、現場打ちのシェル・ヴォールトは独自の敷地に建てられた「一回限りの」構造的発明である。リクールの見方に従えば、次のように言えるだろう——プレファブの規格集成材が普遍的文明の標準を肯定するのに対して、シェル・ヴォールトは独自の文化の価値観を主張する、と。同じように、コンクリート構造によるこうした異なった形態を、象徴的構造の非合理性に対する標準的技術の合理性を設定するものとして解釈できるのではないか、と。

だが、外部の経済的な基準被覆材（それが屋根のコンクリート版でも、両開きガラスでもよい）から、内部の途方もない現場打ち骨組とか身廊のスパンに架けたシェル・ヴォールトへと移るやいなや、別な対話（ダイアローグ）が生ずるのである。こうしたヴォールト構造は、例えばスティール製トラスに比較すると、やや非経済的な建設方法だが、象徴としての可能性を考慮して選択されている。なにしろ、ヴォールトは西欧文化においては聖なるものを意味しているからである。しかし、この建物の断面の形状は、きわめて特異であり、とても西欧的とは思えないのである。宗教的文脈の中で、こうした断面が現れる唯一の前例といえば東洋、それも中国の塔の屋根である。

ウッツォンが一九六二年に書いた含蓄あふれる論文「基壇（プラットフォーム）と台地（プラトー）：デンマーク建築家の発想」の中には、こうした塔が引き合いにされていたのである。

このコンクリート折版シェルの屋根に込められた、微妙で、正反対の隠喩には、東洋の木造形態を西洋のコンクリート技術で解釈し直したなどという、一見、曲解のような解釈より遥かに大きな意味が含まれているのである。なぜなら、身廊に架けられた主要なヴォールトが、その大きさといい頂上からの光線といい、宗教的空間の存在を示唆する一方、コンクリート折版シェルは、その形態が、西洋的（オクシデンタル）かあるいは東洋的（オリエンタル）かと択一的に解読されるのを拒んでいるのである。同じような西洋的か東洋的かという解釈は、木造の窓の割り付けにも、小割板による間仕切にも生じている。それらは、北欧独特の樽板式（ステイヴ）教会を思わせる、と同時に、中国や日本の伝統的雷文模様の木組を思わせる。このような解体（ディコンストラクション）と再合成という手続きの背後にあるのは、次のような意図かもしれない。まず、ある「見放された」西洋的形態の基本的本質を、東洋的に鋳直すことによって活性化するのである。第二に、これらの形態によって表象される制度を世俗化するのである。これは、世俗化した時代の教会のあり方としては、なによりも相応しいことは間違いないだろう。なにしろ現在、伝統的な教会に関する図像学は常にキッチュ（いかもの）へと転落する危険を孕んでいるからである。

西洋的な要素の東洋的な輪郭による再活性化、ないしはその逆に東洋的要素の西洋的輪郭による再活性化、こう言ったからといって、《バグスヴェルド教会》の建物に見られる時間と場所についての屈折が説明し尽くされたことにはならない。ウッツォンはまた、その建物に納屋風な形態を与えている。つまり、彼は聖なる施設に公共的表現を与える手段として、農業という隠喩を用いているのである。それにしても、これはいささか難解な隠喩である。ここでは宗教と農業文化が結びつけられているが、この隠喩は、時の経過とともに幾分か変化するだろう。なぜなら、周囲の若木が成長した時に初めて、教会はそれに相応しい領域にあるところを見せることになるからである。こうした木々のヴェールに囲まれた自然の「聖域（テメノス）」によって、この建物は、将来ますます納屋ではなく神殿として解読されるようになるだろう。

反・中心主義的な地域主義を明白に表明しているのがカタルーニャ国民運動であった。この運動は、一九五一年、バルセロナで、「グループR」の設立とともに生まれた。グループは、[3]J・M・ソストレスとオリオル・ボイガスによって率いられたが、最初から複雑な文化状況の中に巻き込まれていた。彼等は、GATEPAC（戦前のCIAM（近代建築国際会議）のスペイン支部）の反ファシズム的合理主義の価値観や方法を再興させることを念願としていた。また彼等は、誰にでも近づける現実主義的な地域主義を呼び覚ますこと

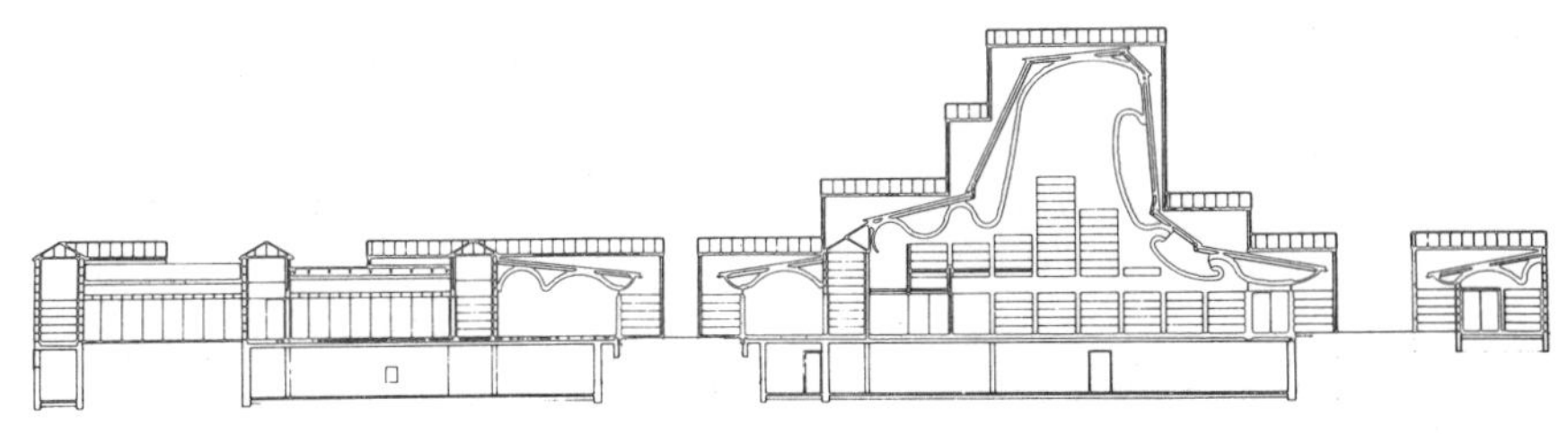

320　ウッツォン「バグスヴェルド教会」コペンハーゲン近郊，1976年．縦断面図

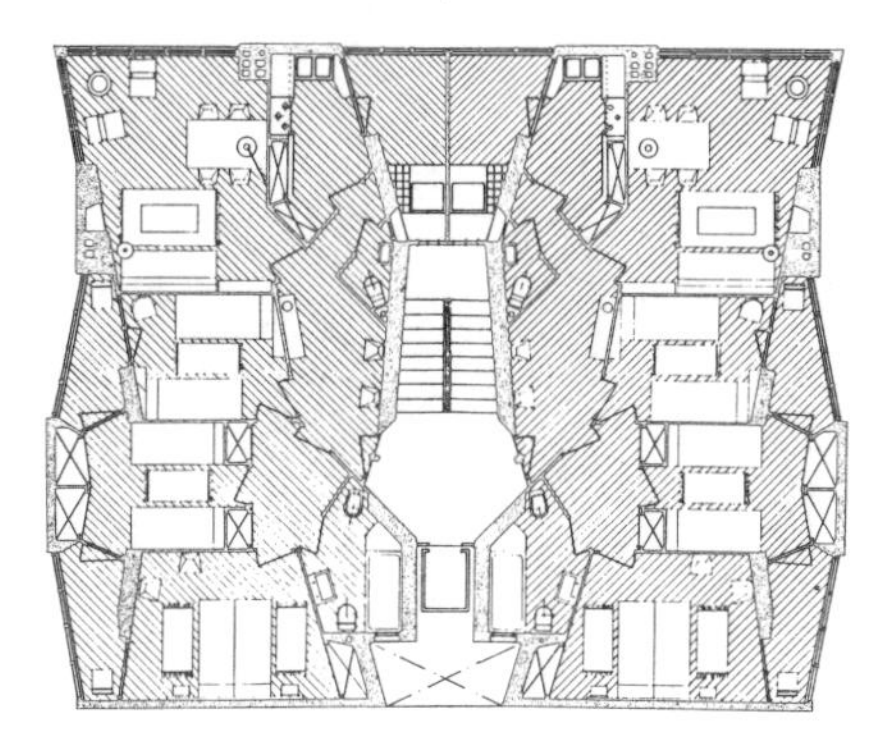

322　コデルク「ISMアパートメント」バルセロナ，基準階平面図

321　コデルク「ISMアパートメント」バルセロナ，1951年

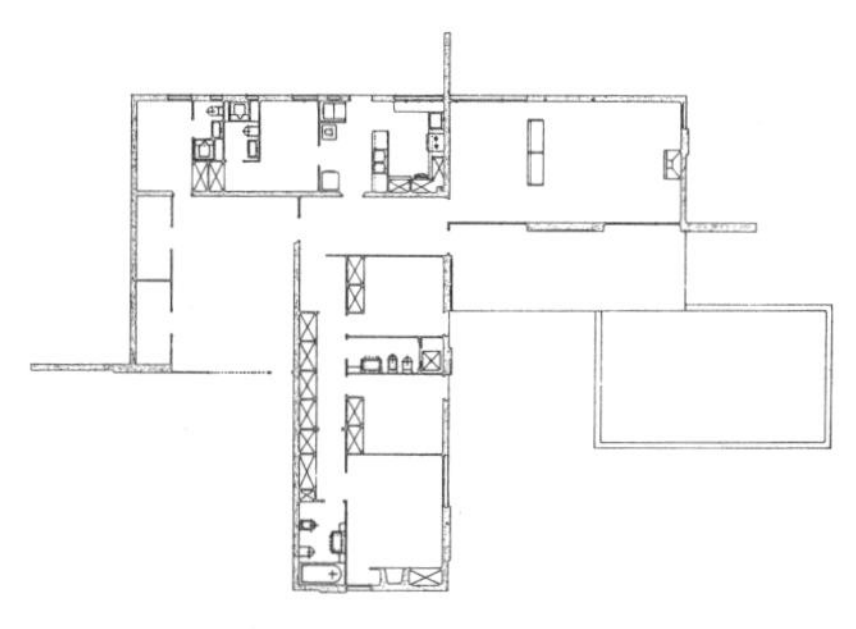

323　コデルク「カサ・カタサス」シッチェス，1956年．1階平面図

を、政治的責任だと心得ていた。こうした、いわば二重の計画を最初に表明したのはボイガスであった。彼はそれを一九五一年、「バルセロナ建築の可能性」と題する論文で発表した。その異類混在的(ヘテロジニアス)地域主義を形成したさまざまな文化的推進力は、近代の地域文化を不可避的に混成(ハイブリッド)させる傾向を持っている。まず最初に、カタルーニャ地方の煉瓦の伝統があった。これはいわゆる「モデルニスモ」の時代まで遡るものである。それから、ノイトラと新造形主義の影響が到来した。このうちの新造形主義は、間違いなく、ブルーノ・ゼヴィ[4]の一九五三年の著書『新造形主義建築の詩学』によって刺激されたものである。その後に続くのが、イタリアの建築家イニャーツィオ・ガルデラ[5]の新現実主義(ネオ・リアリズム)の様式であり、その影響力は大きかった。ガルデラはイタリアのアレッサンドリアに建てた《カサ・ボルサリーノ》(一九五一～五三年)に、伝統的な鎧戸や縦長の窓や奥行きの深い軒などを採り入れた。これに付け加えなければならないのが、英国のニュー・ブルータリズムの影響である。とくにマッケイ・ボイガス・マルトレル事務所[6]の作品に与えた影響は大きかった(一九七三年の作品、バルセロナ《ボナノヴァ通りのアパートメント》を参照のこと)。

バルセロナの建築家J・A・コデルク[7]の遍歴は、ごく最近まで次のような二つの極の間を揺れ動いているという意味では、まさしく「地域主義者」である。その一つの極は、地中海地方特有の煉瓦造の土着的用法を近代的に展開したものであり、一九五一年、バルセロナのナシオナル通りに建てられた八階建ての《ISMアパートメント》において、初めて公式化された(階高いっぱいの鎧戸や、わずかに突き出た薄い軒に、《カサ・ボルサリーノ》と同様な「伝統的」分節化(アーティキュレーション)が見られる)。もう一つの極は、新造形主義とミース的な構成が重ね合わされた前衛的手法で、一九五六年、シッチェスに完成した《カサ・カタサス》に見ることができる。

「カタルーニャ地域主義」が、最近になって、枝分かれしていく様子を極めて明瞭に示しているのは、リカルド・ボッフィルとタジェール・ド・アルキテクトゥーラ[8]の作品だろう。ボッフィルによる一九六四年の《ニカラグア通りのアパートメント》は、コデルクの煉瓦造の土着的用法の見直しに類似している。一方、タジェールの作品は、一九六〇年後期の「総合芸術作品」の手法を堂々と採用しているのである。一九六七年、カルペに建てられた複合施設《サナドゥ》によって、彼等は際物的(キッチュ)ロマン主義の形態に耽溺している。彼等が城のイメージに対して抱く強迫観念は、バルセロナのサント・フスト・デスヴェルンに建てられた、尊大で見栄を張った、タイル張りの複合施設《ウォルデン7》(一九七〇～七五年)において最高潮に達した。十二階の階高いっぱいの吹き抜け、薄暗い居室、小さなバルコニー、そして今や剥落しつつあるタイルなど、《ウォルデン7》は当初、批判的推進力だったものが、極めて写真写り（フォトジェニック）の良い背景画に転落する限界を記しているのである。《ウォルデン7》は、ガウディへの束の間の賛辞であったが、とどのつまりは情報媒体の魅力に心を寄せているのである。それは、何にもまして自己陶酔の建築である。その形態的修辞法（レトリック）は、流行のスタイルを提供し、ボッフィルの派手好みの謎めいた人柄を見せつけている。《ウォルデン7》が装う地中海的快楽主義のユートピアは、仔細に目を凝らせば、たちまちにして崩壊する。とりわけ屋上階での一番感覚に訴えてもよい環境も、居住者によって気づかれていないのである（ル・コルビュジエのマルセイユの《ユニテ・ダビタシオン（住居単位）》を参照のこと）。

ポルトガルの巨匠[9]アルヴァロ・シザ・ヴィエイラの建築ほど、ボッフィルの意図から掛け離れているものもないだろう。シザの経歴は、マトジーニョスの《クィンタ・ダ・コンセイサンの水泳プール》（一九五八〜六五年）から始まった。その作品は、まさしく映像的（フォトジェニック）であった。それは、発表されたイメージの断片的で捉えにくいところからも、また、一九七九年に書かれた次の文章からもよく分かる。

「私の作品は殆ど発表されなかった。私の仕事の幾つかは、部分的にしか実現していない。ほかの作品はまったく変えられてしまったか、さもなければ取り壊されてしまった。そういうことは予期したことだ。深く掘り下げていくことを目的とした構築的な提案［…］言われるままに物を作ること以上を目指しているからには、現実そのものを単純化するようなことは戒め、現実の各相をひとつひとつ分析していくのだ。そういう時、頼れるのは固定したイメージではないし、それは一直線に展開することもない。［…］設計はいずれも最大の厳密さを以て、飛び交うイメージの微妙な一瞬を、あらゆる色合いの中で捉えなければならない。現実が浮游することを認識できるようになればなるほど、設計はますます澄みきったものになるだろう。［…］これが、さほど重要でない作品（例えば、休養のための住まいとか何マイルも離れた休日の住居とか）だけが、設計された当時のままに残っている理由かもしれない。しかし、そこでは何かは以前のまま残っている。小さな破片が、そこかしこに残っている。われわれ自身の中にも残っている、おそらく誰かがつくったのであろう、そうして、小さな破片は空間に、人々に、その痕跡を残し、全体の変貌という過程の中へと溶け込んでゆく。」

流動的で、しかも独自性を失わない現実の変貌に対する過敏なほどの感受性が、シザの作品を、「バルセロナ派」の折衷的な傾向よりも積層的で、土着的なものにしているのである。シザは、アアルトを出発点として、自らの作品を特殊な地形の形状や地方の見事な素材感に根付かせようとしている。そのため、彼の一つ一つの作品は、ポルトガルのポルト地方の都会や陸地や海浜の風物に強く結びついているのである。さらに他の重要な要因として、彼は地方の素材や手作業や、さらには地方独特の微妙な光に対して深い敬意を払っている。その敬意は決して感傷的にはならず、合理的形態や現代の技術を排除するようなことはない。アアルトの《セイナツァロ町役場》のように、シザの作品はすべて敷地の地形の中にじつに巧妙に嵌め込まれている。彼の手法は、視覚的あるいは映像的ではなく、むしろ、明らかに触覚的で構築的なのである。一九七三年から七六年にかけて建てられたポヴォア・デ・ヴァルジンの《ベイレス邸》や、ポルトの《ボウサ住宅協会集合住宅》（一九七三〜七七年）を見れば、それがよく分かる。都市の中の小規模な建物ですら地形に合うように構築されている。その最もよい例が、一九七四年、オリヴェイラ・デ・アゼメイスに建てられた《ピント銀行支店》である。

ニューヨーク在住のオーストリアの建築家[10]ライムンド・アブラハムの計画案も、同じような関心に彩られているようである。この建築家も常に、場所の創造とか、建て込まれた形態の地形的様相を強調しているのである。《三つの壁のある家》（一九七二年）や《花の壁のある家》（一九七三年）は、一九七〇年代初期の彼の作品の特色をよく示している。これら計画案は、建物の物質性が不可避であることを示しながらも、夢想的なイメージを喚起しているのである。構築的な形態に対する関心、そして、それが地球の表面を変貌させる力を持つことに対する関心は、アブラハムの「ベルリン国際建築博覧会」のための最近の計画案へと引き継がれている。とりわけ一九八一年に計画された《南フリートリッヒシュタット》の計画がそれである。

まったく同じような触覚的姿勢は、メキシコの老練な建築家[11]ルイス・バラガンの作品にも見られる。彼の最も美しい住宅の幾つかは（その殆どがメキシコ・シティやペドレガル郊外に建てられたのであるが）、地形的形態とでもいうべきものを帯びている。バラガンは建築家であり、それ以上にランドスケープ・デザイナーである。彼は常に、官能的で地球に密着した建築を求めている。それは囲われた庭と、石柱と、泉と、水路からなる建築である。火山の岩石や繁茂した植物の中に埋め込まれた建築である。その建築はメキシコの「牧場住居（エスタンシア）」を思わせないではいない。バラガンの発想の発端は、神話的で根源的である。彼が若い日を過ごした、インディアン部落の今は茫漠とした思い出は、それをよく物語っている。

「私の幼い頃の記憶は、しばしば大牧場に連なっている。それは我が家の所有になり、マザミトラ村の近くにあった。そこは丘のあるプエブロ・インディアン部落で、何軒もの家があった。家々は瓦屋根を頂き、深い軒が突き出していた。それはここによく降る雨から通行人達を守っていた。大地の色合いも、妙に変わっていた。赤い土だったのである。この村には大きな丸太の中をくりぬいた樋で作った水路があっ

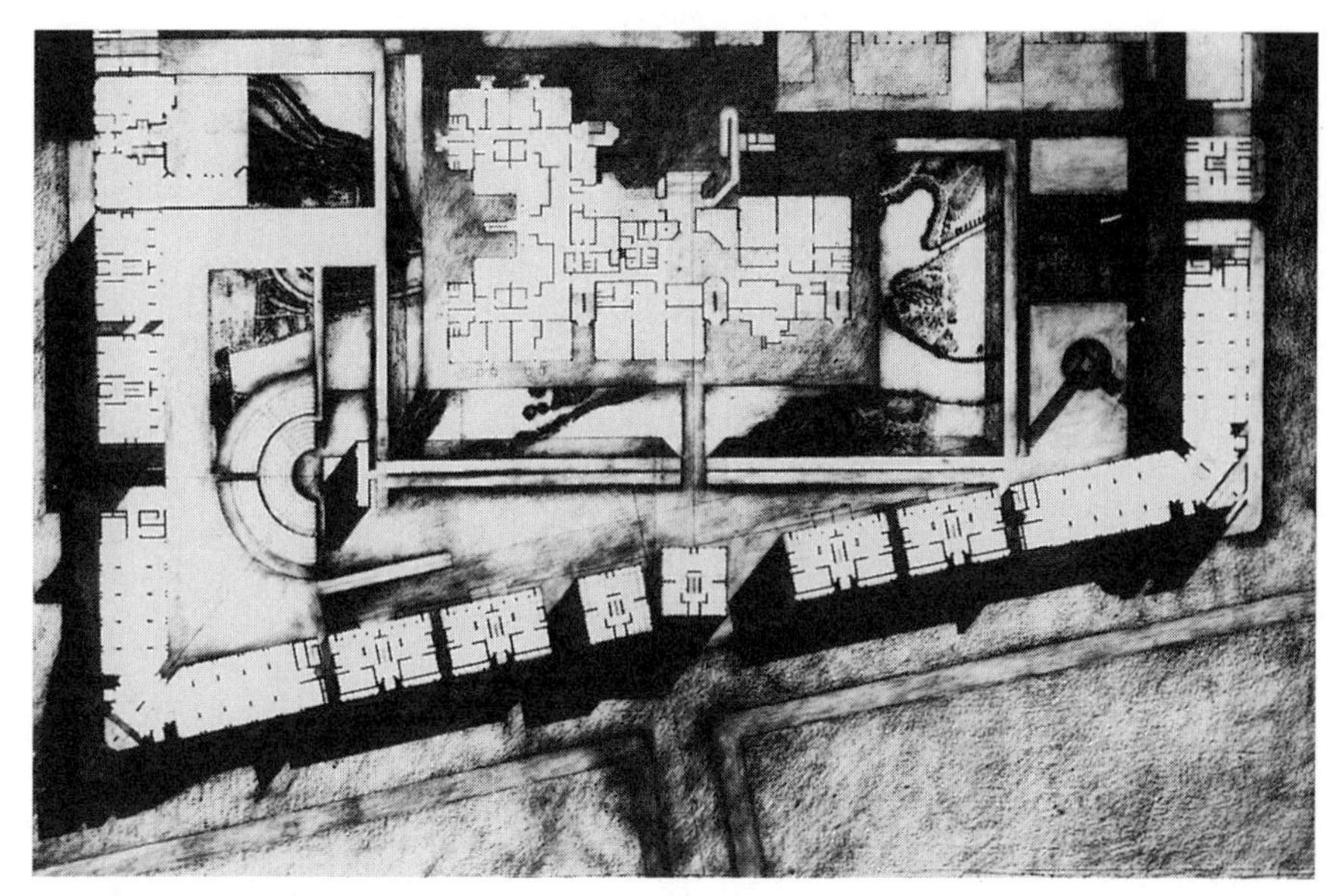

327　アブラハム「南フリートリッヒシュタット」計画，ベルリン，1981年．敷地半分を示す

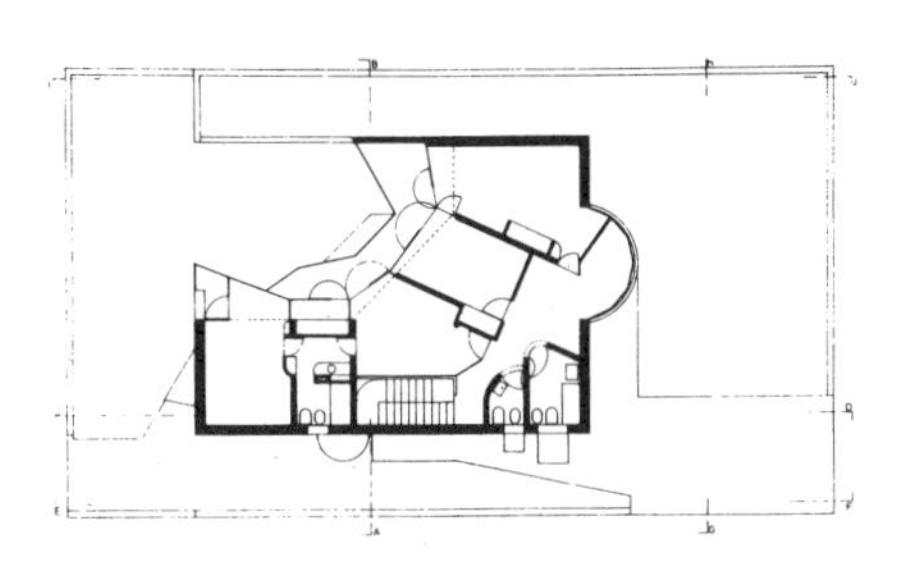

325　シザ「ベイレス邸」２階平面図

324　シザ「ベイレス邸」ポヴォア・デ・ヴァルジン，1973-77年

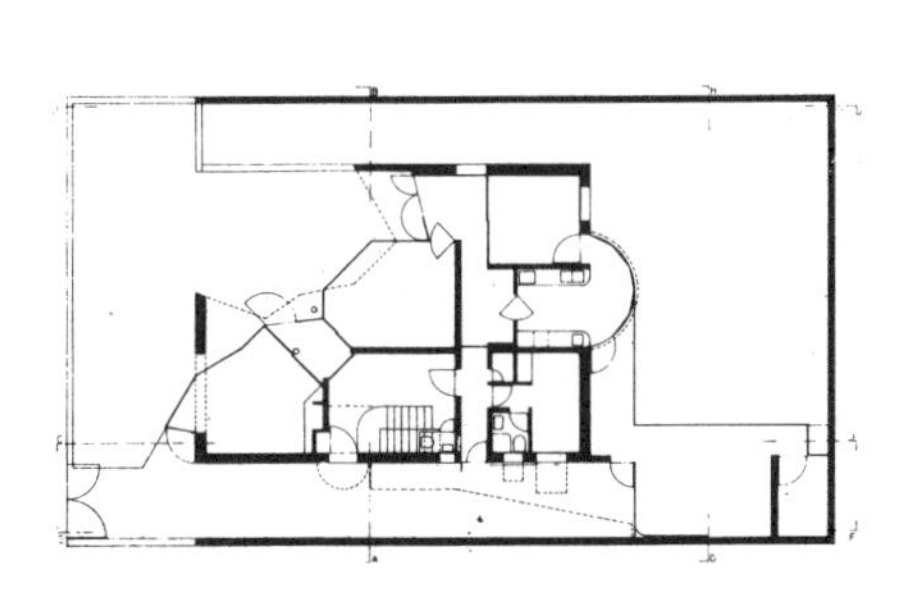

326　シザ「ベイレス邸」１階平面図

た。それは屋根から五メートルも高く突き出した股木で支えられていた。その水道は街を横切ってパティオ（中庭）まで届いていた。そこには水を溜める大きな石の泉があった。パティオには厩舎があり、牛や鶏も一緒だった。通りには馬を繋ぐ鉄の輪があった。苔むした丸太の樋からは水が滴り落ちて、街じゅうを濡らしていた。そのため、街には童話の世界のような空気が漂っていた。その写真だって？　そんなものは一枚もない。ただ覚えているだけだ。」

こうした追憶は、バラガンに終生つき纏ったイスラム建築に影響されていた。同じような感慨、また、同じような関心は、近代世界において私生活が侵害されることに対する彼の抵抗の中にも見てとれる。戦後の文明がもたらした目に見えない自然の侵害に対する彼の批判の中にも見てとれる。

「日常生活はいよいよ公（パブリック）になる、それどころかなり過ぎる。ラジオ、テレビ、電話すべて私生活を侵害する。だから庭は囲われなければならない。衆人の環視に曝されてはならない。[…] 建築家は、人間にとって薄明かりが必要なことを忘れようとしている。居室の中でも、寝室の中でも、静寂を漲っているあの光である。今や、住宅やオフィスなど多くの建物にガラスが使われているが、その半分は取り除いたほうがいい。そうすれば、住むにも働くにも、もっと心が打ち込めるような光が得られるだろう。[…]

機械時代以前、自然は、都市の中でも、すべての者にとっての親友だった。[…] 今日では事情は逆転してしまった。自然に親しむために都会を遠く離れても、人間は自然と相見えることはない。人間の心は、目映いばかりに輝く自動車の中に閉じ込められて、自動車を生み出した世界の刻印を刻みつけられる。人間は、自然の中にあっても、馴染まない存在だ。広告は自然の声を窒息させる。自然は自然の破片になる。人間は人間の断片になる。」

一九四七年、バラガンは、メキシコ・シティのタクバヤに中庭を囲んで住宅とスタジオを建てた。この時、彼は国際様式（インターナショナル・スタイル）の統辞法（シンタックス）からすでに遠く離れていた。しかし、彼の作品は常に、現代芸術の特徴である抽象的形態と関わりを持ち続けていた。バラガンは大きな平面（プラン）、それも不可解なくらいの抽象的平面を風景の中に置くという傾向をずっと持ち続けている。それが最も極端に現れているのが、ラス・アルボレアダス（一九五八〜六一年）やロス・クルベス（一九六一〜六四年）の住宅地区における庭園である。また一九五七年、マティアス・ゲーリッツ[12]と一緒に設計した高速道路のモニュメント、《サテライト・シティ・タワーズ》である。

地域主義は、他のアメリカ諸国においても現れた。一九四〇年代、ブラジルではオスカー・ニーマイヤーとアフォンソ・レイディの初期の作品がそれである。アルゼンチンではアマンシオ・ウィリアムズ[13]の作品、とりわけ一九四三年から四五年にかけて作られたマル・デル・プラタの《橋の家》が

328　バラガンとゲーリッツ「サテライト・シティ・タワーズ」メキシコ・シティ，1957年

それである。またごく最近になって、クロリンド・テスタがブエノス・アイレスに建てた《バンク・オヴ・ロンドン・アンド・サウスアメリカ》がそれである。ヴェネズエラでは、一九四五年から一九六〇年にかけて建てられた[14]カルロス・ラウル・ヴィラヌエヴァの《大学都市》がそれである。アメリカ合衆国の西海岸では、一九二〇年代後期に、まずロサンゼルスに地域主義の作品が現れた。ノイトラ、シンドラー、[15]ウェーバー、それに[16]ギルの作品がそれである。やがて[17]ウィリアム・ワースターによって「[18]ベイ・エリア派」が起こった。南カリフォルニアでは[19]ハーウェル・ハミルトン・ハリスの作品がある。そして、このハリスくらい批判的地域主義の理念を力強く表明した者はおそらくいないだろう。彼は一九五四年、オレゴン州ユージーンで開かれたＡＩＡ（アメリカ建築家協会）北西地区会議で「地域主義と国家主義」と題する講演を行った。その講演の中で、初めて彼は、限られた地域主義と開かれた地域主義の区別を適切につけたのであった。

「限られた地域主義に対して、もう一つ別の形式の地域主義がある。それは開かれた地域主義である。それは、とりわけ「時代に先立つ思想と波長の合った」地域を明示している。われわれが、それを地域的と呼ぶのは、「それがまだよそでは生まれていないから」である。この地域の特徴は、通常の自覚以上に自覚的であり、通常の自由以上に自由であることにある。その長所は、その表明が「よその世界にとって意義」を持つところである。こうした地域主義が建築として表現されるには、願わくば、数多くの建物が時機を同じくして現れることが必要である。そうなれば、その表現は初めて一般的になるだろうし、充分に変化に富んだものになるだろう。そして、充分に力強いものとなって人々の想像力を引きつけるだろう。さらに新しい設計の一派を起こすくらい友好的な精神風土を末永く、築くだろう。

サンフランシスコはメイベック[20]のためにあったのだ。パサデナはグリーン兄弟[21]のためにあったのだ。それ以外の土地、それ以外の時代では、彼が行ったことは何一つとして成就されるはずはないのである。どの作品にもその土地の素材が用いられている。だが、その作品が目立つのは、材料のためではない。[…] 地域が発想を育てる。地域が着想を受け容れる。想像力と知性の両方がなくてはならない。一九二〇年ないし一九三〇年代のカリフォルニアで、ヨーロッパの発想が、当時、ここに勃興しつつあった地域主義に遭遇した。一方、ニューイングランドでは、ヨーロッパの近代主義は、堅固に限られた地域主義にでくわした。この地域主義は、最初のうちは抵抗こそすれ、結局は降伏してしまった。ニューイングランドは、ヨーロッパ近代主義を全面的に受け容れたのである。なぜならニューイングランドの地域主義は限られた条件の集成に成り下がっていたからである。」

見掛けの表現は自由だが、そういう開かれた地域主義のレヴェルまで到達するのは今日の北アメリカでは難しい。現在、そこでは極めて個性的な表現形式が急激に増えつつある（そうした作品は、批判的どころかしばしば横柄で、放恣である）。そうしたなかで、アメリカ固有の文化を、感傷に陥ることなく培養しようと心を砕いている設計事務所は、現在、殆どないと言っていい。最近の北アメリカでの地域主義的作品の異例中の例としては、カリフォルニアのナパ・ヴァレー地区にアンドリュー・ベイティーとマーク・マック[22]が設計して、見事に土地に馴染んだ住宅がある。また、ハリー・ウルフ[23]の作品がある。ウルフの活動は、殆どノース・カロライナに限られている。彼は、場所の創造に隠喩的なアプローチを採用している。それは一九八二年、《フォート・ローダーデイル・リヴァーフロント広場》の設計競技に提出したウルフの計画案の中に挑戦的に示されていた。その計画案の意図とは、その都市の歴史を、光の変化によって敷地の中に刻み込むというものであった。次の説明がそれをよく物語っている。

「太陽崇拝と太陽光線による時間の測定は、人類最古の記録にまで遡る。フォート・ローダーデイルの場合に注目すべき点は次のようなことである。もし地球上を二十六度の緯度に沿って行けば、フォート・ローダーデイルは古代のテーベと同一緯度にあることが分かるだろう。そこはエジプトの太陽神ラーの玉座のあったところだ。この緯度をさらに東に進めば、インドのジャイプールに至るだろう。ここには世界最大の日時計が建設された。それはフォート・ローダーデイルの創設に先立つこと百十年である。

こうした壮大な歴史の先例を心に留めつつ、われわれはフォート・ローダーデイルの過去、現在、未来を語る象徴を求めた。［…］太陽を象徴として捉えるために、巨大な日時計が広場の敷地に刻み込まれている。この日時計の指時針は南北軸に沿って敷地を二分している。二枚の羽からなる指時針は、フォート・ローダーデイルの緯度に対して二十六度五分の傾斜で南面している。［…］

日時計の大きな羽には、フォート・ローダーデイルの歴史の重要な日付が刻まれている。精密な計算によって、太陽の角度は正確に二枚の羽の間を通る光の入射線に一致し、幾つもの輝く光の輪を投げかけて、それが日時計のもう一方の影の側面に到達するようになっている。こうした光の矢は、固有の歴史を指示する役目を果たし、一年にわたる歴史を想起させる役目を司るのである。」

ヨーロッパではジノ・ヴァッレ[24]の作品が地域主義的だと言えよう。彼は、常に、イタリア・ウーディネにあって活動しているのである。ヴァッレは、ウーディネ以外の都市についても関心を抱き、一九五四年から五六年にかけてストゥリオに《カサ・クワリア》を建てた。これはロンバルディアの田

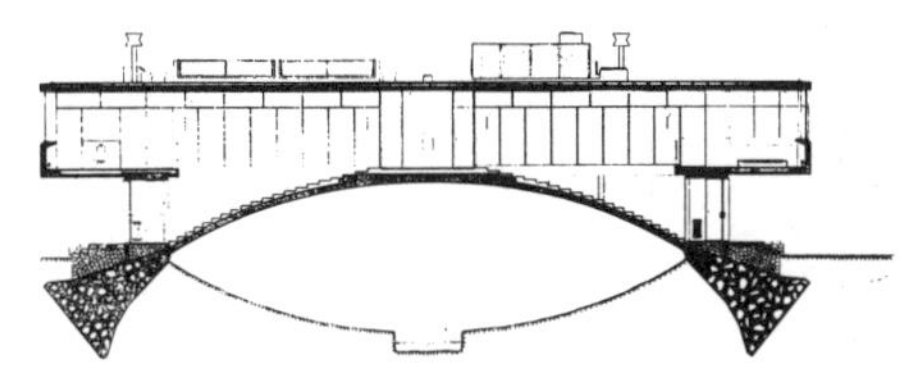

329　ウィリアムズ「橋の家」マル・デル・プラタ，1943-45年

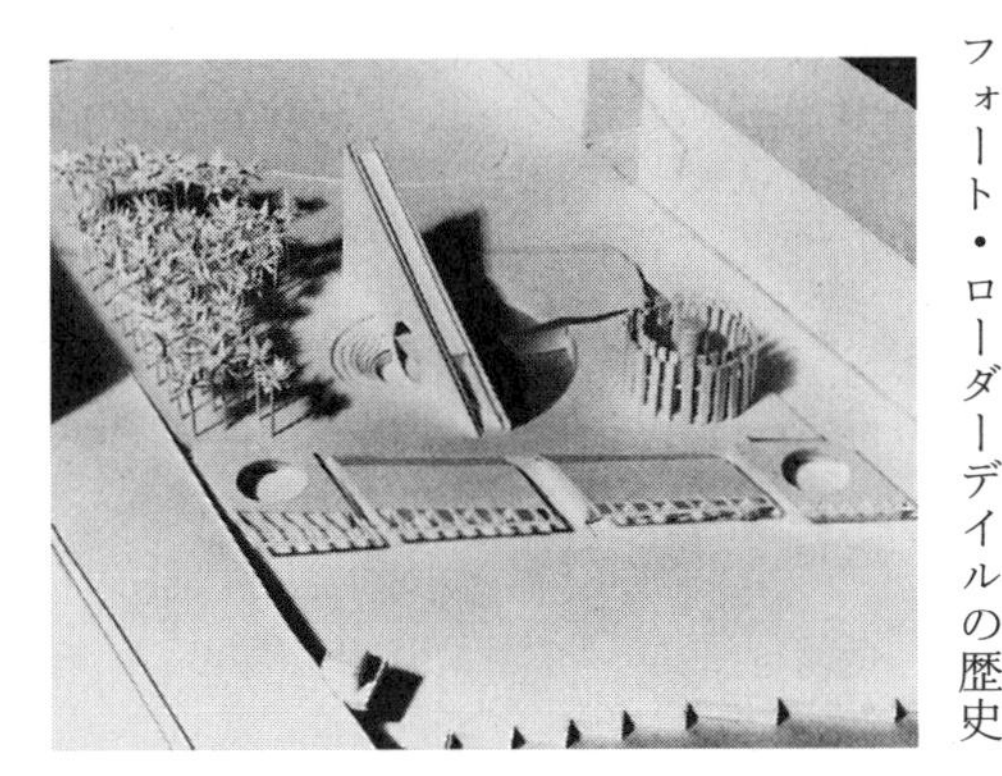

330　ウルフ「フォート・ローダーデイル・リヴァーフロント広場」計画案，1982年

331　ヴァッレ「カサ・クワリア」ストゥリオ，1954-56年

園風な風土性を解釈し直した、戦後、最初の例であった。

ヨーロッパでは、都市国家の痕跡が依然としてあちこちに残っていたから、第二次世界大戦後にも、地域主義への推進力が自然発生的に生じたのは極めて当然のことである。そして、その頃、多くの重要な建築家達はそれぞれの郷里の都市にあって、固有の文化に貢献できたのである。戦後の世代で地域毎の抑揚（リージョナル・インフレクション）に加担した建築家は、チューリッヒの[25]エルンスト・ギーゼル、コペンハーゲンのヨーン・ウッツォン、ミラノの[26]ヴィットリオ・グレゴッティ、オスロの[27]スヴェレ・フェーン、アテネの[28]エイリス・コンスタンティニディス、そして最後に忘れてはならないのがヴェネチアの[29]カルロ・スカルパである。

スイス連邦は、この国特有の複雑な言語的境界や伝統的世界主義もあって、これまでも強力な地域主義的傾向を示してきた。容認と排斥というスイス独特の「カントン（州）」の原理は、絶えず、極めて濃密な表現形式を採択してきた。すなわち、州は地方文化を取り入れようとし、一方、連邦は外来の理念の同化と浸透を促進しようとしてきたのである。[30]ドルフ・シュネブリが、イタリアとスイスの国境カンピオーネ・ディタリアに、一九六〇年に建てたヴィラはネオ・コルビュジエ風のヴォールトを架けたものであるが、この作品は、商業主義化した近代主義の影響に対するティチーノ地方の建築による抵抗の始まりと見なすことができよう。こうした抵抗は、スイスの他の地域にも直ちに影響を与えた。すなわちベリンツォーナに建てられた、同じくル・コルビュジエ風なアウレリオ・ガルフェッティの《ロタリンティ邸》（一九六一年）である。また「アトリエ5（フンフ）」によるル・コルビュジエ風打ち放しコンクリート手法の採用である。これは一九六〇年、ベルン郊外に建てられた《ハーレンのジードルング》に見られるものである。

しかし今日のティチーノ地域主義の根元的な起源は、戦前のスイスにおけるイタリア合理主義運動の擁護者達にある。わけてもイタリアの建築家アルベルト・サルトリスとティチーノ出身の建築家リノ・タミの作品である。サルトリスの主な実現作品は、ヴァレ地方にあるが、なかでも有名なのが《ルールティエの教会》とコンクリート構造の二軒の《小住宅》である。これらの住宅は、葡萄栽培に関係したもので、一九三四年から一九三九年にかけて工事が行われた。しかし、特に著名なのはサイヨンにある《モラン・パストゥールの住宅》（一九三五年）である。サルトリスは、合理主義と田園建築が両立する可能性について次のように書いている。「田園建築は、本質的に地域の特徴を具えているが、今日の合理主義ともまったく完全に馬が合う。実際、田園建築の作品は、近代建築の方法が重要視している機能的価値基準をすべて体現しているのである。」サルトリスはそもそも理論家で、第二次世界大戦中もその後も一貫して合理主義の規範を遵守してきた。これに対してタミは、本来、建設業者であるが、彼の建てた《ルガーノの州立図書館》（一九三六～四〇年）は、合理主義による模範的作品として、一九六〇年代のティチーノの建築家達によって取り上げられたのである。

一九五〇年代中期のティチーノでの活動は、ガルフェッティを除いて、戦前のイタリア合理主義よりもむしろフランク・ロイド・ライトの作品を目指すようになった。この時期について、[31]ティータ・カルローニはこう書いている。「われわれはひたすらライトの言う「有機的」なティチーノを築くことを目標とした。そうなれば、近代文化の価値観は、地方の伝統と自然に織り合わされることになるだろうと思った。」

332　スカルパ「クエリーニ・スタンパーリア美術館」ヴェネチア，1961-63年

しかし一九七〇年代初期、今度はティチーノ新合理主義について、彼は次のように書いている。

「古いライト的構想はすべて廃棄された。たとい改良主義的意図からだとしても、国家のための「大仕事（ビッグ・コミッション）」という一章は終わったのだ。何もかも、根底からやり直さなければならなかった。集合住宅も、学校も、小さいが役立つ修復も、設計競技への応募も、すべて建築の内容と形式を研究し批判的に評価する、またとない機会なのだった。やがてイタリア国内での文化の対立、政治参加、われわれと同胞の知識人、とくに[32]ヴィルジリオ・ジラルドーニとの決定的衝突があった。その結果、歴史の書物がわれわれの机の上に置かれるよ

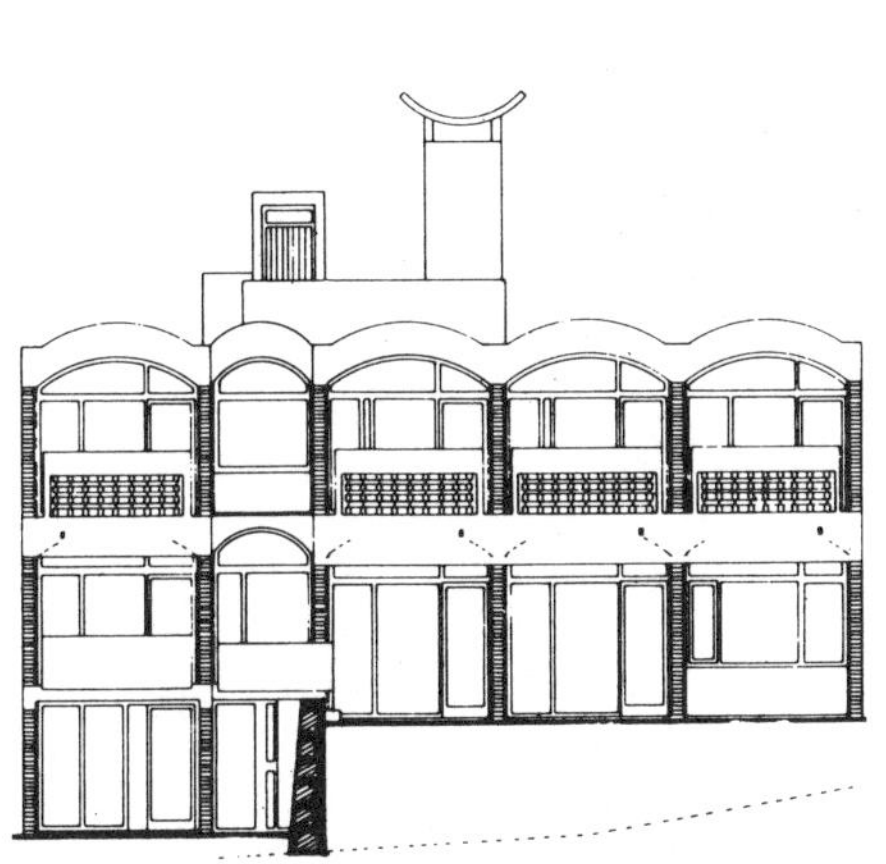

333　シュネブリ「カスティオーリ邸」カンピオーネ・ディタリア，1960年

うになった。そしてわれわれに近代主義の進化過程のすべてを、とりわけ一九二〇年代や一九三〇年代の進化過程を批判的に再評価するという挑戦を突きつけてきたのである。」

カルローニの言うとおり、田舎の文化の力強さは、外来の影響を同化し再解釈しながら、その地域の芸術的ないしは批判的な潜在能力を濃密にしていく能力に懸かっているのである。この点、マリオ・ボッタ(33)の作品は典型的である。彼は、カルローニの門弟の筆頭であるが、その作品は、外来のアプローチと思想を適用しながら、場所の特性に直接に関係する問題点に焦点を当てているのである。ボッタは、スカルパの下で正式な建築教育を受けた。さらに幸運にも、短期間ながらカーンとル・コルビュジエという二人の巨匠について働くことができた。当時、二人の巨匠はそれぞれヴェネチアで公共的計画に従事していたのである。ボッタが二人から影響を受けたことは明白である。そのうえ彼はイタリアの新合理主義の方法論を完全に消化して、自分のものにした。同時に彼は、手作業によって形態を豊かにするという類稀な能力を、スカルパから引き継いだのである。これについての甚だ変わった例の一つが、「イントナーコ・ルシード（磨きプラスター）」の応用であり、ボッタは一九七九年、リグリニャーノでの《農家改造計画》で、暖炉の周囲にこれを採用している。

ボッタの作品には、他に二つの特徴がある。そしてこの特徴こそ、批判的だと言えるだろう。一つは、彼の言う「敷地を築く」ことへの終始変わらぬ関心である。もう一つは、歴史的都市の喪失は、「都市を縮図化（シティーズ・イン・ミニアチュア）」することでどうやら償えるだろうという彼自身の信念である。その結果、ボッタが設計した《モルビオ・インフェリオーレの学校》は、小宇宙としての都市領域と解釈されるのであり、近傍の大都市キアッソにおける都市生活の喪失を文化的に償うものである。ボッタはまた、ティチーノ地方の景観の文化を類型学のレヴェルで捉えて、参照している。例えば、《リヴァ・サン・ヴィターレの住宅》がそうである。この住宅には、間接的ながら、かつてこの地方に栄えた「ロコリ」と呼ばれる伝統的な塔状の避暑用別荘への参照が見られるのである。

こうした幾つもの参照は別として、ボッタの住宅は、風景の中での目印となる。境界や国境の標識となる。例えば、《リゴルネットの住宅》は開拓地と未開拓地の境界を築く役割を果たしている。つまり、そこで村落が終わり、同時に農耕方式が開始されるのである。住宅に切り込まれた大きな亀裂（大きな「掻き込み」の開口部）は、原野から村落へと向きを変える装置なのである。ボッタの住宅は、しばしば掩蔽壕（バンカー）または見晴らし台（ベルヴェデーレ）の役割を果たしている。窓は風景を切り取る方向に向かって開いているし、反対に、一九六〇年以来、ティチーノ地方に吹き荒れている強欲極まる郊外開発工事を、遮蔽しているのである。つまり、ボッタの住宅は、敷地にテラス状に建てられているのではなく、ヴィットリオ・グレゴッティが著書『建築の領域』（一九六六年）の中で展開した命題に従えば、「敷地を築いて」いるのである。ボッタの住宅は、その基本的な形態によって、地形と天空に向かい合っている。それらの住宅が、地域の半ば農業的特性と調和できるのは、その「類推的な（アナロジカル）」形態と仕上げの所為である。つまり、構造体の化粧仕上げのコンクリート・ブロックと、住宅のサイロないしは納屋のような外観のためである。サイロや納屋が伝統的な農業用構造物を示唆するのは言うまでもない。

ボッタの住居に対する感性は、このように近代的であると同時に伝統的でもある。それにも拘わらず、彼が成し遂げた作品の最も批判的な面は、公共的計画の中に見られる。とくに、彼がルイジ・スノッツィ[34]と共同で設計した大規模な二つの計画案がそれである。計画案はいずれも、「水道橋（ヴァイアダクト）」としての建物であって、しかもある程度、カーンの一九六八年の《ヴェネチア会議場》計画案とロッシの《ガララテーゼ集合住宅》の最初の計画案に影響されている。一九七一年のボッタ／スノッツィによるペルージアの《チェントロ・ディレッィオナーレ（官庁街）》計画は、言うなれば「都市の中の都市」として計画されたのである。この設計の意味するところは幅広いが、それは明らかに、この計画案が世界中のメガロポリスの状況に適応できる可能性を秘めていることである。もし

334　ボッタ「リヴァ・サン・ヴィターレの住宅」, 1972-73年

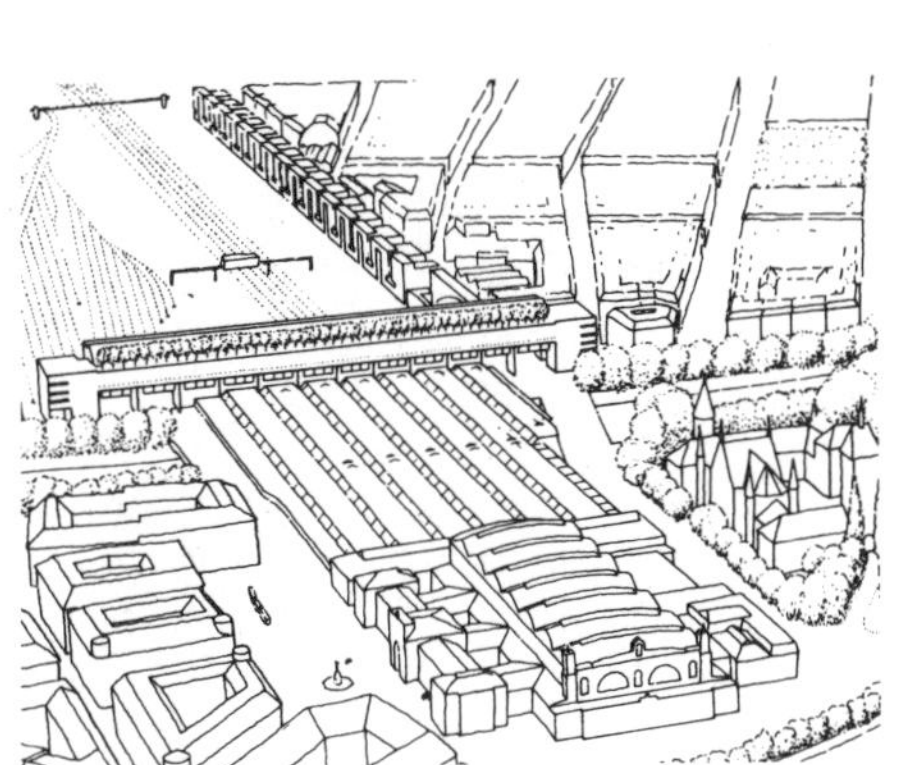
335　ボッタとスノッツィ「チューリッヒ中央駅改造計画」, 1978年．手前が既存の駅舎．向こうが線路をわたる橋状の建物

この計画案が構想通り「水道橋式巨大構造物（ヴァイアダクト・メガストラクチャー）」として実現することになれば、歴史的都市と妥協することもなく、また周囲の郊外開発の混乱に巻き込まれることもなく、都市部の中にその存在を示すはずである。これに匹敵するような明晰性と適切性を見せているのが、一九七八年の《チューリッヒ駅》計画である。そこには重層した水平面による中央広場が橋状に架かり、店舗、オフィス、レストラン、駐車場などを収容することになる。それだけではない。それは新しい門としての建物にもなるが、本来の機能の幾つかは既存の終着駅にそのまま残される。

安藤忠雄は、日本において特に地域に対する意識を持った建築家の一人である。彼が東京ではなく、大阪に本拠を置くことにこだわっているのは理由のないことではない。彼の書いた論文が、同世代の誰のものよりも明晰に、批判的地域主義の理念に近い規範を規定しているのは偶然ではない。そのことは、彼が、普遍的な近代化と異種的な土着的文化との狭間にあって感じとった緊張感の中に極めてはっきりと読み取れるのである。彼は「自閉的な近代建築から普遍性へ」と題した論文に次のように書きつけている。

「私は日本に生まれ育った。私の設計の仕事はここを措いてほかにはない。私が選んだ方法は、開放的で普遍的な近代主義が作り上げた建築言語や技術を、個人的生活様式と地域的差異のある、閉ざされた領域の中に当てはめることだと言えるのではないか思う。しかし私は、近代主義の開放的で国際主義的な建築言語では、特定の民族の感受性や、習慣や、美意識や、特異な文化や、社会の伝統を表現しようとしても難しいのではないかと思う。[…]」

「閉ざされた近代建築」という言葉によって、安藤は文字通り、壁で囲われた飛び地（エンクレーヴ）を作ろうとしている。その壁で囲われた飛び地のお陰で、初めて人は立ち直ることができるし、自然と文化に慣れ親しんできた名残を留められるのである。さらに彼は次のように書いている。

「第二次世界大戦後、日本は急激な経済成長の道を歩み始めた。人々の価値観は変化した。旧来の封建的家族制度は崩壊した。情報や仕事の場が都市に集中した。こうした社会変化は、農村や漁村そして小さな町の人口過疎をもたらした（こうしたことは世界の他のところでもおそらく同様であろう）。都市や郊外の超高密度の人口は、かつての日本住宅を特徴づけていた長所の存続を不可能にしてしまった。その特徴とは、自然との親密性と自然界への開放性である。私がここで閉ざされた「近代建築」と言っている意味は、近代化の過程で日本の住宅が失った、自然と住居の調和を取り戻すことなのである。」

安藤の設計する小さな中庭住宅は、しばしば稠密な都市環境の中にある。彼は、そこでコンクリート造を採用しているが、コンクリートの重量感よりも、むしろその表面の緊張し

336　安藤忠雄「小篠邸」大阪，1981年

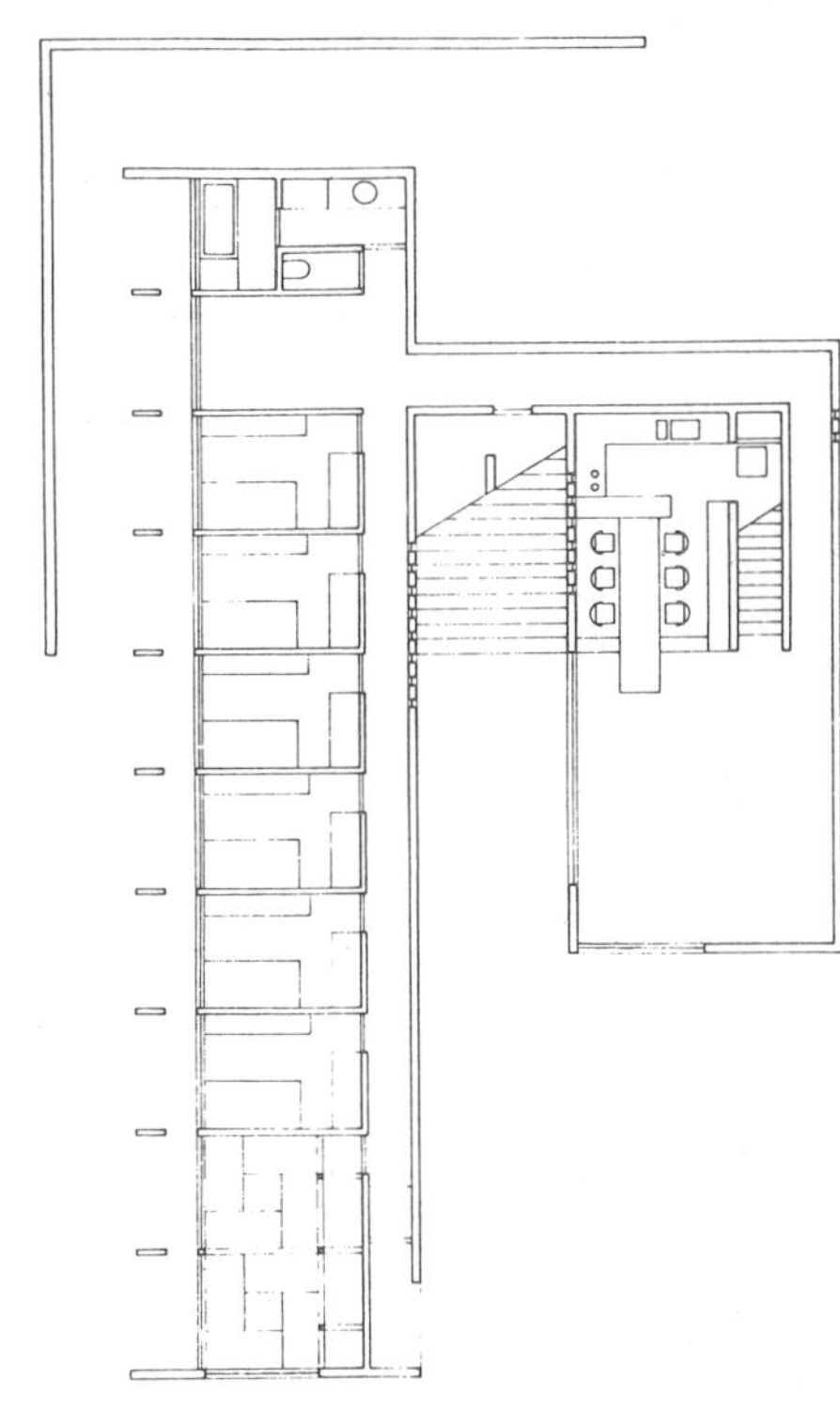
337　安藤忠雄「小篠邸」１階平面図

た均質性を強調するためである。彼にとってコンクリートは、「太陽光線によって浮かび上がる表面を実感できる」のに最適の材料であるが、「[…]その時、壁は具象性を失って抽象的となり、実体としての存在感を喪失して、空間性の極限に近づく。壁の現実感は失われ、壁が囲む空間だけが本当の存在感を与えてくれる」。

誰しも認める光の重要性については、早くからカーンやル・コルビュジエの論文において強調されているが、安藤は、光によって生ずる空間の静穏性という逆説が、とりわけ日本的特性に相応しいとしている。そしてこの逆説によって、彼は自閉的近代性の概念に広い意味が与えられることを明白にしているのである。

「こうした空間は、日常の功利的な出来事の中ではとかく見過ごされて、滅多にその存在を示すことはない。しかしその空間は、その奥に潜む形態を蘇らせるきっかけとなるし、また新しい発見のきっかけともなるのである。これこそ私が閉ざされた近代建築と呼ぶものの目指しているところである。こうした建築は、それが根づこうとする地域によって変わるだろうし、さまざまな個人個人の違いによって成長もするだろう。たとい囲い込まれても、その建築が、方法として、普遍性に向かって開いていると私は確信しているのである。」

安藤が心に描いているのは、幾何学的秩序を最初に感じさせるよりも、その触覚性が遥かに上回った建築を発展させることである。ディテールの精度と密度は、光線の下の形態に具わる特性の啓示にとっては、極めて重要である。一九八一年、彼は《小篠邸》について次のように書いている。

「光は時とともに表情を変える。私は思うのだが、建築の材料とは、具体的な形態を持った木とかコンクリートだけをいうのではない。そういうものを超えて、われわれの感覚に訴える光や風もまたそうなのだ。[…]ディテールもアイデンティティーを表現する最も重要な要素として存在するのである。[…]だから私にとってディテールとは、建築の具体的な構成を作りあげる要素である、と同時に、建築のイメージを発生させる装置なのである。」

アレックス・ツォニス[35]とリアーヌ・ルフェーヴル[36]は一九八一年、「格子と歩道」と題する論文を雑誌「アーキテクチャー・イン・グリース」に発表した。これは二人のギリシア人建築家ディミトゥリス・アントナカキス[37]とスザーナ・アントナカキスの批判的地域主義について述べたものであった。筆者達はその中で、アテネの建築とギリシア国家の創建において、シンケル派の果たした両義的役割について次のように説明している。

「ギリシアでは、福祉国家や近代建築の到来以前、新古典主義風に作りかえられた歴史主義的地域主義は、早くも反対に出会ったのである。それは十九世紀末に端を発した、極めて特異な危機的状況に由来するものであった。この地に歴史主義的地域主義が生まれたのは、解放戦争のせいばかりではない。都市のエリートを農民の世界や田舎の「後進性」に対抗するように発達させ、都市による農村の支配を確立しようという利害関係から生じたのである。それ故、歴史主義的地域主義の特別な魅力（アッピール）は経験よりもむしろ書物に基づいていた。その記念性（モニュメンタリティー）は、遥かに昔の、今は忘れられたエリートを思い起こさせるのであった。歴史主義的地域主義は人々を結束させもしたが、分裂させもしたのだった。」

338　ピキオニス「フィロパッポスの丘の公園と歩道」アテネ，1957年

十九世紀ギリシアの国家主義的新古典主義様式の増殖に続いて、さまざまな反動が生まれた。その反動には、一九二〇

年代に特有の歴史主義から、一九三〇年代の公式的近代主義まで種々雑多のものがあった。このうち後者は、スタモ・パパダキ[38]やJ・G・デスポトプーロス[39]の作品の中にはっきりと見て取れる。ツォニスが指摘しているとおり、ギリシアに地域主義を意識した近代主義が発生したのは、エイリス・コンスタンティニディスのごく初期の作品においてである（一九三八年の《エレウシス邸》や一九四〇年の「キフィッシアの庭園博覧会」がそうである）。さらに、この方向性は一九五〇年代、コンスタンティニディスの《低廉集合住宅計画》や、一九五六年から一九六六年にかけて設計したキセニア国立ツーリスト協会の《ホテル》などにおいて、いっそう発展を遂げたのである。コンスタンティニディスの設計した公共的作品のすべてには、柱・梁を構成する鉄筋コンクリート造骨組という普遍的合理性と、充填材として用いられた地元産の石や岩の土着的触覚性との間に緊張感が漲っている。これよりも、さらに曖昧さを払拭した地域主義の精神が浸透しているのは、ディミトリス・ピキオニス[40]によって設計され、一九五七年、アテネのアクロポリスに隣接した敷地に実現した《フィロパッポスの丘の公園と歩道》である。その原始的ともいえる景観について、ツォニスとルフェーブルは次のように指摘している。

「ピキオニスは、技術露出主義や技巧的な構成法（一九五

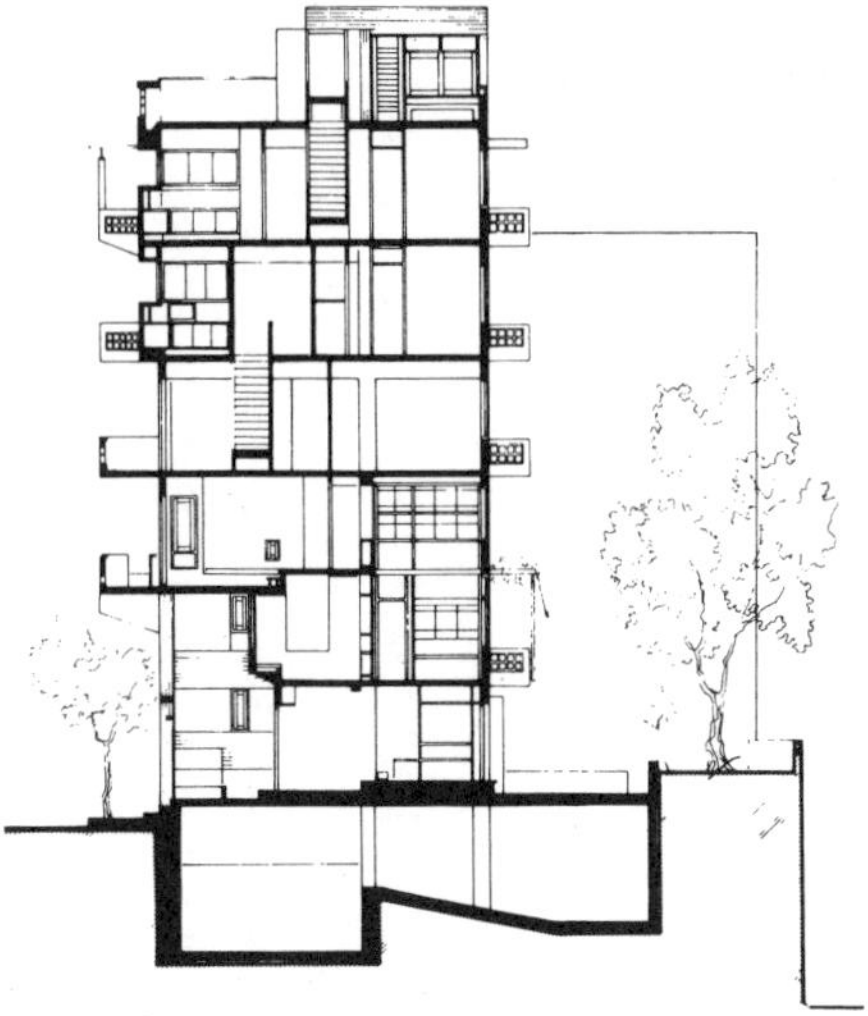

339　アントナカキス「ベナキ街のアパートメント」アテネ，1975年．縦断面図

340　アントナカキス「ベナキ街のアパートメント」アテネ，1975年

○年代の建築の主流を占めていた）とは無縁な建築作品を造ろうとする。それは飾り気がなく素裸で、物質感を削ぎ落とした物体であり、「特定の行事のための場所」を設営する。それが、孤独の瞑想、親密な議論、小さな集い、大きな集会などが行われるように、丘の周りに繰り広げられている。［…］壁龕（ニッチ）、通路、場所からきわめて風変わりな三つ編み（ブレード）を織り上げようと、ピキオニスは民俗的建築の住み慣らされた空間から、それに相応しい構成要素を探り当てている。しかしこの計画では、地域的なものとの繋がりは、淡い情緒性などから生じてはいない。まったく別の姿勢によって、具体的事象を包む被膜が、まるで考古学者が記録を作るのと同じように、冷静な経験的方法で探究されているのである。安直で皮相的な感情を刺激するような選択も位置づけもされることはない。それらは、日常的感覚で使われる基盤（プラットフォーム）なのである。しかし現代建築の文脈では、日常生活が与えてくれないものを、与えてくれる基盤なのである。地方的なものの探究は、具体的なもの、現実的なものに到達するための条件であり、建築を再び人間的なものにするための条件である。」

ツォニスは、アントナカキス・パートナーシップの作品を、ピキオニスの地形学的歩道とコンスタンティニディスの普遍的グリッドとが組み合わされたものだと見ている。この弁証法的対立は、リクールが述べた文化と文明の分裂を再度、反映しているように思われる。一九七五年、彼等の設計によってアテネに建てられた《ベナキ街のアパートメント》くらい、こうした二元性を直接的に表現した作品は他にないだろう。建物は層状になって、ギリシアの島々に特有の迷路のような通路が、コンクリート造の骨組のグリッドの中に織り込まれているのである。

批判的地域主義は、前章で述べたさまざまな分類と殆ど重なっているが、それは様式ではなく、ある共通した特徴を目指している批判的なカテゴリーである。その特徴はここに引用した例にいつも見られるとは限らない。それは、特徴というよりも姿勢であって、次のように要約できるのではないだろうか。

（一）批判的地域主義は、中心的ではなく周縁的な活動として認識されなければならない。近代化に対して批判的ではあるが、それでもなお、近代建築の遺産の進歩的、解放的な側面の放棄を拒むものである。同時に、批判的地域主義の断片的で周縁的な特性は、初期の「近代運動」の素朴なユートピア思想や最適化（オプティマイゼイション）への一律同化から距離を保っている。オースマンからル・コルビュジエへと続く線を延長することなく、批判的地域主義は大きな計画よりも小さな計画を選ぶ。

（二）この点、批判的地域主義は、境界を意識した建築となって現れる。つまり、それは独立した物体（オブジェ）としての建物を強調するのではなく、敷地に建てられた構造物によって規定される領域を強調する建築である。この「場所即形態（プレイス・フォーム）」が意味するのは、建築家は自らの作品の物理的な境界を時間的な限界として認識しなければならないということである。つまり、その時点では建てるという現実の行為が停止しなければならないのである。

（三）批判的地域主義は、作られた環境を、脈絡のない背景画の連続する挿話（エピソード）に還元するのではなく、「構築的」な事実としての建築を実現することを促進する。

（四）批判的地域主義は、構造物が設置される三次元の母型（マトリックス）としての地形から始まって、構造物を横断する地方独特の光線のさまざまな働きに至るまでの、その敷地に固有な諸要因を必ず強調しているという意味で、地域的と言えるのである。光は、作品の空間性や構築的な重要性を露呈する最も基本的な媒体（エージェント）である。気候条件に対して明瞭に反応することは、批判的地域主義にとっては必然的である。それ故、批判的地域主義は、空調装置等を最大限に使用する「普遍的文明」と対立する。そのため、批判的地域主義は、あらゆる開口部を、敷地、気候、光線などの特殊な条件に反応する能力を備えた、微妙な緩衝地帯として扱うのである。

（五）批判的地域主義は、視覚的なものと同様に触覚的なものに力点を置く。つまり、環境は視覚以外の感覚によっても体験されるものである。批判的地域主義は、次のような補完し合うさまざまな知覚作用に対して敏感に反応する。さまざまな度合で変化する照明、高温・低温・湿度・気流など、室内での体感、さまざまな大きさのさまざまな素材から放出されるさまざまな香りと響き、さらに、床仕上げが身体に影響して、姿勢や歩行に無意識に及ぼす変化、などである。批判的地域主義は、経験を情報で置き換えようというメディア全盛時代の流行に反対する。

（六）批判的地域主義は、地方独自の土着性を感傷的に擬態化することなく、時には、解釈し直した土着的要素を、全体の中に離接（ディスジャンクティヴ）的な挿話として挿入することがある。さらに、そうした要素を、外在的な起源から抽出することもある。言い換えれば、批判的地域主義は、科学技術のレヴェルでも形態的参照でも、秘教的に陥ることなく、現代の場所志向的文化の育成に努めている。そうした意味で、批判的地域主義は、地域に根ざした「世界文化」という逆説の創造に向かおうとする。あたかも、これこそが現代的活動に相応しい形式に到達する前提であると言わんばかりである。

（七）批判的地域主義は、普遍的文明を最大限に発揮させようとする推進力から何とかして免れている文化同士の間隙において、勢力を伸ばそうとする。批判的地域主義は見たところ、周囲に衛星を従えた支配的文化の中心にある既成概念が、現代建築の現状を評価するには不適当なモデルでしかないことを示唆しているのである。

第6章　世界建築と反映としての実践

反映としての実践(リフレクティヴ・プラクティス)という概念は、実践についての伝統的な認識に対するこれまでとは異なったもう一つの認識である。この認識から［…］専門家(プロフェッショナル)と依頼人(クライアント)との間にあらたな契約関係の考え方が生まれる。また、研究と実践との共同関係が生じてくる。さらには、職能的な機関での学習方式が導き出される。ここで私が言いたいことは、反映としての実践が、公共の政策の中での専門家の役割や、巨大な社会の中での専門家の地位などについて、これまでとは異なった考え方がされるようになるだろうということである。この反映としての実践という概念は、急進的な批判に同調したり、あるいは背反したりして、専門家が持つ特権性を解体することになるのである。それはまた、専門家に対しても非専門家に対しても、言うところの専門的知識が、人間的価値や人間的興味を尊重する評価の枠組の中に根差すものであることを思い知らせるのである。さらにまた、技術的特殊性の展望が、現在の不確実性、不安定性、差別性、競争性という状況下では行き詰まることを認識させてくれる。研究によって導かれた理論や技術が不適切であるならば、専門家達は自らを正当な専門職と公言することはできない。せいぜい充分心得て行動に反映させるとしか言えないだろう。［…］

――ドナルド・A・シェーン『内省的実践者』一九八三年[1]

世界の至る所で、すぐれた器量に恵まれた建築家達が見られるようになったが、一九八〇年代には、とりわけ先進諸国における建築の成熟度は、高低差を見せながらも一般的には上昇する一方、やや後進国とみなされる諸国における構築性の創造が驚くほど見事に展開されたのである。こう言うとアメリカでの最近の状況を思い起こされるかもしれない。[2]そこでは既成の建築家達や、あるいはハリー・ウルフ、スティーヴン・ホールといった新進の建築家達の華々しい成果が見られることは事実だが、いかなるアメリカの建築家が社会性という視点から作品を残したかを考えると、一九八〇年当時に活躍したインドの建築家達とはとうてい較べものにはならないのである。ここで言うインドの建築家達とは、一九八四年、ヴィドヤダール・ナガールに都市計画を設計した[3]バルクリシュナ・ドシ、一九八二年、アジア競技大会のために《ニューデリーの低層集合住宅》を設計した[4]ラジ・レワール、《ジャイプール大学》の[5]ウッタム・ジャイン、《ニュー・ボンベイの都市計画案》(一九七九年以降)やジャイプールに《ジャワハル・カラ・ケンドラ文化会館》(一九八六~九〇年)を設計した[6]チャールズ・コレアなどである。

こうした作品を通して見られる差異に共通するものは決して単純ではない。なぜなら、優れた建築は、建築家は言わずもがな、それと同程度に、開明的な依頼人(クライアント)によるところが大きいからである。この原則は、依頼人が個人の場合はもとより国家、国民の場合にも当てはまる。いずれにせよ、本章で取り上げられる建築の完成に関しては、連邦政府、地方自治体、あるいは企業体といった高いレヴェルのものから、各種の教育機関や個人に至るまでの支持、援助に依存している。適切にして充分な援助なくしては、あらゆる実現過程において求められる標準的レヴェルまで到達することはもとより、さらにそのレヴェルを維持することもできない。なぜなら、建物を建てるということは、広く社会の関心に訴え、深く投資に関わる公共的芸術であって、まさしく手作業と産業の双方に関わる建設能力なのである。

とはいえ、実り豊かな成果を生み出すうえで触媒となる要因が、何故ある場合には成功し他の場合には不成功に終わるのか、その原因を見極めることは難しい。この点を説明する好例がドイツにある。この国の財力、技術、関心は他国に較べて抜きん出ているにも拘わらず、その建築文化はかつてのワイマール共和国時代にはとうてい及ばないのである。確かに、第二次世界大戦後、ハンス・シャロウン、[7]エゴン・アイアマン、[8]ルートヴィッヒ・レオなどは素晴らしい作品を完成させ、最近でも[9]ハンス・コールホフはベルリンの「[10]IBA(国際建築博覧会)」(一九八七年)において華々しい活動を見せ、[11]ギュンター・ベーニシュは、一九九〇年、フランクフルトに《郵便博物館》を完成させるなど目覚ましい活躍ぶりを見せている。さらに、O・M・ウンガースとJ・P・クライフースは、それぞれ新合理主義の立場に立って作品を設計したが、それらはいずれも類型学(タイポロジー)からすれば合理的だが、どちらかと言えばむしろ図式的で、拙劣なディテールの寄せ集めに過ぎない。それらは都市の文脈の観点からすれば学ぶべき点が多々あるが、建築的な期待に応えてはいない。[12]ウルリッヒ・コンラーズは雑誌「バウヴェルト(建築世界)」において、長年にわたり批判的立場を維持してきたし、フランクフルトの「ドイツ建築博物館」は野心的に展覧会行事を推進し、ベルリンでは「ＩＢＡ」が開催されたが、それでもドイツには、包括的で説得力を持った建築文化を生み出す力があるとは思えないのである。

英国では、一方にリチャード・ロジャースやノーマン・フォスター等の事務所が口火を切った「ハイ・テク」手法による目覚ましい業績があり、他方、[13]デーヴィッド・チッパーフィールドのように比較的小さな事務所や[14]マッコーマック・アンド・ジェイムソン事務所による、構築的で鋭角的な作品活動が見られる。それにも拘わらず、全般的にはここ十年、極めて影の薄い存在である。これは「反・近代」の風潮が広く行き渡っていることもあろうし、概して教育機関が援助活動に積極的ではないことも原因しているのだろう。こういうことからしても、新しい国立図書館を建設するのに近代国家として二十年も要したとは誠に恥ずべきことである。

同様に、国家的レヴェルや地方的レヴェルでの支持や援助が少なく、複雑な政治体制を背景に持つイタリアでは、現代建築に相応しい建築文化が生み出せなかったのも説明がつく。個人としてはイタリアの建築家は素晴らしい作品を作り出すことができる。例えば、一九八三年にアルザーテ・ブリアンツァに銀行を設計したアドルフォ・ナタリーニ、あるいは一九八九年、フランス、レゼ・ナントにネオ・アール・デコ風の市庁舎を設計した[15]アレッサンドロ・アンセルミがいる。だが、全体としての社会に容易に適用できるような建築文化の一般理論を打ち立て、呈示してみせた建築家はイタリアには、私の知るかぎり一人しかいない。その建築家とはヴィットリオ・グレゴッティである。彼は、一方では雑誌「カ

341　ウルフ「NCNB銀行」フロリダ州タンパ，1989年

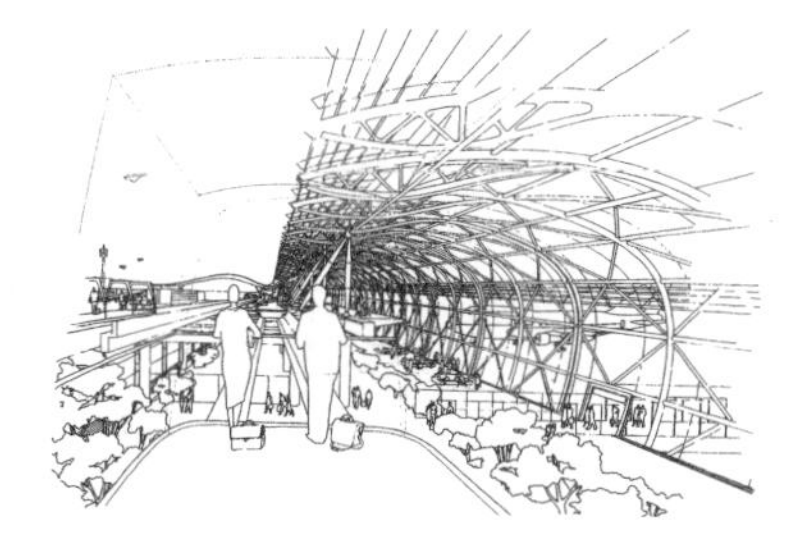

342　ピアノ「関西国際空港」大阪，1989年．到着ホール

サベラ（美しい家）」ならびに「ラセーニャ（評論雑誌）」の編集を通じて、他方では彼の事務所による実践を通じて、構造的に分節化（アーティキュレート）された建築が可能であることを、終始主張してきたのである。こうした建築こそ、気候的にも地形的にも充分に適応できるものである。だが、グレゴッティの力強さは別のところにある。それは、彼の建築の模範的な合理性にあるのではない。それは、彼の思想の批判性の鋭さにある。一九八三年、「ニューヨーク・アーキテクチュラル・リーグ（建築連盟）」での講演で、グレゴッティは次のように述べている。

「近代建築の最大の敵は、敷地の持つ理念に対して何の関心も払わず、ただ経済的、技術的事態からのみ考えられる空間である。

われわれを取り囲んでいるこの人工物からなる環境とは、言うなれば、環境の歴史がそのまま現れたものである。また、それは歴史が何層にも意味を積み重ね、敷地の上にその特殊性を形成していく過程を示している。その特殊性は、単に知覚の対象として現れるのではなく、構造としてそこにあるのである。

全く、環境というものは、敷地に内包されている基本概念やそこに集落を作るための原理などを通して、建築が作られるうえでの核心、必須項目となるのだ。このように考えると、設計のための新しい原理や方法は自ずから現れてくる。その原理や方法は、特定の地域の中の、特定の敷地を優先させる。それは文脈を認識することであり、文脈は建築に及ぼす影響から生ずるのである。建築の起源は原始の小屋などではない。洞窟でもない。神話に出てくる「楽園にあるアダムの家」でもない。

人間は、柱を円柱に変形させるより前に、屋根をティンパヌム[16]（三角壁）に変化させるより前に、石を積み重ねるより前に、まず地上に石を立てた。そして未知の宇宙の真っ只中に置かれた敷地を理解し、説明し、そこに幾らか手を加えようとしたのだ。」

国際的活躍という視点から言えば、イタリア建築の威信を高めたのは、「ハイ・テク」建築家レンゾ・ピアノの右にでるものはいない。彼の最近作品であるラヴェンナの《スポーツ・パレス》も、カリフォルニア州《ニューポートの美術館》も、いずれも一九八六年の設計であり、国際設計競技に入賞した大阪の《関西国際空港》は一九八九年の作品である。こうした作品は、いずれも構造体の形態と特殊な敷地の持つ輪郭線とが融合しており、グレゴッティが地形について強調したプレミアム（奨励）を、あらためて確認させてくれる。

ヨーロッパの他の国で、反映としての実践（リフレクティヴ・プラクティス）が、国家のレヴェルや地方自治体のレヴェルで継続的に見られるところと言えば、それは間違いなくオランダである。しかしこの国には、「デルフト構造主義派」（五一四頁以下参照）と呼ばれる例外が

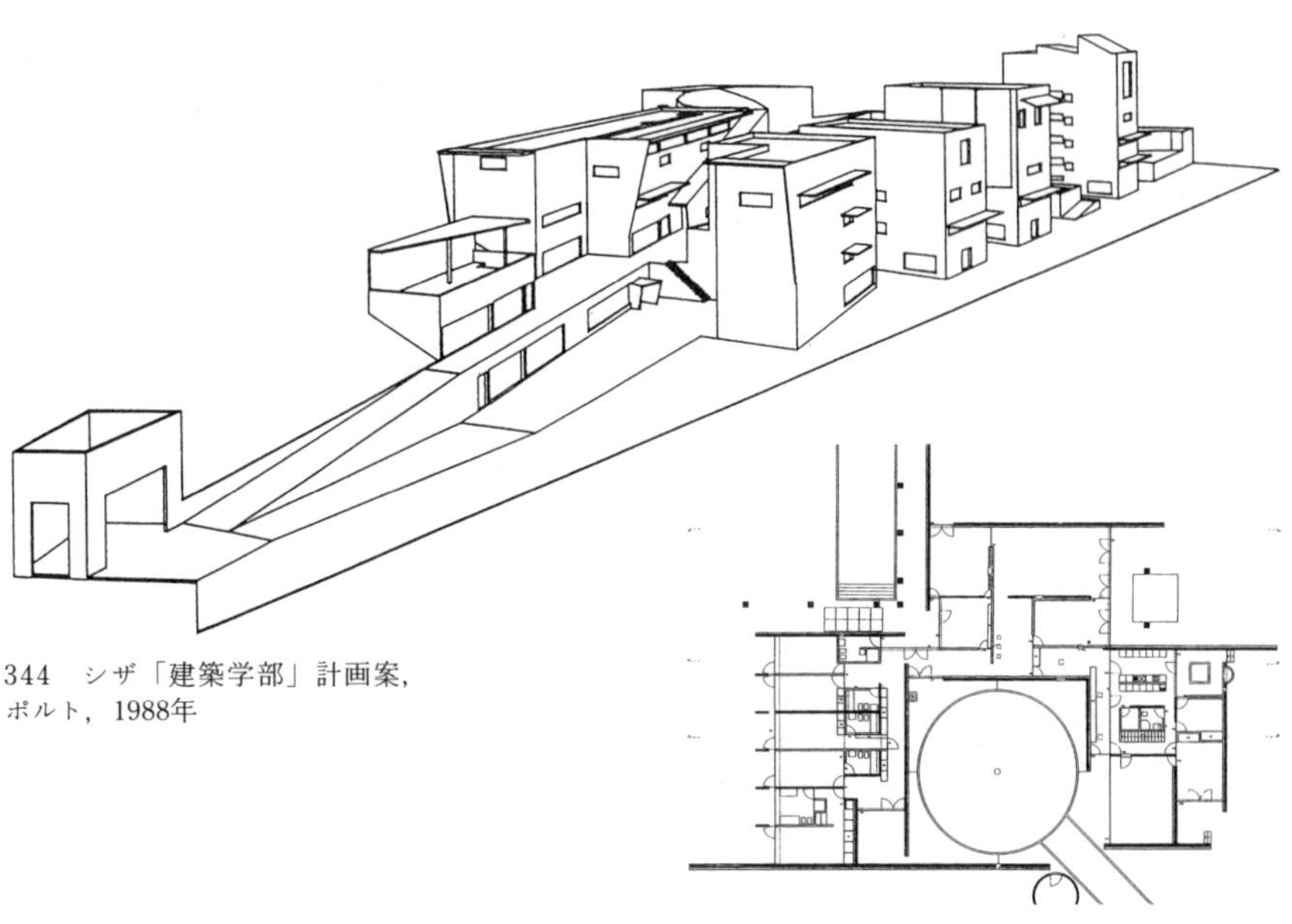

344　シザ「建築学部」計画案，ポルト，1988年

343　ソウタ・デ・モウラ「アルカネナ邸」トーレス・ノヴァス，1987-90年．平面図

あるが、一九七〇年以降、オランダにおける実践活動には一貫した建築、都市についての文化は認められない。むしろ個人的な思索活動や自由放任という文化政策が、全体としてのオランダの生活に大きな役割を果たしている。レム・コールハースのけばけばしい新近代（ネオ・モダン）的な建築が目立つようになったのも、こうした政治的変化のせいであろう。例えば、一九九〇年のコールハースによる《ゼーブルッへのフェリー・ターミナル》（図317：Ⅲ-5章参照）は、サイエンス・フィクションもどきの宇宙船のような格好をしている。こうして、オランダ政府はかつての指導権をある程度回復したのである。若い建築家達に中規模程度の公共工事を委嘱した結果、ベンサム・アンド・クラウエル[17]、メカノ[18]、シース・ダム[19]といった建築家の実現された作品が人目を引くようになったのである。ヨー・クーネン[20]によるロッテルダムの《国立建築博物館》は極めて抑揚に富んだ作品だが、間違いなくオランダ国家の威信を建築政策の上で復活させたと言えるだろう。

ポルトガルの場合、七〇年代中頃のいわゆる「ポルトガルの春」の終焉以降、国家は建築に大した寄与もしていないが、その北部地方は、近代主義に対して批判的姿勢を示す一方、地域の地形や光線や、その地の独自性に反応する文脈的な建築を生み出す役割を担ったのであった。それは「ポルト派」と呼ばれ、フェルナンド・タヴォラ[21]をその先駆けとして、さまざまな分野で活動している。その中には、アルヴァロ・シザのように優れた作品を残した建築家もいるが、アダルベルト・ディアス、マリア・デ・グラサ・ニエト、ホセ・マヌエル・ソアレス、エドアルド・ソウタ・デ・モウラなど、若い世代の建築家も含まれている。しかし、ソウタ・デ・モウラはポルトガルの状況とはほど遠い、例えば、ミースやバラガンなどに反応し、影響されて、ミニマリズムの建築に到達し、この地方で特異な地歩を占めるに至っている。同時に、「ポルト派」の示す有機主義路線は、例えば一九九一年に完成したシザのポルト、ドーロ河畔に立つ《建築学部》の建物に見事に結実して、固有の伝統に花を添えている。この建物の複合体は、その特徴的なイデオロギーの故に、今世紀に建てられたデッサウの「バウハウス」やウルムの「HfG（ウルム造型大学）」に次ぐ第三のデザイン教育機関となるだろう。

フィンランド

このところフィンランドの建築には二つの主要な傾向がある。一つはアアルト的な有機主義を綿密に精緻化し、抑揚に富む方向に発展させる傾向であり、もう一つは、そのアアルトの圧倒的影響から逃れて、構成主義に向かおうとする傾向である。アアルトの遺産を継承する際に問題となるのは、この巨匠の特異な形態的文彩（トロープ）に対して一定の距離を保ちながら、フィンランド独自の有機主義という伝統をどのように追求するかということである。こうした難しい局面を通じて生じてきたのが、幾何学的に屈折した形態を持った、裸形の有機主義とも言うべき建築である。例えば、遠くはカイヤ・シレンと[22]ハイッキ・シレンによる《オタニエミの教会》（一九五七年）であり、近くはカピ・パーヴィライネンとシノ・パーヴィライネンの《オラリの教会》（一九七六年）などがその実例になるだろう。これと同様の路線は、[23]ユハ・レイヴィスカの《オウルのセント・トーマス教会》（一九七五年）、《ミールマキの教会》（一九八五年）にも見られるが、この二つの建物はアアルトはもとより、アアルトを引き継ぐ[24]レイマ・ピエティラの表現主義的傾向にも負うところがある。しかしレイヴィスカの最近の作品、とりわけ切り分けた形態を集積したものになると、新造形主義的芸術、例えばフランスのジャン・ゴランのレリーフなどを連想させる。だが、レイヴィスカの建築の一番重要な特徴はその光の調節の巧みさにある。一九四一年、エリク・ブリッグマンによってトゥルクに建てられた礼拝堂に彼が親近感を抱くというのも、そこに光の調節が見られるからであろう。またレイヴィスカは、既存の文脈に対して過剰なほどに敏感であり、それは、彼が一九八七年にスウェーデンのヴェステルオースに《新聞社の工場》を建てた時の説明文を一読すれば明瞭である。その建物は、最近建てられた賑やかな業務地区と歴史的な中心地の中間に建っているが、もしもレイヴィスカに建物の規模の変化を巧妙にさばく能力がなかったならば、不調和は免れなかったことであろう。彼はそれについて次のように書いている。

「ヴェステルオースでは、どんな場所も考古学的に見ればきわめて重要でした。そういう場所に通常の工法で建物を建設したならば、広範囲にわたって、長いこと、費用のかかる発掘や調査をしなければならなかったでしょう。そこで私は、建物が敷地の数ヵ所でしか地面に触れないようにしたのです。大事な地面には五組の一対の柱が立っていますが、それで充分な段差も、空間もできるのです。さらに、歴史的に古い中心地に面した側には、小さな単位空間が主要な柱から吊り下げられて、まるで洗濯物のよう一列に並んで、ぶら下がっているのです。[…]」

彼は、ここで言う吊り構造を、現代の開発事業と伝統的な都市組織との間の柔軟な緩衝装置としているわけで、こうした彼の手腕を見ると、いかにレイヴィスカが移ろいやすい流行などに惑わされないかが確認されるのである。

[25]アアルノ・ルースヴォリが一九六四年に建てた《タピオラの印刷工場》は、大胆に片持梁（カンティレヴァー）を取り入れたミニマリズムの構造体であって、そのことから、彼がアアルトの影響から離れようとした最初の一人であることが分かる。こうした構造表現主義の路線は、まず、[26]クリスチャン・グリクセン、[27]エリック・カイラモ、[28]ティモ・ヴォルマラに引き継がれることとなった。この「新構成主義（ネオ・コンストラクティヴィズム）」とも言うべき傾向は、カイ

345　レイヴィスカ「新聞社工場」計画案，ヴェステルオース，1987年

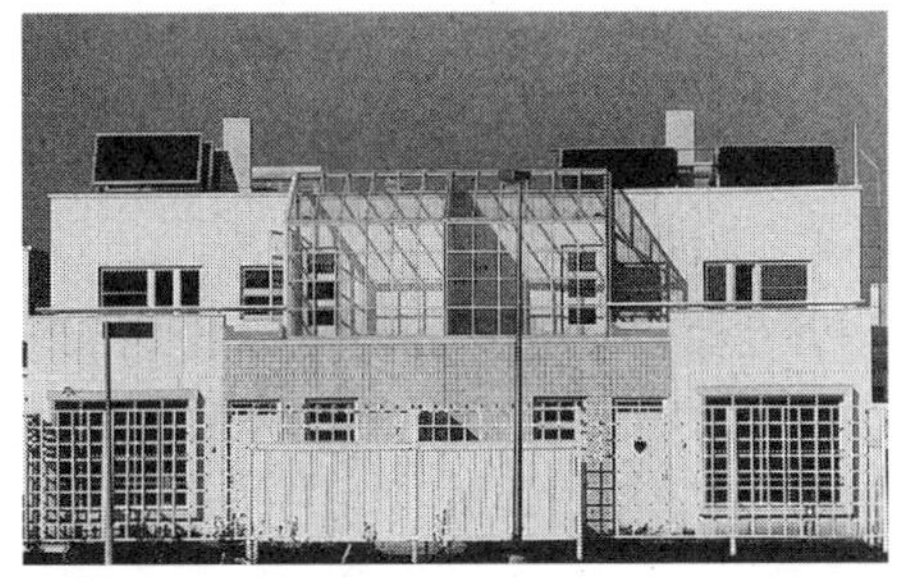
346　ヘリン・アンド・シートネン「トルパリンマキ団地」ヘルシンキ，1981年

347　グリクセン，カイラモ，ヴォルマラ「ウェストエンドのリーナサーレンクヤ集合住宅」エスポー・ウェストエンド，1982年

ラモやグリクセンの初期の作品に早くも垣間見られ、戦前のオランダやロシアの前衛達の統辞法（シンタックス）へ意図的に回帰しようとしているが、いささかも美的マニエリズムに陥ってはいない。

　現在のところ、フィンランドの「新構成主義」には、異なる傾向を持った三つの分派が認められる。第一は、グリクセン、カイラモ、ヴォルマラの作品が代表するような、先駆的オランダ構造主義運動の新造形主義的要素主義と、スイスとドイツの合理主義をくぐり抜けてきたモデュール方式による分節（アーティキュレーション）の明瞭な集合体への鋭い嗅覚とを結合させる方向である。これは、一九八二年、この三人の建築家によってエスポーに完成した《ウェストエンドの集合住宅》に明らかである。また、ヘルシンキ郊外の《イタケスクス・ショッピング・センター》（一九八三〜八七年）に完成した高層オフィス・ビルも同様である。第二は、同じく構成主義的方向であるが、一段と折衷的となっている。この傾向は、[29]ペッカ・ヘリンと[30]トゥオモ・シートネンの作品、特に彼等がヘルシンキ郊外に建てた《トルパリンマキ団地》（一九八一年）や《ユヴァスキュラ空港ビル》（一九八八年）に認められる。このうち空港ビルは、英国のハイ・テク建築家の作品に見られる冷たい技術的表現に刺激されたものである。第三は、[31]ミッコ・ハイッキネンと[32]マルック・コモネンの作品を特徴づける方向である。とりわけ一九八六年、ヴァンターに建てた《科学センター》がその好例である。この作品には、サイエンス・フィクションに似た雰囲気があり、レム・コールハースのミニマリズムを思い起こさせるが、ディテールの扱い方は遥かに高いレヴェルで処理されている。

　フィンランドのような小さな国で、これほど多くの才能ある建築家達が輩出したのは、この国が豊かであるからばかりではない。それにはそれだけの理由がある。まず第一に考えられることは、世界でも極めて厳格な建築教育の場の一つに数えられるヘルシンキ工科大学の影響の大きさである。その伝統を遡っていくと、建築家ニイストローム（三三九頁参照）の指導にたどり着く。その他、考えられる要因としては、第一にアルヴァ・アアルトが生涯にわたって享受した国民的栄誉がある。第二は、殆どの公共建物に対して、公開設計競技を行う原則が長いこと貫かれていることである。そして第三に、マリメッコやアルテックといった家具製作会社などによって高いデザインの基準が確立していることである。さらに付け加えなければならないのは、[33]ユハニ・パラスマー、アスコ・サロコルピ、アアルノ・ルースヴォリ、マルック・コモネン、そして現在は[34]マリヤ・リッタ・ノッリ等の長年にわたる指導の下に「フィンランド建築博物館」が教育・文化活動を支えてきたことである。彼等の博物館長としての活動は、長年、博物館と緊密に提携してきた雑誌「アバクス（柱頭の正方形の板）」や「アルキテッティ」を通して窺われる。もうひとつ、「アアルト賞」や、三年毎にユヴァスキュラで開催される「アアルト・シンポジウム」の国際的影響力にも注目しなければならない。「アアルト賞」の受賞者には、安藤忠雄（一九八七年）やアルヴァロ・シザ（一九八九年）がおり、こうしたことがフィンランドでの建築論争に生気と洞察を与え、世界の中のどこであれ、建築の質を認めるこの国民の能力を示しているのである。

フランス

フランス建築の復興は、一九六八年の「五月革命」の学生達の反乱から始まった。シャルル・ドゴール指揮下における近代化が触媒となって、やがてフランス政府は建築の分野に介入するようになった。理論的側面では研究活動に助成金が提供され、実践的側面では大規模公共建築が建築家に委嘱され始めた。こうした変化が殆ど死にかけていた中央集権的「エコール・デ・ボザール（美術学校）」を組織替えする契機となったのである。一九六八年、「エコール・デ・ボザール」は、パリ、ヴェルサイユ、クレルモン・フェラン、ボルドー、マルセイユの各都市の「ユニテ・ペダゴジーク（UP）（教育組織体）」と呼ばれる一連の大学分校に解体された。この分散によって、フランスの建築教育は変貌した。その結果、パリにはUP3ならびにUP8という厳格な「ユニテ」が出現することになった。これらの「ユニテ」では、アンリ・シリアニ、アンリ・ゴダン[35]といった「改革賛成派」の建築家達が教育指導に当たった。こうした新しい評議員制度が、IFA（フランス建築家協会）ともども、当時大統領であったヴァレリー・ジスカール・デスタンの下で誕生したのである。

一九六二年、パリの《ポンピドー・センター》の国際設計競技が開催されたが、これがきっかけとなって、政府援助の建設計画は大幅に拡大された。一九八〇年代になると、フランソワ・ミッテランが大統領に就任し、パリを始めとしてフランスの各都市において「大型土木事業（グラン・トラヴォ）」と呼ばれる大建設事業が最高潮に達した。フランスの首都を飾り立てる、新築の建物の中でもとくに注目を集めたのは、パリの中心軸の両端に位置する二つの建物であった。一つは一九八八年、アメリカ人建築家I・M・ペイ[36]の設計によって、ルーヴル美術館に建てられた《ガラスのピラミッド》であり、もう一つは、一九八九年、ラ・デファンス地区に建てられたデンマーク人建築家ヨハン・オットー・スプレッケルセン[37]の設計による巨大な門構えのオフィス・ビルであった。このほか設計競技によって建設されたものには、一九八〇年代前半のバーナード・チュミの《ヴィレット公園》（五三七〜三八頁）や、無名のカナダ人建築家カルロス・オット[38]ーによるバスティーユ広場の新《バスティーユ・オペラ劇場》などがある。これら一連の文化施設には、イタリア人建築家ガエ・アウレンティ[39]による《オルセー美術館》も付け加えなければなるまい。因みに、この美術館は旧オルセー駅の建物の内部に組み込まれたものであった。このように、ほぼ二十五年にわたって外国人建築家を重用してきたフランス建築界だが、やがてパリの重要な公共建築にフランス建築家の若い世代を登用するようになった。こうした政策の転換から生まれたのが[40]ジャン・ヌーヴェルの設計した《アラブ研究所》（一九八三〜八七年）であり、これは技術を駆使した「力作」である。また、[41]クリスチャン・ドゥ・ポルツァンパルクが《ヴィレット公園》の入口に建てた極めて彫刻的な《音楽大学》（一九九一年）である。さらに最近完成した[42]ドミニク・ペローの《国立図書館》がある。なお、この建物は一九九五年に行われた国際設計競技によって実現したものである。

フランス政府管掌による建築教育ならびに研究活動の活性化は、主導的建築雑誌にも影響を与えずにはおかなかった。「ラルシテクチュール・ドージュルドゥイ（今日の建築）」誌は、一九七四年から一九七七年にかけて[43]ベルナール・ユエットの指揮下にあった。また、「AMC、アルシテクチュール、ムーヴマン・エ・コンティニュイテ（建築、運動と連続）」誌は一九七八年から一九八六年にかけて[44]ジャック・リュカンの指導下にあった。彼等は、率先してフランス近代主義の伝統を一斉に再評価した。その中には、コンクリート構造の先駆者で、「偉大なる建設者」と呼ばれたオーギュスト・ペレ、シャルル・ガルニエなどの建築家や技術者ウジェーヌ・フレッシネも含まれ、[45]ミッシェル・ルー・スピッツや[46]ピエール・パトゥーなど擬似アール・デコの建築家や[47]ロブ・マレ・ステヴァンが推進した機能主義の分派、いわゆる「近代派（モデルヌ）」と呼ばれた路線も再評価の対象となった。さらに彼等の関心は、フランス独自の軽量な鉄・ガラス構造にも注がれた。この鉄とガラスによる軽量構造物は、ジャン・プルーヴェと[48]エドゥアール・アルベールなどを先駆者として、一九三〇年代には[49]ジャン・ギンズベルグ、[50]ブルーノ・エルクーカン、[51]アイリーン・グレイ、シャルロット・ペリアン、とりわけル・コルビュジエがいっそう洗練させ、パリ風新立体主義の伝統を築いた。

ル・コルビュジエの遺産の見直しは、一九八〇年代にフランスの各地でさまざまに形を変えて行われた。ル・コルビュジエのアトリエの晩年の所員であった建築家達も、ようやく重要な作品を実現させるようになった。例えば、[52]ジュリアン・ド・ラ・フエンテによるラバトの《フランス大使館》（一九八五年）、[53]ジョゼ・ウーブリーによるダマスカスの《フランス文化センター》（一九八六年）などがそれである。これに対して、ル・コルビュジエの建築言語や方法論はアンリ・シリアニによって、例えば《ノワジイの集合住宅》（図297：Ⅲ-4章参照）に見られるように、統辞法（シンタックス）の観点から解釈し直された。それればかりか、[54]ミシェル・キャガンのようなシリアニの教え子まで、一九九〇年のパリ郊外の《芸術家工房》などで、同様な再解釈を試みている。

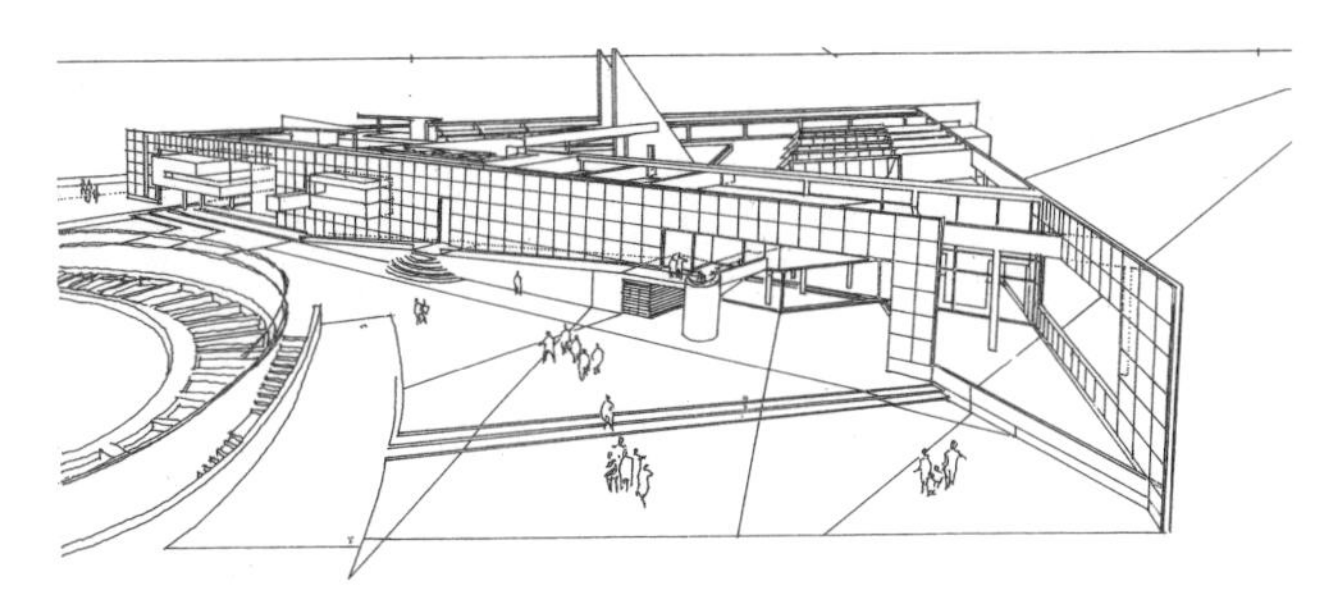

350　シリアニ「考古学博物館」アルル，1991年

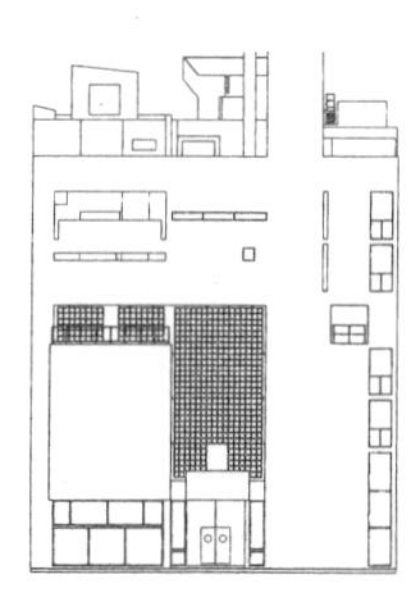

349　ウーブリー「フランス文化センター」ダマスカス，1986年．立面図

351　ドゥヴィレール「サン・ドニのガラス張りの駐車場」サン・ドニ，1981-83年

348　ヨハン・オットー・スプレッケルセンとポール・アンドゥルー「ラ・デファンスのグランド・アルシュ」パリ，1983-89年．国際設計競技入賞案

352　ボードゥアン，ルッセロ，ルッセル「ファブリック通りの角地に建てられた集合住宅」ナンシー，1981-83年

イタリアの「傾向派（テンデンツァ）」が追求した類型学の路線は、フランスの建築の言説に「都市の断片（ピエス・ユルベーヌ）」という概念を植え付けた。アンリ・シリアニは、この「都市の断片」を、大きな多目的複合体の単位として捉え、それによって都市の圏内あるいは圏外に、都市としての条件を発生させようとした。シリアニの冷静で冷めた文脈的な手法は彼のすべての作品に見てとれる。エヴリー近傍ロニュの《半月状の集合住宅》（一九八六年）にも、一九九一年のアルルの《考古学博物館》にも、それは明瞭に見られるのである。同じ傾向でも、シリアニのかつての同僚であった[55]ポール・シュメトフと[56]ボルハ・ユイドブロになると、「都市の断片」も文脈的な面がよほど希薄になってしまって、一九九〇年にベルシーに完成した二人による《フランス大蔵省》は記念性（モニュメンタリティー）の高い水道橋（ヴィアダクト）のような建物である。

[57]イヴ・リオンによる《ドラギニャンの裁判所》（一九八三年）や[58]クリスチャン・ドゥヴィレールの《サン・ドニのガラス張りの駐車場》（一九八三年）は、「偉大な建設者」の作品の向こうを張って、記念性が濃厚であるが、アンリ・ゴダンによる《エヴリーの有機的な集合住宅》（一九八六年）やローラン・ボードゥアン、[59]クリスティーヌ・ルッセロ、ジャン・マリー・ルッセルによる《ナンシーの角地に建てられた集合住宅》（一九八三年）になると、アルヴァロ・シザの言う、地形に触発された建築、によほど近いものである。

ところで、この世代の中で[60]ロラン・シムネほど挽歌の気分を訴える建築家もフランスでは珍しい。その挽歌とは、彼が一九七六年から一九八六年にかけて建てた《サン・ドニ中心部の集合住宅》を見れば、なるほどと納得がいくだろう。この建物は、二期に分けて建設され、都市周辺部の特徴を見事に示している。シムネは、北アフリカの出自だが、こうした個人的背景や、一九五〇年代にモロッコに建てられたウラジミール・ボディアンスキーの[61]ATBATの作品などの影響を受けたことから、この集合住宅はカスバの迷路の形態に負うところが大きいのである。一九八三年、シムネはリール・エストに煉瓦とコンクリートによる《美術館》を建てたが、それは前記の《集合住宅》とは趣を異にして、ルイス・カーンに比肩できる構築的な洗練さを備えている。シムネは今日、こうした手腕を持つ数少ない建築家の一人である。

スペイン

現在スペイン建築が見せている力強さの出所は、一九五〇年代初期に遡る。当時、スペインの建築家は、内戦でのフランコ勝利の後十年に及ぶ経済不況期を過ぎて、失われかけた自国の近代的文化の糸をようやく手繰りだしたところであった。一九四九年、まずフランシスコ・カブレロが、マドリッドに記念性（モニュメンタリティー）を湛えた《ユニオン・ビルディング》を建てた。一九五一年には、J・A・コデルクがバルセロナの周辺部に、

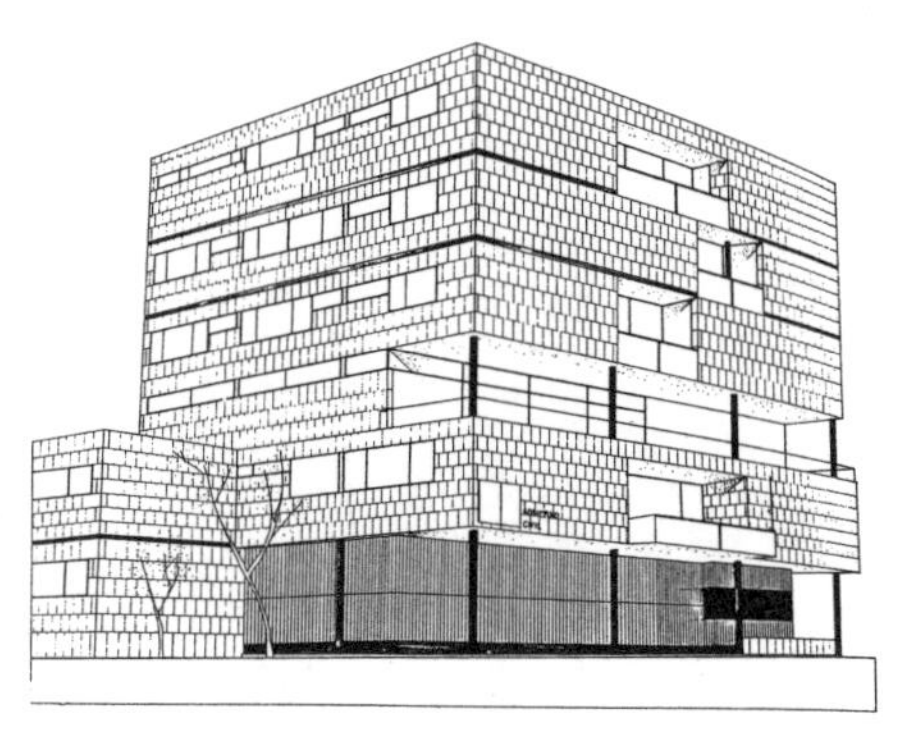

353　デ・ラ・ソータ「知事官邸」タラゴナ，1956-57年

354　マルティネス・ラペーニャとトーレス・トゥール「モラ・デブレ病院」タラゴナ，1982-88年

イタリアのガルデラを思わせるアパートメントを建てた。一九五七年には、[62]アレハンドロ・デ・ラ・ソータがタラゴナに《知事官邸》を建てたが、これはコデルク同様イタリア的で、とりわけテラーニの《カサ・デル・ファッショ》をモデルとして参照していた。デ・ラ・ソータのアプローチの魅力は、その方法が柔軟性に富み、規則に従いながらも変化のある空間や、構造的形態の簡潔な分節（アーティキュレーション）化を作り上げる素晴らしい才能にある。しかし、デ・ラ・ソータが《知事官邸》の建物を、文化的にも政治的にも、また構築的表現としても、転換点としていたところに、デ・ラ・ソータの知的レヴェルの高さがある。彼にとってこの建物は、かつてミースが《バルセロナ・パヴィリオン》において見せた、組積造の重量性を消失させるという逆説的効果と同じように、ファシズム権力が好んだ石の伝統的記念性を、ダイナミックな無重力壁にして見せる契機（モーメント）を集約していたのである。カタルーニャの建築家[63]ヨセフ・アントニオ・リナスはつぎのように書いている。

「ここには何もない、そこにも何もない［…］何も見えない。だから今こそ何かをするのだ、建物を建てるのだ。小さな糸屑だって傘になるのだ。かつてジョン・ケージは、音符で作曲するのではない、雑音で作曲するのだ、と言った。アレハンドロ・デ・ラ・ソータは、図面をひく時、構成法の法則に従わない。ミースと同じように、素材で図面をひく。だから、建築のことを忘れて、どんな構成にするかに打ち込める。しかしアレハンドロはそれにも拘らない。彼は素材を包み込む。彼は糸屑を傘に換えるのである。」

　マドリッドでの教育活動を通して、あるいは一九六一年から六二年にかけてマドリッドに建てたブルータリズム風な《コレヒオ・マラビラスの体育館》を通じて、デ・ラ・ソータのダイナミックだが控えめな建築は、最近十年間スペイン全土で、方法論として普及したのである。マドリッドでのデ・ラ・ソータの教え子では、[64]ビクトル・ロペス・コテロとカルロス・プエンテが傑出している。とくに彼等の《サラゴサの図書館》（一九九〇年）は一際目立っている。一方、カタルーニャでもデ・ラ・ソータの影響は、[65]ビクトル・ロホラがカンブリルスに建てた《ホテル学校》（一九八八年）や、一九九〇年にバルセロナに完成したリナスによる《土木学校》などに明瞭に窺われる。[66]エリアス・トーレス・トゥールと[67]ホセ・アントニオ・マルティネス・ラペーニャもカタルーニャの建築家だが、このグループが設計したタラゴナの《モラ・デブレ病院》（一九八二〜八八年）は構築的とは言い難いが、それでもデ・ラ・ソータから同様に影響を受けているように思われる。わけても、ハイ・テク設備を備えた治療方式を見事に明快な配列の中に収め、その結果、この病院を、第二次世界大戦後に建てられた、最も人間的尺度に沿ったものにしている。

　デ・ラ・ソータの影響は、「マドリッド派」の中の二つの有機派と真っ向から対立した。この二つはそれぞれ異なり、その一つは「新アアルト派」とでも言うべきで、その手法は[68]アントニオ・フェルナンデス・アルバによって一九六二年、サラマンカの《エル・ロロ僧院》の設計の時に実施された。もう一つは「新ライト派」とでも言うべきで、[69]フランシスコ・サビエル・サネス・デ・オイサの作品がこれを代表する。サネス・デ・オイサは二十年にわたって活躍し、一九六二年、マドリッド郊外に《トレス・ブランカス・アパートメント》を建て、一九七一年から八一年にかけて、マドリッドの中心部に傑作《ビルバオ銀行》を建てた。この銀行の塔はコルテン鋼で被覆され、どこかフランク・ロイド・ライトの《ジョンソン・ワックス》の建物を思わせる。しかし、ミースが一九四五年以降に定式化した、直方体、ミニマリズム、総ガラス張り、中央設備方式というオフィス・ビルの定式を脱却した数少ない超高層建築の一つである。

　ここ十年の間に傑出したスペイン建築家で、最も洗練された感覚の持ち主は[70]ホセ・ラファエル・モネオであろう。モネオはデ・ラ・ソータやサネス・デ・オイサの薫陶を受け、さらにヨーン・ウッツォンに師事し、年長のアルバ同様、北欧建築の影響を多分に受けたが、独自のハイブリッドな手法を築き上げた。モネオの最初の作品は一九七七年、マドリッドにラモン・ベスコスの協力をえて完成した煉瓦仕上げの《バンキンター》である。この建物には、アアルト、アスプルンド、ウッツォン、ライトなどの影響が織り込まれている。しかし、さまざまな伝統を新たな形態の中に再統合してみせるモネオの確かな力量が遺憾なく発揮されて、その極致に達したとされるのは、メリダの《ローマ時代美術館》（一九八〇〜八五年）である。この建物では、鉄筋コンクリート造による構造体が、内外にわたってローマ時代のプロポーションをもった煉瓦タイルで被覆されている。この煉瓦タイルによって、メリダの古代、中世の歴史が喚起されることになるのだが、この素材が、煉瓦造の控え壁（バットレス）と一体化されているところは、ペーター・ベーレンスの工場建築を思い起こさせる。この収蔵庫としての美術館は、考古学上の発掘現場に吊り下げられるように造られているから、その煉瓦仕上げの鉄筋コンクリート造のクロスウォールは窓間壁のように繰り返され、古代に造られた基礎構造と無造作に交錯している。その結果、ローマ時代の都市の遺跡は眠りを妨げられ、露呈され、同時に保護されているのである。また、近くにあるローマ時代の劇場や円形劇場とは地下で繋がって、メリダの街並みに沿って軒高を揃えているから、たとい全体の形状が現在のメリダの肌合いに馴染まなくても、これほど文脈的な作品は想像するのも難しいくらいである。

モネオはバルセロナ、マドリッド、さらにはハーヴァードなどで教鞭を執ってきたから、現在までに多くの教え子がいる。その教え子達はそれぞれの歩みを始めたところだが、そ

355　サネス・デ・オイサ「ビルバオ銀行」マドリッド，1971-81年．なお，左手前にあるのはデ・ラ・ソータの1961年の「コレヒオ・マラビラスの体育館」

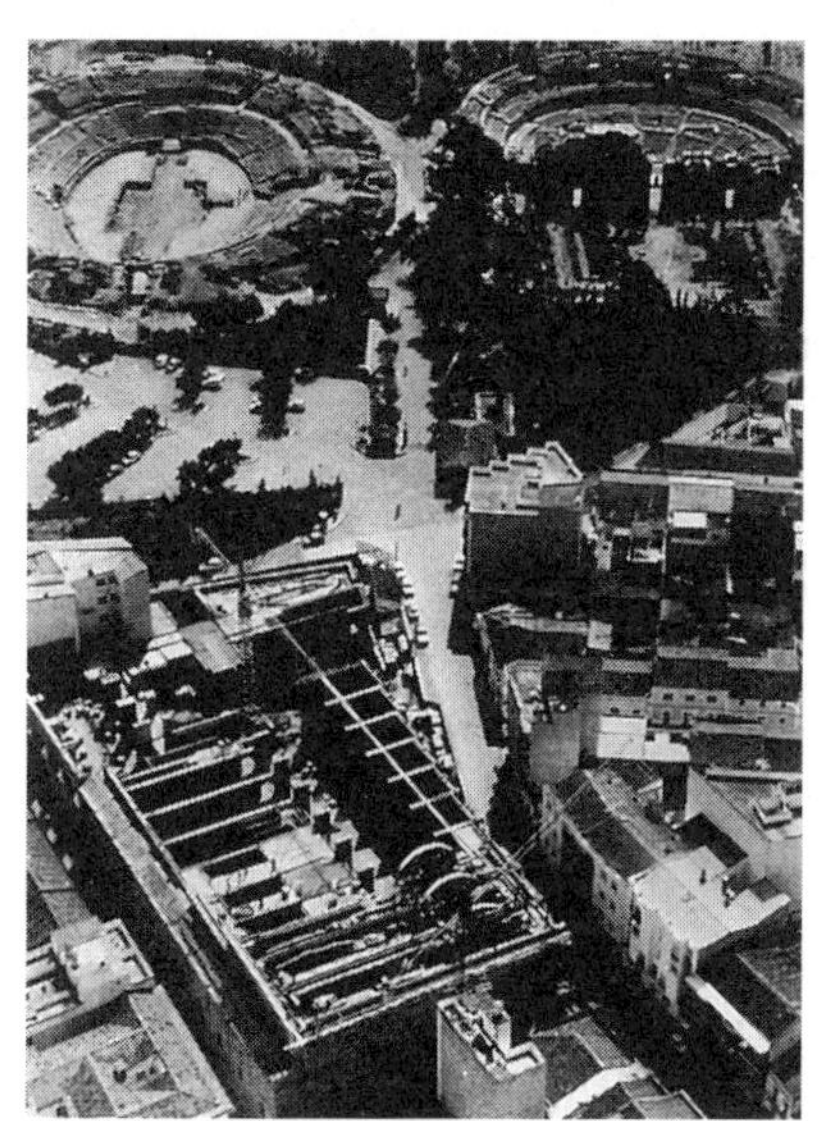
356　モネオ「ローマ時代美術館」メリダ，1980-85年．建物は工事中だが，メリダ市庁舎，ローマ時代の円形劇場や劇場との関係がよく分かる

の中でも特に目立っているのは、セビーリャ在住のアントニオ・クルス、アントニオ・オルティスであろう。二人による最新作には《マドリッドの集合住宅》(一九八九年)や、巨大なスパンを持つセビーリャの《鉄道終着駅》(一九九一年)がある。その他、モネオに影響された作品で重要なものは、ガブリエル・ルイス・カブレロとエンリケ・ペレアのセビーリャの《コレヒオ・デ・アルキテクトス(建築家協会)》(一九八二年)である。この建物は、見方によって、モネオが《バンキンター》で使用した統辞法(シンタックス)を縮小し、再解釈したものになる。

マドリッドでは独立した建物を目標としているように見えるが、「バルセロナ派」は、二つの関連し合う活動領域を目指して集結しているように見える。その一つの活動領域が建築批評である。一九七四年に創刊された雑誌「アルキテクトゥーラ・ビス」の誌上に、その批評は展開されたのである。もう一つの活動は、バルセロナの都市の組成を変革しようとする共同戦線が張られたことである。そのどちらの活動においても、牽引力を発揮したのが不撓不屈の建築家オリオル・ボイガスである。彼は、「バルセロナ建築学校」の教授団からフェデリコ・コレア、マヌエル・デ・ソラ・モラレス、ルイス・ドメネック、エリオ・ピニョン、ラファエル・モネオ、さらには哲学者トマス・ロレンスなどを首脳陣に迎えた。一九七〇年代末になると、こうした人々の関心は、バルセロナの保存や再開発に移り、その結果、一九八二年には「バルセロナ計画案」が公式計画として発表された。

この「再建計画内容」を見ると、次の二つの点がこの計画を特徴づけている。まず、漸進的で断片的な充填(インフィル)方式に基づいて、バルセロナの都市を再生させることを意図している。次に、計画を実施するに当たって、その責任を行政当局に一任するという異例の決定である。これは、一八九〇年に初版が刊行されたヨゼフ・シュトゥーベンの著書『都市建築』の中で提案された原理を、直接に応用したものらしいとはいえ、「バルセロナ計画」の実施に当たっては、これまでに公園を十件以上、主要道路を二本、広場は大小合わせて三十ヵ所以上を実現させているのである。そしてこの中には、エリオ・ピニョンとアルベール・ビアプラーナが、エンリケ・ミラレス、カルメ・ピニョスと共同して、一九八六年に完成させたサンツ駅前の見事にミニマリズム風な広場もある。ここでは、カンディンスキーの「点、線、面」の理論が都市に応用されて、あたかも三次元に展開される物語(ナラティヴ)のように見える。金属パイプによる街灯柱、門柱、腰掛け、キャノピーが連なって、面状の軌跡が形成され、広場の空間を取り囲む無定形な境界を、素材感があるとは言えないものの、そこを補っている。また、敷地に具わるさまざまな方向性を強調するため、各所に注意深く勾配が仕掛けられている。その点、これは、近代スペインの伝統に沿った地形を強調する作品である。もう一

357　ボネルとリウス「自転車競走場」バルセロナ，バル・デブロン，1984年

つの力作といえば、一九七六年、ルイス・ペーニャ・ガンチェグィ[80]とエドゥアルド・チリダ[81]がサン・セバスチアンに建てた《プラザ・デル・テニス》がある。

一九九二年、バルセロナはオリンピック開催地に選ばれたが、それがバルセロナの都市計画の発展に大きな影響を与えた。まず、一万人収容の住居地区が「オリンピック村」として建設された。さらに、同市の北に位置するこの地区から南のモンジュイックの競技施設を結ぶ、南北の海岸道路が建設された。

オリンピック競技施設の設計に際して、多くのカタルーニャの建築家達は、フランスの「偉大な建設者」の伝統に倣ったものと思われる。これは、エスタバン・ボネル[82]とフランチェスコ・リウス[83]による《バダロナのバスケット競技場》（一九九一年）を見れば一目瞭然であり、一九八四年、バル・デブロンに建てられた《自転車競走場》でも明白である。この二つの競技場は、過去五十年間に建てられた最も美しい競技場に数えられることは間違いない。特に、自転車競走場の構想（パルティ）が力強いのは、周囲を囲む円形の純粋な形態と傾斜した競走路が描く楕円形の軌跡との対照の所為である。その他、競走場の機能、規模、材料、構造などが緊密にかみ合っていることである。ここにスペインの近代的伝統の特徴が典型的に見られる。設計者の一人ボネルは、この計画について次のように明言している。

「外周の壁体は、ある高さまでは多孔型煉瓦で造られ、頂部は白いタイルで仕上げられた。壁に明けた小さい孔は、手洗い、バーなど公共施設の通風、換気、照明のためである。一般施設や観客席の床は、人造石と人造花崗岩である。更衣室の仕切壁は鉄筋コンクリート造の無地のブロックである。[…] 素材はそれぞれ固有の論理に合わせて使用した。これは完成したものの視覚的特質を高めるためである。そのため煉瓦の壁体には幾筋もの層があるが、これは同じ種類でも色違いの煉瓦によるものである。鉄筋コンクリートの柱には仮枠の継ぎ目や符丁（マーク）が視覚的興味をそそる要素としてそのまま残してある。」

一九六一年のアントニオ・バスクエス・デ・カストロによるマドリッドの《カーニョ・ロト集合住宅》から始まって、一九七四年にJ・A・コデルクがバルセロナ・サリア地区に実現した都市型の新しい住居棟形式による集合住宅に至るまでの経緯を見れば、一九六〇年代、一九七〇年代、一九八〇年代の公設、私設の集合住宅の計画が、いかにスペインの建築家達に新しい住居形式を開発させたか、また、これまでの家事空間の組織化に発揮された円熟した技術がいかに磨きをかけられたかがよく分かる。イタリアの「傾向派（テンデンツァ）」の建築家による類型学志向のアプローチは、マドリッドの建築雑誌「2Cシウダド（2C都市）」によって換骨奪胎されたが、当時の標準型住居形式の展開に決定的影響を与えたものである。これはフランシスコ・バリオヌエボによる《セビーリャの集合住宅》（一九八〇年）から、エスタニスラオ・ペレス・ピタとジェロニモ・フエンクエラによるマドリッド・パロメラス地区の《高層版状（スラブ）集合住宅》（一九八三年）に至る経過の中に見ることができる。このような合理主義的な範例（パラダイム）の追求は、教育施設にも同様に見られる。例えば、ミゲール・ガライとホセ[84]・イグナシオ・リナザソロによって、一九七八年にフエンテラビアに完成したイカストラ（学校）[85]や、アルベルト・カンポ・バエサがマドリッドに建てたミニマリズムの《コレヒオ・サン・フェルミン》（一九八六年）などがその好例である。とりわけ、《コレヒオ・サン・フェルミン》は、思い返せば、そのミニマリズム的形態といい、光の調節といい、異常なほど安藤忠雄の作品に近いのである。

ここで一言、スペイン全土にわたって浸透している「コレヒオス（協会）」という大時代的名称の古いギルド制度の役割について触れておかなければならない。この制度は、今もスペインにおける建築の職能に対して、他国では考えられないほどの保護を巧妙に与えているのである。スペインでは、いかなる建物も建築家の手を経なければ建てられない。そして、各地域に基盤をおく「コレヒオス」は建設産業全体に対して影響力を発揮している。「コレヒオス」は、建築認可を始め、職能的な活動の料金設定に至るまで、法的決定権を持っている。「コレヒオス」は、建築家に支払われる設計料から一定の手数料を徴収する。こうして「コレヒオス」は、独占的支配体制を確立している。だが同時に、「コレヒオス」は地方の建築文化を、展覧会や講演会を通じて援助している。とりわけ「コレヒオス」直属の雑誌の影響力は大きく、最近のスペイン建築の評論活動やルポルタージュの分野では指導的位置を占めている。バルセロナの雑誌「クァデルンズ・ダルシテクトゥーラ・イ・ウルバニスム（建築と都市のノート）」、マドリッドの雑誌「アルキテクトゥーラ」、バスコ・ナヴァロの雑誌「アルキテクトニカ」などの紙面にはそれが窺える。「コレヒオス」によるこうした教化ならびに薫陶によって、スペインの建築家は確固とした地位を保ってきたのである。それればかりか「コレヒオス」はスペイン建築家達に、近づき難い未来や同じように遠い過去に対して郷愁の眼差しをそそぐのではなく、目の前の現実としての芸術を実践する力を与えているのである。

日本

日本のメガロポリスは、西欧のメガロポリスと同様、混沌として人気（ひとけ）のないところとされているが、この国は一九五七年、丹下健三による《（旧）東京都庁舎》の完成後、数年の間に驚くほど豊かな建築文化を華咲かせたのである。その点、この都庁舎の建物は、第二次世界大戦による荒廃から立ち直るうえで、公共建築建設への嚆矢となった。実際、日本政府は、直接間接に国土再建に目覚ましい役割を果たした。例えば一九四五年、日本住宅公団が発足し、大量の集合住宅の建設が始まった。つい最近では、国家の助成によって大阪湾沖合に国際空港の建設が行われ、レンゾ・ピアノの設計によって新しい空港の建物が完成した。この空港の場合、資金の半分は政府の調達によって賄われ、残りの半分は地方自治体からの出資を仰いだ。これからして分かるように、今や地方自治体の援助は、国家のそれと同様に事業の重要な鍵となっている。《関西国際空港》と同様な事業に、槇文彦の設計による一九八九年の千葉県幕張の《幕張メッセ》や、ウルグアイ出身でニューヨークの建築家[86]ラファエル・ヴィニョリによる《東京国際フォーラム》がある。この二つの建物が建設されるに際して、東京都が財政面で主役を演じたことは特記に値する。こうした時期の公共セクターは、産業界、財界から幾多の委託を受け、支援されていたのである。これは、いかにも父権主義的温情に聞こえるが、西欧に見られるような政府管掌事業に較べれば、はるかに公共性と社会性に富んでいるのである。

日本の建築生産の特質に影響を与えているもう一つの要因として、この国の建設産業の独自性がある。建設産業各社は、自社の技術による生産方式を、合理化された工業方式や、新たに開発された素材や、工法開発のための高度研究などと統合しているのである。多くの企業は、それぞれ独自の建築部門と技術部門を具備している。このような企業中心の「財閥的」方法に対して、イデオロギーのレヴェルで補完作用を果たしているのが、主要大学における活動であり、影響力を持つ雑誌である。「新建築」、「建築文化」、「a＋u」、「テレスコープ」、「GA」、「SD」などがそれである。この国にも、他の先進諸国同様、いわゆる「ポスト・モダン」建築の流行が一時隆盛であった。それは往々にして有害な結果を残したが、それ以上にこの国は優れた基本概念と精巧な仕上げを持つ幾多の建築作品を生みだし、その幾つかは批判的かつ詩的様相を備えているのである。

そうした作品の代表の一つが篠原一男の建築である。彼は常に、国家による規範的様式に対して忌避の姿勢をとり続け、同時に前川國男や丹下健三が進めたネオ・コルビュジエ風の設計にも一定の距離を置き、さらに自らも関わりを持った戦後住宅の日本的伝統復活にも隔たりを保っていた。当時、彼が設計した小住宅は、あまりにも均質で科学技術中心的な社会の、一見平穏な表層の下に潜む混沌と暴力に対する隠喩が込められていたのである。それは安部公房の小説にも比せられるものであった。これまでの篠原の建築作品のうち、最も力強く最も公共性に富む建物は、東京工業大学正門に向かい合った、金属で被覆された同大学《百年記念館》である。この建物は、不協和な形態と自由に採用した既製資材の技術とを併存させるという、篠原独自の手法を集約している。それは、機能主義という近代建築の遺産に対する篠原の過剰なまでに両義的な姿勢の現れである。一九八一年に書かれた彼の論文「建築を目指して」は、その立場を明快に説明している。

「私は米国空軍が誇る戦闘機トムキャットの写真にひどく感心しました。この航空機には、特殊な戦闘能力を発揮させるため、生産段階においてあらゆる技術的、専門的能力が取り入れられているのです。しかし、この戦闘機の立面を見ると、誰もが通常思い描くような滑らかで流れるような形態が欠けているのです。[…] こうした不格好なデザインの例をもう一つ挙げると、それは人を月へ運ぶスペースクラフトです。[…] 機能と形態の一致はもはや絶対的ではありませんが、この価値基準は今も有効です。この半世紀にわたる技術

358　篠原一男「東京工業大学百年記念館」東京, 1988年

359　槇文彦「藤沢体育館」藤沢, 1987年. 競技場断面図

の進歩によって、建築の基本的テーマを成立させていた条件は変化してしまいました。そうして、私は先に挙げた二つの例の中に問題解決の糸口を見出したのです。［…］私の言うアナロジーでは、機械のオブジェは機械そのものではありません。それは機械の一部です。［…］新しい技術の成果には形状の新鮮さがあります。それは形態と機能についてのコンセプトを与えてくれます。一九二〇年代の建築家達は、機械全体をアナロジーとして利用しました。私個人としては、機械の一部を取り上げることにしていますが、それとても視覚的アナロジーではありません。」

　こうしたすぐれて批判的な推進力は、篠原の門下生達、わけても[87]坂本一成、長谷川逸子、伊東豊雄達の進めるハイ・テク美学の根底をなすものである。とりわけ、伊東の《シルヴァー・ハット》と呼ばれる一九八四年の中野の自邸は、中庭をスペース・フレーム（立体骨組）で覆ったものであるが、そこには「ハイ・テクノロジー」と遊牧民の原始的テントへの参照が皮肉（アイロニー）として結びついている。

　こうした皮肉とおよそ無縁な建築作品といえば、槇文彦のそれを措いてはまずないだろう。槇は、その美的関心は措くとして、常に「群造形（グループ・フォーム）」と呼ぶところの都市の可能性に対して関心を示してきた。これについて、彼が一九六四年に書いた論文「集合的形態に関する研究」には次のように記述されている。

「私たちはこれまで建築と都市計画との分離を嘆いてきた。

360　安藤忠雄「水の教会」北海道，1985-88年

361　安藤忠雄「子供の博物館」姫路，1990年

おそらく、かつてのスタティックで権威主義的な方法では、もはや新しい技術の急激な発達や新しい社会組織の火急な要請に対処しきれなくなってしまったのではなかろうか。[…]個々の建物をスタティックに構成したところで、それらは、ただ「都市」という大きな組織の中に組み込まれるだけである。それに対して、「群造形」の生き生きとしたイメージは、個々の構成要素がダイナミックに平衡状態を保っているところから生ずるのである。決して、スタイルとして完成したオブジェによって構成されたものから生まれるのではない。」

もちろん、槇文彦の「メタボリック」な都市形態論は、「チームX（テン）」の言う構造主義やいわゆる「メタボリズム」運動そのものに負うところは大きいが、彼の言う形態の断片化という概念に見られる特異な統辞法（シンタックス）は、最近の分析によれば、ハーヴァード大学大学院に由来するものである。槇文彦は、一九六四年から一九六八年まで、同大学院に学生および教師として滞在していたのであった。こうした方法論についての背景や関連性を考えれば、槇文彦が一九七二年の《ペルー、リマの集合住宅》の集積的形態から、一九八五年の東京、青山に建てたワコール・メディア・センター《スパイラル》の立体主義風コラージュへと無理なく推移していった経路が理解できる。

しかし一九八〇年代になると、槇文彦は建築の手法を大きく転換する。彼は、一九六六年から一九七九年にかけて完成した、一連の《ヒルサイド・テラス・アパートメント》に見られる幾分装飾的な統辞法から、一九八七年の《藤沢体育館》や一九八九年の《幕張メッセ》など、かつてない構造的大胆さへと移行していく。槇は、《藤沢体育館》の場合、丹下健三の《代々木国立競技場》というモデルから離れて、大仰な輪郭を描く基礎構造の上に、薄い鱗状の金属片で葺いたシェル形式の長大なスパンの屋根を架けるため、金属のトラスの架構とステンレス・スティールの薄板へ移ったのである。サージ・ララットが指摘しているように、この軽量シェルの形式は内部に明るい空間を生み出している。

「大屋根のヴォールトの下はスパン八十メートルの無柱空間である。H型鋼の大梁が厚さ〇・四ミリのステンレス・スティールの被膜を支えている。内部は巨大なアリーナであり[…]壁面は建物の中心部から後退し、そのため、広がりのある内部となっている。四本の、軽くて、緊張した、ダイナミックな帯が、主要ホールの被膜を、それぞれ独立した湾曲面に切り分けているが、その連続している様相が空間を大きくし、広げているのである。」

槇文彦の言う細片化（フラグメンタリー）の美学は、現在、二つの方向を示している。その二つが相互に補完しあうことは言うまでもない。その一つは、薄い金属皮膜によって包み込まれた簡潔な直方体の空間である。例えば、一九九〇年に東京、青山に建てられた《テピア》に見られるように、金属皮膜は物質感を消失し、紙のように極限まで薄くなり、ルーヴァーやグリッド状の生地（マトリックス）に生かされている。もう一つは、金属膜による多面体のシェル形式である。これは、いかなる東洋の特殊な前例よりもゴシックの伝統に通ずるという逆説を感じさせる。

今日、日本を代表するもう一人の建築家といえば、紛れもなく安藤忠雄である。彼のランドスケープ・デザインを加味した最新作は、間違いなく一九八〇年代を代表するものである。とりわけ、一九八五年から八八年にかけて北海道、夕張に建てられた《水の教会》と兵庫県、姫路に一九九〇年に完成した《子供の博物館》は、その好例である。安藤の発想については、すでに第Ⅲ部第五章「批判的地域主義」で詳述したが、これら最新作では、安藤の作品に欠かせない無地のコンクリート壁が、記念性（モニュメンタリティー）のある公共建築と隣接する周囲の状況との結びつきに一役買っている。同時に、日本古来の「借景」の手法を用いて、前景を遠景へと繋げるのに役立っている。教会も、博物館も、広々とした湖に向かって開かれ、湖水の面は、幾つもある浅い堰を越えて下ってゆく流れによって絶えず揺れ動いている。これらの作品から考えられるのが、日本古来の「奥」という思想である。「奥」とは祝い事のための敷地が延々と遠くまで連なっているさまを意味するが、それはちょうど、古来の「床の間」や鎮守の社が幾つもの祠や鳥居を経て、浄域の山頂に達するのに譬えられる。《水の教会》に見られる構築的な特徴、例えば引き込み可能な壁、独立した十字架、建物を映す水などは、間違いなく「奥」の感覚を抱かせるし、その結果、建物という人工物が、周囲の自然環境の中へと神秘的なまでに溶け込んでいる。一九八九年、安藤はそれを次のように書いている。「私が目指したのは、これまでのように自然と対話することではない。むしろ建築によって自然の意味を変えることである。その時には、人間は自然との新しい関係を見出すことになるだろうと信じている。」

あとがき

人間的、経済的かつ生態的観点からすれば、現在、目の当たりにしている無計画な宅地開発、無作為、不経済な土地細分割、歓楽街、商店街、果ては都市スプロールのため毎年潰される広大な風景ほど、自然との新しい関係をいっそう必要とする領域はないだろう。低層高密度という発想は、二十世紀後期の非都市住宅開発のための望ましいモデルとして広く認められてきたのは事実だが、この原理に基づいて実現された住居形態は殆どないに等しい。今となっては考え難いことだが、この「低層高密度」[2]という原理は、四半世紀以前、一九六三年に出版されたサージ・チェルマイエフ[1]とクリストファー・アレギザンダー共著の『コミュニティーとプライヴァシー』において、新資本主義（ネオ・キャピタリズム）下の都市開発の改良のための戦略として最初に提起され、当時から喧伝されたものであった。しかも、その後の急激な土地投機や自動車所有の世界的普及によって生じた環境公害に対しては、有効な立法措置がまったく行われなかったのである。

　低層高密度の集合住宅が実用的で、甚だ住み易いということは一九五〇年代以降、数多くの事例によって充分過ぎるくらい証明済みである。その最も有名な実例が、一九六〇年、スイス、ベルンに「アトリエ5（フンフ）」[3]の設計によって建設された《ハーレンのジードルング》である。さらに、後年、同じ「アトリエ5」によって建設された《タルマットのジードルング》（一九八五年）である。これらはいずれも協同組合（コーポラティヴ）方式によるものだが、この方式を漸進的に進めていくのは、なにもスイスに限ったことではない。オーストリアでは、ローラント・ライナー[4]の設計によってリンツ近傍のプヒナウに一九六九年から一九七八年にかけて、二期に分かれて、田園都市が建設された。また、ニーヴ・ブラウンが一九七五年、ロンドンの都心に設計した《フリート・ロード団地》は模範的なものであった。それとは対照的に、都心を離れた場所で、絨毯状に土地に密着した伝統的低層集合住宅の例としては、イランのカムラン・ディバが設計、建設した《シュシャタール・ニュータウン》(一九七八年)がある。一九八三年、安藤忠雄が神戸に建てた《六甲ハウジング》もその一つであろう。[5]さらに最近の例としては、アルヴァロ・シザが一九七五年から一九八九年にかけて、ポルトガルのエヴォラに「飛び地」として設計、建設した一連の二階建て集合住宅、《マラギエラ団地》があり、今後の展開が期待される。

これとは別に、現在世界で同時多発している現象は都市化である。二〇〇〇年には人口一千万人の都市は五十以上だろうと言われる。しかも、その三分の二が第三世界の中にあるという。このような大都市爆発という終末論的展望が示される時、現時点に最も適切な解決を与える建築の論議などはひ弱で、無力なものでしかないだろう。それは熱帯雨林やオゾン層の破壊や枯渇に対して、消極的な生態学的対策しか打ち出せないのと似ている。残念ながら、こうした都市人口の推移、激増に対して建設産業も建築の職能も打つ手がないと言わざるをえない。

もしも建築の永続性が相対的でしかないとするならば、建築は与えられた歴史的瞬間に存在するしかないだろう。他にいかなる選択肢があるだろうか。つまり、現世を実現することが建築の課題なのである。これは建築の目的が啓蒙主義思想による理想の投影ではなくなるということである。とは言え、それは居住可能な場所を具体化するものでなければならない。現在の社会では、われわれは心身ともに消費主義に束縛されているから、安定した生態的存続を図るには、不連続な「飛び地」を戦略とするほかないだろう。それは、特定の文化的かつ生態的共有状態を作りだし、そこを周囲の混沌とした状況に対する局所的抵抗の拠点とすることである。

ある一定の文化的目的を持った「定形」都市はもはや失われた。これは疑いもなく前衛思想の溶解を意味する。そしてまた、建築が地球的な規模ではとても介在できないことを説明する。われわれにはもはや明確に規定された都市領域を実現することはできない。そのため取り残された空隙も、かつて明確に規定された都市領域が体現していた制度も、比較的最近まで、操作中心計画の楽天的な幻想によってわれわれの目には触れなかったのである。操作中心計画(オペレーショナル・プランニング)とは、擬似的な実証主義的原理であって、消費経済を左右するうえで効果があるのは、間違いなく文化形式に対して無関心だからである。それとは反対に、都市の飛び地は、実践としての都市計画が破産した現在、可能性を秘めた代替戦略として見られている。

とは言え、飛び地は、建築が文脈の全体に対する連続性と深い関係性を維持していくうえで、建築自体を保持する必要が生じた時にはじめて可能性のある「what」となるのである。建築のすべての実践にとって有効な一般的方法を獲得するには、「how」の問題が、「what」の問題と対等に設定されなければならない。かつてハンス・ゼードルマイヤー[6]が指摘したように、場所と生産とが融合して、われわれにアイデンティティーを与えてくれる本当の特性が生まれる瞬間が存在するのである。クリスチャン・ノルベルク・シュルツ[7]は、ポルトゲージとジリオッティの作品に関する著書『失われし建築を求めて』(一九七五年)の中で、次のように述べている。

「空間の組織化については別段、技術的な説明に言及せずとも納得がゆくだろう。しかし空間の特性となると、作るという過程に触れずにはまず説明できない。これがミース・ファン・デル・ローエの有名な言葉「神はディテールにあり」の本当の意味である。最近百年の技術革命は単なる技術の革命ではない。事実、近代的科学技術は定量的、経済的問題解決に役立つだけではなく、それが正しく理解されるならば、われわれの環境の特徴となった歴史主義的形態の価値の低いモティーフに代わって、われわれの環境を真実の場所とする助けとなるので

362 アトリエ5「ハーレンのジードルング」ベルン, 1960年

はないか。」

写真製版が建築に掛けたヴェールは無色透明とは言い難い。高速写真製版による複製過程は記号の経済学である。そればかりか、狡猾陰険な濾過装置である。このため、感触に富んだわれわれの環境は手応えを失いがちになる。だから、近代の多くの建物を実際に体験してみると、その写真写りのよい特徴は、貧しくて粗雑なディテールによって否定されてしまう。再三、繰り返すが、建築の構造でも形態でも、高価でこれ見よがしのものは、親近感を喪失させるだけである。ハイデッガーは、それを「近傍性(ニアネス)」(8)の喪失であるとした。近代の建築作品の中で、選り抜きの構築性による抑揚が、全体を統率する上向きの力としてではなく、分節化(アーティキュレート)された感性の下向きの変化として、構造体の奥底まで浸透している例に出会うのは、何と稀なことであろうか。しかし、近代社会がこうした変化に対する能力を今なお保持していることは、アルヴァ・アアルトの優れた作品を見れば、得心できるだろう。こうした視座に立つと、建築という芸術は、イグナーシ・デ・ソラ・モラレスが言うように、(9)一種の「現実留保」となる。そこは人間が、今なお、物質的そして精神的休息を見出すことができる場所である。そこは科学技術中心主義の近代化の破壊的攻撃に対して「他者」として踏み止まることができる「飛び地」なのである。

日本語版へのあとがき

本書第三版の最終章は「世界建築と反映としての実践」と題されている。私はその最終章で、日本を現代建築の向上に寄与した四ヵ国の一つとして選んでいる。それら四ヵ国には、国際的に知られた「スター」建築家達がいるが、同時に数多くの建築家達が広い領域にわたって質の高い建築を設計し、実現しているのである。フランス、フィンランド、スペインは異例なほどの建築家の層の厚さを見せているが、日本もまた、第二次世界大戦後の厳しい経済的危機に曝されながらも、十分な財政的背景をもって巧妙に設計された建物が陸続と発注されて、広く社会的効用を果たしたのである。

こうした文脈の中では誰もが谷口吉生[1]の優れた作品を思い浮かべるに違いない。だが、まことに残念ながら本書の中では彼については一言半句の言及もないのである。これは何とも恥ずかしい失策である。谷口が極めて繊細な感覚を具えた建築家の一人であり、いかなる場所においてもそれを発揮させていることは、今や議論の余地はない。その作品は、構築的な高潔さと明快な形態の持つ強靭さとが結びついて、谷口を別格の建築家にしているのである。一九九二年の《慶応義塾湘南藤沢校舎》のように見事な設計によって完成した高等学校を誰が予測できただろうか？さらに言えば、一九九一年の《酒田市国体記念体育館》のような静寂の中にも信頼感を抱かせる建物を、そこより他の何処に見出せようか？　こうした谷口の希有な才能の発露は近頃のことであるとしても、一九八三年の《土門拳記念館》は、その時点ですでに彼の進むべき方向性を示していたと断言できるだろう。いずれにしても、こうした隠れた才能が思いがけず現れるという現象は、私が提起している問題点そのものなのである。すなわち、国際的な流行などに左右されることなく、個人の創造力を真に発揮させるのは集合的文化なのである。

現在までを含めた「近代運動」の総合的解説を記述することは易しいことではない。なぜなら、あまりにも生々しい瞬間に近づき過ぎるからである。そういう状況の中での判断は臆断や独断になりやすい。たといそうした問題に慣れているとしても、バランスのとれた判断を下すことは難しい。なぜなら、判断とは選ぶことでなくてはならないし、同時に批判的でなくてはならないからである。そして、そうなった時、初めて判断は実効性を持つことになるのである。そこには特定の価値観、特定の考え方が選ばれているのである。歴史家E・H・カーが述べているように、各時代はそれぞれの歴史を書くものである。すなわち、各時代はそれぞれが進むべき過程のモデルを構築するために、それぞれの歴史が必要なのである。

それにも拘わらず、否、それだからこそ、私も原書の出版社も本書の改訂版を出版しないことにしたのである。ただここで一言だけ申し添えたい。現在われわれが必要としているのは気の抜けた解説を付け加えることではなく、むしろ間近に焦点を合わせて新しい切り口で時間を切断してみせることである。ここ三十年間に次々に生じた信じがたいような様々な展開を考察することである。例えばそれは一九六八年の学生運動から始まり、何は措いても、もはや動かし難いポスト・モダンの状況へと続いてくるだろう。それどころか《世界貿易センタービル》の悲劇的崩壊という結果までも含まれることになるだろう。

二〇〇一年　ニューヨーク

ケネス・フランプトン

訳者あとがき

本書はKenneth Frampton著『Modern Architecture : A Critical History』Third Edition, Revised and Enlarged, Thames and Hudson, 1992の全訳である。同書は英国のテームズ・アンド・ハドソン社の美術書シリーズ「ワールド・オヴ・アート」の一冊として刊行されたものである。このシリーズは専門家よりも一般人を読者とした教養書ないしは解説書であって、厳密な意味での学術書ではない。しかし著者の言葉にもあるように、学生の読者の要望に応えて第二版、第三版が刊行されたことを考慮に入れ、更に今回、出版社の要望によって書名を『現代建築史』としたこともあって、本書巻末にかなり詳細な訳注をつけて多くの読者の参考にした。

著者ケネス・フランプトンは、我が国では翻訳書や雑誌掲載論文などによってよく知られた建築史家、建築評論家である。フランプトンは一九三〇年、英国サリー州ウォーキングに生まれ、ギルフォード美術学校、ロンドンのアーキテクチュラル・アソシエーション・スクール・オヴ・アーキテクチャー（AAスクール）に学んだ。同校ではマックスウェル・フライ、ジェーン・ドゥルーに就いた。卒業後はイスラエルに渡ったこともあるが、その後はミドルセックス州議会、ロンドンのダグラス・スティーヴンズ建築設計事務所で建築家として働いた。一九六一年からロイヤル・カレッジ・オヴ・アートやAAスクールで講師（テューター）となった。さらに三年間、雑誌「アーキテクチュラル・デザイン（AD）」のテクニカル・エディターになった。一九六五年にアメリカに渡り、一九六四年から七二年までプリンストン大学で教えた。また七四年から七七年までロンドンのロイヤル・カレッジ・オヴ・アートで教えたが、それ以降はコロンビア大学にあり、一九九三年からは同大学大学院の博士課程の責任者である。

フランプトンの評論活動は一九六〇年から始まった。最初の執筆は雑誌「AD」に掲載された「デ・スタイル」の書評であった。それ以後、彼の執筆活動は質、量ともに急速度に向上した。現在までに執筆された論文数の正確な数字は判らないが、判明しているだけでも三百編は下らない。だが重要なのは論文数もさることながら、その主題が広範囲にわたっていることである。そしてこの膨大な論文が本書『現代建築史』となって結晶化したのである。それらの論文は建築作品論、建築家論、建築時評、歴史解説、提言、書評などさまざまな表現形式をとりながら、アメリカ、英国、ドイツ、イタリア、フランス、スペイン、フィンランド、ギリシア、日本、南アメリカ等世界各国の雑誌に掲載されたのである。それらの論文の主題は必ずしも一つの方向性を示すものでもなく、コンテクストを形成してもいないが、執筆年代と主題とを見ると、フランプトンがいかに時代の動向に敏感に反応していたかが判る。六八年当時は「構成主義」、「エル・リシツキー」、「ソヴィエト都市計画」、「失われたアヴァンギャルド」を取り上げ、早くも「労働、仕事、建築」の主題を提示している。また、七〇年代になると「産業化の進行と建築の危機」や「場所、生産、実体」、さらには「根付くことの必要」という主題もすでに取り上げている。こうした論文の主題や題名は本書に生かされることになるのである。またフランプトンが取り上げた建築家達は、すでに巨匠となったル・コルビュジエ、ミース・ファン・デル・ローエ、フランク・ロイド・ライトばかりではなかった。ニューヨーク・ファイヴ、シーザー・ペリ、マリオ・ボッタ、アルヴァロ・シザ、チャールズ・コレア、リチャード・マイヤー、アルベルト・カンポ・バエサ、ハリー・ウルフ、安藤忠雄、ジーノ・ヴァッレ、スティーヴン・ホール、ザハ・ハディッド達がぬかりなく取り上げられているのである。その全員の名を挙げれば現代建築家のリストができるほどである。こうした彼のジャーナリスティックな反応が、本書では鋭敏にして犀利なアンテナとなって批評精神を縦横に発揮、躍動させている。

おそらくフランプトンほど世界の建築の動向に通じた者はいないだろう。彼とよく比較されるアメリカ生まれの建築歴史家にして批評家のチャールズ・ジェンクスでさえこれほどのネットワークは持っていないだろう。これは二人の執筆文献目録を見ればよくわかる。こうしたフランプトンの評論活動にとって見逃すことのできない存在にニューヨークの「都市建築研究所（IAUS：インスティテュート・フォー・アーキテクチャー・アンド・アーバン・スタディーズ）」がある。この組織は、一九六七年のニューヨーク近代美術館の展覧会「ザ・ニュー・シティー」を機に生まれた「建築、都市計画、都市デザインの領域における独立した研究、デザイン、教育機関」であった。建築学科学生、大学院生、それらの卒業生を対象にした講習会、講演会、展覧会、出版活動を精力的に展開し、七〇年代、八〇年代の世界の建築に大きな影響を及ぼしたのである。

この機関には中核として六人のフェローがいたが、その中にピーター・アイゼンマンとケネス・フランプトンがいたのである。当時、「五十三丁目」（の近代美術館）と「四十丁目」（のＩＡＵＳ）の対決などと言われたものだが、それくらい近代美術館の保守性とＩＡＵＳの進歩性とは対照的だったのである。それがはっきりと示されたのはＩＡＵＳの機関誌「OPPOSITIONS」である。七三年に第一号が出版されたが、その編集はケネス・フランプトン、ピーター・アイゼンマン、マリオ・ガンデルソナスである。この雑誌は八四年、第二十六号で休刊するのだが、フランプトンが編集に関係していたのは第二十五号までである。そして「OPPOSITIONS」の第一号、三号、四号、六号、八号、十号、十二号、十五号、十六号、十九号、二十号、二十二号とほぼ連続して論文を執筆している。主題は「産業化の進行と建築の危機」、「アプロポス・ウルム」、「ハイデッガーに就いて」、「ソヴィエトの都市計画」、「第三帝国の建築」、「ル・コルビュジエとエスプリ・ヌーヴォー」、「輝く都市の隆盛と衰亡」、「ルイス・カーンとフレンチ・コネクション」である。これらの主題を繋いで行けば、それはまさしく本書『現代建築史』の歴史的コンテクストを形作っているのである。フランプトンはＩＡＵＳに依ったアメリカ建築家達との交流の中でその批評精神を先鋭化していったのである。このように本書は、フランプトンが二十年、三十年、四十年にわたって現代という状況が提示する問題と切り結んできた批評活動の記録である。時流に与することなく建築の本源的あり方を守るための抵抗の証しなのである。本書は三部に分かれて、近代建築前史から近代建築史を経て現代建築史へ至る通時的文脈が与えられているが、その各章はフランプトンがそれぞれの主題に向けて放った現代史観の投射の構図なのである。

蛇足を加えるならば、フランプトンはＩＡＵＳとの関係を一九八三年で断つことになる。詳しい事情はここでは述べないが、その時点から彼の評論には建築の構築性、実体性、場所性の強調、そして、周縁的言説としての建築に対する批判性、記号論的構造化への拒否性が色濃く映し出されるようになる。そして世間には「ガラス張りの不可視性」を打ち出した高層ビルが都市景観を圧倒するようになったのである。

今を去ること三十数年以前、著者と訳者は執筆者と編集者としてロンドン、ニューヨーク、ベルリン、チューリッヒ、コペンハーゲン、東京などで頻繁に話し合った。われわれの話題は建築、映画、文学、ファッション、食事、女性――。あの頃は建築のディテールがよく見えた。テクスチャーが感じられた。それらを通して人々が集まり、都市の生活があった。建築も都市も構築的で、可触的で、有形的で、場所的であった。

建築の職能は受け継ぎ、受け継がれていた。彼はよく話しながら絵を描いて説明したものだった——。

本書は一九八七年、第二版を底本として雑誌「a+u」に掲載された。今回単行本として出版することになって旧訳を破棄し、全面的に翻訳し直した。訳注も大幅に追加した。

著者と単行本としての出版を約束しながら十数年が経ってしまった。ようやく約束が果たせることになってほっとしている。さらに著者は日本語版への「序文」ばかりか「あとがき」まで書いてくれた。また青土社の水木康文さんは辛抱強く原稿を待ってくださった。訳者の姪でフリーの編集者である石田晶子は旧訳を原書と照合して誤訳、悪訳を指摘し、人名、地名、訳注の検証を果たしてくれた。三人に厚くお礼を申し上げたい。

中村　敏男

二〇〇二年十一月

▼K・フランプトン著作一覧覚書

Modern Architecture: A Critical History
Studies in Tectonic Culture: The Poetics of Construction in Nineteenth and Twentieth Century Architecture
Le Corbusier: Architecture of the Twentieth Century
Alvaro Siza: The Complete Works
American Masterworks: The Twentieth Century House
Calatrava Bridges
Richard Meier: Architect Vol 1
Richard Meier: Architect Vol 2
Richard Meier: Architect Vol 3
Tadao Ando: Light and Water
Labour, Work and Architecture: Collected Essays on Architecture and Design

訳注

▼序章

(1) Walter Benjamin (1892-1940) ドイツの思想家。ベルリン、フライブルク大学で哲学を学び、その後、M・ホルクハイマー、T・W・アドルノ、H・マルクーゼ等と親交を結ぶ。フランクフルト社会科学研究所の所長となるが、ナチスに追われてフランスに亡命。その後服毒自殺。

(2) Marco Vitruvius Pollio 紀元前四六～三〇年頃に活躍したローマの建築家。その後ルネッサンス期以降、理論家として大きな影響を与えた。『建築十書』を著した。

(3) Claude Perrault (1613-1688) 職業は医師だが、素人建築家として活躍し、ウィトルウィウスを翻訳、出版した。著書に『五種類の円柱の構成』がある。

▼第I部 第1章

(1) Jean Starobinski (1920-) スイスの批評家・歴史家。ジュネーヴ大学卒業。ジョンズ・ホプキンス大学、ジュネーヴ大学教授。

(2) Grand Tour かつて英米の上流社会は子弟の教育の仕上げとしてフランス、イタリアなどの大都市を旅行させた。

(3) Julien David Leroy (1724-1803) フランスの建築史家。イタリアに留学。ギリシアを旅行し、古代遺跡の実測図面を出版した。

(4) James Stuart (1713-1788) ヨーロッパで初めてのギリシア・リヴァイヴァルの建物、ハレグイ公園にドリス式神殿を建てた。

(5) Nicholas Revett (1720-1804) 英国の画家。ローマに留学し、スチュアートと共同で古代遺跡を実測。

(6) Robert Adam (1728-1792) 十八世紀最大の英国の建築家。父、兄弟とも建築家。その作品は室内装飾、改築、宮殿風住宅のほか、大学、城館など多方面にわたっているが、とくに室内設計にすぐれていた。

(7) Charles-Louis Clérisseau (1721-1820) フランス新古典主義の建築家。ボフランに学び、ローマ賞受賞。

(8) Giovanni Battista Piranesi (1720-1778) イタリアの建築理論家、版画家。新古典主義、ロマン主義の発展に影響を与えた。

(9) Edmund Burke (1729-1797) 英国の政治家、著述家。『美と崇高に就いて』『フランス革命論』の著作が有名。

(10) Manfredo Tafuri (1935-1994) イタリアの建築史家。ヴェネチア建築大学教授。ルネッサンス建築、現代建築に造詣が深く、多くの著作がある。著書に『建築とユートピア』(原題「プロジェクトとユートピア」)、『建築の理論と歴史』、『球と迷宮』など多数。

(11) Palladianism パラディオの建築や著作から派生した様式。ヨーロッパ、アメリカにもパラディオ・リヴァイヴァルは広まった。Andrea Palladio (1508-1580) はイタリア最大の建築家の一人。パドヴァに生まれ、ヴィチェンツァのジョルジォ・トリッシーノの薫陶を受ける。ローマ滞在後、住宅建築の設計を始め、別荘、神殿なども設計した。パラッツォ・キエリカーティ、ヴィラ・カプラなどが有名。『建築四書』を出版した。

(12) 3rd Earl of Burlington, Richard Boyle (1694-1753) 英国パラディオ主義のパトロン。建築家。コリン・キャンベル、ウィリアム・ケント等と交わり、厳格なパラディオ主義を確立し大きな影響を与えたが、一方自らも幾つかの作品を手がけた。

(13) Nicholas Hawksmoor (1661-1736) 英国バロックの建築家。十八歳からクリストファー・レンの書記となり、レンの死に至るまで共同した。

(14) George Dance Jr. (1741-1825) 父ジョージ・ダンス一世も建築家。独創的かつ進歩的新古典主義の建築家で、フランスのルドゥーやブレと比較される。

（15）Robert Morris (1701-1754)　建築理論の著述家。トマス・ジェファーソンに影響を与えたといわれる。

（16）John Soane, Sir (1753-1837)　ヴァンブラ（十七世紀、英国バロックの建築家として名を成した）以後の最も独創的建築家。新古典主義的、ロマン主義的で、ピクチャレスクな作風をもち、現在サー・ジョン・ソーン博物館になっているリンカンズ・イン・フィールズ十三番地は有名。

（17）Thomas Hope (1769-1831)　アムステルダム生まれの英国のパトロン。

（18）'Style Empire'　ナポレオンの第一帝政期（一八〇四～一四年）から十六年間ほど流行した室内装飾、家具、服飾のスタイル。古典主義的だがエジプト、トルコの装飾様式も取り入れた。

（19）Charles Percier (1764-1838)　フランスの建築家。ナポレオン時代の指導的建築家で、帝冠様式の創設者。フォンテーヌの共同者。

（20）Pierre François Léonard Fontaine (1762-1853)　フランスの建築家。三代にわたる建築家の家系に生まれ、ナポレオンの庇護下でペルシエとともに帝冠様式を作った。

（21）Jean Louis de Cordemoy　生年没年とも不詳だが、哲学者 Gérauld de Cordemoy (1626-1684) の第五子であることは確かである。新古典主義の理論家だが本来は聖職者。

（22）Jacques-François Blondel (1705-1774)　建築家としてよりも理論家、著述家として知られる。パリにみずから建築学校を設立するが、後に王立建築アカデミーの教授となる。フランスの伝統を尊重して新古典主義の確立に尽くした。

（23）Marc-Antoine Laugier (1713-1769)　ジェスイット派の僧侶にして、新古典主義建築の理論家。『建築試論』の著作がある。

（24）articulation　形態の表面が形状や体積を規定する際の組立。

（25）Jacques-Germain Soufflot (1713-1780)　フランス最高の新古典主義建築家。長らくローマにあって研究し、帰国後リヨンの病院設計により名声を博し、ポンパドゥール夫人に重用され、建築総監に任ぜられた。

（26）Etienne-Louis Boullée (1728-1799)　フランスの新古典主義の指導的建築家。殆ど作品を残さなかったが、ルドゥーよりも大きな影響力をもったと言われる。ニュートン記念堂計画案の抽象的、幾何学的外観は彼の誇大妄想狂的特徴をよく示している。

（27）Jacques Gondoin (1737-1818)　フランスの新古典主義の建築家。ブロンデルの門下。パリの医学校がとくに有名だが、大革命により没落し、帝政時代になって復活し、ヴァンドーム広場の円柱を設計した。

（28）Pierre Patte (1723-1814)　フランスの建築家、著述家。M・カミュに就いて建築を学んだが、批評家、編集者として名を成した。多くの編著があるが、なかでも有名なのはフランソワ・ブロンデルの「建築論」である。

（29）Marie-Joseph Peyre　フランスの兄弟建築家の兄。十八世紀に活躍、『建築論』の著作がある。弟は Antoine-Marie。

（30）Jean Baptiste Rondelet (1743-1829)　フランスの建築家。石工の子としてリヨンに生まれ、パリに出てブロンデルの下に学ぶ。のちJ・G・スフローの下で聖ジュヌヴィエーヴ教会の設計に加わる。エコール・ポリテクニークを創設した。

（31）Claude-Nicolas Ledoux (1736-1806)　ブロンデル門下の、新古典主義建築家の代表。マダム・デュ・バリーの庇護の下に多彩多作の流行建築家となり、創造力の独創性を発揮したが、その後、王立アカデミーの建築家となった。ブザンソンの劇場、アルク・エ・スナンの製塩工場、「理想都市」計画、パリ通行税徴収事務所などは現在においても影響力を持つ。大革命の発生によって投獄。

（32）Nicolas Le Camus de Mézières (1721-1789)　フランスの建築家。主として上流階級の邸宅を設計した。

（33）Morelly　十八世紀フランスの思想家。経歴は不明だが、道徳哲学、社会政策についての著述がある。

（34）Jean-Nicolas-Louis Durand (1760-1834)　ブレとペロネの下に学んだが、殆ど設計はせず、建築理論家として活躍。大革命の期間は祭典用の装飾の仕事に従事し、一七九五年、エコール・ポリテクニークの建築学教授となり、三十五年間勤めた。

（35）Pacifère　古代ローマ時代、権威の徽章とされた棒を束ねたもので、中に斧があって刃が突き出している。

（36）Oikema　住宅、住居、寺院、牢獄を意味するギリシア語から派生した造語。ここでは快楽の館を意味する。

（37）Kulturnation　十八世紀の哲学者ヘルダーによる言葉。共通の文化を国家の統一的基盤とした。

（38）Karl Gotthard Langhans (1732-1808)　ドイツの新古典主義建築家。ベル

リンのブランデンブルク門が有名。

（39）Friedrich Gilly (1772-1800)　父ダヴィッド・ジリーも建築家。新古典主義に基づいているが、ゴシックにも関心をもち、独創的で、厳正な作風をもっていた。後年建築アカデミーの教授となった。その影響は現在にも及んでいる。

（40）Strum und Drang　一七七〇年代のドイツ文学革命運動ならびにその流派。理性よりも感情の表現を尊重し、個性としての天才を尊重した。

（41）Friedrich Weinbrenner (1766-1826)　ドイツの新古典主義建築家。カールスルーエの都市計画を立てた。

（42）Karl Friedrich Schinkel (1781-1841)　ドイツ最大の建築家。ジリーに学ぶ。最初、画家として出発し、舞台装置を経て建築に転じた。ベルリンの新衛兵詰所、古代美術館、劇場などが有名。

（43）Pierre-François-Henri Labrouste (1801-1875)　フランスの合理主義建築家。ローマ賞受賞後、留学。帰国後は私塾を開いて合理主義を喧伝。

（44）Leon Vaudoyer (1803-1872)　四代にわたるフランスの建築家。父は軍事施設が専門、レオンはローマ留学。マルセイユ大聖堂が有名。他に著作がある。

（45）Prix de Rome　フランスで毎年絵画、版画、彫刻、建築、音楽のコンクールの各部門で最優秀と認められた生徒を、政府の費用でローマのヴィラ・メディチに四年間留学させるための賞。一六六六年、アカデミーの創設とともに始まった。各国でも同様の制度がある。

（46）Jakob Ignaz Hittorff (1792-1867)　ドイツ生まれのフランスの建築家。ギリシア建築に多彩装飾が施されていたことを発見した。

（47）vault　石や煉瓦のアーチで構築された天井や屋根。アーチ arch は出入口や窓などの上を石や煉瓦によって半円形に積み上げ、その上部の荷重を支える構造。ドーム dome は円形の平面の上に構築された半球状の屋根。

（48）Sydney Smirke (1798-1877)　英国の兄弟建築家の弟。

（49）Robert Smirke, Sir (1780-1867)　シドニーの兄。ギリシア・リヴァイヴァルの建築家。父は王立美術院会員の画家。大英博物館が特に有名。

（50）Emile Jacques Gilbert (1793-1874)　フランスの建築家。ローマ留学当時、ラブルーストと会う。

（51）François Duqesney　フランスの建築家。パリ北駅を手本として東駅を設計。

（52）Charles Robert Cockerell (1788-1863)　親子二代の英国建築家。ギリシア、イタリア等を旅行して遺跡を発見した。後年、王立アカデミーの教授となる。

（53）Leo von Klenze (1784-1864)　ドイツの建築家。ジリー、デュラン、ペルシエに学んだ。ミュンヘンの彫刻館が有名。

（54）Auguste Choisy (1841-1904)　フランスの技術者、探検家、教育者。エコール・ポリテクニーク、エコール・デ・ポン・ゼ・ショッセに学ぶ。土木局に勤務、その後はエコール・ポリテクニークで建築史を講じた。多くの著作がある。

（55）Julien Guadet (1834-1908)　フランスの建築家。パリのエコール・デ・ボザールでアンリ・ラブルーストとジュール・アンドレに就く。ガルニエの下で「パリ・オペラ座」の設計をする。ローマ賞受賞。三十八歳で母校の教授となる。『建築の要素と理論』全五巻はエコール・デ・ボザールの教科書としてのみならず広く影響を与えた。

▼第I部　第2章

（1）Françoise Choay　二十世紀のフランスの女流歴史家。多くの著作がある。フランス都市計画研究所、パリ大学、ミラノ・ポリテクニコで教える。

（2）Abraham Darby (1711-1763)　英国の製鉄業者。父の跡を継ぎ、石炭による製鉄法を再開し、さらにコークスを用いて溶鉱炉処理法を導いた。産業革命への道を開いた。

（3）Jethro Tull (1674-1741)　英国の農業家。さまざまな農機具、とりわけ撒種機を発明して、西洋農業の近代化に貢献した。

（4）Henry Cort (1740-1800)　英国の製鉄業者。パドリング法の発明者。十九世紀産業の基礎を築いた。

（5）Charles Townshend (1674-1738)　英国の政治家。国務相等を歴任し、引退後は農業の改良に尽くした。

（6）James Hargreaves (?-1778)　英国の発明家。ジェニー紡績機を発明したが、機械の普及による失業の不安など、民衆の反感を買って襲われた。

（7）Edmund Cartwright (1743-1823)　英国の牧師、発明家。動力織機を製作して産業革命を推進させたが、三十七年間、牧師の職にあった。

（8）Simone Weil (1909-1943)　フランスの女性思想家。エコール・ノルマル卒業後、リセで哲学を教え、労働・政治運動に参加。スペイン市民戦争に参加。米国へ脱出。ロンドンで『根がため』を書いた。自ら拒食して死亡。『重力と恩寵』『工場日記』などの著書を残した。

（9）シモーヌ・ヴェイユの著書『根がため　L'enracinement』の中で、ヴェイユは「社会の深刻な問題はderacinement（根こぎ）である。それを救うのは肉体労働の精神的中核に基づく社会の秩序である」と述べている。

（10）Richard Trevithick (1771-1833)　英国の技術家、発明家。元来は鉱山技師。蒸気機関車を製作して鉄道に利用した。

（11）Edwin Chadwick (1800-1890)　英国の社会改良家。ジェレミー・ベンサムの助手をした。

（12）Whitechapel　ロンドンのテムズ川北岸のタワー・ハムレッツの一地区。一八七六年、ヘンリー・ヒルがロンドン市長ならびにボーン・トラストの援助を受けて設立した路上生活者救済団体。

（13）Henry Roberts (1803-1876)　英国の労働者集合住宅設計の先駆者。王立アカデミーに学び、ロバート・スマークの事務所に入る。のちに独立し、多くの著作を書いた。

（14）Robert Owen (1771-1858)　英国の社会主義者、社会運動家。小手工業者の子で、各地を転々、産業革命の実態と労働者の生活をつぶさに観察。その後、紡績工場の支配人となる。ニュー・ラナークの紡績工場の共同所有者として成功し、世界最初の幼稚園、共済店舗を創設。米国インディアナ州にニュー・ハーモニーを創設したが失敗。帰国してクィーンウッドに関係したが失敗。その後は協同組合、労働組合の運動に参画し、晩年はチャーチスト、精神更生運動に没頭。

（15）Titus Salt, Sir (1803-1876)　英国の産業家。貧しい羊毛仕分職人の子から、徒弟を経て、アルパカ織で成功し、業界の重鎮となった。

（16）Charles Fourier (1772-1837)　フランスの社会主義者。大革命によって破産し、フランス各地で商人の手代として生活し、『四運動および一般的運命の理論』を書いた。その後、『農業家族集団』を書いて理想社会建設の実現に奔走するも失敗し窮死。

（17）Prosper Victor Considérant (1808-1893)　フランスの社会学者。フーリエの弟子で、師の没後、機関誌 'La Phalange' を主宰。フランスおよび米国テキサス州に生活共同体を創設したが、ともに失敗。二月革命の際にベルギーに亡命、その後、帰国。

（18）Jean Baptiste André Godin (1817-1888)　フランスの産業家、社会改革家。労働者から工場主となり、フーリエ主義によって労働者の生活向上を図り、現在の産業組合に近いものを作って「ファミリステール」と呼んだ。

（19）Humphrey Repton (1752-1818)　英国の造園家。元来は地方郷士だがのちに造園家となり、当時の風潮には批判的で、整形的庭園を設計した。

（20）John Nash (1752-1835)　英国の建築家。ピクチャレスク運動の頃に活躍し、多くの様式で邸宅・住宅を設計した。なかでもロンドンのリージェント・ストリート、リージェント・パークは有名。

（21）country house　英国貴族が郊外に建てた広壮な住宅。

（22）Capability (Lancelot) Brown (1716-1783)　英国の建築家、造園家。巧みに変則的手法を案出して、形式的設計に対立する庭園を設計し、英国のみならずヨーロッパ大陸でも人気があった。ケイパビリティ（可能性）の渾名は彼が常に土地の可能性に言及していたため。

（23）Uvedale Price, Sir (1747-1829)　英国の庭園理論家。ブラウンと反対の立場に立って "Essay on the Picturesque" を書き、ピクチャレスクの設計を推進させた。

（24）Joseph Paxton, Sir (1801-1865)　英国の造園家、建築家。庭師として出発し、デヴォンシャー公爵の援助によって温室を手がけ、一八五一年、クリスタル・パレスを設計・建設した。

（25）Frederick Law Olmsted (1822-1903)　米国の造園家、ランドスケープ・アーキテクト。世界各地を旅行し、ニューヨークのセントラル・パークを設計。自然景観の保護・保存、公園設立、キャンパス計画にも携わった。

（26）Jean Charles Adolphe Alphand (1817-1891)　オースマン時代のフランスの土木局技術者、公園設計者。オースマン男爵とともにパリ再建計画を進めた。ブーローニュの森、モンソー公園、ヴァンセンヌの森、ショーモンの丘、シャン・ド・マルス等の計画の責任者。彼の設計の特徴は自由に流れる鉄道の曲線にある。

（27）Jacques-Louis David (1748-1825)　フランスの画家。新古典主義の指導的人物。イタリアに留学して古代に傾倒、ルイ十六世の宮廷画家となるが、大革命の折には、国民議会政府の画家となり、さらにナポレオン一世の宮廷画家となったが、のちにベルギーに亡命。

（28）Georges-Eugène Hausman, Baron (1809-1891)　フランスの行政官。第二帝政のナポレオン三世によってセーヌ県知事を拝命、パリ市の都市計画を遂行。功績によって男爵となったが、パリ市は巨額の負債を背負い、そのために辞職。第三共和制下で代議士となる。彼の都市改造は歴史的建造物を破壊し、市民の居住区域に階級的差別をつけたと非難されるが、一方、視覚的効果を考えて記念建造物の計画に当たったとして評価する者もいる。

(29) Daniel Hudson Burham (1846-1912)　米国の都市計画家、建築家。ジョン・ウェルボーン・ルートと共同して、シカゴに数多くの作品をのこし、シカゴ万博を成功させ、その後は都市計画、地域計画に専念した。

(30) Claude Henri de Rouvroy, Comte de Saint-Simon (1760-1825)　フランスの社会主義者。パリに生まれ、アメリカ独立戦争に参加。フランス革命時代は幽閉された。宗教的、道義的情操で社会主義の理想を実現しようとした。晩年は貧困に苦しんだ。

(31) Jean François Thérèse Chalgrin (1739-1811)　フランスの建築家。ブレ等に就いて学び、ローマ留学後、パリ市建築局勤務。フランス革命時には投獄された。ナポレオン三世から凱旋門設計の委嘱を受けた。

(32) Camillo Sitte (1843-1903)　オーストリアの都市計画家、建築家。建築家を父に生まれ、ウィーン工科大学を卒業し、父を手伝う。ザルツブルク、ウィーンの職業学校で教える。著書『都市広場』で有名となる。都市の広場、不規則なプランの視覚的魅力を讃美した。

(33) Ildefonso Cerdá (1815-1876)　スペインの技術者、都市計画家。最初は土木技術者で道路設計を専門としたが、その後、都市改造に専念する。

(34) Leon Jaussely (1876-1933)　フランスの都市計画家。パリのエコール・デ・ボザールでドーメに就いて建築を学ぶ。ローマ賞受賞。パリをはじめ各都市の都市計画を行う。

(35) George Mortimer Pullman (1831-1897)　米国の発明家、企業家。初めは家具職人、のちにシカゴに出てプルマン・カーを設計。これが鉄道に採用されて会社を設立。シカゴに自社の従業員のための都市を作った。

(36) The Town of Pullman　一八八〇年ジョージ・プルマンはシカゴ・カルメット湖西方の四千エーカーの土地にモデル都市建設にかかった。建築家はソロン・ビーマン、ランドスケープ・デザイナーはネイサン・バレット。建設には四年を要した。十四年間は繁栄したが、一八九三年の恐慌で、翌年に有名なストライキが起こり、プルマンは一八九七年に死亡。その翌年、タウンはシカゴ市の管理下に入った。

(37) George Cadbury (1839-1922)　英国の企業家。父の跡を継いで兄と茶・コーヒーを商った。その後、チョコレート製造に着手。

(38) William Hesketh Lever (1851-1925)　英国の企業家。石鹸製造で財を築いた。

(39) Friedrich Krupp (1787-1826)　ドイツ最大の兵器製造業者、いわゆる「死の商人」。アルフレート・クルップ（一八一二～八七年）によって飛躍的、決定的に基礎を固め、ドイツ帝国主義と密接に結びついた。その子フリッツ・クルップ（一八五四～一九〇二年）は父の構想したコロニー・アルフーレズホフ、フレデリクスホフを完成、さらに彼の死後、未亡人マルガレーテもマルガレーテンホーエを建設した。

(40) Arturo Soria y Mata (1844-1920)　スペインの発明家、政治家。最初は急進的共和制支持の政治家であったが、マドリッドの最初の電車の敷設に奔走。一八九七年、雑誌 'La Ciudad Lineal' を創刊。

(41) Ebenezer Howard, Sir (1850-1928)　英国の都市計画家。元来は速記者。米国に渡り、ホイットマン、エマソンを知り、エドワード・ベラミーの小説『顧みれば』に想を得て、“Tomorrow（のちに改版して “Garden Cities of Tomorrow”, 1920)” を書いた。

(42) ASCORAL (Assemblée de Constructeurs pour une Rénovation Architecturale : 建築刷新のための建設者の集団)　一九四二年頃の戦時下に創立された組織で、十一部会と分科会に分かれて会合をもち、出版活動も行われた。ル・コルビュジエの著書の幾つかはそこから出版された。

(43) Raymond Unwin, Sir (1863-1940)　英国の都市計画家。バリー・パーカー（一八六七～一九四七年）と共同して、ハワードの田園都市の構想を現実化した。なお、アンウィンの妻女はパーカーの妹であり、アンウィンとパーカーは義兄弟であった。

▼第Ⅰ部　第3章

(1) Paul Scheerbart (1863-1915)　ドイツの表現主義作家。『ガラス建築』はブルーノ・タウトに捧げられた。

(2) James Watt (1736-1819)　英国の技術者、発明家。ニューコメンの蒸気機関を改良。さらに有効なものを発明。ボールトンとともに工場を経営、さまざまな発明を行ったが、彼の手になる蒸気機関は英国の産業革命に大きな貢献を果たした。馬力の概念を創始したり、仕事率の単位を決めたりした。

(3) Abraham Darby (1711-1763)　英国の製鉄業者。父の跡を継いで石炭製鉄法を再開し、やがて石炭をコークスに代え、鉄鋼の溶鉱炉処理に成功、英国の製鉄業発展の基礎を築き、ひいては産業革命への道をひらいた。

（4）John Wilkinson (1728-1808) 英国の機械技術者。円筒穿孔機を発明してワットの蒸気機関の発達に寄与した。

（5）Thomas Farnolls Pritchard (1723-1777) 英国の建築家。シュルーズベリーとコールブルックデールの橋の建設に重要な貢献をした。

（6）Thomas Paine (1737-1809) 英国の著述家。独立運動の頃の米国に渡り、『コモン・センス』を書いて世論を独立へ導いた。米国独立後はヨーロッパに渡り、フランス革命を支持する『人間の権利』を書く。英国を追われ、パリに逃れるが、ルイ十六世処刑に反対して捕らわれ、のち釈放されて再び米国に渡り、不遇のうちにニューヨークに没す。

（7）Thomas Telford (1757-1834) 英国の技術者。石工修業ののち、エディンバラ、ロンドンで働き、教会などを建てたが、その後は多くの橋梁を建設。当時、国際的に知られた橋梁技術者で、メナイ海峡の橋は最長のものとして有名であった。またロンドンのセント・キャサリン・ドックを設計。

（8）Philip Hardwick (1792-1870) 英国の建築家。王立アカデミーに学び、その後は建築家の父トーマスの事務所を継ぐ。

（9）William Strutt (1758-1846) 英国の発明家、技術者。

（10）Charles Bage (1751-1822) 英国の葡萄酒販売業者、建築積算技術者。

（11）Pierre Contant d'Ivry (1698-1777) フランスの建築家。彼の盛名が揚がったのは一七四一年以後。オルレアン公に抱えられ、パレ・ロワイヤルの工事やパリ・マドレーヌ聖堂の設計などを手がけた。

（12）Victor Louis (1731-1800) フランス新古典主義の建築家。パリとローマのフランス・アカデミーに学び、帰国後ブザンソンの市長邸、ボルドーの劇場などを設計した。後年、パリのパレ・ロワイヤルの劇場（現コメディ・フランセーズ）を建てた。

（13）François Joseph Bélanger (1744-1818) フランスの建築家。王立建築アカデミーに学び、英国を旅行。フランス大革命までは王侯貴族のために城館、室内装飾、家具などを設計。革命時に一時投獄され、のちコミューンの委員となる。パリ穀物市場の再建に当たって史上初めて鋳鉄を用いた。

（14）rib 構造部材の板材を補強するために取り付けたもの。

（15）Louis Alexandre de Cessart (1719-1806) フランスの技術者。陸軍軍人であったが、のちエコール・デ・ポン・ゼ・ショッセに入学。同校の監査官に就く。彼の業績はケーソン（潜函）基礎を完成させたこと、フランスで最初の鋳鉄による橋を設計したこと。

（16）James Finley (1756-1828) アイルランド生まれの米国の橋梁技術者。

（17）Samuel Brown, Sir 英国の技術者。当初は海軍軍人であったが、ユニオン橋の鍛鉄製鎖を製作した。

（18）Isambard Kingdom Brunel (1806-1859) 英国の技術者。橋梁建設、鉄道敷設、造船など多方面にわたって活躍した。フランスで教育を受け、帰国して父の事務所で橋梁の設計に従事する。その後、大西部鉄道の技術主任に就く。最初の大西洋横断定期汽船グレート・ウェスタン号等を建設、また、ロンドンのパディントン駅を設計した。

（19）L.J. Vicat (1786-1861) フランスの技術者。モルタル、セメントの素材的可能性についての論文、著作を発表した。

（20）John Augustus Roebling (1806-1869) 米国の土木技術者、ドイツに生まれ、米国に帰化。ペンシルヴェニア鉄道の測量技師をふり出しに、やがて鋼索を実用化して吊り橋の建設に従事する。ナイアガラ瀑布の吊り橋、オハイオ河の吊り橋などを建設したあと、ブルックリン橋建設の計画を立て、自ら技術主任となったが工事中の負傷がもとで死亡。

（21）Robert Stephenson (1803-1859) 英国の土木技術者。父ジョージ・スティーヴンソンを助けて機関車「ロケット号」を製作。ロンドン・バーミンガム間に鉄道を敷設し、さらにスイス、ドイツ、カナダ、エジプト、インドでも鉄道を設計したが、鉄橋なども建設した。

（22）William Fairbairn, Sir (1789-1874) 英国の技術者。技術の領域での鉄の可能性を予見。鉄の材料試験を行い、ロンドンに造船所を建て世界最初の鋼鉄船を造り、鉄橋その他鉄骨構造の発展に貢献した。

（23）Eaton Hodgkinson (1789-1861) 英国の機械学者。フェアベアンの支持を受けて鋳鉄梁に最適な形態を試作した。スティーヴンソンとともにブリタニア橋を完成。

（24）John Fowler, Sir (1817-1898) 英国の建築家、技術者。グレート・ウェスタン鉄道会社のコンサルタント。フォース橋、ピムリコ橋、ヴィクトリア駅を設計。ロンドン地下鉄方式の創設者。

（25）Benjamin Baker, Sir (1840-1907) 英国の技術者。ファウラーの助手となり、その後はフォース橋の建設に貢献。エジプトからオベリスクを輸送し、アスワン・ダムを建設。

（26）Matthew Boulton (1728-1809)　英国の技術者、企業家。工場の動力源として蒸気機関に着目、そののちワットと相識り、蒸気機関の発明を完成させた。

（27）Jules Saulnier (1828-1900)　フランスの建築家。ムニエのチョコレート工場の設計によってその名を今なお記憶されている。建物そのものは見事だが、のちに影響を残さなかった。

（28）James Bogardus (1800-1874)　米国の建築家。機械製作者として出発した。彼自身の四階建ての工場は鋳鉄の柱と梁と壁をもっていた。それが鋳鉄流行のきっかけを作った。

（29）Daniel D. Badger (1806-1884)　米国の企業家。最初は鍛冶屋として出発し、その後、当時最大の鋳鉄工場をニューヨークに設立。

（30）John Plant Gaynor (c.1826-1889)　米国の建築家。アイルランドに生まれ、一八四九年頃には米国に渡り、建築家となる。マンハッタンに鉄による建物を建て、その後はサンフランシスコに行き、住宅、橋梁、その他を建てる。なかでもグランド・ホテル、パレス・ホテルは有名。

（31）Elisha Graves Otis (1811-1861)　米国の発明家。揚巻機の揚索が切れた時に落下を防ぐ方法を発明して特許をとり、これを改良して乗用エレベーターの製作に成功し、エレベーター製作会社を設立した。

（32）John Claudius Loudon (1783-1843)　スコットランドの風景造園家、ジャーナリスト。当時、影響力は絶大であった。彼の妻ジェーン・ウェッブも造園家。

（33）Richard Turner (1798-1881)　アイルランド出身の建築家。ヴィクトリア時代の多くのガラス建築に貢献した。バートンと一緒にキュー植物園やリージェント公園のガラスの家を設計。

（34）Decimus Burton (1800-1881)　英国の建築家。父James Burtonも建築家で、王立アカデミーに学び、父の事務所の助手を務め、H・レプトン、G・マドックス、とくにJ・ナッシュの知遇を受ける。ナッシュの薫陶を受けて、都市住宅、団地計画、さらに温室なども手がけた。とくに植物園のパーム・ストーヴは有名。

（35）Joseph Locke (1805-1860)　英国の鉄道技術者。ジョージ・スティーヴンソンの下でストックトン・ダーリントン鉄道敷設事業に従事。その後、グランド・ジャンクション鉄道敷設に着手し、枕木にレールを敷設する方式を確立した。パリ・ルーアン間の鉄道も完成させた。

（36）Leonce Reynaud (1803-1880)　フランスの技術者。パリのエコール・ポリテクニークに学び、その後、同校の建築の教授となる。列車の前灯レンズの研究を行った。

（37）William Henry Barlow (1812-1902)　英国の土木技術者。ウーリッチ海軍工廠、ロンドン造船所にて修業。その後、ミッドランド鉄道にて敷設工事に従事。彼の設計したガラスのヴォールトは同種のものの手本となった。

（38）Rowland Mason Ordish (1824-1886)　英国の技術者。とくに技術教育を受けたわけではないが、早くから技術関係の会社に身を置き、チャールズ・フォックスを助けてクリスタル・パレスの建設に当たった。またオーウェン・ジョーンズ、ギルバート・スコットの事務所で働いたこともある。

（39）Georg Gilbert Scott, Sir (1811-1878)　英国の建築家。ゴシック建築の復興に努め、多くの宗教建築、住宅建築、官庁建築を手がけたが、ハンブルクのニコライ聖堂、ロンドンのアルバート・メモリアル、セント・パンクラス駅などがよく知られている。

（40）Matthew Digby Wyatt (1820-1877)　英国の建築家。フィリップ・ハードウィックの事務所にて修業。専ら歴史様式の建物を得意とし、パクストンのクリスタル・パレス建設にも関係。その後、ブルネル、スコットの仕事に協力した。

（41）Konrad Wachsmann (1901-1980)　米国の建築家。フランクフルトに生まれ、家具職人の徒弟となり、ベルリンの工芸学校に学ぶ。のちにテッセナウ、ペルツィヒに師事。集成材によるアーチを研究し、一九三〇年代はスペインとイタリアの技術会社に就職。第二次世界大戦後、一時ル・コルビュジエとも共同した。米国に渡り、グロピウスと組んでジェネラル・パネル社を設立。南カリフォルニア大学教授。

（42）Gustave Eiffel (1832-1923)　フランスの技術者。最初、建設会社の技術顧問をしたが、のち事務所を設立し、格子梁を活用してさまざまな構造物を設計する。なかでもガラビ橋、エッフェル塔は有名。後年は流体力学の研究に専念した。

（43）Jean-Baptiste-Sebastian Krantz (1817-1899)　フランスの技術者、政治家。土木局技師として万博に関与したが、のちにセーヌ県選出代議士となる。

（44）Thomas Young (1773-1829)　英国の医者、物理学者。さまざまな職を経たが、光の干渉を研究し、光の波動説を復活させ、弾性体のヤング率を見出した。

(45) Pierre-Guillaume-Frédéric Le Play (1806-1882) フランスの技術者。エコール・ポリテクニーク出身の鉱山技師だったが、その後、社会経済学国際研究会を創設した。

(46) Victor Contamin 一八八九年の万国博覧会当時、エコール・サントラル・デザール・エ・マニュファクチュール（中央工業学校）教授。

(47) Charles Louis Ferdinand Dutert (1845-1906) フランスの建築家。パリのエコール・デ・ボザールに学び、ルイ・H・ルバの門下となり、グラン・プリを獲得。同校の教授となったが、彼が歴史に名を遺したのはヴィクトル・コンタマンと共同した「機械館」であった。

(48) Emile Nouguier (1840-?) フランスの技術者。エコール・デ・ミーヌ（鉱山学校）出身で、エッフェル塔建設に貢献した。

(49) Maurice Koechlin (1856-?) アルザス出身の技術者。チューリッヒのETH（スイス連邦工科大学）を卒業、鉄道会社に勤務した。その後、エッフェル塔建設に参加。

(50) three hinged arch 二つの支点と頂部にヒンジのあるアーチ。三ピン式骨組。ヒンジhingeはピン接合のこと。ピンによって部材の中間部または端部を接合する。ピンpinは接合に使う円形断面の棒、または、部材の力だけは伝達して、曲げモーメントは伝達しない接合方式。

(51) Alberto Santos Dumont (1873-1932) ブラジル出身のフランスの飛行家。ガソリン機関の飛行船を製作し、のちに飛行機製作に転じた。

(52) John Smeaton (1724-1792) 英国の土木技術者。エディストン灯台再建の時、水溶性接合剤を研究、案出し、これをローマン・セメントと名づけた。その他、運河、港湾改良、蒸気機関を作った。

(53) Joseph Aspdin (1779-1855) 英国の発明家。砂と石灰石の混合物を用いて得た粉末を水と混ぜて固めた人造石を案出して特許を取った。これがポートランド・セメントの始まりである。

(54) François Coignet (1806-1867) フランスの建設業者。

(55) ferroconcrete (reinforced concrete / beton arme) 鉄筋コンクリート。鉄筋で補強することによってコンクリートの引っ張りに弱い性質が補われる。

(56) Joseph Monier (1823-1906) フランスの庭師。一八六七年のパリ万博に特許のコンクリート製植木鉢を展示した。

(57) François Hennebique (1842-1921) フランスの技術者。コンクリート建築の先駆者のひとりで、初めて鉄筋コンクリートを使用。橋梁、穀物用エレベーターなどをコンクリートで造ったり、コンクリートとガラスによる工場、片持梁の階段室などを作った。

(58) Paul Cottancin (1865-1928) フランスの技術者。パリのエコール・サントラルに学ぶ。コンクリート構造の特許を取得。ボドの設計による建物に適用され、その後アンヌビックが改良した。

(59) Joseph Eugène Anatole de Baudot (1834-1915) フランスの建築家。ラブルーストとヴィオレ・ル・デュクの弟子。サン・ジャン・ド・モンマルトル教会は、すべての構造部材がむきだしのコンクリート造による最初の建物である。設計以外に建築修復にも活躍し、著作ものこした。

(60) Pier Luigi Nervi (1891-1979) イタリアの技術者。土木工学出身、一九三〇年代からコンクリートによる様々な構造設計を実施した。

(61) Max Berg (1870-1947) ドイツの建築家。シャルロッテンブルク工科大学に学び、カール・シェーファーの下にあった。ベルクについて知られることは少なく、活躍の時期も第一次世界大戦前後の短い期間だけである。ブレスラウの「百年記念館」を完成させ、一九二五年には同市を去っていた。

(62) pendentive 正方形の平面に円天井を架けた時に、天井の下端の円と正方形との間の球面三角形の部分。

(63) Max Toltz (1857-1932) ドイツ生まれのカナダの技術者。ベルリンの科学・工学アカデミーを卒業し、軍隊生活を経て、ドイツ、スイスで土木技術に従事した後、カナダに移住する。

(64) Ernest Leslie Ransome (1844-1917) 米国の企業家。英国に生まれ、家業の農機具製造を修業し、父親の作ったコンクリート・ブロックを売るために渡米。建設ブーム到来のサンフランシスコに定住し、コンクリート・ブロックに様々な改良を施して、建物に適用した。

(65) Perret Frères 兄はAuguste Perret (1874-1954)、弟はGustave Perret (c.1876-1959)。第II部第11章参照。

(66) Henri Sauvage (1873-1932) フランスの建築家。パリのエコール・デ・ボザールでジャン・L・パスカルに学ぶ。その後、室内装飾を手がけ、壁紙、織物、家具、陶器、製本、宝石などもデザインするが、一九〇一年頃から低廉集合住宅の設計に着手。第一次世界大戦後は、映画館、博覧会場、百貨店なども設計した。

(67) Robert Maillart (1872-1940) スイスの構造技術者。ETH（スイス連邦工科大学）入学、ヴィルヘルム・リッターに橋梁設計を学ぶ。初めは道路や橋梁の設計をしたが、一八九九年からコンクリートによる橋梁を設計し、一九〇二年に事務所を設立した。一九一四年、ロシアに行き、革命後一九一八年帰国。ジュネーヴに事務所を再開した。

(68) Eugène Freyssinet (1879-1962) フランスの構造技術者。パリのエコール・ポリテクニーク卒業後、エコール・デ・ポン・ゼ・ショッセにて教える。技術者として道路、橋梁の設計に従事。リムーザン社に勤め、橋梁、とくにコンクリートによる工業用建物を設計、その間オルリー空港に格納庫を建てた。一時、独立して事務所を作るが、その後キャンプノン・ベルナール社に勤め、橋梁の設計に専念した。

(69) Claude Allen Porter Turner (1869-1955) 米国の技術者。リーハイ大学にて工学を修め、鉄道、橋梁会社を遍歴し、ミネアポリスに定着。一九〇八年、鉄筋コンクリートの無梁版構造で特許をとる。

(70) flat slab 梁を使わず、床スラブを直接に柱頭付き柱で支える鉄筋コンクリート構造。

(71) haunch 梁成、梁幅を梁の端部で大きくした部分。

(72) abutments アーチやヴォールトの横圧に対抗するための石積み。アーチの受け面。橋梁の橋脚。アーチの両端を受ける台石。

(73) folded plate structure 複数の平らな板を角度をもたせて接続して、一枚板よりも剛性を高くした構造。

(74) shell structure 薄い材料の曲面板による構造。

(75) prestressed concrete ＰＣ鋼材によってコンクリートに圧縮力を導入した鉄筋コンクリート。

▼第Ⅱ部 第1章

(1) William Morris (1834-1896) 英国の著述家、詩人。オクスフォード大学に学び、その後、建築に転じ、さらに絵画へ転じ、そして詩作をした。結婚に際してフィリップ・ウェッブに「赤い家」の設計を依頼し、その調度品は自ら整えた。その後、モリス・マーシャル・フォークナー商会を設立して、壁紙、タピストリー、ステンド・グラスなどをデザインした。中世文明を謳歌した『地上の楽園』、北欧神話の影響を受けた『シガート王』、社会主義宣伝文書『無可有郷だより』を書いた。

(2) John Milton (1608-1674) 英国の詩人。ケンブリッジ大学に学び、イタリア、フランスを旅行。クロムウェルの共和制を擁護し、その書記となった。やがて失明し、晩年は詩作に専念した。『失楽園』、『闘士サムソン』などを書いた。

(3) Thomas Carlye (1795-1881) 英国の歴史家。エディンバラ大学に学び、数学を経て文学に移る。ドイツ文学を研究し、ゲーテと文通し、シラーの伝記、ゲーテの翻訳をした。歴史家としては『フランス革命史』、批評家としては『衣装哲学』、『過去と現在』などを書いて、物質主義、功利主義に反対した。

(4) Augustus Welby Northmore Pugin (1812-1852) 英国の建築家。父オーギュスト・シャルルの建築設計を手助けして修業。二十歳でウィンザー城の家具と舞台装置を設計。カトリック改宗後はゴシック建築に傾倒し、著書『コントラスツ』は同時代建築の批判である。その後、チャールズ・バリーから依頼され、国会議事堂の正面から小物家具にいたるまでを設計した。家庭生活に恵まれず、晩年、発狂。

(5) Chartism 一八三四〜四八年の人民憲章運動。議会毎年開催、普通選挙実施などの人民憲章を議会に迫った。

(6) Hight Church Oxford Movement (1833-1845) オクスフォード大学を中心に行われた信仰復興と教会改革の運動。

(7) John Ruskin (1819-1900) 英国の著述家。オクスフォード大学を卒業。画家ターナーの知遇を得て『近代画家論』を書いた。ラファエロ前派やゴシック建築を擁護して、『建築の七燈』、『ヴェニスの石』を書いた。その後、社会問題に関心を寄せて、『胡麻と百合』、『この後の者にも』を書いた。オクスフォード大学美術史教授となったが、「セント・ジョージ・ギルド」を創設するなど実践活動にも熱心だった。

(8) Adam Smith (1723-1790) 英国の経済学者。スコットランド出身、グラスゴー大学、オクスフォード大学に学ぶ。グラスゴー大学教授となり『道徳情操論』を出版。バックルー公に仕えるために教職を退き、公とともにヨーロッパを旅行。ヴォルテール、チュルゴー、ケネーなどと親交を結ぶ。帰国後はバックルー公の援助を受けて著作に専念、『諸国民の富』を出版。生涯、母親と友人と書籍を三楽として、独身。

(9) Friedrich Overbeck (1789-1869) ドイツの画家。リューベックに生まれ、ティッシュバインとルンゲに学ぶ。ヴェヒター、プフォルとともに「ルーカス同盟」を結成。ローマで中世的共同制作の精神のもとに壁画を制作した。

(10) Nazarene　十九世紀初期のドイツ画家の集団。オーヴァーベックとプフォルはウィーン・アカデミーの授業にあきたらず、一八〇九年、同志とともに「ルーカス同盟」を結成し、ローマに移った。「ナザレ派」とは彼等に対する揶揄から来たもの。

(11) Gabriel Charles Dante Rossetti (1828-1882)　英国の画家、詩人。父はイタリア人でロンドン大学イタリア語教授。ハント、ミレー等と「ラファエロ前派」を結成して、画家として名声を挙げた。また詩作にも優れたが、詩稿を妻の死とともに埋葬。その後掘り出されて出版したが、晩年は隠棲した。

(12) William Michael Rossettiは前者の弟。

(13) William Holman Hunt (1827-1910)　英国の画家。最初はアカデミー派に属したが、ラファエロ前派に加わった。宗教画が多い。

(14) John Everet Millais, Sir (1829-1896)　英国の画家。ラファエロ前派に参加したが、のちに同派から離脱して日常生活に題材を求め、フランス印象派に近づいた。後年はアカデミーの長老となった。

(15) Pre-Rafaelite brotherhood　英国の画家集団。一八四八年、ロセッティ、ミレー、ハント等が起こした反アカデミズム運動。ラファエロ以前の画家の作品を手本として、ナザレ派の影響を受けた。

(16) Edward Coley Burne-Jones, Sir (1833-1898)　英国の画家。ロセッティに師事し、ラファエロ前派に加わり、ロマンティックな画風の作品を残した。

(17) Georg Edmund Street (1824-1881)　英国の建築家。ジョージ・ギルバート・スコットの弟子。ヨーロッパ各国を旅行し、著作を刊行した。最初、オクスフォードに事務所を開いたが、ロンドンに移り、多くの教会建築を手がけた。モリスとウェッブは彼の最初の弟子であった。

(18) Philip Webb (1831-1915)　英国の建築家。ストリートに学び、モリスの「赤い家」を処女作として、以来、住宅だけを設計し続けた。好んで材料を露出させ、各部の機能を表現した。

(19) William Butterfield (1814-1900)　英国の建築家。ロンドンきっての富裕な化学者の長子で、同市の文芸協会の会員であり、設計のための開発など一切しなかった。その作品の形態と色彩は縞模様、幾何学模様の石材と煉瓦からなり、見る者に強い印象を与える。二、三の教育施設を除くと、教会建築が主な作品であった。

(20) William Eden Nesfield (1835-1888)　英国の建築家。父は軍人上がりの水彩画家。イートンで学んだ後、父の友人の建築家ウィリアム・バーンの事務所に入り、ノーマン・ショウに会い、意気投合する。ショウと共同で住宅を設計するが、それが後年、オールド・イングリッシュ様式と呼ばれる。

(21) Richard Norman Shaw (1831-1912)　英国の建築家。ウィリアム・バーンの弟子。その後、アンソニー・サルヴィンの事務所を経てストリートの事務所に入る。ネスフィールドと共同で設計したが、結婚後は疎遠になる。ショウは最初、ゴシック様式の教会を数多く建てた。やがて、オールド・イングリッシュ様式による絵画的住宅を手がけるようになる。

(22) William Richard Lethaby (1857-1931)　英国の建築家。地方の建築事務所で修業した後、ノーマン・ショウの助手となる。独立して「モダン・アーキテクチャー・コンストラクティヴ・グループ」(近代建築建設集団)」を設立し、英国フリー・アーキテクチャーの創設者の一人となる。設計よりも教育に携わり、ロンドンに新設されたセントラル・スクール・オヴ・アーツ・アンド・クラフツ(中央美術工芸学校)の初代校長となった。

(23) Arthur Heygate Mackmurdo (1851-1942)　英国の建築家。富裕な階級に生まれ、チャットフィールド・クラークとジェームズ・ブルックスに建築を学び、ラスキンと一緒にイタリアに旅行した。ラスキンとモリスの影響を受けて、「センチュリー・ギルド」を設立。雑誌「ホビー・ホース」によって自説を主張した。後年、建築を放棄して、経済思想と著作に専念した。

(24) Charles Robert Ashbee (1863-1942)　英国の金属細工デザイナー、建築家、社会改良家。ロンドンのイースト・エンドに「ギルド・オヴ・ハンディクラフト」を設立した。また、ロンドンのチェイン・ウォーク、チェルシーに住宅を建てた。最初にフランク・ロイド・ライトの真価を認めたヨーロッパの建築家の一人であった。

(25) Charles Francis Annesley Voysey (1857-1941)　英国の建築家。十七歳でセドン、二十歳でデヴィーの事務所に勤めた。マックマードと親交を結び、影響を受け、設計の仕事の援助もされた。建築のほかに壁紙、織物にも興味を抱いた。作品はもっぱらカントリー・ハウスで、その特徴は近代建築の先駆と言われる単純な箱形、白い壁、自然環境への配慮などである。

(26) Ford Madox Brown (1821-1893)　英国の画家。フランスに生まれ、ベル

ギーで絵画を学び、ロンドンに定住した。ロセッティに師事し、ラファエロ前派に加盟した。

（27）Henry Cole, Sir (1808-1882) 英国の企業家。クリスト病院で修業、十五歳で公職に就く。さまざまな分野で独創性を発揮した。公文書の整理、郵便切手の普及、児童向け絵本の出版などを推進し、インダストリアル・デザインを興し、雑誌「ジャーナル・オヴ・デザイン」によってピュージンの思想を普及させた。世界最初の万博の実行委員となる。

（28）Owen Jones (1807-1874) 英国の著述家、建築家。建築家ルイス・ヴァラミーの下で働き、その後、ヨーロッパ各地を旅行。王立アカデミーに学ぶ。再び地中海地方を旅行し、エジプト、トルコを経てアルハンブラに至る。実測の結果を出版。一八五一年の万博の際にヘンリー・コールに協力。著書『装飾の文法』は装飾の原典であるだけでなく、その基本的原理を説明しており、問題を提起した。同書の出版後、多くの博覧会に関与する。

（29）Eleanor Marx (1856-1898) カール・マルクスの末娘。エーヴリングと結婚。自殺。

（30）Edward Bibbins Aveling (1849-1898) 英国の社会主義者。エンゲルスの影響を受け、マルクスの死後、その末娘と結婚し、実践活動に参加。『資本論』第一巻を英訳した。

（31）Walter Crane (1845-1915) 英国の画家。ラファエロ前派に属し、モリスの弟子としてアーツ・アンド・クラフツ運動を指導した。テキスタイル、壁紙、挿絵、造本、装幀などを手がけた。

（32）Edward Schroder Prior 英国の建築家。ノーマン・ショウの弟子。

（33）Ernest Newton (1856-1922) 英国の建築家。ノーマン・ショウの弟子。郊外住宅を手がけ、一九一八年にＲＩＢＡ（英国王立建築家協会）金賞受賞。

（34）Christopher Wren, Sir (1632-1723) 英国の建築家。ウエストミンスター・スクールで教育を受け、十五歳で解剖学教授、二十九歳で天文学教授、三十一歳でセント・ポール大聖堂の修復、三十五歳でロンドン大火再建監督官、三十七歳で王直属工事の建築総監となる。その後、下院議員に選出されたが、一七一四年、ジョージ一世の即位によって官職を失った。

（35）E.G. Godwin (1833-1886) 英国の建築家。ジャポニズムの熱心な推進者。リバティー商会の衣装部を監督した。

（36）George Bernard Shaw (1856-1950) 英国の作家、劇作家。ダブリンに生まれ、ロンドンの電話会社で働いた。最初、小説を書いたが、ウェッブに会い、フェビアン協会に加入した。社会主義宣伝冊子を書き、劇評を発表したが、劇作に移り、思想性の強い作品を残した。一九二五年、ノーベル賞受賞。

（37）Sidney James Webb, Baron Passfield (1859-1947) 英国の政治家、社会学者。フェビアン協会を創立し、漸進的社会主義を宣伝。ロンドン大学スクール・オヴ・エコノミクスを創立し、教授となる。労働党下院議員、労働党内閣の商相、植民相を歴任。ベアトリスと結婚。多くの共著、著書がある。

（38）Beatrice Webb (1858-1943) 英国の女流社会学者。シドニー・ウェッブの妻。フェビアン協会会長を務めた。夫との共著がある。

（39）Fabian Society（一八八四年設立）ジョージ・バーナード・ショウ、シドニー・ウェッブ、ベアトリス・ウェッブ等によってロンドンに結成された、平和的手段による英国の漸進的社会主義団体。

（40）St George's Guild 一八七一年、ラスキンはギルド設立の資金を募集したが七八年になってどうやら会社組織として認められた。

（41）Pyotr Alekseevich Kropotkin (1842-1921) ロシアの地理学者、無政府主義者。貴族出身で、コサック騎兵隊入隊、シベリア探検隊に参加。軍務を辞してペテルブルグ大学入学。フィンランド、スウェーデンの氷河地帯を探検。その後、革命運動に参加し、無政府主義者となる。英国、フランス、スイスを転々とし、ロンドンに定住。ロシア革命後はモスクワ近傍に居住した。著作多数。

（42）Henry George (1839-1897) 米国の社会思想家。給仕、船員となって各地を放浪し、印刷工、通信員、出版業者などを経験し、鉄道建設と地価暴騰による貧富の差を土地私有に結びつけて、社会改良のパンフレットを発行。米国のみならず英国にも渡って宣伝し、フェビアン協会に影響を与えた。

（43）James Silk Buckingham (1786-1855) 英国のジャーナリスト、旅行家。新旧両大陸を旅行し、旅行記を発表。ロンドンにクラブ「エシーニアム」を創立。一八四九年、『国家弊害とその救済』を発表し、その中で正方形の理想都市「ヴィクトリア」を提案した。

（44）Edwin Landseer Lutyens, Sir (1869-1944) 英国の建築家。ロンドンの元軍人・画家の第十子。病弱のため公式的教育は受けず、後にケンジントン美術学校で建築を学ぶ。二十歳で独立したが、その後、園芸家ガートルード・ジェーキルと会い、生涯協力関係を結んだ。英国カントリー・ハウスを完成させるとともに、インド・ニューデリーの総督邸を設計した。第Ⅱ部第24章参照。

(45) Selwyn Image (1849-1930) 英国の挿絵画家、聖職者。オクスフォード大学に学び、ラスキンに師事した。最初は副牧師であったが、後にマックマードとともに「センチュリー・ギルド」を創立。刺繍、モザイク、スグラフィート、ステンド・グラスを制作した。オクスフォード大学の美術教授を務めた。

(46) Benjamin Disraeli, 1st Earl of Beaconsfield (1804-1881) 英国の作家、政治家。祖父の代にイタリアから英国に移住。弁護士事務所で修業したが、次々に小説を書いて成功。政界に入り、議員に当選し、保護貿易主義の指導者となる。蔵相、首相を歴任し、政治活動と作家活動を両立させた。

(47) Charles Harrison Townsend (1851-1928) 英国の建築家。一八八八年までロンドンのトーマス・ルイス・バンクスと共同で活動。「アーツ・ウォーカー・ギルド」の影響を受けた。

(48) Josef Maria Olbrich (1867-1908) オーストリアの建築家。ウィーンの美術アカデミーに学び、ローマ賞を受賞し、オットー・ワグナーの下で働く。セセッション館を設計し、エルンスト・ルートヴィッヒ大公に招かれ、ダルムシュタットに成婚記念塔を設計した。第Ⅱ部第6章参照。

(49) Josef Hoffmann (1870-1956) オーストリアの建築家。オットー・ワグナーに師事。オルブリッヒ等とともに分離派運動を起こす。さらにウィーン工房を創設。代表作にウィーン近傍のプルケルスドルフ結核療養所、ブリュッセルのストックレー邸がある。第Ⅱ部第6章参照。

(50) George Frampton, Sir (1860-1928) 英国の美術家。ランベス美術学校に学び、その後、王立美術アカデミーに学ぶ。レザビーとともにロンドンのセントラル・スクール・オヴ・アーツ・アンド・クラフツ（中央美術工芸学校）の校長となる。

(51) Mackay Hugh Baillie-Scott (1865-1945) 英国の建築家。王立農業アカデミーを卒業。建築家チャールズ・デーヴィスに就く。アーツ・アンド・クラフツ運動、フランク・ロイド・ライトの影響を受けた。ヨーロッパ大陸や米国からも設計委嘱を受け、ルートヴィッヒ大公からも室内装飾を依頼された。

(52) Gertrude Jekyll (1843-1932) 英国の園芸家。サウス・ケンジントン美術学校に学び、絵画、刺繍を手がけ、旅行に出た。三十九歳、マンステッド・ウッドに庭園を開き、園芸と手工芸を始めた。ラッチェンズと協力して多くの庭園を設計した。

(53) Robert Furneau Jordan (1905-?) 英国の建築家。キング・エドワード・スクールとロンドンのAAスクール（アーキテクチュラル・アソシエーション・スクール・オヴ・アーキテクチャー）で学ぶ。リーズ大学、シラキューズ大学の教授を歴任。『ル・コルビュジエ』、『ヴィクトリア建築』などの著書がある。

▼第Ⅱ部　第2章

(1) Henry Hobson Richardson (1838-1886) 米国の建築家。ハーヴァード大学、パリのエコール・デ・ボザールに学ぶ。南北戦争後、テオドール（アンリの兄）・ラブルーストとイットルフの下で働く。帰国後、ボストン・トリニティー教会の設計競技に入賞。ヨーロッパを旅行、ロマネスク様式に魅せられる。粗石積みの肌を好み、その作品の殆どに用いられている。

(2) Dankmar Adler (1844-1900) 米国の建築家。ドイツに生まれ、デトロイトで修業。サリヴァンと共同し、構造と設備と施工を担当した。米国における近代建築の創始者と言われる。

(3) Henry Louis Sullivan (1856-1924) 米国の建築家。MIT（マサチューセッツ工科大学）で建築を学び、パリのエコール・デ・ボザールに学ぶ。アドラーの助手となり、のちにパートナーとなる。シカゴ派の創設者の一人で、オーディトリアム・ビルを始め、ウェインライト、ギャランティーなど摩天楼を残している。装飾の停止を主張したが、自身は装飾を用いている。

(4) Joseph-August-Emile Vaudremer (1829-1914) フランスの建築家。パリのエコール・デ・ボザールに学び、デュバンとバルタールに就く。パリ市建築監督官に就任。サンテ監獄はその当時の作品だが、最も有名なものはサン・ピエールの教会である。

(5) Frank Furness (1839-1912) 米国の建築家。聖職者を父に、知的家庭環境に育つ。モリス・ハントの事務所で修業し、独立。ペンシルヴェニア美術アカデミー、ペンシルヴェニア大学図書館を設計した。

(6) John Edelmann (1852-1900) ドイツ人を両親に持ち、クリーヴランドに育つ。ル・バロン・ジェニーの事務所の現場主任を務めた。サリヴァンに会い、彼を啓発した。多才な能力に恵まれながら認められず、急進的政治思想に精力を消尽した。

(7) William Le Baron Jenney (1832-1907)　米国の建築家。マサチューセッツの富裕な商家に生まれ、ハーヴァード大学に学び、その後、パリのエコール・サントラルを卒業。帰国後は鉄道敷設、運河開削、河川改築などに従事したが、シカゴで独立。彼の門下からサリヴァン、バーナム、ホラバードなどが育った。

(8) frame,skeleton：骨組、部材を組み合わせた構造物。
framed structure：骨組構造、トラス構造や剛接構造など、骨組から作られた構造物。
truss：トラス、部材を三角形にピンで接合したものを単位として組み立てた構造物。
rahmen：frame部材が剛に接合された骨組、剛接骨組。
steel structure：鉄骨部材で組み立てた構造形式。

(9) folding ceiling panels　折り上げ、天井の中央部を回り縁よりも高くした天井。

(10) auditorium　講堂、劇場、競技場などの観衆を収める空間。

(11) proscenium　プロセニアム、劇場で背景の前の空間だが、現在では舞台と客席を区切る額縁。

(12) 小壁：幅の狭い壁。下端：部材の下の端、あるいは面。duct：ガス、電線、ケーブルを通す導管。空調・換気設備ための金属板による矩形、あるいは円形の通風筒。

(13) コーニス：壁面の最上部、あるいは各部の区切とする繰形の水平帯、蛇腹。その場所によって、軒蛇腹、胴蛇腹、天井蛇腹という。string-course：胴蛇腹。

(14) Daniel Hudson Burham (1846-1912) はマサチューセッツの旧家の出身。シカゴのローリング・ジェニー事務所で修業。第I部第2章訳注(29)参照。John Wellborn Root (1850-1891) はニューヨーク大学で機械工学を専攻。シカゴに移り、バーナムと共同関係を結ぶ。バーナムは実際的で管理能力を備え、ルートは想像的で芸術的能力に富み、彼等からシカゴ派が生まれた。モナドノック・ビル、ニューヨークのフラット・アイアン・ビルは彼等の代表作である。八年間に彼等は二百十六戸の個人住宅、三十九棟のオフィス・ビル、二十六軒のアパートメント・ハウス等々を設計した。

(15) Walt Whitman (1819-1892)　米国の詩人。ロング・アイランドの貧農の家に生まれ、各種の職業を経験し、新聞記者となる。ゲーテ、カーライル、ヘーゲル、エマソンの影響を受け、詩集『草の葉』を出版。自由・平等・友愛・民主主義と同時に肉体の讃美などを大胆に歌った。

(16) Herbert Spencer (1820-1903)　英国の哲学者。鉄道技術者から研究、著作活動に入る。ダーウィンの進化論を広く自然および人間の諸分野に適用し、進化哲学を展開した。

(17) The White City　シカゴの娯楽施設。一九〇五年に開業した公園、六十三番街とマーチン・ルーサー・キング・ドライヴにあった。ローラー・コースター、シュート、ボール・ルーム、食物店、そして名物は電気塔であった。一九三四年の経済恐慌で閉鎖されたが、一部は一九五〇年代まで残っていた。

▼第II部　第3章

(1) Frank Lloyd Wright (1867-1959)　米国の建築家。ウィスコンシン大学土木学科を中退し、サリヴァンに師事した。独立後はシカゴを中心に活躍、その後はタリアセンを拠点として、その活動は全米に及んだ。第II部第21章参照。

(2) shingle　屋根や壁に用いる厚い「こけら」板。

(3) Vincent J. Scully, Jr.　米国の建築史家。イェール大学、大学院に学び、以後、一貫して同大学で美術史、建築史を教える。現在、同大学スターリング名誉教授。『シングル様式』、『大地、神殿、そして神々』、『ルイス・カーン』、『建築：自然と人工』などの著書がある。彼の門下からは多数の優れた建築家が育った。

(4) Bruce Price (1845-1903)　ウィルキス・バーの下で修業。住宅の設計に優れ、ニューヨーク・タクシード・パークの住宅団地の設計は多くの建築家に影響を与えた。

(5) Grant Carpenter Manson (1905-1997)　米国の建築史家。ウィリアムス・カレッジ、ハーヴァード大学、同大学院に学ぶ。一九五三年よりペンシルヴェニア大学の教壇に立ち、晩年は南カリフォルニア大学教授であった。

(6) Friedrich Fröbel (1782-1852)　ドイツの教育者。ペスタロッチの助手。

カイルハウの小学校を建て、その経験に基づいて『人間の教育』を書いた。就学前の児童の教育的遊戯と作業を考案し、独特の積み木を作った。

(7) settlement 新開地、小村落、(特定の階級が形成する)共同体、セツルメント(貧困層の住む地区に定住して生活改善・啓発にあたる団体・事業・施設)。

(8) Unitarian プロテスタントの一派。神の単一性を主張し、三位一体性を否定する。

(9) finial 尖塔、天蓋など最頂部を飾る定式的な装飾物。canopy(天蓋、戸、窓、祭壇、説教壇等)を覆うために突き出したもの。庇。

▼第Ⅱ部 第4章

(1) Eugène Emmanuel Viollet-le-Duc (1814-1879) フランスの建築家。パリの名望家に生まれ、自家でのパーティーでサント・ブーヴ、スタンダール、メリメ等の文学者と親しんだ。イタリアに旅行後、ユゴーの示唆によって、中世の記念建造物の修復に専念した。著書『建築講話』でゴシックの構造と鉄骨構造とを比較、その理論は当時の設計に応用された。

(2) Alfred Waterhouse (1830-1905) 英国の建築家。リヴァプールに生まれ、マンチェスターのリチャード・レーンに就く。ロンドン博物館の設計を皮切りに、リヴァプール、マンチェスター、オクスフォード、ケンブリッジ等の大学施設を設計したが、鉄とテラコッタを早くから使用した。

(3) Antonio Gaudi i Cornet (1852-1926) スペインの建築家。バルセロナ近傍のレウスに生まれ、熱烈なカタルーニャ主義者。新設された建築学校を卒業後、カサ・ビセンス、エル・カプリシオを経てサグラダ・ファミリア教会の設計を担当する。パトロンのグエル伯爵のためにチャペル、公園、邸宅などを設計。集合住宅カサ・バトリョ、カサ・ミラを設計。

(4) Victor Horta, Baron (1861-1947) ベルギーの建築家。ゲントのアカデミーとブリュッセルのアカデミーに学ぶ。アルフォンス・バラに就いたが、彼の死後、その事務所を継ぐ。タッセル邸、ソルヴェイ邸は鉄とガラスを多用したアール・ヌーヴォーの代表作である。晩年は常套的古典主義に転じた。

(5) Hendrikus Petrus Berlage (1856-1934) オランダの建築家。アムステルダムに生まれ、チューリッヒのETH(スイス連邦工科大学)に学ぶ。その後、カイペルスに就く。アムステルダム株式取引所の設計を担当し、六年をかけて完成した。彼の影響下からアムステルダム派が形成され、デ・クラーク、クラーメル、ファン・デル・メイなどが巣立った。

(6) Wilhelm Richard Wagner (1813-1883) ドイツの作曲家。ライプチッヒに生まれ、各地の管弦楽団の指揮者となり、作曲を始める。バクーニンの影響を受けて五月革命に参加。ショーペンハウエルにも傾倒し、その後ニーチェを知る。数々の楽劇を作曲し、多くの女性と恋愛関係を持ち、芸術論も多数発表された。『パルジファル』は最後の楽劇で、死の前年に完成、上演された。

(7) The Irish Celtic literary revival 一八九〇年代、ウィリアム・B・イェーツが中心になって、ロマン主義の影響の下に、国民意識の高揚を歌い上げ、ウェールズ、スコットランド、アイルランドの古い歴史の中に民族的ルーツを求めた。イェーツの『アシーン漂流記』(一八八九年)はこの運動の嚆矢とされる。

(8) Moorish Architecture ムーア建築。中世期、北アフリカ、スペインなどイスラム文化圏の建築で、幾何学的装飾が特徴。十九世紀にヨーロッパで再興した。

(9) Ary Leblond フランスの詩人、作家。George Athenas (1877-1953) と Aime Merlo (1880-1958) の二人のペンネーム。

(10) Mudejar キリスト教化したイスラム教徒、あるいは、スペインのイスラム的伝統を継承するキリスト教徒によって産み出されたスペイン装飾様式。

(11) Catalan or Roussillon vault カタルーニャ地方の独特のヴォールト。木製の仮枠の代わりに煉瓦の厚い層を重ねてヴォールトを架ける方式。

(12) Francesco Berenguer i Mestres (1866-1914) ガウディと同郷のレウスに生まれ、バルセロナに移って建築、美術を学ぶが、二十一歳の時、ガウディの助手となる。以後二十七年間ガウディに協力し、ベルエスガルド、カサ・ビセンス、コロニア・グエルの地下聖堂、サグラダ・ファミリアの学校等の設計に従事したものと思われる。その死に当たり、ガウディは「ベレンゲールとともに私は右腕を失った」と嘆いた。

(13) Joan Martorell y Montells (1833-1906) スペイン・バルセロナ折衷派最大の建築家。バルセロナに生まれ、同地の建築学校第一期生として卒業。ヴィオレ・ル・デュク、ウィリアム・バターフィールドの影響を受けて、ゴシック風の設計によって宮殿、教会、聖堂を数多く手がけた。また図解解析法を最初に試みた。アントニオ・ガウディはその門下生であった。

(14) Catalan Modernismo　本来の「モデルニスモ」は一八八〇年代後期にニカラグアの詩人ルーベン・ダリオによって始まったスペイン語圏の文学運動。それは当時のラテン・アメリカを席巻していた感傷的でロマンティックな作品に対する反動であり、フランスの動向に刺激されて象徴主義、高踏派、デカダン派を次々に吸収した。一九二〇年代には運動も下火になったが、その影響は現在に至るまで続いている。しかし、本書での「カタルーニャ・モデルニスモ」はスペイン・バルセロナにおける十九世紀のネオ・ゴシック、ロマン主義に対する反動としての「地方様式」への回帰を指す。

(15) Joseph Poelaert (1817-1879)　ベルギーの建築家。ブリュッセルに生まれ、その生涯を同地に過ごした。パリに留学し、ユヨに学び、さらにシンケルを研究した。ブリュッセル最高裁判所の設計を委嘱されたが、生前には完成しなかった。

(16) Jan Toorop (Johannes Theodorus Toorop) (1858-1928)　オランダの画家。アムステルダム、ブリュッセルの美術学校に学ぶ。ジェームズ・アンソールの影響を受けた。一八九〇年頃から独特の曲線による象徴主義絵画を描いた。

(17) Les XX (vingt)　ベルギー、ブリュッセルの美術団体。評論家オクターヴ・モースを中心に、一八八四年、反官展の二十人の美術家を集めて結成された。

(18) La Libre Esthétique　十九世紀末から二十世紀初頭にかけてのベルギーの美術グループ「レ・ヴァン（二十人組）」を継承し、一八九三年以降、O・モースを中心に多彩な文化活動を展開し、ビアズリー、モリス、ティファニーの作品を紹介、アール・ヌーヴォー運動の拠点の一つとなった。

(19) moulding　モールディング、繰形。建物、家具などに突出して付加された帯状の装飾。一定の断面で水平に廻っており、断面の形状で分類される。

(20) Maison du Peuple　十九世紀から二十世紀にかけて世界各国に建設された、社会主義者等が本部ならびに集会場として用いた建物。多くの建築家達が関与している。呼称もPeople's Palace / Casa de Popolo等さまざまある。

(21) Hector Guimard (1867-1942)　フランスの建築家。パリのエコール・デ・ボザールに学ぶ。ド・ボド、ヴィオレ・ル・デュク、オルタの影響を受け、フランスのアール・ヌーヴォーの代表的建築家となった。パリの地下鉄の出入口は有名である。このほか、カステル・ベランジェ、ウンベール・ド・ロマン・コンサート・ホールなど、いずれも鋳鉄をふんだんに用いているのが特徴的である。

(22) Louis-Auguste Boileau (1812-1896)　フランスの建築家。パリに生まれ、殆ど独学で建築家となった。最初に鉄骨構造によって建てた建築家であり、その代表作品が聖ウジェーヌ教会である。ゴシック様式に軽量鉄骨構造が組み合わされている。

(23) Fernand Mazade (1863-1939)　フランスの詩人。

(24) Petrus Josephus Hubertus Cuypers (1827-1921)　オランダの建築家。ベルギーのアントワープ・アカデミーに学び、パリに留学してヴィオレ・ル・デュクの手法を学ぶ。帰郷して主に教会建築の仕事を手がけた。その思想は当時のモリスのそれと比較できるほどであったから、彼はオランダ近代建築の祖と言われた。国立美術館、アムステルダム中央駅はその代表作品である。

(25) Jan Hessel De Groot (1865-1932)　オランダの建築家。部分が実現された以外、建物らしいものを遂に完成しなかった建築家。デ・バセル、ラウヴェリクスとともに比例の体系を研究し、普及させた。七冊以上の著書を上梓したが、その主要著書『形態の調和』（一九一二年刊）はデ・クラークの作品の背景となったことで知られている。

(26) Reyner Banham (1922-1988)　英国の建築評論家。技術教育を受けた後、建築史・美術史に転じて、博士号を取得。雑誌編集を経て、ロンドン、ユニヴァーシティー・カレッジの建築史教授。著書に『第一次機械時代の理論とデザイン』、『ニュー・ブルータリズム』、『環境としての建築』などがある。

(27) corbel　組積造による迫り出しで、上に位置する壁、階、柱、煙突などを支える。連続すると突き出し部分全体を支える。

(28) capping　垂直方向の建築要素の最上部に置かれる部材。

(29) Hermann Muthesius (1861-1927)　ドイツの建築評論家。ベルリン工科大学で建築を学ぶ。建築設計に携わった後、商務省の官僚となり、ロンドンに渡る。文化担当官として英国の住宅事情を詳細に研究し、『英国の住宅』三巻を出版。一九〇七年、「ドイツ工作連盟」の設立に奔走し、一四年の同連盟ケルン大会の議長を務める。第Ⅱ部第12章参照。

▼第Ⅱ部　第5章

(1) E.B. Kalas　フランスの批評家。

(2) Charles Rennie Mackintosh (1868-1928)　英国の建築家。ジョン・ハチソンの下で修業し、かたわらグラスゴー美術学校に学ぶ。その後、ハニーマン・ケピー事務所に転じた。グラスゴー美術学校校舎の設計競技に優勝し、独創的な建築を完成した。ヨーロッパ大陸の分離派に影響を与える。住宅、室内装飾に優れた作品を残したが、晩年は建築を離れて風景画や静物画に没頭した。

(3) Margaret Macdonald (1865-1933)　英国のデザイナー。妹の Frances (1874-1921) とともにグラスゴー美術学校に学び、マッキントッシュと結婚。姉妹はともに金属細工を得意とした。

(4) Herbert MacNair (1868-1955)　英国の建築家。ハニーマン・ケピー事務所にて修業。その後、リヴァプール装飾美術学校教授となり、建築設計には従事しなかった。

(5) William Blake (1757-1827)　英国の詩人、画家。ロンドンのメリヤス商の次男。学校教育は受けずに、十二歳から詩作、十四歳から版画師の徒弟となる。その詩は独特の象徴や神話を含み、やがて英国詩壇におけるロマン主義の先駆けとなった。版画は幻想的主題を扱って有名。

(6) Aubrey Vincent Beardsley (1872-1898)　英国の画家。デューラー、ボッティチェリに影響を受け、ラファエロ前派に傾き、日本、古代ギリシア、十八世紀フランス絵画に興味を抱いた。ワイルド、ゴーティエ、フローベールの小説や戯曲に特異な挿絵を描いた。

(7) Scottish Baronial　ロバート・ビリングス（一八一三〜七四年）の著書『スコットランドの貴族的、宗教的古物』によって知られるようになった。ロマン的国家主義に通ずる。装飾文様としてはタータン・チェックの一種となる。

(8) James M. MacLaren (1843-1890)　英国の建築家。スコットランドに生まれ、パリのエコール・デ・ボザールに学ぶ。グラスゴーのキャンベル・ダグラス事務所に働き、ロンドンのゴドウィンの下にもいた。独立後、石造による独特な建築を設計して、ヴォイジー、マッキントッシュに影響を与えた。

(9) Robert Macleod (1923-)　カナダの建築史家。カナダと英国で建築教育を受けた。ヨーク建築大学、ブリストル大学、ブリティッシュ・コロンビア大学の教授を歴任。『マッキントッシュ、建築家、画家』の著書がある。

(10) Peter Behrens (1868-1940)　ドイツの画家、建築家。カールスルーエの美術学校に学ぶ。画家として注目されたが、ヘッセン大公エルンスト・ルートヴィッヒに招かれてダルムシュタットに成婚塔、自宅などを設計した。その後、AEGの建築家、顧問となり、あらゆる商品から工場建築まで幅広く設計し、近代建築の発展に貢献した。晩年は古典主義に回帰した。第Ⅱ部第6章参照。

▼第Ⅱ部　第6章

(1) Carl E. Schorske　米国の美術史家。コロンビア大学、ハーヴァード大学に学ぶ。プリンストン大学、ウェズリアン大学、カリフォルニア大学で教鞭を執る。

(2) Adalbert Stifter (1805-1868)　オーストリアの作家。ウィーン大学に法律、哲学、数学を学ぶ。細密な描写、敬虔と諦観など独自の文学を打ち立てた。晩年、病苦のあまり自殺。作品には『水晶』、『晩夏』がある。

(3) Otto Wagner (1841-1918)　オーストリアの建築家。ウィーンとベルリンで建築を学ぶ。とりわけウィーン美術アカデミーではアウグスト・フォン・ジッカースブルクから効用性について、エドゥアルト・ファン・デル・ニュルからは繊細な製図画法を学んだ。一八九四年、ウィーン美術アカデミーの教授に就任、「実用的でないものは美しくない」と演説した。

(4) Karl Freiherr von Hasenauer (1833-1894)　オーストリアの建築家。ウィーンの宮廷大工の家に生まれ、美術アカデミーでファン・デル・ニュル、ジッカースブルクに就く。美術館と博物館の設計競技に参加してゼンパーの知遇を得た。その後はリングシュトラーセの建物を設計、美術アカデミー教授となる。

(5) Gottfried Semper (1803-1879)　ドイツの建築家。ゲッチンゲン、ミュンヘンで学び、パリに出てイットルフの下で働く。イタリア、ギリシア旅行のあと彩色についての著者を出版。ドレスデンにオペラ座、ユダヤ教会堂、ギャラリーを建てる。一八五一年、ロンドンの万国博覧会を見て『様式論』を出版。その後、チューリッヒのポリテクニクで教鞭を執った。晩年はウィーンで過ごした。ウィーンには美術館、劇場が残っている。

(6) Gustav Klimt (1862-1918)　オーストリアの画家。ウィーン分離派の指導者。寓意的題材を装飾的手法で描いた。ウィーン工芸学校を卒業し、ホフマン設計のストックレー邸の壁画は有名。

(7) Koloman Moser (1868-1918) オーストリアの画家、デザイナー。ウィーン工芸学校を卒業し、ウィーン分離派に参加、ヨゼフ・ホフマンと一緒にウィーン工房を設立。母校の教授となり、画家、挿絵画家。宝石、ガラス、織物、家具などをデザインした。

(8) faience ファヤンス焼き。艶のある彩色陶板。

(9) Grand Duke Ernst-Ludwig (1868-1937) ドイツ・ヘッセン地方を治める大公。大英帝国女王ヴィクトリアの孫。大公の教育は女王が監督。そのため英国びいきとなり、自然科学、社会科学に関心を持つ。特に芸術に興味を持っていたから、英国のインテリア・デザインがドイツに導入された。

(10) Ludwig Habich (1872-1949) ドイツの彫刻家。カールスルーエ美術アカデミーで彫刻を学ぶ。

(11) Rudolf Bosselt (1871-1938) ドイツの彫金家。フランクフルトの工芸学校に学ぶ。

(12) Paul Bürck (1878-1947) ドイツの画家。ミュンヘンの工芸学校に学ぶ。

(13) Hans Christiansen (1866-1945) ドイツの画家、家具デザイナー。ハンブルクで絵画を学び、ミュンヘンの工芸学校に学ぶ。イタリア留学。

(14) Patriz Huber (1878-1902) ドイツの家具デザイナー。マインツの工芸学校に学び、ミュンヘンでは絵画を学ぶ。

(15) Bruno Taut (1880-1938) ドイツの建築家。シュトゥットガルト工科大学でテオドール・フィッシャーに就く。ベルリンで独立。第一次世界大戦後、マグデブルク市建築監督官となり「色彩建築」を試みた。ベルリンで集合住宅の設計を行い、シャルロッテンブルク工科大学教授。ナチス政権成立で亡命。来日。その後、トルコ・アンカラの芸術大学教授。

(16) Gesamtkunstwerk 十九世紀後期のリヒャルト・ワグナーの楽劇に結び付いた理念で、音楽、美術、建築、詩、演劇をその総和以上にスペクタクルに総合する。一八七六年バイロイト祝祭場でワグナーの行った楽劇は、その最初の実験であった。

(17) English Free Architecture アーツ・アンド・クラフツ以降の歴史様式に囚われない英国の建築の総称。

(18) Max Klinger (1857-1920) ドイツの画家、彫刻家。カールスルーエでは写実主義、ベルリンでは印象主義を研究した。最初、版画から出発し、色彩を研究し、最後は彫刻に専念した。

(19) Joseph August Lux オーストリアの批評家。オットー・ワグナー、ヨゼフ・マリア・オルブリッヒの評伝の著者。

(20) Eduard Franz Sekler オーストリアの建築史家。ウィーン工科大学、ロンドン・ワーバーグ・インスティテュートに学ぶ。クリストファー・レン、ル・コルビュジエに関する著書を発表。現在、ハーヴァード大学教授。ヨゼフ・ホフマンについての大部な著書は有名。

(21) cable moulding 捩った綱に似せたロマネスクの繰形、綱形繰形。

(22) Stanford Anderson (1934-) 米国の建築史家。ミネソタ大学、カリフォルニア大学、コロンビア大学で学ぶ。三十年以上をMIT（マサチューセッツ工科大学）の教壇に立ち、一九九一年以来同大学の建築学部部長。著書に『ペーター・ベーレンスと二十世紀建築』がある。

(23) New Rome 第Ⅱ部第24章参照。

▼第Ⅱ部　第7章

(1) Filippo Tomaso Marinetti (1876-1944) イタリアの作家。エジプト・アレクサンドリに生まれ、イタリアのジェノヴァ大学で法律を専攻。最初、詩人として出発。一九〇九年、フランスの新聞「ル・フィガロ」に「未来派宣言」を発表。伝統的言辞を排除し、戦争、高速、爆音、騒音などを礼賛。第一次世界大戦には戦争を賛美してムッソリーニに接近した。

(2) Gabriele D'Annunzio (1863-1938) イタリアの小説家、詩人。ローマ大学を卒業。詩人として出発し、耽美的、感覚的傾向を示したが、その後は小説、戯曲に転じ、耽美的傾向をいっそう強化した。その後は理知主義に転じたが、第一次世界大戦勃発後は愛国主義に転じ、ファシスト政府に接近した。

(3) Aeropoesia 第一次世界大戦後の一九三〇年代後期、未来主義運動の第二波としてAeropittura / Aeromusica、Aeropoesia / Aerodanzaが現れた。レアンドラ・コミナッツィーニは「アエロポジア・フューチュリスタ」を書いてマリネッティに捧げた。

(4) Joshua Taylor 米国の美術史家。シカゴ大学美術史教授。著書に『未来派』、『ウンベルト・ボッチョーニ』がある。

(5) Umberto Boccioni (1882-1916) イタリアの画家。シシリー島カタニアの工科大学を卒業。ローマの美術アカデミーで絵画を学ぶ。各地を渡り、セヴェリーニ、バッラ、マリネッティと知り合い、未来派に参加。

(6) Alfred Messel (1853-1909) ドイツの建築家。カッセルならびにベルリンで建築を学ぶ。シャルロッテンブルク工科大学教授。ベルリンのヴェルトハイム百貨店で近代的百貨店の様式を確立。
(7) Antonio Sant'Elia (1888-1916) イタリアの建築家。コモの工業学校を卒業後、ミラノのブレラ・アカデミーで建築を学ぶ。カッラ、ボッチョーニ、ルッソロと知り合い、未来派に参加。第一次世界大戦で戦死。
(8) Raimondo D'Aronco (1857-1923) イタリアの建築家。ヴェネチアの美術アカデミーで建築を学ぶ。バジーレ、ソマルガとともにイタリアのアール・ヌーヴォー建築の代表的建築家。晩年は古典主義的作風となった。
(9) Giuseppe Sommaruga (1867-1917) イタリアの建築家。ミラノのブレラ・アカデミーで建築を学ぶ。イタリア・アール・ヌーヴォーの代表的建築家。
(10) Brera Academy 一七七六年、ミラノに建設された美術学校。ブレラ美術館に隣接する。
(11) Ugo Nebbia イタリアの批評家、美術史家。サンテリアの「未来派建築宣言」に関わった。論文「ヌォヴォ・テンデンツェ(新傾向)の第一回展覧会」を執筆。
(12) Mario Chiattone (1891-1957) スイスの建築家。ミラノのブレラ・アカデミーを卒業。サンテリアの「ヌォヴォ・テンデンツェ」と接触したが、サンテリアほど知られなかった。後年、未来派と絶縁し、スイス・ティチーノ地方で活躍。
(13) Henri Frederic Sauvage (1873-1932) フランスの建築家。パリのエコール・デ・ボザールに学ぶ。エコール・デ・ザール・デコラティーフで教えたが、後年は母校の教授となる。フランスの初期近代運動の重要な建築家で、とりわけナンシー派の創設者の一人。
(14) Jules Antoine Moilin (1832-1871) フランスの医者、パリ・コミューン委員。
(15) Gustave Kahn (1859-1936) フランスの詩人、作家。象徴派に属し、自由詩の創設者。
(16) Ugo Piatti (1880-1953) イタリアの音楽家、画家。ミラノのブレラ・アカデミーに学ぶ。「自由芸術展」に参加。ルッソロと知り合い、共同。
(17) Luigi Russolo (1885-1947) イタリアの画家、作曲家。父および兄二人は音楽家で、ルイジも一時音楽を志すが、絵画に転向する。ボッチョーニを通じてマリネッティを知る。
(18) Giacomo Balla (1871-1958) イタリアの画家。トリノのアルベルティーナ・アカデミーに学ぶ。未来派に参加。
(19) Carlo Carra (1881-1966) イタリアの画家。室内装飾の仕事を経て、ミラノのブレラ・アカデミーに学ぶ。ボッチョーニと知り合い未来派に参加。
(20) Gino Severini (1883-1966) イタリアの画家。ローマの美術アカデミーに学ぶ。ボッチョーニとともにバッラの教えを受け、未来派に参加。

▼第Ⅱ部 第8章

(1) Adolf Loos (1870-1933) オーストリアの建築家。ドレスデン工科大学で建築を学ぶ。一九〇八年、論文「装飾と罪」を発表。自説を普及させるために、一九〇六年、「自由建築学校」を創設。多数の住宅を設計したが、一九二〇年にはウィーン市集合住宅の設計に当たる。
(2) Die potemkinsche Stadt ロシアの将軍・政治家ポチョムキン(一七三九〜九一年)が女王エカテリーナ二世に占領地クリミア半島の繁栄を見せかけるために舞台装置のような村を急造したことから、立派に見せかけたものを意味する「ポチョムキンの村」という言葉にかけた。
(3) Michael Thonet (1796-1871) オーストリアの家具製作者。コブレンツ近傍に生まれ、家具製作を修業。一八三〇年代から積層材による椅子を大量生産する。世界的に知られるようになり、ブラームスもレーニンもル・コルビュジエもその家具を使用した。
(4) International Style 一九三二年、ニューヨーク近代美術館で開催された世界の新建築展覧会に付与された題名で、建築史家ヘンリー・ラッセル・ヒッチコックと建築家フィリップ・ジョンソンの創案になる。なお、同様な内容を著書にしたワルター・グロピウスは、同書の題名を'Internationale Architektur(国際建築)'とし、一九二五年に出版した。
(5) architecturale promenade ル・コルビュジエの建築概念の一つ。景観と動線が有機的に結びついている。
(6) Tristan Tzara (1896-1963) フランスの詩人。ルーマニアに生まれ、チューリッヒのダダ運動に参加。その後、パリに移り、ブルトン、スーポー、アラゴン等とシュルレアリスム運動に加わる。マルクス主義とシュルレアリスムとの協調を図り、共産党に入党し、第二次世界大戦中は抵抗運動に加わる。

（7）Josephine Baker (1906-1975)　フランスのシャンソン歌手。父はスペイン人、母は黒人。パリのシャン・ゼリゼ座の大スターとして活躍。第二次世界大戦中、反ナチ抵抗運動に参加。戦後、米国の黒人差別に反抗。

（8）Paul Dermée　フランスの詩人。チューリッヒのダダ運動に参加。パリのシュルレアリスム運動にも参加。アンドレ・ブルトンはシュルレアリスム宣言発表に先立って、デルメにシュルレアリスムという言葉の適否を相談したという。

（9）Purism　一九一八年から同二五年にかけて、画家シャルル・エドゥアール・ジャンヌレ（ル・コビュジエ）とアメデ・オザンファンの命名によって創設された芸術運動。彼等の共著『立体主義以後』によれば立体主義は堕落、衰退し、装飾と空想と自己満足になり果て、芸術を救うには「機械の精密性という教訓」によって抽象化された状況に導くしかないとする。彼等は雑誌「エスプリ・ヌーヴォー」を発刊してその主張の宣伝に努めた。

（10）Amédée Ozenfant (1886-1966)　フランスの画家。ル・コルビュジエとともに『立体主義以後』を著し、純粋主義を標榜した。雑誌「エスプリ・ヌーヴォー」を創刊。『近代絵画』を出版した。

▼第Ⅱ部　第9章

（1）Henry van de Velde (1863-1957)　ベルギーの建築家。アントワープの美術学校に学ぶ。パリで印象派に影響を受けたのち、モリスの論文、ヴォイジーの作品に啓発されて建築家を志す。ユックルに自邸を建て、家具、装飾を制作する。ビングの依頼によってパリにビングの店「アール・ヌーヴォー」を建てる。

（2）Octave Maus (1856-1919)　ベルギーの批評家。一八八一年、雑誌「近代芸術」を創刊。同八三年、「レ・ヴァン（二十人組）」を組織。さらに十年後、これを改組して、「自由美術」を創設。

（3）Gustave Serrurier-Bovy (1858-1910)　ベルギーの家具製作者。リエージュで修業したが、建築の実践には関わらず、家具の設計、製作、販売に従事した。モリス、ダルムシュタット派、ベルギー土着派の影響を受けた。

（4）Edward Godwin (1833-1886)　英国の建築家。ブリストルのウィリアム・アームストロングに就く。ノーザンプトン市庁舎の設計競技に入賞。ロンドンに出て、家具の設計に専念。晩年、ホイッスラーのサークルに入り、作家のスタジオを設計。

（5）Christopher Dresser (1834-1904)　英国のデザイナー。ロンドン・サウス・ケンジントンのデザイン学校に学ぶ。植物画を得意とし、植物学の教授となろうとしたが、断念して装飾美術に戻る。ジョーンズの影響を受けた。その後来日し、日本のオブジェを収集。『デザイン原理』など著書多数。

（6）Emile Vandervelde (1866-1938)　ベルギーの政治家。ブリュッセル大学卒業後、学究と社会運動に従事。労働党創立に参加。代議士になり、第二インターナショナルに属した。第一次世界大戦中、入閣し、法相、食糧相などを歴任した。

（7）Emile Verhaeren (1855-1916)　ベルギーの詩人。ルーヴァン大学で法律を学び、ブリュッセルで弁護士となる。メーテルリンク、ローデンバッハ等とベルギー象徴派を結成。以後、次々に詩集を刊行し、田野の荒廃を嘆き都市文明を呪った。

（8）Karl Ernst Osthaus (1874-1921)　ドイツの美術蒐集家。ハーゲンにフォルクヴァンク美術館を建設し、すぐれた美術品を収集、展示した。

（9）Alois Riegl (1858-1905)　オーストリアの美術史家。ウィーンの歴史研究所、博物館に勤め、のちにウィーン大学教授。「芸術意欲」の概念を基本にして、精緻な文様分析の方法を駆使して、ギリシア・ローマの美術を研究した。

（10）Theodor Lipps (1851-1914)　ドイツの哲学者。ボン、ブレスラウ、ミュンヘンの各大学教授を歴任。心理学を論理学、倫理学、美学の基礎であるとした。特に、「感情移入」の概念を強調した。

（11）Apollonian conversion　「ギリシアの世界には、その起源と目標から見て、造形家の芸術、すなわちアポロン的芸術と、ディオニュソスの芸術としての、音楽という非造形的な芸術との間に一つの巨大な対立がある。」（フリードリッヒ・ニーチェ著『悲劇の誕生』）

（12）Wilhelm Worringer (1881-1965)　ドイツの美術史家。フライブルク、ベルリン、ミュンヘンの各大学に学ぶ。リップスの「感情移入」論を取り入れて最初の著作『抽象と感情移入』を執筆。第二の著作『ゴシック形式論』はナチによって曲解されたことは有名。

（13）Samuel Bing (1838-1919)　ドイツの画商。ハンブルクに生まれ、パリに店舗を開く。極東を旅行し、東洋、特に日本製品に魅せられた。米国に渡り、サリヴァンとリチャードソンに惹かれた。パリの店舗「アール・ヌーヴォー」にボナール、ロートレック、ヴィヤール、ムンク等の作品を展示した。

(14) entablature　柱と一体となって構造体を構成する水平材。ギリシア建築、ローマ建築では、アーキトレーヴ、フリーズ、コーニスからなる。architrave：エンタブレチュアの一番下の部材。frieze：三層からなるエンタブレチュアの中間部分。cornice：エンタブレチュアの上部に張り出した水平帯。または、壁面の最上部。

(15) Entasis　円柱の胴につけたわずかな円味。柱の側面が垂直であるために生ずる凹みの錯視を補正するため、ギリシアならびに後世では、柱にわずかに膨らみをつけたが、その曲線を言う。

(16) Max Reinhardt (1873-1943)　ドイツの演出家。俳優としてザルツブルク市立劇場に出演。ベルリンへ移り、やがて演出へと転じた。『真夏の夜の夢』で成功し、劇場の支配人となり、多くの作品を演出した。第一次世界大戦後、「グローセ・シャウスピールハウス」をペルツィヒの設計で改造した。その後渡米し、ニューヨークで没。

(17) Edward Gordon Craig (1872-1966)　英国の演出家、舞台美術家。最初は俳優として出発したが、演出に転じ、舞台装置や照明に新しい革新を試みた。フィレンツェに演劇学校を創立。演劇の芸術的統一者としての演出家の機能を強調した。

(18) Erich Mendelsohn (1887-1953)　ドイツの建築家。ベルリンのシャルロッテンブルク工科大学で建築を学ぶ。表現主義に惹かれ、第一次世界大戦中のスケッチは有名。その後、ポツダムの天体観測塔、アインシュタイン塔の設計で有名になる。一九三三年ドイツを去るまでに多くの作品を残したが、英国、イスラエルを経て渡米。サンフランシスコで没。

▼第Ⅱ部　第10章

(1) Tony Garnier (1869-1948)　フランスの建築家。パリのエコール・デ・ボザールでジュリアン・グァデに就き建築を学ぶ。ローマ賞受賞。リヨン市の建築監督官。パリ滞在中にジョレス、ゾラ等の社会主義サークルに参加し、ローマ留学中も歴史的建造物よりも「工業都市」の計画に専念した。

(2) Jean Leon Jaurès (1859-1914)　フランスの政治家、社会主義者。トゥールーズ大学教授から代議士となり、社会主義者となる。ドレフュス事件では被告を擁護。

(3) Emile Zola (1840-1902)　フランスの作家。エクス・アン・プロヴァンスに育つ。その時の友人にセザンヌがいた。パリに出て雑誌社、新聞社に勤務しながら創作を発表。自然主義小説の理念に基づいて第二帝政下の一家族の歴史を描いた「ルーゴン・マッカール叢書」は有名。

(4) Edouard Herriot (1872-1957)　フランスの政治家。学究生活から代議士となり、急進社会党に所属。一九〇五年から四一年までリヨン市長を務めた。英国のマクドナルド首相とともに国際紛争の平和的解決のジュネーヴ議定書を作成。ナチス侵入の時、一時逮捕された。

(5) CIAM (Congrès Internationaux d'Architecture Moderne)　一九二八年、エレーヌ・ド・マンドロ夫人の提唱でスイスのラ・サラ城で八ヵ国から二十三人の建築家が参集して第一回国際会議が開かれた。一九五六年、第十回会議の時、新世代の建築家達の批判によって解体した。第Ⅲ部第3章参照。

(6) Biedermeier　一八二〇年代から四〇年代にかけてドイツ、オーストリアで流行した装飾様式。その名称はルートヴィッヒ・アイヒロットによる架空人物に由来する。この様式は十九世紀初期のドイツ・ブルジョワジーを象徴するもので、当時の時代名称でもあった。家具、絨毯、陶器、ガラスなど、堅固で、安定して、快適な外観を持ち、巧まざる優美さを具えている。

(7) Eugène Hénard (1849-1923)　フランスの都市計画家。パリに生まれ、エコール・デ・ボザールで父アントワーヌ・ジュリアンに就く。卒業後、パリ市施設局に勤務、学校建築の改良に当たった。その後、パリ市の博覧会、交通、景観等について研究、提案を行った。

▼第Ⅱ部　第11章

(1) Auguste Perret (1874-1954)　フランスの建築家。ベルギーに生まれたのは、父がパリ・コミューンに参加して、追放されたため。パリのエコール・デ・ボザールでグァデに就いて建築を学んだが、父親の建設請負業を引き継いだ。フランクリン街のアパートメントを振り出しに多くの傑作を残した。

(2) colonade　エンタブレチュアやアーチが架かる柱の列。

(3) Symbolism　一八九〇年代、ヨーロッパに起こった芸術的傾向。一八八六年、ジャン・モレアスはフランスの「ル・フィガロ」紙に象徴派宣言を発表。現実主義に蔓延する日常的世界を拒絶する音楽、文学の新感覚を認めた。ジョルジュ・アルベール・オーリエがこれを視覚芸術に適用。十九世紀のロマン的伝統に基づき、異国趣味、原始性、異次元性に対する関心を共有している。

（4）Belle Époque　一八九〇年代から第一次世界大戦までの時代。この時期パリを中心に芸術的、文化的な新傾向が形成された。

（5）Nicolas François Mansart (1598-1666)　フランスの建築家。クーロミエとド・ブロスに就いて建築を学ぶ。フランス古典主義建築の大成者。彼の名に因んだ腰折れ屋根は、その作品に一貫して用いられた。その様式は優美、明晰、清冽だが、彼の人格は傲慢、不遜で、絶えず施主との間にもめ事が絶えなかった。

（6）Emile Antoine Bourdelle (1861-1929)　フランスの彫刻家。パリのエコール・デ・ボザールでファルギエールに就く。ロダンを支持したが、古代、ロマネスク、ゴシックを研究して、ロダンの影響から逃れた。

（7）Maurice Denis (1870-1943)　フランスの画家。アカデミー・ジュリアンに学ぶ。ボナール、ヴュイヤール等と交わり、ゴーギャンの影響を受けたが、のちに新伝統主義を唱える。シャン・ゼリゼ劇場のほかヴァンセンヌのサン・ルイ教会等の壁画を描いた。

▼第Ⅱ部　第12章

（1）Mikhail Aleksandrovich Bakunin (1814-1876)　ロシアの思想家。貴族の家に生まれ、砲兵学校に学び、軍務に就く。その後、ベリンスキー、ゲルツェン、プルードン、マルクス等と交わる。シベリア流刑となり、脱走。日本と米国を経由してロンドンの第一次インターナショナルに参加。無政府主義を唱えて「ジュラ連合」を組織。

（2）gutta percha　東インドの樹木「ディコプシス・ガッタ」の樹液から製造されるゴム状の物質で、家具や壁の型どりした装飾に使う。十九世紀後期、ヨーロッパで盛んに用いられた。

（3）Franz Reuleaux (1829-1905)　ドイツの機械工学者。蒸気機関の設計で知られるヨハン・ヨゼフ・ロイローを父に生まれる。ベルリン・シャルロッテンブルク工科大学学長。機械運動学を創設。一八七六年のフィラデルフィア万国博覧会に運動学のモデルを展示。

（4）Emil Rathenau (1838-1915)　ドイツの電気化学技術者、企業家。ドイツに電灯、電信を輸入、エディソン会社をベルリンに設立し、やがてAEGを起こした。

（5）AEG (Allgemeine Elektricitaets-Gesellschaft の略)　エミール・ラーテナウがDEG（エジソン・ドイツ応用電気会社）を改組して設立した。一九九六年に分割され、現在はEHG（エレクトロ・ホールディング会社）が引き継いでいる。

（6）Joseph Friedrich Naumann (1860-1919)　ドイツ・プロテスタントの神学者、政治家。父フリートリッヒも政治家（大臣）。ライプツィッヒ大学で神学を学ぶ。マックス・ウェーバーの影響を受けて「国民社会連盟」を結成。その後、代議士となり、ドイツ民主党党首となり、ワイマール国民集会に参加。

（7）Luddism　十八世紀後期、英国レスターシャーの労働者Ned Luddが、手工業者の職を奪うものとして靴下製造機械を破壊したことに端を発した暴動。これに参加した者をLudditesと呼んだ。

（8）Karl Camillo Schmidt (1873-1948)　ドイツの家具製作業者。職人の子として生まれ、徒弟奉公の後、英国と北欧に渡り、帰国後、ドレスデンに家具工房を設立し、ブルーノ・パウルやタウトのデザインによる家具を製作した。

（9）Theodore Fischer (1862-1938)　ドイツの建築家。ミュンヘン工科大学の助手。シュトゥットガルト工科大学教授。ドイツ工作連盟に参加。その門下からフーゴー・ヘーリングが出た。

（10）Wilhelm Kreis (1873-1955)　ドイツの建築家。ミュンヘン、ベルリン、カールスルーエの諸大学で建築を学ぶ。パウル・ヴァロットの助手。ドレスデンとデュッセルドルフの大学で教える。表現主義に接近したが、ナチス政権下では幾多の建築を設計した。

（11）Max Laeuger (1864-1952)　ドイツのデザイナー。カールスルーエの手工芸学校に学ぶ。イタリア、パリに留学。カールスルーエ工科大学教授。「ドイツ工作連盟」に加入。

（12）Adelbert Niemeyer (1867-1932)　ドイツの画家。ドイツ工作連盟に加入。

（13）Bruno Paul (1874-1968)　ドイツの画家、デザイナー。ミュンヘンの美術アカデミーに学ぶ。ドイツ工作連盟に加盟。雑誌「ユーゲント」に寄稿。ベルリン手工芸学校校長。

(14) Richard Riemerschmid (1868-1957) ドイツの画家、建築家。最初、絵画を学び、その後、住宅、室内、家具の設計に転じた。ベーレンス、パウル、パンコク等と手工芸芸術工房を設立し、その後、ドイツ工作連盟に加入。

(15) Johann Julius Scharvogel (1854-1938) ドイツの陶芸家。メットラッヒの陶器工場で修業し、ミュンヘンに工房を開く。ダルムシュタットの大公付属製陶所所長となる。ドイツ工作連盟に加入。

(16) Fritz Schumacher (1869-1947) ドイツの建築家。ミュンヘン工科大学で建築を学ぶ。フォン・ザイドルの地域主義の影響を受ける。ハンブルク市建築監督官に就任し、北ドイツ煉瓦建築の伝統に基づいた設計をする。ドイツ工作連盟に加入。

(17) Meistersinger 十四世紀から十六世紀にかけて、ドイツの市民階級、特に手工業出身の歌人。

(18) product design 産業デザイン。大量生産による製品のデザイン。industrial design：工業デザイン。工業製品を美的、機能的観点から行うデザイン。

(19) Jugendstil アール・ヌーヴォーのドイツでの呼び名。

(20) Johannes Ludovicus Matheus Lauweriks (1864-1932) オランダの建築理論家。製図学校に学ぶ。カイペルスの下で働く。雑誌「リング」、「アルヒテクテュラ」、「ウェンディンヘン」の編集に当たる。神智学に親しむ。独自の比例理論を展開してベーレンス、ル・コルビュジエに影響を与える。

(21) Walter Gropius (1883-1969) ベルリン生まれの米国建築家。ミュンヘン、ベルリンの工科大学に学ぶ。ペーター・ベーレンスの下で働く。アドルフ・マイヤーと共同して設計に従事。バウハウス閉鎖後、英国に逃れマックスウェル・フライと共同設計。ハーヴァード大学に招かれて同校建築学部教授となる。マルセル・ブロイヤーと共同。その後「TAC（ジ・アーキテクツ・コラボラティヴ：建築家集団）」を設立。第Ⅱ部14章参照。

(22) Adolf Meyer (1881-1929) ドイツの建築家。デュッセルドルフの美術学校で家具製作を学ぶ。ベーレンス、パウルの下で働き、バウハウスで教える。グロピウスと共同でファグス靴型工場などを設計。

(23) Karl Benscheidt (1858-1947) ドイツの企業家。生来の病弱から自然療法に親しむ。アルノルト・リルキ自然療法センターで働き、その後靴型の改良に取り組む。カール・ベーレンスの後を継いで、ファグス工場を建設。「ファグス」はラテン語で信頼と科学の意味。

(24) I.G. Farben (Interessen-Gemeinschaft-Farbenindustrie AG の略) 一九一六年から一九四五年まで、利益共同体契約を結んで設立された六大染料会社の化学工業トラスト。第二次大戦中はヒトラーに協力し、戦後、クレイトン・W・アブラムズ将軍指揮のアメリカ軍に接収されたが、現在はフランクフルト・ゲーテ・インスティテュート。

(25) Frankfurt-Hoechst マイン河に沿った小都市。

(26) Neue Sachlichkeit 一九二〇年から一九三二年までのドイツに見られた文化現象。第一次世界大戦後の国際的幻滅を抽象主義によって反映している。具体的で、反表現主義的で、最初は絵画の領域に生じた。第Ⅱ部第15章参照。

▼第Ⅱ部　第13章

(1) Paul Scheerbart (1863-1915) ドイツの作家。二十一歳の時、ベルリンに出る。ジャーナリストとなり、幾つものガラス建築に関するユートピア小説を書く。

(2) Wassily Kandinsky (1866-1944) ロシアの画家。最初、法律を学んだが、三十歳で絵画に転向。ミュンヘンに移住し、フォン・シュトゥックに就く。各地を旅行。表現主義から非対象主義に移る。モスクワ美術アカデミー教授となる。バウハウスで教える。ナチス弾圧でフランスに逃れ、パリ郊外で客死。

(3) Herwarth Walden (1878-?) ドイツの編集者。音楽を学び、フィレンツェに二年留学。詩人エルゼ・ラスカー・シューラーと結婚。ココシュカなどと雑誌「シュトルム」、「シュトルム・ビューネ」を創刊し、表現主義芸術運動に貢献した。第一次世界大戦後、四番目の妻とソヴィエトに渡り、以後、行方不明。

(4) Franz Pfemfert (1879-1954) ドイツの政治・文学評論家。ベルリンに育ち、雑誌「アクツィオン」を発行、左翼急進派の意見を発表した。ナチス政権の成立によって、ベルリン、チェコスロヴァキア、パリ、リスボンを経てニューヨークへ亡命。一時、写真屋をして糊口をしのいだ。

(5) Die Aktion 一九一一年から三二年まで発刊された文学・政治評論誌。フランツ・ペェムファートの編集により、社説は政治的評論を掲げ、内容は政治論、文学論、美術論を掲載した。第一次大戦末期までは抒情詩や美術作品も掲載したが、それ以降はもっぱら政治評論を掲げた。寄稿者はバル、クローデル、シュミット・ロットルフ、セザンヌ、ピカソ、ヴェルフェル、リープクネヒト、レーニン、トロツキーなど。初期表現主義の中心的雑誌。

(6) Adolf Behne (1885-1948) ドイツの建築・美術批評家。ベルリンで建築、美術史を学ぶ。シェーアバルトの友人としてその理念普及に努め、雑誌「シュトルム」、「アクツィオン」に寄稿。グロピウスとともに「芸術のための労働者評議会」を組織。著書『近代の目的建築』は先駆的著作。第二次世界大戦後、ベルリン美術大学教授。

(7) Die Brücke 一九〇五年六月にドレスデン工科大学建築科学生であったヘッケル、キルヒナー、シュミット・ロットルフによって結成されたグループ。分離派に反対し、社会批判の姿勢をとり、労働者街に共同生活をして、表現主義運動に貢献した。

(8) Georg Kolbe (1877-1947) ドイツの彫刻家。画家を父に生まれ、ドレスデンで美術を学ぶ。パリのアカデミー・ジュリアンに学ぶ。その後、彫刻に転じた。

(9) Gerhard Marcks (1889-1981) ドイツの彫刻家。彫刻を学び、リヒャルト・シャイベとともにケルンの工作連盟博覧会を設計。その後、グロピウスに招かれてワイマールのバウハウスで陶器工房の教授となる。ナチス政権時にはベルリンで制作。一九五〇年、ケルンに定住。

(10) Lyonel Feininger (1871-1956) ドイツの画家。ハンブルク、ベルリンで絵画を学ぶ。ワイマールとデッサウのバウハウスで教える。

(11) Emile Nolde (1867-1956) ドイツの画家。フレンスブルク工芸学校、カールスルーエ工科大学に学ぶ。ベルリンに住み、「ブリュッケ」に所属。学術探検隊に参加して、南洋、極東を旅行。

(12) Hermann Finsterlin (1887-1973) ドイツの幻想建築家。自然科学を学び、その後、絵画を学ぶ。一九一八年、ベルリンの展覧会に建築計画案を展示し、タウトの雑誌「フリューリヒト」にも掲載された。第二次世界大戦後、にわかに注目を集める。

(13) Max Pechstein (1818-1955) ドイツの画家。ドレスデンの工科大学ならびに美術学校に学ぶ。「ブリュッケ」に参加。南洋パラオ諸島へ旅行。

(14) Karl Schmidt-Rottluf (1884-?) ドイツの画家。ドレスデン工科大学に建築を学ぶ。キルヒナー、ヘッケルとともに「ブリュッケ」を結成。第二次世界大戦後、ベルリン美術学校教授。

(15) Otto Bartning (1883-1959) ドイツの建築家。ベルリンとカールスルーエの工科大学に学ぶ。ワイマールの手工芸・建築大学学長。初期の作品は表現主義的だが、次第に合理主義に接近する。

(16) Max Taut (1884-1967) ドイツの建築家。建築実業学校を卒業。第一次世界大戦後、兄ブルーノと共同したり、フランツ・ホフマンと共同する。「十一月グループ」、「芸術のための労働者評議会」のメンバー。ドイツ工作連盟に加入。

(17) Bernhard Hoetger (1874-1949) ドイツの彫刻家。一九一四年までに彫刻家として成功し、その後、製菓業者ヘルマン・バールセンの工業団地を設計する。コーヒー輸入業者ルートヴィッヒ・ロゼリウスの依頼でブレーメン・ベトヒャーシュトラッセにパウラ・モーダーゾーン・ベッカー美術館ほかを建て、ヴォルプスヴェーデのコロニーにスタジオを建てた。

(18) Hans Luckhardt (1890-1954) ドイツの建築家。カールスルーエ工科大学に学ぶ。「芸術のための労働者評議会」、「十一月グループ」「デル・リング」等に参加。兄のワシリーと共同。第二次世界大戦後、ベルリンの美術大学教授。兄Wassili Luckhardt (1889-1972) はシャルロッテンブルク工科大学に学ぶ。弟ハンスと同様、「芸術のための労働者評議会」等に参加。最初は表現主義的傾向を見せたが、その後は合理主義的傾向に転じた。

(19) Hans Scharoun (1893-1972) ドイツの建築家。シャルロッテンブルク工科大学に学ぶ。タウトの「ガラスの鎖」のメンバーとなり、ワイゼンホーフ・ジードルング展に参加・展示。ヘーリングと同様、合理主義に対して「臓器のような」建物を唱えた。第一次大戦後から活躍したが、ナチ時代は沈黙を守り、その着想を実現したのは第二次世界大戦後である。代表作品はシュトゥットガルトの高層集合住宅「ロメオとジュリエット」、ベルリン・フィルハーモニー・ホール、そして国立図書館である。

(20) Taylor System 一九一一年、米国の経営学者フレデリック・ウィンズロー・テイラー(一八五六〜一九一五年)は『科学的経営の原理』を出版した。その中で展開されている経営管理方式をテイラリズムと言う。

(21) Hans Poelzig (1868-1936) ドイツの建築家。シャルロッテンブルク工科大学に学ぶ。カールスルーエ、ドレスデン、ベルリン各地で建築教育に従事する一方、ドレスデン市建築監督官。ブレスラウのオフィス・ビル、ポーゼンの水道塔、ベルリンの「劇場」等は表現主義建築の代表的作品となった。

(22) Paul Wegnar (1874-1946) ドイツの俳優、映画監督。俳優となり、マックス・ラインハルト劇場に出演。その後、映画監督となり『プラーグの大学生』、『ゴーレム』を制作。

(23) Adolf Eibink (1893-1975) オランダの建築家。スネルブラントとともに有機的建築に関心を抱き、コンクリートを巧みに利用した。

(24) Jan Antoine Snellebrand (1891-1963) オランダの建築家。エイビンクと共同。

(25) Hendrikus Theodorus Wijdefeld (1885-1989) オランダの編集者。一九一八年、アムステルダム派の雑誌「ウェンディンヘン」を創刊。独自のタイポグラフィーと評論で多くの建築家の関心を集めた。建築家としては「人民劇場」計画案が有名。

(26) Michel de Klerk (1884-1923) オランダの建築家。カイペルスの下で働く。一九一〇年に独立して、集合住宅の設計に携わる。アムステルダム派の代表的作品となった「スパームダンメルプラントスーン」を設計した。

(27) Eigen Haard 自分の家庭の意。集合住宅協会の名称に使われた。

(28) Piet Lodewijk Kramer (1881-1961) オランダの建築家。正式な建築教育を受けず、カイペルスの下で働く。デ・クラーク同様にアムステルダム派の領袖の一人で、集合住宅、特に「デ・ダヘラート」の設計で有名。しかし、ハーグの百貨店「バイエンコーフ」ではアムステルダム表現主義を離れた。

(29) de Dageraad 曙の意。集合住宅協会の名称。

(30) Jacobus Johannes Pieter Oud (1890-1963) オランダの建築家。アムステルダム製図学校、デルフト工科大学で学ぶ。カイペルス、フィッシャー、デュドクの下で働く。ロッテルダム市建築監督官。その後はロッテルダムで活躍。「デ・スタイル」に参加し、「キャフェ・デ・ウニ」を設計したが、ロッテルダム・キーフフーク集合住宅では新即物主義的傾向を見せた。

(31) Willem Marinus Dudok (1884-1974) オランダの建築家。ブレダの陸軍士官学校で工学を学ぶ。ヒルヴェルスム市の公共工事監督官、建築監督官となり、同市の学校、市庁舎等を手がけた。「デ・スタイル」とアムステルダム表現主義両方の傾向を受け継ぎ、独自の特色を生み出した。

(32) Hugo Haring (1882-1958) ドイツの建築家。シュトゥットガルト工科大学でフィッシャーに就く。ルートヴィッヒ・ホフマンに対抗して「十人の環（ツェーナーリング）」を結成、やがて「デル・リング」となる。CIAM（近代建築国際会議）設立に参加。ガルカウ農園施設で有名。ナチス政権下では隠棲。

(33) Der Ring 一九二三ないしは二四年から三三年のナチスによる解散まで続いたベルリンの建築家のグループ。近代建築の大義を宣伝しようとミース、ヘーリング、バルトニング、ベーネ、ルックハルト兄弟、シャロウン、デッカー、それにタウト兄弟が作った。グループは最初「十人の環（ツェーナーリング）」とよばれたが、ルックハルト兄弟の勧奨によって拡大した。「デル・リング」に対抗して「デル・ブロック（連合）」が一九二八年、ザーレックにおいて結成された。参加したのはパウル・シュルツェ・ナウムブルク、パウル・シュミッテナー、ゲルマン・ベステルマイヤー、パウル・ボナッツである。ボナッツとシュミッテナーはワイゼンホーフ・ジードルングの配置計画を用意していたが、拒否された。彼等は自らを「ハイマートシュッツ（郷土防衛）」運動の使徒としていたが、運動そのものは短命であった。

(34) Ludwig Hoffmann (1852-1932) ドイツの建築家。二十八年間、ベルリン市の建築監督官として君臨し、百以上の施設を建設した。彼の後任はマルチン・ワグナーであった。

▼第Ⅱ部　第14章

(1) Hermann Obrist (1862-1927) スイスの彫刻家。ハイデルベルク大学で学んだ後、英国に渡り、帰国後、カールスルーエで応用美術学校に学ぶ。パリのアカデミー・ジュリアンで彫刻を学ぶ。ミュンヘンに手工芸美術統一工房を設立、美術教育改革に着手。

(2) August Endell (1871-1925) ドイツの建築家。独学で建築家となる。ユーゲントシュティルの代表的建築家。ブレスラウ工芸学校で教えた。ミュンヘンのエルヴィラ写真工房が有名。

(3) Fritz Mackensen (1866-1953) ドイツの画家。デュッセルドルフ、ミュンヘンの美術アカデミーに学ぶ。ミミ・シュトルテに呼ばれてヴォルプスヴェーデに移住し、そこに芸術家コロニーを作る。ワイマール美術学校学長。第三帝国時代、ナチスに協力。

(4) Oscar Schlemmer (1888-1943) ドイツの画家。シュトゥットガルトの美術アカデミーでヘルツェルに就く。ワイマール、デッサウのバウハウスの教授。ブレスラウの工芸学校教授。ナチス政権下は隠棲。

(5) Johannes Itten (1888-1967) ドイツの画家。ベルンの美術学校に学ぶ。シュトゥットガルトのヘルツェルに就く。ワイマール・バウハウスで教える。スイスに帰り、チューリッヒ郊外で教える。その後、ベルリン、クレーフェルト、アムステルダム、チューリッヒ各地の美術学校で教える。

(6) Frank Cizek (1865-1940) オーストリアの教育者。独自の教育理論によって美術教育を行った。ウィーン応用美術アカデミー教授。

(7) Oscar Kokoschka (1886-1980) オーストリアの画家。ウィーン応用美術アカデミーに学ぶ。ベルリンの「ノイエ・ゼツェツィオン(新分離派)」に参加。ヘルヴァルト・ヴァルデンと接触。アルマ・マーラーと結婚。ドレスデン美術アカデミー教授。ナチス政権時代ロンドンに居住。

(8) Maria Montessori (1870-1952) イタリアの女医、教育家。国立異常児童学校校長、ローマ大学教授。ローマの貧民街に「子供の家」を設立、「モンテッソリ法」による教育を実施した。

(9) John Dewey (1859-1952) 米国の哲学者。ヴァーモント大学、ジョンズ・ホプキンス大学を卒業。ミネソタ、シカゴ、コロンビア大学教授。ウィリアム・ジェームズによってプラグマティズムに導かれ、その後、実験主義、道具主義を提唱した。また、児童教育にも足跡を残した。

(10) Georg Kerschensteiner (1854-1932) ドイツの教育者。児童の自発性と自動性を集団行動、手作業、機能重視によって引き出す教育改革を提唱して、私立学校を設立、実践した。

(11) Adolf Hölzel (1853-1934) ドイツの画家。シュトゥットガルト美術アカデミー教授。独自の色彩理論を展開した。

(12) Paul Klee (1879-1940) スイスの画家。ミュンヘンでフォン・シュトゥクに就いて学ぶ。「青騎士」に参加。ミュンヘン分離派に参加。ワイマール、デッサウのバウハウスで教える。バウハウスの閉鎖後、故郷ベルンに住む。

(13) Georg Muche (1895-1986) ドイツの画家。ベルリンでヘルヴァルト・ヴァルデンと共同。エルンスト、クレー等と展覧会を開く。ワイマール・バウハウスで教える。ブレスラウ、ベルリン等の美術学校で教える。

(14) Oswald Spengler (1880-1936) ドイツの哲学者。ハンブルクの高校教師であったが、その後ミュンヘンで文筆業に携わり、『西洋の没落』を著して大きな反響を呼んだ。

(15) Theo van Doesburg (1883-1931) 本名 Christiaan Emil Marie Kuepper。オランダの画家。モンドリアンとともに新造形主義を起こす。アウト、ウィルスと共同で絵画を建築に統合する。「デ・スタイル」運動を起こす。著書『新しい造形芸術の基礎概念』をバウハウス叢書として出版。カフェ・オーベッテは代表作。第II部第16章参照。

(16) László Moholy-Nagy (1895-1946) 米国の画家、写真家。ハンガリーのブダペスト大学で法律を学び、絵画に転じた。ベルリンで活動。ワイマール、デッサウのバウハウスで教える。ロンドンを経てシカゴに「ニュー・バウハウス」を設立。

(17) El (Eliezer Markovich) Lissitzky (1890-1941) ソ連の画家。ダルムシュタット工科大学で建築を学ぶ。マレーヴィチと共同し、最初の「プルーン」を提案する。ロシア、ドイツ、スイス各地で教え、ドゥースブルフ、ミースと共同。構成主義を起こす。シュタムと共同で計画案「雲の釣り手」を提出する。

(18) Suprematism 一九一五年、カシミール・マレーヴィチがその小冊子の中で説いた美術の新しい方式。彼によればこの方式こそ過去の美術にまして優れているという。社会的、政治的意味から独立した純粋の形態、とりわけ正方形を強調した。

(19) Joseph Albers (1888-1976) 米国の画家。ドイツに生まれ、ベルリン王立美術学校、エッセン工芸学校に学ぶ。その後、ワイマール・バウハウスに学び、以後、同校でガラス工房、家具工房で教えた。米国ではブラック・マウンテン大学、イェール大学教授。

(20) Joost Schmidt (1893-1948) ドイツの画家、彫刻家。ワイマール美術アカデミー、バウハウスで彫刻とタイポグラフィーを学ぶ。デッサウ・バウハウスの教授。ベルリン美術アカデミー教授。

(21) Richard Buckminster Fuller (1895-1983) 米国の思想家。ハーヴァード大学に学んだが、アカデミックな教育を受けず、第一次世界大戦中は海軍に従軍。その後は軽量構造による住宅生産に取り組み、「ダイマクション・ハウス」を発明。その後の活躍は既成の概念から逸脱し、建築はミクロコスモスからマクロコスモスを組織するものであると主張した。

(22) Marcel Lajos Breuer (1902-1981) 米国の建築家。ハンガリーに医師の息子として生まれ、ワイマール・バウハウスに学び、同校で教えた。グロピウスについて英国に渡り、住宅を設計。その後、グロピウスとともに米国に渡り、ハーヴァード大学で教えた。住宅のほか、ユネスコ本部など公共建築も多数設計した。

(23) Gunta Stadler-Stoelzl (1897-1983) ドイツの染織家。ミュンヘンの工芸学校で装飾を学ぶ。ワイマール・バウハウスで壁画と染織を学ぶ。デッサウ・バウハウスで教える。晩年はチューリッヒで工房を持っていた。

(24) Marianne Brandt (1893-1983) ドイツのインダストリアル・デザイナー。ワイマール大公美術アカデミーで彫刻を学ぶ。ワイマール・バウハウスでモホイ・ナジに就いて金属工房で学ぶ。デッサウ・バウハウスの教授。グロピウスと共同。その後、ドレスデン美術学校、ベルリン応用美術学校で教える。

(25) Hannes Meyer (1889-1954) スイスの建築家。石工、製図工となり、実業のかたわら、ベルリン工科大学に学ぶ。その後、デッサウ・バウハウスの教授、学長になった。その後、共産主義への接近によって学内外との軋轢を生じて同校を辞任し、ソ連、スイス、メキシコで活躍した。ベルナウにあるドイツ労働者組合学校、国際連盟設計競技案が有名。

(26) Hans Wittwer (1894-1952) スイスの建築家。一九二七年、デッサウ・バウハウスの教授となる。同三三年、ナチスの介入による解任後はハレ市建築顧問となり、多くの建築を設計。

(27) Ludwig Hilberseimer (1885-1967) ドイツの建築家、都市計画家。カールスルーエの工科大学に学ぶ。ベルリンで設計活動中、「芸術のための労働者評議会」、「十一月グループ」、「デル・リング」等に参加。その後、デッサウ・バウハウスの集合住宅、都市計画教授。米国ではIIT(イリノイ工科大学)の教授となった。

(28) Alfred Arndt (1896-1976) ドイツの建築家。建築製図学校に学び、ワイマールのバウハウスでイッテン、クレー、カンディンスキー、シュレンマーに就く。デッサウのバウハウスで教える。その後は各地の建築監督官となる。

(29) Edvard Heiberg (1897-1958) デンマークの建築家。機能主義を主張し、一九二八年のCIAM会議に出席した。

(30) Mart Stam (1899-1986) オランダの建築家。アムステルダム王立技術学校で製図を学ぶ。グランプレ・モリエール事務所で働いた後、「オプバウ」に接近し、その後シュミット、モーザーと会う。その後は、ベルリン、ロッテルダム、CIAM第一回会議、レニングラード、デッサウ等ヨーロッパ各地で活躍。

(31) Fritz Hesse (1881-?) ドイツの政治家。イエナ、ベルリン、ハレの大学で法律を学ぶ。デッサウで弁護士を開業。一九一八年、デッサウ市の市長となる。

(32) Ludwig Mies van der Rohe (1886-1969) 米国の建築家。ドイツ、アーヘンに生まれ、実業学校で製図を学ぶ。ベルリンでブルーノ・パウル、ペーター・ベーレンスに就く。以後の活躍については第Ⅱ部第18章、26章参照。

▼第Ⅱ部　第15章

(1) Alfred Hamilton Barr, Jr. (1902-1981) 米国の美術史家。プリンストン大学卒業。ウェルズレー大学で教え、ヒッチコック、ジョンソン等と知遇。ヨーロッパ各地を旅行し、当時の先端的画家、建築家等と会う。ニューヨーク近代美術館初代館長。

(2) Gustav Friedrich Hartlaub (1884-1963) ドイツの美術評論家。マンハイム美術館館長。

(3) Neue Sachlichkeit この言葉の英訳はNew Objectivity (新しい客観性)だが、著者の意向を汲んで従来の「新即物主義」の訳語を使った。なお、この言葉はオランダ語 'zakelijkheid' に由来するという説もあり、それによると一九〇〇年頃からベルラーヘ等、オランダ建築家の作品を記述するために使われたという。

(4) Heinrich Wölfflin (1864-1945) スイスの美術史家。ブルクハルトに就き、バーゼル大学教授。記述的美術史に対して様式概念の分析を線的、絵画的の対概念によって行った。

(5) Fritz Schmalenbach ドイツの美術史家。リューベック大学教授。

(6) Magic Realism 美術史家フランツ・ローは著書『後期表現主義:魔術的写実主義』の中で、新即物主義から派生し、ドイツ・ロマン主義に連なる一つの様式を「魔術的写実主義」と名付けた。その後、キリコ、さてはマグリットを巻き込んで波及し、米国にまで及んだ。

(7) Ilya Grigorievich Erenburg (1891-1967) ソ連の作家。十五歳でボルシェヴィキ地下運動に参加。フランスに亡命し、耽美主義に傾斜。帰国後は各地を放浪し、再び海外に赴いた。

（8）Hans Richter (1888-1976)　ドイツの画家、実験映画作家。チューリッヒ・ダダに参加。スウェーデンの画家エッゲリングと共同して実験映画を制作した。

（9）Werner Graeff (1901-1978)　ドイツの写真家。ワイマール・バウハウスに学び、ドゥースブルフに就く。「デ・スタイル」に参加。ハンス・リヒターと共同。

（10）Proun (Proekt Utverzhdeniia Novogo の頭文字)　エル・リシツキーの発案による芸術の新しい概念。新しいものを支持するための計画案の意味。一九二〇年、彼は次のように定義している。「プルーンは新たな価値を与えられた素材を経済的に構成することによって新しい形態を——空間の抑制を現出させることである。」

（11）ABC group　「一九二二年、エル・リシツキーはベルリンでマルト・シュタムに会った。二人は意気投合した。数ヵ月後、シュタムはオランダに戻り、スイスの友人ハンス・シュミットとウェルナー・モーザーに構成主義を伝えた。その年の冬、シュミットとモーザーはスイスに戻り、急進的建築のための中核を結成しようとした。ハンネス・マイヤー、ハンス・ヴィットヴァー、パウル・アルタリア、エミール・ロートに呼びかけた。明くる年、こうしたこととは関係なくシュタムとリシツキーが何度かスイスにやって来た。そして、グループは結成された。シュミット達の活動に動かされて、シュタムとリシツキーはそのグループに合流した。それから間もなく、一九二四年の春、彼等は共同して雑誌「ＡＢＣ」を発刊した。[…]一九二五年、リシツキーはロシアに帰った。その二年後、チューリッヒのルドルフ・シュタイガー、マックス・エルンスト・ハーフェリ、カール・エゲンダーがグループに加わった。次の十年間にグループのメンバーに変化はあったが、グループそのものは一九三九年まで存続した。」(Sima Ingebermann: "ABC International Constructivist Architecture, 1922-1939" MIT Press, 1994)

（12）Emil Roth (1893-1980)　スイスの建築家。チューリッヒのＥＴＨ（スイス連邦工科大学）出身。「ＡＢＣ」グループに参加。アルフレッド・ロートとは従兄弟。

（13）Hans Schmidt (1893-1972)　スイスの建築家。ミュンヘン工科大学、チューリッヒのＥＴＨを卒業。ハンス・ベルヌーイの影響を受けた。シュタム、エミール・ロート等と雑誌「ＡＢＣ」を発刊。パウル・アルタリアと共同。ＣＩＡＭ第一回会議に参加。

（14）Paul Artaria (1892-1969)　スイスの建築家。バーゼルに生まれ、製図工として年季奉公、同地の工芸学校に入学。ハンス・ベルヌーイの下で働き、低コスト住宅に関心を抱く。ハンス・シュミットと共同、実際的側面を担当、「ノイエス・バウエン（新建築）」に貢献した。ＣＩＡＭ第一回会議に参加。

（15）Vkhutemas (Vysshiye Khudozhestvenno-Tekhnicheskiye Masterskiye の略語)　一九二〇年十一月、国家命令によってモスクワに設立されたソヴィエト芸術、建築のための教育機関。その前身はモスクワ絵画・彫刻・建築学校とストロガノフ応用美術学校。芸術ならびに技術の高等教育を目的として、産業界に優れた芸術家を送り出し、専門教育のための教師を育成した。その建築学科は二〇年代のロシア建築教育を指導し、合理主義派と構成主義派が共存した。前者の「アスノヴァ」のラドフスキー、クリンスキー、ドクチャエフが一、二学年を教え、後者の「オサ」のギンズブルグ、ヴェスニン兄弟が三、四学年を教えた。二二年には第三のグループが生まれ、メルニコフ、ゴロソフが参加した。

（16）Leendert Cornelius van der Vlugt (1894-1936)　オランダの建築家。ロッテルダムの美術アカデミー、デルフト工科大学に学ぶ。ブリンクマンと共同。彼の死後、同事務所の代表となる。一九三〇年、ファン・ネレ工場を完成。

（17）De Opbouw　「建設」を意味する。一九二〇年、ロッテルダムに結成された機能主義を奉ずる建築家達のグループ。メンバーにはファン・デル・フルーフト、アウト、マルト・シュタム、ファン・エーステレン等がおり、指導者はウィレム・クロムフート。ＣＩＡＭのオランダ代表であった。一九四〇年、ドイツ軍の占領によって活動は停止した。

（18）Michiel Brinkman (1873-1925)　オランダの建築家。ロッテルダム美術アカデミーで建築を学ぶ。工業建築の分野で活躍した。

（19）Kees van der Leeuw (C.H. van der Leeuw)　オランダの開明的実業家。ファン・ネレ会社の重役。ファン・デル・フルーフトの理解者で、ファン・ネレ会社の工場の設計を依頼し、自宅の設計もファン・デル・フルーフトに依頼。そこがオランダ神智学会の場所となった。

(20) Johannes Duiker (1890-1935) オランダの建築家。デルフト工科大学に学ぶ。バイフートと共同。雑誌「デ・アハ・エン・オプバウ」を編集。ゾンネンシュトラールのサナトリウム、ハンデルスバルト・シネアク映画館などが有名。

(21) Bernard Bijvoet (1889-1979) オランダの建築家。デルフト工科大学で建築を学ぶ。ドゥイカーとは高校、大学を通じて同級。

(22) Ernst May (1886-1970) ドイツの建築家、都市計画家。ロンドンのユニヴァーシティー・カレッジ、ダルムシュタット工科大学に学び、さらにミュンヘン工科大学でフォン・ティールシュ、フィッシャーに就く。ロンドンではアンウィンの下で働く。フランクフルト都市計画監督となる。その後、ロシア、アフリカ等で活動、帰国後はダルムシュタット工科大学教授。

(23) Gerrit Thomas Rietveld (1888-1964) オランダの建築家。父の工房で修業。家具製作の業務を開始。「デ・スタイル」運動に参加。「レッド／ブルー・チェア」、シュレーダー・シュレーダーと共同して住宅を設計して、有名となる。

(24) De 8 (正確には Architectengroep de 8) 一九二七年から一九四二年までアムステルダムに結成、存続した建築家グループ。最初のメンバーはハーレン美術学校の生徒、メルケルバッハ、フローネヴェーヘン、カルステン、ボッシュ等の六人。称号は軍隊用語「ヘーフ・アハ」または「アハ」に由来する。意味は「注意！」または「八人」。一九三二年から、「デ・アハ」は「デ・オプバウ」と団結し、雑誌「デ・アハ・エン・オプバウ」を発刊した。

(25) Otto Haesler (1880-1962) ドイツの建築家。アウグスブルクとニュルンベルクの建築技術学校に学ぶ。ツェレに設計事務所を開設し、集合住宅の工業化を推進する。「デル・リング」に参加、ナチスの台頭によって引退し、庭園の設計に従事した。

(26) Richard Döcker (1894-1968) ドイツの建築家。シュトゥットガルト工科大学でパウル・ボナッツに就く。メンデルゾーンの助手となり、ワイゼンホーフ・ジードルングに参加。母校の教授に就任。

(27) Adolf Rading (1888-1957) ドイツの建築家。ベルリンの「バウゲヴェルケシューレ（建築技術学校）」に学ぶ。アウグスト・エンデルの下で働く。ブレスラウの美術アカデミー教授に就任。ベルリンでハンス・シャロウンと共同。その後、フランス、パレスチナで活動。ロンドンで活躍。

(28) Adolf Gustav Friedrich Schneck (1883-1971) ドイツの建築家。家業の家具製作を修業。バーゼルの工芸学校に学ぶ。シュトゥットガルト工科大学でパウル・ボナッツに就く。「工作連盟」に参加、ワイゼンホーフ・ジードルングに参加。

(29) Martin Wagner (1885-1957) ドイツの建築家。ベルリン・シャルロッテンブルク工科大学に学ぶ。「デル・リング」に参加。ベルリン市建築監督官。トルコに移住し、その後は米国に渡る。ハーヴァード大学で教える。

(30) Victor Bourgeois (1897-1962) ベルギーの建築家。ブリュッセルの王立美術アカデミーに学ぶ。同地の国立建築学校で教える。集合住宅の開発に従事。ワイゼンホーフ・ジードルングに参加。CIAM第一回会議に参加。

(31) Margarete Schütte-Lihotzky (1897-?) オーストリアの建築家。ウィーンの応用美術アカデミーでオスカー・ストラントに就く。アドルフ・ロースの下で働く。フランクフルトでエルンスト・マイに共同。マイに同行してモスクワに行く。滞ソ七年、米国、中国、フランス、トルコなどを遍歴。日本に滞在したこともある。

(32) Erwin Piscator (1893-1966) ドイツの演出家。ケーニヒスベルク（現カリーニングラード）で劇団「トリブナール」を設立。ベルリンの「フォルクスビューネ（民衆演劇）」に招かれ、画期的演出をする。その後、「ピスカトール劇場」を創設。米国に亡命。その後、ベルリンで演出活動。

(33) Volksbühne 十九世紀末に、大衆に低い料金で演劇を見せる目的で発達した会員制の観客組織。

(34) Vsevolod Emilievich Meierkhold (1874-1940) ソ連の演出家、俳優。ネミロヴィッチ・ダンチェンコ門下の俳優として出発。モスクワ芸術座創立に参加。研究座を興す。その後、スタニスラフスキー、コミサルジェーフスカヤ等に招かれたが、十月革命後、「メイエルホリド劇場」を興した。

(35) biomechanika メイエルホリドが案出した演技の訓練方式。ダンス、リズム体操、アクロバットなどを採り入れて、俳優に身体の本性にかかわる規則を教える。

(36) Proletkul't (Proletarskaya kul'tura の略語) 一九一七年九月、サンクトペテルブルグにつくられたプロレタリアのためのさまざまな形の芸術、研究でのアマチュア活動を指導する組織。百五十の部門に分かれ、四万人の会員がおり、二十種類の雑誌が刊行された。当初、ボグダーノフ、レベデフ・ポリャンスキー、プレトヌイフが指導に当たったが、一九三二年、他の組織の形成とともに廃止された。

(37) Proscenium / Apron / Arena　現代の劇場ではカーテンとオーケストラの間の部分がプロセニアムであり、舞台の袖のアーチを指すこともある。エプロンとはプロセニアムやカーテンを越えて客席に突き出した部分、アリーナはプロセニアムがなく、舞台を客席が段状に囲んでいる劇場である。

(38) Gustav Hassenpflug (1907-1977)　ドイツの建築家。デッサウ・バウハウスに学ぶ。

(39) Fred Forbat (1897-1972)　ハンガリー出身、ワイマール・バウハウスに学ぶ。グロピウスの下で働き、その後はマケドニア、ギリシアで活躍。ベルリン・ジーメンスシュタット計画に参加。マイとともにモスクワに行く。その後はハンガリーに帰国したが、スウェーデンに渡り、多くの都市計画に関与。

(40) Walter Schwagenscheidts (1886-1968)　ドイツの建築家。ヴッパタールの建築家から製図を習う。一時、ボナッツ、フィッシャーに就く。エルンスト・マイに協力。「デル・リング」に参加。マイとともにモスクワに行く。著書『空間都市』を出版。

(41) Arthur Korn (1891-1978)　ドイツの建築家。ベルリン王立応用美術学校に学ぶ。メンデルゾーンと共同。「十一月グループ」、「デル・リング」に参加。ワイゼンホーフ・ジードルングのインテリア・デザインを担当。ユーゴスラヴィアに移住。その後はロンドンに住む。

▼第Ⅱ部　第16章

(1) De Stijl　「様式」を意味するオランダ語だが、ここではファン・ドゥースブルフが一九一七年から三一年まで発刊した雑誌の名称であり、彼は三原色、平面、直角、垂直線、水平線などによって新しい形象を時代の精神として作りだそうとした。

(2) Pieter Cornelis Mondrian (1872-1944)　オランダの画家。アムステルダム神智学会に参加。パリに移住。帰国後、ファン・ドゥースブルフと会い、「デ・スタイル」に参加。再びパリに移住、帰国後「デ・スタイル」を脱会。三度、パリに移住、その後はロンドンを経てニューヨークへ移住。

(3) Bart van der Leck (1876-1958)　オランダの画家・建築家。クラールハーメル、ベルラーヘと共同。モンドリアン、ファン・ドゥースブルフ、フサール等と会い、「デ・スタイル」に参加。その後、離脱して独自の抽象画を展開。

(4) Georges Vantongerloo (1886-1965)　ベルギーの画家。ファン・ドゥースブルフと会い、「デ・スタイル」に参加。フランスに移住し、「デ・スタイル」を離脱。数学公式に基づく抽象画を発表。

(5) Vilmos Huszar (1884-1960)　ハンガリーのデザイナー。「デ・スタイル」に参加、同誌のデザインをする。室内、家具の設計を始め、「デ・スタイル」を離脱、リートフェルトと共同。

(6) Robert van't Hoff (1887-1979)　オランダの建築家。ロッテルダムに生まれ、米国に旅行、フランク・ロイド・ライトに会う。帰国後、ライトの影響を受けた作品を発表。ファン・ドゥースブルフに会い、「デ・スタイル」に参加。その後、離脱して英国に移住。

(7) Jan Wils (1891-1972)　オランダの建築家。ベルラーヘの下で働く。ファン・ドゥースブルフと会い、「デ・スタイル」に参加。ハーグに中学校を、アムステルダムにオリンピック競技場を設計。

(8) Anthony Kok (1882-1969)　オランダの詩人、思想家。「デ・スタイル」の形成に影響を与えた。

(9) Mathias Hubertus Josephus Schoenmaekers (1875-1944)　オランダの哲学者。マーストリヒトに生まれ、ローマのグレゴリアナ大学で神学と哲学を学ぶ。

(10) Cornelis van Eesteren (1887-?)　オランダの建築家、都市計画家。ロッテルダムの美術アカデミー卒業。「デ・スタイル」に参加。ファン・ドゥースブルフと共同。アムステルダム市建築監督官。CIAM議長。

(11) P.J. Klaarhamer　オランダの建築家。一九〇〇年代初期、ユトレヒトで建築事務所を構え、クラブ「ニーツ・ゾンデル・アルバイド」を組織し、夜学で教えた。教え子にヘリット・リートフェルト、ファン・デル・レック等がいた。

(12) Kazimir Severinovich Malevich (1878-1935)　ソ連の画家、彫刻家。キエフの美術学校に学ぶ。モスクワに移住し、後期印象派、野獣派、立体派を経て、シュプレマティズムに到達。建築に転じ、リシツキーと共同。その後は絵画に戻り、具象的作品に転じた。

(13) Elementarism　ファン・ドゥースブルフによって作られた用語で、絵画、建築に適用される。直線、平面、空間、三原色を構造的に用いている作品を指す。

(14) Léonce Rosenberg (1877-1947) フランスの蒐集家、画商。父の画廊を継ぎ、ピカソ、アンリ・ルソー、アフリカ芸術を収集。画商カーンワイラーの強制退去を利用してブラック、グリ、レジエを収集。その後も辣腕を発揮した。一九三〇年代の経済恐慌によって画廊は閉鎖。

(15) Hans Arp (1887-1966) フランスの彫刻家。チューリッヒ・ダダに参加、リシツキーと『芸術・主義』を出版。パリに移住、モンドリアン、ファン・ドゥースブルフ等と共同。

(16) Sophie Täuber Arp (1889-1943) スイスの画家。チューリッヒの応用美術学校でテキスタイルを教える。チューリッヒ・ダダに参加。ジャン(旧名ハンス)・アルプと共同。

▼第Ⅱ部　第17章

(1) Le Corbusier, Charles Edouard Jeanneret (1887-1965) フランスの建築家。スイスのラ・ショー・ド・フォンに生まれ、南フランス、カプ・マルタン海岸で遊泳中に死亡。第Ⅱ部第18章、第20章参照。

(2) Charles L'Eplattenier (1874-1946) スイスの教育者。パリのエコール・デ・ザール・デコラティフ、エコール・デ・ボザールに学ぶ。英国、ベルギー、オランダ、ドイツを歴訪して、ラ・ショー・ド・フォンの応用美術学校教授となる。

(3) Heinrich Tessenow (1876-1950) ドイツの建築家。ミュンヘン工科大学でフリートリッヒ・フォン・ティールシュに就く。ヘレラウで活動。ウィーン、ベルリンの美術学校等で教える。近代運動から逸脱した伝統主義は地方性と古典主義に接続している。

(4) Max Du Bois ラ・ショー・ド・フォン時代のル・コルビュジエの友人。自ら翻訳したコンクリート技術書を貸与したり、助言を与えた。

(5) Julien Caron アメデ・オザンファンの筆名

(6) Giacomo Matté Trucco (1864-1934) イタリアの技術者。トリノ・ポリテクニコ(トリノ工科大学)で機械工学を学ぶ。フィアットに入社、機械工作部門の部長となり、ディーゼル・エンジンの開発と工場建設を担当。工場建築の設計を始め、ダム、劇場、水力発電所などを設計した。

(7) Henri Frugès フランスの企業家。二十世紀初頭から砂糖の梱包箱の製造に従事し、労働力確保のために集合住宅を計画し、雑誌「エスプリ・ヌーヴォー」掲載のル・コルビュジエの論文を読んで彼に設計を依頼した。

(8) Colin Rowe (1920-1999) 英国の建築史家。リヴァプール大学で建築を、ロンドン大学ワーバーグ・インスティテュートで美術史を学ぶ。テキサス大学、ケンブリッジ大学、コーネル大学で教える。

(9) Robert Slutzky (1929-) 米国の画家。クーパー・ユニオン、イェール大学で美術を学ぶ。テキサス大学、プラッツ・インスティテュート、クーパー・ユニオンを経て、ペンシルヴェニア大学教授。

(10) Karel Teige (1900-1951) チェコの評論家。チャールズ大学に学ぶ。早くからヨーロッパの芸術運動に接し、その紹介と評論を書いた。「デヴェッィル」グループの創立に加わり、雑誌「レッド」の編集を引き受けた。国内外の雑誌、単行本の装幀のほか、独自のコラージュなども制作した。

▼第Ⅱ部　第18章

(1) Peter Carter (1927-) 英国の建築家。ノーザン・ポリテクニック、IIT(イリノイ工科大学)に学ぶ。LCC(ロンドン州議会建築部門)で働いた後、ミースの下で働き、カナダ・トロントのドミニオン・センターの設計を担当。ロンドンで事務所を開設。

(2) Mies van der Rohe (1886-1969) 米国の建築家。ドイツ・アーヘンに生まれ、製図の実習を習ったほかに正式な建築教育を受けていない。ブルーノ・パウル、ペーター・ベーレンスの下で働く。第Ⅱ部第26章参照。

(3) Bruno Paul (1874-1968) ドイツのデザイナー。ドレスデンとミュンヘンで製図、絵画を学び、最初は政治風刺雑誌「ジンプリツィシムス」で働く。その後は室内装飾、住宅設計に転じた。ベルリン工芸学校教授。

(4) Helene E.L.J. Kröller-Müller (1869-1939) オランダの蒐集家。ドイツ・エッセンに造船業者ハインリッヒ・ミューラーを父に生まれ、アントン・クレーラーと結婚。近代美術の収集を始める。ヴァン・ド・ヴェルドがベルラーへの後を継いで美術館の建築設計を受け持つ。

(5) Karl Liebknecht (1871-1919) ドイツの政治家、共産主義者。ライプツィッヒに生まれ、同地の大学ならびにベルリン大学で経済学、法学を学び、弁護士となる。ルクセンブルグとともに「スパルタクス団」を結成し、革命運動を指揮。一九一八年、ドイツ共産党を創設するが、暗殺される。

(6) Rosa Luxemburg (1870-1919) ポーランド・ザモスチ出身のドイツの政治家。チューリッヒで政治活動に参加、ドイツ社会主義運動を指導。リープクネヒトとともに「スパルタクス団」を結成、ドイツ共産党の創設に参加するが、ベルリンで虐殺される。
（7）Lily Reich (1885-1947) ドイツのデザイナー。ウィーンの美術アカデミーでヨゼフ・ホフマンに就く。ウィーン工房で働く。「工作連盟」の会員。ベルリンで工房を開設し、数多の展覧会に関係した。
（8）Ivan Ilich Leonidov (1902-1959) 港湾、農場労務者を経た後、モスクワの「ヴフテマス」に入学し、ヴェスニンに就く。学生時代から才能を認められたが、実現されたのはサナトリウムの階段だけであった。

▼第Ⅱ部　第19章

（1）Berthold Lubetkin (1901-?) 英国の建築家。モスクワ、サンクトペテルブルグで学んだ後、パリのエコール・デ・ボザール卒業。ロンドンで事務所を開設。「テクトン」グループを創設。一九八二年にＲＩＢＡ（英国王立建築家協会）金賞を受賞。
（2）Savva Ivanovich Mamontov (1841-1918) ロシアの鉄道王。一八七〇年代から八〇年代にかけて美術家、音楽家のパトロン。スタニスラフスキーの従兄弟。
（3）Princess Mariya Klavdievna Tenisheva (1867-1928) ロシアの貴族。富豪の貴族テニシェフと結婚。ディアギレフのパトロン。
（4）Viktor Mikhailovich Vasnestov (1862-1945) ロシアの画家。美術アカデミー出身。弟も画家。
（5）Nikolay Rimsky-Korsakov (1844-1908) ロシアの作曲家。海軍士官でありながらバラキレフの指導するグループと交わり、「五人組」の一人となった。ロシア国民音楽の大成者。後にペテルブルグ音楽院教授。
（6）Leonid Osipovich Pasternak (1862-1945) ロシアの画家。モスクワ美術学校教授。ノーベル賞を辞退した作家ボリス・パステルナークの父親。
（7）Alexei Kruchonykh (1887-1968) ロシアの詩人。オデッサ美術学校に学び、モスクワに出て未来派に参加。超意味言語による詩的実験を行う。革命後は形式主義者として批判され文壇から姿を消した。
（8）Mikhail Vasilievich Matiushin (1861-1934) ロシアの作曲家。モスクワ音楽院に学び、サンクトペテルブルグ宮廷オーケストラのヴァイオリニスト。ツヴァンツェヴァ美術アカデミーで絵画を学ぶ。未来主義の運動に参加。
（9）Konstantin Andreevich Thon (1799-1881) ロシアの建築家。サンクトペテルブルグ美術アカデミー卒業。新古典主義からビザンチン・ロシア様式へと転じた。
（10）Alexey Viktorovich Shchusev (1873-1949) ロシアの建築家。サンクトペテルブルグ美術アカデミー出身の古典主義建築家。革命後、初代の国家建築局の責任者となる。
（11）Viliam Frantsevich (William) Walcot (1874-1943) ロシアの建築家。オデッサに英国人を父に、ロシア人を母に生まれ、パリのエコール・デ・ボザールに学び、サンクトペテルブルグ美術アカデミー卒業。建築設計に従事したが、英国に移住してからは版画に転じた。
（12）Fedor Osipovich Shekhtel (1859-1926) ロシアの建築家。モスクワ絵画・彫刻・建築学校出身。小説家チェーホフの親友。モスクワ芸術座の創立者の一人。舞台装置を手がける。モスクワに富裕階級の邸宅リャブシンスキー、デロジンスカヤを設計。ロシア・アール・ヌーヴォーをロマン主義に結びつけた。
（13）Aleksandr Nikanorovich Pomerantsev (1848-1918) ロシアの建築家。サンクトペテルブルグ絵画・彫刻・建築学校、美術アカデミーで金賞を得て卒業。その後、同校の教授となる。ニジニ・ノヴゴロドの全ロシア芸術・産業博覧会のパヴィリオンを設計してから、多くの博覧会に参加。赤の広場の百貨店「グム」の設計者。
（14）Aleksandr Aleksandrovich Malinovskii (A.A. Bogdanov) (1873-1928) ロシアの思想家、医学者。マルクス主義をマッハ主義によって解釈してレーニンから批判された。「プロレトクリト」の理論的指導者。
（15）James Hadley Billington (1929-) 米国のロシア文化史専攻の歴史家。プリンストン大学、オクスフォード大学に学ぶ。ハーヴァード大学、プリンストン大学教授。ロシア文化史の著書多数。
（16）Inkhuk (Institut Khudozhestvennoy Kultury の略語) 一九二〇年、モスクワとサンクトペテルブルグとヴィテブスクに設立された研究・教育機関。ポポヴァ、ロドチェンコ、タトリン、マレーヴィチ、カンディンスキー等が参加した。その目的は「実験芸術」の芸術的過程と「生産芸術」の実用的応用の探求の二面を持っていた。
（17）Vladimir Tatlin (1885-1953) ロシアの画家、デザイナー。モスクワ美術学校、ペンザ美術学校に学ぶ。前衛グループと接触、パリ、ベルリンに旅行。革命後は重要な地位を占めながら、芸術文化の育成にも貢献し、第三インターナショナル記念塔、人力飛行機「レタトリン」等を制作。

(18) Alexander Mikhailovich Rodchenko (1891-1956) ロシアのデザイナー。サンクトペテルブルグに生まれ、カザン美術学校、モスクワ・ストロガノフ応用美術学校に学ぶ。タトリン、マレーヴィチ等と会い、構成主義グループに参加。「ヴフテマス」、「ヴフテイン (Vysshy Khudozhestvenno-Tekhnichesky Institut の略)国立芸術・技術高等専門学校」で教え、雑誌「レフ」のデザインを担当。

(19) Naum Gabo; Naum Neemia Pevsner (1890-1978) ロシアの彫刻家。ミュンヘン大学に医学を学ぶが、後に工科大学に転じた。ヨーロッパ各地を旅行。帰国後、兄アントワンと「レアリスム宣言」。兄 Antoine Pevsner (1886-1962) はロシアの彫刻家。サンクトペテルブルグ美術アカデミーに学ぶ。パリでドローネー、グレーズ等に会い、立体主義を学び、構成主義彫刻を発展させた。

(20) UNOVIS (Utverditeli novogo iskusstvo の略語) 一九二〇年代の「新しい芸術の支持者」の意味で、マレーヴィチを中心にして結成されたグループ。

(21) Agitprop (agitatsionnaya propaganda の略語) 一九一七年のボルシェヴィキ革命以後、瞬く間に流行しだしたロシア語の略語。政治的、扇動的目的を持った芸術。agitpoyezd は列車が、agitparokhod はボートが、その目的のために飾り付けられたり、彩色された。

(22) Nikolai Nikolaevich Evreinov (1879-1953) ソ連の演出家。「冬宮の襲撃」の演出はエイゼンシュテインの映画に影響を与えた。

(23) Konstantin Sergeevich Stanislavsky (1863-1938) ロシアの演出家。最初は俳優として活躍。ネミロヴィッチ・ダンチェンコと会い、その門下等と「モスクワ芸術座」を結成。その後、数々の戯曲の演出を成功させ、スタニスラフスキー・システムという俳優芸術を築いた。

(24) Narkompros (Narodny Komissariat Prosveshcheniya の略語) 一九一七年十月、アナトリー・ルナチャルスキーによって設立された教育と諸芸術を統括するための委員会。音楽、写真、映画、文学、演劇、美術の部門を持ち、美術館や記念建造物の維持・管理に当たった。マヤコフスキー、マレーヴィチ、カンディンスキーなども芸術委員であった。

(25) Gustav Gustavovich Klutsis (1895-1944) ソ連のデザイナー。ラトヴィアに生まれ、少年兵として戦闘に参加。リガの美術学校、サンクトペテルブルグ美術アカデミーに学ぶ。革命後、「ヴフテマス」卒業。雑誌「レフ」に参加。後年、スターリン粛清期に逮捕、処刑される。

(26) Nikolai Alexandrovich Ladovsky (1881-1941) ソ連の建築家。モスクワ美術・建築大学出身。「ヴフテマス」、「ヴフテイン」教授。合理主義運動の指導者。

(27) Moisei Yakovlevich Ginsburg (1892-1946) ソ連の建築家。ミンスクに生まれ、ミラノ美術アカデミー、リガ工科大学卒業。「ヴフテマス」教授、モスクワ工科大学でも教える。「オサ(ＯＳＡ)」創立会員。雑誌「ソウレメンヌイ・アルヒテクトゥーラ(現代建築)」の編集。著書『様式と時代』を出版。

(28) Vasily Nikolaevich Simbritsev (1901-1982) ソ連の建築家。「ヴフテマス」で最初は絵画を、その後は建築をラドフスキー、クリンスキーに学ぶ。「ヴォプラ」の創設に参加。「赤軍劇場」をアラビアンと設計。スターリングラード(現ヴォルゴグラード)の再建計画にも参加。

(29) Asnova (Assotsiatsiya Novykh Arkhitektorov の略語) 一九二三年から三二年にわたってモスクワで活動した建築家の集団。ラドフスキー、クリンスキー、ドクチャエフによって設立された。目的とするところは、現代建築の美学に絶対的に科学的な基礎を与えるという、合理主義的アプローチの確立であった。

(30) Konstantin Stepanovich Melnikov (1890-1974) ロシアの建築家。モスクワ美術・建築大学を卒業。一九二五年のパリ装飾美術博覧会のソヴィエト展示館、モスクワのルサコフ・クラブ、自邸などで有名。

(31) Alexandra Alexandrovna Exter (1884-1949) ロシアの画家。キエフ美術学校を卒業。パリのグランド・ショミエールに学ぶ。ピカソ、ブラック等と会う。モスクワに帰り、展覧会に出品。演劇の仕事に転ずる。「ヴフテマス」で教える。パリに移住。

(32) Boris Vladimirovich Gladkov (1897-?) ソ連の建築家。モスクワ建築大学出身。

(33) The Stenberg Brothers ソ連の兄弟建築家。Vladmir Avgustovich Stenberg (1899-1982), Georgii Avgustovich Stenberg (1900-1933)。兄弟ともモスクワ近郊に生まれ、ストロガノフ美術学校に学び、生涯、共同設計。モスクワの「インフーク」に参加。構成主義運動に参加。兄は、スターリン粛清期に逮捕され、死後、名誉回復。

（34）OSA（Ob'edineniye Sovremennikh Arkhitektorov の略語） 一九二五年から三〇年までモスクワで活躍した建築家の集団。ギンズブルグとアレクサンドル・ヴェスニンによって率いられ、ソヴィエト社会建設という目標に対して建築は何をすることができるかを論じた。隔月刊雑誌「ソウレメンヌイ・アルヒテクトゥーラ」を出版し、美的観点や形態的考慮を退けて、機能的・技術的配慮に重きを置いた。

（35）Mikahail Osipovich Barshch（1904-1976） ソ連の建築家。「ヴフテマス」出身。「ヴフテイン」教授、モスクワ建築大学教授。

（36）Andrei Burov（1900-1957） ソ連の建築家。「ヴフテマス」出身。学生時代から設計競技に参加。モスクワ建築大学教授。エイゼンシュテイン監督映画『全線』の装置を設計。市街地の高層集合住宅を設計。

（37）Lidia Konstantinova Komarova（1902-?） ソ連の建築家。「ヴフテイン」出身。

（38）Yakov Abramovich Kornfeld（1896-1962） ソ連の建築家。「ヴフテマス」出身。

（39）Mikhail Alexandrovich Okhitovich（1896-1937） ソ連の社会学者。

（40）Alexander Leonidovich Pasternak（1893-?） ソ連の建築家。モスクワ美術・建築アカデミー、モスクワ工科大学出身。作家ボリス・パステルナークの弟。

（41）Georgy Gustavovich Vegman（1899-1973） ソ連の建築家。モスクワ土木技術大学出身。

（42）Vyacheslav Nikolaevich Vladimirov（1898-1942） ソ連の建築家。モスクワ土木技術大学出身。

（43）The Vesninn Brothers ソ連の兄弟建築家。常に共同して設計。レニングラード・プラウダ計画案、「ドム・コムーナ」計画案、モストルグ百貨店、ハリコフ国立劇場計画案、モスクワ文化宮などが有名。Leonid Alexandrovich Vesnin（1880-1933）はサンクトペテルブルグ美術アカデミー出身。「ヴフテマス」教授。Victor Alexandrovich Vesnin（1882-1950）はサンクトペテルブルグ土木技術大学出身。「ヴフテマス」教授。Aleksandr Alexandrovich Vesnin（1883-1959）はサンクトペテルブルグ土木技術大学出身。「ヴフテマス」教授。

（44）Anatole Kopp フランスのロシア建築専攻の建築史家。ロシアに生まれ、幼少時代に各国を転居した。パリ・エコール・スペシアル・ダルシテクチュールで建築を学ぶ。ＭＩＴ（マサチューセッツ工科大学）卒業。パリ大学第三分校教授。

（45）Pantelemon Golosov（1882-1945）はモスクワ美術・建築大学を卒業。構成主義建築の指導者的存在。Ilya Golosov（1883-1945）は兄と同様の経路を経て、「ヴフテマス」で教える。モスクワの「労働者クラブ」の設計者。

（46）Vopra（Vsesoyuznoye Ob'yedineniye Assotsiatsii Proletarskikh Arkhitektotov の頭文字） 一九二九年から三二年にかけて活躍した建築家の集団。美術史家イワン・マーツァを指導者に、アラビアン、シンビリツェフ、モルドヴィーノフ、ウラーソフ等、「ヴフテイン」卒業の建築家をメンバーにして、目的とするところはプロレタリア階級イデオロギーから構成主義、前衛主義を批判することであった。

（47）Nikolai Aleksandrovich Milutin（1889-1942） ソ連の都市計画家。モスクワ美術学校に学びながら革命運動に奔走。十月革命に参加。一九二〇年代には都市計画の仕事に専念する。

（48）Anatoly Vasil'yevich Lunacharsky（1875-1933） ソ連の政治家・批評家・理論家。スイス・チューリッヒ大学に学ぶ。ギンズブルグと親交。帰国後、社会民主労働党に入党。革命後、最初の教育大臣になる。

▼第Ⅱ部　第20章

（1）Charlotte Perriand（1903-1999） フランスの建築家。二十四歳の時、ル・コルビュジエに招かれて家具と装飾を担当することで共同。以後、フランスのみならずロシア、南米、極東で活動。

（2）Alexandre von Senger スイスの建築家。著書に『建築の危機』（一九二八年）がある。

（3）Antoine de Saint-Exupery（1900-1944） フランスのパイロット、作家。リヨンに生まれ、フランス空軍に整備工として入隊。その後、郵便飛行のパイロットとなる。一時、ニューヨークに滞在、その間に『星の王子さま』を書く。第二次世界大戦で帰国し、地中海哨戒中、撃墜された。

（4）Yona Friedman（1923-） フランスの建築家。ブダペストに生まれ、同地の工科大学を卒業後、ハイファに移住。その後はパリで活躍。

（5）Nicolaas John Habraken（1928-） オランダの建築家。インドネシア・バンドンに生まれ、デルフト工科大学に学ぶ。ベルフホーフの下で働く。ＳＡＲ（建築研究財団）を設立。エイントホーヴェン工科大学、ＭＩＴ（マサチューセッツ工科大学）教授。

（6）Walter Kristaller (1893-1964)　ドイツの地理学者。南ドイツの研究から「中心的場所の理論」を展開した。

（7）Lúcio Costa (1902-2002)　ブラジルの建築家、都市計画家。フランスのツーロンに生まれ、リオ・デ・ジャネイロの国立美術学校を卒業。グレゴリー・ワルシャヴシクの下で働く。美術学校教授。

（8）Albert Mayer (1897-1981)　米国の都市計画家、建築家。MITで建築を学ぶ。キャサリン・バウアー、ルイス・マンフォードと共同。セントラル・パーク・サウスのアパートメントを改修。第二次世界大戦中、インド首相ネルーと会う。マシュウ・ノヴィッキと共同してチャンディガールの最初の案を作る。

（9）Robert Fishman　米国の都市計画史家。スタンフォード大学、ハーヴァード大学に学ぶ。アルフレッド・タウブマン・カレッジ教授。

（10）Hubert Lagardelle　フランスの社会運動家。雑誌「社会運動」を創刊。運動の中心となる。

（11）François de Pierrefeu (1891-1959)　フランスの社会運動家。エコール・ポリテクニーク出身。ル・コルビュジエと共著『人間の家』がある。

（12）Georges Sorel (1847-1922)　フランスの哲学者。エコール・ポリテクニーク中退後、土木局官吏として勤務。その間、社会問題を研究。労働組合の闘争、反議会主義を説いた。著書に『暴力論』などがある。

▼第Ⅱ部　第21章

（1）American Fundamentalism　二十世紀初頭アメリカで起こったプロテスタント教会の運動。

（2）Henry-Russell Hitchcock (1903-1987)　米国の建築史家。ハーヴァード大学卒業。スミス・カレッジ、ニューヨーク大学で教える。フィリップ・ジョンソンとの共著『国際様式』は近代建築を様式的に規定した。その他『建築、十九世紀と二十世紀』、『素材の性質に沿って』、『H・H・リチャードソンの建築とその時代』など著作多数。

（3）Meyer Schapiro (1904-1995)　米国の美術史家。リトアニアに生まれ、米国に移住。コロンビア大学卒業。専攻は中世、近代芸術。ハーヴァード大学、ニューヨーク大学で教える。

▼第Ⅱ部　第22章

（1）Hugo Alva Henrik Aalto (1898-1976)　フィンランドの建築家。ヘルシンキ工科大学に学ぶ。リンドグレンとソンクに就く。二十五歳で事務所設立。アイノ・マルシオと結婚。

（2）Johan Albert Ehrenström　ヘルシンキ再建委員会委員長。十八世紀に荒廃した同市の再建に尽力した。

（3）Carl Ludwig Engel (1778-1840)　ドイツの建築家。ベルリンの美術アカデミーに学んだ。タリン、サンクトペテルブルグに住み作品を残したが、三十七歳からはヘルシンキに住んで三十の作品を残した。

（4）Gustaf Ferdinand Boberg (1860-1946)　スウェーデンの建築家。王立工科大学を卒業。世界各地を旅行し、シカゴのリチャードソンの作品の影響を受けた。パリ、セント・ルイス、ヴェネチア、サンフランシスコの展覧会建築を手がける。

（5）Martin Nyrop (1849-1921)　デンマークの建築家。最初は職人として修業したが、王立美術アカデミーに学ぶ。卒業後各地を旅行して、帰国後は同校の助手、そして教授になる。国民的ロマン主義運動に影響を及ぼした。

（6）Ragner Östberg (1866-1945)　スウェーデンの建築家。ストックホルムに生まれ、王立工科大学と王立美術アカデミーを卒業。各地を旅行して帰国後、個人住宅を設計。ストックホルム市庁舎を十五年の歳月をかけて完成した。

（7）Peder Vilhelm Jensen-Klint (1853-1930)　デンマークの建築家。同国の中世期煉瓦技術を改良して現代に適用できるようにした。

（8）Akseli Valdemar Gallén-Kallela (1865-1931)　フィンランドの建築家、画家。ヘルシンキのフィンランド美術協会付属製図学校、パリのアカデミー・ジュリアンに学ぶ。フィンランドの国民的ロマン主義運動の中枢的存在。

（9）Gottlieb Eliel Saarinen (1873-1950)　フィンランドの建築家。ヘルシンキ大学と同工科大学で絵画と建築を学ぶ。ゲゼリウス、リンドグレン等と共同。ヘルシンキ駅を設計し、米国に移住し、息子のエーロと共同。クランブルック美術アカデミーの施設を設計。ミシガン大学教授。

（10）Herman Ernst Henrik Gesellius (1874-1916)　フィンランドの建築家。ヘルシンキ工科大学で建築を学ぶ。学生時代からサーリネン、リンドグレンと共同。のちにサーリネンと共同するが、独立。

（11）Armas Eliel Lindgren (1874-1929) フィンランドの建築家。ヘルシンキ工科大学に学ぶ。サーリネン、ゲゼリウス等と国民的ロマン主義の創生に影響を与える。その後、二人と別れ設計活動。母校の教授。

（12）Lars Sonck (1870-1956) フィンランドの建築家。ヘルシンキ工科大学卒業。木造建築の多いフィンランドで石造建築を定着させ、次世代の発展を用意した。

（13）Elias Lönnrot (1802-1884) 最初、医学を学び、その後歴史家フォン・ベッケルに就く。医師として北フィンランドに滞在し、民族詩を採集して『カレワラ』を編纂した。

（14）Carl Gustav Nyström (1856-1917) フィンランドの建築家。ヘルシンキの工科大学を卒業し、ウィーン工科大学に留学。帰国後、母校で教える。サンクトペテルブルグ美術アカデミー会員。

（15）Onni Alcides Tarjanne (1864-1946) フィンランドの建築家。ヘルシンキ工科大学、ミュンヘン工科大学卒業。帰国後、母校の教授。

（16）Selim Arvid Lindquist (1867-1939) フィンランドの建築家。ヘルシンキ工科大学に学ぶ。フィンランドの構成主義者と言われ、スティールやコンクリートを積極的に採り入れた。

（17）Vilhelm Wanscher デンマークの建築史家。"Architekten G.Bindesboll", "Christian IV's bygninger", "Constantin Hansen 1804-80" などの著者。

（18）Paul Mebes (1872-1938) ドイツの建築家。ブランシュヴェイク工科大学に学ぶ。一九〇七年以来、ベルリンで設計活動。同市の集合住宅共同組合に関係を持ち、多くの集合住宅を設計。その著作『一八〇〇年代』二巻は反響を呼んだ。

（19）Hack Kampmann (1856-1920) デンマークの建築家。国民的ロマン主義運動も最終期を代表する建築家で、後期には古典主義的傾向を見せた。

（20）Edvard Thomsen (1889-1980) デンマークの建築家。古典主義的傾向を見せ、機能主義的発想を抱いた。

（21）Michael Gottlieb Bindesboll (1800-1856) デンマークの建築家。コペンハーゲンの王立美術アカデミーに学ぶ。その後、ヨルゲン・コッホの下で働き、ドイツのロマン的古典主義の影響を受けた。トワルトセン美術館の設計で知られる。

（22）Carl Petersen (1874-1924) デンマークの建築家。デンマークに新古典主義的傾向を紹介したことで知られる。

（23）Carl Westman (1866-1936) スウェーデンの建築家。ストックホルムの王立工科大学ならびに美術アカデミーに学ぶ。その後、同国の公衆衛生省の建築責任者として活躍。国民的ロマン主義の旗手。

（24）Ivar Justus Tengbom (1878-1968) スウェーデンの建築家。ヨーテボリのカルメル工科大学ならびにストックホルムの美術アカデミーに学ぶ。その後、母校アカデミーの教授。国民的ロマン主義から機能主義への動きを体現した建築家。

（25）Erik Gunnar Asplund (1885-1940) スウェーデンの建築家。ストックホルムの工科大学と建築自由アカデミーに学ぶ。母校の教授となる。ジグルド・レヴェレンツと共同。ストックホルム・サウス墓地、同市市立図書館の設計競技に入賞、実現させた。

（26）Johan Sigfrid Siren (1889-1961) フィンランドの建築家。ヘルシンキの工科大学に学ぶ。同国における新古典主義建築の指導的存在。国会議事堂の設計で有名。その子息もその嫁もともに建築家 Heikki Sirenと Kaija Siren。

（27）Klara School 一九〇九年、アスプルンドは友人達と当時のアカデミーに反抗し、彼等自身の自由な学校を設立して「クララ・スクール」と名付け、エストベリイ、ウェストマン、テンボム、ベリーステン等を講師として招いた。

（28）Battle of Styles 十九世紀、英国では折衷主義に味方してリヴァイヴァリズムに対する反動が生じた。その間の事情を当時は「様式の戦い」と呼んだ。ケネス・クラーク著『The Gothic Revival』参照。

（29）Sigurd Lewerentz (1885-1975) スウェーデンの建築家。ヨーテボリの工科大学に学び、ドイツのフィッシャー、リーマーシュミットの下で働く。国民的現実主義とでも言うべき傾向を見せた。

（30）Usko Sakris Nyström (1861-1925) フィンランドの建築家。ヘルシンキの工科大学ならびにパリのエコール・デ・ボザールに学ぶ。その後、ヘルシンキ工科大学、中央応用美術学校の教授。

（31）Erik Bryggman (1892-1955) フィンランドの建築家。アアルトに次ぐ国際様式のフィンランドへの紹介者で、もっぱらトゥルクで活躍した。

（32）ARU (Assosiatsiia Arkhitektorov-Urbanistovの略語) 一九二八年十一月にラドフスキーを議長として結成された建築家、都市計画家協会。一九三二年に解散。

(33) Harry Gullichsen (1902-1954) フィンランドの企業家。妻はマイレア Mairea (1907-1990)。その子息が建築家Christian Gullichsen。

(34) Leonardo Benevolo (1923-) イタリアの建築史家。ローマ大学、チューリッヒのETH（スイス連邦工科大学）に学ぶ。ローマ、ヴェネチア、パレルモの大学、米国のイェール、コロンビアの各大学、リオ・デ・ジャネイロ、法政大学でも教えた。

▼第Ⅱ部　第23章

(1) Giorgio di Chirico (1888-1978) イタリアの画家。ギリシアに生まれ、アテネの美術学校、ミュンヘンの美術アカデミーに学ぶ。パリに移住。「形而上絵画」を創出。ローマに戻り、近代絵画を放棄、伝統復帰を宣言。

(2) Valori Plastici 一九一八年十一月、画家・批評家マリオ・ブローリオが発刊した雑誌の名称。この雑誌を運動の拠点としたのはブローリオの妻エディタ・W・ミューレン、ロベルト・メッリ、アルベルト・サヴィーノ、ジョルジョ・デ・キリコ、カルロ・カッラ、いずれも画家である。

(3) Giovanni Muzio (1893-1972) イタリアの建築家。ミラノ工科大学で建築を学ぶ。ベルガマスク的とでも言うべき近代性と伝統性の混淆した表情の設計は独特である。「カ・ブルッタ」、「文化宮」などの建築家。

(4) Novecento Italiano 一九二二年、ミラノの画廊「ペーサロ」に集まった七人の画家の起こした芸術運動。アンセルモ・ブッチ、レオナルド・ドゥドゥレヴィル、アキーレ・フーニ、ジアン・エミリオ・マレルバ、ピエロ・マルッシ、ウバルド・オッピ、マリオ・シローニ等はマルゲリータ・サルファッティに率いられて、イタリア芸術の「新世紀」に乗りだした。

(5) Guido Frette (1901-?) イタリアの建築家。ミラノのブレラ・アカデミーとミラノ工科大学の両校を卒業。

(6) Carlo Enrico Rava イタリアの建築家。CIAM第一回会議に正式代表として参加。「合理主義」という呼称を提案した。

(7) Adalberto Libera (1903-1963) イタリアの建築家。ローマ美術アカデミアならびにローマ大学に学ぶ。「イタリア合理主義建築運動」に参加。ローマ宮殿、マラパルテ邸の設計で知られる。

(8) Luigi Figini (1903-1984) イタリアの建築家。ミラノ工科大学に学ぶ。ポリーニと終生共同した。

(9) Gino Pollini (1903-1991) イタリアの建築家。ロヴェレトの工科大学に学ぶ。「イタリア合理主義建築運動」に参加。「現代建築問題解決国際委員会」に所属。

(10) Giuseppe Terragni (1904-1943) イタリアの建築家。ミラノ工科大学を卒業。カスティリオーニ、フィジーニ、ポリーニ、フレッテ、ラルコ、ラッヴァとともに「グルッポ7」を結成。コモの「カサ・デル・ファッショ」、計画案「ダンテネウム」などの設計で知られ、同世代に圧倒的影響を与えた。

(11) Pietro Lingeri (1894-?) イタリアの建築家。ミラノのブレラ・アカデミーを卒業。

(12) Pietro Maria Bardi (1900-2000) イタリアの評論家。独学で評論活動に入り、ミラノにギャラリーを開設。ファシズム時代ムッソリーニに近づく。戦後ブラジルに移住。妻の建築家リナ・ボ・バルディとともにサンパウロ美術館を創立。

(13) Marcello Piacentini (1881-1961) ローマのサン・ルーカ・アカデミーを卒業。ローマ建築大学の教授となり、当時の建築界の指導的存在。雑誌「ラルキテットゥーラ」を編集。ファシズム時代の自らの建築物と論文によって一世を風靡し、ローマ郊外にローマ万博を計画。

(14) Gio Ponti (1891-1979) イタリアの建築家。ミラノ工科大学を卒業。「グルッポ7」の合理主義と「ノヴェチェント」の古典主義の狭間にあって、ワグナーの影響を受けた。後年、母校の教授。雑誌「ドムス」を創刊。ピレッリ・ビルの設計者。

(15) Giovanni Michelucci (1891-1991) イタリアの建築家。フィレンツェの美術アカデミーを卒業。「トスカナ組」を結成。イタリア合理主義の代表作フィレンツェ駅の設計に参加。後年はサン・ジョヴァンニ教会のような新表現主義に転位した。

(16) Giuseppe Pagano (1896-1945) イタリアの建築家。初期のファシズム運動に参加。トリノ工科大学に建築を学ぶ。ジャーナリストとしても活躍、雑誌「カサベラ」の編集に当たる。

(17) Edoardo Persico (1900-1936) イタリアの建築評論家。ナポリに生まれ、ミラノに移住した後、建築に関わる。パガーノの招きによって雑誌「カサベラ」の編集を行う。

(18) Mario Radice (1898-?) イタリアの画家。コモの工業学校に学び、テラーニと会う。第一次世界大戦後は幾何学的抽象に転換。「グルッポ・ディ・

コモ」を結成。「カサ・デル・ファッショ」の壁画、ミラノ・トリエンナーレ彫刻を制作。

(19) Mario de Renzi (1897-1967) イタリアの建築家。ローマで建築教育を受ける。アダルベルト・リベラと共同。ファシスト建築家同盟の代表者となる。ナポリ大学教授。

(20) Comasco group 一九三四年、ボットーニ、カッタネーオ、ドーディ、ジウッサーニ、リンジェーリ、プッチーニ、ウスレンギの七人の建築家が結成した集団。

(21) Marcello Nizzoli (1887-1968) イタリアのデザイナー。未来主義画家達とともに展覧会を開く。ペルシコ、テラーニと共同。オリヴェッティ社のためにタイプライターを開発。

(22) Giancarlo Palanti (1906-1977) イタリアの建築家。ミラノの工科大学ならびにローマの建築大学を卒業。戦後、バルディ夫妻とともにブラジルに移住し、サンパウロ美術館の創立に参加。

(23) Lucio Fontana (1899-1968) アルゼンチンの画家。ミラノのブレラ・アカデミーを卒業。リンジェーリ、テラーニの装飾を引き受ける。

(24) Cesare Cattaneo (1912-1943) イタリアの建築家。ミラノ工科大学を卒業、グループ「C. M. 8」を結成。オリゴーニと共同。

(25) Ernesto Bruno La Padula (1902-1969) イタリアの建築家。ローマの建築大学を卒業。「イタリア合理主義建築運動」に参加。ローマ万博・イタリア文化宮殿の設計に参加。アルゼンチン・コルドバ大学教授。

(26) Giovanni Romano (1905-) イタリアの建築家。ミラノ工科大学ならびにローマ建築大学を卒業。ミラノ工科大学教授。

(27) Armando Brasini (1879-1965) イタリアの建築家。独学で建築家となり、ファシズム時代はピラネージからの影響で韜晦さを発揮し、ボルロミーニを発想源とした。東京の日伊会館の設計者。

(28) Arnaldo Foschini (1884-?) イタリアの建築家。ローマの建築大学に学び、同地の美術大学教授。

(29) Adriano Olivetti (1901-1960) イタリアの企業家。トリノ工科大学で工業化学を学んだ後、家業を継ぎ、東奔西走の旅行中、列車内で急逝。

(30) BBPR 一九三二年、ミラノで創立された設計事務所。「トーレ・ヴェラスカ」は代表作。メンバーの Gian Luigi Banfi (1910-1945), Lodovico Barbiano di Belgiojoso (1909-), Enrico Peressutti (1908-1976) はミラノ工科大学卒業。Ernesto Nathan Rogers (1910-1968) はミラノ工科大学卒業。雑誌「カサベラ」の編集に当たる。

(31) Augusto Magnaghi イタリアの建築家。グループ「ヴァローリ・プリモルディアーリ」を結成。

(32) Luigi Origoni (1911-?) イタリアの建築家。コモに生まれ、ミラノ工科大学を卒業。テラーニと共同。

▼第Ⅱ部 第24章

(1) Robert Byron (1905-1941) 英国の作家。イスラム芸術の研究者。バーミヤン石窟を調査、紹介した。『オシアナへの道』の著者。

(2) Social Realism 二十世紀初頭の「大恐慌時代」、抽象絵画に反対して日常生活や社会問題を自然主義的リアリズムで描くことを提唱した運動。米国、英国、メキシコ、ドイツ、ソヴィエト(当時)で盛んになり、米国には「ジ・エイト(八人組)」、英国には「キッチン・シンク(台所の流し)」のグループ、メキシコにはリベラ、オロスコ、シケイロスといった画家達がいた。なお、Socialist Realism は一九三二年、「ソヴィエト作家同盟」によって共産党の公式文化路線となった。それはスターリン、ジュダーノフ、ゴーリキーによって規定されたもので、「社会主義の現実と共産主義革命の未来を肯定的に描く」こととされた。スターリンの死後、この路線が廃止されたことは周知である。

(3) pompier 大時代的な作風の画家、作家を指すが、この言葉には消防士の意味もあり、一説によると消防士の被るヘルメットから前記のような意味が生じたと言う。

(4) Cass Gilbert (1859-1934) 米国の建築家。大工の手伝い、ラドクリフ事務所の製図工となる。MIT(マサチューセッツ工科大学)に入学。その後マッキム・ミード・ホワイトの下で働く。事務所設立後、ミネソタ州庁舎を始め、多くの公共施設を手がけ、ニューヨークに合衆国税関、ウールワース・ビル等を設計した。

(5) Raymond Hood (1881-1934) 米国の建築家。MITおよびパリのエコール・デ・ボザールに学ぶ。帰国後、J・A・フーイルーと共同。シカゴ・トリビューン社ビルで名を上げた。歴史主義を脱して合理主義、国際様式に近づき、ロックフェラー・センターの設計に参加。

(6) Paul Bonatz (1877-1956) ドイツの建築家。ミュンヘン工科大学に学び、テオドール・フィッシャーに就く。シュトゥットガルト、イスタンブールの各大学で教える。

(7) Geoffrey Scott (1885-1929) 英国の歴史学者。オクスフォード大学に学ぶ。ボズエルとジョンソンに関する研究で知られた。

(8) John Burnet, Sir (1857-1938) スコットランドの建築家。父も建築家。パリのエコール・デ・ボザールに学び、パスカルに就く。帰国後は父を補佐し、キャンベルと共同。米国旅行中、マッキム、サリヴァンと会い、新技術を吸収して設計。その後、RIBA(英国王立建築家協会)金賞を受賞。

(9) Charles Lemaresquier (1870-1972) フランスの建築家。パリのエコール・デ・ボザール卒業。ローマ賞受賞。母校教授。フランス政府建築顧問。

(10) Jozsef (Giuseppe) Vago (1877-1947) ハンガリーの建築家。ルーマニアに生まれ、ブダペストのヨゼフ工科大学卒業。オーディン・レヒナーの助手。兄ラズローと共同し、その後独立。国際連盟設計競技に一位入賞。その後、イタリアに住む。息子はピエール・ヴァゴ。

(11) Boris Mikhailovich Iofan (1891-?) ロシアの建築家。最初は現場監督。ローマ・レジオ美術大学、技術大学に学ぶ。イタリア共産党に入党。建築の頂部に象徴的彫刻を置く手法を開発し、パリ万博、ソヴィエト・パレスなどを設計。

(12) Vladimir Georgievich Gelfreikh (1885-1976) ソ連の建築家。サンクトペテルブルグ美術アカデミー出身。

(13) Vladimir Alekseivich Shchuko (1878-1939) ロシアの建築家。ベルリンに生まれ、サンクトペテルブルグ美術アカデミーで絵画と建築を学ぶ。舞台装置を手がけ、また、多くの設計競技に参加した。

(14) Benedetto Croce (1866-1952) イタリアの哲学者。上院議員。文相。イタリアに支配的であった実証主義を克服。雑誌「クリティカ」を創刊。ファシズムに対しては批判的であった。

(15) Friedrich Ludwig Jahn (1778-1852) ドイツの思想家、体育教育者。ハレ、ゲッティンゲンの各大学で神学、哲学を学ぶ。ドイツ諸地方を旅行し、道徳的、体力的高揚を説く。各地に体操場を広めた。

(16) Richard Walter Darre (1895-1954) ドイツの思想家。アルゼンチンに生まれ、ドイツで農業経済学を学び、農林省顧問となる。ナチスに接近し、「血と土」の思想を喧伝する。第二次世界大戦後、ニュルンベルク裁判に掛けられた。

(17) Heimatstil 二十世紀初頭から一九四〇年代末までドイツ、スイス、ポーランド、フィンランドに見られた地方的・土着的特性を発揮、保護する運動。建物・品物の目的や耐久性への適合と自然材料の使用を強調し、特に白木の木材を尊重した。

(18) Robert Ley (1890-1945) ドイツの政治家。最初は化学者。下院議員、国会議員を経て、ナチスに入党。労働組合を解散し、「クラフト・ドゥルッヒ・フロイデ(KdF)」を創設、宣伝し、ナチスの幹部を育成した。第二次世界大戦後、ニュルンベルク裁判の判決前に自殺した。

(19) Herbert Rimpl (1902-1978) ドイツの建築家。ミュンヘン工科大学に建築を学び、テオドール・フィッシャーに就く。ドミニクス・ベームの助手を勤める。ナチス時代、航空機製作会社ハインケルの諸施設を設計。当時、エルンスト・マイの元所員も大勢参加した。

(20) Paul Schultze-Naumburg (1869-1949) ドイツの建築家。カールスルーエ工科大学にて建築と絵画を学ぶ。最初、進歩的立場で設計していたが、ナチス時代、バウハウス、国際様式を攻撃し、単純な歴史様式を薦めた。ナチス政策に利用されたが、設計の機会は与えられなかった。

(21) Alfred Rosenberg (1893-1946) ドイツの思想家。エストニアに生まれ、リガ、モスクワの各大学にて建築を学ぶ。ロシア革命後ミュンヘンに逃れ、ナチスに入党。第二次世界大戦後、ニュルンベルク裁判に掛けられ、処刑された。

(22) Kampfbund fur deutsche Kultur ローゼンベルクの提唱によって、一九二九年二月二十六日、国家的組織として発足したナチス文化の普及を目的とした知識人の集団。

(23) Karl Fernand Langhans (1781-1869) ドイツの建築家。建築家の父の薫陶を受けた。シンケルと同時代の劇場建築を手がけ、ブレスラウに公職を得た。

(24) Paul Ludwig Troost (1878-1934) ドイツの建築家。ダルムシュタット工科大学に学び、ルートヴィッヒ・ホフマンに就いた。新古典主義を奉じ、第三帝国の建築を設計した。

(25) Albert Speer (1905-1981) ドイツの建築家。ミュンヘン工科大学、ベルリン工科大学に学ぶ。ハインリッヒ・テッセナウの助手を務めた。ヒトラーの知己を得て、第三帝国の枢要な地位を占めた。ツェッペリン広場施設、ニュルンベルク大会施設を設計。第二次世界大戦後、シュパンダウ監獄に収監された。

(26) state as a work of art (Der Staat als Kunstwerk)　ヤコブ・ブルクハルト著『イタリア・ルネッサンスの文化』第一章「芸術作品としての国家」を参照。

(27) Leni Riefenstahl (1902-)　ドイツの映画監督。最初、ダンサーを志望。その後、女優となり、アーノルト・ファンク監督の映画に出演。以後は監督に転じた。

(28) Werner March (1894-1976)　ドイツの建築家。建築家の父オットーの薫陶を受け、古典主義を奉じ、建築家の兄ヴァルターの協力を得て、ベルリンにオリンピック施設を完成。

(29) J.C. Dondel　パリ近代美術館をA・オーベルと共同で設計した。設計競技の折には二人は全くの無名であった。

(30) Henry Bacon (1866-1924)　米国の建築家。イリノイ大学に学ぶ。マッキム・ミード・ホワイトの下で働く。その後はジェームズ・ブリットと共同。「リンカーン・メモリアル」で知られる。AIA（アメリカ建築家協会）金賞受賞。

(31) Warren and Wetmore　米国の建築事務所。Whitney Warren (1864-1943) は最初、鉱物学を学び、その後エコール・デ・ボザール卒業。Charles D. Wetmore (1867-1941) はハーヴァード大学法学部出身。ホテル、鉄道関係の施設の設計が多く、ビルトモア・ホテル、グランド・セントラル駅などを設計した。

(32) McKim, Mead & White　米国の建築事務所。十九世紀末、洗練された都会的、歴史主義的作風で多くの作品を設計した。マッキムの重厚性、ミードの経営性、ホワイトの装飾性が統合されていた。Charles Follen McKim (1847-1909) はパリのエコール・デ・ボザール卒業。H・H・リチャードソンの下で働く。William Rutherford Mead (1846-1928) はアムハースト大学に学ぶ。ラッセル・スタージェスの下で働く。Stanford White (1853-1906) はニューヨークに生まれ、H・H・リチャードソンの下で働く。愛人のモデル、イヴリン・ネスビットの夫に殺害された事件は今日でも有名。

(33) Feilheimer & Wagner　米国の Alfred Feilheimer (1875-1959) と Stewart Wagner (1886-1958) による建築事務所。主として鉄道駅の設計に当たった。

(34) Jacques Greber (1882-1962)　フランスの建築家。パリのエコール・デ・ボザールに学び、ガストン・ルドンに就く。米国に渡り、個人・公共の庭園設計を残す。パリに帰り、パリ大学都市研究所で教える。ルーアン、リール、マルセイユ等の都市計画を推進。

(35) McKenzie, Voorhees, Gmelin and Walker　米国の建築事務所。一九一〇年代、ニューヨークの専ら電話関係の施設を設計した。メンバーは Andrew C. McKenzie (1861-1926), Stephen Francis Voorhees (1878-1965), Paul Gmelin (1859-1937), Ralf T. Walker (?)。

(36) Ely-Jacques Kahn (1884-1972)　米国の建築家。コロンビア大学で建築を学び、その後、パリのエコール・デ・ボザール卒業。帰国後はバックマン・フォックスに入所、共同経営者となる。主にオフィス・ビルを設計した。メトロポリタン美術館の設計者。

(37) Samuel Lionel Rothafel "Roxy" (1882-1936)　米国の劇場支配人。ミネソタに生まれ、ロックフェラー・センター・ラジオ・シティのミュージック・ホールの支配人となる。

(38) Reinhard & Hofmeister　米国の建築事務所。ロックフェラー・センターのインテリアを担当した。L. Andrew Reinhard (1891-1964) はボザール・インスティテュート・オヴ・デザインに学び、フッドの下で働く。Henry Hofmeister (1891-1962) はウォーレン・アンド・ウェトモアの下で働く。

(39) Corbett, Harrison & Macumarry　米国の建築事務所。Harvey Wily Corbett (1873-1954) はカリフォルニア大学に学び、パリのエコール・デ・ボザールではパスカルに就く。帰国後、キャス・ギルバートの下で働く。ハリソンとマクマレーと共同。Wallace K. Harrison (1895-1981) はマッキム・ミード・ホワイトの下で働く。パリのエコール・デ・ボザールでウンデンシュトックに就く。帰国後、再びマッキム・ミード・ホワイトの下で働く。グッドヒュー、フッドで製図工となる。ロックフェラーの義妹と結婚して出世の糸口を掴む。その後コーベットと共同。ロックフェラー・センターの設計に参加。その後は国連ビルの設計。

(40) Hood & Fouilhoux　米国の建築事務所。Raymond Hood は前出（5）参照。Jacques Andre Fouilhoux (1879-1945) は米国の技術者。パリに生まれ、ソルボンヌ大学とエコール・サントラル・デ・ザール・エ・メティエ（中央技芸学校）に学ぶ。米国に移住。アルバート・カーンの下で働く。フッドと共同し、後にはハリソンと共同。

(41) Paul Manship (1885-1966)　米国の彫刻家。ニューヨークのアート・ステューデント・リーグ、フィラデルフィアの美術学校に学ぶ。ローマ賞受賞。イタリア、ギリシア、エジプトに滞在。帰国後は多くの記念碑の制作に携わる。

(42) Diego Rivera (1886-1957)　メキシコの画家。メキシコ市美術学校に学び、その後、パリに留学。立体主義運動に参加。帰国後は民衆の画家を目指し、メキシコの歴史と生活を主題に壁画を制作した。

(43) Hugh Ferriss (1889-1962)　米国の建築画家。ワシントン大学で建築を学ぶ。キャス・ギルバートの下で透視図を描く。以後、独立した建築画家として活躍した。

(44) William van Alen (1883-1954)　米国の建築家。給仕をしながらプラット・インスティテュートに通う。クリントン・ラッセルの下で働き、パリのエコール・デ・ボザールに留学。帰国後、セヴェランスと共同。

(45) William Lescaze (1896-1969)　米国の建築家。スイスに生まれ、チューリッヒのETH（スイス連邦工科大学）でカール・モーザーに就く。パリのソヴァージュの下で働く。米国へ移住し、ジョージ・ハウと共同。国際様式を採用し、自宅、PSFS（フィラデルフィア貯金協会）を設計。

(46) Bowman brothers　米国の建築家。Monroe Bowman (1901-?) とIrving Bowman (1905-?) はともにシカゴに生まれ、アーマー工科大学（現IIT：イリノイ工科大学）に学ぶ。建設業者の父を助けて設計。その後、兄弟で事務所を設立。

(47) Sigfried Giedion (1888-1968)　スイスの建築史家。チェコ・プラハに生まれ、ウィーン工科大学で機械工学を学ぶ。その後、チューリッヒ大学を経てミュンヘン大学で美術史を学び、ハインリッヒ・ヴェルフリンに就く。チューリッヒ・ドルダータールの家はアルフレッドとエミール・ロートならびにマルセル・ブロイヤーの設計で、CIAMの会合やヨーロッパ前衛達の集会場となった。ハーヴァード大学とチューリッヒのETHで教えた。

(48) José Luis Sert (1902-1983)　スペインの建築家。バルセロナの建築学校を卒業。パリのル・コルビュジエの下で働く。GATCPACを結成。米国に移住。CIAM議長。イェール、ハーヴァード各大学で教える。

(49) Fernand Léger (1881-1955)　フランスの画家。建築家の下で働き、パリで製図工となる。エコール・デ・ザール・デコラティフに学ぶ。立体派に参加、ル・コルビュジエと親交。

▼第Ⅱ部　第25章

(1) Pierre Jeanneret-Gris (1896-1967)　スイスの建築家。ジュネーヴのエコール・デ・ボザールに学び、パリに出てオーギュスト・ペレの下で働く。その後、遠縁のル・コルビュジエと共同。一時、共同体制を解消したが再び共同。

(2) cross wall　建物の主軸に対して直角に配置された耐壁のことで、通常、この壁は厚い。

(3) Brutalism　一九五〇年代初期の英国建築界の状況は「ミースから始まった近代主義」ではない「倫理」を求めていた。こうした状況一般を指して「ブルータリズム」と呼ばれ、「ブルータルとはブルータス＋スミッソン」という噂さえあった。こうした時期に実現された建物をスミッソンは「ニュー・ブルータリズム」と呼んだ。第Ⅲ部第2章参照。

(4) Paul Otlet (1868-1944)　ベルギーの法学者。ブリュッセルに生まれ、情報科学の発展に寄与した。著書『ドキュメンテーション論』（一九三四年）と『世界・ユニヴァーサリズム論』（一九三五年）は最近見直されている。彼の残した図書・記録は、「ムンダネウム」と呼ばれる収蔵庫に収められている。

(5) curtain wall　構造的役割を一切持たない壁で、その壁は建物を外気から保護し、自重を軽くするためできるだけ軽量であることが要求される。

(6) Charles de Beistegui　スペインの億万長者。英国のイートン校、ケンブリッジ大学に学ぶ。ヴェネチアのパラッツォ・ラビアでの「世紀のパーティー」（一九五一年）は今でも語り草となっている。

(7) James Stirling (1926-1992)　英国の建築家。リヴァプール大学に学び、コーリン・ロウと会う。ライオンズ・イズラエル・エリス事務所で働き、ゴーワンに会い、共同する。レスター大学、ケンブリッジ、オクスフォード、セント・アンドリューズ等の大学の施設を設計。その後はウィルフォードと共同。多くの美術館を設計。

(8) gargoyle　軒先、壁などから突き出した雨水を落とす装置。動物や怪物の彫刻がついている。

(9) Stanislaus von Moos　スイスの建築史家。チューリッヒ大学、デルフト工科大学、ハーヴァード大学で教える。

(10) Jane Beverly Drew, Dame (1911-1996)　英国の建築家。ロンドンのAAスクールを卒業。第二次世界大戦中、マックスウェル・フライとアフリカを始め、クウェート、インド、シンガポール各地の計画に従事する。その後、チャンディガール計画に参加。

（11）Maxwell Edwin Fry (1899-1997)　英国の建築家。リヴァプール大学に学ぶ。アダムズ・トンプソン事務所に働き、グロピウスと共同。英国に近代建築を紹介する役割を担った。ジェーン・ドゥルーとアフリカ地方の計画に参画し、その後はチャンディガール計画に参加。

▼第Ⅱ部　第26章

（1）Philip Cortelyou Johnson (1906-)　米国の建築家。ハーヴァード大学で古典学を学ぶ。ニューヨーク近代美術館の建築部門の責任者となる。ヨーロッパを旅行して当時の先端的建築家達に会い、展覧会「国際様式」を開く。ハーヴァード大学に建築を学ぶ。以後、今日に至るまで設計活動を続けている。

（2）SOM: Skidmore, Owings & Merrill　米国を代表する大組織建築事務所。一九三六年、ルイス・スキッドモアはナサニエル・オーイングスとシカゴで共同事務所を開設した。翌年、ニューヨークにも事務所を開設、二年後にジョン・メリルが共同者に加わり、ここにSOMが出来上がった。以来、現在までニューヨーク、シカゴ、サンフランシスコ、ロサンジェルス等に事務所を開き、各々独自の設計方針によって優れた作品を生みだしてきた。Louis Skidmore (1897-1962) はMIT（マサチューセッツ工科大学）出身、Nathaniel Owings (1903-1984) はコーネル大学出身、John Merrill (1896-1975) はMIT出身。

（3）Charles Francis Murphy (1890-1985)　米国の建築家。シカゴのド・ラ・サール実業学校に学ぶ。D・H・バーナム建築事務所の秘書となり、その後はエルネスト・グラハムの個人秘書となる。グラハムの死後、事務所を改組し、その後C・F・マーフィ事務所となる。グラハム財団を組織した。

（4）Phyllis Lambert (1927-)　カナダの建築家。モントリオールに生まれ、ヴァッサー女子大学、IIT（イリノイ工科大学）に学び、ミースに就く。カナダ建築センターを創設。シーグラム・ビルの建設に際して、同社社長の父親にミースを推挙したことは有名な逸話。

▼第Ⅱ部　第27章

（1）Clarence Stein (1882-1975)　米国の建築家。コロンビア大学、パリのエコール・デ・ボザールに学ぶ。バートラム・グッドヒューの下で働く。ルイス・マンフォード、ヘンリー・ライトとともに、米国にハワードの田園都市を移植するための米国地域計画協会を設立。ライトと協力して新都市「ラドバーン」を計画。

（2）Vernon de Mars (1908-?)　米国の建築家。カリフォルニア大学に学ぶ。サンフランシスコ、オークランドで設計活動に従事し、その後は住宅局に勤務し、住宅基準設定部門の責任者となる。

（3）Marcel Laiko Breuer (1902-1981)　米国の建築家。ハンガリーに生まれ、ウィーン工科大学、ワイマール・バウハウスに学ぶ。デッサウ・バウハウスで教える。ベルリンで実務に就く。ロンドンに移住し、F・R・S・ヨーク事務所で働く。グロピウスとともに米国に移住し、ハーヴァード大学で教える。住宅のほかにパリのユネスコ本部ビル、ニューヨークのホイットニー美術館を設計。

（4）Richard Joseph Neutra (1892-1970)　米国の建築家。ウィーンに生まれ、同地の工科大学に学ぶ。アドルフ・ロースに会う。ベルリン、スイスで実務に就き、その後シカゴに行く。フランク・ロイド・ライトに会い、ロサンゼルスに行く。住宅の設計に専念、レーヴェル邸、スタンバーグ邸、カウフマン邸などが有名。

（5）George Howe (1886-1955)　米国の建築家。ハーヴァード大学、パリのエコール・デ・ボザールに学ぶ。帰国後しばらくはアーツ・アンド・クラフツ運動に与したが、レスケーズ、ベル・ゲデス、カーン、ストロノフ等と共同。国際様式によってPSFS（フィラデルフィア貯金協会）を設計して有名になる。イェール大学教授。

（6）Oskar Gregory Stonorov (1905-1970)　米国の建築家、彫刻家。ドイツ・フランクフルトに生まれ、フィレンツェ大学、チューリッヒのETH（スイス連邦工科大学）に学ぶ。パリで彫刻家アリスティード・マイヨールに就く。アンドレ・リュルサの下で働く。米国に移住。フィラデルフィア地域を主として集合住宅の設計に専念した。

（7）Louis Isadore Kahn (1901-1974)　エストニアに生まれ、米国に移住。ペンシルヴェニア大学でポール・クレに就く。ジョージ・ハウ、オスカー・ストロノフ等と共同。イェール大学、ペンシルヴェニア大学で教えた。最初は住宅、計画案に限られていたが、イェール大学美術館、リチャーズ医学実験所、ソーク研究所、キンベル美術館、バングラデシュ国会議事堂などを設計した。

(8) Alfred Kastner (1901-1975)　米国の建築家。ドイツに生まれ、ハンブルク大学を卒業。渡米してジョゼフ・アーバンやレイモンド・フッドの下で働く。ハリコフ・ウクライナ国立劇場の設計競技に一位入賞。モスクワのソヴィエト・パレスの設計競技に二位入賞。米国の国際様式の初期を飾った。その後は集合住宅の設計に専念。

(9) Simon Breines　米国の建築家。FAECT (Federation of Architects, Engineers, Chemists, and Technicians)のメンバーで、一九三〇年代から一貫して地域活動に専念。

(10) Theordor Larsen　米国の建築家。「建築家の正しい役割は、より美しい建築に到達するために、より良い社会を仕掛けることではない。より望ましい社会に到達するために、より良い建築を準備することである。」(バックミンスター・フラーが著書『月への七つの鎖』に引用したラーセンの言葉)

(11) Knut Lönberg-Holm (1895-1972)　米国の建築家、写真家。デンマーク出身で「デ・スタイル」、構成主義者達と交際。その後、米国に移住し、都市、建築を35ミリのライカで撮影。その写真をメンデルゾーンが無記名で自著に掲載、ロドチェンコ、リシツキーに影響を与えた。シカゴ・トリビューン社ビル設計競技にも応募したが、その後は建築を放棄して、宣伝活動に従事。

(12) Henry Hope Reed　米国の建築史家。ハーヴァード大学、パリのエコール・デュ・ルーヴルに学ぶ。ローマ、ヴェネチア、パリの建築を研究。ニューヨーク市記念建造物、マンハッタンなどについて講演。建築史協会会員。

(13) Edward Durell Stone (1902-1978)　米国の建築家。アーカンソー大学、ハーヴァード大学、MIT(マサチューセッツ工科大学)に学ぶ。ヨーロッパ旅行後、ロックフェラー・センターの設計に加わり、フィリップ・グッドウィンと近代美術館を設計。ニューデリーの米国大使館の設計以来、ブリュッセル万博米国館、ジョン・F・ケネディー・センターなどを設計。

(14) Eero Saarinen (1910-1961)　米国の建築家。フィンランドに生まれ、パリのグランド・ショミエールで彫刻を学ぶ。イェール大学で建築を学び、父エリエルの事務所で働く。セントルイスのジェファーソン記念碑、ジェネラル・モーターズ本社、イェール大学ホッケー場、TWA空港、ジョン・ディア本社、ダレス空港などを設計。

(15) Paul Philippe Cret (1876-1945)　米国の建築家。フランス・リヨンに生まれ、パリのエコール・デ・ボザールに学ぶ。フィラデルフィアに移住し、ペンシルヴェニア大学教授。建築家としても活躍し、AIA(アメリカ建築家協会)金賞受賞。

(16) Frederick Kiesler (1890-1965)　米国の建築家、舞台装置家。ウィーンに生まれ、同地の美術アカデミー、工科大学に学ぶ。アドルフ・ロースと共同。舞台装置を手がける。「デ・スタイル」グループに参加。ニューヨークへ移住。ワイリー・コーベット、アルマン・バトロス等と共同。「エンドレス・ハウス」を計画。

(17) Oscar Niemeyer (1907-)　ブラジルの建築家。リオの国立美術アカデミーに学ぶ。ルシオ・コスタの知己を得て、ル・コルビュジエの影響を受ける。パンプーラの遊戯施設の設計で本領を発揮し、以後は独自の設計手法によって活躍し、ブラジリアの官庁建築を設計した。

(18) Anne Griswold Tyng (1920-)　米国の建築家。中国・上海に生まれ、ラドクリフ女子大学、ハーヴァード大学に学ぶ。数学と比例理論に関心を寄せ、ペンシルヴェニア大学での博士論文は「同時性、乱雑性、秩序性」。ルイス・カーンと三十年間共同。

▼第Ⅲ部 第1章

(1) David Gebhard (1927-1996)　米国の建築史家。カリフォルニア大学サンタ・バーバラ校教授。西海岸、カリフォルニア地方の建築、建築家についての著書がある。なお、ロック・アートの蒐集家。

(2) Rudolph Schindler (1887-1953)　米国の建築家。ウィーンに生まれ、同地の美術アカデミーでオットー・ワグナーに就く。シカゴに移住し、フランク・ロイド・ライトの下で働く。ロサンゼルスで事務所を開設。

(3) Alfred Roth (1903-1998)　スイスの建築家。チューリッヒのETH(スイス連邦工科大学)に学び、カール・モーザーに就く。ル・コルビュジエのワイゼンホーフ・ジードルングの住宅の現場を監督。チューリッヒに事務所を開設。ETH教授。

(4) Max Haefeli (1901-1976)　スイスの建築家。チューリッヒのETHを卒業。ベルリンのオットー・バルトニングの下で働く。チューリッヒに事務所を開設。

（5）Carl Hubacher (1897-?)　スイスの建築家。チューリッヒのＥＴＨで工学を学ぶ。ローマのコンクリート会社で働く。ルドルフ・シュタイガーと共同。その後、イラン、タイで働く。

（6）Rudolf Steiger (1900-1982)　スイスの建築家。チューリッヒのＥＴＨに学び、カール・モーザーに就く。ブリュッセル、ベルリンで働き、チューリッヒに事務所を開設。チューリッヒ大学教授。

（7）Werner Moser (1896-1970)　スイスの建築家。ドイツ・カールスルーエに生まれ、チューリッヒのＥＴＨに学ぶ。シュトゥットガルト工科大学でパウル・ボナッツに就く。ロッテルダムのグランプレ・モリエール、シカゴのライトの下で働く。

（8）Emil Roth (1893-1980)　スイスの建築家。イタリアに生まれ、チューリッヒのＥＴＨに学ぶ。ヴェルナー・モーザーと共同。チューリッヒ工芸学校で建築を教える。

（9）Eugène Beadouin (1898-1983)　フランスの建築家。パリのエコール・デ・ボザール卒業。ローマ賞受賞。エコール・デ・ボザール教授。パリ地区整備委員会主席都市計画家。セーヌ県公共住宅局主席建築家。

（10）Marcel Lods (1891-1978)　フランスの建築家。パリのエコール・デ・ボザール卒業。ウジェーヌ・ボードゥアンと共同。

（11）Willem van Tijen (1894-?)　オランダの建築家。米国ならびに旧オランダ領インドネシアで実務に就いた。ロッテルダムに事務所を開設。ブリンクマン、ファン・デル・フルーフト等と共同。「オプバウ」に参加。

（12）Hugh A. Maaskant (1907-1977)　オランダの建築家。ロッテルダムの工業学校に学ぶ。事務所を開設。「オプバウ」に参加。

（13）Owen Willimas, Sir (1890-1969)　英国の構造家。ロンドン大学で工学を学ぶ。最初は技術者、構造家として活躍。その後、新構造技術による近代建築を発表。初めて無梁版構造を英国で使った。

（14）Josef Havlicek (1899-1961)　チェコの建築家。プラハの工科大学と美術アカデミーを卒業。ヨゼフ・ホフマンの立方体建築に影響され、チェコに近代主義を導入した。

（15）Karel Honzik (1900-1966)　チェコの建築家。プラハの工科大学を卒業。ハヴリチェックと共同。以後は母校の教授となり、理論的研究に従事した。

（16）Otto Eisler (1893-1968)　チェコの建築家。ブルーノの工科大学に学び、その後はハインリッヒ・テッセナウとグロピウスの下で働く。兄弟の建設会社を助け、第二次世界大戦中はノルウェーに亡命。戦後は庭園設計に専念。

（17）Bohuslav Fuchs (1885-1972)　チェコの建築家。プラハの美術アカデミーに学び、ヤン・コテラに就く。ブルーノに移住し、同市の建築局に勤務。チェコの立体派とオランダの煉瓦構造に影響されつつも、機能主義を推進した。

（18）Ludvik Kysela (1883-1960)　チェコの建築家。プラハの工科大学に学ぶ。機能主義様式によってプラハに商業建築、オフィス・ビルを建てた。

（19）Jaromir Krejcar (1895-1949)　チェコの建築家。プラハの美術アカデミーでヤン・コテラに就く。雑誌「デヴェツィル」に参加、純粋主義、機能主義の旗手。

（20）Devetsil group　一九二〇年十月五日、チェコスロヴァキア・プラハの喫茶店「ユニオン」で結成された。以後、三一年まで同国の前衛達の拠点となった。なお、グループの名称 Devetsil は野性の丈夫な植物である Petasites vulgaris に由来するという。

（21）Amyas Connell (1900-1980)　英国の建築家。ニュージーランドに生まれ、ロンドン・バートレット・スクールに学ぶ。ワード、ルーカスと共同。ＭＡＲＳ（近代建築研究グループ）に参加。その後、アフリカに渡り、国会議事堂などを建設。

（22）Berthold Lubetkin (1901-?)　グルジア出身の英国の建築家。パリのエコール・スペシアル・ダルシテクチュール、エコール・デ・ボザール、エコール・スーペリユール・ベトン・アルメを卒業。ジャン・ギンズベルグと共同。ロンドンで「テクトン」グループ、ＭＡＲＳグループを組織した。晩年は建築とは無縁であった。

（23）Tecton　一九三二年リュベトキンによってロンドンに結成されたグループ。メンバーはチッティ（一九三六年離脱）、ドレイク、ダグデール（一九三四年離脱）、ハーディング（一九三六年離脱）、サムエル（一九三五年離脱）、そしてスキナー。一九四六年にラズダンが参加した。しかし、一九四八年にグループは解散。その作品は英国の国際様式を代表するものとされた。テクトンの名称は、メンバーの頭文字によるという。

（24）Denys Lasdun, Sir (1914-2001)　英国の建築家。ロンドンに生まれ、ＡＡスクールに学ぶ。ウェルズ・コーツ、「テクトン」で働き、事務所を開設。ル・コルビュジエの影響を受け、ロンドン・サウスバンクの国立劇場は有名。

(25) Anthony Cox　英国の社会主義建築家。

(26) Leslie Martin, Sir (1908-2000)　英国の建築家。マンチェスター大学で建築を学ぶ。同校教授。ベン・ニコルソン、ナウム・ガボと「サークル」を編集。LCC（ロンドン州議会建築部門）で指導的役割を果たす。ケンブリッジ大学教授。多くの大学施設を設計。RIBA（英国王立建築家協会）金賞受賞。

(27) Robert Mathews, Sir (1906-1975)　英国の建築家。エディンバラの美術学校に学び、父ジョンの事務所を継ぐ。LCCの建築家に任命。エディンバラ大学教授。建築家としては社会派で、公共建築とくに保健、教育施設を手がけた。

(28) Wells Coats (1895-1958)　英国の建築家。東京に生まれ、ヴァンクーヴァーとロンドンで工学を学ぶ。新聞「デイリー・エクスプレス」記者として働いた後、事務所を開設。MARSの創設者の一人。英国における国際様式の推進者。

(29) Basil Ward (1902-1978)　英国の建築家。ニュージーランドに生まれ、ロンドン・バートレット・スクールに学ぶ。ミャンマーに渡り、戦中は内務省に勤務。コーネル、ルーカスと共同。王立アカデミー教授。

(30) Colin Lucas (1906-?)　英国の建築家。ロンドンに生まれ、ケンブリッジ大学に学ぶ。建設会社を自営、RC造住宅を建設。コーネル、ワードと共同。LCCに勤務し、ローハンプトン団地を設計。

(31) Philip Morton Shand (1888-1960)　英国の建築評論家。ロンドンに生まれ、ケンブリッジ大学、ソルボンヌ大学に学ぶ。一時、フランスに居住。帰国後は雑誌「アーキテクチュラル・レヴュー」にヨーロッパ大陸の建築情報を掲載。MARSグループに参加。ワイン通として有名。

(32) Felix Samuely (?-1959)　英国の構造家。一九三三年に構造設計事務所を開設。多くの建築家の作品を構造面から支えた。

(33) ATO (Architects' and Technicians' Organization)　建築家・技術者組織は百二十人ほどのメンバーからなるグループであり、リュベトキン、スキナー、A・コーン、A・コックスなど建築家を始め、現場監督、工事労務者、J・D・バナール、J・B・S・ホールデンなどの科学者、統計学者、医者、ジャーナリストからなっていた。彼等は雑誌を発行し、小グループに分かれて建築の社会的機能、政治的使命を開拓、追求、喧伝した。

(34) Fernando Garcia Mercadal (1896-1984)　スペインの建築家。パリの都市計画研究所、マドリッド建築大学等に学ぶ。スペインとヨーロッパとの架け橋の役割を果たし、CIAM設立に参加。GATEPAC設立にも参加。ビルバオ、ブルゴス、セビーリャ等の都市計画に参画。

(35) GATEPAC (Grupo de Artistas y Técnicos Espanoles para el Progreso de la Arquitectura Contemporánea)　一九三〇年、セルト、トレス・クラヴェ、シクスト・イレスカス、ファン・バプティスタ・スビラナ等カタルーニャのグループによるGATCPACが設立された。これにメルカダルに率いられた中央スペインのグループ、ホセ・マリア・アイスプルアとホアキン・ラバエン等バスク地方からのグループが合流してGATEPACが成立し、一九三六年、スペイン内戦勃発まで活動を続けた。

(36) Josep Torres Clave (1906-1939)　スペインの建築家。バルセロナに生まれ、同地の建築大学に学ぶ。セルトに協力してGATEPAC設立に参加。CIAMにも参加。合理主義を土着化することを試みた。スペイン内戦中、戦死。

(37) Rex Martienssen (1905-1942)　南アフリカの建築家。クイーンズタウンに生まれ、ヴィトヴァーテルスラント大学講師。雑誌編集を通じて建築革命を起こし、同国に近代建築を導き入れた。ル・コルビュジエと親交。

(38) Gregori Warchavchik (1896-?)　ブラジルの建築家。ウクライナのオデッサに生まれ、ローマ美術大学に学ぶ。ピアチェンティーニの下で働き、ブラジルに移住。サン・パウロに住宅を建てて、近代建築を同国に紹介した。リオ出身のルシオ・コスタと共同。

(39) Getúlio Dornelles Vargas (1883-1954)　ブラジルの近代化をスローガンに内戦を戦って初代大統領に就任した。

(40) Affonso Reidy (1900-1964)　ブラジルの建築家。フランス・パリに生まれ、リオ・デ・ジャネイロの国立美術学校に学ぶ。ワルシャヴシクの助手を務めた後、同校教授。地形の輪郭に合わせた、うねる建物が特徴的。

(41) Paul Lester Wiener (1895-1967)　米国の建築家。オーストリア出身。ル・コルビュジエ、セルト等と共同して中南米の計画に携わる。

(42) Roberto Burle Marx (1909-?)　ブラジルのランドスケープ・アーキテクト。サン・パウロ生まれ、ベルリンに長期滞在し、その後独学で学んだ。熱帯植物の観察を基礎に独自の境地を作り上げた。コスタ、ニーマイヤー等と共同。

(43) Max Bill (1908-1994) スイスの建築家、彫刻家。チューリッヒの工芸学校、デッサウ・バウハウスに学ぶ。パリのグループ「アブストラクシオン・クレアシオン」に参加。ウルム造形大学を設立。

(44) Antonin Raymond (1888-1976) 米国の建築家。チェコに生まれ、プラハ大学に学ぶ。米国に移住し、フランク・ロイド・ライトに共同。「帝国ホテル」現場監督として来日。事務所開設。インド経由で帰米。再び来日。

(45) やまだ・まもる (1894-1966) 東京大学卒業。在学中「分離派建築会」を設立。逓信省営繕課勤務。多くの局舎を設計。

(46) よしだ・てつろう (1894-1956) 東京大学卒業。逓信省営繕課勤務。東京中央郵便局は代表作。著者に『Japanische Architektur』がある。

(47) まえかわ・くにお (1905-1986) 東京大学卒業。ル・コルビュジエの下で働く。作品に京都会館、東京文化会館、蛇の目ミシン・ビルなどがある。

(48) よしむら・じゅんぞう (1908-1997) 東京美術学校（現東京芸術大学）卒業。アントニン・レイモンド事務所に入所。東京芸術大学教授。作品に奈良国立博物館、国際文化会館がある。

(49) さかくら・じゅんぞう (1901-1969) 東京大学文学部美術史学科卒業。パリのエコール・デザール・エ・メティエに学ぶ。ル・コルビュジエの下で働く。一九三九年、パリ万博に日本館を設計。作品に鎌倉近代美術館がある。

(50) よしだ・いそや (1894-1974) 東京美術学校卒業。同校教授。文化勲章受章。代表作に東京歌舞伎座、日本芸術院会館など。

(51) かわきた・れんしちろう (1902-1975) 蔵前高等工業学校（現東京工業大学）卒業。建築工芸学院を創設し、機関誌「アイ・シー・オール」を創刊。

(52) たんげ・けんぞう (1913-) 東京大学卒業。東京大学名誉教授。作品に広島平和記念館、香川県庁舎、代々木国立競技場、東京都庁舎など。

▼第Ⅲ部　第2章

(1) Charles Herbert Aslin (1893-1959) 英国の建築家。シェフィールド大学に学ぶ。第二次世界大戦中、ハートフォードシャー州建築監督官となり、当時の事情に「計画作戦」を導入して、効果を上げた。

(2) People's Detailing　当時流行したマルクス主義的美学の原則に心情的に同感して、感傷的に発想した皮相的な特徴（レイナー・バンハム）のこと。

(3) London County Council (LCC) ロンドン州議会に the Board of Works が設置されて以来、建築家を擁して多くの集合住宅を建設した。とりわけ「建築部門」には優れた建築家達が集まった。一九六五年、London County Council は改組されて Greater London Council となった。

(4) J.M. Richards (1907-?) 英国の建築評論家。ロンドンで建築を学び、ロンドン、カナダ、米国で実務に就いた。その後、雑誌「アーキテクツ・ジャーナル」の編集に従事。雑誌「アーキテクチュラル・レヴュー」編集長。

(5) Nikolaus Pevsner, Sir (1902-1983) 英国の建築史家。ドイツ・ライプツィッヒに生まれ、ドレスデン美術館勤務。英国に渡り、ケンブリッジ、ロンドン、オクスフォード大学教授。雑誌「アーキテクチュラル・レヴュー」編集長。『ペリカン美術叢書』、『英国の建築叢書』等を監修。

(6) picturesque　クロード・ローランの風景画のようなランドスケープを作ろうという計画手法で、建物を非対称的、不規則に配置したり、既存の風景を採用したりした。スミッソン夫妻の「エコノミスト社」はその例である。

(7) Philip Powell, Sir (1921-) 英国の建築家。ＡＡスクールに学び、卒業後、モヤと共同で事務所を開設。ピムリコの集合住宅のほか、英国祭の「スカイロン」、マーガレット王女病院などを設計。

(8) John Hidalgo Moya (1926-) 英国の建築家。ＡＡスクールに学ぶ。パウエルと共同。パウエルとともにＲＩＢＡ（英国王立建築家協会）金賞受賞。

(9) Alison and Peter Smithson: Alison (1928-1993), Peter (1923-) 英国の建築家。ともにダーラム大学に学び、戦後、結婚し、ＬＣＣ（ロンドン州議会建築部門）に勤務。ハンスタントン中学校によって「ニュー・ブルータリズム」の旗手。「チームＸ」を結成して、ＣＩＡＭの旧世代と対立。

(10) Alan Colquhoun (1921-) 英国の建築家。ＡＡスクール出身。ライオンズ・イズラエル・エリス事務所に勤務。ジョン・ミラーと共同。プリンストン大学教授。設計のほかに評論を多数発表。

(11) Colin St John Wilson, Sir (1922-) 英国の建築家。ケンブリッジ大学、ユニヴァーシティー・カレッジに学ぶ。ＬＣＣに勤務。ケンブリッジ大学教授。

(12) Rudolf Whittkower (1901-1971) 英国の建築史家。ベルリンに生まれ、同地で学位取得後、ローマの美術館勤務。英国に移住し、ワーバーグ・インスティテュート研究員、ロンドン大学、コロンビア大学教授。著書に

『ヒューマニズム時代の建築原理』等がある。

(13) Jean Dubuffet (1901-1985) フランスの画家。ハンス・プリンツホルンの著作に影響されて、パリのアカデミー・ジュリアンに半年間学ぶ。様々な職業に就き、家業のワイン商を手伝う。その後絵画に専念。

(14) Nigel Henderson (1917-1985) 英国の写真家。チェルシー工業学校で生物学を学ぶ。戦後、スレード美術学校に学ぶ。パリで前衛芸術家と会う。実験写真を撮り始め、「インディペンデント・グループ」に参加。

(15) Eduardo Paolozzi (1924-) 英国の彫刻家。エディンバラの美術大学、セント・マーティン美術学校、スレード美術学校に学ぶ。パリに渡り、前衛美術家達と親交。帰国後、「インディペンデント・グループ」を結成。その後は、しばしば展覧会を開催。

(16) Indepenndent Group 一九五二年、英国の若い画家、彫刻家、建築家、批評家達がICA（インスティテュート・オヴ・コンテンポラリー・アート：現代芸術研究所）でグループを結成した。メンバーは批評家ローレンス・アロウェイ、建築家スミッソン夫妻、彫刻家パオロッツィ、画家ハミルトン、建築史家バンハムその他であった。

(17) Lawrence Alloway (1926-1990) 英国の美術批評家。「インディペンデント・グループ」に参加。英国ポップ・アートの尖兵、米国抽象表現主義の旗手。ニューヨークに移住。

(18) Richard Hamilton (1922-) 英国の画家。セント・マーティン美術学校、スレード美術学校に学ぶ。パオロッツィとともに「インディペンデント・グループ」を結成。展覧会「これこそ明日だ」のポスターをコラージュする。各地の美術学校で教える。

(19) conspicuous consumption 米国社会学者ソースタイン・ヴェブレンの著『有閑階級の理論』第四章「衒示的消費」を参照。

(20) James Gowan (1923-) 英国の建築家。グラスゴー美術学校、キングストン美術学校を卒業。ライオンズ・イズラエル・エリス事務所でスターリングに会い、共同して事務所を開設。独立してからは専ら集合住宅などを設計。AAスクール、王立カレッジで教える。

(21) Peter Ellis (1804-1884) 英国の建築家。リヴァプールで活躍し、ウォーター・ストリートに建てたオリエル・チェンバーズはオフィス・ビルの先駆的作品と言われた。

▼第Ⅲ部　第3章

(1) CIRPAC (Comité International pour la Résolution du Problèmes de l'Architecture Contemporaine：現代建築問題解決国際委員会) CIAMの実行機関として一九二八年、スイスのラ・サラで設立された。以来、ル・コルビュジエとジークフリート・ギーディオンの主導権の下で近代建築の国際的勢力を形成した。一九二九年から一九五九年までCIRPACは十回の会議を組織した。

(2) The Heart of the City CIAM第八回会議のテーマであり、同時に同名の報告書。副題は「都市生活の人間化を目指して」で、編集はティルウィット、セルト、ロジャース。ここで「コア（核）」の問題が提出された。

(3) Jacob Bakema (1914-1981) オランダの建築家。アムステルダム建築アカデミー、デルフト工科大学に学ぶ。エーステレンの下で働き、ファン・デン・ブロークと共同。CIAMに参加し、その後「チームX」に加わる。ロッテルダムのショッピング・センター「リインバーン」は有名。

(4) Georges Candilis (1913-?) フランスの建築家。ロシア・バクーに生まれ、アテネのポリテクニックに学ぶ。ル・コルビュジエの下で働く。アフリカのATBATで働く。ジョシック、ウッズと共同。新都市トゥールーズ・ル・ミレイユの設計で有名。

(5) Sadrach Woods (1923-1973) 米国の建築家。機械工学を学び、ル・コルビュジエの下で働く。カンディリスと会い、共同。カサブランカでATBATに加わる。ジョシックと共同。ハーヴァード大学教授。

(6) John Voelcker 英国の建築家。リトルトン・ハウスの設計者。展覧会「これこそ明日だ」に参加。「チームX」に参加。

(7) Team X 一九五三年、CIAMがエクス・アン・プロヴァンスで開かれた時、スミッソン夫妻、カンディリス、バケマ、ヴァン・アイク、ウッズ、デ・カルロ、コデルク、ポローニ、ソルタン、ヴェルカーはグループを結成し、意見を交換した。CIAMは彼等との意見の相違が拡大することを懸念して、一九五六年のドゥブロヴニクでの会議の議題選定をグループに依頼した。そして同会議の折、両者の決裂は決定的となった。以後「チームX」は一九六九年まで継続された。

(8) CIAM Grid 一九五二年、ル・コルビュジエはCIAM第八回会議議事録『都市の中心』の中で、CIAMグリッドを付録として掲載した。このグリッドは実際には「アスコラル（CIAMのフランス派）」によって作成された。都市計画で実現すべき質や条件が縦横の格子に標記されている。

（9）Jack Lynn　英国の建築家。アイヴァ・スミスと共同して「パーク・ヒル」をル・コルビュジエの影響下で設計したが、現在の同建物は悲惨な状態である。

（10）Doorn Manifesto　一九五四年、オランダ、ドーンで発表された八箇条からなる宣言。1. 共同体の一部としての住居　2. 住居の相互関係　3. 共同体の中の「ハビタット」　4. 共同体の四つの要素、独立住宅、村落、小都市（工業、行政、特殊）、大都市（多機能）　5. ゲデス渓谷への位置づけ　6. 共同体の交通体系　7. 住居の集団化　8. 建築的解決

（11）Ben Merkelbach (1901-1961)　オランダの建築家。ハーレンの美術学校に学ぶ。カルステンと共同。グループ「デ・アハ」を設立し、その秘書となる。その後、雑誌「デ・アハ・エン・オプバウ」編集長。

（12）Ch.J.F. Karsten　オランダの建築家。グループ「デ・アハ」の創立メンバーの一人。メルケルバッハと共同。

（13）Motopia　一九六一年、G・A・ジェリコーの出版した著書名。彼は同書の冒頭で次のように述べている。「ユートピアは社会的不満が存在する時に生まれ、その時代の理想を結晶化する。モートピアも同様、一家族一台、一人一台と車が普及した時に生ずるカオスを認識するところから生ずる。」

（14）Giancarlo de Carlo (1919-)　イタリアの建築家。ミラノ工科大学、ヴェネチア建築大学に学ぶ。事務所を開設し、ヴェネチアで都市計画を教える。「チームX」に参加し、ウルビノの学生集合住宅で近代主義の倫理的、形態的再生を追求した。

（15）Newspeak　ジョージ・オーウェルが小説『一九八四年』の中で用いた新造語。

▼第Ⅲ部　第4章

（1）Minoru Yamasaki (1912-1986)　米国の日系人建築家。シアトルのワシントン大学に学ぶ。ニューヨークの建築事務所に働き、セント・ルイス空港の設計で認められる。レイノルズ・メタル社、世界貿易センターが有名。

（2）Bruce Graham (1925-)　米国の建築家。コロンビアのボゴタに生まれ、ペンシルヴェニア大学卒業。SOMに入り、その後共同経営者となる。ジョン・ハンコック・センターを始め、多くの超高層ビルを設計。

（3）Fazlur Khan (1929-1982)　米国の構造技術者。バングラデッシュのダッカに生まれ、ダッカ大学で機械工学を学ぶ。シカゴに移住して、イリノイ大学で修士、博士号を取得。SOMに入所。主任構造担当者となる。

（4）Archigram　一九六〇年、テイラー・ウッドロー建設会社でテオ・クロスビーの指導の下にロンドン・ユーストン駅再開発計画に携わっていた六人の若者達が結成したグループ。メンバーはウォーレン・チョーク、ピーター・クック、デニス・クロンプトン、デーヴィッド・グリーン、ロン・ヘロン、マイケル・ウェッブである。翌六一年、粗末な印刷による雑誌「アーキグラム」を発行した。誌名はarchitectureとtelegramを結びつけたもの。彼等にはドローイングと声明しか建築的方法がなかった。レイナー・バンハムの支持もあったが、ビートルズと較べられながら忽ち世界中に知られるようになった。雑誌「アーキグラム」は七〇年まで不定期に発行された。以後、六人は独立して活動するようになった。二〇〇二年、RIBA金賞を受賞。

（5）John McHale　英国の未来学研究者。社会学の博士号を取得して各地で教え、一九六〇年代、著書『未来の未来』を通じて地球規模の資源利用の研究を展開。ニューヨーク州立大学先端技術研究所所長。

（6）Cedric Price (1934-)　英国の建築家。ケンブリッジ大学、AAスクールに学ぶ。参加者の随意にまかせて変化する「ファン・パレス」、旧鉄道駅を利用した「シンクベルト計画案」など、特異な発想で知られる。

（7）Michael Webb (1937-)　英国の建築家。AAスクールに学ぶ。「アーキグラム」メンバー。当時、生活用装置を備えた単身者用乗り物「クシュクル」や、同様な泡沫状生活装置「スータルーン」を提案。

（8）Ron Herron (1930-1994)　英国の建築家。LCC（ロンドン州議会建築部門）に勤務、「アーキグラム」メンバーとなる。当時発表した「ウォーキング・シティ」は非人間的としてギーディオンやドクシャデスから非難された。

（9）Howard Hughes (1905-1976)　米国の飛行家、映画プロデューサー、百万長者。父親の事業を継ぎ、映画製作に乗りだし、女優を発掘し、次は航空機製作に手を出し、劇場を建設し、CIAと親交、カストロ暗殺など陰謀に加わる。

（10）'Glomar Explorer'　一九七三年当時、沈没したソヴィエト原子力潜水艦を引き揚げるために、CIAから依頼されてヒューズが建造した特殊船。

（11） Peter Cook (1936-) 英国の建築家。ボーンマス美術学校、AAスクールに学ぶ。「アーキグラム」の代表者。当時の「プラグ・イン・シティ」はカプセル住居を予言するものである。ロンドン・ユニヴァーシティー・カレッジ・バートレット校教授。二〇〇二年、「アーキグラム」グループにRIBA金賞が授与された。

（12） Dennis Crompton (1935-) 英国の建築家。LCCに勤務。「アーキグラム」のメンバーで、もっぱら活動の技術面を担当した。当時、「コンピュータ・シティ」を発表。AAスクール出版部勤務。

（13） Warren Chalk (1927-) 英国の建築家。LCCに勤務。「アーキグラム」のメンバー。当時、「カプセル・ホーム」を提案。

（14） David Greene (1937-) 英国の建築家。AAスクールに学ぶ。「アーキグラム」のメンバー。当時、「エレクトロニック・トマト」を発表。

（15） Banham…Vishnu レイナー・バンハムの論文「A Home is not a House」(1965) にフランソワ・ダルグレが描いた挿絵のこと。

（16） the Japanese Metabolists 一九六〇年、東京で開かれた「世界デザイン会議」をきっかけに結成されたグループ。浅田孝を顧問格に、評論家の川添登、建築家の菊竹清訓、黒川紀章、大高正人、槇文彦、インダストリアル・デザイナーの栄久庵憲司、グラフィック・デザイナーの粟津潔がメンバーだった。

（17） くろかわ・のりあき (1934-) 京都大学、東京大学に学ぶ。丹下研究室に所属。「メタボリズム」グループに参加。日本芸術院会員。作品に埼玉県立美術館、日本赤十字本社、ヴァン・ゴッホ美術館などがある。

（18） きくたけ・きよのり (1928-) 早稲田大学に学ぶ。竹中工務店に勤務後、事務所を開設。「メタボリズム」グループに参加。作品に出雲大社庁舎、江戸東京博物館などがある。

（19） まき・ふみひこ (1928-) 東京大学、ハーヴァード大学に学ぶ。SOMならびにセルトの下で働く。「メタボリズム」グループに参加。東京大学教授。作品に京都近代美術館、代官山ヒルサイド・テラスなどがある。

（20） おおたか・まさと (1923-) 東京大学卒業。前川國男の下で働く。「メタボリズム」グループに参加。

（21） Gunther Nitschke ドイツ出身の建築評論家。日本在住。

（22） しのはら・かずお (1925-) 東京工業大学卒業。同校教授。最初、住宅設計に専念したが、その後は広く活躍し、代表作に東京工業大学記念館がある。

（23） いそざき・あらた (1931-) 東京大学卒業。丹下研究室に所属。代表作に群馬県立美術館、筑波センター、バルセロナ・オリンピック・スタディアム等がある。

（24） Hans Hollein (1934-) オーストリアの建築家。ウィーンに生まれ、美術アカデミーならびにIIT（イリノイ工科大学）、カリフォルニア大学に学ぶ。ウィーンの商店「レッティ」を振り出しに、アプタイベルク美術館等を設計。ウィーン応用美術大学教授。

（25） あんどう・ただお (1941-) 独学。東京大学教授。住吉の長屋の改築から出発し、現在では全世界的に活躍する現代日本を代表する世界的建築家。

（26） ふじい・ひろみ (1937-) 早稲田大学卒業。アンジェロ・マンジャロッティ、ピーター・スミッソンの下で働く。芝浦工業大学教授。

（27） はら・ひろし (1936-) 東京大学卒業。同大学名誉教授。

（28） はせがわ・いつこ (1941-) 関東学院大学卒業。菊竹事務所で働く。その後、東京工業大学篠原研究室に所属。事務所を開設。

（29） いとう・とよお (1941-) 東京大学卒業。菊竹事務所で働き、事務所を開設。

（30） Richard Rogers, Lord (1933-) 英国の建築家。フィレンツェに生まれ、AAスクール、イェール大学に学ぶ。レンゾ・ピアノと共同してポンピドー・センターを設計。さらにロンドン・ロイズ本社等を設計。RIBA（英国王立建築家協会）金賞受賞。

（31） Renzo Piano (1937-) イタリアの建築家。ミラノ工科大学に学ぶ。アルビーニ、カーンの下で働く。ロジャースと共同してポンピドー・センターを設計。ピーター・ライスと共同。関西国際空港を設計。

（32） Melvin M. Webber 米国の社会学者。カリフォルニア大学バークレー校名誉教授。ホルスト・リッテル教授と一九七三年に協同執筆した論文「都市計画一般理論のディレンマ」が最も有名。

（33） Richard Llewelyn-Davies, John Weeks, Robert Forestier-Walker and Walter Bor レウェリン・デイヴィス（一九一一～八一年）によって結成された英国の学際的チーム。デイヴィスはロンドンに生まれ、ケンブリッジ大学、AAスクールを卒業。社会・政治問題に関心を寄せ、集合住宅、病院、工場の設計に従事した。

（34） HfG ウルム造形大学は一九四六年、「白薔薇レジスタンス」のインゲ・

ショルによって「フォルクスホッホシューレ」の構想が打ち出されてから紆余曲折を経て、一九五五年正式に開校した。高度産業社会に相応しいカリキュラムだったが、一九六八年に閉校した。

(35) Herbert Ohl (1926-)　ドイツの建築家。マンハイムの美術アカデミーで絵画、カールスルーエ工科大学、ミラノ工科大学で建築を学ぶ。学校、病院設計。ウルム造形大学を始め、コロンビア、ハーヴァード、プリンストン、カリフォルニアの各大学で教える。

(36) Tomas Maldonado (1922-)　アルゼンチンの画家。ブエノスアイレスの国立美術アカデミーに学ぶ。前衛雑誌「アルトゥーロ」を創刊。ヨーロッパ旅行でマックス・ビルと会う。帰国後、芸術ばかりか政治的関心を抱く。ウルム造形大学、ボローニャ大学教授。

(37) Claude Schnaidt (1931-)　スイスの建築家。ジュネーヴの大学で建築を学ぶ。ウルム産業研究所勤務。ウルム造形大学教授。パリ環境研究所所長。パリ建築大学教授。

(38) Gui Bonsiepe (1934-)　ブラジルのデザイナー。ドイツに生まれ、ウルム造形大学に情報理論を学ぶ。ラテンアメリカ諸国、チリ、アルゼンチン、ブラジルで教える。ブラジル・フロリアノポリスのデザイン研究所所長。

(39) Superstudio group　一九六六年、アドルフォ・ナタリーニとクリスティアーノ・トラルド・ディ・フランチアがイタリア・フィレンツェで設立し、その後、ピエロ・フラッシネッリ、アレッサンドロ・マグリ、ロベルト・マグリ、アレッサンドロ・ポリが参加した。一九七八年、グループは資本主義的建築に対する破壊的批判はもはや何の効果もないという結論に達して解散してしまった。

(40) Adolfo Natalini (1941-)　イタリアの建築家。フィレンツェ大学に建築を学ぶ。トラルド・ディ・フランチアとスーパースタジオを設立。現在はもっぱらオランダで活躍。フィレンツェ大学教授。

(41) Constant Nieuwenhuys (1920-)　オランダの画家。アムステルダムの美術学校、国立アカデミーに学ぶ。一九四七年、シュルレアリスム・グループの一員となり、その後は抽象的表現主義に傾く。一九五六年から七四年まで「ニュー・バビロン」計画に没頭。

(42) Herbert Marcuse (1898-1979)　ドイツの哲学者。ベルリンに生まれ、フライブルク大学でハイデッガーに就く。フランクフルト研究所に入る。スイスを経て米国に亡命。ＣＩＡで働く。コロンビア大学、ハーヴァード大学で教える。主著に『エロスと文明』、『一次元的人間』がある。

(43) Javacheff Christo (1935-)　ブルガリアの彫刻家。ソフィアの美術アカデミーに学ぶ。ウィーンでフリッツ・ヴォトルバに師事する。一九五八年から物体の梱包を始める。その後はニューヨークを中心に世界的に活躍。

(44) William Mangin　米国の社会学者。論文「ラテン・アメリカの不法占拠者の実体と解決」(一九六七年)の執筆者。

(45) SAR　オランダ・エイントホーヴェン工科大学にあり、集合住宅の供給システムの研究に取り組んでいる。

(46) Doris Thut　ドイツの建築家。ウィーンの美術アカデミーでエルンスト・プリシュケに就く。ミュンヘン工科大学に学ぶ。オット・シュタイドレの下で働き、エコロジーに関心を抱く。現在、ミュンヘン工科大学教授。夫のRalph Thutはミュンヘン工科大学に学ぶ。ドリスと同様、シュタイドレの事務所で働く。ドリスと共同で事務所を開設。

(47) Robert Venturi (1925-)　米国の建築家。プリンストン大学に学ぶ。エーロ・サーリネン、ルイス・カーンの下で働く。妻ドニーズ・スコット・ブラウン等と共同、事務所を開設。著書『建築の複合と矛盾』はポスト・モダニズムの端緒を作った。

(48) Denise Scott-Brown (1931-)　米国の建築家。ザンビアに生まれ、ヴィトヴァーテルスラント大学、ロンドンのＡＡスクール、ペンシルヴェニア大学に学ぶ。ヴェンチューリと結婚。ヴェンチューリ、イゼナワーと共同して事務所を開設。

(49) Main Street　小都市の単調な実利主義的生活。

(50) A & P (The Great Atlantic & Pacific Tea Co., Inc.)　アメリカの大手のスーパーマーケット。

(51) Vincent Scully (192?-)　米国の建築史家。イェール大学に学ぶ。半世紀にわたってイェール大学で教え、現在同校名誉教授。主著に『シングル・スタイル』、『地上、神殿、神々』等があり、その主張は、近代主義の原理は価値観の共有にあるとする。

(52) Charles Willard Moore (1925-1993)　米国の建築家。ミシガン大学、プリンストン大学に学ぶ。カリフォルニア大学バークレー校、ロサンゼルス校、イェール大学で教えた。建築に人間的アプローチを採り入れ、ユーザーの意見を採り入れ、無関係な形態を結びつけて動きのある統合を作りだそうとした。

（53）Robert A.M. Stern (1939-) 米国の建築家。コロンビア大学、イェール大学に学ぶ。ジョン・ハグマンと共同。ポスト・モダニズムの指導的存在で、コロンビア大学教授を経て、現在イェール大学建築学部部長。

（54）Helmut Jahn (1940-) 米国の建築家。ドイツに生まれ、ミュンヘン工科大学、シカゴのIITに学び、ミースに就く。C・F・マーフィ事務所に入所し、現在同所社長。

（55）William Turnbull (1935-) 米国の建築家。プリンストン大学、パリのエコール・デ・ボザールに学ぶ。工兵隊除隊後、サンフランシスコのSOMで働く。ムーア、リンドン、ウィティカー等と共同でMLTW事務所を設立。

（56）Marcel Duchamp (1887-1968) フランスの画家。「ゴールデン・セクション」グループに所属。その後、ダダ、シュルレアリスムを予告する「階段を降りる裸婦」を制作。一九一五年、米国に渡る。以後、その活動は芸術のあらゆる分野に影響を与えた。

（57）Paolo Portoghesi (1931-) イタリアの建築家。ローマ大学卒業。事務所を開設、同時に母校で建築史を教える。その後、ミラノ工科大学教授、さらにローマ大学教授。雑誌「コントロスパツィオ」、「ユーパリノス」を編集。

（58）Leon Krier (1946-) ルクセンブルクの建築家。ロベール・クリエの弟。ロンドンの王立カレッジおよびAAスクールで教える。社会学者フェルディナンド・テンニエスとハインリッヒ・テッセナウの著書に共鳴し、小規模な共同体と日常的要求に応える建築を提唱。

（59）Aldo Rossi (1931-1997) イタリアの建築家。ミラノ工科大学卒業。雑誌「カサベラ」を編集、ルドヴィコ・クアローニの助手、ヴェネチア建築大学、ミラノ工科大学で教える。著書『都市の建築』は現代建築に理論的基礎を与えた。その後、「テンデンツァ（傾向派）」と呼ばれる流派を形成した。

（60）Giorgio Grassi (1935-) イタリアの建築家。ミラノ工科大学卒業。雑誌「カサベラ」の編集を経て、ミラノ工科大学教授。ロッシよりもラディカルで、個人主義的流行性を批判し、歴史に潜む可能性の発掘を主張。

（61）Michel Foucault (1926-1984) フランスの哲学者。ソルボンヌ大学に学び、二十五歳で教授資格を取得。精神病院に勤務し、スウェーデン・ウプサラ大学で教える。その後、コレージュ・ド・フランスで「思想体系の歴史」を講ずる。

（62）Carlo Aymonino (1926-) イタリアの建築家。ローマ大学に学び、マルチェロ・ピアンチェンティーニに就く。雑誌「カサベラ」の編集を経て、ヴェネチア建築大学教授。「イタリア・ネオ・レアリズモ」の影響から「ローマ派」を結成。ミラノ・ガララテーゼにアルド・ロッシと共同して、集合住宅を設計。

（63）Ezio Bonfanti (1937-1973) イタリアの建築史家。一九六〇年代、当時助手をしていたミラノ工科大学、ヴェネチア建築大学の学生に影響を与え、グループが形成された。同七三年のミラノ・トリエンナーレの際に出版された『アルキテットゥーラ・ラツィオナーレ（合理主義建築）』はボンファンティに捧げられた。

（64）Massimo Scolari (194?-) イタリアの建築家。ミラノ工科大学卒業。パレルモ大学、ヴェネチア大学を始め、コーネル、カリフォルニア、クーパー・ユニオン、ハーヴァード、ロイヤル・カレッジ等の大学で教える。雑誌「コントロスパツィオ」を編集。

（65）Franco Purini (1941-) イタリアの建築家。ローマ大学に学び、ルドヴィコ・クアローニに就く。カラブリア、ローマの大学で教え、その後ヴェネチア建築大学教授。ラウラ・テルメと共同。

（66）Laura Thermes (1943-) イタリアの建築家。ローマ大学に学ぶ。フランコ・プリーニと共同。レジオ・カラブリア大学教授。

（67）Bruno Reichlin (1941-) スイスの建築家。チューリッヒのETH（スイス連邦工科大学）に学び、アルド・ロッシの影響を受ける。ファビオ・ラインハルトと共同し、ティチーノ派を結成。ジュネーヴ大学教授。

（68）Fabio Reinhart (1941-) スイスの建築家。チューリッヒのETHに学び、アルド・ロッシの影響を受ける。一九七〇～八〇年代、修復・保存活動に従事する一方、現実主義的アプローチによる設計を提示する。チューリッヒETH、カッセル総合芸術学校教授。

（69）Aurelio Galfetti (1936-) スイスの建築家。チューリッヒのETH卒業。ティータ・カルローニと共同。その後はルシャ、ヴァッキーニ、ボッタ、タミ、スノッツィ等と共同。ローザンヌのエコール・ポリテクニーク教授。

（70）Alberto Sartoris (1901-1998) イタリアの建築家。パリのエコール・デ・ボザール卒業。一九二〇年代は未来派に参加。雑誌「ラ・チッタ・フーチュリスタ（未来派都市）」を編集。ジュネーヴ、パリ、トリノで活動。

（71）Rino Tami (1908-1994) スイスの建築家。ローマの建築学校、チューリッヒのＥＴＨに学び、オットー・サルフィスベルクに就く。兄弟のカルロと共同で事務所を開設。もっぱらティチーノ地方で活躍。

(72) H.E. Ciriani (193?-)　フランスの建築家。リマで建築教育を受け、一九六九年、パリに移住。集合住宅の設計で注目を浴び、その後、世界大戦博物館などを手がける。現在、パリ・ベルヴュー建築大学教授。

(73) Oswald Mathias Ungers (1926-)　ドイツの建築家。カールスルーエ工科大学でエゴン・アイアーマンに就いた。ケルンに事務所を開設、同時にベルリン工科大学、コーネル大学で教えた。多くの設計競技に参加。合理主義建築の理論家であるが、フランクフルト建築博物館を始め多くの作品がある。

(74) Josef Paul Kleihues (1933-)　ドイツの建築家。シュトゥットガルト工科大学、ベルリン工科大学に学ぶ。事務所を開設。ドルトムント大学教授。デュッセルドルフ美術アカデミー教授。シカゴ現代美術館を始め、ベルリン、フランクフルトに作品がある。

(75) Robert Krier (1938-)　ルクセンブルクの建築家。レオン・クリエの兄。ミュンヘン工科大学に学ぶ。ウンガース、フライ・オットーの下で働き、ウィーン工科大学教授。歴史的原型から一般的型式を抽出するのが彼の手法である。

(76) Herman Hertzberger (1932-)　オランダの建築家。デルフト工科大学に学ぶ。事務所を開設。アムステルダム建築アカデミーで教え、デルフト工科大学教授。ユーザーが設計に関与できる空間の枠組を提供するのが建築家の役割だという持論を展開。

(77) Dutch Structuralism　アルド・ヴァン・アイクはマルセル・グリオールのアフリカの集落研究の論文に関心を抱いていた。

(78) Ferdinand de Sassure (1857-1913)　スイスの言語学者。ジュネーヴ大学教授。言語の構造的研究に着手し、言語的記号とその意味との恣意的関係性を強調し、さらに言語の共時性と通時性の差異を指摘した。

(79) Norman Foster, Sir (1935-)　英国の建築家。マンチェスター大学、イェール大学に学ぶ。リチャード・ロジャース、スー・ロジャース、ウェンディー・フォスターと共同して「チーム４」を結成。「ハイ・テク」建築家として多くの作品を完成。ＲＩＢＡ（英国王立建築家協会）金賞受賞。

(80) Charles Eames (1907-1978)　米国のデザイナー。ワシントン大学に学ぶ。グレイ・アンド・イームズを設立し、ステンド・グラス、テキスタイル、家具、陶器などをデザイン。クランブルック・アカデミーに学び、エーロ・サーリネンと共同。妻レイと共同、あらゆる分野のデザインを手がけた。

(81) Giulio Carlo Argan (1909-1992)　イタリアの美術史家、政治家。トリノ大学で法律を学ぶが、美術史家リオネッロ・ヴェントゥーリの影響で美術史に転ず。哲学者ベネデット・クローチェに刺激されて反ファシズムとなり、レジスタンスに参加。パレルモ大学、ローマ大学教授。共産党入党、国会議員となる。

(82) bürolandschaft　オフィス・ランドスケープ。ドイツで起こった間仕切りの壁を設けずにプライヴァシーとコミュニケーションを両立させる方法。

(83) Jeremy Bentham (1748-1832)　英国の哲学者。十二歳でオクスフォード・クイーズ・カレッジに学ぶ。以後、父の遺産で執筆生活を送る。功利主義哲学の創始者とされるが、それぱかりではなく、普通選挙、同性愛差別反対を唱えた。

(84) neoprene　太陽光や熱に耐久性のある人造ゴム。屋根、窓、振動箇所の周囲を抑えるため成形して用いられる。

(85) Minimalism　一九六〇年代中期に美術評論家バーバラ・ローズによって使い始められた用語。当初は特定の運動を指したわけではないが、広く用いられた。意味するところは絵画、彫刻を幾何学的抽象形態に還元する傾向であり、二十世紀初頭の構成主義に起源を持つ。

(86) Kevin Roche (1922-)　米国の建築家。ダブリンに生まれ、アイルランド国立大学卒業後、マックスウェル・フライ、ジェーン・ドゥルーの下で働く。その後、エーロ・サーリネン事務所に入所。サーリネン没後、その後を継ぎ、ジョン・ディンクルーと共同。

(87) Gunnar Birkerts (1925-)　米国の建築家。ラトヴィア・リガに生まれ、シュトゥットガルト工科大学に学ぶ。米国に移住し、エーロ・サーリネン事務所に入所、その後、ミシガン大学教授。連邦準備銀行、ガラス博物館などの作品がある。

(88) Cesar Pelli (1926-)　米国の建築家。アルゼンチン・ツクマンに生まれ、同地の大学を卒業、イリノイ大学に留学。エーロ・サーリネン事務所に入所。その後、ＤＭＪＭ（ダニエル・マン・ジョン・アンド・メンデンホール事務所）を経て、イェール大学教授。事務所を開設。現在、日本にも事務所を開設し、東京、大阪を始め各地で活躍している。

(89) Anthony J. Lumsden (192?-) 米国の建築家。オーストラリアに生まれ、シドニー大学に学ぶ。エーロ・サーリネン事務所に入所。サーリネン没後、ケヴィン・ローチの下で働き、DMJMに移る。その後、事務所を開設し、専らアジアで活躍。

(90) Jean Prouvé (1901-1984) フランスの建築家。父はナンシー派の指導者。エミール・ロベールの下で金属細工師の修業。建築の前衛達と会う。軽金属構造を推進し、建築家達と共同して設計に関与する。

(91) Vladimir Bodiansky (1894-1966) フランスの構造技術者。ウクライナに生まれ、モスクワで土木工学を学ぶ。ボハラ・カブール間鉄道建設に従事。革命のためパリに亡命。エコール・ド・アエロノーティックで航空工学を学ぶ。軽量金属、プレファブを生かした建築設計に参加。ATBAT設立。ル・コルビュジエのマルセイユ・ユニテの建設を監督。

(92) むらた・ゆたか (1917-1988) 東京美術学校卒業。坂倉準三事務所に入所。フランスに留学。事務所を開設。

(93) Frei Otto (1925-) ドイツの建築家。ベルリンで石工の修業。戦時中は戦闘機操縦士。戦後、ベルリン工科大学に学ぶ。ベルリンに軽量構造開発センターを開設。その後、シュトゥットガルトに軽量構造研究所を設立。

(94) Arthur Drexler (1925-1986) 米国の建築評論家。クーパー・ユニオンに学ぶ。ニューヨーク近代美術館建築部部長。

(95) Myron Goldsmith (1918-1996) 米国の建築家。アーマー工科大学(現IIT:イリノイ工科大学)に学び、ミースに就く。ローマに留学、ネルヴィに師事。帰国後、サンフランシスコのSOMに入所。シカゴに移り、IIT教授。

(96) Gene Summers (1928-) 米国の建築家。テキサスA&M(農科・医科)大学卒業。IITでミースに師事。ミースの事務所で働く。C・F・マーフィ事務所に入り、その後、フィリス・ランバートと共同。フランスに四年間滞在し、帰国後はIIT建築学部部長。

(97) Arthur Takeuchi (192?-) 米国の建築家。IITに学び、ミースに就く。同校準教授。事務所を開設。

(98) Tim Vreeland 米国の建築家。カリフォルニア大学ロサンゼルス校名誉教授。フィラデルフィア派に所属。

(99) Ronald Giurgola (1920-) 米国の建築家。イタリアに生まれ、ローマ大学、米国コロンビア大学に学ぶ。エーマン・ミッチェルと共同、フィラデルフィア派に所属。コロンビア大学教授。場所の重要性と設計過程に潜む概念形成を強調するところに特徴がある。

(100) Jurgen Habermas (1929-) ドイツの社会学者。ホルクハイマー、アドルノの弟子でフランクフルト学派の第二世代の代表者。フランクフルト大学教授。公共性の構造転換から道具的理性批判を経て相互的主観性を主張し、言説倫理を展開する。

(101) Charles Jencks (1939-) 米国の建築史家。ハーヴァード大学で英文学と建築を学ぶ。ロンドン大学でギーディオンとバンハムに師事。カリフォルニア大学教授。ポスト・モダニズム論争の発端となった『ポスト・モダンの建築言語』のほか、時宜に投じた著書がある。

(102) Michael Graves (1934-) 米国の建築家。シンシナティー大学、ハーヴァード大学に学ぶ。ローマ賞受賞。プリンストンに事務所開設。プリンストン大学教授。「ニューヨーク五人組」の一人。最初はル・コルビュジエに影響されたが、その後はポスト・モダニズムの代表的建築家。

(103) Peter Eisenman (1932-) 米国の建築家。コーネル大学、コロンビア大学、ケンブリッジ大学に学ぶ。ニューヨークに「IAUS(インスティテュート・フォー・アーキテクチャー・アンド・アーバン・スタディーズ:建築・都市研究所)」を設立し、雑誌「オポジション」を発行。「ニューヨーク五人組」の一人。言説としての建築を構築する第一人者。

(104) Moshe Safie (1938-) 米国の建築家。イスラエルに生まれ、カナダのマックギール大学卒業。ルイス・カーンの下で働く。モントリオール万博に「ハビタット」を設計。ハーヴァード大学教授。

(105) Friedrich Achileitner (1930-) オーストリアの建築史家、詩人、作家。ウィーン美術アカデミーでクレメンツ・ホルツマイスターに師事。建築家ヨハネス・クトイと共同。詩人グループ「ヴィーン・グルッペ」に所属。オーストリア建築家の評伝を書く。ウィーン応用美術アカデミー教授。

(106) Ricardo Bofill (1939-) スペインの建築家。バルセロナに生まれ、スイス・ジュネーヴのエコール・ポリテクニークに学ぶ。一九六三年、建築家、技術者、社会学者、哲学者からなる「タジェール・ド・アルキテクトゥーラ」を結成。スペイン、フランス、米国、日本で活躍。

(107) Karl Ehn (1884-1957) オーストリアの建築家。ウィーンの美術アカデミーに学び、オットー・ワグナーに就く。ウィーン市建築監督官となり、英国田園都市に啓発された集合住宅を設計する。戦闘的社会民主党員であったことと、集合住宅「カール・マルクス・ホーフ」の名称のためナチスから嫌疑を掛けられた。

（108）John Hejduk (1929-2000) 米国の建築家。クーパー・ユニオン、シンシナティー大学、ハーヴァード大学に学ぶ。I・M・ペイの下で働き、事務所を開設。クーパー・ユニオン教授。抽象的形態による建築の詩から、表現主義的形態による象徴へと変貌した。

（109）Charles Gwathmey (1938-) 米国の建築家。ペンシルヴェニア大学に学び、ルイス・カーン、ロバート・ヴェンチューリに就く。イェール大学ではポール・ルドルフ、ジェームズ・スターリングに就く。ロバート・シーゲルと共同。「ニューヨーク五人組」の一人。

（110）Richard Meier (1934-) 米国の建築家。コーネル大学卒業。SOM、マルセル・ブロイヤーの下で働く。事務所を開設。「ニューヨーク五人組」の一人。ル・コルビュジエの建築を再解釈した白い直方体の建築から出発したが、現在までに多彩な形態を産み出している。

（111）OMA Office for Metropolitan Architecture の略。

（112）Rem Koolhaas (1944-) オランダの建築家。ジャーナリスト、映画スクリプト作者を経て、AAスクールに学ぶ。コーネル大学でウンガースに師事。妻マデロン・フリーセンドルプ、エリア・ゼンゲリス、その妻ゾエ・ゼンゲリスと共同して「オマ」(OMA)を結成。著書『デリリアス・ニューヨーク』で注目を集め、その後は劇場、集会場、住宅を設計。

（113）Elia Zenghelis (1937-) ギリシアの建築家。アテネに生まれ、AAスクールに学ぶ。カンディリス、ウンガース、アイゼンマンの下で働き、コールハースと共同し、「オマ」を結成。アテネに「オマ」支部を設ける。一九八七年、エレニ・ジジャンテスと共同し、GZAを設立。

（114）Roland Barthe (1915-1980) フランスの批評家。ソルボンヌ大学に学ぶ。各地の高校、ルーマニア、エジプトの大学で教え、その後、国立高等研究院の研究所所長。ジョンズ・ホプキンス大学教授を経て、コレージュ・ド・フランスで意味論を講ずる。

（115）Laurinda Spear (1950-) 米国の建築家。ブラウン大学、コロンビア大学を卒業。バーナード・フォート・ブレシアと共同して「アルキテクトニカ」を設立。マイアミ大学教授。

（116）Zaha Hadid (1950-) イラクの建築家。バグダッドに生まれ、AAスクールに学ぶ。「オマ」に所属し、AAスクール、コロンビア大学、ハーヴァード大学で教える。一九八三年、香港「ピーク・クラブ」の国際設計競技に入賞して以来、国際的に活躍。

（117）Bernard Tschumi (1944-) スイスの建築家。チューリッヒのETH（スイス連邦工科大学）に学ぶ。AAスクール、「IAUS（建築・都市研究所）」、プリンストン大学、クーパー・ユニオンで教え、現在コロンビア大学建築学部部長。パリの「ヴィレット公園」の国際設計競技に入賞し、これを実現し、以来国際的に活躍。

（118）Lev Vladimovich Kuleshov (1899-1970) ソ連の映画監督。モスクワの美術・建築学校に学ぶ。プドフキン、エイゼンシュテインに先んじてモンタージュ理論を完成した。国立映画学校で教え、同時に前線での撮影に臨んだ。

（119）Frank O. Gehry (1929-) 米国の建築家。カナダ・トロントに生まれ、南カリフォルニア大学、ハーヴァード大学に学ぶ。事務所を開設。アド・ホックな機能的彫刻といわれる奔放な形態は余人の追随を許さない。ドイツのヴィトラ・デザイン博物館、スペイン・ビルバオのグッゲンハイム美術館、シアトルの実験音楽博物館など一作ごとに問題を提起。

（120）Daniel Libeskind (1946-) 米国の建築家。ポーランドに生まれ、イスラエルで音楽を学び、米国市民権を取得。クーパー・ユニオンに学び、さらに英国のエセックス大学に学ぶ。その後、クランブルック・アカデミー、カリフォルニア大学、イェール大学、コペンハーゲン・ロイヤル・アカデミーなどの教授を歴任。一九八九年、ベルリンの「ユダヤ博物館」の国際設計競技に入賞し、実現した。

（121）Mark Wigley ニュージーランドの建築家。オークランド大学に学ぶ。プリンストン大学で教え、現在はコロンビア大学高等研究所所長。一九八八年、ニューヨーク近代美術館での「脱構築建築展」でフィリップ・ジョンソンとともに企画に当たった。

（122）Arie Graafland オランダの建築家。デルフト工科大学で建築理論を教える。

（123）Jacques Derrida (1930-) フランスの哲学者。アルジェリアのエル・ビアルに生まれ、パリ・エコール・ノルマル・スーペリユール卒業。同校を始め、ソルボンヌ大学、ジョンズ・ホプキンス大学、イェール大学、カリフォルニア大学等で教える。建築を始め、美術、文学、言語学、哲学、法律に適用される脱構築の理論を展開した。

▼第Ⅲ部　第5章

(1) Paul Ricoeur (1913-)　フランスの哲学者。レンヌ大学に学ぶ。第二次世界大戦中、ドイツの収容所に収監され、戦後、ストラスブール大学、ソルボンヌ大学、パリ大学ナンテール校、ベルギー・ルーヴァン大学で教える。リクールの論点は宗教象徴の解釈、精神分析の哲学、隠喩の理論、物語の解読等。

(2) Jorn Utzon (1918-)　デンマークの建築家。コペンハーゲンのロイヤル・アカデミーに学び、カイ・フィスカー、ラスムッセンに就く。アスプルンドに師事する。事務所を開設。一九五六年、シドニーのオペラ・ハウスの国際設計競技に入賞。彼の特徴は敷地条件と設計要求を詩的創作へ変貌させる点にある。

(3) Josep Maria Sostres (1915-?)　スペインの建築家。バルセロナの「グループR」の指導者。内戦後のスペイン近代建築を再興させるうえで重要な役割を果たした。また、「ガウディ友の会」を設立。バルセロナ建築大学教授。

(4) Bruno Zevi (1918-2000)　イタリアの建築史家。ローマの古いユダヤ系家族に生まれる。幼少時代からの反ファシズム思想のため一九四〇年、故国を追われ米国に渡り、ハーヴァード大学に学び、ワルター・グロピウスに就く。F・L・ライトに共鳴し、帰国してヴェネチア建築大学で教える。ローマ大学に移り、ポスト・モダニズム勃興を機に辞任。常に古典主義の悪に挑戦的、戦闘的であった。

(5) Ignazzio Gardella (1905-199?)　イタリアの建築家。ミラノ工科大学で土木工学、ヴェネチア建築大学で建築を学ぶ。戦前から活躍、戦後はジュゼッペ・サモナに請われてヴェネチア建築大学で教える。

(6) Martorell / Bohigas / Mackay　スペインの建築事務所。Joseph Martorell (1925-)、Oriol Bohigas (1925-)、David Mackay (1933-)の三人が一九五一年にバルセロナに設立した。マルトレル、ボイガスはともにバルセロナ生まれで、同地の建築大学出身。マッケイは英国サセックス生まれ、ロンドン・ノーザン・ポリテクニック出身。事務所の特徴はスペイン伝統の形態を再利用し、モデルニスモからも採用する点にある。

(7) José Antonio Coderch (1913-?)　スペインの建築家。スペイン内戦後の混乱期に建築家として立ち、マヌエル・ベルゲスと共同。その特徴は明快、完璧、端正を追求し、「トーレ・バレンティーナ」などを設計し、さらに都市計画、家具なども手がけた。

(8) Taller de Arquitectura　一九六二年、ボッフィルが設立した建築事務所。建築家、経済学者、詩人等を迎えた異色さが当時、話題を呼んだ。

(9) Alvari Siza Vieira (1933-)　ポルトガルの建築家。ポルトの美術学校を卒業。フェルナンド・タヴォラと共同して「ポルト派」を形成。地形を考慮し建物の短命を配慮した詩情豊かな特徴は、一九七四年のポルトガル革命と無縁ではない。

(10) Raimund Abraham (1933-)　オーストリアの建築家。グラーツの工科大学に学ぶ。一九六四年米国に移住し、クーパー・ユニオン教授。主として理論的計画に専念していたが、最近、ニューヨークにオーストリア文化センターを完成した。

(11) Luis Barragan (1901-1988)　メキシコの建築家。グアダラハラの大学で土木工学を学ぶ。スペインのムーア建築、地中海の民家、フェルディナンド・バックの庭園、キースラーの理論、ル・コルビュジエの著作に啓発されてメキシコ地域主義を樹立。地域に根差した精神性と自然との調和を具えた作品を設計。

(12) Mathias Goeritz (1915-1990)　ドイツの彫刻家。最初ベルリン大学で医学を修め、その後シャルロッテンブルク大学で哲学、美術史を学ぶ。世界各地を旅行、メキシコ・グアダラハラで建築家モラル・ディアスと共同。メキシコ・シティの建設と景観設計に参加。

(13) Amancio Williams (1913-)　アルゼンチンの建築家。最初、ブエノス・アイレスの大学で機械工学を、その後建築を学ぶ。近代運動を同国に根づかせる活動に奔走し、設計活動をする。CIAMに参加し、ル・コルビュジエのラ・プラタでの住宅設計を担当した。ブエノス・アイレス音楽院長。

(14) Carlos Raul Villanueva (1900-1975)　ベネズエラの建築家。パリのエコール・デ・ボザールを卒業し、事務所を開設。ベネズエラ大学に建築学科を創設。近代主義を同国に普及させる活動をする。多くの画家、彫刻家と共同して大学都市を建設。

(15) KEM (Karl Emanuel Martin) Weber (1889-1963)　米国のデザイナー。ベルリンに生まれる。家具職人となり、装飾美術学校に学び、ブルーノ・パウルに就く。米国に渡り、バーカー商会のアート・ディレクターとなる。

デザイン事務所を開設。流線型の室内や家具を設計する。ロサンゼルスのアート・センター・スクール教授。

（16）Irving Gill（1870-1936）米国の建築家。シカゴのアドラー・サリヴァン事務所で働く。病気療養のためサン・ディエゴに移住、事務所を開設。カリフォルニア・ミッション建築、立体主義、ティルト・アップ式鉄筋コンクリートなどを駆使して近代主義的作風を打ち立てた。

（17）William Wurster（1895-1973）米国の建築家。カリフォルニア大学に学ぶ。バーナーディとイーモンズと共同。メイベックの影響を受け、「ベイ・エリア様式」を唱道する。地域の社会、気候、経済条件に適合した建築を目指したので、「日常的建築」と呼ばれる。

（18）Bay Area School　ルイス・マンフォードは一九四七年、雑誌「ニューヨーカー」で、ウィリアム・ワースターとハーウェル・ハミルトン・ハリスの作品を説明するため「ベイ・エリア様式」という用語を初めて使用した。それ以後、南カリフォルニアの建築で、この様式を用いるものに「ベイ・エリア派」という用語が使われるようになった。

（19）Howell Hamilton Harris（1903-1990）米国の建築家。カリフォルニアに生まれ、オーティス美術学校、ウィギンス商業学校に学ぶ。ノイトラの下で働く。事務所を開設。木造を専らとして設計し、素材や敷地に対する繊細な感受性を示した。

（20）Bernard Maybeck（1862-1957）米国の建築家。パリのエコール・デ・ボザールに学び、ヴィオレ・ル・デュクに就く。帰国後、事務所を開設。カリフォルニア大学、ジョンズ・ホプキンス美術学校教授。その作品は「ベイ・エリア様式」の初期を代表するもので、木造構造を表現様式にまで高めた。

（21）The Green Brothers　米国の兄弟建築家。兄 Charles（1868-1957）、弟 Henry（1870-1954）はともにＭＩＴ（マサチューセッツ工科大学）卒業。パサデナで事務所を開設。アーツ・アンド・クラフツ運動の手工芸を理想として住宅の設計に専念。木造の細工の細かい内部、外部の仕上げは人間味を感じさせる。

（22）Mark Mack（1949-）米国の建築家。オーストリアに生まれ、グラーツの工科大学、ウィーンの美術アカデミーに学ぶ。シュタイガー、ホラインの下で働き、米国に移住、アンバーツと共同。サンフランシスコでアンドリュー・ベイティーと共同。カリフォルニア大学教授。

（23）Harry Wolf　米国の建築家。ニューヨークに事務所を持っていたが、現在はロサンゼルスで活動。

（24）Gino Valle（1922-）イタリアの建築家。ヴェネチア建築大学、ハーヴァード大学に学ぶ。父プロヴィーノ、妹ナンニと共同して事務所を開設。住宅とオフィス・ビルを専らに設計し、構造体の表現を形態的特徴とする。

（25）Ernst Giesel（1922-）スイスの建築家。チューリッヒの工芸学校に学び、建築製図工となる。アルフレッド・ロートの下で働き、エルンスト・シェールと共同後、事務所を開設。立方体、円柱の形態と石、木、煉瓦、コンクリートの素材を自然味溢れる用法で処理するのが特徴。

（26）Vittorio Gregotti（1927-）イタリアの建築家。ミラノ工科大学卒業。メネゲッティ、ストッピーノと共同後、事務所を開設。雑誌「カサベラ」、「ラセーニャ」を編集。ミラノ工科大学、ヴェネチア建築大学教授。合理的理念と理論的表現を徹底的に追求するところが特徴である。

（27）Sevree Fehn（1924-）ノルウェーの建築家。オスロ建築大学に学ぶ。アルネ・コルスモを指導者とするグループに参加、近代運動を推進させようとギール・グルングと共同。中世期の遺構との調和を図り、素材に変化を与えて、さらに自然の景観に接点を求めている。

（28）Aris Konstantinidis（1913-1993）ギリシアの建築家。アテネに生まれ、ドイツで建築教育を受けた。

（29）Carlo Scarpa（1906-1978）イタリアの建築家。ヴェネチアの美術アカデミーに学ぶ。ヴェネチアのゴシック・ビザンティンの伝統を残し、他方、ライトや「デ・スタイル」の影響を見せ、オルブリッヒやマッキントッシュの華麗さを偲ばせる。ヴェネチア建築大学教授。ヴェネチアを中心に作品活動。

（30）Dolf Schnebli（1928-）スイスの建築家。チューリッヒのＥＴＨ（スイス連邦工科大学）に学び、後年、同校教授。世界各地で共同、授業、会議に関与。ロジャース、ガルデラ、スカルパ、セルト、グロピウス、ギーディオン等と親交。アーニョに事務所を開設。建築の物体性よりもその社会的、文化的条件との関係を強調する。

（31）Tita Carloni（1931-）スイスの建築家。チューリッヒのＥＴＨに学ぶ。カメニシュ、スノッツィ、ヴァッキーニ等と共同。マックス・ビルとも共同。ジュネーヴ大学教授。歴史的建築の保存・補修にも関与している。

（32）Virgilio Gilardoni　スイスの活動家。ミラノ大学に学ぶ。パリからロカルノに移住し、美術批評、映画批評、歴史学、文化人類学等で活躍、地方文化の保護育成に努める。「ティチーノ史料保存館」を設立。この地方の歴史に関する叢書を発行。

(33) Mario Botta (1943-) スイスの建築家。ヴェネチア建築大学に学び、在学中、ル・コルビュジエとルイス・カーンの助手を務める。ルガーノに事務所を開設。スカルパとカーンの影響を受け、建築は時代の鏡という認識から、幾何学的秩序と手際の良い仕上がりを強調する。

(34) Luigi Snozzi (1932-) スイスの建築家。チューリッヒのETHに学ぶ。ロカルノとルガーノを拠点として設計活動を開始し、チューリッヒのETHとローザンヌのエコール・ポリテクニークで教える。その他、ドイツ、米国の大学でも建築教育に携わる。

(35) Alex Tzonis ギリシア生まれの建築史家。アテネ工科大学、イェール大学に学ぶ。サージ・チェルマイエフと共同で著書『コミュニティーの形態』を刊行。リアーヌ・ルフェーヴルと共同で『古典建築』を刊行。現在、デルフト工科大学教授。

(36) Liane Lefaivre カナダ生まれの建築研究者。マックギール大学に学び、現在、デルフト工科大学建築学部デザイン情報システムグループ研究員。

(37) Dimitris Antonakakis (1933-) ギリシアの建築家。アテネ国立工科大学に学び、直ちに教壇に立つ。妻 Suzana (1935-) と共同で事務所を開設。コンスタンティニディスとピキオニスからの影響をいっそう洗練された形式に転換させ、複雑な格子構造を作り上げた。

(38) Stamo Papadaki ギリシアの建築家。マレ・ステヴァン、オーギュスト・ペレに師事。一九三〇年代に設計活動。その後は執筆活動。ル・コルビュジエ、オスカー・ニーマイヤーについての評伝がある。

(39) Joannis G. Despotopoulos (1903-1992) ギリシアの建築家。ハンネス・マイヤーのバウハウスに学び、さらにハノーファー工科大学に学ぶ。エリック・メンデルゾーンの下で働く。CIAM会議に参加。アテネ国立工科大学教授。

(40) Dimitris Pikionis (1887-1968) ギリシアの建築家。アテネの国立工科大学で土木工学を学ぶ。ジョルジョ・デ・キリコと知り合い影響される。ミュンヘン、パリで美術を学ぶ。エコール・デ・ボザールに学ぶ。アテネに事務所を開設。アテネ工科大学教授。

▼第Ⅲ部　第6章

(1) Donald A. Schön (1932-1997) 米国の哲学者。イェール大学、ソルボンヌ大学、コンセルヴァトワール、ハーヴァード大学に学ぶ。その後、カリフォルニア大学で教え、MIT（マサチューセッツ工科大学）教授。彼の関心は「効果的に実践するにはどうするか」であり、専門職にそれを教えることが教師の役割だと説いた。

(2) Steven Holl (1947-) 米国の建築家。ワシントン大学、AAスクールに学ぶ。ニューヨークに事務所を開設。理論的都市研究から出発し、店舗・住宅の設計を経て、ヘルシンキ現代美術館を完成。その現象論的アプローチは新たな構造的および技術的展開によって裏付けられる。

(3) Vitardas Balkrishna Doshi (1927-) インドの建築家。ムンバイの美術学校に学ぶ。アーメダバード、チャンディガールでル・コルビュジエの助手を務めた。「環境設計財団」を設立。建築と都市計画の学校を創設。住民の伝統・習俗、死生観の認識に立った設計を目指している。

(4) Raj Rewal (1934-) インドの建築家。デリーとロンドンで建築教育を受ける。デリーの建築・都市計画学校教授。

(5) Uttam Jain (1934-) インドの建築家。ゴアにバンドダカール記念碑、リゾート施設を、ムンバイに鉄道駅、商業施設を設計。

(6) Charles Correa (1930-) インドの建築家。ハイデラバードに生まれ、ミシガン大学、MITに学ぶ。ムンバイに事務所を開設し、MITで教える。その建築の特徴は、非西欧型文化に近代主義をいかに適用するかを最重要に考え、地方的習俗・伝統言語を発展させようとするところにある。RIBA、UIA（ユニオン・オヴ・インターナショナル・アーキテクツ）の各金賞を受賞。

(7) Egon Eierman (1904-1970) ドイツの建築家。シャルロッテンブルク工科大学に学び、ハンス・ペルツィヒに就く。カールスルーエ工科大学教授。第二次世界大戦後のドイツ建築界の重鎮。明晰な骨組と簡潔な細部による鉄骨構造の作品は、彫塑的なハンス・シャロウンと対照的である。

(8) Ludwig Leo (1924-) ドイツの建築家。ベルリンの造形美術大学に学ぶ。ルックハルト兄弟の事務所で働き、その後、自身の事務所を開設。その建築の特徴は、機能から生み出された形態を視覚的主題として建物の象徴にまで高めていることである。

(9) Hans Kollhof (1946-) ドイツの建築家。カールスルーエ工科大学に学ぶ。

コーネル大学に留学。ベルリン工科大学、ベルリン美術アカデミー、ドルトムント大学で教えた後、ＥＴＨ（スイス連邦工科大学）教授。ヘルガ・ティマーマンと共同。ドイツを始めヨーロッパ各地で、主にオフィス・ビル、集合住宅を設計。

(10) IBA (Internationale Bauaustellung)　一九八七年、ベルリンで開催された国際的な集合住宅の展覧会。「ノイバウ（新築）」と「アルトバウ（改修）」に分かれ、前者をヨゼフ・パウル・クライフースが、後者をハルト・ヴァルター・ハマーが指揮した。日本からは磯崎新が参加した。

(11) Gunther Benisch (1922-)　ドイツの建築家。シュトゥットガルト工科大学卒業。ブルーノ・ランバートと共同。ダルムシュタット工科大学教授。ミュンヘン・オリンピックのテント構造をフライ・オットーとともに設計。その後、シュトゥットガルト大学太陽科学研究所の建物は脱構築建設の嚆矢とされた。

(12) Ulrich Conrads (1923-)　ドイツのジャーナリスト。マグデブルク大学卒業。雑誌「バウヴェルト」、「ダイダロス」を編集、著書『二十世紀建築宣言集』などがある。

(13) David Chipperfield (1953-)　英国の建築家。キングストン・ポリテクニック、ＡＡスクールに学ぶ。リチャード・ロジャース、ノーマン・フォスター等の事務所で働いた後、一九八七年、東京に事務所を開設。

(14) Richard McCormack, Sir (1938-)　英国の建築家。シンガポールに生まれ、ケンブリッジ大学卒業。パウエル・モヤ事務所の助手。ケンブリッジ大学、エディンバラ大学、ハリファックス大学等で教える。ジェミーソンと共同で事務所を開き、近代主義の教義に沿った作風を維持している。

(15) Alessandro Anselmi　イタリアの建築家。ローマ大学第三分校教授。グループ「ＧＲＡＵ（ローマ建築家・都市計画家集団）」を結成。

(16) tympanum　ペディメント三角形の部分。

(17) Bentham and Crouwel　オランダの建築事務所。Jan Bentham (1952-) もMels Crouwel (1953-)も、ともにデルフト工科大学に学ぶ。卒業後直ちに共同で事務所を開き、専ら軽量金属構造、プレファブ部材によって住宅、事務所、博物館や、スキポール空港の建物を設計。

(18) Mecano　オランダの建築事務所。一九九四年、フランシス・ホーベン、ヘンク・デル、エリック・ファン・エゲラート、クリス・デ・ウェイエルによってデルフトに設立された。彼等の目指すところは、都市の文脈に関与した、新鮮で、基本的な問題に対する理知的な解釈としての建築である。

(19) Cees Dam (1932-)　オランダの建築家。ハーレン工科大学、アムステルダム建築アカデミーに学び、リートフェルト、ヴァン・アイクに就く。在学中にグループ「32」を結成し、近代主義の「ニューエ・ボウエン」を批判。作品は住宅から市庁舎まで、静態的安定感が細部に至るまで貫徹している。

(20) Jo Coenen (1949-)　オランダの建築家。エイントホーヴェン工科大学に学ぶ。ヴァン・アイク、テオ・ボシュの下で働き、母校、マーストリヒト建築学部、ティルブルグ建築学部で教え、現在はカールスルーエ工科大学教授。その作品は都市の文脈の中の可能性を発見することから始まり、それを実際の形態に転換する。

(21) Fernando Tavora (1923-)　ポルトガルの建築家。ポルトの美術学校に学ぶ。同校教授。当初、近代建築の教義に則ったモデルに従おうとしたが、疑義を抱いて、近代主義と伝統性や地方性を統合する方向を打ち出した。建築は「人が人のために作るものであって、何か特別で、崇高で、言葉に言い表せないものではない」と言う。

(22) Heikki Siren (1918-?)　フィンランドの建築家。ヘルシンキ工科大学に学ぶ。父の事務所で働く。妻 Kaija (1920-) もヘルシンキ工科大学出身。夫婦で共同して事務所を開く。彼等の作品の特徴はスカンディナヴィア近代主義の例示であり、新古典主義の建築形態に影響されている。

(23) Juha Leiviska (1936-)　フィンランドの建築家。ヘルシンキ工科大学に学ぶ。主に教会建築のほか、オフィス・ビル、集合住宅の設計。歴史的建造物の修復・保存にも携わっている。その建築の特徴は、空間、時間、社会の文脈に沿っていることである。

(24) Reima Pietila (1923-1993)　フィンランドの建築家。ヘルシンキ工科大学卒業。オウル大学教授。妻 Raili と共同で事務所を開く。内発的建築形態を求めて、工科大学学生寮ディーポリ、タンペレ教会等を設計、晩年にフィンランド大統領官邸を設計した。

(25) Aarno Ruusuvuori (1925-1992)　フィンランドの建築家。ヘルシンキ工科大学卒業。事務所を開設し、同校教授。構造の明晰性、細部の周到性、仕上げの緻密性は、すべての作品に共通して見られる特徴である。教会を始め、オフィス・ビル、生産施設などを設計した。

(26) Christian Gullichsen (1932-)　フィンランドの建築家。ヘルシンキのグ

リクセン家に生まれ、ヴィラ・マイレアに育つ。ヘルシンキ工科大学卒業。アアルトの助手を務めた後、事務所を開設。アウリス・ブロムステッド、レイマ・ピエティラ等の建築理論も吸収して教授となる。ティモ・ヴォルマラと共同。

(27) Erkki Kairamo (1936-) フィンランドの建築家。ヘルシンキ工科大学卒業。オスモ・シバリ、オスモ・テッポと共同。工科大学教授。ユハニ・パラスマー、グリクセン、ヴォルマラとも共同。

(28) Timo Vormala (1942-) フィンランドの建築家。ヘルシンキ工科大学卒業。グリクセンと共同。

(29) Pekka Helin (1945-) フィンランドの建築家。ヘルシンキ工科大学卒業。シートネンと共同して事務所を開設。

(30) Toumo Siitnen (1946-) フィンランドの建築家。ヘルシンキ工科大学卒業。ヘリンと共同して事務所を開設。二人の関心は素材、敷地、ユーザーであり、建築の基本的形態ならびに細部は、環境の要因と各計画の要求項目によって決定されるという。

(31) Mikko Heikkinen (1949-) フィンランドの建築家。ヘルシンキ工科大学卒業。グリクセン、ゼーデルルンド・ヴァロヴィルタの下で働く。コモネンと共同して事務所を開設。ヴァージニア工科大学、コペンハーゲン美術アカデミー、ヘルシンキ工科大学で教える。

(32) Markko Komonen (1945-) フィンランドの建築家。ヘルシンキ工科大学卒業。ハイッキネンと共同して事務所を開設。雑誌「アルキテッティ」を編集。フィンランド建築博物館展覧会部長。ヘルシンキ工科大学教授。

(33) Juhani Pallasmaa (1936-) フィンランドの建築家。ヘルシンキ工科大学卒業。建築、プロダクツ、グラフィックなどの分野で三十数年間活躍。ヘルシンキ工科大学教授。フィンランド建築博物館館長。

(34) Marja Ritta Norri フィンランド建築博物館館長。

(35) Henri Gaudin (1933-) フランスの建築家。海軍士官を辞めて、パリのエコール・デ・ボザール卒業。米国に渡り、アブラモヴィッツ事務所で働く。帰国後、集合住宅を手がけ、中世都市の緊密性を現代の町並みに翻訳しようとし、曲線を用いて複雑で統一感のあるコントラストをつくり出した。

(36) Ieoh Ming Pei (1917-) 米国の建築家。中国・広東に生まれ、ＭＩＴ、ハーヴァード大学卒業。ディヴェロッパーと共同したのち、事務所開設。単純で正確な形態にモニュメンタリティーを与えるのを特徴としている。代表作にワシントン・ナショナル・ギャラリー東館、パリ・グラン・ルーヴル、香港・中国銀行など。

(37) Johan Otto von Spreckelsen (1929-1987) デンマークの建築家。ヴァンゲーデ教会、スタヴンショルト教会など、多くの教会建築を設計して有名となる。正方形、球形、円筒形、角錐など幾何学的形態を組み合わせているのが特徴。パリの「グランド・アルシュ」は彼の死後完成した。

(38) Carlos Otto カナダの建築家。パリの新オペラ座を完成後、技術者アデル・アルモジルと共同して、カナダ、ウルグアイ、ドイツなどで活躍。

(39) Gae(tana) Aulenti (1927-) イタリアの建築家。ミラノ工科大学卒業。ヴェネチア建築大学、ミラノ工科大学で教える。ミラノに事務所を開設し、フィアット、オリヴェッティと共同。パリのオルセー美術館の設計は有名。

(40) Jean Nouvel (1945-) フランスの建築家。エコール・デ・ボザール卒業。事務所を開設。ル・コルビュジエの呪縛から逃れ、モダニズムもポスト・モダニズムも等分に眺めて、既存の理念や手法に囚われない立場を貫いている。作品にアラブ研究所、フォンダシオン・カルティエなどがある。

(41) Christian de Portzamparc (1944-) フランスの建築家。カサブランカに生まれ、パリのエコール・デ・ボザール卒業。ジョルジュ・カンディリスの事務所で働く。事務所を開設し、ポスト・モダニズムの動向に投じた形態的ヴォキャブラリーを駆使して、パリ音楽院、キャフェ・ボブールを設計。

(42) Dominique Perrault (1953-) フランスの建築家。パリのエコール・デ・ボザール、同ポン・ゼ・ショッセ、社会科学高等研究所卒業。事務所を開設。電子工学・電子技術大学等を設計し、国立図書館の設計競技に入賞、実現させた。

(43) Bernard Huet (1932-) フランスの建築家。ヴェトナムに生まれ、パリのエコール・デ・ボザール卒業。ミラノ工科大学に留学中、ロジャースに会う。ペンシルヴェニア大学留学。カーンに会う。一九六八年五月、「ＵＰ６」を設立。その後、「ＵＰ８」をベルヴィユーに設立。雑誌「オージュルデュイ」を編集。

(44) Jacques Lucan (1947-) フランスの建築家。ローザンヌのエコール・ポリテクニーク教授。雑誌「ＡＭＣ」を編集。著書に『ル・コルビュジエ百科事典』、『ＯＭＡ』などがある。

(45) Michel Roux-Spitz (1888-1957)　フランスの建築家。リヨンのエコール・レジオナル・デ・ボザールに学び、ガルニエに会う。ローマ賞受賞。市長エリオに支持されて多くの公共施設を設計。パリに独自の様式によるアパルトマンを建て一世を風靡した。

(46) Pierre Patout (1879-1965)　フランスの建築家。一九二五年の国際近代装飾産業博覧会にパヴィリオンを設計、立体主義的レリーフの新古典主義的作風はアール・デコ様式と呼ばれることになった。郊外の金持階級のための住宅、汽船イル・ド・フランス号、ノルマンディー号のインテリア等がそれである。

(47) Rob Mallet-Stevens (1886-1945)　フランスの建築家。エコール・スペシアル・ダルシテクチュールに学ぶ。ホフマン、「デ・スタイル」、デュドク、ライト等の影響を次々に受けながら、独自の様式を一九二〇年代に完成し、流行と消費の時代の寵児となった。

(48) Edouard Albert (1910-1968)　フランスの建築家。一九五〇年代から六〇年代にかけて金属構造による軽量建築を設計したが、残念ながら、現在では風化の危機にある。

(49) Jean Ginsberg (1905-1983)　フランスの建築家。ポーランドに生まれ、ワルシャワとベルリンで建築教育を受け、パリのエコール・スペシアル・ダルシテクチュールを卒業。ル・コルビュジエ、リュルサ、リュベトキンに就き、専ら都市のアパルトマン建築によって近代建築の原理の普及に貢献した。

(50) Bruno Elkouken (1893-1968)　フランスの建築家。ポーランド出身で、一九三〇年代、パリにアパルトマンを設計した。

(51) Eileen Gray (1878-1976)　アイルランドのデザイナー。ロンドンのスレード美術学校に学ぶ。パリに移住し、インテリア、家具の設計。現代的素材と機能的形態の統合を目指す。バドヴィッチの勧めでヴィラを設計。文化センター計画案がル・コルビュジエの「新時代館」で展示された。

(52) Julian de la Fuente (1931-)　チリの建築家。ヴァルパライソのカソリック大学で建築を学ぶ。ル・コルビュジエの下に彼の死まで留まる。その間ハーヴァード大学カーペンター・センター、ヴェネチアの病院計画などを担当。その後、事務所を開設。各国の大学で教える。

(53) José Ouberie　フランスの建築家。パリのエコール・デ・ボザールに学ぶ。ル・コルビュジエのアトリエで働く。オハイオ州立大学教授。

(54) Michel Kagan (1953-)　フランスの建築家。パリ出身。

(55) Paul Chemetov (1928-)　フランスの建築家。パリのエコール・デ・ボザールに学び、アンドレ・リュルサに就く。「都市・建築アトリエ（AUA）」に所属。エコール・デ・ポン・ゼ・ショッセ教授。その建築の特徴は、歴史と現代のモデルを映画的モンタージュの手法によってアッサンブラージュしているところである。

(56) Borja Huidobro (1931-)　チリの建築家。パリのエコール・ダルシテクチュールに学ぶ。ポール・シュメトフと共同。

(57) Yves Lion (1945-)　フランスの建築家。パリのエコール・デ・ボザールに学び、パンギュッソンに師事。ジャン・ピエール・ビュフィッと共同で事務所を開設。エコール・ナシオナル・デ・ポン・ゼ・ショッセ教授。

(58) Christian Devillers (1946-)　フランスの建築家。ペンシルヴェニア大学に学ぶ。

(59) Christine Rousselot (1956-)　フランスの建築家。ナンシーの建築大学に学ぶ。ボードゥアン、ジャン・マリー・ルッセルローと共同で事務所を開設。

(60) Roland Simounet (1928-)　フランスの建築家。アルジェリアに生まれ、アルジェリアとパリで建築教育を受けた。アルジェリアに戻り、スラム根絶計画の住宅に地方様式を採用。独立後パリに移住。マダガスカル、コルシカの大学施設、ヌムール、ヴィルヌーヴ・ダスクに美術館を設計。

(61) ATBAT (Atelier des Bâtisseurs)　一九四六年、ウラジミール・ボディアンスキーはル・コルビュジエのマルセイユに立つ「ユニテ・ダビタシオン」を管理するための建築家、都市計画家、技術者からなる学際的グループ「建設者アトリエ」を結成した。やがて「アトバット・アフリカ」ができて、ボディアンスキーはジョルジュ・カンディリス、サドラッチ・ウッズとともにモロッコで低廉集合住宅の建設に乗りだした。ボディアンスキーは死ぬまで「アトバット」を管理していた。

(62) Alejandro de la Sota (1913-1996)　スペインの建築家。サンチアゴ・デ・コンポステラ大学で数学を、スペイン内戦後は、マドリッドで建築を学ぶ。集合住宅、オフィス・ビル、大学施設など広範囲にわたって設計活動を展開し、スペインに近代建築を導いた。

(63) Josep Antonio Llinàs (1945-)　スペインの建築家。バルセロナ建築大学卒業。同校教授。

(64) Victor López Cotelo　スペインの建築家。ミュンヘン工科大学教授。

(65) Victor Rohola (1945-)　スペインの建築家。バルセロナの建築大学卒業。カタルーニャ工科大学、チリのカトリック大学、チューリッヒのＥＴＨで教える。

(66) Elias Torres Tur (1944-)　スペインの建築家。バルセロナ建築大学に学ぶ。ホセ・マルチネスと共同で事務所を開設。母校、カリフォルニア大学、ハーヴァード大学で教える。

(67) José Antonio Martínez Lapeña (1941-)　スペインの建築家。バルセロナ建築大学に学ぶ。エリアス・トーレスと共同で事務所を開設。母校で教える。

(68) Antonio Fernández Alba (1927-)　スペインの建築家。マドリッド建築大学に学ぶ。前衛グループ「Ｒ」に参加。母校教授。

(69) Francisco Javier Sáenz de Oíza (1918-)　スペインの建築家。マドリッドの建築大学卒業。一九五〇年〜六〇年代、マドリッド内外に集合住宅を設計、なかでも「トーレス・ブランカ」は有名。その他、ビルバオ銀行を設計。

(70) José Rafael Moneo (1937-)　スペインの建築家。マドリッド建築大学に学ぶ。在学中、オイサ、ヨーン・ウッツォンに師事する。ローマに留学、これが後年の設計に影響する。母校教授。米国に渡り、ニューヨークの「ＩＡＵＳ（都市・建築研究所）」に入る。クーパー・ユニオン、ハーヴァード大学教授。

(71) Antonio Cruz (1948-)　スペインの建築家。セビーリャならびにマドリッドで建築を学ぶ。アントニオ・オルティスと共同で事務所を開設。セビーリャ建築大学、チューリッヒのＥＴＨで教える。

(72) Antonio Ortíz (1947-)　スペインの建築家。セビーリャならびにマドリッドで建築を学ぶ。リカルド・アロカ、ラファエル・モネオに師事。アントニオ・クルスと共同で事務所を開設。セビーリャ建築大学、チューリッヒのＥＴＨで教える。

(73) Gabriel Ruiz Cabrero　スペインの建築家。マドリッド建築大学出身。

(74) Manuel de Solà-Morales　スペインの建築家。ローマ大学でクアローニに就き、ハーヴァード大学でセルトに師事。バルセロナ建築大学教授。同校内に「都市研究所」を設立。バルセロナ・オリンピック施設、ヴァレンシア集合住宅等を設計。雑誌「ＵＲ」を創刊。バルセロナ建築大学学長。

(75) Helio Piñón (1942-)　スペインの建築家。バルセロナ建築大学卒業。アルベルト・ヴィラプラーナと共同で事務所を開設。母校教授。

(76) Tomàs Llorens　マドリッドのティッセン・ボルネミッサ美術館館長、ジェロナ大学建築・美術史学科講師。

(77) Joseph Stübben (1845-1936)　ドイツの都市計画家。ベルリンで建築教育を受け、最初、アーヘンの都市計画事務所で働く。その後ケルンに移り、一八九〇年に著書『都市計画ハンドブック』を出版。その中で、都市の配置の実際的そして芸術的原理について祖述した。

(78) Albert Villaplana (1933-)　スペインの建築家。バルセロナ建築大学卒業。母校教授。ヘリオ・ピニョンと共同で事務所を開設。その建築の特徴は、構成主義的幾何学のロジックと記念性の追求にあり、過去の建築言語ではない都市の形態的ロジックから引き出される。

(79) Carme Pinós (1954-)　スペインの建築家。バルセロナの建築大学卒業。エンリク・ミラレスと共同で事務所を開設。設計は学校、墓地、市民会館、競技場等、多岐にわたる。米国のイリノイ大学アーバナ・シャンペイン校で教える。

(80) Luis Peña Ganchegui (1926-)　スペインの建築家。マドリッドの建築大学卒業。集合住宅と公共空間の設計に専念し、広場の設計では彫刻家エドゥアルド・チリダと共同。

(81) Eduardo Chillida (1924-)　スペインの彫刻家。マドリッドの美術サークルに参加。パリに移住して彫刻を制作。その後スペインに戻り、旺盛な創作活動。ヨーロッパ各地で展覧会。受賞多数。

(82) Estaban Bonell (1942-)　スペインの建築家。バルセロナ建築大学卒業。ローザンヌ、パリの建築大学で教える。フランチェスコ・リウスと共同で事務所を開設。

(83) Francesco Rius (1941-)　スペインの建築家。バルセロナ建築大学卒業。母校教授。エステバン・ボネルと共同で事務所を開設。

(84) José Ignacio Linazasoro (1947-)　スペインの建築家。パンプローナとバルセロナで建築教育を受ける。ミゲール・ガライと共同で事務所を開設。パンプローナ、バリャドリッドの建築大学で教え、現在バルセロナ建築大学教授。

(85) Alberto Campo Baeza (1946-)　スペインの建築家。マドリッド建築大学卒業。母校教授。その他、チューリッヒのＥＴＨ、コーネル大学、ペンシルヴェニア大学等で教える。

(86) Rafael Vinoly (1944-)　米国の建築家。ウルグアイに生まれ、ブエノスアイレス大学で建築を学ぶ。「エスタディオ・デ・アルキテクトゥーラ」を設立、南米一の大事務所になる。ニューヨークに事務所開設。一九八九年、東京国際フォーラムの国際設計競技に入賞、実現。

(87) さかもと・かずなり (1943-)　東京工業大学卒業。同校教授。

▼あとがき

(1) Serge Chermayeff (1901-1996)　米国の建築家。アゼルバイジャンに生まれ、ロンドンで建築教育を受ける。エリック・メンデルゾーンと共同。米国に移住。主に住宅を設計。MIT、ハーヴァード大学、イェール大学で教える。

(2) Christopher Alexander (1936-)　米国の建築家。オーストリアに生まれ、ケンブリッジ大学、ハーヴァード大学に学ぶ。カリフォルニア大学教授。最初、数学的方法による設計を目指したが、やがて心理的、空間的に場所を作る方向へと転じ、「パターン」論を展開した。

(3) Atelier 5　スイスの建築家集団。一九五五年、ベルンでエルウィン・フリッツ、サムエル・ゲルバー、ロルフ・ヘステルベルク、ハンス・ホステットラー、アルフレッド・ピノによって結成された。彼等はル・コルビュジエの理念を信条として、打ち放しコンクリート造の集合住宅を設計した。

(4) Roland Rainer (1910-)　オーストリアの建築家。ウィーン工科大学に学ぶ。同校ならびに美術アカデミー教授。ウィーン市都市計画局長。一九二〇年代の集合住宅に異議を唱え、「分節化した非中心的」田園都市を唱道する。

(5) Kamran Diba (1937-)　イランの建築家。米国ワシントン・ハワード大学で建築を学ぶ。大学院では社会学を専攻。帰国後は、西欧型ではない自国の伝統的パターンと構造形式によって住宅、都市の設計に当たる。

(6) Hans Sedlmayr (1896-1984)　ドイツの美術史家。ウィーン大学、ミュンヘン大学教授。美術史と文化哲学に関心を抱き、芸術作品の構造と図像学の研究に当たった。

(7) Christian Norberg-Schultz (1926-)　ノルウェーの建築史家。オスロに生まれ、チューリッヒのＥＴＨに学び、ジークフリート・ギーディオンに就き、ハーヴァード大学ではワルター・グロピウスに師事。帰国後、グループ「ＰＡＧＯＮ（ノルウェー・オスロ建築家集団）」を結成。オスロ大学教授。雑誌「ビッゲクンスト」を編集。イェール大学、ハーヴァード大学、ＭＩＴ、ＩＩＴ等で教える。

(8) ｎｅａｒｎｅｓｓ　ドイツ語ｎａｈｅの英訳。マルチン・ハイデッガー著『Gelassenheit』参照。

(9) Ignasi de Sola-Morales (1942-2001)　スペインの建築家。バルセロナ建築大学に学ぶ。同校教授。

▼日本語版へのあとがき

(1) たにぐち・よしお (1937-)　慶応大学、ハーヴァード大学に学ぶ。東京大学丹下研究室に所属。事務所を開設。作品に土門拳記念館、法隆寺宝物館、ニューヨーク近代美術館がある。

人名索引

＊太字イタリック数字は図版説明に含まれる項目のページ数を示す

ア行

[ア]

[イ]

[ウ]

[エ]

[オ]

カ行

[カ]

[キ]

[ク]

[ス]

[セ]

[ソ]

タ行

[タ]

[チ]

[ヒ]

[フ]

[へ]

[ホ]

マ行

[マ]

ヤ行

ラ行

[ル]

[レ]

[ロ]

ワ行

[ワ]

参考文献

ここ十年の学術的、批判的労作は質量ともに膨大な数であり、この参考文献のリストも拡張して独創的な出版物をいっそう収録するように努めた。とりわけ目につくのはこの時期に現れた次の重要な批評誌である。AA Files(ロンドンのAAスクールの機関誌)、Assemblage(アメリカの建築、デザインの批評雑誌、マイケル・ヘイズ、キャサリン・イングラム、アリシア・ケネディの編集、但し現在は廃刊)、9H（1980年から英国で発行された重要論文の翻訳を編集、但し現在は休刊)。この他、さらに次の重要な二誌を付け加えなければならない。この二誌は二ヵ国語で出版されている。Daedalus(ドイツで出版されている建築、芸術、文化の特集雑誌で編集はウルリッヒ・コンラーズ、但し現在は廃刊)、Tefchos（ギリシアで出版されている)。

一般

L. Benevolo, *Origins of Modern Town Planning* (1967)
— *History of Modern Architecture* (1971)
F. Dal Co and M. Tafuri, *Architettura, contemporanea* (1976)
S. Giedion, *Space, Time and Architecture* (1941)
— *Mechanization Takes Command* (1948)
H.-R. Hitchcock, *Architecture: Nineteenth and Twentieth Centuries* (1958/83)
M. Tafuri, *Teorie e storia dell'architettura* (1968)
— *Architecture and Utopia: Design and Capitalist Development* (1976)

第I部第1章

R. Banham, *Theory and Design in the First Machine Age* (1960), esp. chs. 1–3
L. Benevolo, *History of Modern Architecture*, I (1971), esp. preface and ch. 1
R. Bentmann and M. Muller, 'The Villa as Domination', *9H*, no. 5, 1983, 104–14, and no. 7, 1985, 83–104
D. Brownlee, *Friedrich Weinbrenner, Architect of Karlsruhe* (1986)
T. Buddensieg, 'To build as one will . . .' Schinkel's Notions on the Freedom of Building', *Daidalos*, 7, 1983, 93–102
A. Choisy, *Histoire de l'architecture* (Paris 1899)
L. Dehio, *Friedrich Wilhelm IV von Preussen: Ein Baukünstler der Romantik* (1961)
M. Dennis, *Court and Garden: From French Hôtel to the City of Modern Architecture* (1986)
A. Dickens, 'The Architect and the Workhouse', *AR*, Dec. 1976, 345–52
A. Drexler, ed., *The Architecture of the Ecole des Beaux-Arts* (1977); with essays by R. Chafee, N. Levine and D. van Zanten
P. Duboy, *Lequeu: Architectural Enigma* (1986): definitive study with a foreword by Robin Middleton
R.A. Etlin, *The Architecture of Death* (1984)
R. Evans, 'Bentham's Panopticon: An Incident in the Social History of Architecture', *AAQ* III, no. 2, Apr.–July 1971, 21–37
— 'Regulation and Production', *Lotus*, 12, Sept. 1976, 6–14
B. Fortier, 'Logiques de l'équipement', *AMC*, 45, May 1978, 80–85
K.W. Forster, 'Monument/Memory and the Mortality of Architecture', *Oppositions*, Fall 1982, 2–19
M. Gallet, *Charles de Wailly 1730–1798* (1979)
E. Gilmore-Holt, *From the Classicists to the Impressionists* (1966)
J. Guadet, *Eléments et théorie de l'architecture* (1902)
A. Hernandez, 'J.N.L. Durand's Architectural Theory', *Perspecta*, 12, 1969
W. Herrmann, *Laugier and Eighteenth-Century French Theory* (1962)
Q. Hughes, 'Neo-Classical Ideas and Practice: St George's Hall, Liverpool', *AAQ*, V, no. 2, 1973, 37–44
E. Kaufmann, *Three Revolutionary Architects, Boullée, Ledoux and Lequeu* (1953)
— *Architecture in the Age of Reason* (1968)
M. Lammert, *David Gilly. Ein Baumeister der deutschen Klassizismus* (1981)
K. Lankheit, *Der Tempel der Vernunft* (1968)
N. Leib and F. Hufnagl, *Leo von Klenze, Gemälde und Zeichnungen* (1979)
D.M. Lowe, *History of Bourgeois Perception* (1982)
T.J. McCormick, *Charles Louis Clérisseau and the Genesis of Neoclassicism* (1990)
G. Mezzanotte, 'Edilizia e politica. Appunti sull'edilizia dell'ultimo neoclassicismo', *Casabella*, 338, July 1968, 42–53
R. Middleton, 'The Abbé de Cordemoy: The Graeco-Gothic Ideal', *JW&CI*, 1962, 1963
— 'Architects as Engineers: The Iron Reinforcement of Entablatures in 18th-century France', *AA Files*, no. 9, Summer 1985, 54–64
—, ed., *The Beaux-Arts and Nineteenth Century French Architecture* (1984)
— and D. Watkin, *Neoclassical and Nineteenth Century Architecture*, 2 vols (1987)
B. de Montgolfier, ed., *Alexandre-Théodore Brongniart* (1986)
W. Oechslin, 'Monotonie von Blondel bis Durand', *Werk-Archithese*, Jan. 1977, 29–33
A. Oncken, *Friedrich Gilly 1772–1800* (repr. 1981)
A. Pérez-Gómez, *Architecture and the Crisis of Science* (1983)
J.M. Pérouse de Montclos, *Etienne-Louis Boullée 1728–1799* (1969)
N. Pevsner, *Academies of Art, Past and Present* (1940): unique study of the evolution of architectural and design education
— *Studies in Art, Architecture and Design*, I (1968)
J. Posener, 'Schinkel's Eclecticism and the Architectural', *AD*, Nov.–Dec. 1983 (special issue on Berlin), 33–39
P. de la Ruffinière du Prey, *John Soane* (1982)
H.G. Pundt, *Schinkel's Berlin* (1972)
G. Riemann, ed., *Karl Friedrich Schinkel. Reisen nach Italien* (1979)
— *Karl Friedrich Schinkel. Reise nach England, Schottland und Paris* (1986)

A. Rietdorf, *Gilly: Wiedergeburt der Architektur* (1943)
R. Rosenblum, *Transformations in Late Eighteenth Century Art* (1967)
A. Rowan, 'Japelli and Cicogarno', *AR*, Mar. 1968, 225–28: on 19th-century Neo-Classical architecture in Padua, etc.
J. Rykwert, *The First Moderns* (1983)
P. Saddy, 'Henri Labrouste: architecte-constructeur', *Les Monuments Historiques de la France*, no. 6, 1975, 10–17
J. Starobinski, *The Invention of Liberty* (1964)
— *The Emblems of Reason* (1990)
D. Stroud, *The Architecture of Sir John Soane* (1961)
— *George Dance, Architect 1741–1825* (1971)
W. Szambien, *J.N.L. Durand* (1984)
M. Tafuri, *Architecture and Utopia: Design and Capitalist Development* (1976)
J. Taylor, 'Charles Fowler: Master of Markets', *AR*, Mar. 1964, 176–82
D. Ternois *et al.*, *Soufflot et l'architecture des lumières* (CNRS/Paris 1980): proceedings of a conference on Soufflot held at the University of Lyons in June 1980
G. Teyssot, *Città e utopia nell'illuminismo inglese: George Dance il giovane* (1974)
— 'John Soane and the Birth of Style', *Oppositions*, 14, 1978, 61–83
A. Valdenaire, *Friedrich Weinbrenner* (1919)
A. Vidler, 'The Idea of Type: The Transformation of the Academic Ideal 1750–1830', *Oppositions*, 8, Spring 1977. (The same issue contains Quatremère de Quincy's extremely important article on type that appeared in the *Encyclopédie Méthodique*, III, pt. 2, 1825.)
— *The Writing of the Walls: Architectural Theory in the Late Enlightenment* (1987)
— *Claude Nicolas Ledoux* (1990)
S. Villari, *J.N.L. Durand (1760–1834) Art and Science of Architecture* (1990)
D. Watkin, *Thomas Hope and the Neo-classical Idea* (1968)
— *C. R. Cockerell* (1984)
— and T. Mellinghoff, *German Architecture and the Classical Ideal* (1987)

第I部第2章

H. Ballon, *The Paris of Henri IV* (1991)
H.P. Bartschi, *Industrialisierung Eisenbahnschlacten und Städtebau* (ETH/GTA 25, Stuttgart, 1983)
L. Benevolo, *The Origins of Modern Town Planning* (1967)
— *History of Modern Architecture*, I (1971), chs 2–5
— *The History of the City* (1980): encyclopaedic treatment of the history of Western urbanism
F. Borsi and E. Godoli, *Vienna 1900* (1986)
— *Paris 1900* (1989)
C. Boyer, *Dreaming of the Rational City: the Myth of American City Planning* (1983)
A. Brauman, *Le Familistère de Guise ou les équivalents de la richesse* (1976); English text
S. Buder, *Pullman: An Experiment in Industrial Order and Community Planning 1880–1930* (1967)
D. Burnham and E.H. Bennett, *Plan of Chicago* (1909)
Z. Celik, *Remaking of Istanbul. Portrait of an Ottoman City in the 19th Century* (1986)
I. Cerdá, 'A Parliamentary Speech', *AAQ*, IX, no. 7, 1977, 23–26
F. Choay, *L'Urbanisme, utopies et réalités* (1965)
— *The Modern City: Planning in the 19th Century* (1969): essential introductory text
G. Collins, 'Linear Planning throughout the World', *JSAH*, XVIII, Oct. 1959, 74–93
C.C. and G.R. Collins, *Camillo Sitte and the Birth of Modern City Planning* (1965)
M.H. Contal, 'Vittel 1854–1936. Création d'une ville thermale', *Vittel 1854–1936* (1982)
W.L. Creese, *The Legacy of Raymond Unwin* (1967)
G. Darley, *Villages of Vision* (1976)
J. Fabos, G.T. Milde and V.M. Weinmayr, *Frederick Law Olmsted, Sr.* (Univ. of Massachusetts 1968)
R.M. Fogelson, *The Fragmented Metropolis: Los Angeles 1850–1930* (1967)
A. Fried and P. Sanders, *Socialist Thought* (1964): useful for trans. of French utopian socialist texts, Fourier, Saint-Simon, etc.
J.F. Geist and K. Kurvens, *Das Berliner Miethaus 1740–1862* (1982)
A. Grumbach, 'The Promenades of Paris', *Oppositions*, 8, Spring 1977
A.J. Jeffery, 'A Future for New Lanark', *AR*, Jan. 1975, 19–28
S. Kern, *The Culture of Time and Space, 1880–1918* (1983)
D. Leatherbarrow, 'Friedrichstadt – A Symbol of Toleration', *AD*, Nov.–Dec. 1983, 23–31
A. López de Aberasturi, *Ildefonso Cerdá: la théorie générale de l'urbanisation* (1979)
F. Loyer, *Paris XIXe. siècle* (1981)
— *Architecture of the Industrial Age* (1982)
H. Meyer and R. Wade, *Chicago: Growth of a Metropolis* (1969)
B. Miller, 'Ildefonso Cerdá', *AAQ*, IX, no. 7, 1977, 12–22
N. Pevsner, 'Early Working Class Housing', rep. in *Studies in Art, Architecture and Design*, II (1968/82)
G. Pirrone, *Palermo, una capitale* (1989)
F. Rella, *Il Dispositivo Foucault* (1977); with essays by M. Cacciari, M. Tafuri and G. Teyssot
J.P. Reynolds, 'Thomas Coglan Horsfall and the Town Planning Movement in England', *Town Planning Review*, XXIII, Apr. 1952, 52–60
W. Schivelbush, *The Railway Journey: The Industrialization of Time and Space in the 19th Century* (1977)
A. Service, *London 1900* (1979)
C. Sitte, *City Planning According to Artistic Principles* (1965): trans. of Sitte's text of 1889
M. de Solà-Morales, 'Towards a Definition: Analysis of Urban Growth in the Nineteenth Century', *Lotus*, 19, June 1978, 28–36
R. Stern, *New York 1900* (1984)
A. Sutcliffe, *Towards the Planned City: Germany, Britain, the United States and France 1780–1914* (1981)
— *Metropolis 1890–1940* (1984)
J.N. Tarn, 'Some Pioneer Suburban Housing Estates', *AR*, May 1968, 367–70
— *Working-Class Housing in 19th-Century Britain* (AA Paper no. 7, 1971)
G. Teyssot, 'The Disease of the Domicile', *Assemblage 6*, June 1988, 73–97
P. Wolf, 'City Structuring and Social Sense in 19th and 20th Century Urbanism', *Perspecta*, 13/14, 1971, 220–33

第I部第3章

T.C. Bannister, 'The First Iron-Framed Buildings', *AR*, CVII, Apr. 1950
— 'The Roussillon Vault: The Apotheosis of a Folk Construction', *JSAH*, XXVII, no. 3, Oct. 1968
P. Beaver, *The Crystal Palace 1851–1936* (1970)
W. Benjamin, 'Paris: Capital of the 19th Century', *New Left Review*, no. 48, Mar.–Apr. 1968
M. Bill, *Robert Maillart: Bridges and Constructions*

(1969)
D. Billington, *Robert Maillart's Bridges* (1979)
— *Robert Maillart* (1989)
G. Boaga, *Riccardo Morandi* (1984)
B. Bradford, 'The Brick Palace of 1862', *AR*, July 1962, 15–21: documentation of the British successor to the Crystal Palace
P. Chemetov, *Architectures, Paris 1848–1914* (1972): exhibition catalogue and research carried out with M.-C. Gagneux, B. Paurd and E. Girard
P. Collins, *Concrete: The Vision of a New Architecture* (1959)
C.W. Condit, *American Building Art: The Nineteenth Century* (1960)
A. Corboz, 'Un pont de Robert Maillart à Leningrad?', *Archithese*, 2, 1971, 42–44
E. de Maré, 'Telford and the Gotha Canal', *AR*, Aug. 1956, 93–99
E. Diestelkamp, *The Iron and Glass Architecture of Richard Turner* (PhD thesis, London Univ., 1982)
E. Fratelli, *Architektur und Konfort* (1967)
E. Freyssinet, *L'Architecture Vivante*, Spring/Summer 1931: a survey of Freyssinet's work up to that date, ed. J. Badovici
M. Gayle and E.V. Gillon, *Cast-Iron Architecture in New York* (1974)
J.F. Geist, *Arcades: The History of a Building Type* (1983)
S. Giedion, *Space, Time and Architecture* (3rd edn 1954)
J. Gloag and D. Bridgwater, *History of Cast Iron Architecture* (1948)
— *Mr Loudon's England* (1970)
R. Graefe, M. Gappoer and O. Pertshchi, *V.G. Suchov 1953–1939: Kunst der Konstruktion* (1990)
A. Grumbach, 'The Promenades of Paris', *Oppositions*, 8, Spring 1977, 51–67
G. Günschel, *Grosse Konstrukteure 1: Freyssinet, Maillart, Dischinger, Finsterwalder* (1966)
R. Günter, 'Der Fabrikbau in Zwei Jahrhunderten', *Archithese*, 3/4, 1971, 34–51
H.-R. Hitchcock, 'Brunel and Paddington', *AR*, CIX, 1951, 240–46
J. Hix, 'Richard Turner: Glass Master', *AR*, Nov. 1972, 287–93
— *The Glass House* (1974)
D. Hoffmann, 'Clear Span Rivalry: The World's Fairs of 1889–1893', *JSAH*, XXIX, 1, Mar. 1970, 48
H.J. Hopkins, *A Span of Bridges* (1970)
V. Hütsch, *Der Münchner Glaspalast 1854–1931* (1980)
A.L. Huxtable, 'Reinforced Concrete Construction. The Work of Ernest L. Ransome', *Progressive Architecture*, XXXVIII, Sept. 1957, 139–42
R.A. Jewett, 'Structural Antecedents of the I-beam 1800–1850', *Technology and Culture*, VIII, 1967, 346–62
G. Kohlmaier, *Eisen Architektur, The Role of Iron in the Historic Architecture in the Second Half of the 19th Century* (ICOMOS, Hanover 1982)
— and B. von Sartory, *Houses of Glass: A Nineteenth Century Building Type* (1986)
S. Koppelkamm, *Glasshouses and Winter Gardens of the 19th Century* (1981)
F. Leonardt, *Brücken/Bridges* (1985): bilingual survey of 20th-century bridges by a distinguished engineer
J.C. Loudon, *Remarks on Hot Houses* (1817)
F. Loyer, *Architecture of the Industrial Age, 1789–1914* (1982)
H. Maier, *Berlin Anhalter Bahnhof* (1984)
C. Meeks, *The Railroad Station* (1956)
T.F. Peters, *Time is Money: Die Entwicklung des Modernen Bauwesens* (1981)
J.M. Richards, *The Functional Tradition* (1958)
G. Roisecco, *L'architettura del ferro: l'Inghilterra 1688–1914* (1972)
—, R. Jodice and V. Vannelli, *L'architettura del ferro: la Francia 1715–1914* (1973)
T.C. Rolt, *Isambard Kingdom Brunel* (1957)
— *Thomas Telford* (1958)
C. Rowe, 'Chicago Frame. Chicago's Place in the Modern Movement', *AR*, Nov. 1956
H. Schaefer, *Nineteenth Century Modern* (1970)
A. Scharf, *Art and Industry* (1971)
E. Schild, *Zwischen Glaspalast und Palais des Illusions: Form und Konstruktion im 19. Jahrhunderts* (1967)
P. Morton Shand, 'Architecture and Engineering', 'Iron and Steel', 'Concrete', *AR*, Nov. 1932: pioneering articles, repr. in *AAJ*, no. 827, Jan. 1959, ed. B. Housden
A.W. Skempton, 'Evolution of the Steel Frame Building', *Guild Engineer*, X, 1959, 37–51
— 'The Boatstore at Sheerness (1858–60) and its Place in Structural History', *Trans. of the Newcomen Soc.*, XXXII, 1960, 57–78
— and H.R. Johnson, 'William Strutt's Cotton Mills 1793–1812', *Trans. of the Newcomen Soc.*, XXX, 1955–57, 179–203
T. Turak, 'The Ecole Centrale and Modern Architecture: The Education of William Le Baron Jenney', *JSAH*, XXIX, 1970, 40–47
K. Wachsmann, *The Turning Point in Building* (1961)

第II部第1章

C. Amery, M. Lutyens *et al.*, *Lutyens* (1981)
C.R. Ashbee, *Where the Great City Stands: A Study in the New Civics* (1917): a comprehensive ideological statement by a late Arts and Crafts designer
E. Aslin, *The Aesthetic Movement* (1969)
A. Bøe, *From Gothic Revival To Functional Form* (1957)
I. Bradley, *William Morris and his World* (1978)
J. Brandon-Jones, 'The Work of Philip Webb and Norman Shaw', *AAJ*, LXXI, 1955, 9–21
— 'C.F.A. Voysey', *AAJ*, LXXII, 1957, 238–62
— *et al.*, *C.F.A. Voysey: Architect and Designer* (1978)
K. Clark, *Ruskin Today* (1967): certainly the most convenient introduction to Ruskin's writings
J. Mordaunt Crook, *William Burges and the High Victorian Dream* (1981)
D.J. DeWitt, 'Neo-Vernacular/Eine Moderne Tradition', *Archithese*, 9, 1974, 15–20
S. Durant, *The Decorative Designs of C.F.A. Voysey* (1991)
T. Garnham, 'William Lethaby and the Two Ways of Building', *AA Files*, no. 10, Autumn 1985, 27–43
M. Girouard, *Sweetness and Light: The Queen Anne Movement 1860–1900* (1977)
C. Grillet, 'Edward Prior', *AR*, Nov. 1952, 303–8
N. Halbritter, 'Norman Shaw's London Houses', *AAQ*, VII, no. 1, 1975, 3–19
L. Hollanby, *The Red House by Philip Webb* (1990)
E. Howard, *Tomorrow: a Peaceful Path to Real Reform* (1898)
C. Hussey, *The Life of Sir Edwin Lutyens* (1950, repr. 1989)
P. Inskip, *Edwin Lutyens* (1980)
A. Johnson, 'C.F.A. Voysey', *AAQ*, IX, no. 4, 1977, 26–35
W.R. Lethaby, *Architecture, Mysticism and Myth* (1892, repr. 1975)

— *Form and Civilization* (1922)
— *Architecture, Nature and Magic* (1935)
— *Philip Webb and His Work* (1935)
R. Macleod, *Style and Society: Architectural Ideology in Britain 1835–1914* (1971): essential for this period
A.L. Morton, ed., *Political Writings of William Morris* (1973)
H. Muthesius, *The English House* (1979): trans. of 1904 German text
G. Naylor, *The Arts and Crafts Movement* (1990)
N. Pevsner, 'Arthur H. Mackmurdo' (*AR* 1938) and 'C.F.A. Voysey 1858–1941' (*AR* 1941), in *Studies in Art, Architecture and Design*, II (1968, repr. 1982)
— *Pioneers of Modern Design* (1949 and later edns)
— 'William Morris and Architecture', *RIBAJ*, 3rd ser., LXIV, 1957
— *Some Architectural Writers of the Nineteenth Century* (1962): esp. for the reprinting of Morris's 'The Revival of Architecture' (1988)
— *The Sources of Modern Architecture and Design* (1968)
G. Ruben, *William Richard Lethaby: His Life and Work 1857–1931* (1986)
A. Saint, *Richard Norman Shaw* (1978)
A. Service, *Edwardian Architecture* (1977)
— *London 1900* (1979)
G. Stamp and M. Richardson, 'Lutyens and Spain', *AA Files*, no. 3, Jan. 1983, 51–59
P. Stanton, *Pugin* (1971)
M. Tasapor, 'John Lockwood Kipling and the Arts and Crafts Movement in India', *AA Files*, no. 3, Spring 1983
R. Watkinson, *William Morris as Designer* (1967)

第II部第2章

A. Bush-Brown, *Louis Sullivan* (1960)
D. Crook, 'Louis Sullivan and the Golden Doorway', *JSAH*, XXVI, Dec. 1967, 250
W. de Wit, ed., *Louis Sullivan: The Function of Ornament* (1986)
H. Dalziel Duncan, *Culture and Democracy* (1965)
D.D. Egbert and P.E. Sprague, 'In search of John Edelman, Architect and Anarchist', *AIAJ*, Feb. 1966, 35–41
R. Geraniotis, 'The University of Illinois and German Architecture Education', *JAE*, vol. 38, no. 34, Summer 1985, 15–21
C. Gregersen and J. Saltzstein, *Dankmar Adler: His Theaters* (1990)
H.-R. Hitchcock, *The Architecture of H.H. Richardson* (1936, rev. edn 1961)
D. Hoffmann, 'The Setback Skyscraper of 1891: An Unknown Essay by Louis Sullivan', *JSAH*, XXIX, no. 2, May 1970, 181
G.C. Manson, 'Sullivan and Wright, an Uneasy Union of Celts', *AR*, Nov. 1955, 297–300
H. Morrison, *Louis Sullivan, Prophet of Modern Architecture* (1935, repr. 1952)
J.K. Ochsner, *H.H. Richardson, Complete Architectural Works* (1982)
J.F. O'Gorman, *The Architecture of Frank Furness* (1973)
— *Henry Hobson Richardson and his Office: Selected Drawings* (1974)
J. Siry, *Carson Pirie Scott: Louis Sullivan and the Chicago Department Store* (1988)
L. Sullivan, *A System of Architectural Ornament According with a Philosophy of Man's Powers* (1924)
— 'Reflections on the Tokyo Disaster', *Architectural Record*, Feb. 1924: a late text praising Wright's Imperial Hotel
— *The Autobiography of an Idea* (1926 and 1956): originally pub. as a series in the *AIAJ*, 1922–23
— *Kindergarten Chats and Other Writings* (1947)
D. Tselos, 'The Chicago Fair and the Myth of the Lost Cause', *JSAH*, XXVI, no. 4, Dec. 1967, 259
R. Twombly, *Louis Sullivan: Life and Work* (1986)
— ed., *Louis Sullivan: The Public Papers* (1988)
L.S. Weingarten, *Louis H. Sullivan: The Banks* (1987)
F.L. Wright, *Genius and the Mobocracy* (1949): Wright's appreciation of Sullivan's ornamental genius

第II部第3章

H. Allen Brooks, *The Prairie School* (1972)
— ed., *Writings on Wright* (1983)
J. Connors, *The Robie House of Frank Lloyd Wright* (1984)
H. de Fries, *Frank Lloyd Wright* (1926)
A.M. Fern, 'The Midway Gardens of Frank Lloyd Wright', *AR*, Aug. 1963, 113–16
Y. Futagawa, ed., *Frank Lloyd Wright*: drawings from the Taliesin Fellowship archive with text by Bruce Pfeiffer (1986–87). Published in 12 vols as follows: 1 (1887–1901), 2 (1902–6), 3 (1907–13), 4 (1914–23), 5 (1924–36), 6 (1937–41), 7 (1942–50), 8 (1951–59), 9 (Preliminary Studies 1889–1916), 10 (Preliminary Studies 1917–32), 11 (Preliminary Studies 1933–59), 12 (Renderings 1887–1959)
J. Griggs, 'The Prairie Spirit in Sculpture', *The Prairie School Review*, II, no. 4, Winter 1965, 5–23
S. P. Handlin, *The American Home: Architecture and Society 1815–1915* (1979)
D.A. Hanks, *The Decorative Designs of Frank Lloyd Wright* (1979)
H.-R. Hitchcock, *In the Nature of Materials 1887–1941. The Buildings of Frank Lloyd Wright* (1942)
— 'Frank Lloyd Wright and the Academic Tradition', *JW&CI*, no. 7, 1944, 51
D. Hoffmann, 'Frank Lloyd Wright and Viollet-le-Duc', *JSAH*, XXVIII, no. 3, Oct. 1969, 173
A. Izzo and C. Gubitosi, *Frank Lloyd Wright Dessins 1887–1959* (1977)
C. James, *The Imperial Hotel* (1968): a complete documentation of the hotel prior to its demolition
E. Kaufmann, *Nine Commentaries on Frank Lloyd Wright* (1989)
— and B. Raeburn, *Frank Lloyd Wright: Writings and Buildings* (1960): an important collection of Wright's writings, including his seminal *The Art and Craft of the Machine*
N. Kelly-Smith, *Frank Lloyd Wright: A Study in Architectural Content* (1966)
R. Kosta, 'Frank Lloyd Wright in Japan', *The Prairie School Review*, III, no. 3, Autumn 1966, 5–23
G. C. Manson, 'Wright in the Nursery: The Influence of Froebel Education on the Work of Frank Lloyd Wright', *AR*, June 1953. 349–51
— 'Sullivan and Wright, an Uneasy Union of Celts', *AR*, Nov. 1955
— *Frank Lloyd Wright to 1910: The First Golden Age* (1958)
L. M. Peisch, *The Chicago School of Architecture* (1964)
R. McCarter, ed., *Frank Lloyd Wright: A Primer on Architectural Principles* (1991): an anthology of interpretive essays
B.B. Pfeiffer, ed., *The Wright Letters*, 3 vols (1984)
J. Quinnan, *Frank Lloyd Wright's Larkin Building. Myth and Fact* (1987)
V. Scully, *The Shingle Style* (1955)

— *Frank Lloyd Wright* (1960)
D. Tselos, 'Frank Lloyd Wright and World Architecture', *JSAH*, XXVIII, no. 1, Mar. 1969, 58ff.
F. L. Wright, *Ausgeführte Bauten und Entwürfe von Frank Lloyd Wright* (1910, reissued 1965)
— *An Autobiography* (1932, reissued 1946)
— *On Architecture*, ed. F. Gutheim (1941): a selection of writings 1894–1940
G. Wright, *Moralism and the Modern Home: 1870–1913* (1980)

第II部第4章

J. F. Aillagon or G. Viollet-le-Duc, *Le Voyage d'Italie d'Eugène Viollet-le-Duc 1836–1837* (1980)
T.G. Beddall, 'Gaudí and the Catalan Gothic', *JSAH*, XXXIV, no. 1, Mar. 1975, 48
B. Bergdoll, *E. E. Viollet-le-Duc: The Foundations of Architecture. Selections from the Dictionnaire Raisonné* (1990)
M. Bock, *Anfänge einer Neuen Architektur: Berlages Beitrag zur Architektonischen Kultur in der Niederlände im ausgehenden 19. Jahrhundert* (1983)
O. Bohigas, 'Luis Domenech y Montaner 1850–1923', *AR*, Dec. 1967, 426–36
F. Borsi and E. Godoli, *Paris 1900* (1978)
— and P. Portoghesi, *Victor Horta* (1977)
— and H. Weiser, *Bruxelles Capitale de l'Art Nouveau* (1971)
Y. Brunhammer and G. Naylor, *Hector Guimard* (1978)
E. Casanelles, *Antonio Gaudí, A Reappraisal* (1967)
J. Castex and P. Panerai, 'L'Ecole d'Amsterdam: architecture urbaine et urbanisme social-démocrate', *AMC*, 40, Sept. 1976, 39–54
G. Collins, *Antonio Gaudí* (1960)
M. Culot and L. Grenier, 'Henri Sauvage, 1873–1932', *AAQ*, X, no. 2, 1972, 16–27
— *et al.*, *Henri Sauvage 1893–1932* (1976): collected works with essays by L. Grenier, F. Loyer and L. Miotto-Muret
R. Dalisi, *Gaudí Furniture* (1979)
R. Delevoy, *Victor Horta* (1958)
— *et al.*, *Henri Sauvage 1873–1932* (1977)
R. Descharnes and C. Prévost, *Gaudí, The Visionary* (1971): contains much remarkable material not available elsewhere
B. Foucart *et al.*, *Viollet-le-Duc* (1980)
D. Gifford, *The Literature of Architecture* (1966): contains trans. of Berlage's article, 'Neuere amerikanische Architektur'
L.F. Graham, *Hector Guimard* (1970)
G. Grassi, 'Un architetto e una città: Berlage ad Amsterdam', *Casabella-Continuità*, 1961, 39–44
J. Gratama, *Dr H.P. Berlage Bouwmeester* (1925)
H. Guimard, 'An architect's opinion of l'Art Nouveau', *Architectural Record*, June 1902, 130–33
M.F. Hearn, ed., *The Architectural Theory of Viollet-le-Duc. Readings and Commentary* (1989)
M.-A. Leblond, 'Gaudí et l'architecture méditerranéenne', *L'Art et les artistes*, II, 1910
D. Mackay, 'Berenguer', *AR*, Dec. 1964, 410–16
— *Modern Architecture in Barcelona 1854–1939* (1987)
S.T. Madsen, 'Horta: Works and Style of Victor Horta Before 1900', *AR*, Dec. 1955, 388–92
C. Martinell, *Gaudí: His Life, His Themes, His Work* (1975)
F. Mazade, 'An "Art Nouveau" Edifice in Paris', *Architectural Record*, May 1902: a contemporary account of the Humbert de Romans theatre
M.A. Miserachs, *J. Puig i Cadafalch* (1989)
J. Molema *et al.*, *Antonio Gaudí een weg tot oorspronkelijkheid* (1987)
— *et al.*, *Gaudí: Rationalist met perfekte Materiaalbeheersing* (1979): research into structural form and process in Gaudí's architecture
N. Pevsner and J. M. Richards, eds., *The Anti-Rationalists* (1973)
S. Polano and G. Fanelli, *Hendrik Petrus Berlage: Complete Works* (1987): with Singelenberg, the best account in English to date
J. Rovira, 'Architecture and Ideology in Catalonia 1901–1951', *AA Files*, no. 14, 62–68
F. Russell, ed., *Art Nouveau Architecture* (1979)
R. Schmutzler, 'The English Origins of the Art Nouveau', *AR*, Feb. 1955, 109–16
— 'Blake and the Art Nouveau', *AR*, Aug. 1955, 91–97
— *Art Nouveau* (1962, paperback 1979): still the most comprehensive English study of the whole development
H. Searing, 'Betondorp: Amsterdam's Concrete Suburb', *Assemblage 3*, 1987, 109–43
J.L. Sert and J.J. Sweeny, *Antonio Gaudí* (1960)
P. Singelenberg, *H.P. Berlage: Idea and Style* (1972)
I. de Solà-Morales, *Jujol* (1990)
J. Summerson, 'Viollet-le-Duc and the Rational Point of View', in *Heavenly Mansions* (1948)
— N. Pevsner, H. Damish and S. Durant, *Viollet-le-Duc, AD* Profile, 1980
F. Vamos, 'Lechner Ödön', *AR*, July 1967, 59–62

第II部第5章

F. Alison, *Le sedie di Charles Rennie Mackintosh* (1973): a catalogue raisonné with drawings of Mackintosh's furniture
R. Billcliffe, *Architectural Sketches and Flower Drawings by Charles Rennie Mackintosh* (1977)
— *Mackintosh. Water Colours* (1978)
— *Mackintosh. Textile Designs* (1982)
T. Howarth, *Charles Rennie Mackintosh and the Modern Movement* (1952, rev. edn 1977): still the seminal English text
E.B. Kalas, 'L'art de Glasgow', in *De la Tamise à la Sprée* (1905): an English version was pub. for the Mackintosh Memorial Exhibition, 1933
R. Macleod, *Charles Rennie Mackintosh* (1968)
P. Robertson, ed., *Charles Rennie Mackintosh: The Architectural Papers* (1990)
A. Service, 'James Maclaren and the Godwin legacy', *AR*, Aug. 1973, 111–18
D. Walker, 'Charles Rennie Mackintosh', *AR*, Nov. 1968, 355–63
G. White, 'Some Glasgow Designers and their Work', *Studio*, XI, 1897, 86ff.

第II部第6章

P. Behrens, 'The Work of Josef Hoffmann', *Architecture* (Journal of the Society of Architects, London) II, 1923, 589–99
I. Boyd-Whyte, *Emil Hoppe, Marcel Kammerer, Otto Schönthal: Three Architects from the Master Class of Otto Wagner* (1989)
F. Burkhardt, C. Eveno and B. Podrecca, *Jože Plečnik, Architect (1872–1957)* (1990)
F. Cellini, 'La villa Asti di Josef Hoffmann', *Contraspazio*, IX, no. 1, June 1977, 48–51
J.R. Clark, 'J.M. Olbrich 1867–1908', *AD*, XXXVII, Dec. 1967
H. Czech, 'Otto Wagner's Vienna Metropolitan Railway', *A+U*, 76.07, July 1976, 11–20
Darmstadt: *Ein Dokument deutscher Kunst 1901–1976* (1976); 5 vol. exh. cat. Vol. V records the 3 main

phases of the building of the colony, 1901–14
H. Geretsegger, M. Peintner and W. Pichler, *Otto Wagner 1841–1918* (1970)
O.A. Graf, *Die Vergessene Wagnerschule* (1969)
—*Otto Wagner: Das Werk der Architekten*, I & II, (1985)
G. Gresleri, *Josef Hoffmann* (1984)
F.L. Kroll, 'Ornamental Theory and Practice in the Jugendstil', *Rassegna*, March 1990, 58–65
I. Latham, *Josef Maria Olbrich* (1980)
A. J. Lux, *Otto Wagner* (1914)
H. F. Mallgrave, ed., *Otto Wagner: Modern Architecture* (1988): trans. of 1902 edn
W. Mrazek, *Die Wiener Werkstätte* (1967)
C.M. Nebehay, *Ver Sacrum 1898–1903* (1978)
O. Niedermoser, *Oskar Strnad 1879–1935* (1965): a short account of this versatile but relatively unknown architect
N. Pevsner, 'Secession', *AR*, Jan. 1971, 73–74
V. Horvat Pintarić, *Vienna 1900: The Architecture of Otto Wagner* (1989)
N. Powell, *The Sacred Spring: The Arts in Vienna 1898–1918* (1974)
M. Pozzetto, *Max Fabiani, Nuove frontiere dell' architettura* (1988): an important late Secessionist architect
D. Prelovšek, *Josef Plečnik: Wiener Arbeiten von 1896 bis 1914* (1979)
C. Schorske, *Fin de Siècle Vienna* (1979)
K.H. Schreyl and D. Neumeister, *Josef Maria Olbrich: Die Zeichnungen in der Kunstbibliothek Berlin* (1972)
W.J. Schweiger, *Wiener Werkstätte: Kunst und Handwerke 1903–1932* (1982); English trans. *Wiener Werkstätte: Design in Vienna 1903–1932* (1984)
E. Sekler, 'Art Nouveau Bergerhöhe', *AR*, Jan. 1971, 75–76
—*Josef Hoffmann: the Architectural Work, Monograph and Catalogue of Works* (1985)
M. Tafuri, 'Am Steinhof, Centrality and Surface in Otto Wagner's Architecture', *Lotus*, 29, 1981, 73–91
P. Vergo, *Art in Vienna 1898–1918* (1975)
O. Wagner, *Moderne Architektur* (I 1896, II & III 1898–1902): for abridged trans. see 'Modern Architecture', in *Brick Builder*, June–Aug. 1901
—*Die Baukunst unserer Zeit* (1914)
—*Einige Skizzen, Projekte und Ausgeführte Bauwerke von Otto Wagner* (1987): repr. of the 4 vols of Wagner's complete works, with introduction by P. Haiko
R. Waissenberger, *Vienna 1890–1920* (1984)

第II部第7章

U. Apollonio, *Futurist Manifestos* (1973): contains all the basic manifestos
R. Banham, *Theory and Design in the First Machine Age* (1960), esp. chs 8–10
G. Brizzi and C. Guenzi, 'Liberty occulto e G.B. Bossi', *Casabella*, 338, July 1968, 22–23
L. Caramel and A. Longatti, *Antonia Sant'Elia: The Complete Works* (1989)
R. Clough, *Futurism* (1961)
P.G. Gerosa, *Mario Chiattone* (1985)
E. Godoli, *Il Futurismo* (1983)
P. Hultén, *Futurismo e Futurismi* (exh. cat., Palazzo Grassi, Venice, 1986)
J. Joll, *Three Intellectuals in Politics* (1960): studies of Blum, Rathenau and Marinetti
G. Kahn, *L'Esthétique de la rue* (1901)
M. Kirby, *Futurist Performance* (1971)
F.T. Marinetti, *Marinetti: Selected Writings* (1971)
C. Meeks, *Italian Architecture 1750–1914* (1966): the last chapter is esp. relevant on the Stile Floreale
J.-A. Moilin, *Paris en l'an 2000* (1869)
J.P. Schmidt-Thomsen, 'Sant'Elia futurista or the Achilles Heel of the Futurism', *Daidalos*, 2, 1981, 36–44
J. Taylor, *Futurism* (1961)
P. Thea, *Nuove Tendenze a Milano e l'altro Futurismo* (1980)
C. Tisdall and A. Bozzolla, *Futurism* (1977)

第II部第8章

F. Amendolagine, 'The House of Wittgenstein', *9H*, no. 4, 1982, 23–38
—and M. Cacciari, *Oikos: da Loos a Wittgenstein* (1975)
S. Anderson, 'Critical Conventionalism in Architecture', *Assemblage 1*, 1986, 7–23: a comparison of Alois Riegl and Adolf Loos
C.A. and T.J. Benton, *Form and Function*, ed. with Dennis Sharp (1975): anthology containing trans. of *Architektur* (1910) and *Potemkinstadt* (1898)
B. Colomina, 'Intimacy and Spectacle: The Interiors of Adolf Loos' *AA Files*, no. 20, Autumn 1990, 5–15
H. Czech, 'The Loos Idea', *A+U*, 78.05, 1978, 47–54
—and W. Mistelbauer, *Das Looshaus* (1976): study of the Goldman & Salatsch building
P. Engelmann, *Letters from Ludwig Wittgenstein* (1967), esp. ch. 7
J.P. Fotrin and M. Pietu, 'Adolf Loos. Maison Pour Tristan Tzara', *AMC*, 38, Mar. 1976, 43–50
B. Gravagnuolo, *Adolf Loos: Theory and Works* (1982)
J. Gubler, 'Loos, Ehrlich und die Villa Karma', *Archithese*, 1, 1971, 46–49
—and G. Barbey, 'Loos's Villa Karma', *AR*, Mar. 1969, 215–16
A. Janik and S. Toulmin, *Wittgenstein's Vienna* (1974)
H. Kulka, *Adolf Loos, Das Werk des Architekten* (1931)
A. Loos, *Das Andere* (1903)
—*Ins Leere gesprochen* (1921): articles written 1897–1900
—*Trotzdem* (1931): articles written 1903–30
—*Sämtliche Schriften* (1962)
E. Altman Loos, *Adolf Loos, der Mensch* (1968)
L. Munz and G. Künstler, *Adolf Loos: Pioneer of Modern Architecture* (1966): a study, plus trans. of *The Plumbers*, *The Story of the Poor Rich Man* and *Ornament and Crime*
B. Rukschcio and R. Schachel, *Adolf Loos* (1982): definitive study in German
Y. Safran, 'The Curvature of the Spine: Kraus, Loos and Wittgenstein', *9H*, no. 5, 1982, 17–22
R. Schachel and V. Slapeta, *Adolf Loos* (1989): cat. of centennial exh. in Vienna
W. Wang, ed., 'Britain and Vienna 1900–1938', *9H*, no. 6, 1983
—, Y. Safran, K. Frampton and D. Steiner, *The Architecture of Adolf Loos* (1985)
D. Worbs *et al.*, *Adolf Loos 1870–1933* (1984): cat. of an exhibition at the Akademie der Künste, Berlin

第II部第9章

M. Culot, *Henry van de Velde Theatres 1904–14* (1974)
—'Réflexion sur la "voie sacrée", un texte de Henry van de Velde', *AMC*, 45, May 1978, 20–21
R. Delevoy *et al.*, *Henry van de Velde 1863–1957* (1963)

—, M. Culot, and A. Van Loo, *La Cambre 1928–1978* (1979)
D.D. Egbert, *Social Radicalism in the Arts* (1970)
A.M. Hammacher, *Le Monde de Henry van de Velde* (1967)
H. Hesse-Frielinghaus, A. Hoff and W. Erben, *Karl Ernst Osthaus: Leben und Werk* (1971)
K.-H. Hüter, *Henry van de Velde* (1967)
Kroller-Müller Museum, Otterlo, *Henry van de Velde 1863–1957: Paintings and Drawings* (1988)
L. Ploegaerts and P. Puttermans, *L'Oeuvre architecturale de Henry van de Velde* (1987)
C.L. Ressequier, 'The Function of Ornament as seen by Henry van de Velde', *The Royal Architectural Institute of Canada*, no. 31, Feb. 1954, 33–37
K.L. Sembach, *Henry van de Velde* (1989)
L. Tannenbaum, 'Henry van de Velde: A Re-evaluation', *Art News Annual*, XXXIV (1968)
H. van de Velde, 'Déblaiement d'art', in *La Société nouvelle* (1894)
—*Les Formules de la beauté architectonique* (1916–17)
—'Vernunftsgemässer Stil. Vernunft und Schönheit', *Frankfurter Zeitung*, LXXIII, no. 21, Jan. 1929
—*Geschichte meines Lebens* (1962): for English extracts see P. Morton Shand, 'Van de Velde, Extracts from Memoirs 1891–1901', *AR*, Sept. 1952, 143–45
W. Worringer, *Abstraction and Empathy* (1963): trans. of 1908 text

第II部第10章

J. Badovici, 'L'Oeuvre de Tony Garnier', *L'Architecture Vivante*. Autumn/Winter 1924
—and A. Morancé, *L'Oeuvre de Tony Garnier* (1938)
F. Burkhardt *et al.*, *Tony Garnier: L'Oeuvre complète* (exh. cat., Centre Pompidou, Paris, 1990)
R. de Souza, *L' Avenir de nos villes, études pratiques d'esthétique urbaine, Nice: capitale d'hiver* (1913)
T. Garnier, *Une Cité industrielle. Etude pour la construction des villes* (1917; 2nd edn 1932)
— *Les Grands Travaux de la ville de Lyons* (1920)
C. Pawlowski, *Tony Garnier et les débuts de l'urbanisme fonctionnel en France* (1967)
D. Wiebenson, *Tony Garnier: The Cité Industrielle* (1969): best available English text on Garnier
P.M. Wolf, *Eugène Hénard and the Beginning of Urbanism in Paris 1900–1914* (1968)

第II部第11章

J. Badovici, articles in *L'Architecture Vivante*, Autumn/Winter 1923, Spring/Summer 1924, Spring/Summer 1925, and Autumn/Winter 1926
A. Bloc, *L'Architecture d'Aujourd-hui*, VII, Oct. 1932 (Perret issue)
B. Champigneulle, *Auguste Perret* (1959)
P. Collins, *Concrete: The Vision of a New Architecture* (1959)
V. Gregotti, 'Classicisme et rationalisme d'A. Perret', *AMC*, 37, Nov. 1975, 19–20
B. Jamot, *Auguste Perret et l'architecture du béton armé* (1927)
P. Panerai, 'Maison Cassandre', *9H*, no. 4, 1982, 33–36
A. Perret, 'Architecture: Science et poésie', *La Construction moderne*, 48, Oct. 1932, 2–3
—'L'Architecture', *Revue d'art et d'esthétique*, June 1935
— *Contribution à une théorie de l'architecture* (1952)
G.E. Pettengill, *Auguste Perret: A Partial Bibliography* (unpub. MS, AIA Library, Washington 1952)
P. Saddy, 'Perret et les idées reçues', *AMC*, *op. cit.*, 21–30
P. Vago, 'Auguste Perret', *L'Architecture d'Aujourd'-hui*, Oct. 1932
P. Valéry, *Eupalinos ou l'architecte* (1923; trans. 1932): a key to the French classical attitude to architecture after the First World War

第II部第12章

S. Anderson, 'Peter Behrens's Changing Concept of Life as Art', *AD*, XXXIX, Feb. 1969, 72–78
—'Modern Architecture and Industry: Peter Behrens and the Cultural Policy of Historical Determinism', *Oppositions*, 11, Winter 1977
—'Modern Architecture and Industry: Peter Behrens and the AEG Factories', *Oppositions*, 23, 1981, 53–83
P. Behrens, 'The Turbine Hall of the AEG 1910', *Documents* (Open University, Milton Keynes, 1975), 56–57
T. Benton, S. Muthesius and B. Wilkins, *Europe 1900–14* (Open University, Milton Keynes, 1975)
K. Bernhardt, 'The New Turbine Hall for AEG 1910', *Documents* (Open University, Milton Keynes, 1975), 54–56
R. Bletter, 'On Martin Fröhlich's Gottfried Semper', *Oppositions*, 4, Oct. 1974, 146–53
T. Buddensieg, *Industrielkultur. Peter Behrens and the AEG, 1907–1914* (1984)
J. Campbell, *The German Werkbund – The Politics of Reform in the Applied Arts* (1978)
C. Chassé, 'Didier Lenz and the Beuron School of Religious Art', *Oppositions*, 21, 1980, 100–103
U. Conrad, *Programs and Manifestoes on 20th-Century Architecture* (1970): an important anthology of manifestos 1903–63, notably *Aims of the Werkbund* (1911) and *Werkbund Theses and Anti-Theses* (1914)
S. Custoza, M. Vogliazzo and J. Posener, *Muthesius* (1981)
F. Dal Co, *Figures of Architecture and Thought: German Architectural Culture 1880–1920* (1990)
H. Eckstein, ed., *50 Jahre Deutscher Werkbund* (1958)
L.D. Ettlinger, 'On Science, Industry and Art, Some Theories of Gottfried Semper', *AR*, July 1964, 57–60
A.C. Funk-Jones, J.R. Molen and G. Storck, eds, *J.L.M. Lauweriks* (1987)
G. Grassi, 'Architecture as Craft', *9H*, no. 8, 1989, 34–53: an essay on Tessenow
W. Gropius, 'Die Entwicklung Moderner Industriebaukunst', *Jahrbuch des Deutschen Werkbundes*, 1913
—'Der Stilbildende Wert Industrieller Bauformen', *Jahrbuch des Deutschen Werkbundes*, 1914
W. Herrmann, *Gottfried Semper und die Mitte der 19. Jahrhunderts* (ETH/GTA 18, Stuttgart, 1976): proceedings of an important international Semper symposium
— *Gottfried Semper. Theoretischer Nachlass an der ETH Zürich* (ETH/GTA 15, Stuttgart, 1981)
— *Gottfried Semper: In Search of Architecture* (1984)
F. Hoeber, *Peter Behrens* (1913)
W. Hoepfner and F. Neumeyer, *Das Haus Weigand von Peter Behrens in Berlin Dahlem* (1979)
W. Jessen, 'Introduction to Heinrich Tessenow's House Building and Such Things', *9H*, no. 8, 1989, 6–33
H.J. Kadatz, *Peter Behrens: Architekt, Maler, Grafiker* (1977): important for showing the scope of Behrens's work 1914–29
J. Kreitmaier, *Beuroner Kunst* (1923): study of the school of symbolic proportion developed by the

Beuronic order
H.F. Mallgrave and W. Herrmann, *The Four Elements of Architecture and Other Writings* (1989): an anthology of Semper's writings
F. Meinecke, *The German Catastrophe* (1950, repub. 1963)
S. Müller, *Kunst und Industrie – Ideologie und Organisation des Funktionalismus in der Architektur* (1974)
H. Muthesius, 'The Task of the Werkbund in the Future', *Documents* (Open University, Milton Keynes, 1978), 7–8; followed by extracts from the Werkbund debate at Cologne, 1914
— *The English House* (1979): trans. of German original
— F. Naumann and others, *Der Werkbund-Gedanke in den germanischen Ländern* (1914): proceedings of the 1914 Werkbund debate in Cologne
F. Naumann, 'Werkbund und Handel', *Jahrbuch des Deutschen Werkbundes*, 1913
— 'Culture is, however, a General Term, Paris 1900 – a letter', *Daidalos*, 2, 1981, 25, 33
W. Nerdinger, *Hans Dollgast 1891–1974* (1987)
— *Theodor Fischer: Architetto e urbanista, 1862–1938* (1988)
N. Pevsner, 'Gropius at Twenty-Six', *AR*, July 1961, 49–51
J. Posener, 'Muthesius as Architect', *Lotus*, 9 Feb. 1975, 104–15 (trans. 221–25)
F. Schumacher, *Der Geist der Baukunst* (1983): republication of a thesis first issued in 1938
F. Very, 'J.M.L. Lauweriks: architecte et théosophe', *AMC*, 40, Sept. 1976, 55–58
G. Wangerin and G. Weiss, *Heinrich Tessenow 1876–1950* (1976)
H. Weber, *Walter Gropius und das Faguswerk* (1961)
A. Windsor, *Peter Behrens Architect 1868–1940* (1981)

第II部第13章

J. Badovici, 'Erich Mendelsohn', *L'Architecture Vivante*, Autumn/Winter 1932 (special issue)
R. Banham, 'Mendelsohn', *AR*, 1954, 85–93
O. Beyer, ed., *Erich Mendelsohn: Letters of an Architect* (1967)
R. Bletter, 'Bruno Taut and Paul Scheerbart' (unpub. Ph.D. thesis, Avery Library, Columbia, New York, 1973)
I. Boyd-Whyte, *The Crystal Chain Letters. Architectural Fantasies by Bruno Taut and his Circle* (1985)
N. Bullock, 'First the Kitchen, Then the Façade', *AA Files*, no. 6, May 1984, 59–67
U. Conrads and H.G. Sperlich, *Fantastic Architecture* (1963)
K. Frampton, 'Genesis of the Philharmonie', *AD*, Mar. 1965, 111–12
Hugo Häring, Fragmente (Akademie der Künste, Berlin, 1968)
H. Häring, 'Approaches to Form' (1925), *AAQ*, X, no. 7, 1978: trans. of Häring text
— *Das andere Bauen*, ed. J. Joedicke (1982): an anthology of theoretical writings
— 'Problems of Art and Structure in Building' (with intro. by P. Blundell Jones), *9H*, no. 7, 1985, 75–82
T. Huess, *Hans Poelzig, das Lebensbild eines deutschen Baumeister* (1985): repr. of 1939 classic
J. Joedicke, 'Häring at Garkau', *AR*, May 1960, 313–18
— *Hugo Häring, Schriften, Entwürfe, Bauten* (1965)
P. Blundell Jones, 'Organic versus Classic', *AAQ*, X, no. 7, 10–20
— Late Works of Scharoun', *AR*, Mar. 1975, 141–54
— *Hans Scharoun* (1978)
— 'Hugo Häring and the Search for a Responsive Architecture', *AA Files*, no. 13, Autumn 1986, 30–43
K. Junghans, 'Bruno Taut', *Lotus*, 9, Feb. 1975, 94–103 (trans. 219–21)
— *Bruno Taut* (Akademie der Künste, Berlin, 1980)
— *Bruno Taut 1880–1938* (2nd edn 1983)
H. Lauterbach, *Hans Scharoun* (Akademie der Künste, Berlin, 1969)
Erich Mendelsohn 1887–1953: Ideen, Bauten, Projekte (Staatliche Museen Preussischer Kulturbesitz, Berlin, 1987)
W. Pehnt, *Expressionist Architecture* (1973)
J. Posener, 'Poelzig', *AR*, June 1963, 401–5
— ed., *Hans Poelzig: Gesammelte Schriften und Werke* (1970)
G. Rumé, 'Rudolf Steiner', *AMC*, 39, June 1976, 23–29
P. Scheerbart and B. Taut, *Glass Architecture and Alpine Architecture* (1972): trans. of 2 seminal texts
M. Schirren, *Hans Poelzig: Die Pläne und Zeichnungen aus dem ehemaligen Verkehrs und Baumuseum in Berlin* (1989)
W. Segal, 'About Taut', *AR*, Jan. 1972, 25–26
D. Sharp, *Modern Architecture and Expressionism* (1966)
— 'Park Meerwijk – an Expressionist Experiment in Holland', *Perspecta*, 13/14, 1971
M. Staber, 'Hans Scharoun, Ein Beitrag zum organischen Bauen', *Zodiac*, 10, 1952, 52–93: Scharoun's contribution to organic building, with trans.
B. Taut, 'The Nature and the Aims of Architecture', *Studio*, Mar. 1929, 170–74
M. Taut and O.M. Ungers, *Die Gläserne Kette. Visionäre Architektur aus dem Kreis um Bruno Taut 1919–1920* (1963)
A. Tischhauser, 'Creative Forces and Crystalline Architecture: In Remembrance of Wenzel Hablik', *Daidalos*, 2, 1981, 45–52
A. Whittick, *Erich Mendelsohn* (1970)
B. Zevi, *Erich Mendelsohn Opera Completa* (1970)
— *Erich Mendelsohn* (1984)

第II部第14章

G. Adams, 'Memories of a Bauhaus Student', *AR*, Sept. 1968, 192–94
H. Bayer, W. Gropius and I. Gropius, *Bauhaus 1919–1928* (1952)
A. Cohen, *Herbert Bayer* (1984)
J. Fisher, *Photography and the Bauhaus* (1990)
M. Franciscono, *Walter Gropius and the Creation of the Bauhaus in Weimar* (1971)
S. Giedion, *Walter Gropius: Work and Teamwork* (1954)
P. Green, 'August Endell, *AAQ*, IX, no. 4, 1977, 36–44
W. Gropius, *The New Architecture and the Bauhaus* (1935)
— *The Scope of Total Architecture* (1956)
P. Hahn, *Experiment Bauhaus* (1988)
R. Isaacs, *Walter Gropius* (1991)
J. Itten, *Design and Form* (1963)
R. Kostelanetz, *Moholy-Nagy* (1970): trans. of his basic texts
L. Lang, *Das Bauhaus 1919–1923. Idee und Wirklichkeit* (1965)
S.A. Mansbach, *Visions of Totality: László Moholy-Nagy, Theo van Doesburg and El Lissitzky* (1980)
L. Moholy-Nagy, *The New Vision* (4th edn 1947): trans. of *Von Material zu Architektur* (1928)
— *Vision in Motion* (1947)
S. Moholy-Nagy, *Moholy-Nagy. An Experiment in Totality* (1950)

G. Naylor, *Bauhaus* (1980): an extremely penetrating analysis of the Bauhaus in English
E. Neumann, *Bauhaus and Bauhaus People* (1970)
W. Nerdinger, *Walter Gropius* (1985/86)
K. Passuth, *Moholy-Nagy* (1991)
W. Schedig, *Crafts of the Weimar Bauhaus 1919–1924* (1967)
O. Schlemmer, L. Moholy-Nagy and F. Molnar, *The Theater of the Bauhaus* (1961): trans. of *Bauhausbücher 4*
J. Willett, *The New Sobriety 1917–1933: Art and Politics in the Weimar Period* (1978)
H. Wingler, *The Bauhaus: Weimar, Dessau, Berlin and Chicago* (1969): the basic documentary text on the Bauhaus to date

第II部第15章

Bauhaus Archiv, *Architekt, Urbanist, Lehrer. Hannes Meyer 1889–1954* (1989)
E. Bertonati, *Aspetti della 'Nuova Oggettività'* (1968): cat. of exh. of the New Objective painters, Rome and Munich, 1968
O. Birkner, J. Herzog and P. de Meuron, 'Die Petersschule in Basel (1926–1929)' *Werk-Archithese*, 13/14 Jan.–Feb. 1978, 6–8
J. Buckschmitt, *Ernst May: Bauten und Planungen*, vol. 1 (1963)
M. Casciato, F. Panzini and S. Polano, *Olanda 1870–1940: Città, Casa, Architettura* (1980)
G. Fanelli, *Architettura moderna in Olanda* (1968)
V. Fischer *et al.*, *Ernst May und das Neue Frankfurt 1925–1930* (1986)
G. Grassi, ed., *Das Neue Frankfurt 1926–1931 e l'architettura della nuova Francoforte* (1975)
J. Gubler, *Nationalisme et internationalisme dans l'architecture moderne de la Suisse* (1975)
O. Haesler, *Mein Lebenswerk als Architekt* (1957)
H. Hirolina, ed., *Neues Bauen Neue Gesellschaft: Das neue Frankfurt die neue Stadt. Eine Zeitschrift Zwischen 1926–1933* (1984)
K. Homann and L. Scarpa, 'Martin Wagner, The Trades Union Movement and Housing Construction in Berlin in the First Half of the 1920s', *AD*, Nov.–Dec. 1983, 58–61
B. Housden, 'Arthur Korn', *AAJ* (special issue), LXXIII, no. 817, Dec. 1957, 114–35
—'M. Brinckman, J.A. Brinckman, L.C. van der Vlugt, J.H. van der Broek, J.B. Bakema', *AAJ*, Dec. 1960: a documentation of the evolution of this important firm over 4 generations
E.J. Jelles and C.A. Alberts, 'Duiker 1890–1935', *Forum voor architectuur en daarmee verbonden kunsten*, nos. 5 & 6, 1972
B. Miller Lane, *Architecture and Politics in Germany 1918–1945* (1968)
S. Lissitzky-Küppers, *El Lissitzky* (1968)
D. Mackintosh, *The Modern Courtyard*, AA Paper no. 9 (1973)
J. Molema *et al.*, *J. Duiker Bouwkundig Ingenieur* (1982): structural form in the work of Duiker
L. Murad and P. Zylberman, 'Esthétique du taylorisme', in *Paris/Berlin rapports et contrastes/France-Allemagne* (1978), 384–90
G. Oorthuys, *Mart Stam: Documentation of his work 1920–1965* (1970)
R. Pommer and C.F. Otto, *Weissenhof 1927 and the Modern Movement in Architecture* (1991)
M.B. Rivolta and A. Rossari, *Alexander Klein* (1975)
F. Schmalenbach, 'The Term Neue Sachlichkeit', *AB*, XXII, Sept. 1940
H. Schmidt, 'The Swiss Modern Movement 1920–1930', *AAQ*, Spring 1972, 32–41
C. Schnaidt, *Hannes Meyer, Buildings, Projects and Writings* (1965)
G. Uhlig, 'Town Planning in the Weimar Republic', *AAQ*, XI, no. 1, 1979, 24–38
J.B. van Loghem, *Bouwen, Bauen, Bâtir, Building* (1932): standard contemporary survey of the achievement of the Nieuwe Zakelijkheid in Holland
Klaus-Jürgen Winkler, *Der Architekt Hannes Meyer: Anschauungen und Werk* (1982)
K.P. Zygas. 'The Magazine Veshch/Gegendstand/Object', 1922 (annotated bibliography). *Oppositions*, 5, Summer 1976, 113–28

第II部第16章

J. Baljeu, *Theo van Doesburg* (1974)
D. Baroni, *Rietveld Furniture* (1978)
Y.A. Blois, 'Mondrian and the Theory of Architecture', *Assemblage 4*, Oct. 1987, 103–30
—and B. Reichlin, *De Stijl et l'architecture en France* (1985)
C. Blotkamp *et al.*, *De Stijl: The Formative Years* (1982)
T.M. Brown, *The Work of G. Rietveld, Architect* (1958)
A. Doig, *Theo Van Doesburg: Painting into Architecture, Theory into Practice* (1986)
M. Friedman, ed., *De Stijl: 1917–1931. Visions of Utopia* (1982)
H.L.C. Jaffé, *De Stijl 1917–1931. The Dutch Contribution to Modern Art* (1956)
— *De Stijl* (1970): trans. of seminal texts
J. Leering, L.J.F. Wijsenbeck and P.F. Althaus, *Theo van Doesburg 1883–1931* (1969)
P. Mondrian, 'Plastic Art and Pure Plastic Art', *Circle*, ed. J.L. Martin, B. Nicholson and N. Gabo (1937)
P. Overy, L. Buller, F. Den Oudsten and B. Mulder, *The Rietveld Schröder House* (1988): an important analytical study
S. Polano, 'Notes on Oud', *Lotus*, 16, Sept. 1977, 42–49
M. Seuphor, *Piet Mondrian* (1958)
G. Stamm, *J.J.P. Oud Bauten und Projekte 1906–1963* (1984)
N.J. Troy, *The De Stijl Environment* (1983)
J.H. van der Broek, C. van Eesteren *et al.*, *De Stijl* (1951): this initiated the post-war interest in the movement, and carries trans. of a number of the manifestos
T. van Doesburg, 'L'Evolution de l'architecture moderne en Hollande', *L'Architecture Vivante*, Autumn/Winter 1925 (special issue on De Stijl)
E. van Staaten, *Theo van Doesburg: Painter and Architect* (1988)
C.-P. Warncke, *De Stijl 1917–1931* (1991): a survey carrying a great deal of new material
B. Zevi, *Poetica dell'architettura neoplastica* (1953)

第II部第17章

G. Baird, 'A Critical Introduction to Karel Teige's "Mundaneum" and Le Corbusier's "In the Defence of Architecture"', *Oppositions*, 4, Oct. 1974, 80–81
R. Banham, *Theory and Design in the First Machine Age* (1960), esp. section 4
T. Benton, *The Villas of Le Corbusier 1920–1930* (1990)
M. Besset, *Who Was Le Corbusier?* (1968): trans.
P. Boudon, *Pessac de Le Corbusier* (1969)
H.A. Brooks, ed., *The Le Corbusier Archive*, 25 vols (1983): a compilation of the complete archive in the Fondation Le Corbusier, Paris
B. Colomina, 'Le Corbusier and Photography', *Assem-*

blage 4, Oct. 1987, 7–23
P.A. Croset *et al.*, 'I clienti di Le Corbusier', *Rassegna*, 3, July 1980: a special number devoted to the clients of Le Corbusier from the industrialist Bata to the Soviet State
W. Curtis, *Le Corbusier Ideas and Forms* (1988)
P. Dermée, ed. (with A. Ozenfant and Le Corbusier), *L'Esprit Nouveau*, 1, 1920–25 (facsimile repr. 1969)
G. Fabre, ed., *Léger and the Modern Spirit, 1918–1931* (1982)
K. Frampton, 'The Humanist vs. Utilitarian Ideal', *AD*, XXXVIII, 1968, 134–36
R. Gabetti and C. Olmo, *Le Corbusier et l'Esprit nouveau* (1977)
P. Goulet and C. Parent, 'Le Corbusier', *Aujourd'hui*, 51 (special issue), Nov. 1965: for early correspondence, documentation, etc.
C. Green, 'Léger and l'esprit nouveau 1912–1928', *Léger and Purist Paris* (exh. cat. ed. with J. Golding, London 1970), 25–82
E. Gregh, 'Le Corbusier and the Dom-Ino System', *Oppositions*, 15/16, Jan. 1980
G. Gresleri, *80 Disegni di Le Corbusier* (1977)
— *L'Esprit Nouveau. Le Corbusier: costruzione e ricostruzione di un prototipo dell'architettura moderna* (1979)
— ed., *Le Corbusier Voyage d'Orient*, 6 vols (1988): facsimile of 1912 travel sketchbooks
J. Guiton, *The Ideas of Le Corbusier* (1981)
D. Honisch *et al.*, *Tendenzen der Zwanziger Jahre* (1977)
A. Izzo and C. Gubitosi, *Le Corbusier* (Rome 1978): cat. of hitherto unpublished Le Corbusier drawings
Le Corbusier, *Etude sur le mouvement d'art décoratif en Allemagne* (1912)
— 'Purism' (1920), in *Modern Artists on Art*, ed. R.C. Herbert (1964), 58–73: timely trans. of the essay from the 4th issue of *L'Esprit Nouveau*
— *L'Art décoratif d'aujourd'hui* (1925; Eng. trans. by J. Dunnet, *The Decorative Art of Today*, 1987)
— *La Peinture moderne* (1925)
— *Une Maison – un palais* (1928)
— 'In the Defence of Architecture', *Oppositions*, 4, Oct. 1974, 93–108: 1st pub. in Czech in *Stavba*, 7 (1929) and in French in *L'Architecture d'Aujourd'hui*, 1933
— *Précisions sur un état présent de l'architecture et de l'urbanisme* (1930; Eng. trans. by E. Schrieber Aujame, *Precisions on the Present State of Architecture and City Planning*, 1991)
— *Le Corbusier et Pierre Jeanneret: Oeuvre complète, I, 1918–1929* (1935, repr. 1966)
— *Le Voyage d'Orient* (1966; Eng. trans. by I. Zaknic and N. Pertuiset, *Journey to the East*, 1987): record of a journey to Bohemia, Serbia, Bulgaria, Greece and Turkey (1st prepared for pub. 1914)
— *Le Corbusier Sketchbooks*, vol. 7 (1982)
— and A. Ozenfant, *Après le Cubisme* (1918)
J. Lowman, 'Corb as Structural Rationalist: The Formative Influence of the Engineer Max du Bois', *AR*, Oct. 1976, 229–33
J. Lucan, ed. *Le Corbusier Encyclopédie/Monographie* (cat. of centennial Centre Pompidou exh., Paris, 1987)
M. McLeod, 'Charlotte Perriand: Her First Decade as a Designer', *AA Files*, no. 15, Summer 1987, 4–13
S. von Moos, T. Hughes and B. Colomina, *L'Esprit Nouveau: Le Corbusier und die Industrie 1920–1925* (1987)
W. Oechslin, ed., *Le Corbusier und Pierre Jeanneret. Das Wettbewerbsprojekt für den Völkerbundspalast in Genf 1927* (1988)
J. Petit, *Le Corbusier lui-même* (1969): important cat. of Le Corbusier's painting 1918–54
N. Pevsner, 'Time and Le Corbusier', *AR*, Mar. 1951: an early appraisal of Le Corbusier's work in La Chaux-de-Fonds
J.F. Pinchon, *Rob Mallet Stevens, Architecture, Furniture, Interior Design* (1990)
B. Reichlin, 'Le Pavillon de la Villa Church Le Corbusier', *AMC*, May 1983, 100–111
M. Risselada, ed., *Raumplan versus Plan Libre* (1987): a typological comparison between Loos and Le Corbusier
J. Ritter, 'World Parliament – The League of Nations Competition', *AR*, CXXXVI, 1964, 17–23
C. Rowe, *The Mathematics of the Ideal Villa and Other Essays* (1977)
— and R. Slutzky, 'Transparency: Literal and Phenomenal', *Perspecta*, 8, 1963, 45–54
M.P. Sekler, 'The Early Drawings of Charles-Edouard Jeanneret (Le Corbusier) 1902–1908', Ph. D. thesis, Harvard 1973 (1977)
P. Serenyi, 'Le Corbusier, Fourier and the Monastery of Ema', *AB*, XLIX, 1967, 227–86
— *Le Corbusier in Perspective* (1975): critical commentary by various writers spanning over half a century, starting with Piacentini's essay on mass production houses of 1922
K. Silver, 'Purism, Straightening Up After the Great War', *Artform*, 15, March 1977
B.B. Taylor, *Le Corbusier et Pessac*, I & II (1972)
K. Teige, 'Mundaneum', *Oppositions*, 4, Oct. 1974, 83–91: 1st pub. in *Stavba*, 7 (1929)
P. Turner, 'The Beginnings of Le Corbusier's Education 1902–1907'. *AB*, LIII, June 1971, 214–24
— *The Education of Le Corbusier* (1977)
R. Walden, ed., *The Open Hand: Essays on Le Corbusier* (1977): seminal essays by M.P. Sekler, M. Favre, R. Fishman, S. von Moos and P. Turner

第II部第18章

D. von Beulwitz, 'The Perls House by Mies van der Rohe', *AD*, Nov.–Dec. 1983, 63–71
J. Bier, 'Mies van der Rohe's Reichspavillon in Barcelona', *Die Form*, Aug. 1929, 23–30
J.P. Bonta, *An Anatomy of Architectural Interpretation* (1975): a semiotic review of the criticisms of Mies van der Rohe's Barcelona Pavilion
H.T. Cadbury-Brown, 'Ludwig Mies der Rohe', *AAJ*, July–Aug. 1959: this interview affords a useful insight into Mies's relation to his clients for both the Tugendhat House and the Weissenhofsiedlung
C. Constant, 'The Barcelona Pavilion as Landscape Garden: Modernity and the Picturesque', *AA Files*, no. 20, Autumn 1990, 47–54
A. Drexler, ed., *Mies van der Rohe Archive*, 6 vols (1982): a compilation of the complete archive in the Museum of Modern Art, New York
R. Evans, 'Mies van der Rohe's Paradoxical Symmetries', *AA Files*, no. 19, Spring 1990, 56–68
L. Glaeser, *Ludwig Mies van der Rohe: Drawings in the Collection of the Museum of Modern Art*, New York (1969)
— *The Furniture of Mies van der Rohe* (1977)
G. Hartoonian, 'Mies van der Rohe: The genealogy of the Wall', *JAE*, 42, no. 2, Winter 1989, 43–50
L. Hilberseimer, *Mies van der Rohe* (1956)
H.-R. Hitchcock, 'Berlin Architectural Show 1931', *Horn and Hound*, V, no. 1, Oct–Dec. 1931, 94–97
P. Johnson, 'The Berlin Building Exposition of 1931', *T square*, 1932 (repr. in *Oppositions*, 2, 1974, 87–91)
— 'Architecture in the Third Reich', *Horn and Hound*, 1933 (repr. in *Oppositions*, 2, 1974, 92–93)

— *Mies van der Rohe* (1947): still the best monograph on Mies, with comprehensive bibliography and trans. of Mies's basic writings 1922–43
L. Mies van der Rohe, 'Two Glass Skyscrapers 1922', in Johnson, *Mies, op. cit.*, 182; 1st pub. as 'Hochhausprojekt für Bahnhof Friedrichstrasse im Berlin', in *Frühlicht*, 1922
— 'Working Theses 1923', *Programs and Manifestos on 20th Century Architecture*, ed. U. Conrads (1970), 74: pub. in *G*, 1st issue, 1923, in conjunction with his concrete office building
— 'Industrialized Building 1924', *ibid.*, 81; from *G*, 3rd issue, 1924
— 'On Form in Architecture 1927', *ibid.*, 102; 1st pub. in *Die Form*, 1927, as 'Zum Neuer Jahrgang'; another trans. appears in Johnson, *Mies, op. cit.*
— 'A Tribute to Frank Lloyd Wright', *College Art Journal*, VI, no. 1, Autumn 1946, 41–42
R. Moneo, 'Un Mies menos conocido', *Arquitecturas Bis 44*, July 1983, 2–5
F. Neumeyer, *Mies van der Rohe: das kunstlose Wort* (1986)
D. Pauly *et al.*, *Le Corbusier et la Méditerranée* (1987)
N.M. Rubio Tuduri, 'Le Pavillon de l'Allemagne à l'exposition de Barcelone par Mies van der Rohe', *Cahiers d'Art*, 4, 1929, 408–12
F. Schulze, *Mies van der Rohe* (1985): critical biography
A. and P. Smithson, *Mies van der Rohe, Veröffentlichungen zur Architektur* (1968): a short but sensitive appraisal which introduced for the 1st time the suppressed Krefeld factory (text in German and English)
— *Without Rhetoric* (1973): important for critical appraisal and photographs of the Krefeld factory
W. Tegethoff, *Mies van der Rohe: Villas and Country Houses* (1986)
W. Wang, 'The Influence of the Wiegand House on Mies van der Rohe', *9H*, no. 2, 1980, 44–46
P. Westheim, 'Mies van der Rohe: Entwicklung eines Architekten', *Das Kunstblatt*, II, Feb. 1927, 55–62
— 'Umgestaltung des Alexanderplatzes', *Die Bauwelt*, 1929
— 'Das Wettbewerb der Reichsbank', *Deutsche Bauzeitung*, 1933
F.R.S. Yorke, *The Modern House* (1934, 4th edn 1943): contains details of the panoramic window in the Tugendhat House
C. Zervos, 'Mies van der Rohe', *Cahiers d'Art*, 3, 1928, 35–38
— 'Projet d'un petit musée d'art moderne par Mies van der Rohe', *Cahiers d'Art*, 20/21, 1946, 424–27

第II部第19章

C. Abramsky, 'El Lissitzky as Jewish Illustrator and Typographer', *Studio International*, Oct. 1966, 182–85
P.A. Aleksandrov and S.O. Chan-Magomedov, *Ivan Leonidov* (1975): Italian trans. of unpub. Russian text
T. Anderson, *Vladimir Tatlin* (1968)
— *Malevich*, cat. raisonné of the Berlin Exhibition of 1927 (1970)
R. Andrews and M. Kalinovska, *Art Into Life: Russian Constructivism 1914–1932* (1990): important cat. of an exh. at the Henry Art Gallery, Seattle, and Walker Art Gallery, Minneapolis
J. Billington, *The Icon and the Axe* (1968)
M. Bliznakov, 'The Rationalist Movement in Soviet Architecture of the 1920s', *20th-Century Studies*, 7/8, Dec. 1972, 147–61
E. Borisova and G. Sternin, *Russian Art Nouveau* (1987)
C. Borngräber, 'Foreign Architects in the USSR', *AAQ*, 11, no. 1, 1979, 50–62
J. Bowlt, ed., *Russian Art of the Avant Garde: Theory and Criticism* (1976, 1988)
S.O. Chan-Magomedov, *Moisej Ginzburg* (1975): Italian trans. of Russian text pub. 1972
— 'Nikolaj Ladavskij: An Ideology of Rationalism', *Lotus*, 20, Sept. 1978, 104–26
— *see also* Kahn-Magomedov
J. Chernikov, *Arkhitekturnye Fantasii* (1933)
J.L. Cohen, M. de Michelis and M. Tafuri, *URSS 1917–1978. La ville l'architecture* (1978)
C. Cooke, 'F.O. Shektel: An architect and his clients in turn-of-the-century Moscow', *AA Files*, no. 5, Spring 1984, 5–29
F. Dal Co, 'La poétique "a-historique" de l'art de l'avant-garde en Union Soviétique', *Archithese*, 7, 1973, 19–24, 48
V. de Feo, *URSS Architettura 1917–36* (1962)
E. Dluhosch, 'The Failure of the Soviet Avant Garde', *Oppositions*, 10, Autumn 1977, 30–55
C. Douglas, *Swans of Other Worlds: Kazimir Malevich and the Origins of Abstraction in Russia* (1980)
D. Elliott, ed., *Alexander Rodchenko: 1891–1956* (Museum of Modern Art, Oxford, 1979)
— *Mayakovsky: Twenty Years of Work* (Museum of Modern Art, Oxford, 1982)
K. Frampton, 'Notes on Soviet Urbanism 1917–32', *Architects' Year Book*, XII, 1968, 238–52
— 'The Work and Influence of El Lissitzky', *ibid.*, 253–68
R. Fülöp-Muller, *The Mind and Face of Bolshevism* (1927, repub. 1962)
N. Gabo, *Gabo* (1957)
M. Ginzburg, *Style and Epoch* (1982): trans. of the Russian original of 1924
A. Gozak and A. Leonidov, *Ivan Leonidov* (1988)
C. Gray, *The Great Experiment: Russian Art 1863–1922* (1962)
S. Kahn-Magomedov, *Ivan Leonidov* (IAUS Cat. no. 8, New York, 1981): a great deal of the material in this cat. was compiled by R. Koolhaas and B. Oorthuys
— *Alexander Vesnin and Russian Constructivism* (1986)
— *Pioneers of Soviet Architecture* (1987)
— *see also* Chan-Magomedov
G. Karginov, *Rodchenko* (1979)
E. Kirichenko, *Moscow Architectural Monuments of the 1830s–1910s* (1977)
A. Kopp, *Town and Revolution, Soviet Architecture and City Planning 1917–1935* (1970)
— *L'Architecture de la période stalinienne* (1978)
— *Architecture et mode de vie* (Grenoble 1979)
J. Kroha and J. Hruza, *Sovetská architektonicá avantgarda* (1973)
El Lissitzky, *Russia: An Architecture for World Revolution* (1970; trans. by E. Dluhosch; 1st pub. in German, 1930)
C. Lodder, *Russian Constructivism* (1983)
B. Lubetkin, 'Soviet Architecture: Notes on Developments from 1917–32', *AAJ*, May 1956
K. Malevich, 'Recent Developments in Town Planning', in *The Non-Objective World* (1959)
— *Essays on Art*, I 1915–28, II 1928–33 (1968)
V. Markov, *Russian Futurism* (1969)
J. Milner, *Tatlin and the Russian Avant-Garde* (1983)
N.A. Milyutin, *Sotsgorod. The Problem of Building Socialist Cities* (1974): trans. from Russian
P. Noever and K. Neray, *Kunst und Revolution 1910–1932* (1988): Vienna exh. cat. containing

unusual material
M.F. Parkins, *City Planning in Soviet Russia* (1953)
V. Quilici, *L'architettura del costruttivismo* (1969)
—'The Residential Commune, from a Model of the Communitary Myth to Productive Module', *Lotus*, 8, Sept. 1974, 64–91, 193–96
— *Città russa e città sovietica* (1976)
B. Schwan, *Städtebau und Wohnungswesen der Welt* (1935)
F. Starr, *Konstantin Melnikov. Solo Architect in a Mass Society* (1978)
M. Tafuri, ed., *Socialismo città architettura URSS 1917–1937* (1972): collected essays
—'Les premières hypothèses de planification urbaine dans la Russie soviétique 1918–1925', *Archithese*, 7, 1973, 34–91
—'Towards the "Socialist City": Research and Realization in the Soviet Union between NEP and the First Five-Year Plan', *Lotus*, 9, Feb. 1975, 76–93, 216–19
L.A. Zhadova, ed., *Tatlin* (1988): definitive study of this important avant-garde artist
K.P. Zygas, 'Tatlin's Tower Reconsidered', *AAQ*, VIII, no. 2, 1976, 15–27
— *Form Follows Form: Source Imagery of Constructivist Architecture 1917–1925* (1980)

第II部第20章

P.M. Bardi, *A Critical Review of Le Corbusier* (1950)
F. Choay, *Le Corbusier* (1960)
J.L. Cohen, 'La Corbusier and the Mystique of the USSR', *Oppositions*, 23, 1981, 85–121
— *Le Corbusier et la mystique de l'URSS: théories et projets pour Moscou 1928–1936* (1987)
R. de Fusco, *Le Corbusier designer immobili del 1929* (1976)
M. di Puolo, *Le Corbusier/Charlotte Perriand/Pierre Jeanneret. 'La machine à s'asseoir'* (1976)
A. Eardley, *Le Corbusier and the Athens Charter* (1973): trans. of *La Charte d'Athènes* (1943)
N. Evenson, *Le Corbusier: The Machine and the Grand Design* (1969)
R. Fishman, *Urban Utopias in the Twentieth Century* (1977)
K. Frampton, 'The City of Dialectic', *AD*, XXXIX, Oct. 1969, 515–43, 545–46
E. Girard, 'Projeter', *AMC*, 41, Mar. 1977, 82–87
G. Gresleri and D. Matteoni, *La Città Mondiale: Anderson, Hebrard, Otlet and Le Corbusier* (1982)
Le Corbusier, *The City of Tomorrow* (1929): 1st English trans. of *Urbanisme* (1925)
— *The Radiant City* (1967): 1st English trans. of *La Ville radieuse* (1933)
— *When the Cathedrals Were White* (1947): trans. of *Quand les Cathédrales étaient blanches* (1937)
— *Des canons, des munitions? Merci! Des logis . . . S.V.P.* (1938)
— *The Four Routes* (1947): trans. of *Sur les 4 Routes* (1941)
—(with F. de Pierrefeu) *The Home of Man* (1948): trans. of *La Maison des hommes* (1942)
— *Les Trois Etablissements humains* (1944)
M. McLeod, 'Le Corbusier's Plans for Algiers 1930–1936', *Oppositions*, 16/17, 1980
—'Le Corbusier and Algiers' and 'Plans: Bibliography', *Oppositions*, 19/20, 1980, 54–85 and 184–261
C.S. Maier, 'Between Taylorism and Technocracy: European Ideologies and the Vision of Industrial Productivity in the 1920s', *Journal of Contemporary History*, 5, 1970, 27–61
S. von Moos, 'Von den Femmes d'Alger zum Plan Obus', *Archithese*, 1, 1971, 25–37
— *Le Corbusier – Elements of a Synthesis* (1979): trans. of *Le Corbusier, Elemente einer Synthese* (1968)
J. Pokorny and E. Hud, 'City Plan for Zlín', *Architectural Record*, CII, Aug. 1947, 70–71
C. Sumi, *Immeuble Clarté Genf 1932 von Le Corbusier und Pierre Jeanneret* (GTA, Zürich, 1989)
A. Vidler, 'The Idea of Unity and Le Corbusier's Urban Form', *Architects' Year Book*, XII, 1968, 225–37

第II部第21章

B. Brownell and F.L. Wright, *Architecture and Modern Life* (1937): a revealing ideological discussion of the period
W. Chaitkin, 'Frank Lloyd Wright in Russia', *AAQ*, V, no. 2, 1973, 45–55
C.W. Condit, *American Building Art: The 20th Century* (1961): for Wright's structural innovations see 172–76, 185–87
R. Cranshawe, 'Frank Lloyd Wright's Progressive Utopia', *AAQ*, X, no. 1, 1978, 3–9
A. Drexler, *The Drawings of Frank Lloyd Wright* (1962)
F. Gutheim, ed., *In the Cause of Architecture – Wright's Historic Essays for Architectural Record 1908–1952* (1975)
H.-R. Hitchcock, *In the Nature of Materials 1887–1941. The Buildings of Frank Lloyd Wright* (1942)
D. Hoffmann, *Frank Lloyd Wright's Falling Water* (1978)
A. Izzo and C. Gubitosi, *Frank Lloyd Wright Dessins 1887–1959* (1977)
H. Jacobs, *Building with Frank Lloyd Wright. An Illustrated Memoir* (1978)
E. Kaufmann, 'Twenty-Five Years of the House on the Waterfall', *L'Architettura*, 82, VIII, no. 4, Aug. 1962, 222–58
—ed., *An American Architecture: Frank Lloyd Wright* (1955)
J. Lipman, *Frank Lloyd Wright and the Johnson Wax Buildings* (1986)
B.B. Pfeiffer, ed., *Letters to Apprentices. Frank Lloyd Wright* (1982)
— *Frank Lloyd Wright. Letters to Architects* (1984)
— *Master Drawings from the Frank Lloyd Wright Archives* (1990)
M. Schapiro, 'Architects' Utopia', *Partisan Review*, 4, no. 4, Mar. 1938, 42–47
J. Sergeant, *Frank Lloyd Wright's Usonian Houses* (1976)
N.K. Smith, *Frank Lloyd Wright. A Study in Architectural Contrast* (1966)
S. Stillman, 'Comparing Wright and Le Corbusier', *AIAJ*, IX, Apr.–May 1948, 171–78, 226–33: Broadacre City compared with Le Corbusier's urban ideas
W.A. Storrer, *The Architecture of Frank Lloyd Wright: A Complete Catalogue* (1978, 2nd edn 1989)
E. Tafel, *Apprenticed to Genius* (1979)
F.L. Wright, *Modern Architecture* (1931): the Kahn lectures for 1930
— *The Disappearing City* (1932)
— *When Democracy Builds* (1945)
— *The Future of Architecture* (1953)
— *The Natural House* (1954)
— *The Story of the Tower. The Tree that Escaped the Crowded Forest* (1956)
— *A Testament* (1957)
— *The Living City* (1958)
— *The Solomon R. Guggenheim Museum* (1960)
— *The Industrial Revolution Runs Away* (1969): facsimile of Wright's copy of the original 1932 edn of *The Disappearing City*
B. Zevi, 'Alois Riegl's Prophecy and Frank Lloyd

Wright's Falling Water', *L'Architettura*, 82, VIII, no. 4, Aug. 1962, 220–21

第II部第22章

A. Aalto, *Postwar Reconstruction: Rehousing Research in Finland* (1940)
— *Synopsis* (1970)
— *Sketches*, ed. G. Schildt and trans. S. Wrede (1978)
H. Ahlberg, *Swedish Architecture in the Twentieth Century* (1925)
J. Ahlin, *Sigurd Lewerentz* (1985)
F. Alison, ed., *Erik Gunnar Asplund, mobili e oggetti* (1985)
G. Baird, *Alvar Aalto* (1970)
R. Banham, 'The One and the Few', *AR*, Apr. 1957, 243–59
W.R. Bunning, 'Paimio Sanatorium, an Analysis', *Architecture*, XXIX, 1940, 20–25
C. Caldenby and O. Hultin, *Asplund* (1985)
A. Chris-Janer, *Eliel Saarinen* (1948)
Classical Tradition and the Modern Movement: The 2nd International Alvar Aalto Symposium, Helsinki (1985)
E. Cornell, *Ragnar Östberg-Svensk Arkitekt* (1965): a definitive study of this seminal Swedish architect
D. Cruickshank, ed., *Erik Gunnar Asplund* (1990)
L.K. Eaton, *American Architecture Comes of Age: European Reaction to H.H. Richardson and Louis Sullivan* (1972)
P.O. Fjeld, *Sverre Fehn: The Thought of Construction* (1983)
K. Fleig, *Alvar Aalto 1963–1970* (1971): contains Aalto's article, 'The Architect's Conscience'
S. Giedion, 'Alvar Aalto', *AR*, CVII, no. 38, Feb. 1950, 77–84
H. Girsberger, *Alvar Aalto* (1963)
R. Glanville, 'Finnish Vernacular Farm Houses', *AAQ*, IX, no. 1, 36–52: a remarkable article recording the form of the Karelian farmhouse and suggesting the structural significance of the building pattern
F. Gutheim, *Alvar Aalto* (1960)
M. Hausen, 'Gesellius-Lindgren-Saarinen vid sekelskiftet', *Arkkitehti-Arkitehten*, 9, 1967, 6–12, with trans.
—and K. Mikkola, *Eliel Saarinen Projects 1896–1923* (1990)
Y. Hirn, *The Origins of Art* (1962)
H.-R. Hitchcock, 'Aalto versus Aalto: The Other Finland', *Perspecta*, 9/10, 1965, 132–66
P. Hodgkinson, 'Finlandia Hall, Helsinki', *AR*, June 1972, 341–43
Hvitträsk: The Home as a Work of Art (Helsinki, 1987)
G. Labò, *Alvar Aalto* (1948)
L.O. Larson, *Peter Celsing: Ein bok om en arkitekt och hans werk* (Arkitekturmuseet, Stockholm, 1988)
K. Mikkola, ed., *Alvar Aalto vs. the Modern Movement* (1981)
J. Moorhouse, M. Carapetian and L. Ahtola-Moorhouse, *Helsinki Jugendstil Architecture 1895–1915* (1987)
L. Mosso, *L'Opera di Alvar Aalto* (Milan, 1965): important exh. cat.
— *Alvar Aalto* (1967)
—ed., 'Alvar Aalto', *L'Architecture d'Aujourd'hui* (special issue), June 1977: articles from the Centre of Alvar Aalto Studies, Turin
E. Neuenschwander, *Finnish Buildings* (1954)
R. Nikula, *Armas Lindgren 1874–1929* (1988)
G. Pagano, 'Due ville de Aalto', *Casabella*, 12, 1940, 26–29
J. Pallasmaa, ed., *Alvar Aalto Furniture* (1985)
—, H.O. Andersson *et al.*, *Nordic Classicism 1910–1930* (1982)
P.D. Pearson, *Alvar Aalto and the International Style* (1978)
D. Porphyrios, 'Reversible Faces: Danish and Swedish Architecture 1905–1930', *Lotus*, 16, 1977, 35–41
— *Sources of Modern Eclecticism: Studies on Alvar Aalto* (1982)
M. Quantrill, *Alvar Aalto* (1983)
— *Reima Pietilä Architecture, Context, Modernism* (1985)
E. Rudberg, *Sven Markelius, Arkitekt* (1989)
A. Salokörpi, *Modern Architecture in Finland* (1970)
G. Schildt, *Alvar Aalto: The Early Years* (1984); *The Decisive Years* (1991); *The Mature Years* (1991): definitive 3-vol. biography
P. Morton Shand, 'Tuberculosis Sanatorium, Paimio, Finland', *AR*, Sept. 1933, 85–90
—'Viipuri Library, Finland', *AR*, LXXIX, 1936, 107–14
J.B. Smith, *The Golden Age of Finnish Art* (1975)
A.P. Smithson, C. St. John Wilson, *et al.*, *Sigurd Lewerentz 1885–1976: The Dilemma of Classicism* (AA Mega publication, 1989)
M. Trieb, 'Gallén-Kallela: A Portrait of the Artist as an Architect', *AAQ*, VII, no 3, Sept. 1975, 3–13
—'Lars Sonck', *JSAH*, XXX, no. 3, Oct. 1971, 228–37
O. Warner, *Marshall Mannerheim and the Finns* (1967)
K. Wickman, L.O. Larson and J. Henrikson, *Sveriges Riksbank 1668–1976* (1976)
C. St. John Wilson *et al.*, *Gunnar Asplund 1885–1940: The Dilemma of Classicism* (AA Mega publication, 1988)
J. Wood, ed., 'Alvar Aalto 1957', *Architects' Year Book*, VIII, 1957, 137–88
S. Wrede, *The Architecture of Erik Gunnar Asplund* (1979)

第II部第23章

G. Accasto, V. Fraticelli and R. Nicolini, *L'architettura di Roma Capitale 1870–1970* (1971)
D. Alfieri and L. Freddi, *Mostra della rivoluzione fascista* (1933)
L. Belgiojoso and D. Pandakovic, *Marco Albini/Franca Helg/Antonio Piva, Architettura e design 1970–1986* (1986)
L. Benevolo, *History of Modern Architecture*, II (1971), 540–85
M. Carrà, E. Rathke, C. Tisdall and P. Waldberg, *Metaphysical Art* (1971)
G. Cavella and V. Gregotti, *Il Novecento e l'Architettura Edilizia Moderna*, 81 (special issue dedicated to the Novecento), 1962
S. Danesi, 'Cesare Cattaneo', *Lotus*, 16, 1977, 89–121
—and L. Patetta, *Rationalisme et architecture en Italie 1919–1943* (1976)
S. de Martino and A. Wall, *Cities of Childhood. Italian Colonies in the 1930's* (1988)
D. Dordan, *Building in Modern Italy, Italian Architecture 1914–1936* (1988)
P. Eisenman, 'From Object to Relationship: Giuseppe Terragni/Casa Giuliani Frigerio', *Perspecta*, 13/14, 1971, 36–65
R. Etlin, *Modernism in Italian Architecture 1890–1940* (1991)
L. Finelli, *La promessa e il debito: architettura 1926–1973* (1989)
R. Gabetti *et al.*, *Carlo Mollino 1905–1973* (1989)
V. Gregotti, *New Directions in Italian Architecture* (1968)
B. Huet and G. Teyssot, 'Politique industrielle et

architecture: le cas Olivetti', *L'Architecture d'Aujourd'hui*, no. 188, Dec. 1976 (special issue): documents the Olivetti patronage and carries articles on the Olivetti family and the history of the company by A. Restucci and G. Ciucci
S. Kostof, *The Third Rome* (1977)
P. Koulermos, 'The work of Terragni, Lingeri and Italian Rationalism', *AD*, Mar. 1963 (special issue)
N. Labò, *Giuseppe Terragni* (1947)
T.G. Longo, 'The Italian Contribution to the Residential Neighbourhood Design Concept', *Lotus*, 9, 1975, 213–15
E. Mantero, *Giuseppe Terragni e la città del razionalismo italiano* (1969)
—'For the "Archives" of What City?', *Lotus*, 20, Sept. 1978, 36–43
A.F. Marciano, *Giuseppe Terragni Opera Completa 1925–1943* (1987)
C. Melograni, *Giuseppe Pagano* (1955)
L. Moretti, 'The Value of Profiles, etc.', 1951/52, *Oppositions*, 4, Oct. 1974, 109–39
A. Passeri, 'Fencing Hall by Luigi Moretti, Rome 1933–36', *9H*, no. 5, 1983, 3–7
L. Patetta, 'The Five Milan Houses', *Lotus*, 20, Sept. 1978, 32–35
E. Persico, *Tutte le opere 1923–1935*, I & II, ed. G. Veronesi (1964)
—*Scritti di architettura 1927–1935*, ed. G. Veronesi (1968)
A. Pica, *Nuova architettura italiana* (1936)
L.L. Ponti, *Gio Ponti: The Complete Works 1923–1978* (1990)
V. Quilici, 'Adalberto Libera', *Lotus*, 16, 1977, 55–88
B. Rudofsky, 'The Third Rome', *AR*, July 1951, 31–37
Y. Safran, 'On the Island of Capri', *AA Files*, no. 8, Autumn 1989, 14–15
A. Sartoris, *Gli elementi dell'architettura funzionale* (1941)
—*Encyclopédie de l'architecture nouvelle – ordre et climat méditerranéens* (1957)
T. L. Schumacher, 'From Gruppo 7 to the Danteum: A Critical Introduction to Terragni's Relazione sul Danteum', *Oppositions*, 9, 1977, 90–93
—*Danteum: A Study in the Architecture of Literature* (1985)
—*Surface and Symbol: Giuseppe Terragni and the Architecture of Italian Rationalism* (1991)
G.R. Shapiro, 'Il Gruppo 7', *Oppositions*, 6 and 12, Autumn 1976 and Spring 1978
M. Tafuri, 'The Subject and the Mask: An Introduction to Terragni', *Lotus*, 20, Sept. 1978, 5–29
—*History of Italian Architecture 1944–1985* (1989)
M. Talamona, 'Adalberto Libera and the Villa Malaparte', *AA Files*, no. 18, Autumn 1989, 4–14
E.G. Tedeschi, *Figini e Pollini* (1959)
G. Terragni, 'Relazione sul Danteum 1938', *Oppositions*, 9, 1977, 94–105
L. Thermes, 'La casa di Luigi Figini al Villaggio dei giornalisti', *Contraspazio*, IX, no. 1, June 1977, 35–39
G. Veronesi, *Difficoltà politiche dell'architettura in Italia 1920–1940* (1953)
D. Vitale, 'An Analytic Excavation: Ancient and Modern, Abstraction and Formalism in the Architecture of Giuseppe Terragni', *9H*, no. 7, 1985, 5–24
B. Zevi, ed., *Omaggio a Terragni* (1968): special issue of *L'Architettura*

第II部第24章

A. Balfour, *Berlin: The Politics of Order 1937–1989* (1990)
R.H. Bletter, 'King-Kong en Arcadie', *Archithese*, 20, 1977, 25–34
—and C. Robinson, *Skyscraper Style – Art Deco New York* (1975)
F. Borsi, *The Monumental Era: European Architecture and Design 1929–1939* (1986)
D. Brownlee, 'Wolkenkratzer: Architektur für das amerikanische Maschinenzeitalter', *Archithese*, 20, 1977, 35–41
G. Ciucci, 'The Classicism of the E42: Between Modernity and Tradition', *Assemblage 8*, 1989, 79–87
E. Clute, 'The Chrysler Building, New York', *Architectural Forum*, 53, Oct. 1930
C.W. Condit, *American Building Art: The 20th Century* (1961): for the Woolworth Tower and the Empire State Building see ch. 1
F. Dal Co and S. Polano, 'Interview with Albert Speer', *Oppositions*, 12, Spring 1978
R. Delevoy and M. Culot, *Antoine Pompe* (1974)
Finlands Arkitekförbund, *Architecture in Finland* (1932): this survey by the Finnish Architects' Association affords an extensive record of the New Tradition
S. Fitzpatrick, *The Commissariat of Enlightenment* (1970)
P.T. Frankl, *New Dimensions: The Decorative Arts of Today in Words and Pictures* (1928)
V. Fraticelli, *Roma 1914–1929* (1982)
D. Gebhard, *The Richfield Building 1926–1928* (1970)
—'The Moderne in the U.S. 1910–1914', *AAQ*, II, no. 3, July 1970, 4–20
S. Giedion, *Architecture You and Me* (1958): esp. 25–61
R. Grumberger, *The 12-Year Reich* (1971)
K.M. Hays, 'Tessenow's Architecture as Nation Allegory: Critique of Capitalism or Proto-fascism?' *Assemblage 8*, 1989, 105–23
H.-R. Hitchcock, 'Some American Interiors in the Modern Style', *Architectural Record*, 64, Sept. 1928, 235
—*Modern Architecture: Romanticism and Reintegration* (1929)
R. Hood, 'Exterior Architecture of Office Buildings', *Architectural Forum*, 41, Sept. 1924
—'The American Radiator Company Building, New York', *American Architect*, 126, Nov. 1924
C. Hussey and A.S.G. Butler, *Lutyens Memorial Volumes* (1951)
W.H. Kilham, *Raymond Hood, Architect* (1973)
R. Koolhaas, *Delirious New York* (1978)
A. Kopp, *L'Architecture de la période Stalinienne* (1978)
S. Kostof, *The Third Rome 1870–1950: Traffic and Glory* (1973)
C. Krinsky, *The International Competition for a New Administration Building for the Chicago Tribune MCMXXII* (1923)
—*Rockefeller Center* (1978)
B. Miller Lane, *Architecture and Politics in Germany 1918–1945* (1968)
L.O. Larsson, *Die Neugestaltung der Reichshauptstadt/Albert Speer's General-bebauungsplan für Berlin* (1978)
—and L. Krier, eds, *Albert Speer* (1985)
F.F. Lisle, 'Chicago's Century of Progress Exposition: The Moderne or Democratic, Popular Culture', *JSAH*, Oct. 1972
A. Lunacharsky, *On Literature and Art* (1973)
W. March, *Bauwerk Reichssportfeld* (1936)
T. Metcalf, *An Imperial Vision: Indian Architecture and Britain's Raj* (1989)

W. Oechslin, 'Mythos zwischen Europa und Amerika', *Archithese*, 20, 1977, 4–11
E.A. Park, *New Background for a New Age* (1927)
A.G. Rabinach, 'The Aesthetics of Production in the Third Reich', *Journal of Contemporary History*, 11, 1976, 43–74
H. Hope Reed, 'The Need for Monumentality?', *Perspecta*, 1, 1950
H. Rimpl, *Ein deutsches Flugzeugwerk. Die Heinkel-Werke Oranienburg*, text by H. Mackler (1939)
D. Rivera, *Portrait of America* (1963): ills. of Rivera's RCA mural 40–47
C. Sambricio, 'Spanish Architecture 1930–1940', *9H*, no. 4, 1982, 39–43
W. Schäche, 'Nazi Architecture and its Approach to Antiquity', *AD*, Nov.–Dec. 1983, 81–88
P. Schultze-Naumburg, *Kunst und Rasse* (1928)
A. von Senger, *Krisis der Architektur* (1928)
— *Die Brandfackel Moskaus* (1931)
— *Mord an Apollo* (1935)
A. Speer, *Inside the Third Reich, Memoirs* (1970)
— *Spandau: The Secret Diaries* (1976)
— *Architektur 1933–1942* (1978): documentation of Speer's work, with essays by K. Arndt, G.F. Koch and L.O. Larsson
— and R. Wolters, *Neue deutsche Baukunst* (1941)
R. Stern, *Raymond M. Hood* (IAUS Cat. no. 15, New York 1982)
M. Tafuri, 'La dialectique de l'absurde Europe-USA: les avatars de l'idéologie du gratte-ciel 1918–1974'. *L'Architecture d'Aujourd'hui*, no. 178, Mar./Apr. 1975, 1–16
— 'Neu Babylon', *Archithese*, 20, 1977, 12–24
R.R. Taylor, *The Word in Stone. The Role of Architecture in National Socialist Ideology* (1974)
A. Teut, ed., *Architektur im Dritten Reich 1933–1945* (1967): the largest documentation assembled to date
G. Troost, *Das Bauen im neuen Reich* (1943)
J. Tyrwhitt, J.L. Sert and E.N. Rogers, *The Heart of the City* (1952)
G. Veronesi, *Style and Design 1909–29* (1968)
A. Voyce, *Russian Architecture* (1948)
G. Wangerin and G. Weiss, *Heinrich Tessenow, Leben, Lehre, Werk 1876–1950* (1976)
B. Warner, 'Berlin – The Nordic Homeland and Corruption of Urban Spectacle', *AD*, Nov.–Dec. 1983, 73–80
W. Weisman, 'A New View of Skyscraper History', *The Rise of an American Architecture*, ed. E. Kaufmann Jr. (1970)
B. Wolfe, *The Fabulous Life of Diego Rivera* (1963): details of Rivera's work on the RCA Building 317–34

第Ⅱ部第25章

S. Adshead, 'Camillio Sitte and Le Corbusier', *Town Planning Review*, XIV, Nov. 1930, 35–94
E. Billeter, *Le Corbusier – Secret* (Musée Cantonal des Beaux Arts, Lausanne, 1987)
C. Correa, 'The Assembly, Chandigarh', *AR*, June 1964, 404–12
M.A. Couturier, Letter to Le Corbusier, 28 July 1953, reproduced in J. Petit, *Un couvent de Le Corbusier* (1961), 23: trans. in separate booklet obtainable from La Tourette
A. Eardley and J. Ouberie, *Le Corbusier's Firminy Church* (IAUS Cat. no. 14, New York 1981)
N. Evenson, *Chandigarh* (1966)
— *Le Corbusier: The Machine and the Grand Design* (1969)
M. Ghyka, 'Le Corbusier's Modulor and the Conception of the Golden Mean', *AR*, CIII, Feb. 1948, 39–42
A. Gorlin, 'Analysis of the Governor's Palace at Chandigarh', *Oppositions*, 16/17, 1980
A. Greenberg, 'Lutyens' Architecture Restudied', *Perspecta*, 12, 1969, 148
S.K. Gupta, 'Chandigarh. A Study of Sociological Issues and Urban Development in India', Occasional Papers, no. 9, Univ. of Waterloo, Canada, 1973
F.G. Hutchins, *The Illusion of Permanence. British Imperialism in India* (1967)
R. Furneaux Jordan, *Le Corbusier* (1972), esp. 146–47, 'Building for Christ'
Le Corbusier, *Des canons, des munitions? Merci! Des logis . . . S.V.P.* (1938)
— *L'Unité d'habitation de Marseilles* (1950); trans. as *The Marseilles Block* (1953)
— *Le Corbusier Sketchbooks*, vol. 2 *1950–54*, vol. 3 *1954–57*, vol. 4 *1957–64* (1982)
N. Matossian, *Xenakis* (1986): an account of the life of the Greek composer-architect who worked with Le Corbusier
R. Moore, *Le Corbusier, Myth and Meta-Architecture* (1977)
S. Nilsson, *The New Capitals of India, Pakistan and Bangladesh* (1973)
C. Palazzolo and R. Via, *In the Footsteps of Le Corbusier* (1991)
A. Roth, *La Nouvelle Architecture* (1940)
C. Rowe, 'Dominican Monastery of La Tourette, Eveux-sur-Arbresle, Lyons', *AR*, June 1961, 400–10
J. Stirling, 'From Garches to Jaoul. Le Corbusier as domestic architect in 1927 and in 1953', *AR*, Sept. 1955
— 'Le Corbusier's Chapel and the Crisis of Rationalism', *AR*, Mar. 1956, 161
R. Walden, ed., *The Open Hand: Essays on Le Corbusier* (1977)

第Ⅱ部第26章

R. Banham, 'Almost Nothing is Too Much', *AR*, Aug. 1962, 125–28
J.F.F. Blackwell, 'Mies van der Rohe – Bibliography' (Univ. of London Librarianship Diploma thesis, 1964, deposited in British Architectural Library, London)
P. Blake, *Mies van der Rohe: Architecture and Structure* (1960)
W. Blaser, *Mies van der Rohe – The Art of Structure* (1965)
P. Carter, *Mies van der Rohe at Work* (1974)
A. Drexler, *Ludwig Mies van der Rohe* (1960)
L.W. Elliot, 'Structural News: USA, The Influence of New Techniques on Design', *AR*, Apr. 1953, 251–60
D. Erdman and P.C. Papademetriou, 'The Museum of Fine Arts, Houston, 1922–1972', *Architecture at Rice*, 28 (1976)
L. Hilberseimer, *Contemporary Architecture. Its Roots and Trends* (1964)
S. Honey, 'Mies at the Bauhaus', *AAQ*, X, no. 1, 1978, 51–69
D. Lohan, 'Mies van der Rohe: Farnsworth House, Plano, Illinois 1945–50', *Global Architecture Detail*, no. 1, 1976; critical essay and complete working details of the house
L. Mies van der Rohe, 'Mies Speaks', *AR*, Dec. 1968, 451–52
— 'Technology and Architecture', *Programs and Manifestoes. . .*, ed. U. Conrads (1970), 154: extract from an address given at the IIT, 1950
R. Miller, ed., *Four Great Makers of Modern Architecture: Gropius, Le Corbusier, Mies van der Rohe,*

Wright (1963): mimeographed record of a seminar at Columbia Univ., important for reference to Mies's idea of his debt to the Russian avant garde
C. Norberg-Schulz, 'Interview with Mies van der Rohe', *L'Architecture d'Aujourd'hui*, Sept. 1958
M. Pawley, *Mies van der Rohe* (London 1970)
C. Rowe, 'Neoclassicism and Modern Architecture', *Oppositions*, 1, 1973, 1–26
J. Winter, 'The Measure of Mies', *AR*; Feb. 1972, 95–105

第Ⅱ部第27章

R. Banham, 'On Trial 2, Louis Kahn, the Buttery Hatch Aesthetic', *AR*, Mar. 1962, 203–06
C. Bonnefoi, 'Louis Kahn and Minimalism', *Oppositions*, 24, 1981, 3–25
J. Burton, 'Notes from Volume Zero: Louis Kahn and the Language of God', *Perspecta*, 20, 1983, 69–90
M. Emery, ed., 'Louis I. Kahn', *L'Architecture d'Aujourd'hui*, no. 142, Feb.–Mar. 1969 (special issue)
R.B. Fuller, 'Dymaxion House', *Architectural Forum*, Mar. 1932, 285–86
R. Giurgola and J. Mehta, *Louis I. Kahn* (1975)
H.-R. Hitchcock, 'Current Work of Philip Johnson', *Zodiac*, 8, 1961, 64–81
J. Hochstim, *The Paintings and Sketches of Louis I. Kahn* (1991)
W. Huff, 'Louis Kahn: Assorted Recollections and Lapses into Familiarities', *Little Journal* (Buffalo), Sept. 1981
J. Huxley, *TVA, Adventure in Planning* (1943)
J. Jacobus, *Philip Johnson* (1962)
P. Johnson, *Machine Art* (1934)
—'House at New Canaan, Connecticut', *AR*, Sept. 1950, 152–59
R. Furneaux Jordan, 'US Embassy, Dublin', *AR*, Dec. 1964, 420–25
W.H. Jordy, 'The Formal Image: USA', *AR*, Mar. 1960, 157–64
—'Medical Research Building for Pennsylvania University', *AR*, Feb. 1961, 99–106
—'Kimbell Art Museum, Fort Worth, Texas/Library, Philips Exeter Academy, Andover, New Hampshire', *AR*, June 1974, 318–42
—'Art Centre, Yale University', *AR*, July 1977, 37–44
L. Kahn, 'Form and Design', *AD*, no. 4, 1961, 145–54
A. Komendant, *18 Years with Architect Louis Kahn* (1975)
A. Latour, ed., *Louis I. Kahn Writings, Lectures, Interviews* (1991): a further compilation of Kahn's written legacy
J. Lobell, *Between Silence and Light: Spirit in the Architecture of Louis I. Kahn* (1985)
R.W. Marks, *The Dymaxion World of Buckminster Fuller* (1960): still the most comprehensive documentation of Fuller's work
J. McHale, ed., 'Richard Buckminster Fuller', *AD*, July 1967 (special issue)
J. Mellor, ed., *The Buckminster Fuller Reader* (1970)
E. Mock, *Built in USA: 1932–1944* (1945)
D. Myhra, 'Rexford Guy Tugwell: Initiator of America's Greenbelt New Towns 1935–1936', *Journal of the American Institute of Planners*, XL, no. 3, May 1974, 176–88
T. Nakamura, ed., *Louis I. Kahn 'Silence & Light'* (1977): a complete documentation of Kahn's work with articles by Kahn, Scully, Doshi, Maki, etc.
H. Hope Reed, 'The Need for Monumentality?', *Perspecta*, 1, 1950
H. Ronner, S. Jhaveri and A. Vasella, *Louis I. Kahn, Complete Works 1935–74* (1977): awkward format, but the most comprehensive documentation of Kahn's work to date
P. Santostefano, *Le Mackley Houses di Kastner e Stonorov a Philadelphia* (1982)
V. Scully, ed., *Louis Kahn Archive*, 7 vols (1987/88): a compilation of the complete archive held in Pennsylvania Univ.
I. de Solà-Morales, 'Louis Kahn: An Assessment', *9H*, no. 5, 1983, 8–12
A. Tyng, *Beginnings, 'Louis I. Kahn's Philosophy of Architecture* (1983)
R.S. Wurman, *What Will Be Has Always Been: The Wonder of Louis I. Kahn* (1986): collection of Kahn's writings, lectures, etc.
P. Zucker, ed., *New Architecture and City Planning* (1945), esp. 577–88

第Ⅲ部第1章

P. Adam, *Eileen Gray: Architect/Designer* (1987)
R. Banham, *The New Brutalism* (1966)
M. Bill, 'Report on Brazil', *AR*, Oct. 1954, 238, 239
W. Boesiger, *Richard Neutra, Buildings and Projects*, I, 1923–50 (1964)
O. Bohigas, 'Spanish Architecture of the Second Republic', *AAQ*, III, no. 4, Oct.–Dec. 1971, 28–45
A.H. Brooks, 'PSFS: A Source for its Designs', *JSAH*, XXVII, no. 4, Dec. 1968, 299
L. Campbell, 'The Good News Days', *AR*, Sept. 1977, 177–83
F. Chaslin, J. Drew, I. Smith, J.C. Garcias and M.K. Meade, *Berthold Lubetkin* (1981)
P. Coe and M. Reading, *Lubetkin and Tecton: Architecture and Social Commitment* (1981)
D. Cottam *et al.*, *Sir Owen Williams 1890–1969* (1986)
J.L. Cohen, 'Mallet Stevens et l'U.A.M. comment frapper les masses?' *AMC*, 41, Mar. 1977, 19
A. Cox, 'Highpoint Two, North Hill, Highgate', *Focus*, 11, 1938, 79
W. Curtis, 'Berthold Lubetkin', *AAQ*, VII, no. 3, 1976, 33–39
E.M. Czaja, 'Antonin Raymond: Artist and Dreamer', *AAJ*, LXXVIII, no. 864, Aug. 1962 (special issue)
O. Dostál, J. Pechar and V. Procházka, *Modern Architecture in Czechoslovakia* (1970): best available recent documentation of the Czech Modern Movement
S. Eliovson, *The Gardens of Roberto Burle Marx* (1991)
D. Gebhard, *An Exhibition of the Architecture of R.M. Schindler 1887–1953* (Santa Barbara, 1967)
—*Schindler* (1971)
S. Giedion, *A Decade of New Architecture* (1951)
C. Grohn, *Gustav Hassenpflug 1907–1977* (1985)
G. Herbert, 'Le Corbusier and the South African Movement', *AAQ*, IV, no. 1, Winter 1972, 16–30
G. Hildebrand, *Designing for Industry: The Architecture of Albert Kahn* (1974)
H.-R. Hitchcock and C.K. Bauer, *Modern Architecture in England* (1937)
—and P. Johnson, *The International Style: Architecture Since 1922* (1932)
—'England and the Outside World', *AAJ*, LXXII, no. 806, Nov. 1956, 96–97
B. Housden and A. Korn, 'Arthur Korn. 1891 to the present day', *AAJ*, LXXIII, no. 817, Dec. 1957, 114–35 (special issue; includes details of the MARS plan for London)
C. Hubert and L. Stamm Shapiro, *William Lescaze*

(IAUS Cat. no. 16, New York 1982)
R. Ind, 'The Architecture of Pleasure', *AAQ*, VIII, no. 3, 51–59
— *Emberton* (1983)
A. Jackson, *The Politics of Architecture* (1967)
S. Johnson, *Eileen Gray: Designer 1879–1976* (1979)
R. Furneaux Jordan, 'Lubetkin', *AR*, July 1955, 36–44
L.W. Lanmon, *William Lescaze, Architect* (1987)
E. Liskar, *E.A. Plischke* (1983): with introduction by Friedrich Kurrent
B. Lore, *Eileen Gray 1879–1976. Architecture, Design* (1984)
J.C. Martin, B. Nicholson and N. Gabo, *Circle* (1971)
K. Mayekawa, 'Thoughts on Civilization in Architecture', *AD*, May 1965, 229–30
E. McCoy, 'Letters between R.M. Schindler and Richard Neutra 1914–1924', *JSAH*, XXXIII, 3, 1974, 219
— *Second Generation* (1984)
C. Mierop, ed., *Louis Herman de Koninck: Architect of Modern Times* (1989)
K. Mihály, *Bohuslav Fuchs* (Akadémiai Kiadó, Budapest, 1987)
A. Morance, *Encyclopédie de l'architecture de constructions moderne*, XI (1938): includes major pavilions from the Paris Exhibition of 1937, notably those by the Catalan architects Sert and Lacasa and the Czech architect Kreskar
R. Neutra, *Wie Baut Amerika?* (1927)
— *Amerika – Neues Bauen in der Welt*, no. 2 (1930)
— *Mystery and Realities of the Site* (1951)
— *Survival Through Design* (1954)
— 'Human Setting in an Industrial Civilization', *Zodiac*, 2, 1957, 68–75
— *Life and Shape* (1962)
V. Newhouse, *Wallace K. Harrison* (1989)
D. O'Neil, 'The High and Low Art of Rudolf Schindler', *AR*, Apr. 1973, 241–46
M. Ottó, *Farkas Molnar* (Akadémiai Kiadó, Budapest, 1987)
S. Papadaki, *The Work of Oscar Niemeyer*, I (1950)
— *Oscar Niemeyer: Works in Progress* (1956)
G. Peichl and V. Slapeta, *Czech Functionalism 1918–1938* (1987)
S. Polyzoides and P. Koulermos, 'Schindler: 5 Houses', *A+U*, Nov. 1975
J. Pritchard, *View from a Long Chair* (1984): memoirs of the MARS group in the 1930s
A. Raymond, *Antonin Raymond. Architectural Details* (1947)
— *Antonin Raymond. An Autobiography* (1973)
J.M. Richards, 'Criticism/Royal Festival Hall' *AR*, June 1951, 355–58 (special issue)
T. Riley and J. Abram, *The Filter of Reason: The Work of Paul Nelson* (1990)
J. Rosa, *Albert Frey* (1989): the first study of this Swiss émigré architect
A. Roth, *La Nouvelle Architecture* (1940)
— *Architect of Continuity* (1985)
A. Sarnitz, *R.M. Schindler, Architect 1887–1953* (1989)
Y. Safran, 'La Pelle', *9H*, no. 8, 1989, 155–56
J.L. Sert, *Can Our Cities Survive?* (1947)
M. Steinmann, 'Neuer Blick auf die "Charte d'Athènes"', *Archithese*, 1, 1972, 37–46
— 'Political Standpoints in CIAM 1928–1933', *AAQ*, IV, no. 4, Oct.–Dec. 1972, 49–55
T. Stevens, 'Connell, Ward and Lucas, 1927–1939', *AAJ*, LXXII, no. 806, Nov. 1956, 112–13 (special number devoted to the firm, including a catalogue raisonné of their entire work)
D.B. Stewart, *The Making of a Modern Japanese Architecture 1868 to the Present* (1987): the best comprehensive account of the early Japanese Modern Movement
D. Van Postel, 'The Poetics of Comfort – George and William Keck', *Archis*, 12 Dec. 1988, 18–32
M. Vellay and K. Frampton, *Pierre Chareau* (1984; trans. 1986)
L. Wodehouse, 'Lescaze and Dartington Hall', *AAQ*, VII, no. 2, 1976, 3–14
F.R.S. Yorke, *The Modern House* (1934)
— *The Modern Flat* (1937): general coverage of International Style apartments, including GATEPAC block, Barcelona

第Ⅲ部第2章

L. Alloway, *This is Tomorrow* (exh. cat., Whitechapel Gallery, London, 1956)
R. Banham, 'The New Brutalism', *AR*, Dec. 1955, 355–62: important for the Neo-Palladian analysis of the Smithsons' Coventry project
F. Bollerey and J. Sabaté, 'Cornelis van Eesteren', *UR 8*, Barcelona, 1989
J. Bosman, S. Georgiadis, D. Huber, W. Oechslin *et al.*, *Sigfried Giedion 1888–1968: der Entwurf einer modernen Tradition* (GTA, Zürich, 1989)
F. Burkhardt, ed., *Jean Prouvé, 'constructeur'* (exh. cat., Centre Pompidou, Paris, 1990)
P. Collymore, *The Architecture of Ralph Erskine* (1982)
T. Crosby, ed., *Uppercase*, 3 (1954): important document of the period featuring the Smithsons' presentation at the CIAM Congress in Aix-en-Provence; also contains a short text and collection of photos by N. Henderson
P. Eisenman, 'Real and English: The Destruction of the Box. 1', *Oppositions*, 4, Oct. 1974, 5–34
K. Frampton, 'Leicester University Engineering Laboratory', *AD*, XXXIV, no. 2, 1964, 61
— 'The Economist and the Hauptstadt', *AD*, Feb. 1965, 61–62
— 'Stirling's Building', *Architectural Forum*, Nov. 1968
— 'Andrew Melville Hall, St Andrews University, Scotland', *AD*, XL, no. 9, 1970, 460–62
S. Georgiadis, *Sigfried Giedion. Eine Intellektuelle Biographie* (GTA, Zürich, 1989)
M. Girouard, 'Florey Building, Oxford', *AR*, CLII, no. 909, 1972, 260–77
W. Howell and J. Killick, 'Obituary: The Work of Edward Reynolds', *AAJ*, LXXIV, no. 289, Feb. 1959, 218–23
P. Johnson, 'Comment on School at Hunstanton, Norfolk', *AR*, Sept. 1954, 148–62: gives an extensive documentation
L. Martin, *Buildings and Ideas 1933–1983: The Studio of Leslie Martin & Associates* (1983)
A. and P. Smithson, 'The New Brutalism', *AR*, Apr. 1954, 274–75: 1st pub. of Soho house
M. Tafuri, 'L'Architecture dans le boudoir', *Oppositions*, 3, May 1974, 37–62

第Ⅲ部第3章

G. Candilis, *Planning and Design for Leisure* (1972)
G. Eszter, *A CIAM Magyar Csoportja, 1928–1938* (Akadémiai Kiadó, Budapest, 1972)
K. Frampton, 'Des Vicissitudes de l'idéologie', *L'Architecture d'Aujourd'hui*, no. 177, Jan.–Feb. 1975, 62–65 (in English and French)
A. Smithson, *Team 10 Primer* (1968)
— ed., *Team 10 Meetings* (1991)
— and P. Smithson, 'Louis Kahn', *Architects' Year Book*, IX (1960), 102–18

— *Ordinariness and Light: Urban Theories 1952–60* (1970)
— *Urban Structuring* (1970)
M. Steinmann, 'Political Standpoints in CIAM 1928–1933', *AAQ*, Autumn 1972, 49–55
— *CIAM Dokumente 1928–1939* (ETH/GTA 15, Basel and Stuttgart 1979)
S. Woods, 'Urban Environment: The Search for a System', in *World Architecture/One* (1964), 150–54
—'Frankfurt: The Problems of A City in the Twentieth Century', in *World Architecture/One* (1964), 156
— *Candilis Josic and Woods* (1968)

第Ⅲ部第４章

F. Achleitner, 'Viennese Positions', *Lotus*, 29, 1981, 5–27
Y. Alain-Bois, 'On Manfredo Tafuri's "Théorie et histoire de l'architecture"', *Oppositions*, 11, Winter 1977, 118–23
H. Arendt, *The Human Condition* (1958)
G.C. Argan, 'On the Typology of Architecture', *AD*, Dec. 1963, 564, 565
P. Arnell, ed., *Frank Gehry Buildings and Projects* (1985)
—, T. Bickford, K. Wheeler and V. Scully, *Michael Graves, Buildings and Projects 1966–1981* (1983)
—, T. Bickford and C. Rowe, *James Stirling, Buildings and Projects* (1984)
C. Aymonino, *Origine e sviluppo della urbanistica moderna* (1965)
R. Banham, *Theory and Design in the First Machine Age* (1960)
—, N. Foster and L. Butt, *Foster Associates* (1979)
J. Baudrillard, *The Mirror of Production* (1975): trans. of *Le Miroir de la Production* of 1972
— *L'Effet Beaubourg: implosion et dissuasion* (1977)
M. Bill, 'The Bauhaus Idea From Weimar to Ulm', *Architects' Yearbook*, 5 (1953)
W. Blaser, *After Mies: Mies van der Rohe – Teaching and Principles* (1977)
I. Bohning, 'Like Fishes in the Sea; Autonomous Architecture/Replications', *Daidalos*, 2, 1981, 13–24
A. Bonito Oliva, ed., *Transavantgarde* (1983)
G. Bonsiepe, 'Communication and Power', *Ulm*, 21, Apr. 1968, 16
G. Broadbent, 'The Taller of Bofill', *AR*, Nov. 1973, 289–97
N.S. Brown, 'Siedlung Halen and the Eclectic Predicament', in *World Architecture/One* (1964), 165–67
G. Brown-Manrique, *O.M. Ungers: Works in Progress 1976–1980* (IAUS Cat. no. 17, New York 1981)
P.L. Cervellati and R. Scannarini, *Bologna: politica e metodologia del restauro nei centri storici* (1973)
S. Chermayeff and C. Alexander, *Community and Privacy: Towards a New Architecture of Humanism* (1963)
A. Colquhoun, 'The Modern Movement in Architecture', *The British Journal of Aesthetics*, 1962
—'Literal and Symbolic Aspects of Technology', *AD*, Nov. 1962
—'Typology and Design Method', in *Meaning in Architecture*, ed. Jencks and Baird (1969), 279
—'Centraal Beheer', *Architecture Plus*, Sept./Oct. 1974, 49–54
— *Essays in Architectural Criticism: Modern Architecture and Historical Change* (1981)
U. Conrads, 'Wall-buildings – as a Concept of Urban Order. On the Projects of Ralph Erskine', *Daidalos*, 7, 1983, 103–06
P. Cook, *Architecture: Action and Plan* (1967)
C. Davis, *High Tech Architecture* (1988)
G. de Carlo, *An Architecture of Participation* (1972)
—'Reflections on the Present State of Architecture', *AAQ*, X, no. 2, 1978, 29–40
R. Delevoy, *Rational Architecture/Rationelle 1978: The Reconstruction of the European City 1978* (1978)
G. della Volpe, 'The Crucial Question of Architecture Today', in *Critique of Taste* (1978): trans. of *Critica del gusto* (1960)
M. Dini, *Renzo Piano: Projets et architectures 1964–1983* (1983)
P. Drew, *The Third Generation: The Changing Meaning In Architecture* (1972)
— *Frei Otto: Form and Structure* (1976)
A. Drexler, *Transformations in Modern Architecture* (1979)
P. Eisenman, 'Biology Centre for the Goethe University of Frankfurt', *Assemblage 5*, Feb. 1988, 29–50
R. Evans, 'Regulation and Production', *Lotus*, 12, Sept. 1976, 6–15
—'Figures, Doors and Passages', *AD*, Apr. 1978, 267–78
M. Foucault, *Discipline and Punishment: The Birth of the Prison* (1977): trans. of *Surveiller et punir, naissance de la prison* (1975)
K. Frampton, 'America 1960–1970. Notes on Urban Images and Theory', *Casabella*, 359–360, XXV, 1971, 24–38
—'Criticism', *Five Architects* (1972). Critical analysis of the New York Neo-Rationalist school at the time of its formation, the 'five' being: P. Eisenman, M. Graves, C. Gwathmey, J. Hejduk and R. Meier
—'Apropos Ulm: Curriculum and Critical Theory', *Oppositions*, 3, May 1974, 17–36
—'John Hejduk and the Cult of Humanism', *A+U*, 75:05, May 1975, 141, 142
— *Modern Architecture and the Critical Present, AD*, 1982 (special issue)
—and D. Burke, *Rob Krier: Urban Projects 1968–1982* (IAUS Cat. no. 5, New York 1982)
Y. Friedman, 'Towards a Mobile Architecture', *AD*, Nov. 1963, 509, 510
Y. Futagawa, ed., 'Zaha M. Hadid', *Global Architecture*, no. 5, 1986
M. Gandelsonas, 'Neo-Functionalism', *Oppositions*, 5, Summer 1976
S. Giedion, 'Jørn Utzon and the Third Generation', *Zodiac*, 14, 1965, 34–47, 68–93
G. Grassi, *La Costruzione logica dell'architettura* (1967)
—'Avantgarde and Continuity', *Oppositions*, 21, 1980
—'The Limits of Architecture', in *Classicism is not a Style, AD*, 1982 (special issue)
—'Form Liberated, Never Sought. On the Problem of Architectural Design', *Daidalos*, 7, 1983, 24–36
— *L'Architecture comme un métier* (1984)
V. Gregotti and O. Bohigas, 'La passion d'Alvaro Siza', *L'Architecture d'Aujourd'hui*, no. 185, May/June 1976, 42–57
R. Guess, *The Idea of a Critical Theory: Habermas and the Frankfurt School* (1981)
J. Guillerme, 'The Idea of Architectural Language: A Critical Inquiry', *Oppositions*, 10, Autumn 1977, 21–26
J. Habermas, 'Technology and Science as Ideology', in *Toward a Rational Society* (1970): trans. of *Technik und Wissenschaft als Ideologie* (1968)
—'Modern and Post-Modern Architecture', *9H*, no. 4, 1982, 9–14
—'Modernity – an Incomplete Project', in *The Anti-Aesthetic: Essays on Postmodern Culture*, ed. H.

Foster (1983)
N.J. Habraken, *Supports: An Alternative to Mass Housing* (1972)
M. Heidegger, 'Building, Dwelling and Thinking', in *Poetry, Language and Thought* (1971)
H. Hertzberger, 'Place, Choice and Identity', in *World Architecture/Four* (1967), 73–74
—'Architecture for People', *A+U*, 77:03, Mar. 1977, 124–46
— *Lessons for Students in Architecture* (1991)
T. Herzog, *Pneumatische Konstruktion* (1976)
B. Huet and M. Gangneux, 'Formalisme, Realisme', *L'Architecture d'Aujourd'Hui*, no. 190, 1970
T. Ito, 'Collage and Superficiality in Architecture', in *A New Wave of Japanese Architecture*, ed. K. Frampton (IAUS, New York, 1978)
M. Jay, *The Dialectical Imagination* (1973)
C. Jencks, *The Language of Post-Modern Architecture* (1977, 4th edn 1984)
N. Kawazoe, 'Dream Vision', *AD*, Oct. 1964
— *Contemporary Japanese Architecture* (1965)
L. Krier, 'The Reconstruction of the City', *Rational Architecture 1978* (1978), 28–44
R. Krier, *Stadtraum in Theorie und Praxis* (1975)
— *Urban Space* (1979)
N. Kurokawa, *Metabolism in Architecture* (1977)
V. Lampugnani, *Josef Paul Kleihues* (1983)
H. Lindinger, ed., *Ulm Design: The Morality of Objects: Hochschule für Gestaltung, Ulm, 1953–1968* (1990)
T. Llorens, 'Manfredo Tafuri: Neo Avantgarde and History', *AD*, 6/7, 1981
A. Luchinger, 'Dutch Structuralism', *A+U*, 77:03, Mar. 1977, 47–65
— *Herman Hertzberger 1959–1985, Buildings and Projects* (1987): the complete work up to 1986
A. Lumsden and T. Nakamura, 'Nineteen Questions to Anthony Lumsden', *A+U*, no. 51, 75:03, Mar. 1975
J.F. Lyotard, *The Post-Modern Condition: A Report on Knowledge* (1984)
M. McLeod, 'Architecture and Politics in the Reagan Era: From Post-modernism to Deconstructivism', *Assemblage 8*, 1989, 23–59
A. Mahaddie, 'Why the Grid Roads Wiggle', *AD*, Sept. 1976, 539–42
F. Maki, *Investigations in Collective Form* (1964)
—and Ohtaka, 'Some Thoughts on Collective Form', in *Structure in Art and Science*, ed. G. Kepes (1965)
T. Maldonado, *Max Bill* (1955)
— *Avanguardia e razionalità* (1974)
—and G. Bonsiepe, 'Science and Design', *Ulm*, 10/11, May 1964, 8–9
— *Design, Nature and Revolution: Towards a Critical Ecology* (1972): trans. of *La Speranza Progettuale* (1970)
W. Mangin, 'Urbanisation Case History in Peru', *AD*, Aug. 1963, 366–70
H. Marcuse, *Eros and Civilization: A Philosophical Enquiry into Freud* (1962)
G. Marinelli, *Il Centro Beaubourg a Parigi: 'Macchina' e segno architettonico* (1978)
L. Martin, 'Transpositions: On the Intellectual Origins of Tschumi's Architectural Theory', *Assemblage 11*, 1990, 23–35
T. Matsunaga, *Kazuo Shinohara* (IAUS Cat. no. 17, New York, 1982)
J. Meller, *The Buckminster Fuller Reader* (1970)
N. Miller and M. Sorkin, *California Counterpoint: New West Coast Architecture 1982* (IAUX Cat. no. 18, New York, 1982)
A. Moles, *Information Theory and Aesthetic Perception* (1966)
—'Functionalism in Crisis', *Ulm*, 19/20, Aug. 1967, 24
R. Moneo, 'Aldo Rossi: The Idea of Architecture and the Modena Cemetery', *Oppositions*, 5 Summer 1976, 1–30
J. Mukarovsky, 'On the Problem of Functions in Architecture', in *Structure, Sign and Function* (1978)
T. Nakamura, 'Foster & Associates', *A+U*, 75:09, Sept. 1975 (special issue with essays by R. Banham, C. Jencks, R. Maxwell, etc.)
A. Natalini, *Figures of Stone, Quaderni di Lotus No. 3* (1984)
—and Superstudio, 'Description of the Micro-Event and Micro-Environment', in *Italy: The New Domestic Landscape*, ed. E. Ambasz (1972), 242–51
C. Nieuwenhuys, 'New Babylon: An Urbanism of the Future', *AD*, June 1964, 304, 305
G. Nitschke, 'The Metabolists of Japan', *AD*, Oct. 1964
—'MA – The Japanese Sense of Place', *AD*, Mar. 1966
—'Akira Shibuya', *AD*, 1966
C. Norberg-Schulz, 'Place', *AAQ*, VII, no. 4, 1976, 3–9
H. Ohl, 'Industrialized Building', *AD*, Apr. 1962, 176–85
A. Papadakis, C. Cooke and A. Benjamin, *Deconstruction: Omnibus Volume* (1989)
A. Peckham, 'This is the Modern World', *AD*, XLIX, no. 2, 1979, 2–26: an extended critique of Foster's Sainsbury Centre
R. Piano, 'Architecture and Technology', *AAQ*, II, no. 3, July 1970, 32–43
A. Pike, 'Failure of Industrialised Building/Housing Program', *AD*, Nov. 1967, 507
R. Rogers, *Architecture: A Modern View* (1990)
A. Rossi, *L'architettura della città* (1966), trans. as *The Architecture of the City* (1982)
—'An Analogical Architecture', *A+U*, 76:05, May 1976, 74–76
—'Thoughts About My Recent Work', *A+U*, 76:05, May 1976, 83
— *A Scientific Autobiography* (1982)
C. Rowe and F. Koetter, *Collage City* (1979)
J. Rykwert, *Richard Meier, Architect* (I 1984, II 1991)
M. Safdie, *Beyond Habitat* (1970)
V. Savi, 'The Luck of Aldo Rossi', *A+U*, 76:05, May 1976, 105–6
— *L'architettura di Aldo Rossi Franco Angeli* (1978)
C. Schnaidt, 'Prefabricated Hope', *Ulm*, 10/11, May 1964, 8–9
—'Architecture and Political Commitment', *Ulm*, 19/20, Aug. 1967, 30–32
M. Scogin and M. Elam. 'Projects for Two Libraries', *Assemblage 7*, Oct. 1988, 57–89
H. Skolimowski, 'Technology: The Myth Behind the Reality', *AAQ*, II, no. 3, July 1970, 21–31
—'Polis and Politics', *AAQ*, Autumn 1972, 3–5
A. Smithson, 'Mat-Building', *AD*, Sept. 1974, 573–90
I. de Solà-Morales, 'Critical Discipline', *Oppositions*, 23, 1981
M. Steinmann, 'Reality as History – Notes for a Discussion of Realism in Architecture', *A+U*, 76:09, Sept. 1976, 31–34
M. Tafuri, 'Design and Technological Utopia', in *Italy: The New Domestic Landscape*, ed. E. Ambasz (1972), 388–404
—'L'architecture dans le boudoir: The Language of Criticism and the Criticism of Language', *Oppositions*, 3, May 1974, 37–62
— *Architecture and Utopia: Design and Capitalist Development* (1976)
—'Main Lines of the Great Theoretical Debate over Architecture and Urban Planning 1960–1977', *A+U*, 79:01, Jan. 1979, 133–54
— *The Sphere and the Labyrinth* (1987)

K. Taki, 'Oppositions: The Intrinsic Structure of Kazuo Shinohara's Work', *Perspecta*, 20, 1983, 43–60
J. Tanizaki, *In Praise of Shadows* (1977)
A. Tzonis and L. Lefaivre, 'The Narcissist Phase in Architecture', *Harvard Architectural Review*, IX, Spring 1980, 53–61
O.M. Ungers, 'Cities within the City', *Lotus*, 19, 1978, 83
—'Five Lessons from Schinkel', in *Free-Style Classicism, AD*, LII, 1/2, 1982
A. van Eyck, 'Labyrinthine Clarity', in *World Architecture/Three* (1966), 121–22
—(with P. Parin and F. Morganthaler), 'Interior Time/ A Miracle in Moderation', in *Meaning in Architecture* (1969), 171–73
R. Venturi, *Complexity and Contradiction in Architecture* (1966)
—, D. Scott-Brown and S. Izenour, *Learning From Las Vegas* (1972)
D. Vesely, 'Surrealism and Architecture', *AD*, no. 2/3, 1978, 87–95
K. Wachsmann, *The Turning Point of Building* (1961)
M. Webber, 'Order in Diversity: Community Without Propinquity' in *Cities in Space*, ed. Lowden Wingo (1963)
S. Woods, *The Man in the Street: A Polemic on Urbanism* (1975)

第Ⅲ部第5章

A. Alves Costa, 'Oporto and the Young Architects: Some Clues for a Reading of the Works', *9H*, no. 5, 1983, 43–60
E. Ambasz, *The Architecture of Luis Barragán* (1976)
E. Antoniadis, *Greek Contemporary Architecture* (1979)
—'Pikionis' Work Lies Underfoot on Athens Hill', *Landscape Architecture*, March 1979
T. Ando, 'From Self-Enclosed Modern Architecture toward Universality', *Japan Architect*, 301, May 1962, 8–12
—'A Wedge in Circumstances', *Japan Architect*, June 1977
—'New Relations between the Space and the Person', *Japan Architect*, Oct.–Nov. 1977 (special issue on the Japanese New Wave)
—'The Wall as Territorial Delineation', *Japan Architect*, June 1978
—'The Emotionally Made Architectural Spaces of Tadao Ando', *Japan Architect*, April 1980: this issue contains a number of short seminal texts on Ando
—'Description of my Works', *Space Design*, June 1981 (special issue on the work of Ando)
S. Arango, ed., *La Arquitectura en Colombia* (1985)
K. Axelos, *Alienation, Praxis and Techné in the Thought of Karl Marx* (1976)
C. Banford-Smith, *Builders in the Sun: Five Mexican Architects* (1967)
E. Battisti and K. Frampton, *Mario Botta: Architecture and Projects in the 70s* (1979)
S. Bettini, 'L'architettura di Carlo Scarpa', *Zodiac*, 6, 1960, 140–87
T. Boga, *Tessiner Architekten, Bauten und Entwürfe 1960–1985* (1986)
B. Bognar, 'Tadao Ando – A Redefinition of Space, Time and Existence', *AD*, May 1981
O. Bohigas, 'Diseñar para un público o contra un público', in *Contra una arquitectura adjetivida*, ed. Seix Barral (1969)
M. Botero, 'Italy: Carlo Scarpa the Venetian, Angelo Mangiarotti the Milanese', *World Architecture*, 2 (1965)
M. Botta, 'Architecture and Environment', *A+U*, June 1979, 52
—'Architecture and Morality: An Interview with Mario Botta', *Perspecta*, 20, 1983, 199–38
—and M. Zardini, *Aurelio Galfetti* (1989)
E. Bru and J.L. Mateo, *Spanish Contemporary Architecture* (1984)
M. Brusatin, 'Carlo Scarpa, architetto veneziano', *Contraspazio*, 3–4, Mar.–Apr. 1972
T. Carloni, 'Notizen zu einer Berufschronik. Entwurfs Kollektive 2', in *Tendenzen: Neuere Architektur im Tessin* (1975), 16–21
M.A. Crippa, *Carlo Scarpa Theory, Design, Projects* (1986)
P.A. Croset, *Gino Valle* (1982)
F. Dal Co, *Mario Botta Architecture 1960–1985* (1987)
—and G. Mazzariol, *Carlo Scarpa: The Complete Works* (1986)
A. Dimitracopoulou, 'Dimitris Pikionis', *AAQ*, 2/3, 1982, 62
L. Dimitriu, 'Interview', *Skyline*, March 1980
S. Fehn and O. Feld, *The Thought of Construction* (1983)
L. Ferrario and D. Pastore, *Alberto Sartoris/La Casa Morand-Pasteur* (1983)
F. Fonatti, *Elemente des Bauens bei Carlo Scarpa* (1984)
K. Frampton, 'Prospects for a Critical Regionalism', *Perspecta*, 20, 1983, 147–62
—'Towards A Critical Regionalism: Six Points for an Architecture of Resistance', in *The Anti-Aesthetic. Essays on Post-Modern Culture*, ed. H. Foster (1983), 16–30
—ed., *Tadao Ando: Projects, Buildings, Writings* (1984)
—ed., *Atelier 66* (1985): on the work of Dimitris and Susana Antonakakis
—*et al.*, *Manteola, Sánchez, Gómez, Santos, Solsona, Vinoly* (1978)
—*et al.*, *Alvaro Siza Esquissos de Vagem: Documentos de Arquitectura* (1988)
M. Frascari, 'The True and Appearance. The Italian Facadism and Carlo Scarpa', *Daidalos*, 6, Dec. 1982, 37–46
—'The Tell-the-Tale Detail', *Via* (Cambridge), 7, 1984
G. Grassi, 'Avantgarde and Continuity', *Oppositions*, 21, 1980
—'The Limits of Architecture', in *Classicism is not a Style* (AD, LII, 5/6, 1982)
V. Gregotti, 'Oswald Mathias Ungers', *Lotus*, 11, 1976
H.H. Harris, 'Regionalism and Nationalism' (Raleigh, N. C., Student Publication, XIV, no. 5)
H. Huyssens, 'The Search for Tradition: Avantgarde and Post-modernism in the 1970s', *New German Critique*, 22, 1981, 34
D.I. Ivakhoff, ed., *Eladio Dieste* (1987): an account of the work of an important architect/engineer
E. Jones, 'Nationalism and Eclectic Dilemma: Notes on Contemporary Irish Architecture', *9H*, no. 5, 1983, 81–86
C. Jourdain and D. Lesbet, 'Algeria: Village Project and Critique', *9H*, no. 1, 1980, 2–5
L. Knobel, 'Interview with Mario Botta', *AR*, July 1981, 23
A. Konstantinidis, *Elements for Self Knowledge: Towards a True Architecture* (1975)
—*Aris Konstantinidis: Projects and Buildings* (1981)
P. Koulermos, 'The Work of Konstantinidis', *AD*, May 1964
K. Liaska *et al.*, *Dimitri Pikionis 1887–1968* (AA Mega publication, 1989): definitive study
L. Magagnato, *Carlo Scarpa a Castelvecchio* (1982)

—'Scarpa's Museum', *Lotus*, 35, 1982, 75–85
R. Malcolmson *et al.*, *Amancio Williams* (1990): Spanish edn of the complete works
R. Murphy, *Carlo Scarpa and the Castelvecchio* (1990)
P. Nicholin, *Mario Botta 1961–1982* (1983)
C. Norberg-Schulz, 'Heidegger's Thinking on Architecture', *Perspecta*, 20, 1983, 61–68
—and J.C. Vigalto, *Livio Vacchini* (1987)
T. Okumura, 'Interview with Tadao Ando', *Ritual, The Princeton Journal, Thematic Studies in Architecture*, I, 1983, 126–34
Opus Incertum, *Architectures à Porto* (1990): a unique survey of contemporary architecture in the Porto region, by the Ecole d'Architecture of Clermont-Ferrand
S. Özkun, *Regionalism in Architecture* (1985)
D. Pikionis, 'Memoirs', *Zygos*, Jan.–Feb. 1958, 4–7
D. Porphyrios, 'Modern Architecture in Greece: 1950–1975', *Design in Greece*, X, 1979
P. Portoghesi, 'Carlo Scarpa', *Global Architecture* (Tokyo), L, 1972
J.M. Richards *et al.*, *Hassan Fathy* (1985)
P. Ricoeur, 'Universal Civilization and National Cultures', in *History and Truth* (1965), 271–84
J. Salgado, *Alvaro Siza em Matosinhos* (1986): an intimate account of Siza's origins in the city that was the occasion of his earliest works
A. Samona, F. Tentori and J. Gubler, *Progetti e assonometrie di Alberto Sartoris* (1982)
E. Sanquineti *et al.*, *Mario Botta: La casa rotonda* (1982)
P.C. Santini, 'Banco Popolare di Verona by Carlo Scarpa', *GA Document* 4 (Tokyo 1981)
C. Scarpa, 'I Wish I Could Frame the Blue of the Sky', *Rassegna*, 7, 1981
J. Silvetti, *Amancio Williams* (1987)
—and W. Seligman, *Mario Campi and Franco Pessina, Architects* (1987)
Y. Simeoforidis, 'The landscape of an architectural competition', *Tefchos*, no. 5, March 1991, 19–27: a post-mortem on the Acropolis Museum competition
A. Siza, 'To Catch a Precise Moment of the Flittering Image in all its Shades', *A+U*, 123, Dec. 1980
E. Soria Badia, *Coderch de Sentmenat* (1979)
J. Steele, *Hassan Fathy* (1988)
M. Steinmann, 'Wirklichkeit als Geschichte. Stichworte zu einem Gespräch über Realismus in der Architektur', in *Tendenzen: Neuere Architektur im Tessin* (1975), 9–14; trans. as 'Reality as History – Notes for a Discussion of Realism in Architecture', *A+U*, Sept. 1979, 74
K. Takeyama, 'Tadao Ando: Heir to a Tradition', *Perspecta*, 20, 1983, 163–80
F. Tentori, 'Progetti di Carlo Scarpa', *Casabella*, 222, 1958, 15–16
P. Testa, 'Unity of the Discontinuous: Alvaro Siza's Berlin works', *Assemblage 2*, 1987, 47–61
—'Tradition and Actuality in the Antonio Carlos Siza House', *JAE*, vol. 40, no. 4, Summer 1987, 27–30
R. Trevisiol, *La casa rotonda* (Milan 1982): documents the development of the house by Botta
A. Tzonis and L. Lefaivre, 'The Grid and the Pathway: An Introduction to the Work of Dimitris and Susana Antonakakis', *Architecture in Greece*, 15, 1981, 164–78
J. Utzon, 'Platforms and Plateaus: Ideas of a Danish Architect', *Zodiac*, 10, 1962, 112–14
F. Vanlaethem, 'Pour une architecture épurée et rigoureuse', *ARQ*, 14, Modernité et Régionalisme, Aug. 1983, 16–19
D. Vesely, 'Introduction', in *Architecture and Continuity* (AA Themes no. 7, London, 1982)
W. Wang, ed., *Emerging European Architects* (1988)
—and A. Siza, *Souto de Moura* (1990)
H. Yatsuka, 'Rationalism', *Space Design*, Oct. 1977, 14–15
—'Architecture in the Urban Desert: A Critical Introduction to Japanese Architecture after Modernism', *Oppositions*, 23, 1981
I. Zaknic, 'Split at the Critical Point: Diocletian's Palace, Excavation vs. Conservation', *Journal of Architectural Education*, XXXVI, no. 3, Spring 1983, 20–26
G. Zambonini, 'Process and Theme in the Work of Carlo Scarpa', *Perspecta*, 20, 1983, 21–42

第Ⅲ部第6章

W. Attoe, *The Architecture of Ricardo Legoretta* (1990)
M. Benedikt, *For an Architecture of Reality* (1987)
W. Blaser, ed., *Santiago Calatrava: Engineering and Architecture* (1989)
B. Bognar, *The New Japanese Architecture* (1990)
O. Bohigas, *Garcés/Soria* (1987)
E. Bru and J.L. Mateo, *Spanish Contemporary Architecture* (1984)
A. Capitel and I. de Solà-Morales, *Contemporary Spanish Architecture* (1986)
P. Cook and G. Rand, *Morphosis: Buildings and Projects* (1989)
C. Correa, *The New Landscape* (1985): Correa's New Bombay plan
W. Curtis, *Balkrishna Doshi, An Architecture for India* (1988)
— *Carlos Ferrater* (1989)
M. Alonso del Val, 'Spanish Architecture 1939–1958: Continuity and Diversity', *AA Files*, no. 17, Spring 1989, 59–63
C. Devillers, 'Entretiens avec Henri Gaudin', *AMC*, May 1983, 78–101
—'Entretiens avec Roland Simounet', *AMC*, May 1983, 52–73
—'Le Sublime et le quotidien', *AMC*, May 1983, 102–9
—'Une Maison de Verre . . . pour automobiles', *AMC*, March 1984, 42–49
P. Drew, *Leaves of Iron. Glen Murcutt: Pioneer of an Australian Architectural Form* (1985): seminal Australian architect
K. Frampton, *The Architecture of Hiromi Fujii* (1987)
—and P. Drew, *Harry Seidler Complete Works 1955–1990* (1991): definitive study of Seidler's work
Y. Futagawa, ed., *Tadao Ando* (1987): complete works up to 1987
F. Higueras, *Fernando Higueras 1959–1986* (1985)
S. Holl, *Anchorings* (3rd edn 1991)
R. Holod and D. Rastorfer, eds, *Architecture and Community. Building in the Islamic World Today* (1983)
D. Jenkins, *Mound Stand, Lord's Cricket Ground* (1991)
M. Kawamukai and M. Zardini, *Tadao Ando* (1990)
H.U. Khan, *Charles Correa* (1986)
J. Kipnis, 'Architecture: The Sacred and the Suspect', *JAE*, 40, no. 2, 33–35
A. Kurosaka *et al.*, *Space Design*, no. 172, Jan. 1979: a special issue on Shinohara's work 1955–79, plus key articles by the architect
W. Lesnikowski, *The New French Architecture* (1990)
R.C. Levene, F.M. Cecilia and A.R. Barbarin, *Arquitectura Española Contemporánea 1975–1990*, 2 vols (1989): definitive survey of Spanish architecture during this period
S.M. Levy, *Japanese Construction: An American*

Perspective (1990): an analysis of the Japanese building industry
Y. Lion, 'La Cité judiciaire de Draguignan', *AMC*, March 1984, 6–19
J. Llinàs and A. de la Sota, *Alejandro de la Sota* (1989): the only monograph to date
B. Lootsma, *Cees Dam* (1989)
J. Lucan, 'Une morale de la construction. Le museé d'art moderne du Nord de Roland Simounet', *AMC*, May 1983, 40–49
J. Manser, *The Joseph Shops, London 1983–1989* (1991)
S. Marchán Fiz, *José Ignacio Linazasoro* (1990)
R. Moneo, 'Museum for Roman Artifacts, Mérida, Spain', *Assemblage 1*, 1986, 73–83
— *Cruz/Ortíz* (1988)
A. Natalini, 'Deux variations sur un thème', *AMC*, March 1984, 28–41
— *Figures of Stone: Quaderni di Lotus* (1984): a survey of the work of this important Italian architect
M. Riitta Norri, *An Architectural Present: 7 Approaches* (Helsinki, 1990): definitive exh. cat. of contemporary Finnish architects
M. Pawley, *Eva Jiricna, Design in Exile* (1990)
N. Pertuiset, 'Reflective Practice', *JAE*, 40, no. 2, 59–61
S. Poole, *The New Finnish Architecture* (1991): comprehensive survey of contemporary practice
J. Quetglas, *M. Lapeña/Torres* (1990)
S. Roulet and S. Soulié, *Toyo Ito* (1991): complete works 1971–90
S. Salat and F. Labbé, *Fumihiko Maki* (1988)
— *Paul Andreu* (1990): important French designer of airports
V. Sari, *Bach/Mora* (1987)
U.J. Schulte Strathaus, 'Modernism of a Most Intelligent Kind: A Commentary on the Work of Diener & Diener', *Assemblage 3*, 1987, 72–107
D. Stewart and H. Yatsuka, *Arata Isozaki 1960–1990* (1991)
A. Vázquez de Castro and A.F. Alba, *Trente oeuvres d'architecture espagnole années 50 – années 80* (cat. of an important exh. in Hasselt, Belgium, 1985)
M. Vigier, ed., 'Edouard Albert 1910–1968', *AMC*, Oct. 1986, 76–89
W. Wang, *Jacques Herzog and Pierre de Meuron* (1990)

略号表

AA	Architectural Association, London
AAJ	*Architectural Association Journal*
AAQ	*Architectural Association Quarterly*
AB	*Art Bulletin*
AD	*Architectural Design*
AIAJ	*American Institute of Architects Journal*
AMC	*Architecture, mouvement et continuité*
AR	*Architectural Review*
A+U	*Architecture and Urbanism*
JAE	*Journal of Architectural Education*
JSAH	*Journal of the Society of Architectural Historians*
JW&CI	*Journal of the Warburg and Courtauld Institutes*
RIBAJ	*RIBA Journal*

著者略歴

ケネス・フランプトン　Kenneth Frampton
建築家史家　1930年、ロンドン生まれ、AAスクール（建築家協会建築学校）に学ぶ。建築雑誌「アーキテクチュラル・デザイン」の編集に携わる。プリンストン大学で教える。現在、コロンビア大学教授。その他、ロンドン・ロイヤル・カレッジ・オヴ・アート、スイス連邦工科大学、ヴァージニア大学などで教える。著書は『Studies in Tectonic Culture』（邦訳『テクトニック・カルチャー　19-20世紀建築の構法の詩学』TOTO出版）など多数。

訳者略歴

中村敏男（なかむら・としお）
建築史研究者　1931年、東京都生まれ、早稲田大学理工学部建築学科卒業。近代建築社、鹿島出版会を経て1971年より1995年まで建築雑誌「a+u」編集長。編著に『Philip Johnson's Glass House』など。

現代建築史

2003年１月20日　第１刷印刷
2003年１月30日　第１刷発行

著者――ケネス・フランプトン
訳者――中村敏男
発行者――清水一人
発行所――青土社
東京都千代田区神田神保町１-29市瀬ビル
電話03-3291-9831（編集）　03-3294-7829（営業）
振替00190-7-192955
印刷所――ディグ（本文）／方英社（カバー・表紙・扉）
製本所――小泉製本

装幀――桂川潤

ISBN4-7917-6014-X　　Printed in Japan